개념과 정리가 한번에 끝나는 기본서

개념풀

화학 I

쉽게 풀어 이해가 잘되는

개념책

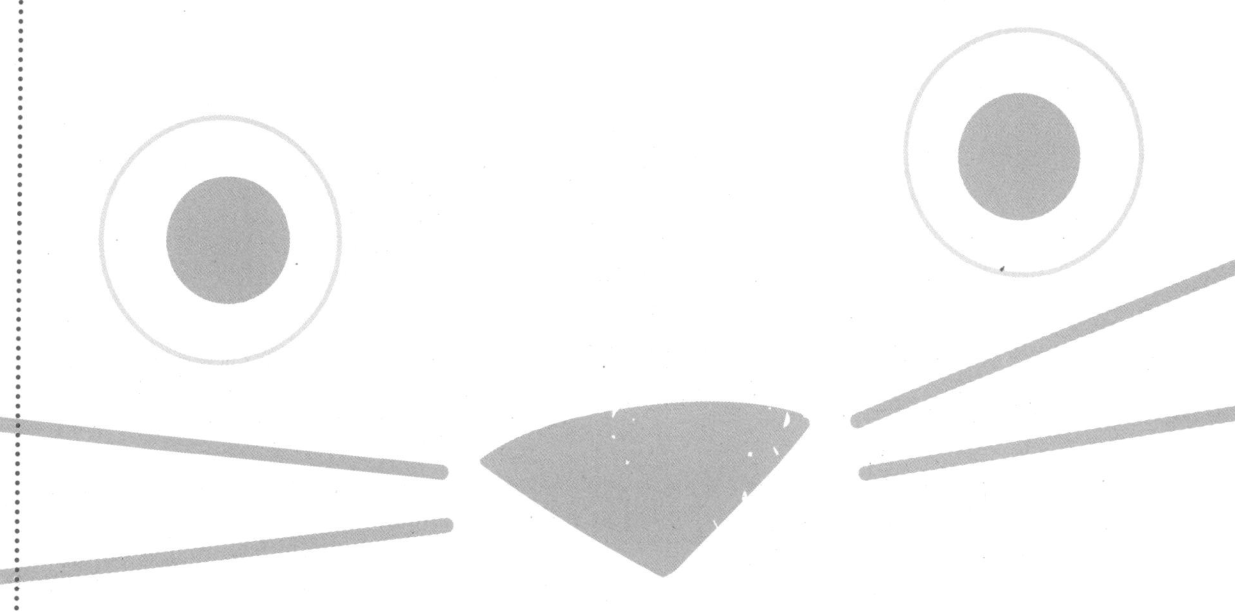

구성과 특징

쉽게 풀어 이해가 잘 되는 개념책

이해하기 쉬운 개념 학습

▪단원 도입 학습

'배울 내용 살펴보기'로 이 단원의 흐름을 한눈에 파악할 수 있습니다.

❶ 소단원별 흐름을 한눈에 파악
❷ 스토리로 단원의 흐름을 전개

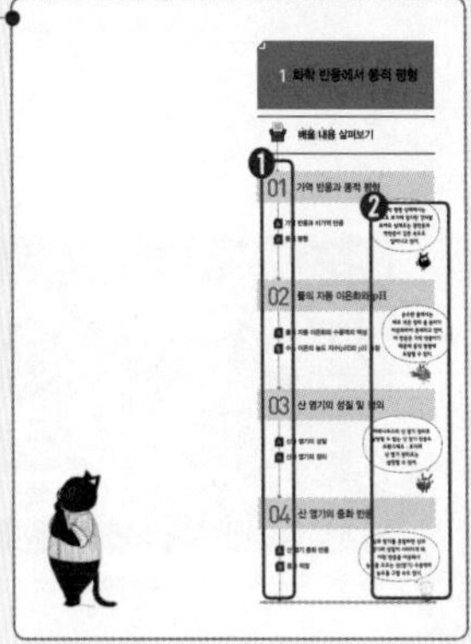

▪본문 학습

9종 교과서를 완벽 분석하여 중요 개념을 쉽게 풀어 정리하였습니다.

❶ '핵심 키워드로 흐름잡기'와 '출제 단서'를 통해 시험에 잘 나오는 중요 개념을 한눈에 파악
❷ '빈출 자료', '빈출 탐구', '빈출 계산연습'으로 관련 내용을 생생하게 설명
❸ '용어 알기'를 통해 내용을 이해하는 데 도움이 되는 단어 정리

▪특강 학습

개념과 탐구의 완벽한 이해를 위해 생생한 자료로 자세하게 설명하였습니다.

❶ '개념 POOL'을 통해 개념을 한번에 쉽게 이해
❷ '탐구 POOL'을 통해 교과서 중요 탐구를 과정별 사진으로 생생하게 제시
❸ '확인 문제'로 이해도 점검

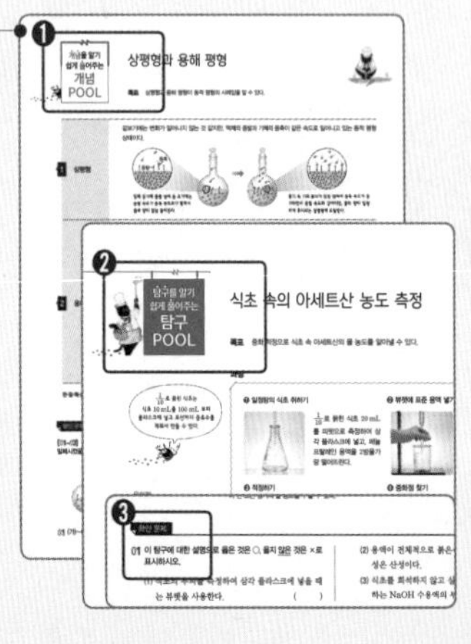

다양한 유형의 단계별 문제

▪콕콕! 개념 확인하기

개념 확인에 적합한 유형을 엄선하여 구성하였습니다.

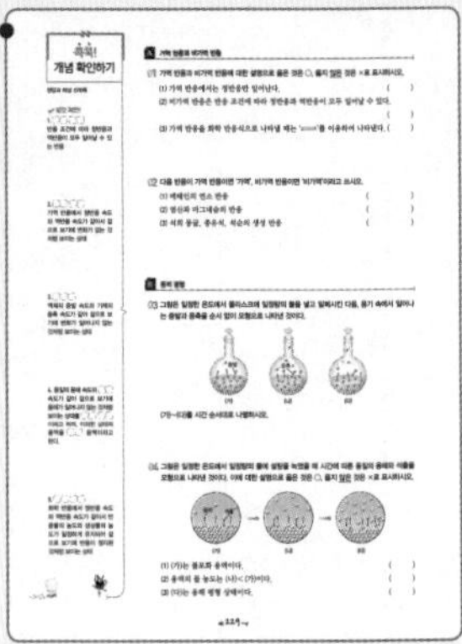

▪탄탄! 내신 다지기

학교 시험 빈출 유형 중에서 난이도 중 이하의 문제로 구성하였습니다.

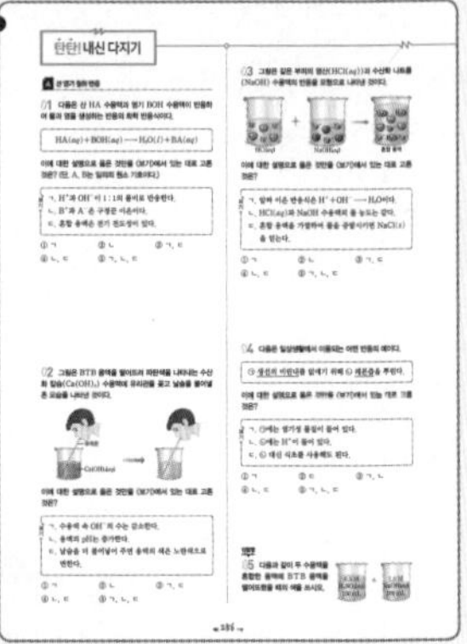

▪도전! 실력 올리기

학교 시험에 꼭 나오는 난이도 중상의 문제와 서답형 문제로 구성하였습니다.

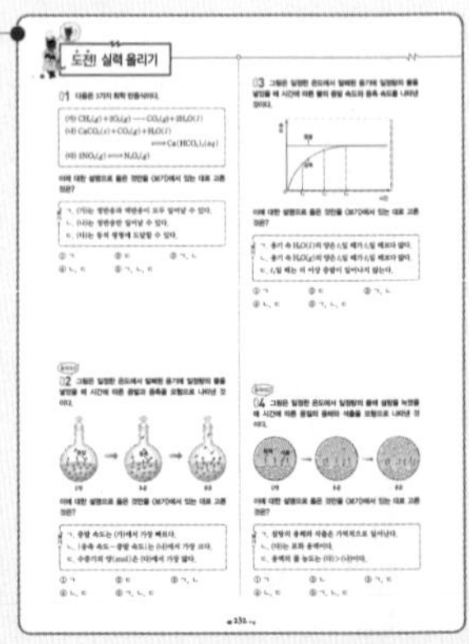

실전에 대비하는 마무리 학습

▪수능을 알기 쉽게 풀어주는 수능 POOL

출제 의도와 문제 분석을 통해 수능 대표 유형을 미리 연습할 수 있도록 구성하였습니다.

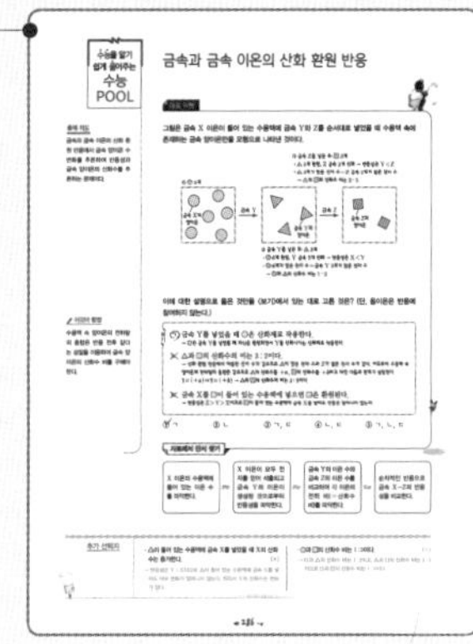

▪실전! 수능 도전하기

수능 기출 분석을 통한 실전 수능형 문제로 구성하여 수능에 대비할 수 있도록 구성하였습니다.

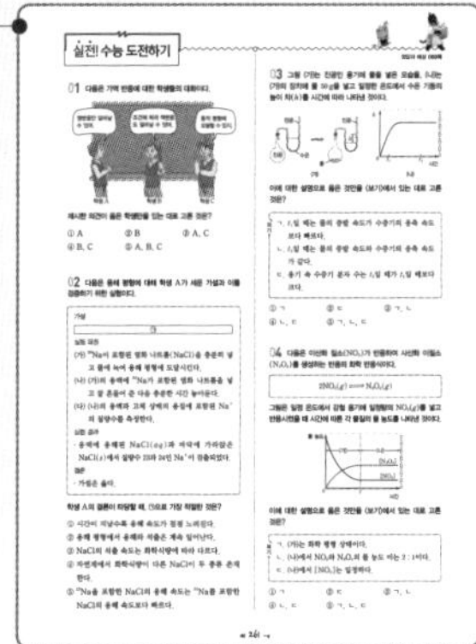

▪대단원 마무리

'한눈에 보는 대단원 정리'를 통해 대단원 핵심 내용을 다시 한 번 정리하고, '한번에 끝내는 대단원 문제'로 학교 시험에 대비할 수 있도록 구성하였습니다.

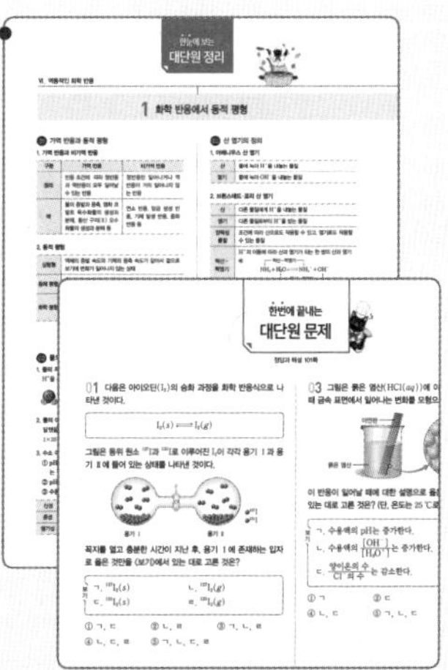

학습한 개념을 정리해 보는 나만의 정리노트

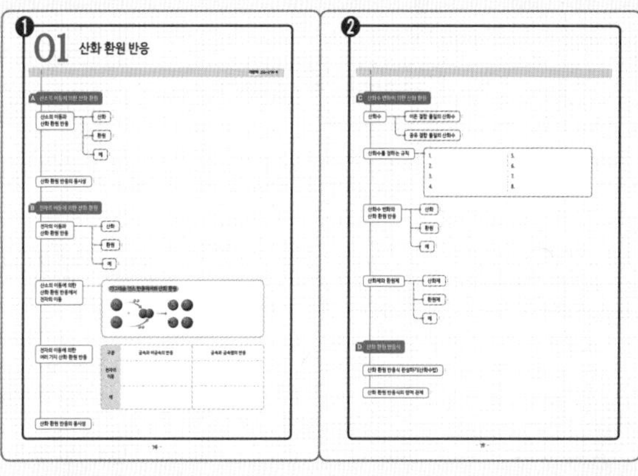

▪소단원별 노트 정리

❶ 개념책의 흐름을 한눈에 살펴보고 스스로 정리해 볼 수 있도록 충분한 여백을 두고 구성하였습니다.

❷ 개념책과 교과서를 보면서 소단원 전체의 중요한 내용을 정리하여 단권화할 수 있도록 최적의 노트 형태로 구성하였습니다.

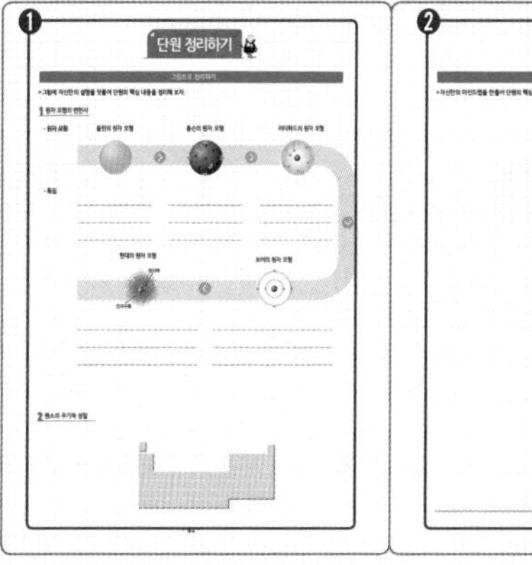

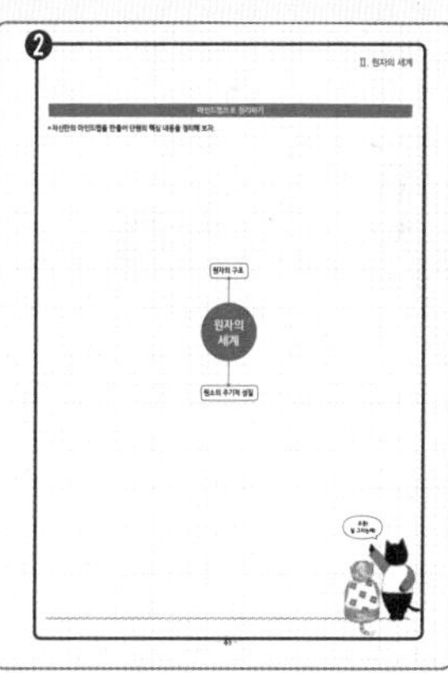

▪단원 정리하기

❶ '그림으로 정리하기'는 단원별로 중요한 그림에 자신만의 설명을 적어 정리할 수 있도록 구성하였습니다.

❷ '마인드맵으로 정리하기'는 자신만의 마인드맵을 만들어 단원의 핵심 내용을 구조화하여 정리할 수 있도록 구성하였습니다.

그래도 어렵다면, 선배들의 노트 정리를 참고해서 필기하면 좋다~옹!
개념책과 1:1 맞춤 노트라 개념책을 보면서 정리해도 된다~옹!

차례

I 화학의 첫걸음

II 원자의 세계

화학 결합과 분자의 세계

IV 역동적인 화학 반응

개념풀과 우리 학교

교과서 비교

교학	금성	동아	미래엔	비상	상상	지학	천재	YBM
013～017	013～016	011～017	014～019	011～016	015～019	013～017	011～014	013～019
018～023	017～025	018～023	020～027	017～022	023～027	018～023	015～018	023～031
027～035	029～033	029～035	028～035	027～033	031～037	027～033	023～029	035～040
039～042	034～039	039～045	036～043	034～039	041～045	034～039	030～038	047～057
043～045	040～043	036～038	044～047	040～042	049～051	040～042	040～043	041～043
057～061	055～061	057～063	058～067	055～059	063～066	057～061	055～064	067～073
065～070	062～069	066～069	068～075	060～064	071～074	062～066	065～072	077～082
071～077	070～073	070～074	076～079	066～068	075～079	067～070	073～077	083～087
081～085	077～082	081～087	082～087	075～079	083～087	077～083	081～086	091～097
086～089	083～085	089～093	088～091	080～083	091～095	084～089	087～091	101～104
089～091	085～087	094～097	092～095	084～085	095～098	090～092	092～094	105～109
103～104	099～103	109～113	106～109	099～100	109～110	107～109	107～109	119～121
104～107	104～108	114～119	110～116	101～105	113～116	110～115	110～115	122～126
108～111	109～114	120～130	118～125	106～111	118～122	116～119	116～123	127～133
115～117	115～117	137～141	126～129	112～114	125～127	123～126	127～131	137～141
121～132	121～129	142～151	130～139	115～116 123～126	131～143	120～122 133～137	132～141	145～151
133～135	130～133	152～157	140～145	127～130	147～150	138～142	142～146	155～159
147～153	145～148	169～171	156～159	143～147	161～163	157～160	159～162	169～173
154～157	149～153	172～173	160～163	150～152	167～170	165～167	170～172	174～177
163～164	157～159	175～176	164～165	148～149	173～174	168～169	163～169	181～184
161～163 165～171	162～167	176～183	166～173	159～165	175～180	170～174	173～181	185～189
175～181	168～173	189～196	176～186	166～171	183～189	175～180	185～196	193～199
185～189	174～176	201～208	188～193	172～175	193～198	187～191	197～199	203～209

I

화학의 첫걸음

나의 학습 계획표

중단원	소단원	계획일	실천일	성취도
1 화학과 우리 생활	01. 화학의 유용성	/	/	○△×
	02. 탄소 화합물의 유용성	/	/	○△×
	수능 POOL + 실전! 수능 도전하기	/	/	○△×
2 화학 반응에서의 양적 관계	01. 화학식량과 몰	/	/	○△×
	02. 화학 반응식과 양적 관계	/	/	○△×
	03. 몰 농도	/	/	○△×
	수능 POOL + 실전! 수능 도전하기	/	/	○△×
	대단원 정리 + 문제	/	/	○△×

한食왕

스스로 계획하고 실천하면
실력이 올라간다~옹!

1 화학과 우리 생활

배울 내용 살펴보기

01 화학의 유용성

- A 식량 문제 해결
- B 의류 문제 해결
- C 주거 문제 해결

화학이 식량 문제, 의류 문제, 주거 문제 해결에 기여한 사례를 설명할 수 있어.

02 탄소 화합물의 유용성

- A 탄소 화합물의 다양성
- B 탄소 화합물의 종류

탄소 화합물이 다양한 까닭을 알고, 탄소 화합물의 종류를 설명하고, 탄소 화합물이 일상생활에 유용하게 활용되는 사례를 알 수 있어.

01 화학의 유용성

핵심 키워드로 흐름잡기

- A 식량 문제 해결, 화학 비료, 암모니아 합성
- B 의류 문제 해결, 천연 섬유, 합성 섬유, 나일론, 폴리에스터, 폴리 아크릴
- C 주거 문제 해결

A 식량 문제 해결

|출·제·단·서| 인류에게 식량 부족의 문제 해결에 가장 크게 기여한 암모니아의 유용성에 대한 내용이 시험에 출제돼.

1. 화학 물질

(1) 화학 물질 산소, 수소 등 111종의 원소로 구성되어 있으며, 화학 물질은 지구의 모든 것을 구성하는 기본 요소이자 생활용품의 원료로서 우리 생활과 밀접하게 연관되어 있다.

(2) 화학 물질 종류

① **천연 화학 물질:** 숲에서 발생하는 피톤치드와 땅에서 추출되는 석유, 석탄, 벌·뱀·복어의 독 등

② **인공 화학 물질:** 일상생활에서 많이 이용되는 세제, 비누, 살충제 등

2. 식량 문제

산업 혁명 이후 인구의 급격한 증가로 식물의 퇴비나 동물의 분뇨와 같은 천연 비료에 의존하던 농업이 한계에 이르렀고 인류는 식량 부족의 위기를 맞았다.

3. 식량 부족 문제 해결

암기TiP 식량 부족 문제의 해결 → 암모니아 합성 비료의 대량 생산

(1) 화학 비료 개발

탄소와 함께 생명체의 골격을 이루는 중요한 원소로 식물이 성장하는 데 꼭 필요한 원소이다. 대기의 78 %를 차지한다.

필요성	독일의 과학자 리비히는 질소(N), 인(P), 칼륨(K)이 식물 생장에 꼭 필요한 원소라는 것을 밝혀내고 질소가 포함된 인공 비료를 개발하여 사용할 것을 제안하였다.
암모니아 합성❷	1906년 하버❶는 공기 중의 질소를 수소와 반응시켜 암모니아를 대량으로 합성하는 제조 공정을 개발하였다. 질소(N_2)+수소(H_2) ⟶ 암모니아(NH_3)
비료 대량 생산	대량 합성이 가능해진 암모니아를 원료로 화학 비료를 대량 생산하게 되어 농업 생산량이 증대되었다.

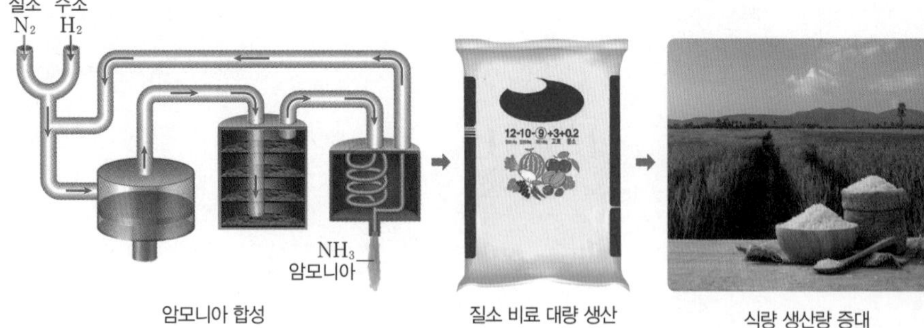

▲ 질소 비료의 사용 암모니아 합성으로 질소 비료를 대량 생산하여 농사에 이용한다.

(2) 살충제 및 °제초제 사용 잡초나 해충의 피해가 줄어 농산물의 질이 향상되고 생산량이 증대되었다. 그러나 살충제나 제초제는 토양 생태계를 파괴하고 지하수나 강을 오염시키기도 하므로 독성이 적고 °생태계에 미치는 영향이 적은 물질로 사용해야 한다.

(3) 비닐 사용 비닐하우스를 만들거나 밭을 비닐로 덮어 잡초가 생기지 않게 하는 등 비닐을 이용하여 농사에 활용함에 따라 계절에 상관없이 작물 재배가 가능하게 되어 농업 생산량이 증대되었다.

4. 미래의 식량 문제 해결

최근 곤충을 사용하여 식량을 개발하는 연구가 진행되고 있다. 잡초나 해충의 피해가 줄어 농산물의 질이 향상되고 생산량이 증대되었다.

---

❶ 하버
(Haber, F., 1868~1934)
공기로 빵을 만든 과학자라는 별칭을 가진 독일의 과학자이다. 공기 중의 질소를 수소와 반응시켜 암모니아를 합성하였다. 이는 질소 비료의 대량 생산을 가능하게 하였고, 농업 혁명을 일으켜 식량 증대에 크게 기여하였다. 1918년 암모니아 합성법으로 노벨 화학상을 받았다.

❷ 암모니아 합성법
$N_2(g)+3H_2(g) \rightleftharpoons 2NH_3(g)$
하버는 암모니아를 합성하기 위해 최적의 조건인 촉매 존재하의 온도와 압력으로 400~600 ℃, 300기압 정도를 제안하였다. 1918년 암모니아 합성법으로 노벨화학상을 받았다.

용어 알기

- °제초제(없애다 除, 풀 草, 약제 製) 농작물을 해치지 않고 잡초만 없애는 약
- °생태계 어떤 지역 안에 사는 생물군과 이것들을 제어하는 무기적 환경 요인이 종합된 복합 체계

B 의류 문제 해결

|출·제·단·서| 시험에는 천연 섬유의 한계를 극복하기 위한 합성 섬유의 장점에 대한 내용이 나와.

1. 의류 문제 자연의 식물에서 얻은 면이나 마, 동물에서 얻은 비단(실크)과 같은 천연 섬유는 흡습성과 촉감 등이 좋지만, 질기지 않아서 쉽게 닳고 대량 생산이 어려웠다.

2. 의류 문제 해결 암기TiP 천연 의류 문제의 해결 → 합성 섬유 및 합성염료의 개발

(1) 천연 섬유와 합성 섬유의 비교

천연 섬유: 자연에서 얻을 수 있는 재료로 만든 섬유

합성 섬유: 천연 섬유의 문제점을 해결하기 위해 과학자들이 노력한 결과 대량 생산이 가능한 섬유

구분	천연 섬유	합성 섬유
무게	무거움	가벼움
강도	작음	큼
특성	흡수성이 좋고, 정전기 현상이 일어나지 않는다.	흡수성이 작고, 정전기 현상이 잘 일어난다.
세탁	모는 드라이클리닝, 면은 물세탁을 해야 한다.	세탁이 간편하다.
종류	면, 모 등	나일론, 테릴렌 등

(2) 합성 섬유 개발 화석 연료❸를 원료로 하여 질기고 값이 싸며, 대량 생산이 쉬운 합성 섬유를 개발하였다.

합성 섬유	특징	이용
나일론❹ •(폴리아마이드)	• 20세기 섬유 산업의 가장 큰 발명 중의 하나 • 1937년 미국의 과학자인 캐러더스가 개발한 최초의 합성 섬유 • 매우 질기고 유연하며 신축성이 좋다. • 흡수성이 작아 땀을 잘 흡수하지 못하고 마찰에 의해 정전기가 생기며 열에 약하다. • 스타킹, 운동복, 밧줄, 그물, 칫솔 등에 이용	
•폴리에스터 (테릴렌)	• 1941년 영국에서 처음 개발되었으며 가장 널리 사용되는 합성 섬유 • 다른 섬유보다 강하고 탄성이 좋아서 잘 구겨지지 않는다. • 흡수성이 없고 빨리 마른다. • 와이셔츠, 양복 등 다양한 의류용 섬유, 사진 필름, 녹음 테이프 등에 이용	
폴리아크릴 (폴리아크릴로나이트릴)	• 보온성이 있고, 열에 강하다. • 안전복, 소방복 등에 이용한다.	

(3) 합성염료 개발 천연염료는 구하기 어렵고 비쌌지만 합성염료가 개발되면서 원하는 색깔의 섬유와 옷감을 만들 수 있게 되었고 다양한 색깔의 옷을 입을 수 있게 되었다.

㉥모브: 최초의 합성염료로 영국의 화학자 퍼킨이 말라리아 치료제를 연구하던 중 우연히 보라색 합성염료인 모브를 발견하였다.

3. 미래의 의류 문제 해결

(1) 기능성 의류 개발 최근에는 기능성 섬유나 첨단 소재의 섬유를 이용한 다양한 기능성 의복이 개발되었다.

(2) 신소재 섬유 개발 화학의 발전과 함께 합성 섬유 개발의 기술도 점점 발전하여 자동차의 차체 및 우주선의 동체에도 이용되는 슈퍼 섬유❺를 개발하고 있다.

❸ 화석 연료
화석 연료는 석탄, 석유, 천연가스 등의 연료로, 동물이나 식물의 사체가 땅속에서 오랜 세월에 걸쳐 분해되어 생성된 것이다.

❹ 나일론
캐러더스가 나일론을 개발할 당시 미국에는 여성들이 비단으로 만든 스타킹을 신었는데 비단 스타킹은 값이 매우 비싸고 금방 해지는 단점이 있었다. 반면 나일론으로 만든 스타킹은 비단 스타킹보다 훨씬 질기고 값도 싸서 점차 나일론 스타킹을 많이 신게 되었다.

나일론 광고 문구: '석탄과 공기와 물만으로 만든 섬유', '거미줄보다 가늘고 강철보다 질긴 기적의 실'
출처: www.dupont.com

❺ 슈퍼 섬유
고강도·고탄성의 특성을 지닌 섬유로, 금속 이상의 강도를 지닌다. 아라미드·탄소·플룬 섬유 등이 있으며 플라스틱이나 금속과 함께 복합 재료로 쓰인다.

용어 알기

•폴리아마이드(Polyamide) 아미노기($-NH_2$)와 카복시기($-COOH$)의 반응을 통해 형성된 아미드 결합($-NH-CO-$)을 가진 고분자 화합물

•폴리에스터(Polyester) 카복시기($-COOH$)와 하이드록시기($-OH$)의 반응을 통해 에스터 결합($-COO-$)을 가진 고분자 화합물

(3) **스마트 섬유 개발** 구리, 은, 탄소 등은 스마트 섬유의 재료로 이용되며, 정보 기술과 섬유 기술을 융합한 첨단 의류로 추위와 더위 같은 환경이나 인체의 자극을 감지하여 몸을 안전하게 보호하도록 개발되고 있다.

❻ 철의 제련
용광로에 산화 철(Fe_2O_3)이 주성분인 철광석, 석회석($CaCO_3$), 코크스(C)를 함께 넣고 뜨거운 공기를 불어 넣으면, 코크스가 불완전 연소하여 일산화 탄소(CO)가 된다. 이때 발생한 일산화 탄소는 산화 철의 산소를 빼앗아 이산화 탄소(CO_2)가 되고, 산화 철은 산소를 잃고 철(Fe)이 된다. 용광로에서 석회석은 열분해가 되며, 이때 생성된 산화 칼슘(CaO)은 철광석에 포함된 불순물인 이산화 규소(SiO_2)와 반응하여 슬래그($CaSiO_3$)가 되어 철과 분리되어 제거된다.
산화철＋코크스 → 철＋이산화 탄소

C 주거 문제 해결

|출·제·단·서| 주거 문제를 해결할 건축 재료의 특징과 이용을 물어보는 문제가 시험에 나와.

1. 주거 문제 나무, 흙, 돌과 같은 천연 재료를 이용할 경우 건축 시간이 오래 걸리고 대규모 건축이 어려웠다. 또한, 산업 혁명 이후 인구가 급격히 증가하면서 인류는 식량과 의류뿐만 아니라 주거 공간도 부족해졌고, 대규모 주거 공간과 안락한 주거 환경이 필요했다.

2. 주거 문제 해결 (암기TiP) 주거 문제의 해결 → 건축 재료의 개발

(1) **건축 재료 개발** 화학의 발달과 함께 건축 재료가 바뀌면서 주택, 건물, 도로 등의 대규모 건설이 가능해졌다.

건축 재료	특징	이용
철	• 철의 제련❻: 철광석(Fe_2O_3)을 ●코크스(C)와 함께 용광로에서 높은 온도로 가열하여 얻는다. • 단단하고 내구성이 뛰어나 현재 가장 많이 사용된다. • 철은 강도가 높아 건축물의 골조나 배관 등 건축 재료로 이용될 뿐만 아니라 가전 제품, 생활용품 등에도 이용된다. • 크로뮴(Cr)을 섞어 더 단단하고 녹슬지 않는 합금인 스테인리스강으로 만들기도 한다.	
시멘트	• 석회석($CaCO_3$)을 가열해 생석회(CaO)로 만든 후 점토를 섞은 건축 재료	
콘크리트	• 모래와 자갈 등에 시멘트를 섞어 반죽한 건축 재료	
철근 콘크리트	• 콘크리트에 철근을 넣어 콘크리트의 강도를 높인 건축 재료 • 철근 콘크리트가 개발되면서 크고 높은 건물과 다리, 댐과 같은 대규모 건축물에 이용된다.	
알루미늄	• 산화 알루미늄 광석인 보크사이트($Al_2O_3 \cdot 2H_2O$)를 가열하여 액체 상태로 녹인 후 전기 분해하여 얻는다. • 가볍고 단단하여 창틀이나 건물 외벽 등에 이용된다.	
유리	• 모래에 포함된 이산화 규소(SiO_2)를 원료로 하여 만든다. • 다양한 기능을 갖춘 유리는 건물의 외벽, 창 등에 이용된다.	
스타이로폼	• 단열재로 이용하며 건물 내부의 열이 밖으로 손실되지 않도록 막아준다.	

화학과 건강
합성 의약품의 개발로 인간의 평균 수명이 늘어났다.
- 아스피린 개발: 호프만은 최초의 합성 의약품인 아세틸 살리실산을 합성하였는데, 이것이 아스피린이다.
- 페니실린 개발: 플레밍은 푸른곰팡이에서 최초의 항생제인 페니실린을 발견하여 제2차 세계 대전 중 상용화하여 수많은 환자의 목숨을 구했다.

(2) **화석 연료 이용** 석탄, 석유, 천연가스 등의 화석 연료는 대부분 탄소와 수소로 이루어져 있어 이를 연소하면 많은 에너지가 방출되므로 가정에서 난방과 조리를 하는 데 사용되며 발전소에서는 전기 에너지를 생산하는 데 이용된다.

3. 미래의 주거 문제 해결 최근에는 건축 재료의 성능이 개선됨에 따라 단열재, 바닥재, 창틀, 외장재 등 새로운 소재가 개발되고 있다.

용어 알기
●코크스(C) 석탄의 고온 건조에 따라 얻어지는 다공질의 탄소질 연료로, 대부분 탄소로 이루어져 있고, 철의 제련 시 사용함

콕콕! 개념 확인하기

정답과 해설 002쪽

✔ 잠깐 확인!

1. □□□□
하버에 의해 합성된 질소와 수소로 이루어진 화합물

2. □□□ 및 제초제
잡초나 해충의 피해를 줄이기 위해 사용된 화학 약품

3. □□ □□
화석 연료를 원료로 하여 질기고 값이 싸며 대량 생산이 쉬운 섬유가 개발되었다.

4. □□□
1937년 미국의 캐러더스가 개발한 최초의 합성 섬유

5. □□□□
다양한 색깔의 섬유와 옷감을 만들기 위한 염료로 천연 염료와 달리 구하기 쉽고 가격이 저렴하다.

6. □
단단하고 내구성이 뛰어나 현재 가장 많이 사용되는 금속으로 건축물의 골조나 배관 등 건축 자재로 이용된다.

7. □□□
석회석을 가열해 생석회로 만든 후 점토를 섞은 건축 재료이다.

A 식량 문제 해결

01 질소 비료에 대한 설명으로 옳은 것은 ○, 옳지 않은 것은 ×로 표시하시오.

(1) 하버는 공기 중의 질소와 산소를 반응시켜 질소 비료를 합성하였다. ( )

(2) 화학 비료의 원료이며, 식량 부족 문제를 해결하였다. ( )

(3) 농산물의 대량 생산을 가능하게 하였다. ( )

02 인류의 식생활을 설명하는 내용으로 옳은 것만을 〈보기〉에서 있는 대로 골라 기호를 쓰시오.

〈보기〉
ㄱ. 산업 혁명 이전에는 질소 비료를 전혀 사용하지 않았다.
ㄴ. 화학 비료를 대량 생산하게 되면서 식량 생산량이 증대되었다.
ㄷ. 살충제 및 제초제를 사용함에 따라 잡초나 해충의 피해가 줄어 농산물의 질이 향상되고 생산량이 증대되었다.

B 의류 문제 해결

03 다음을 읽고, ( ) 안에 들어갈 알맞은 말을 쓰시오.

화석 연료를 원료로 하여 질기고 값이 싸며, 대량 생산이 쉬운 ( )를 개발하였다.

04 합성 섬유와 그 특징을 옳게 연결하시오.

(1) 최초의 합성 섬유로 매우 질기고 유연하며 신축성이 좋다. • • ㉠ 폴리아크릴

(2) 보온성이 좋고 열에 강하여 안전복과 소방복 등에 이용된다. • • ㉡ 폴리에스터

(3) 가장 널리 사용되는 합성 섬유로 강하고 탄성과 신축성이 좋다. • • ㉢ 나일론

C 주거 문제 해결

05 다음은 건축 재료에 대한 설명이다. ㉠, ㉡에 들어갈 알맞은 말을 쓰시오.

화학의 발달과 더불어 다양한 건축 재료가 개발되어 쾌적한 주거 생활에 기여하였다. 콘크리트 속에 (㉠)을 넣어 강도를 높인 건축 재료가 개발됨에 따라 대규모 건축물에 이용되었고, 보크사이트를 가열하여 액체 상태로 녹인 후 얻어낸 (㉡)은 가볍고 단단하여 창틀, 건물 외벽 등에 이용되었다.

탄탄! 내신 다지기

A 식량 문제 해결

01 다음 중 식량 문제를 해결하는 데 기여한 화학의 역할과 거리가 먼 것은?

① 살충제 개발
② 제초제 과다 투여
③ 철제 농기구 이용
④ 질소 비료의 합성
⑤ 비료의 대량 생산 공정 기술

02 다음은 화학 비료인 암모니아의 합성과 관련된 화학 반응식의 일부이다.

| ㉠ | + 수소(H_2) ⟶ 암모니아(NH_3) |

㉠에 대한 설명으로 옳지 않은 것은?

① 질소이다.
② 공기 성분 중 하나이다.
③ 식물 생장에 꼭 필요한 원소이다.
④ 생명체의 호흡에 의해 발생되는 기체이다.
⑤ 식물의 퇴비나 동물의 분뇨에 포함된 원소이다.

단답형

03 다음은 화학이 식량 문제를 해결한 사례에 대한 설명이다. ( ) 안에 들어갈 알맞은 말을 쓰시오.

하버에 의해 개발된 합성 제조 공정으로 ( )를 대량으로 합성함으로써 이를 기본 원료로 하는 화학 비료를 만들게 됨에 따라 천연 비료에 의존하던 농업의 한계를 해결할 수 있게 되었다.

04 질소 비료의 원료인 암모니아에 대한 설명으로 옳은 것만을 〈보기〉에서 있는 대로 고른 것은?

보기
ㄱ. 하버에 의해 합성 방법이 개발되었다.
ㄴ. 공기 중의 질소를 수소와 반응시켜 합성한다.
ㄷ. 인공 합성으로 식량 생산 증대에 큰 공헌을 하였다.

① ㄱ ② ㄱ, ㄴ ③ ㄱ, ㄷ
④ ㄴ, ㄷ ⑤ ㄱ, ㄴ, ㄷ

B 의류 문제 해결

05 다음 중 의류 문제를 해결하는 데 기여한 화학의 역할에 해당하지 않는 것은?

① 슈퍼 섬유 개발
② 화석 연료로 합성 섬유 개발
③ 식물에서 얻은 천연 섬유 의복 제작
④ 기능성 섬유를 이용한 기능성 의복 개발
⑤ 합성염료 개발로 다양한 색깔의 섬유 제작

06 의류 문제를 해결한 합성 섬유에 대한 설명으로 옳지 않은 것은?

① 나일론은 최초의 합성 섬유이다.
② 나일론은 소방복에 적합한 합성 섬유이다.
③ 합성 섬유는 값이 싸고 대량 생산이 쉽다.
④ 폴리에스터는 가장 널리 사용되는 합성 섬유이다.
⑤ 합성 섬유가 개발되면서 천연 섬유의 문제점을 보완하게 되었다.

단답형

07 다음은 합성 섬유에 대한 설명이다. ㉠, ㉡에 들어갈 알맞은 말을 쓰시오.

> 1937년 미국의 캐러더스가 개발한 최초의 합성 섬유인 (㉠)은 매우 질기고 유연하며 신축성이 좋아 다양한 옷감 원료로 이용된다. 한편 (㉡)는 가장 널리 사용되는 합성 섬유로 강하고 탄성과 신축성이 좋아 와이셔츠나 양복 등 다양한 의류에 이용된다.

08 그림은 천연 섬유인 면과 합성 섬유인 나일론을 나타낸 것이다.

목화로 만든 면
(가)

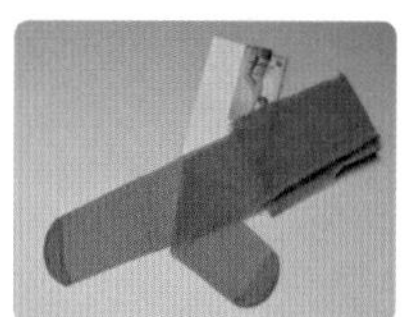

나일론으로 만든 스타킹
(나)

이에 대한 설명으로 옳은 것만을 〈보기〉에서 있는 대로 고른 것은?

> 보기
> ㄱ. (가)는 대량 생산이 가능하다.
> ㄴ. (나)는 쉽게 닳고 가격이 비싸다.
> ㄷ. (나)는 (가)에 비해 질기고 신축성이 좋다.

① ㄱ ② ㄷ ③ ㄱ, ㄴ
④ ㄴ, ㄷ ⑤ ㄱ, ㄴ, ㄷ

C 주거 문제 해결

단답형

09 산업 혁명 이후 인구의 급격한 증가로 안락한 주거 환경과 대규모 주거 공간이 필요해졌고, 화학의 발달과 함께 건축 재료가 바뀌면서 주택, 건물, 도로 등 대규모 건설이 가능해졌다. 모래와 자갈 등에 시멘트를 섞고 물로 반죽한 건축 재료로 철근을 넣어 강도를 높여 주택, 건물, 도로 건설에 이용하는 것은 무엇인지 쓰시오.

10 주거 문제와 화학의 유용성에 대한 설명으로 옳은 것만을 〈보기〉에서 있는 대로 고른 것은?

> 보기
> ㄱ. 화석 연료는 가정에서 난방과 조리 등의 연료로 이용된다.
> ㄴ. 단열재, 바닥재, 창틀 등 새로운 소재의 건축 재료가 개발되었다.
> ㄷ. 나무, 흙, 돌과 같은 천연 재료 활용으로 대규모 건설이 가능해졌다.

① ㄱ ② ㄷ ③ ㄱ, ㄴ
④ ㄴ, ㄷ ⑤ ㄱ, ㄴ, ㄷ

단답형

11 다음은 주거 문제를 해결한 건축 재료에 대한 설명이다. ㉠, ㉡에 들어갈 알맞은 말을 쓰시오.

> 철광석을 (㉠)와 함께 용광로에서 높은 온도로 가열하여 얻은 철은 콘크리트 속에 철근을 넣어 콘크리트의 강도를 높인 건축 재료인 (㉡)가 되어 대규모 건축물에 이용된다.

12 다음 설명과 관련된 건축 재료는 무엇인가?

> • 가볍고 단단하여 창틀, 건물 외벽 등에 이용한다.
> • 보크사이트를 가열하여 액체 상태로 녹인 후 전기 분해하여 얻는다.

① 철 ② 시멘트
③ 콘크리트 ④ 알루미늄
⑤ 스타이로폼

도전! 실력 올리기

01 그림은 식량 증대에 기여한 화학 비료의 공정 과정을 나타낸 것이다.

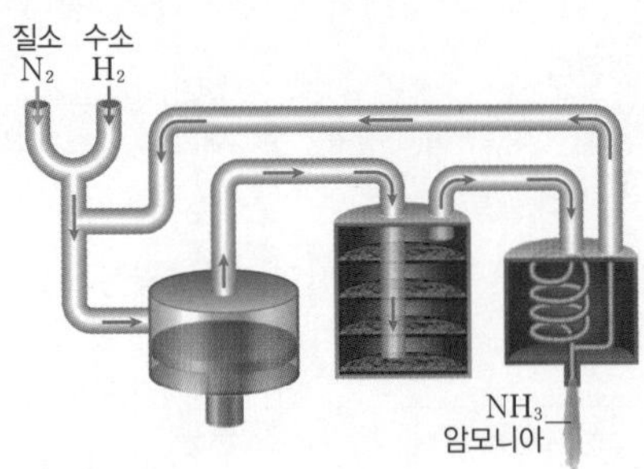

이에 대한 설명으로 옳은 것만을 〈보기〉에서 있는 대로 고른 것은?

> 보기
> ㄱ. 수소는 공기에서 무한정 얻을 수 있다.
> ㄴ. 질소 비료를 대량 생산하는 공정 기술이다.
> ㄷ. 수소 대신 산소를 넣어도 같은 질소 비료인 암모니아를 얻을 수 있다.

① ㄱ ② ㄴ ③ ㄱ, ㄷ
④ ㄴ, ㄷ ⑤ ㄱ, ㄴ, ㄷ

02 그림은 영국의 경제학자 맬서스의 인구론에서 주장한 시간에 따른 인구와 식량의 수량 관계를 나타낸 것이다.

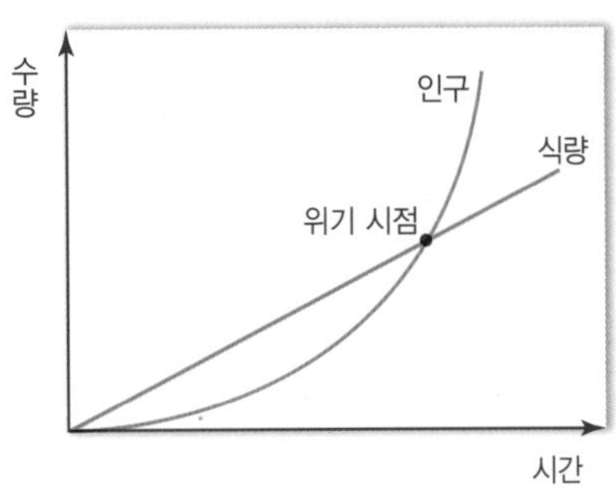

이에 대한 설명으로 옳은 것만을 〈보기〉에서 있는 대로 고른 것은?

> 보기
> ㄱ. 맬서스의 인구론 주장이 현실로 드러났다.
> ㄴ. 암모니아의 대량 합성으로 식량 부족이 해결되었다.
> ㄷ. 식량 부족 문제를 해결한 것은 가축의 분뇨와 식물의 퇴비이다.

① ㄱ ② ㄴ ③ ㄱ, ㄷ
④ ㄴ, ㄷ ⑤ ㄱ, ㄴ, ㄷ

출제예감

03 그림은 합성 섬유로 제작된 기능성 의복을 입고 있는 모습을 나타낸 것이다.

이에 대한 설명으로 옳은 것만을 〈보기〉에서 있는 대로 고른 것은?

> 보기
> ㄱ. 최초의 합성 섬유는 폴리에스터이다.
> ㄴ. 천연 섬유에 비해 대량 생산이 가능하다.
> ㄷ. 화학의 발달과 함께 다양한 기능의 의복 제작이 가능하게 되었다.

① ㄱ ② ㄷ ③ ㄱ, ㄴ
④ ㄴ, ㄷ ⑤ ㄱ, ㄴ, ㄷ

04 그림은 모브의 발견으로 개발된 합성염료로 얻은 다양한 색깔의 실을 나타낸 것이다.

모브에 대한 설명으로 옳은 것만을 〈보기〉에서 있는 대로 고른 것은?

> 보기
> ㄱ. 최초의 합성염료이다.
> ㄴ. 말라리아 치료제를 연구하던 중 발견되었다.
> ㄷ. 일부 계층의 사람들만 다양한 색깔의 옷을 입게 되었다.

① ㄱ ② ㄷ ③ ㄱ, ㄴ
④ ㄴ, ㄷ ⑤ ㄱ, ㄴ, ㄷ

05 그림은 암사동 선사 유적지의 움집 모습을 나타낸 것이다.

이에 대한 설명으로 옳은 것만을 〈보기〉에서 있는 대로 고른 것은?

〈보기〉
ㄱ. 오래 유지될 정도로 튼튼하다.
ㄴ. 철근 콘크리트를 이용하여 지은 집에 비해 내구성이 뛰어나다.
ㄷ. 인류는 화학 반응을 통해 천연 재료로 얻은 집보다 쾌적한 주거 생활을 할 수 있는 건축 재료를 개발하였다.

① ㄱ ② ㄷ ③ ㄱ, ㄴ
④ ㄴ, ㄷ ⑤ ㄱ, ㄴ, ㄷ

출제예감

06 다음은 인류의 문제 해결에 기여한 2가지 물질에 대한 설명이다.

(가) 가장 널리 사용되고 잘 구겨지지 않는 특징이 있으며, 본격적인 합성 섬유의 시대를 여는 계기가 되었다.
(나) 농기구를 만드는 데 이용하면서 식량 생산량이 증가하였으며 현재는 건축물의 재료로 이용된다.

(가), (나)에 해당하는 물질을 옳게 짝 지은 것은?

	(가)	(나)
①	나일론	철
②	폴리에스터	철
③	나일론	시멘트
④	폴리아크릴	콘크리트
⑤	폴리아크릴	유리

07 다음은 화학이 인류의 문제를 해결한 사례에 대한 설명이다. ㉠, ㉡에 들어갈 알맞은 말을 쓰시오.

합성 의약품의 개발로 질병의 예방과 치료가 쉬워졌고 (㉠)의 합성으로 다양한 색깔의 의류를 생산할 수 있게 되었다. 또한, (㉡)를 난방과 조리에 이용하게 되면서 안락한 주거 생활을 할 수 있었다.

서술형

08 그림은 건축 재료인 스타이로폼과 철근 콘크리트를 나타낸 것이다.

두 물질의 건축 재료 특징을 각각 1가지씩 서술하시오.

서술형

09 인류의 식량 문제를 해결하는 데 기여한 화학의 역할에 대해 제시된 용어를 모두 언급하여 서술하시오.

• 화학 비료 • 살충제와 제초제 • 비닐

02 탄소 화합물의 유용성

핵심 키워드로 흐름잡기

A 탄소 화합물, 탄소 화합물의 다양성

B 탄소 화합물의 종류, 탄화수소, 메테인, 에탄올, 아세트산, 플라스틱, 의약품

A 탄소 화합물의 다양성

|출·제·단·서| 시험에는 탄소 화합물이 다양한 까닭을 탄소의 원자가 전자 수와 연관지어 물어보는 내용이 나와.

1. 탄소 화합물 탄소(C)를 기본 골격으로 하여 수소(H), 산소(O), 질소(N), 할로젠(F, Cl, Br) 등의 원자가 결합하고 있는 화합물

2. 탄소 화합물의 다양성 개념 POOL

(1) 우리 주위의 탄소 화합물 탄소와 결합하는 원자의 종류에 따라서 서로 다른 성질을 나타내고 있으므로 탄소 화합물은 우리 주위에서 다양한 형태로 활용되고 있다.

우리 몸	음식	의류	연료	의약품	플라스틱	기타
탄수화물, 단백질, 지방 등	탄수화물, 단백질, 지방, 바이타민 등	면, 마, 나일론, 폴리에스터, 폴리아크릴 등	메테인, 뷰테인, 프로페인 등	아스피린, 타이레놀, 백신, 항생제 등	폴리에틸렌, 폴리스타이렌, PET 등	화장품, 비누, 합성세제, 고무 등

(2) 원유[1]

① **화석 연료:** 우리가 사용하는 연료는 화석 연료로 원유, 천연가스, 석탄 등이 있다.

② **원유:** 땅속에서 뽑아낸 액체 상태의 혼합물로 탄소와 수소로 이루어진 탄소 화합물이며, 생활 속 다양한 탄소 화합물을 만드는 원료이다. 원유를 분별 증류[2]하여 다양한 탄소 화합물을 얻을 수 있다.

❶ 원유
자연 상태에서 석출되는 석유로, 주로 탄소와 수소로 이루어진 다양한 탄화수소의 혼합물이다.

❷ 분별 증류
서로 잘 섞이고 끓는점 차이가 큰 액체 혼합물을 분리하는 방법으로 끓는점이 낮은 성분일수록 먼저 끓어 나오게 되는데, 이때 끓어 나오는 증기를 나누어 받아 냉각시킨 후 각 성분 액체로 분리하는 방법을 의미한다.

빈출 자료 원유로부터 만들어지는 다양한 제품

증류탑의 아래쪽으로 갈수록 탄소 수가 많은 탄화수소가 분리되어 나오고, 아래쪽으로 갈수록 분리되어 나오는 물질의 끓는점이 높다.

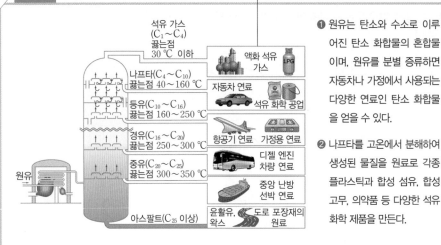

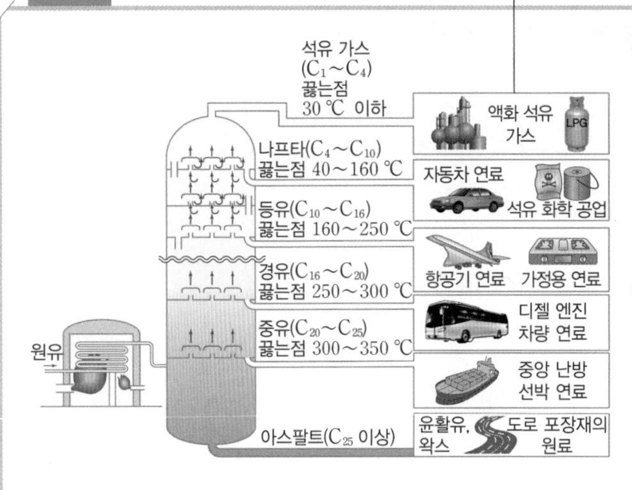

❶ 원유는 탄소와 수소로 이루어진 탄소 화합물의 혼합물이며, 원유를 분별 증류하면 자동차나 가정에서 사용되는 다양한 연료인 탄소 화합물을 얻을 수 있다.

❷ 나프타를 고온에서 분해하여 생성된 물질을 원료로 각종 플라스틱과 합성 섬유, 합성 고무, 의약품 등 다양한 석유 화학 제품을 만든다.

암기TiP 탄소 화합물이 다양한 까닭 → 원자가 전자 수가 4개인 탄소의 다양한 결합

(3) 탄소 화합물이 다양한 까닭

① 탄소(C) 원자는 원자가 전자(가장 바깥 전자 껍질에 들어 있는 전자 중 화학 결합에 참여하는 전자)가 4개이므로 탄소 원자 1개가 최대 4개의 다른 원자(C, H, O, N 등)와 •공유 결합을 할 수 있다.

용어 알기

•공유 결합(함께 共, 있다 有, 맺다 結, 합하다 合) 비금속 원자 사이에 두 원자가 서로 전자쌍을 공유함으로써 형성되는 화학 결합

C 원자끼리 결합하여 사슬 모양, 고리 모양을 형성하고, 단일 결합, 2중 결합, 3중 결합을 형성할 수 있다.

② 탄소(C) 사이에 다양한 결합이 가능하기 때문에 화합물의 종류가 많다.

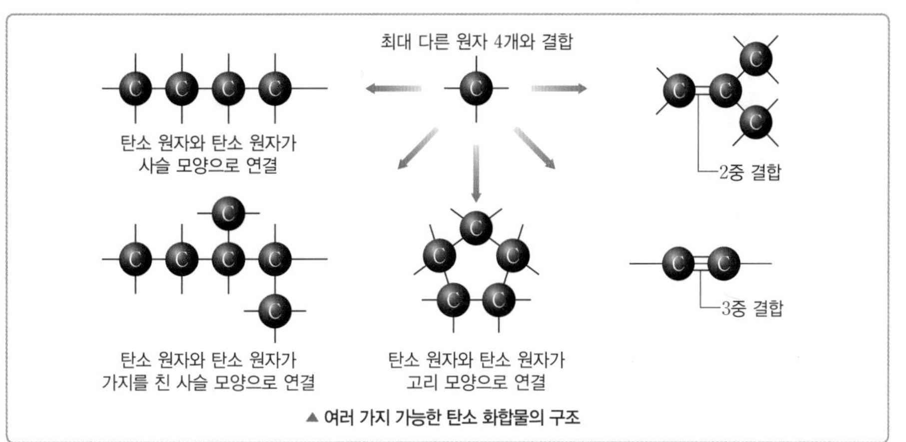

▲ 여러 가지 가능한 탄소 화합물의 구조

B 탄소 화합물의 종류

|출·제·단·서| 시험에는 대표적인 탄화수소와 탄소 화합물의 구조와 특성을 묻는 내용이 나와.

1. 탄화수소 탄소(C) 원자와 수소(H) 원자로만 이루어진 탄소 화합물 (암기TiP) 탄화수소 → 메테인, 에테인, 프로페인 등

예) 메테인(CH_4), 에테인(C_2H_6), 프로페인(C_3H_8), 뷰테인(C_4H_{10}) 등

(1) 메테인(CH_4)

구조	• 액화 천연가스(LNG)의 주성분으로 탄소(C)와 수소(H)로만 이루어진 가장 간단한 분자 • 정사면체의 중심에 탄소(C) 원자 1개가 있고, C 원자에 H 원자 4개가 결합하여 결합각❸ 109.5°를 형성하며 안정한 구조를 이룬다. 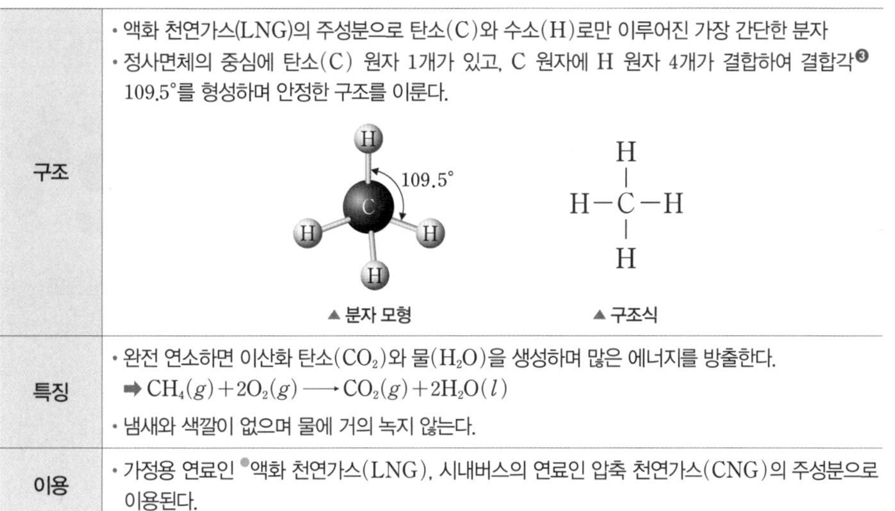 109.5° ▲ 분자 모형 ▲ 구조식
특징	• 완전 연소하면 이산화 탄소(CO_2)와 물(H_2O)을 생성하며 많은 에너지를 방출한다. ➡ $CH_4(g)+2O_2(g) \longrightarrow CO_2(g)+2H_2O(l)$ • 냄새와 색깔이 없으며 물에 거의 녹지 않는다.
이용	• 가정용 연료인 ●액화 천연가스(LNG), 시내버스의 연료인 압축 천연가스(CNG)의 주성분으로 이용된다.

(2) 그 외 탄화수소

① 원유의 주성분으로 완전 연소하면 이산화 탄소(CO_2)와 물(H_2O)이 생성된다.

② 연소할 때 많은 에너지를 방출하므로 가정에서 음식을 조리할 때나 자동차와 같은 운송 수단의 연료로 많이 이용된다.

③ 탄소 수가 많을수록 분자 사이의 인력이 커서 끓는점이 높다.

탄화수소	메테인(CH_4)	에테인(C_2H_6)	프로페인(C_3H_8)	뷰테인(C_4H_{10})
구조				
끓는점(°C)	−162	−89	−42	−0.5

❷ **탄소의 원자가 전자 수가 왜 4일까?**

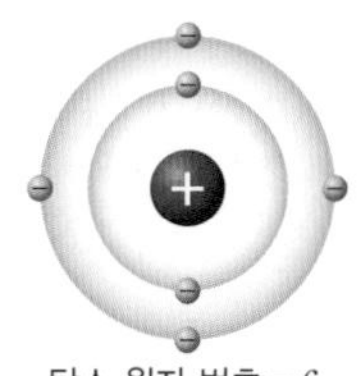
탄소 원자 번호=6

탄소 원자는 원자 번호 6번으로 양성자수가 6개이고 전자 수가 6개인 원소이다. 따라서 가장 안쪽 전자 껍질에 전자 2개가 배치되고, 4개는 바깥 전자 껍질에 있게 되는데, 이 4개의 전자(원자가 전자)들이 다른 원자와 공유 결합을 할 수 있기 때문이다.

❸ **메테인(CH_4)의 결합각**

한 분자에서 중심 원자를 둘러싸고 있는 전자쌍들은 (−)전하를 띠고 있으므로 서로 반발하여 가능한 멀리 떨어지려고 한다. 이때 중심 탄소는 전자쌍 4개를 가지게 되므로 4개가 가능한 가장 멀리 떨어지는 구조가 정사면체이고, 결합각 109.5°를 이룬다.

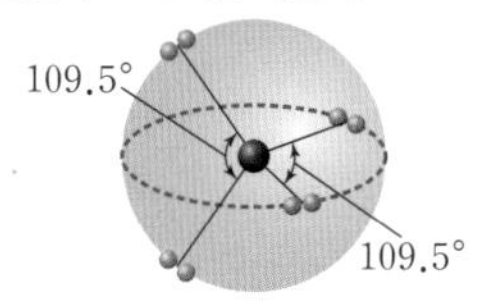

용어 알기

●액화 천연가스(Liquified Natural Gas) 천연가스를 그 주성분인 메테인의 끓는점(−162 °C) 이하로 냉각하여 액화한 것이므로, 발열량이 크고 공해 물질이 거의 발생하지 않아 가정용 연료로 이용됨

❹ 하이드록시기
O 원자 1개와 수소 원자 1개가 결합한 구조($-O-H$)로 산소 원자에 있는 전자가 다른 탄소 원자의 원자가 전자 1개와 결합하게 된다.

❺ 화학식의 종류

화학식	원소 기호와 숫자를 사용하여 물질을 구성하는 원자의 종류와 개수를 나타낸 식
실험식	물질을 이루는 원자나 이온의 종류와 수를 가장 간단한 정수비로 나타낸 식 예 염화 나트륨($NaCl$)
분자식	화학식 중에서 분자를 이루는 원자의 종류와 개수를 나타낸 식
구조식	공유 결합 물질에서 각 원자 사이의 결합을 선으로 나타낸 식
시성식	알코올의 하이드록시기($-OH$)나 카복실산의 카복실기($-COOH$)처럼 분자의 특성을 나타내는 부분을 작용기라고 하는데, 작용기를 따로 나타낸 식 예 에탄올(CH_3CH_2OH)

❻ 빙초산
언 식초라는 뜻으로 실온에서 고체 상태로 존재하기 때문에 붙여진 명칭이다.

용어 알기

●메탄올(methanol) 에탄올과 비슷한 향기가 있는 무색의 액체로, 독성이 강하며 소량이라도 마시면 시력 장애를 일으킴
●휘발성(흩어지다 揮, 떠나다 發, 성질 性) 액체에서 기체로 되어 날아 흩어지는 성질
●가연성(허락하다 可, 탈 燃, 성질 性) 불에 잘 탈 수 있거나 타기 쉬운 성질

2. 알코올

탄화수소의 탄소(C) 원자에 1개 이상의 하이드록시기❹($-OH$)가 결합되어 있는 탄소 화합물

예 ●메탄올(CH_3OH), 에탄올(C_2H_5OH), 프로판올(C_3H_7OH) 등

(1) 에탄올(C_2H_5OH)

암기TIP 탄소 화합물 → 에탄올, 아세트산, 폼알데하이드, 아세톤 등

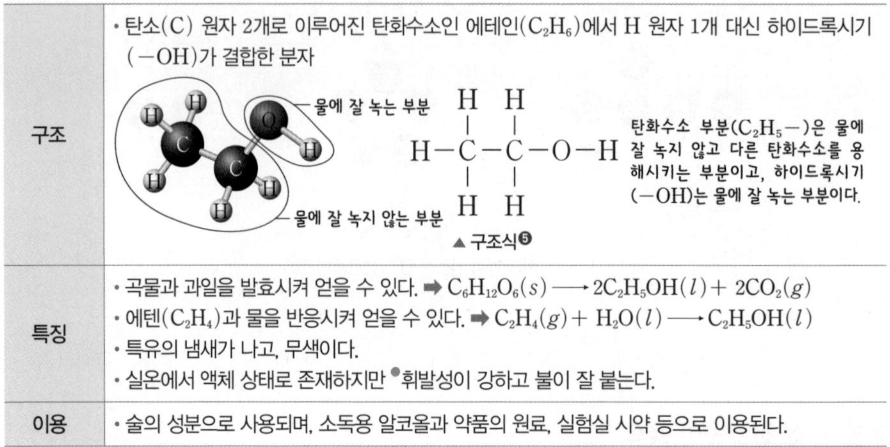

구조	• 탄소(C) 원자 2개로 이루어진 탄화수소인 에테인(C_2H_6)에서 H 원자 1개 대신 하이드록시기($-OH$)가 결합한 분자 물에 잘 녹는 부분 / 물에 잘 녹지 않는 부분 ▲ 구조식❺ 탄화수소 부분(C_2H_5-)은 물에 잘 녹지 않고 다른 탄화수소를 용해시키는 부분이고, 하이드록시기($-OH$)는 물에 잘 녹는 부분이다.
특징	• 곡물과 과일을 발효시켜 얻을 수 있다. ➡ $C_6H_{12}O_6(s) \longrightarrow 2C_2H_5OH(l) + 2CO_2(g)$ • 에텐(C_2H_4)과 물을 반응시켜 얻을 수 있다. ➡ $C_2H_4(g) + H_2O(l) \longrightarrow C_2H_5OH(l)$ • 특유의 냄새가 나고, 무색이다. • 실온에서 액체 상태로 존재하지만 ●휘발성이 강하고 불이 잘 붙는다.
이용	• 술의 성분으로 사용되며, 소독용 알코올과 약품의 원료, 실험실 시약 등으로 이용된다.

(2) 그 외 알코올

① 특유의 냄새가 있는 ●가연성 물질이다.
② 완전 연소하면 이산화 탄소(CO_2)와 물(H_2O)이 생성된다.
③ 하이드록시기($-OH$)의 수에 따라 다양한 화합물의 특성이 나타난다.

종류	메탄올(CH_3OH)	에탄올(C_2H_5OH)	에틸렌 글리콜($C_2H_4(OH)_2$)	글리세롤($C_3H_5(OH)_3$)
구조				
이용	플라스틱 원료, 연료 전지	소독용 의약품, 술	자동차 부동액	화장품 원료

3. 카복실산

탄화수소의 탄소(C) 원자에 카복실기($-COOH$)가 결합되어 있는 탄소 화합물

예 아세트산(CH_3COOH) 등

• 아세트산(CH_3COOH)

구조	• 탄소(C) 원자 1개로 이루어진 탄화수소인 메테인(CH_4)에서 H 원자 1개 대신 카복실기($-COOH$)가 결합한 분자 물에 녹아 이온화하면 수소 이온(H^+)을 내놓는다. ▲ 구조식
특징	• 물에 녹으면 수소 이온(H^+)을 내놓으므로 약한 산성을 나타낸다. $CH_3COOH(l) \longrightarrow CH_3COO^-(aq) + H^+(aq)$ • 일반적으로 에탄올을 발효시켜 얻으며, 강한 자극성 냄새가 나고 무색이다. • 실온에서 액체 상태로 존재하지만 17 °C보다 낮은 온도에서는 고체 상태로 존재하므로 빙초산❻이라고도 한다.
이용	• 식초(아세트산의 2 %~5 % 수용액)의 성분으로 음료, 식품의 장기 보관용 재료, 의약품, 염료, 합성수지(화학적 방법으로 만든 고분자 화합물)의 원료 등으로 사용된다.

4. 그 밖의 탄소 화합물

(1) 폼알데하이드(HCHO)

① 탄소(C) 원자 1개에 H 원자 2개와 O 원자 1개가 결합한 분자

② 자극적인 냄새가 나고, 무색이며 물에 잘 녹는다.

③ 플라스틱이나 가구용 접착제의 원료로 공산품을 생산하는 데 이용된다.

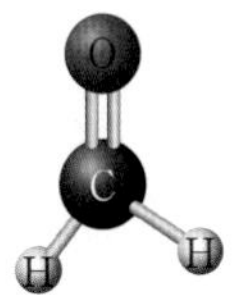

▲ 분자 모형

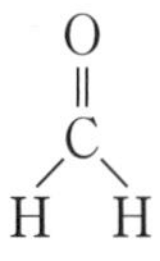

▲ 구조식

(2) 아세톤(CH_3COCH_3)

① 탄소(C) 원자 3개로 이루어진 탄화수소인 프로페인(C_3H_8)의 가운데 C 원자에 H 원자 2개 대신 O 원자 1개가 결합한 분자

② 특유의 냄새가 나고, 색깔이 없다.

③ 물에 잘 녹으며 여러 탄소 화합물을 녹이므로 용매로 이용되고, 매니큐어 제거제로 이용된다.

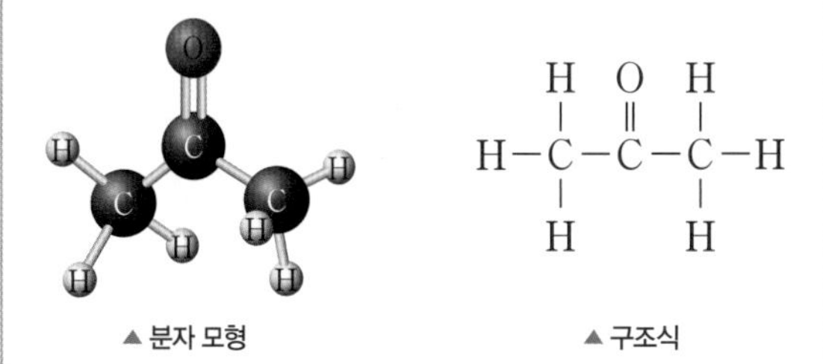

▲ 분자 모형 ▲ 구조식

5. 탄소 화합물과 우리 생활

(1) 플라스틱❼

① 원유에서 분리되는 나프타❽를 원료로 하여 합성하는 탄소 화합물

② 분자 수 천개가 결합한 고분자 물질로 다양한 형태와 특성이 있는 •플라스틱들이 개발되었다.

└ 동일하거나 비슷한 기본 단위가 계속 반복되면서 긴 사슬을 형성한 분자로, 분자량이 큰 거대 분자이다.

③ 가볍고, 외부의 힘과 충격에 강하며 녹이 슬지 않고 대량 생산이 가능하여 값이 싸다.

(2) 의약품

① 대부분 질병을 치료하거나 예방하는 데 사용되는 의약품들은 탄소 화합물이다.

② **아스피린:** 최초의 합성 의약품으로 버드나무 껍질에서 분리한 살리실산으로 아세틸살리실산(아스피린)이라는 탄소 화합물을 합성하였고, 해열제나 진통제로 사용된다.

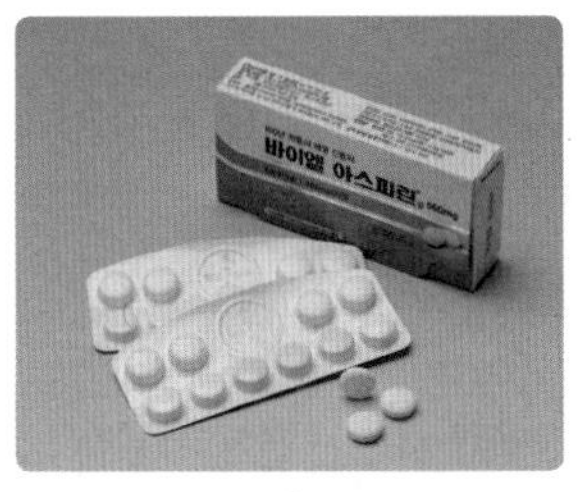

▲ 아스피린

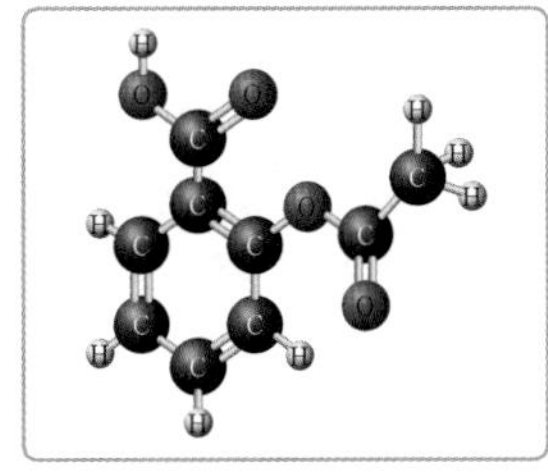

▲ 아세틸살리실산

(3) 일상생활 용품 섬유, 비누, 합성세제, 화장품 등 일상생활에서 쓰이는 대부분의 물질들은 탄소 화합물이 주성분이다.

빈출 탐구 손 세정제 만들기

알코올을 이용하여 유용한 생활용품을 만들 수 있다.

과정

① 소독용 에탄올 50 mL를 넣고 정제수 15 mL를 섞는다.

② ①에 고농축 오일을 조금 떨어뜨리고, 글리세롤 3 mL를 넣고 저은 후 완성한다.

정리

❶ 고농축 오일이 물과 섞이는 까닭은 하이드록시기가 있는 에탄올은 물과 잘 섞이고, 기름과도 잘 섞이기 때문이다.

❷ 알코올의 하이드록시기 부분이 물과 잘 섞이는 성질이 있으며, 탄화수소 부분이 다른 탄화수소를 용해시킨다.

---

❼ 플라스틱의 재활용

플라스틱은 가열했을 때 모양이 쉽게 변하는 것과 쉽게 변하지 않는 것으로 구분할 수 있다.

- 열가소성 플라스틱: 가열하면 모양이 쉽게 변해 재활용이 쉽다.
- 열경화성 플라스틱: 굳어지면 모양이 변하지 않아 전기 제품과 주방용품 등 열에 잘 견디는 용도에 사용한다.

❽ 나프타

원유를 분별 증류할 때 35 ℃~160 ℃ 사이에서 얻어지는 탄화수소 혼합물

용어 알기

•플라스틱(plastic) 열이나 압력으로 변형시켜 성형할 수 있는 고분자 화합물을 통틀어 이르는 말로 보통 합성수지를 말함

탄소 화합물

목표 우리 생활 주변에서 활용하고 있는 탄소 화합물의 구조와 특징을 설명할 수 있다.

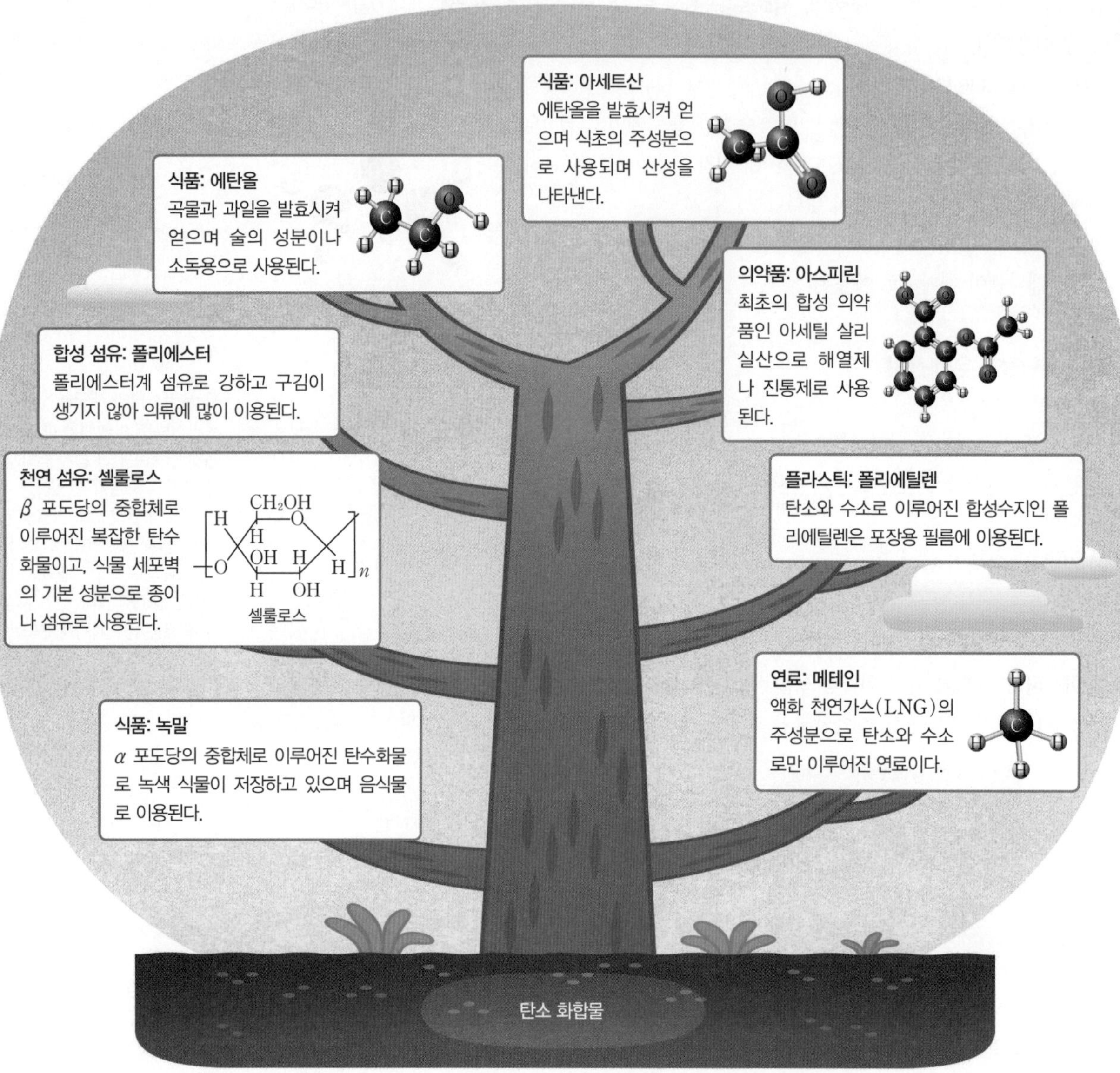

식품: 아세트산
에탄올을 발효시켜 얻으며 식초의 주성분으로 사용되며 산성을 나타낸다.

식품: 에탄올
곡물과 과일을 발효시켜 얻으며 술의 성분이나 소독용으로 사용된다.

의약품: 아스피린
최초의 합성 의약품인 아세틸 살리실산으로 해열제나 진통제로 사용된다.

합성 섬유: 폴리에스터
폴리에스터계 섬유로 강하고 구김이 생기지 않아 의류에 많이 이용된다.

천연 섬유: 셀룰로스
β 포도당의 중합체로 이루어진 복잡한 탄수화물이고, 식물 세포벽의 기본 성분으로 종이나 섬유로 사용된다.

CH_2OH, H, H, OH, H, H, O, H, OH, n

셀룰로스

플라스틱: 폴리에틸렌
탄소와 수소로 이루어진 합성수지인 폴리에틸렌은 포장용 필름에 이용된다.

연료: 메테인
액화 천연가스(LNG)의 주성분으로 탄소와 수소로만 이루어진 연료이다.

식품: 녹말
α 포도당의 중합체로 이루어진 탄수화물로 녹색 식물이 저장하고 있으며 음식물로 이용된다.

탄소 화합물

한·줄·핵심 탄소 화합물은 원자가 전자가 4개로 다양한 방식으로 결합함에 따라 다양한 화합물이 생성되고, 일상생활에 유용하게 활용된다.

확인 문제

정답과 해설 004쪽

01 다음 표의 ①~⑥에 들어갈 알맞은 내용을 각각 쓰시오.

이름	화학식	이용
①	CH_4	②
아세트산	③	식초의 성분 등
④	C_2H_5OH	소독용 알코올, 약품의 원료, 용매, 등
아세톤	⑤	⑥

02 다음 설명 중 옳은 것은 ○, 옳지 않은 것은 ×로 표시하시오.

(1) 메테인은 완전 연소 시 이산화 탄소와 물을 생성한다. ( )

(2) 메테인은 LNG의 주성분이다. ( )

(3) CH_3COOH은 알코올이다. ( )

(4) CH_3COCH_3은 물에 잘 녹으며 여러 탄소 화합물을 녹이므로 용매로 이용된다. ( )

콕콕! 개념 확인하기

정답과 해설 004쪽

✔ 잠깐 확인!

1. ☐☐ ☐☐☐
탄소 원자가 H, O, N, S, 할로젠 등의 원자와 결합하여 만들어진 화합물

2. ☐☐☐☐
탄소 원자와 수소 원자로만 이루어진 탄소 화합물

3. ☐☐☐
탄화수소의 C 원자에 1개 이상의 하이드록시기(−OH)가 결합한 탄소 화합물

4. ☐☐☐☐
탄화수소의 C 원자에 카복실기(−COOH)가 결합한 탄소 화합물

5. ☐☐☐
물에 잘 녹을 뿐만 아니라 여러 탄소 화합물을 잘 녹이는 탄소 화합물

6. ☐☐☐☐
원유에서 분리되는 나프타를 원료로 하여 합성한 탄소 화합물

7. ☐☐☐☐
최초의 합성 의약품으로 버드나무 껍질의 살리실산을 추출하여 합성한 것

A 탄소 화합물의 다양성

01 탄소 화합물에 대한 설명으로 옳은 것은 ○, 옳지 않은 것은 ×로 표시하시오.

(1) 탄소로만 이루어진 화합물이다. ( )

(2) 모든 탄화수소는 완전 연소하면 이산화 탄소와 물이 생성된다. ( )

(3) 탄소 화합물은 생명 유지에 중요한 역할을 하며, 삶을 풍요롭게 하는 데 이용되고 있다. ( )

02 탄소 화합물이 다양한 까닭에 대한 설명이다. ㉠~㉢에 들어갈 알맞은 말을 쓰시오.

> 탄소(C) 원자는 최대 (㉠)개의 다른 원자와 (㉡) 결합을 하며 탄소 원자끼리 연속적으로 결합하거나, 2중 또는 3중으로 결합하기도 한다. 또한, 결합하는 탄소 원자의 수가 증가함에 따라 (㉢) 모양, 고리 모양 등의 다양한 구조를 만들 수 있다.

B 탄소 화합물의 종류

03 탄소 화합물의 이용과 명칭을 옳게 연결하시오.

(1) 술의 성분, 소독용 알코올, 용매, 연료로 이용 • • ㉠ 아세트산

(2) 식초의 성분, 의약품, 염료의 원료 • • ㉡ 메테인

(3) LNG, CNG의 주성분 • • ㉢ 에탄올

04 그림은 에탄올 분자 모형을 나타낸 것이다. 에탄올의 화학식을 쓰고, 에테인(C_2H_6)의 수소 원자 1개 대신 무엇이 결합하였는지 이름을 쓰시오.

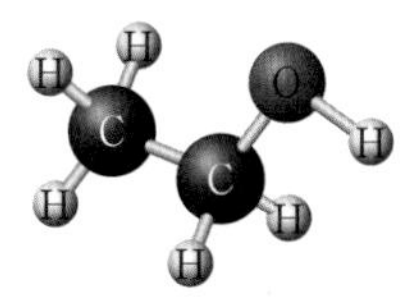

05 다음은 몇 가지 탄소 화합물에 대한 설명이다. ㉠~㉢에 들어갈 알맞은 말을 쓰시오.

> 화학식이 HCHO인 (㉠)는 접착제의 원료로 이용되고, 식초는 (㉡)의 2 %~5 % 수용액으로 (㉢)기를 가진 카복실산에 해당한다.

탄탄! 내신 다지기

A 탄소 화합물의 다양성

01 다음 중 탄소 화합물에 대한 설명으로 옳은 것만을 〈보기〉에서 있는 대로 고른 것은?

보기
ㄱ. 탄소와 수소, 산소 원자로만 이루어진 물질이다.
ㄴ. 탄소 원자는 다른 원자들과 최대 4개의 결합을 형성한다.
ㄷ. 탄소 원자들은 사슬처럼 길게 연결된 구조로만 결합을 형성할 수 있다.

① ㄱ ② ㄴ ③ ㄱ, ㄷ
④ ㄴ, ㄷ ⑤ ㄱ, ㄴ, ㄷ

단답형

02 원유에 대한 설명이다. ㉠~㉢에 들어갈 알맞은 말을 쓰시오.

원유는 (㉠)와 (㉡)로 이루어진 탄화수소의 혼합물이며, 원유를 (㉢)하면 자동차나 가정에서 사용되는 다양한 연료를 얻을 수 있다.

03 그림은 탄소 원자가 결합할 수 있는 몇 가지 유형을 나타낸 것이다.

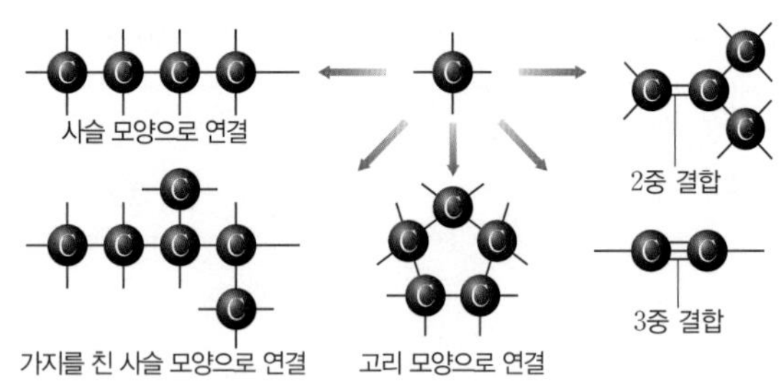

이에 대한 설명으로 옳은 것만을 〈보기〉에서 있는 대로 고른 것은?

보기
ㄱ. 탄소 원자는 최대 다른 원자 4개와 결합한다.
ㄴ. 탄소의 원자가 전자 수가 6개이므로 다양한 결합이 가능하다.
ㄷ. 탄소 원자는 다른 탄소 원자와 전자쌍을 공유하며 결합한다.

① ㄱ ② ㄴ ③ ㄱ, ㄷ
④ ㄴ, ㄷ ⑤ ㄱ, ㄴ, ㄷ

04 탄소 화합물의 종류가 매우 다양한 까닭에 대한 설명으로 옳은 것만을 〈보기〉에서 있는 대로 고른 것은?

보기
ㄱ. 탄소의 원자가 전자 수가 4이다.
ㄴ. 탄소는 금속 원자들과 안정한 이온 결합을 형성한다.
ㄷ. 탄소는 다른 탄소 원자와 결합하여 다양한 구조의 화합물을 형성할 수 있다.

① ㄱ ② ㄱ, ㄴ ③ ㄱ, ㄷ
④ ㄴ, ㄷ ⑤ ㄱ, ㄴ, ㄷ

B 탄소 화합물의 종류

05 다음 중 탄소 화합물에 해당하지 않는 것은?

① 프로페인(C_3H_8)
② 포도당($C_6H_{12}O_6$)
③ 아세트산(CH_3COOH)
④ 염화 나트륨($NaCl$)
⑤ 폼알데하이드($HCHO$)

06 그림은 3가지 탄소 화합물을 모형으로 나타낸 것이다.

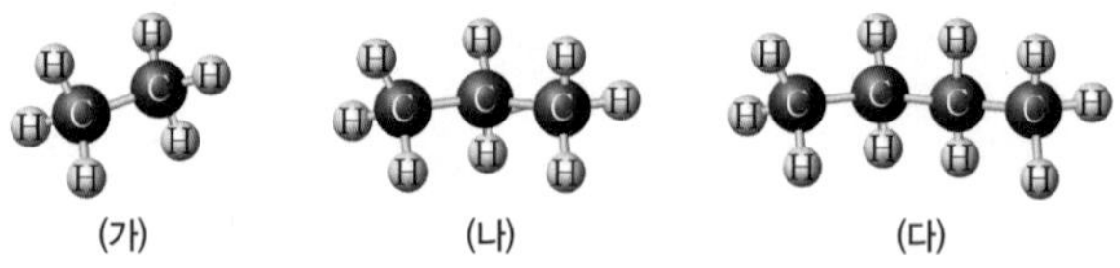

(가)~(다)의 공통점으로 옳은 것만을 〈보기〉에서 있는 대로 고른 것은?

보기
ㄱ. 화합물을 이루는 원소의 종류
ㄴ. 완전 연소 시 발생하는 기체
ㄷ. 완전 연소 시 방출되는 열량의 크기

① ㄱ ② ㄷ ③ ㄱ, ㄴ
④ ㄴ, ㄷ ⑤ ㄱ, ㄴ, ㄷ

정답과 해설 004쪽

단답형

07 다음은 식초의 주성분에 해당하는 아세트산에 대한 설명이다. ㉠~㉣에 들어갈 알맞은 말을 쓰시오.

> 그림은 아세트산의 분자 모형을 나타낸 것으로 구성 원소는 (㉠), (㉡), (㉢)로 이루어진 카복실산이다.
>
> 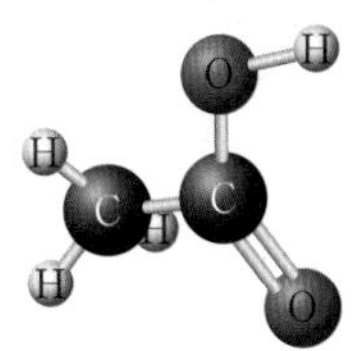
>
>
> 아세트산은 일반적으로 에탄올을 발효시켜 얻게 되는데, 물에 녹아 (㉣)을 내놓으므로 약한 산성을 나타낸다.

08 그림은 메테인의 분자 모형을 나타낸 것이다.

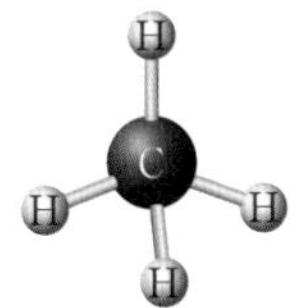

이에 대한 설명으로 옳은 것만을 〈보기〉에서 있는 대로 고른 것은?

> 보기
> ㄱ. 액화 천연가스의 주성분이다.
> ㄴ. 매니큐어를 지우는 데 이용된다.
> ㄷ. 연소할 때 많은 에너지를 흡수한다.

① ㄱ ② ㄷ ③ ㄱ, ㄴ
④ ㄴ, ㄷ ⑤ ㄱ, ㄴ, ㄷ

09 탄소 화합물의 특징을 설명한 것 중 옳지 않은 것은?

① 메테인: 탄소와 수소로만 이루어진 가장 간단한 분자이다.
② 에탄올: 술의 원료로 과일이나 곡물을 발효시켜 얻을 수 있다.
③ 아세트산: 17 ℃ 이하의 온도에서 고체 상태이다.
④ 폼알데하이드: 3중 결합이 포함되어 있다.
⑤ 아세톤: 탄소 화합물을 녹이는 용매로 이용된다.

10 그림은 에탄올과 아세트산의 분자 모형을 순서 없이 나타낸 것이다.

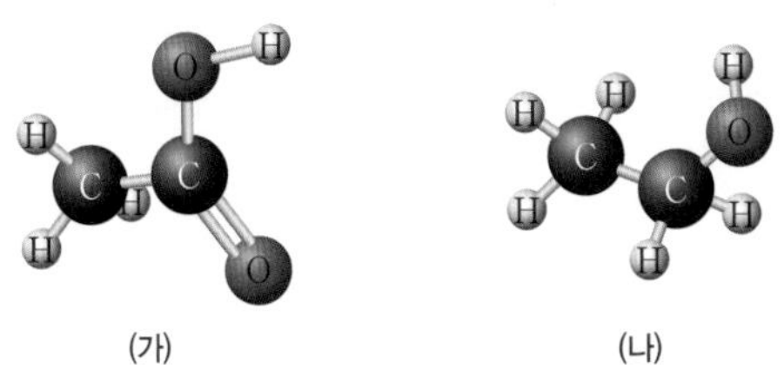

이에 대한 설명으로 옳은 것만을 〈보기〉에서 있는 대로 고른 것은?

> 보기
> ㄱ. (가)는 에탄올이다.
> ㄴ. (가)와 (나)의 액성은 산성이다.
> ㄷ. (가)는 (나)의 발효에 의해 생성된 물질이다.

① ㄱ ② ㄷ ③ ㄱ, ㄴ
④ ㄴ, ㄷ ⑤ ㄱ, ㄴ, ㄷ

단답형

11 원유에서 분리되는 나프타를 원료로 합성하는 탄소 화합물로 가볍고 외부의 충격에 강하며 녹이 슬지 않고, 대량 생산이 가능하여 생활용품 등에 많이 쓰이는 고분자 물질을 무엇이라고 하는지 쓰시오.

단답형

12 다음은 탄소 화합물로 이루어진 의약품에 대한 설명이다. ㉠, ㉡에 들어갈 알맞은 말을 쓰시오.

> 대부분의 질병을 치료하거나 예방하는 데 사용되는 의약품들은 탄소 화합물로서 최초의 합성 의약품은 (㉠)이다. 이 의약품은 버드나무 껍질에서 분리한 (㉡)으로 아세틸살리실산이라는 물질을 합성하였고, 해열제나 진통제로 사용된다.

도전! 실력 올리기

출제예감

01 일상생활에서 흔히 사용하는 연료, 섬유, 의약품, 플라스틱 등은 탄소가 주성분인 탄소 화합물이다. 이처럼 다양한 형태로 수많은 탄소 화합물이 존재할 수 있는 까닭으로 적합하지 <u>않은</u> 것은?

① 탄소는 지구에서 존재량이 가장 많은 원소이다.
② 많은 수의 탄소 원자가 연속하여 결합할 수 있다.
③ 분자식이 같지만 구조식이 다른 화합물이 존재한다.
④ 탄소는 여러 종류의 원자와 결합할 수 있다.
⑤ 탄소 원자들끼리 여러 가지 형태의 결합을 형성할 수 있다.

02 그림은 원유의 분별 증류탑 모식도의 일부이다.

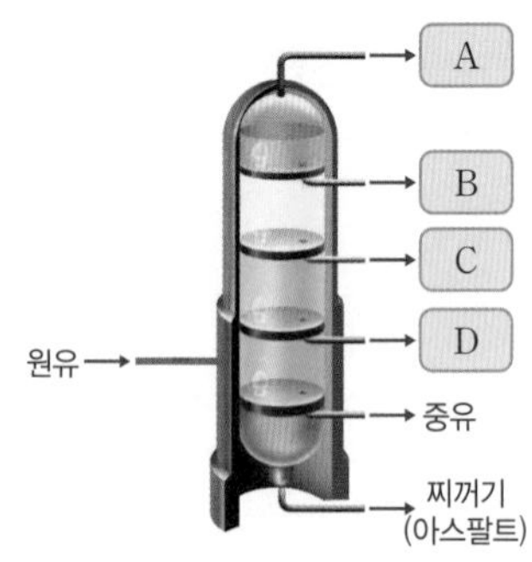

이에 대한 설명으로 옳은 것만을 〈보기〉에서 있는 대로 고른 것은?

보기
ㄱ. A의 주성분은 석유 가스이다.
ㄴ. 탄소 수는 B가 C보다 많다.
ㄷ. 혼합물의 끓는점은 D가 C보다 낮다.

① ㄱ ② ㄴ ③ ㄱ, ㄷ
④ ㄴ, ㄷ ⑤ ㄱ, ㄴ, ㄷ

03 그림 (가)는 포도당, (나)는 에탄올의 분자 모형을 나타낸 것이다.

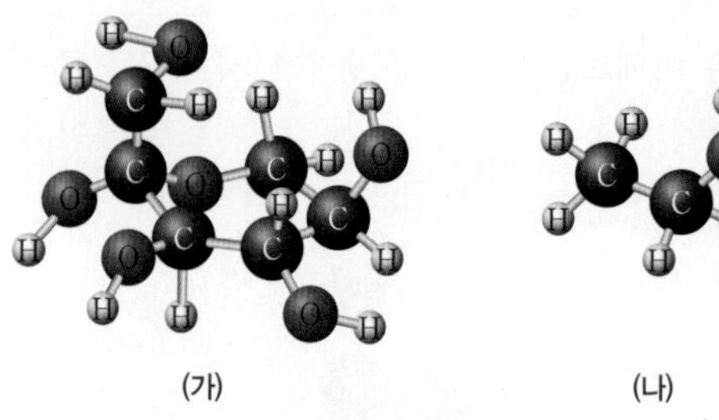
(가) (나)

이에 대한 설명으로 옳은 것만을 〈보기〉에서 있는 대로 고른 것은?

보기
ㄱ. (가)와 (나)를 이루는 원소의 종류는 같다.
ㄴ. (가)와 (나)를 이루는 탄소의 개수는 같다.
ㄷ. (나)는 (가)를 발효시켜 얻을 수 있다.

① ㄱ ② ㄴ ③ ㄱ, ㄷ
④ ㄴ, ㄷ ⑤ ㄱ, ㄴ, ㄷ

04 그림은 2가지 탄화수소의 분자 모형을 나타낸 것이다.

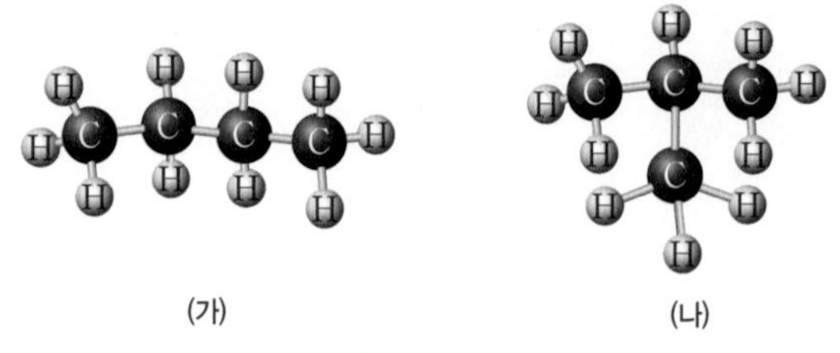
(가) (나)

이에 대한 설명으로 옳은 것만을 〈보기〉에서 있는 대로 고른 것은?

보기
ㄱ. (가)와 (나)는 같은 물질이다.
ㄴ. (가)와 (나)는 분자식이 같다.
ㄷ. (가)와 (나)는 끓는점이 같다.

① ㄱ ② ㄴ ③ ㄱ, ㄷ
④ ㄴ, ㄷ ⑤ ㄱ, ㄴ, ㄷ

정답과 해설 006쪽

05 그림은 몇 가지 탄소 화합물의 구조를 나타낸 것이다.

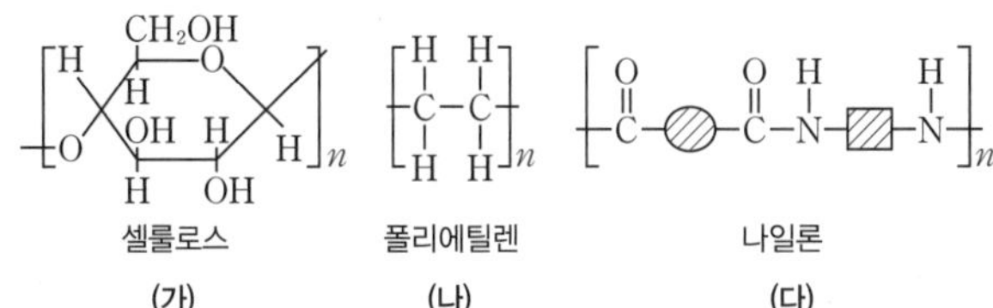

(가) (나) (다)

이에 대한 설명으로 옳은 것만을 〈보기〉에서 있는 대로 고른 것은? (단, (다)에서 빗금친 영역은 C와 H로만 이루어져 있다.)

보기
ㄱ. (가)는 종이의 재료로 이용된다.
ㄴ. (다)는 최초의 합성 섬유이다.
ㄷ. (가)~(다)는 탄소, 수소, 산소로만 이루어진 화합물이다.

① ㄱ ② ㄷ ③ ㄱ, ㄴ
④ ㄴ, ㄷ ⑤ ㄱ, ㄴ, ㄷ

출제예감

06 다음은 인류의 문제 해결에 기여한 3가지 물질에 대한 설명이다.

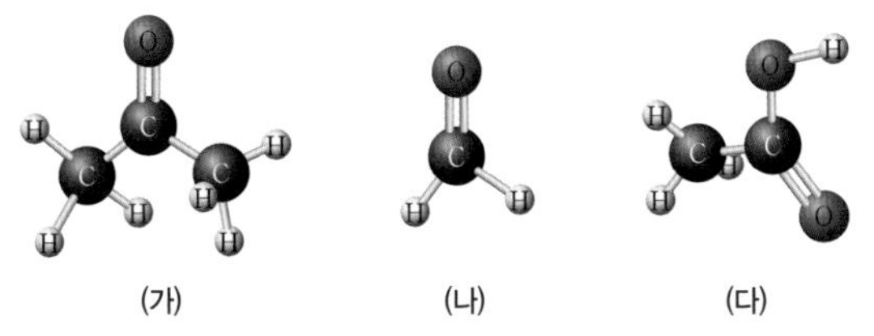

(가) (나) (다)

(가)~(다)의 공통점으로 옳은 것만을 〈보기〉에서 있는 대로 고른 것은?

보기
ㄱ. 용매로 작용한다.
ㄴ. 수용액의 액성은 산성이다.
ㄷ. 탄소와 산소 사이의 2중 결합이 있다.

① ㄱ ② ㄷ ③ ㄱ, ㄴ
④ ㄴ, ㄷ ⑤ ㄱ, ㄴ, ㄷ

07 다음은 몇 가지 탄소 화합물의 특성에 대한 설명이다. ㉠, ㉡에 들어갈 알맞은 말을 쓰시오.

- 알코올: 탄화수소의 C 원자에 1개 이상의 (㉠)가 결합되어 있는 탄소 화합물
- (㉡): 탄화수소의 C 원자에 1개 이상의 $-COOH$가 결합되어 있는 탄소 화합물

서술형

08 표는 몇 가지 탄화수소의 물리적 성질을 나타낸 것으로 탄소 수가 증가함에 따라 녹는점과 끓는점의 경향성 변화와 그 까닭을 함께 서술하시오.

탄소 수	화학식	녹는점(°C)	끓는점(°C)
1	CH_4	−182	−162
2	C_2H_6	−172	−89
3	C_3H_8	−188	−42
4	C_4H_{10}	−139	−0.5

서술형

09 다음은 일상생활에서 흔하게 쓰이는 탄소 화합물의 사례를 나타낸 것이다.

• 플라스틱 • 의약품 • 비누와 합성 세제

다양한 생활용품들의 주성분이 질소 화합물 또는 할로젠 화합물이 아닌 탄소 화합물인 까닭이 무엇인지 탄소의 특성을 언급하여 2가지 서술하시오.

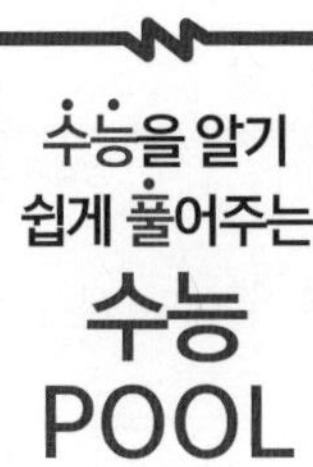

탄화수소의 구조

출제 의도

탄화수소의 분자식으로부터 구조식을 예상하는 문제로 탄소의 결합 유형을 해석하는 문제이다.

이것이 함정

탄소는 원자가 전자가 4개, 수소는 원자가 전자가 1개이므로 탄소 원자의 경우 주위의 원자와 4개의 결합을 형성하고, 수소는 1개의 결합을 형성한다.

대표 유형

다음은 분자 모형 제작을 통해 탄화수소 X와 Y의 다양한 구조를 알아보기 위한 탐구 활동이다.

└→ 탄소(C)와 수소(H)로 이루어진 화합물

준비물

스타이로폼 공(검은 공, 흰 공), 이쑤시개

제작 규칙

Ⅰ. 탄소 원자는 최대 4개의 원자와 결합할 수 있고, 수소 원자는 1개의 원자와 결합한다.

Ⅱ. 검은 공은 탄소 원자로, 흰 공은 수소 원자로, 이쑤시개 1개는 공유 전자쌍 1개로 정한다.

제작 과정

(가) 각 준비물을 표에서 제시된 개수만큼 사용하여 X와 Y의 모형을 제작한다.

탄화수소	모형 1개 제작에 필요한 준비물의 개수		
	이쑤시개	검은 공	흰 공
X	13	a	10
Y	6	b	c

(나) (가)에서 제작한 모형의 구조와 다른 구조가 존재한다면 (가)의 과정을 반복하여 다른 모형을 제작한다.

이에 대한 설명으로 옳은 것만을 〈보기〉에서 있는 대로 고른 것은?

〈보기〉

✗ $a+b+c=9$이다.
→ $a=4$, $b=2$, $c=4$이다.

✗ X의 가능한 구조는 3가지이다. (2가지) ⟶

$$\mathrm{H\!-\!\underset{H}{\overset{H}{C}}\!-\!\underset{H}{\overset{H}{C}}\!-\!\underset{H}{\overset{H}{C}}\!-\!\underset{H}{\overset{H}{C}}\!-\!H}$$

$$\mathrm{CH(CH_3)_3}$$

ㄷ. Y의 분자식은 C_2H_4이다..
분자식: 분자 1개를 구성하는 성분 원소와 원자수를 나타낸 화학식

① ㄱ ② ㄷ ③ ㄱ, ㄴ ④ ㄴ, ㄷ ⑤ ㄱ, ㄴ, ㄷ

표나 그래프에서 경향성 찾기

표에서 탄화수소 X와 Y를 구성하는 탄소와 수소의 원자 수, 결합선 수 관계를 유추한다. >>> 탄소 원자 1개는 주위의 다른 원자와 총 4개의 결합을 형성할 수 있도록 주어진 원자 수에 맞게 결합시킨다. >>> 탄소와 수소 원자 수에 맞는 분자식을 꾸민다. >>> 각 분자의 구조식으로부터 결합의 유형을 예측한다.

추가 선택지

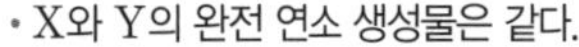

• X와 Y의 완전 연소 생성물은 같다. (○)
⋯→ X와 Y는 탄소와 수소로만 이루어져 있으므로 완전 연소 반응에 의해 이산화 탄소와 물이 생성된다.

• 분자를 구성하는 탄소 원자의 수는 X가 Y의 3배이다. (×)
⋯→ a는 4이고, b는 2이므로 탄소 원자의 수는 X가 Y의 2배이다

실전! 수능 도전하기

정답과 해설 007쪽

01 다음은 과학이 인류의 문명 발달에 영향을 끼친 2가지 사례이다.

> (가) 과학의 발전으로 ㉠철광석에서 철을 대량으로 얻을 수 있게 됨에 따라 강철 레일과 바퀴의 생산이 가능해졌고, 그 결과 산업 혁명과 교통 혁명이 가능해졌다.
>
> (나) 20세기 초 하버는 ㉡공기 중의 질소 기체를 수소 기체와 반응시켜 암모니아를 대량으로 합성하는 제조 공정을 고안하였고, 그 결과 농업 생산력이 증대되었다.

이에 대한 설명으로 옳은 것만을 <보기>에서 있는 대로 고른 것은?

> 보기
> ㄱ. ㉠에서는 화학적 변화가 일어난다.
> ㄴ. ㉡은 인류의 식량 부족 문제를 해결하는 데 기여하였다.
> ㄷ. (가)와 (나)를 통해 인류 문명의 발전 속도가 감소하였다.

① ㄱ ② ㄷ ③ ㄱ, ㄴ ④ ㄴ, ㄷ ⑤ ㄱ, ㄴ, ㄷ

02 그림은 합성 섬유인 6,6－나일론과 천연 섬유인 실크의 구조식을 나타낸 것이다.

(가) 6,6－나일론: $\left[-\mathrm{N(H)}-(\mathrm{CH_2})_6-\mathrm{N(H)}-\mathrm{C(=O)}-(\mathrm{CH_2})_4-\mathrm{C(=O)}- \right]_n$

(나) 실크: $\left[-\mathrm{N(H)}-\mathrm{CH(R)}-\mathrm{C(=O)}- \right]_n$

이에 대한 설명으로 옳은 것만을 <보기>에서 있는 대로 고른 것은?

> 보기
> ㄱ. (가)는 최초의 합성 섬유이다.
> ㄴ. (나)는 매우 질기고 신축성이 좋다.
> ㄷ. (가)와 (나)는 대량 생산이 가능하다.

① ㄱ ② ㄴ ③ ㄱ, ㄷ ④ ㄴ, ㄷ ⑤ ㄱ, ㄴ, ㄷ

03 그림은 인류 문명 발전에 기여한 물질을 얻는 과정과 그 물질을 이용한 사례를 나타낸 것이다.

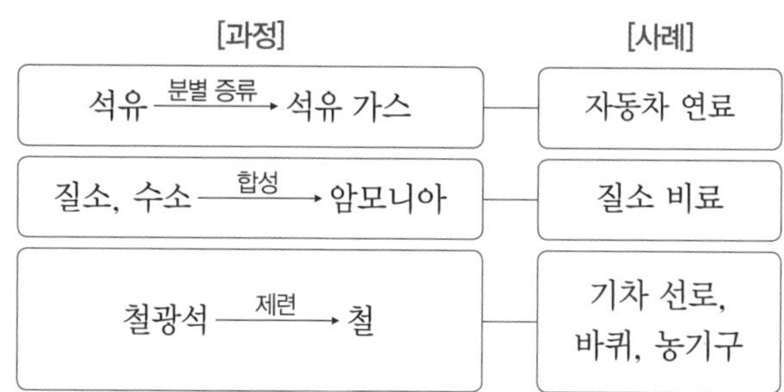

이에 대한 설명으로 옳은 것만을 <보기>에서 있는 대로 고른 것은?

> 보기
> ㄱ. 암모니아와 철은 교통 발달에 기여하였다.
> ㄴ. 석유 가스와 철은 식량 생산 증대에 크게 기여하였다.
> ㄷ. 암모니아 합성과 철의 제련 과정은 화학 반응이다.

① ㄱ ② ㄷ ③ ㄱ, ㄴ ④ ㄴ, ㄷ ⑤ ㄱ, ㄴ, ㄷ

수능 기출

04 다음은 인류의 문명 발달과 관련된 어떤 물질에 대한 설명이다.

> • 자동차와 항공기의 연료나 산업의 에너지원으로 사용된다.
> • 플라스틱, 합성 고무, 합성 섬유의 원료로 사용된다.

이에 해당하는 가장 적절한 물질은?

① 석유 ② 수소 ③ 암모니아 ④ 철 ⑤ 포도당

실전! 수능 도전하기

05 다음은 원유의 분별 증류탑의 일부를 모식도로 나타낸 것이다.

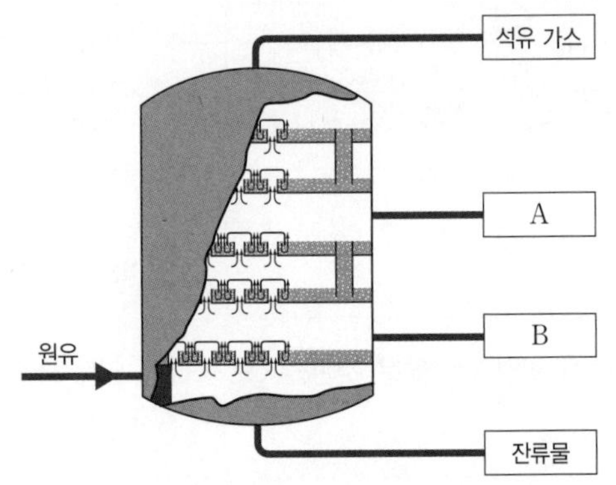

이에 대한 설명으로 옳은 것만을 〈보기〉에서 있는 대로 고른 것은?

> 보기
> ㄱ. 원유는 혼합물이다.
> ㄴ. 화합물을 구성하는 탄소 원자의 수는 A가 B보다 크다.
> ㄷ. 분별 증류는 물질의 녹는점 차이를 이용한 것이다.

① ㄱ ② ㄴ ③ ㄱ, ㄴ
④ ㄱ, ㄷ ⑤ ㄴ, ㄷ

06 그림은 고리 모양의 서로 다른 탄화수소 (가)~(다)의 분자식 또는 구조식을 나타낸 것이다.

(가)	(나)	(다)
C_3H_6	C_4H_8	H_2C, H_2C >CH−CH_3

이에 대한 설명으로 옳은 것만을 〈보기〉에서 있는 대로 고른 것은?

> 보기
> ㄱ. (가)~(다)는 모두 단일 결합으로 이루어져 있다.
> ㄴ. 분자식이 같은 화합물은 (가)와 (다)이다.
> ㄷ. $-CH_2$의 수는 (나)가 (다)의 2배이다.

① ㄱ ② ㄴ ③ ㄱ, ㄷ
④ ㄴ, ㄷ ⑤ ㄱ, ㄴ, ㄷ

07 그림은 다이아몬드(C)와 메테인(CH_4)의 구조를 모형으로 나타낸 것이다.

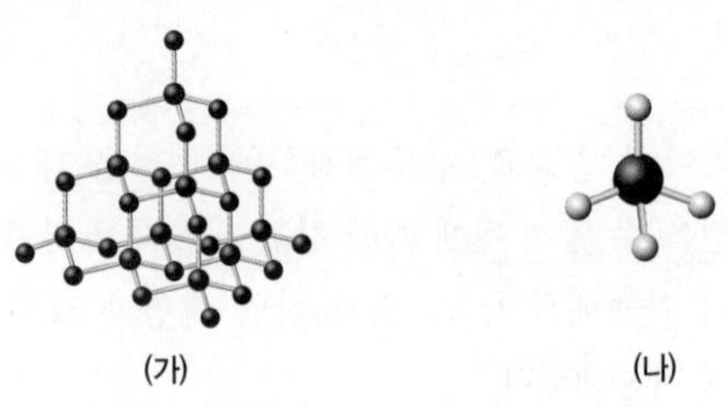

이에 대한 설명으로 옳은 것만을 〈보기〉에서 있는 대로 고른 것은?

> 보기
> ㄱ. (가)는 화합물이다.
> ㄴ. 액화 천연가스의 주성분은 (나)이다.
> ㄷ. 탄소 원자는 4개의 다른 원자와 결합한다.

① ㄱ ② ㄷ ③ ㄱ, ㄴ
④ ㄴ, ㄷ ⑤ ㄱ, ㄴ, ㄷ

수능 기출

08 그림은 탄화수소 A~C의 성질을 나타낸 것이다.

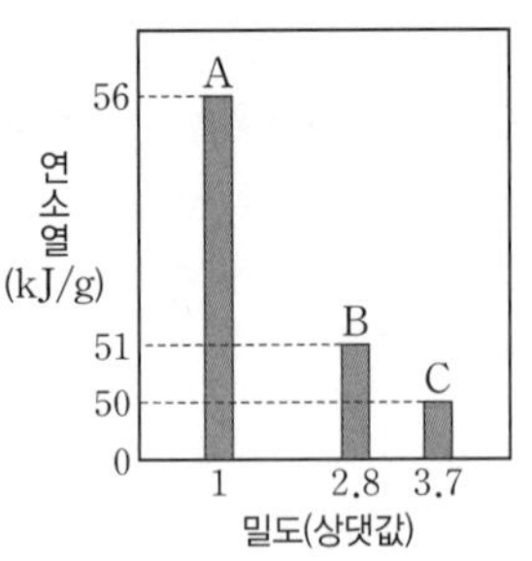

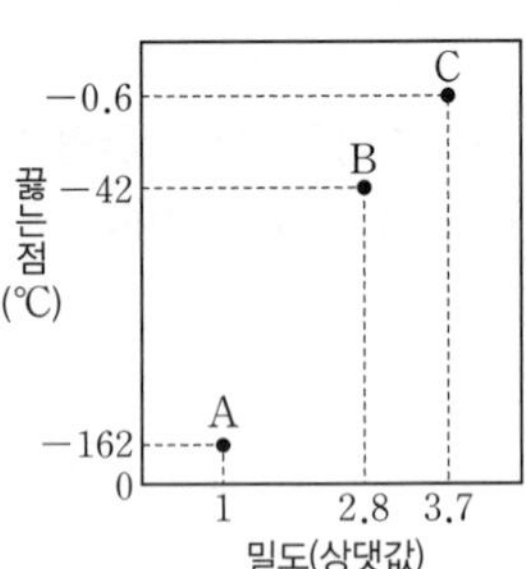

이 자료에 대한 설명으로 옳은 것만을 〈보기〉에서 있는 대로 고른 것은? (단, 밀도는 25 ℃, 1기압에서 측정한 것이다.)

> 보기
> ㄱ. 단위 부피당 연소열은 A가 가장 크다.
> ㄴ. 한 분자의 탄소의 수는 C가 가장 많다.
> ㄷ. 밀도가 증가할수록 분자 간 인력이 증가한다.

① ㄱ ② ㄷ ③ ㄱ, ㄴ
④ ㄴ, ㄷ ⑤ ㄱ, ㄴ, ㄷ

정답과 해설 007쪽

수능 기출

09 다음은 3가지 탄소 화합물의 구조식을 나타낸 것이다.

(가) $CH_3CH_2CH_2\overset{\overset{O}{\|}}{C}H$

(나) $H_2C=CH\overset{\overset{OH}{|}}{C}HCH_3$

(다) $H_2C=CHCH_2OCH_3$

이에 대한 설명으로 옳은 것만을 〈보기〉에서 있는 대로 고른 것은?

보기
ㄱ. 물에 녹아 산성을 나타내는 화합물은 (가)이다.
ㄴ. 알코올에 해당하는 화합물은 (다)이다.
ㄷ. 세 화합물의 분자식은 같다.

① ㄱ ② ㄷ ③ ㄱ, ㄴ
④ ㄴ, ㄷ ⑤ ㄱ, ㄴ, ㄷ

10 그림은 3가지 탄소 화합물 A~C를 분류하기 위한 과정을 나타낸 것이다.

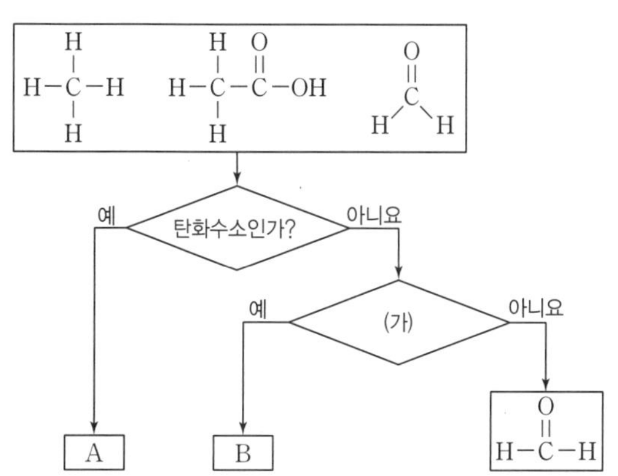

이에 대한 설명으로 옳은 것만을 〈보기〉에서 있는 대로 고른 것은?

보기
ㄱ. A의 분자식은 CH_4이다.
ㄴ. B는 에탄올을 발효시켜 얻는다.
ㄷ. (가)에는 '물에 녹으면 산성을 띠는가?'가 들어갈 수 있다.

① ㄱ ② ㄷ ③ ㄱ, ㄴ
④ ㄴ, ㄷ ⑤ ㄱ, ㄴ, ㄷ

11 그림은 탄소 수가 3개인 사슬모양 탄화수소 A, B, C의 $\frac{\text{탄소 수}}{\text{수소 수}}$를 나타낸 것이다.

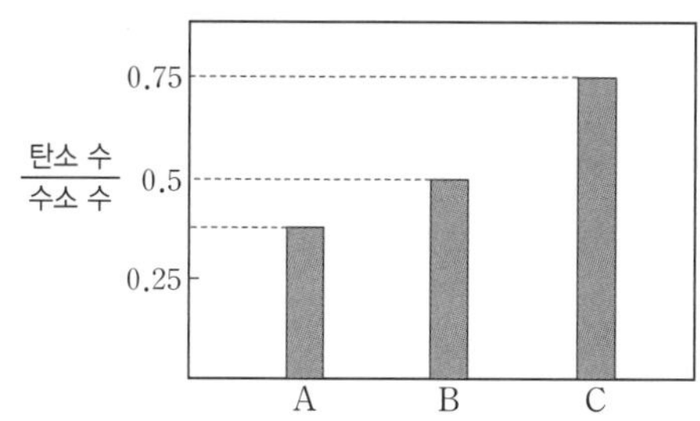

이에 대한 설명으로 옳은 것만을 〈보기〉에서 있는 대로 고른 것은?

보기
ㄱ. A의 화학식은 C_3H_8이다.
ㄴ. 한 분자를 구성하는 원자 수가 가장 많은 분자는 B이다.
ㄷ. 완전 연소시킬 때 한 분자 당 생성되는 H_2O의 양은 C가 가장 많다.

① ㄱ ② ㄴ ③ ㄱ, ㄴ
④ ㄱ, ㄷ ⑤ ㄴ, ㄷ

12 다음은 세 가지 탄소 화합물의 구조식을 나타낸 것이다.

(가) $CH_3CH_2CH_2CH_2-OH$

(나) $CH_3CH_2CH_2-O-CH_3$

(다) $CH_3-\underset{\underset{CH_3}{|}}{\overset{\overset{CH_3}{|}}{C}}-OH$

이에 대한 설명으로 옳은 것만을 〈보기〉에서 있는 대로 고른 것은?

보기
ㄱ. (가)와 (다)는 알코올에 해당한다.
ㄴ. (나)는 카복실산이다.
ㄷ. (가)~(다)의 분자식은 모두 같다.

① ㄱ ② ㄴ ③ ㄱ, ㄷ
④ ㄴ, ㄷ ⑤ ㄱ, ㄴ, ㄷ

정답과 해설 007쪽

13 다음은 2가지 탄화수소의 화학식이다.

(가) CH_3COOH　　(나) $CH_3CH_2CH_2COOH$

(가)와 (나)의 공통점으로 옳은 것만을 〈보기〉에서 있는 대로 고른 것은?

보기
ㄱ. 카복실산에 해당한다.
ㄴ. 곡물을 발효시켜 얻을 수 있다.
ㄷ. 물에 녹으면 수산화 이온(OH^-)을 내놓는다.

① ㄱ　② ㄷ　③ ㄱ, ㄴ　④ ㄴ, ㄷ　⑤ ㄱ, ㄴ, ㄷ

14 그림 (가)는 알케인과 알코올의 끓는점을, (나)는 알케인과 알코올 1 g을 각각 완전 연소시키기 위해 필요한 산소량을 탄소 수에 따라 나타낸 것이다.

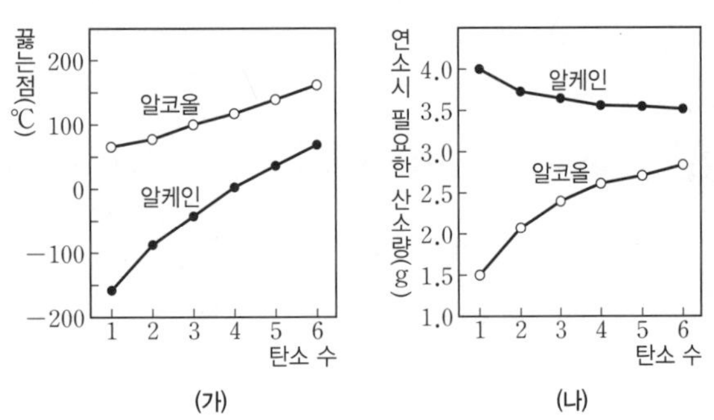

탄소 수가 증가함에 따라 나타나는 특성으로 옳은 것만을 〈보기〉에서 있는 대로 고른 것은?

보기
ㄱ. 알케인과 알코올에서 분자 간 인력이 증가한다.
ㄴ. 알케인 1 g이 완전 연소하는 데 필요한 산소량은 감소한다.
ㄷ. 연소 시 알코올 분자에서 산소가 차지하는 질량비는 증가한다.

① ㄱ　② ㄷ　③ ㄱ, ㄴ　④ ㄴ, ㄷ　⑤ ㄱ, ㄴ, ㄷ

15 다음은 2가지 반응에 대한 설명이다.

(가) 수소를 연소시키면 물이 생성된다.

$$2H_2 + O_2 \longrightarrow 2H_2O$$

(나) 프로페인(C_3H_8)을 완전 연소시키면 이산화 탄소와 물이 생성된다.

$$C_3H_8 + 5O_2 \longrightarrow 3CO_2 + 4H_2O$$

이에 대한 설명으로 옳은 것만을 〈보기〉에서 있는 대로 고른 것은?

보기
ㄱ. 물은 2가지 원소로 이루어진 화합물이다.
ㄴ. 프로페인은 3가지 원소로 이루어진 화합물이다.
ㄷ. 물과 프로페인은 모두 분자로 이루어진 물질이다.

① ㄱ　② ㄴ　③ ㄴ, ㄷ　④ ㄱ, ㄷ　⑤ ㄱ, ㄴ, ㄷ

16 그림은 자작나무에서 추출되는 자일로스를 충치 예방용 첨가물인 자일리톨로 만드는 과정을 나타낸 것이다.

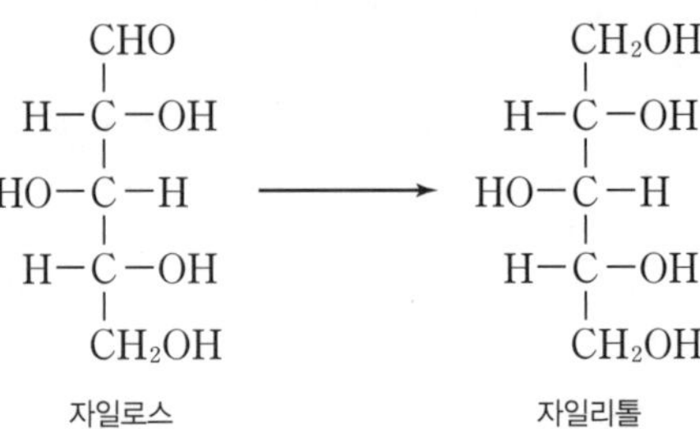

이에 대한 설명으로 옳은 것만을 〈보기〉에서 있는 대로 고른 것은?

보기
ㄱ. 자일리톨은 알코올에 해당한다.
ㄴ. 자일로스는 카복실산에 해당한다.
ㄷ. 자일로스와 자일리톨은 모두 물에 잘 녹는다.

① ㄱ　② ㄴ　③ ㄱ, ㄷ　④ ㄴ, ㄷ　⑤ ㄱ, ㄴ, ㄷ

2 화학 반응에서의 양적 관계

배울 내용 살펴보기

01 화학식량과 몰

A 화학식량

B 몰

원자의 질량과 크기는 매우 작기 때문에 상대적인 질량을 사용하고, 묶음 단위로 입자의 양을 나타내.

02 화학 반응식과 양적 관계

A 화학 반응식

B 화학 반응에서의 양적 관계

화학 반응을 화학 반응식으로 나타내면 반응물과 생성물의 양(mol), 분자 수, 부피, 질량 등의 양적 관계를 알 수 있어.

03 몰 농도

A 퍼센트 농도

B 몰 농도

용액의 농도를 나타낼 때 용질의 양(mol)을 사용하면 화학 반응의 양적 관계를 파악할 때 편리해.

01 화학식량과 몰

핵심 키워드로 흐름잡기

[A] 원자량, 분자량, 화학식량

[B] 몰, 아보가드로수, 몰 질량, 아보가드로 법칙

A 화학식량

|출·제·단·서| 원자량, 분자량, 화학식량을 구하는 문제가 시험에 나와.

1. 원자량 •질량수가 12인 탄소 원자(^{12}C)의 질량을 12로 정하고, 이를 기준으로 결정한 원자들의 상대적인 질량 상대 질량 값이므로 단위가 없다.

탄소 원자와 수소 원자의 상대적 질량

탄소 원자(C) 1개 수소 원자(H) 12개

1개×12.0=12개×1.0

❶ C 원자 1개의 질량=H 원자 12개의 질량

❷ C 원자의 질량 : H 원자의 질량 = 12 : 1

❸ C의 원자량이 12라면 H의 원자량은 1이다.

탄소 원자와 산소 원자의 상대적 질량

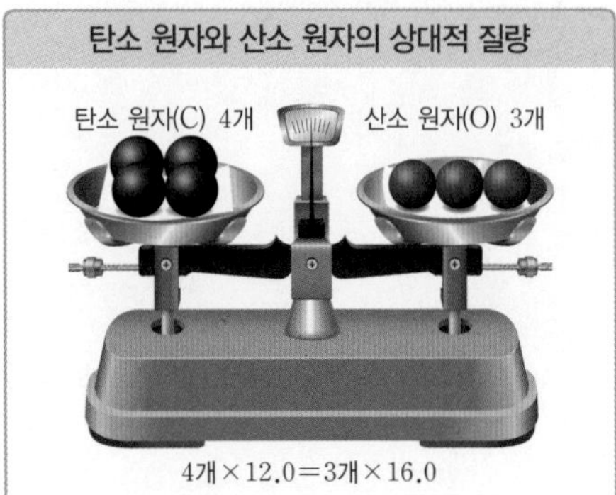

4개×12.0=3개×16.0

❶ C 원자 4개의 질량=O 원자 3개의 질량

❷ C 원자의 질량 : O 원자의 질량 = 3 : 4

❸ C의 원자량이 12라면 O의 원자량은 16이다.

(1) 원자량을 사용하는 까닭 원자는 질량❶이 매우 작아서 실제 질량을 그대로 사용하는 것이 불편하므로 상대 질량인 원자량으로 나타낸다.

(2) 몇 가지 원소의 평균 원자량❷

원소	원자량	원소	원자량
수소(H)	1.0	헬륨(He)	4.0
탄소(C)	12.0	질소(N)	14.0
산소(O)	16.0	염소(Cl)	35.5

❶ 원자 1개의 질량

원자	질량(g)
수소(H)	1.67×10^{-24}
탄소(C)	1.99×10^{-23}
산소(O)	2.66×10^{-23}

❷ 평균 원자량

대부분의 원소들은 동위 원소가 있으므로 원자의 원자량은 동위 원소의 존재 비율을 고려한 평균 원자량으로 나타낸다.

원자량과 원자 번호의 관계

원자 번호가 n일 경우 n이 짝수이면 대체로 원자량은 $2n$이고, n이 홀수이면 대체로 원자량은 $2n+1$이 성립한다. 예를 들어 탄소는 원자 번호 6번이므로 원자량은 12이고, 나트륨은 원자 번호 11번이므로 원자량은 23이다. (단, H, N, Cl 등은 예외)

2. 분자량 분자를 구성하는 모든 원자들의 원자량을 합한 값 분자량도 원자량을 기준으로 구하는 값이므로 단위가 없다.

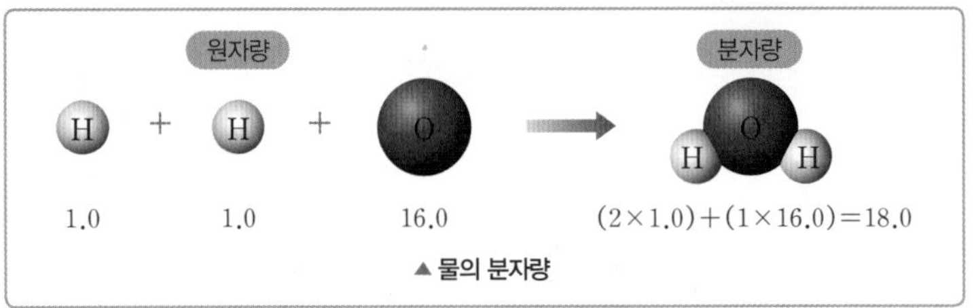

▲ 물의 분자량

(1) 분자량을 사용하는 까닭 몇 개의 원자가 결합하여 이루어진 분자는 질량이 매우 작아서 실제 질량을 그대로 사용하는 것이 매우 불편하므로 원자량과 동일한 기준을 사용하여 상대 질량으로 나타낸다.

(2) 몇 가지 분자의 분자량

분자	수소	물	이산화 탄소	포도당
분자식	H_2	H_2O	CO_2	$C_6H_{12}O_6$
분자량	1×2=2	1×2+16=18	12+16×2=44	12×6+1×12+16×6=180

용어 알기

•질량수(바탕 質, 수량 量, 세다 數) 원자핵을 구성하는 양성자수와 중성자수의 합

3. 화학식량❸ 물질의 화학식을 이루는 모든 원자들의 원자량을 합한 값

(1) 화학식량을 사용하는 까닭 염화 나트륨(NaCl), 다이아몬드(C), 철(Fe) 등과 같이 분자로 존재하지 않는 물질은 상대 질량을 나타낼 때 분자량이라는 용어를 사용할 수 없으므로 화학식량으로 나타낸다.

(2) 몇 가지 물질의 화학식량

물질	염화 나트륨	다이아몬드	철
화학식	NaCl	C	Fe
모형			양이온, 자유 전자
화학식량	23+35.5=58.5	12	55.8

└ 화학식에 포함되는 원소들의 원자량의 합

❸ **화학식량**
물질을 원소 기호를 이용하여 표현하는 것을 통틀어 화학식이라고 하고, 화학식 중 분자를 나타내는 식을 분자식이라고 한다. 따라서 분자량 또한 화학식량 중의 하나이다.

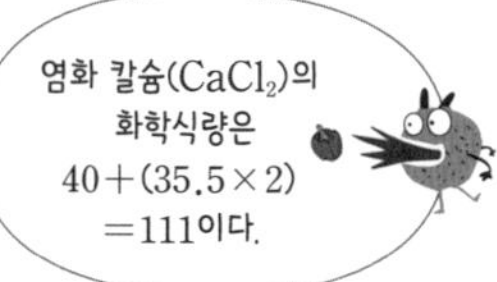
염화 칼슘($CaCl_2$)의
화학식량은
40+(35.5×2)
=111이다.

B 몰

|출·제·단·서| 기체 상태일 때 몰과 부피의 관계를 묻는 문제가 시험에 나와.

1. •몰(mol) 원자, 분자 등과 같이 매우 작은 입자의 양을 나타내는 묶음 단위

(1) 몰을 사용하는 까닭 원자나 분자와 같은 입자는 매우 작아서 물질의 양이 적어도 그 속에 매우 많은 수의 입자가 포함되어 있으므로 묶음 단위인 몰을 사용하여 나타낸다.

2. 몰과 입자 수

(1) 아보가드로수❹

① 탄소(^{12}C) 원자 12 g에 들어 있는 탄소 원자 수로, 6.02×10^{23}이다. (┌ 탄소의 원자량인 12에 g을 붙인 값)

② 아보가드로수를 사용하게 된 배경

- 원자나 분자 등과 같이 매우 작은 입자는 그 개수를 세기 어려우므로 무게를 측정하여 단위를 설정하였다.
- 탄소 원자 12 g에 포함된 탄소의 개수를 측정하였더니 약 6.02×10^{23}개 만큼의 탄소 원자가 존재하였다.
- 원자량은 원자 1개에 대한 상대적 질량이므로, 각 원소의 원자량에 g을 붙인 질량에 포함된 원자의 개수도 약 6.02×10^{23}개이다.

원소	탄소(C)	수소(H)	산소(O)	질소(N)
원자량 g	12 g	1 g	16 g	14 g
개수	6.02×10^{23}	6.02×10^{23}	6.02×10^{23}	6.02×10^{23}

- 분자량은 각 분자를 이루는 원자들의 원자량 합에 해당하는 상대적 질량이므로, 분자량에 g을 붙인 질량에 포함된 분자의 개수도 약 6.02×10^{23}개이다.

분자	수소(H_2)	물(H_2O)	이산화 탄소(CO_2)	포도당($C_6H_{12}O_6$)
분자량 g	2 g	18 g	44 g	180 g
개수	6.02×10^{23}	6.02×10^{23}	6.02×10^{23}	6.02×10^{23}

➡ 물질의 종류와 관계없이 물질의 화학식량에 g을 붙인 질량에 포함된 물질의 개수가 모두 동일하며, 이를 아보가드로수로 정의하였다.

❹ **아보가드로수(Avogadro's number)**
분자의 개념을 도입하고 아보가드로 법칙을 제안한 과학자 아보가드로를 기념하기 위해 물질 1몰에 들어 있는 입자 수를 아보가드로수라고 한다.

용어 알기
•몰(mole) '더미'를 뜻하는 라틴어인 mole에서 유래되었으며, 분자를 뜻하는 molecule에서 따온 용어로, 물질을 구성하는 입자의 묶음 단위

(2) 몰과 아보가드로수의 관계 입자 1몰은 6.02×10^{23}개이다.

1몰(mol)=입자 6.02×10^{23}개

(3) 모든 물질 1몰에는 그 물질을 구성하고 있는 입자 6.02×10^{23}개가 들어 있다.

물질 1몰	입자 수	예
원자 1몰	원자 6.02×10^{23}개	수소 원자(H) 1몰=수소 원자 6.02×10^{23}개
분자 1몰	분자 6.02×10^{23}개	물 분자(H_2O) 1몰=물 분자 6.02×10^{23}개
이온 1몰	이온 6.02×10^{23}개	나트륨 이온(Na^+) 1몰=나트륨 이온 6.02×10^{23}개

❓ 1몰에는 얼마나 많은 수의 입자가 포함되어 있을까?
만약 천 원짜리 1몰을 일렬로 세워 놓는다면 그 길이는 가장 가까운 은하인 안드로메다은하까지 거리의 5.9배에 해당한다. 또, 지름 1 cm짜리 구슬 1몰을 가지고 지구 표면을 덮으면 80 km 높이로 쌓을 수 있고, 수박씨 1몰이 수박에 들어갈 수 있으려면 수박의 크기는 달보다 약간 더 커야 한다.

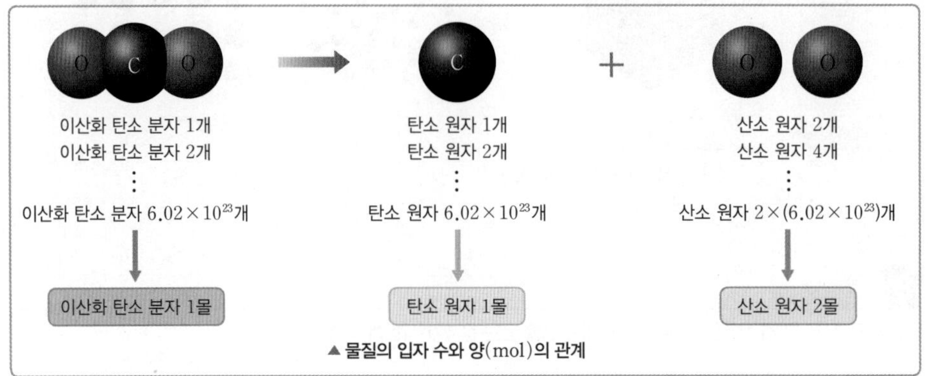

▲ 물질의 입자 수와 양(mol)의 관계

3. 몰과 질량

(1) 1몰의 질량 물질을 구성하는 입자 1몰의 질량은 화학식량에 g을 붙인 값과 같다.

몇 가지 물질 1몰의 질량 비교

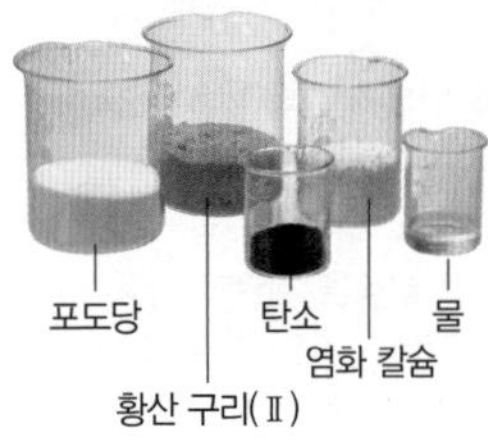

물질 1몰	입자 수	질량	예
원자 1몰	원자 6.02×10^{23}개	원자량에 g을 붙인 값	수소 원자(H) 1몰의 질량 =수소 원자 6.02×10^{23}개의 질량=1 g
분자 1몰	분자 6.02×10^{23}개	분자량에 g을 붙인 값	물 분자(H_2O) 1몰의 질량 =물 분자 6.02×10^{23}개의 질량=18 g
이온 1몰	이온 6.02×10^{23}개	화학식량에 g을 붙인 값	나트륨 이온(Na^+) 1몰의 질량 =나트륨 이온 6.02×10^{23}개의 질량=23 g

(2) 몰 질량 물질 1몰의 질량을 뜻하며, 단위는 g/mol로 나타낸다. – 물질의 화학식량과 같다.

(3) 물질의 질량을 몰 질량으로 나누면 물질의 양(mol)을 구할 수 있다.

$$\text{물질의 양(mol)}=\frac{\text{물질의 질량(g)}}{\text{물질의 몰 질량(g/mol)}}$$

빈출 계산연습 물질의 양(mol)과 질량의 관계 계산하기

메테인(CH_4) 48 g의 양(mol)을 구해 보자. (단, 탄소와 수소의 분자량은 각각 12, 1이다.)

1단계 메테인을 구성하는 물질의 원자량을 이용하여 메테인 분자의 몰 질량(g/mol)을 구한다.
➡ 메테인은 탄소 원자 1개와 수소 원자 4개로 구성되어 있다. 탄소의 원자량은 12이고, 수소의 원자량은 1이므로 메테인의 분자량은 $12+(1\times4)=16$이다. 따라서 메테인의 몰 질량은 16 g/mol이다.

2단계 $\text{물질의 양(mol)}=\frac{\text{물질의 질량(g)}}{\text{물질의 몰 질량(g/mol)}}$ 을 이용하여 메테인의 양(mol)을 구한다.
➡ $\text{메테인의 양(mol)}=\frac{48\text{ g}}{16\text{ g/mol}}=3\text{ mol}$

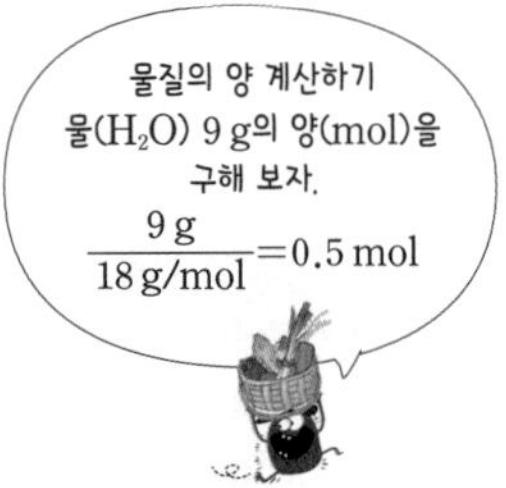

4. 몰과 기체의 부피

— 액체나 고체인 경우 1몰의 부피는 물질마다 서로 달라서 특성을 찾을 수 없지만 기체의 경우에는 기체의 종류와 관계없이 공통성을 나타낸다.

(1) 아보가드로 법칙

① 온도와 압력이 같을 때 모든 기체는 종류에 관계없이 같은 부피 속에 같은 수의 분자를 포함한다.

② 기체의 종류에 관계없이 같은 온도와 같은 압력에서 기체 1몰이 차지하는 부피는 일정하다.

(2) 기체 1몰의 부피 기체의 종류에 관계없이 모든 기체 1몰은 0 ℃, 1기압에서 22.4 L의 부피를 차지한다. (암기TIP) 기체 1몰의 부피=22.4 L(0 ℃, 1기압)

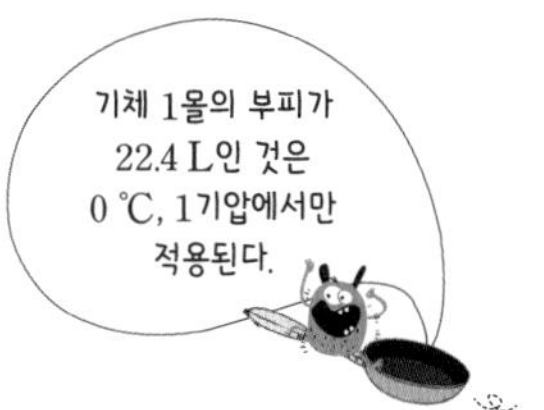

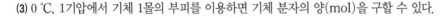

기체	수소(H_2)	산소(O_2)	이산화 탄소(CO_2)
모형			
분자의 양(mol)	1몰	1몰	1몰
분자 수	6.02×10^{23}개	6.02×10^{23}개	6.02×10^{23}개
질량	2 g	32 g	44 g
부피 (0 ℃, 1기압)	22.4 L	22.4 L	22.4 L

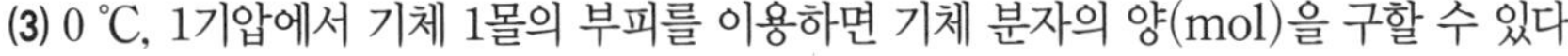

(3) 0 ℃, 1기압에서 기체 1몰의 부피를 이용하면 기체 분자의 양(mol)을 구할 수 있다.

$$\text{기체 분자의 양(mol)}=\frac{\text{기체의 부피(L)}}{22.4\ \text{L/mol}}\ (0\ ℃,\ 1\text{기압})$$

5. 몰과 질량, 입자 수, 기체의 부피 관계 개념 POOL

$$\text{물질의 양(mol)}=\frac{\text{입자 수}}{6.02\times10^{23}/\text{mol}}=\frac{\text{질량(g)}}{\text{몰 질량(g/mol)}}=\frac{\text{기체의 부피(L)}}{22.4\ \text{L/mol}}\ (0\ ℃,\ 1\text{기압})$$

몰과 질량, 입자 수, 기체의 부피 관계

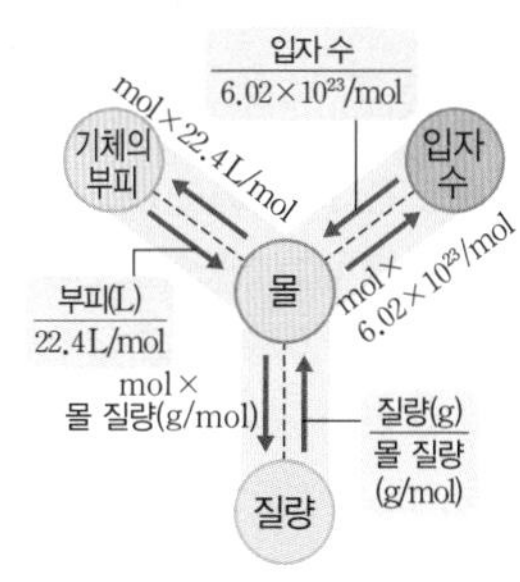

빈출 계산연습 기체의 양(mol)과 질량, 입자 수, 부피의 관계 계산하기

0 ℃, 1기압에서의 이산화 탄소(CO_2) 22 g의 분자 수와 부피를 구해 보자. (단, 이산화 탄소의 분자량은 44이다.)

1단계 $\text{물질의 양(mol)}=\frac{\text{질량(g)}}{\text{몰 질량(g/mol)}}$을 이용하여 CO_2의 양(mol)을 구한다.

➡ $CO_2\text{의 양(mol)}=\frac{22\ \text{g}}{44\ \text{g/mol}}=0.5\ \text{mol}$

2단계 $\text{물질의 양(mol)}=\frac{\text{입자 수}}{6.02\times10^{23}/\text{mol}}$를 이용하여 CO_2의 분자 수를 구한다.

➡ $CO_2\text{의 분자 수}=CO_2\text{의 양(mol)}\times6.02\times10^{23}/\text{mol}$

$=0.5\ \text{mol}\times6.02\times10^{23}/\text{mol}=3.01\times10^{23}$

3단계 $\text{물질의 양(mol)}=\frac{\text{부피(L)}}{22.4\ \text{L/mol}}$를 이용하여 CO_2의 부피를 구한다.

➡ $CO_2\text{의 부피(L)}=CO_2\text{의 양(mol)}\times22.4\ \text{L/mol}$

$=0.5\ \text{mol}\times22.4\ \text{L/mol}=11.2\ \text{L}$

기체 1몰의 부피를 이용하여 기체의 양(mol) 구하기

0 ℃, 기압에서 측정한 기체의 부피가 5.6 L일 때 기체의 양(mol)은?

$\frac{5.6\ \text{L}}{22.4\ \text{L/mol}}=0.25\ \text{mol}$

몰과 물질의 양(mol)

목표 주어진 정보로부터 물질의 양(mol)을 구하여 몰과 입자 수, 질량, 기체의 부피 사이의 관계를 구할 수 있다.

1 몰과 질량, 입자 수의 관계

알루미늄(Al) 2.7 g 안에 들어 있는 Al 원자의 개수 구하기 (단, Al의 원자량은 27.0이다.)

❶ Al의 양(mol) 구하기

➡ Al 1몰의 질량은 27.0 g이므로 Al 2.7 g의 양(mol)은 $\frac{2.7\ \text{g}}{27\ \text{g/mol}}=0.1\ \text{mol}$이다.

❷ Al 원자의 개수 구하기

➡ Al 1몰은 Al 원자 6.02×10^{23}개이므로 0.1몰의 원자 수는
$0.1\ \text{mol}\times6.02\times10^{23}$개/mol$=6.02\times10^{22}$개이다.

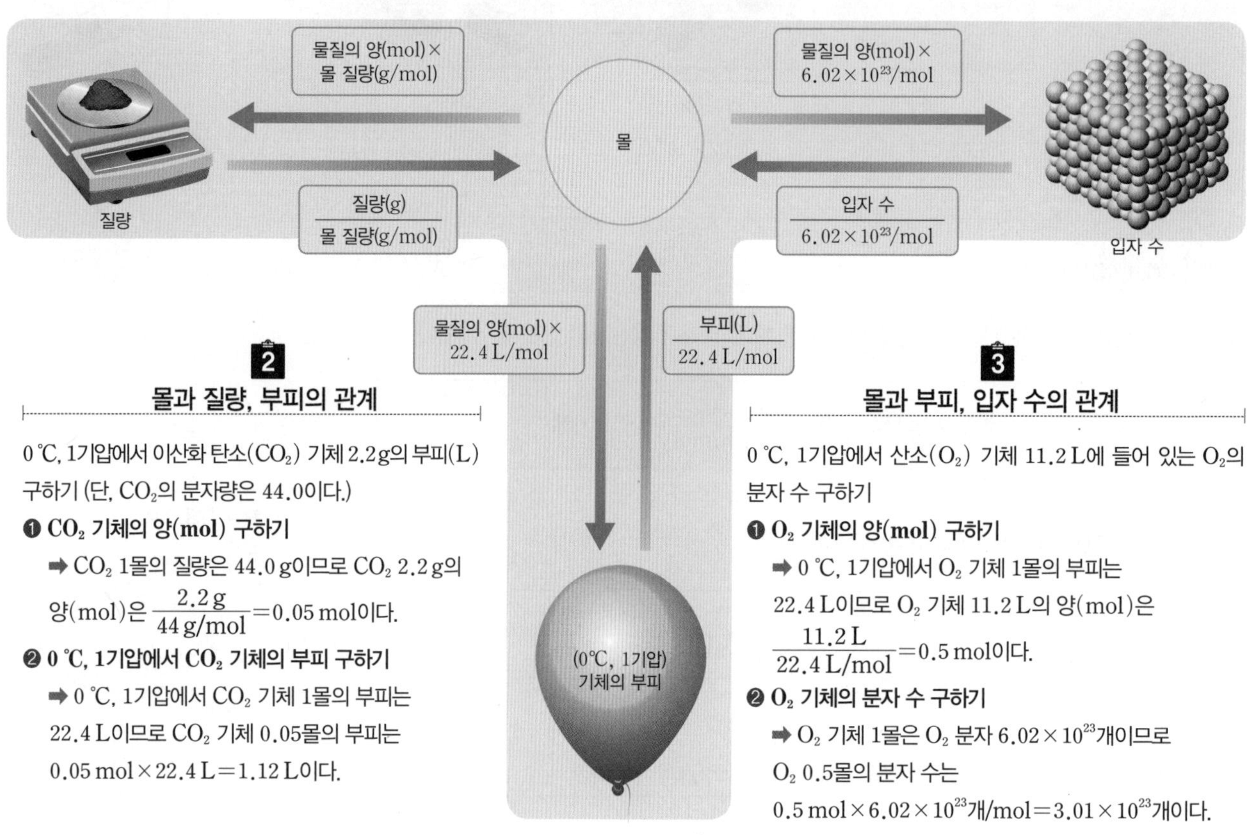

2 몰과 질량, 부피의 관계

0 ℃, 1기압에서 이산화 탄소(CO_2) 기체 2.2 g의 부피(L) 구하기 (단, CO_2의 분자량은 44.0이다.)

❶ CO_2 기체의 양(mol) 구하기

➡ CO_2 1몰의 질량은 44.0 g이므로 CO_2 2.2 g의 양(mol)은 $\frac{2.2\ \text{g}}{44\ \text{g/mol}}=0.05\ \text{mol}$이다.

❷ 0 ℃, 1기압에서 CO_2 기체의 부피 구하기

➡ 0 ℃, 1기압에서 CO_2 기체 1몰의 부피는 22.4 L이므로 CO_2 기체 0.05몰의 부피는 $0.05\ \text{mol}\times22.4\ \text{L}=1.12\ \text{L}$이다.

3 몰과 부피, 입자 수의 관계

0 ℃, 1기압에서 산소(O_2) 기체 11.2 L에 들어 있는 O_2의 분자 수 구하기

❶ O_2 기체의 양(mol) 구하기

➡ 0 ℃, 1기압에서 O_2 기체 1몰의 부피는 22.4 L이므로 O_2 기체 11.2 L의 양(mol)은 $\frac{11.2\ \text{L}}{22.4\ \text{L/mol}}=0.5\ \text{mol}$이다.

❷ O_2 기체의 분자 수 구하기

➡ O_2 기체 1몰은 O_2 분자 6.02×10^{23}개이므로 O_2 0.5몰의 분자 수는
$0.5\ \text{mol}\times6.02\times10^{23}$개/mol$=3.01\times10^{23}$개이다.

한·줄·핵심 물질 1몰의 입자 수는 6.02×10^{23}개이고, 1몰의 질량은 화학식량에 g을 붙인 값이며, 0 ℃, 1기압에서 기체 1몰의 부피는 22.4 L이다.

확인 문제

정답과 해설 009쪽

[01~02] 표는 0 ℃, 1기압에서 기체 A~C에 대한 자료이다.

기체	분자량	질량(g)	부피(L)
A	㉠	11	5.6
B	16	㉡	11.2
C	4	1	㉢

01 ㉠~㉢에 들어갈 알맞은 값을 각각 쓰시오.

02 다음 설명 중 옳은 것은 ○, 옳지 않은 것은 ×로 표시하시오.

(1) 기체 A의 분자 수는 3.01×10^{23}개이다. ( )

(2) 기체 B의 양(mol)은 0.5몰이다. ( )

(3) 밀도가 가장 큰 기체는 A이다. ( )

콕콕! 개념 확인하기

정답과 해설 009쪽

✔ 잠깐 확인!

1. □□□
질량수가 12인 탄소 원자(^{12}C)의 질량을 12로 정하고, 이를 기준으로 결정한 원자들의 상대적인 질량

2. □□□
분자의 상대적인 질량으로, 분자를 구성하는 모든 원자들의 원자량을 합한 값

3. □□□□
물질의 화학식을 이루는 모든 원자들의 원자량을 합한 값

4. □
원자, 분자 등과 같이 매우 작은 입자의 양을 나타내는 묶음 단위

5. □□□□□□
탄소 원자(^{12}C) 12 g에 들어 있는 탄소 원자 수로, 6.02×10^{23}에 해당하는 수

6. □□□□□ 법칙
온도와 압력이 같을 때 모든 기체는 같은 부피 속에 같은 수의 분자를 포함한다는 법칙

7. □ L
0 ℃, 1기압에서 기체 1몰이 차지하는 부피

A 화학식량

01 원자량, 분자량, 화학식량에 대한 설명으로 옳은 것은 ○, 옳지 않은 것은 ×로 표시하시오.

(1) 원자량은 질량수가 1인 수소 원자의 질량을 1로 정하여 나타낸 상대적 질량이다. (　　)

(2) 염화 나트륨(NaCl)의 화학식량은 나트륨(Na)의 원자량과 염소(Cl)의 원자량을 합한 값이다. (　　)

(3) 원자량, 분자량, 화학식량의 단위는 모두 그램(g)이다. (　　)

02 그림은 원자 X, Y, Z의 질량을 비교한 것이다. ㉠~㉢에 들어갈 알맞은 말을 쓰시오.

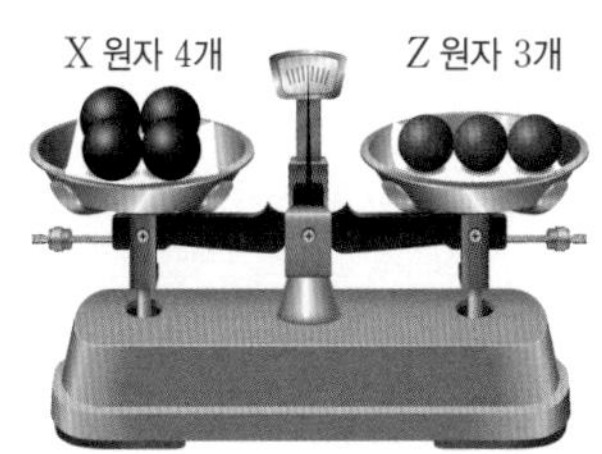

원자량이 가장 큰 원소는 (㉠)이고, X 1개와 Y 4개의 원자량을 합하면 (㉡)의 분자량이 된다. 또한, X의 원자량이 12라면 XZ_2의 분자량은 (㉢)이다.

B 몰

03 기체 분자의 양(mol)을 구하기 위한 기체의 입자 수, 질량, 부피 관계를 옳게 연결하시오.

(1) 0 ℃, 1기압에서 기체의 부피 •　　　　• ㉠ ÷몰 질량

(2) 기체의 질량 •　　　　• ㉡ $\div 6.02 \times 10^{23}$

(3) 기체 분자의 입자 수 •　　　　• ㉢ ÷22.4 L

04 다음 기체의 질량(g)을 각각 구하시오. (단, H, C, N, O의 원자량은 각각 1, 12, 14, 16이다.)

(1) 질소(N_2) 분자 2몰

(2) 산소(O_2) 기체 3.01×10^{23}개

(3) 0 ℃, 1기압에서 이산화 탄소(CO_2) 5.6 L

(4) 수소 원자 3몰이 포함된 암모니아(NH_3) 분자

탄탄! 내신 다지기

A 화학식량

01 화학식량에 대한 설명으로 옳은 것만을 〈보기〉에서 있는 대로 고른 것은?

보기
ㄱ. 분자량은 분자를 구성하는 모든 원자의 원자량을 곱한 값이다.
ㄴ. 이온 결합 물질과 금속 결합 물질의 화학식량은 구할 수 없다.
ㄷ. 원자의 질량이 매우 작아서 실제 값을 그대로 사용하는 것이 불편하므로 원자량을 사용한다.

① ㄱ ② ㄷ ③ ㄱ, ㄴ
④ ㄴ, ㄷ ⑤ ㄱ, ㄴ, ㄷ

단답형

02 다음은 이산화 황(SO_2)에 대한 설명이다. ㉠~㉣에 들어갈 알맞은 말을 쓰시오. (단, O, S의 원자량은 각각 16, 32이다.)

SO_2의 분자량은 (㉠)의 원자량과 (㉡)의 원자량을 (㉢)배 한 값을 더하여 구할 수 있으며, 그 값은 (㉣)이다.

03 표는 3가지 원소 X~Z 원자 1개의 실제 질량을 나타낸 것이다.

원소	X	Y	Z
원자 1개의 실제 질량(g)	2.0×10^{-23}	4.0×10^{-23}	6.7×10^{-23}

X의 원자량이 12라고 할 때, 이에 대한 설명으로 옳은 것만을 〈보기〉에서 있는 대로 고른 것은? (단, X~Z는 임의의 원소 기호이고, 원자량은 정수로 나타내며, H, O의 원자량은 각각 1, 16이다.)

보기
ㄱ. Z의 원자량은 40이다.
ㄴ. XH_4의 분자량은 16이다.
ㄷ. YO의 화학식량은 Z의 원자량과 같다.

① ㄱ ② ㄴ ③ ㄱ, ㄷ
④ ㄴ, ㄷ ⑤ ㄱ, ㄴ, ㄷ

04 다음 중 물질의 화학식량이 옳지 않은 것은? (단, H, C, N, O의 원자량은 각각 1, 12, 14, 16이다.)

① H_2O-18 ② NH_3-17
③ CO_2-28 ④ HNO_3-63
⑤ $C_6H_{12}O_6-180$

B 몰

05 0 ℃, 1기압에서 메테인(CH_4) 기체 0.5몰에 대한 설명으로 옳은 것만을 〈보기〉에서 있는 대로 고른 것은? (단, H, C의 원자량은 각각 1, 12이다.)

보기
ㄱ. 질량은 16 g이다.
ㄴ. 수소 원자의 수는 1.204×10^{24}이다.
ㄷ. 0 ℃, 1기압에서 부피는 22.4 L이다.

① ㄱ ② ㄴ ③ ㄱ, ㄷ
④ ㄴ, ㄷ ⑤ ㄱ, ㄴ, ㄷ

06 그림은 부피가 다른 두 용기에 0 ℃, 1기압의 에텐(C_2H_4) 기체와 뷰텐(C_4H_8) 기체가 들어 있는 모습을 나타낸 것이다.

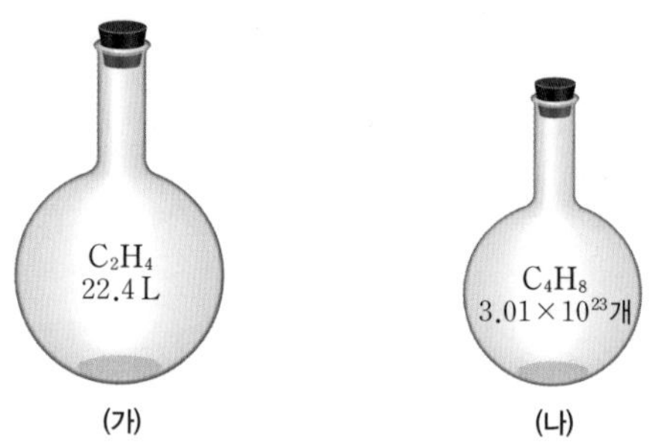

이에 대한 설명으로 옳은 것만을 〈보기〉에서 있는 대로 고른 것은? (단, 0 ℃, 1기압에서 기체 1몰의 부피는 22.4 L이고, 아보가드로수는 6.02×10^{23}이다.)

보기
ㄱ. (가)와 (나)의 질량은 같다.
ㄴ. (나)의 부피는 11.2 L이다.
ㄷ. 완전 연소 시 발생하는 CO_2의 양(mol)은 (가)가 (나)의 2배이다.

① ㄱ ② ㄷ ③ ㄱ, ㄴ
④ ㄴ, ㄷ ⑤ ㄱ, ㄴ, ㄷ

단답형

07 ㉠~㉢에 들어갈 알맞은 말을 쓰시오. (단, H, C, O의 원자량은 각각 1, 12, 16이다.)

(가) 물(H_2O) 18 g에 포함된 수소 원자의 수는 (㉠)개이다.
(나) (㉡)몰의 암모니아(NH_3)에 포함된 수소 원자의 수는 6.02×10^{23}개이다.
(다) 0 ℃, 1기압에서 11.2 L의 메테인(CH_4) 기체에 포함된 탄소 원자의 질량은 (㉢)g이다.

08 표는 0 ℃, 1기압에서 기체 A~C에 대한 자료이다.

기체	분자량	부피(L)	질량(g)
A	(가)	16.8	12
B	28	11.2	(나)
C	32	(다)	8

이에 대한 설명으로 옳은 것만을 〈보기〉에서 있는 대로 고른 것은? (단, 0 ℃, 1기압에서 기체 1몰의 부피는 22.4 L이다.)

보기
ㄱ. C의 분자량은 (가)의 2배이다.
ㄴ. (나)는 14이다.
ㄷ. (다)는 B의 부피와 같다.

① ㄱ ② ㄷ ③ ㄱ, ㄴ
④ ㄴ, ㄷ ⑤ ㄱ, ㄴ, ㄷ

09 다음 중 0 ℃, 1기압에서 기체의 양(mol)이 가장 많은 화합물은? (단, 0 ℃, 1기압에서 기체 1몰의 부피는 22.4 L이고, H, C, N, O의 원자량은 각각 1, 12, 14, 16이다.)

① H_2O 11.2 L ② NH_3 17 g
③ CH_4 16.8 L ④ N_2 1.204×10^{24}개
⑤ CO_2 66 g

10 그림은 부피가 같은 용기에 산소(O_2) 기체 16 g과 이산화 탄소(CO_2) 기체 0.5몰이 들어 있는 모습을 나타낸 것이다.

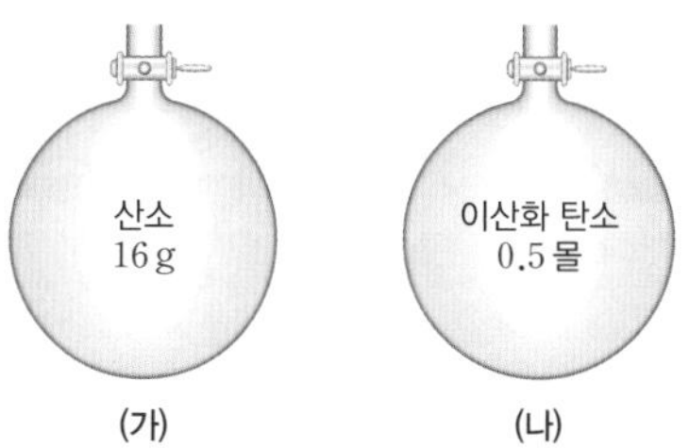

(가)와 (나)에 담긴 두 기체의 공통점으로 옳은 것만을 〈보기〉에서 있는 대로 고른 것은? (단, C와 O의 원자량은 각각 12, 16이다.)

보기
ㄱ. 기체의 질량
ㄴ. 전체 원자의 양(mol)
ㄷ. 산소 원자의 수

① ㄱ ② ㄷ ③ ㄱ, ㄴ
④ ㄴ, ㄷ ⑤ ㄱ, ㄴ, ㄷ

단답형

11 표는 물질 A_2, BA_3, CB_4 각 1 g 속에 들어 있는 분자 수의 상대적 비를 나타낸 것이다.

물질	A_2	BA_3	CB_4
물질 1 g에 포함된 분자 수비	14	8	7

원소의 원자량 비 A : B : C를 구하시오. (단, A~C는 임의의 원소 기호이다.)

단답형

12 다음은 일정한 부피의 물에 들어 있는 물 분자 수를 계산하는 과정을 나타낸 것이다.

물의 부피 $\xrightarrow{(가)}$ 물의 질량 $\xrightarrow{(나)}$ 물 분자의 양(mol) $\xrightarrow{(다)}$ 물 분자의 수

이 과정에서 필요한 요소 (가)~(다)가 무엇인지 쓰시오.

도전! 실력 올리기

01 그림은 탄소(C) 원자, X 원자, Y 원자 사이의 질량을 비교한 것이다.

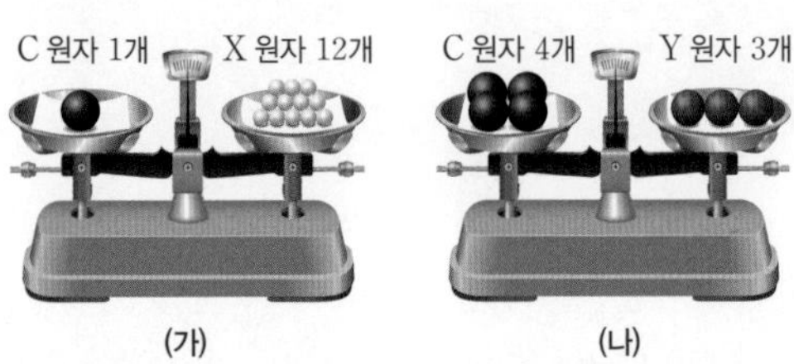

이에 대한 설명으로 옳은 것만을 〈보기〉에서 있는 대로 고른 것은? (단, X와 Y는 임의의 원소 기호이며, 탄소의 원자량은 12이다.)

보기
ㄱ. X_2Y의 분자량은 18이다.
ㄴ. 0 ℃, 1기압에서 X_2 1 g이 차지하는 부피는 22.4 L이다.
ㄷ. Y_2 2몰의 질량은 32 g이다.

① ㄱ ② ㄴ ③ ㄱ, ㄷ
④ ㄴ, ㄷ ⑤ ㄱ, ㄴ, ㄷ

02 표는 분자 (가)와 (나)의 분자당 구성 원자 수와 분자량을 나타낸 것이다.

분자	(가)	(나)
구성 원자 수	4	5
분자량	17	16

0 ℃, 1기압에서 이에 대한 설명으로 옳은 것만을 〈보기〉에서 있는 대로 고른 것은? (단, 0 ℃, 1기압에서 (가)와 (나)는 기체 상태이다.)

보기
ㄱ. 기체의 밀도는 (가)가 (나)보다 크다.
ㄴ. 1 g에 포함된 원자 수는 (나)가 (가)보다 크다.
ㄷ. (가) 16 g이 차지하는 부피는 22.4 L이다.

① ㄱ ② ㄷ ③ ㄱ, ㄴ
④ ㄴ, ㄷ ⑤ ㄱ, ㄴ, ㄷ

03 다음은 몰에 대한 자료이다.

1몰은 입자 6.02×10^{23}개를 말하며, 이 수를 아보가드로수(N_A)라고 한다.

이에 대한 설명으로 옳은 것만을 〈보기〉에서 있는 대로 고른 것은? (단, H, C, N의 원자량은 각각 1, 12, 14이다.)

보기
ㄱ. 흑연(C) 6 g에 포함된 탄소 원자(C) 수는 $\frac{N_A}{2}$개이다.
ㄴ. 질소(N_2) 2몰에 포함된 질소 원자(N) 수는 $2N_A$개이다.
ㄷ. 암모니아(NH_3) N_A개에 포함된 원자 수는 4개이다.

① ㄱ ② ㄴ ③ ㄱ, ㄷ
④ ㄴ, ㄷ ⑤ ㄱ, ㄴ, ㄷ

출제예감

04 그림은 25 ℃, 1기압에서 H_2, O_2, XO_3 기체의 부피와 질량을 나타낸 것이다.

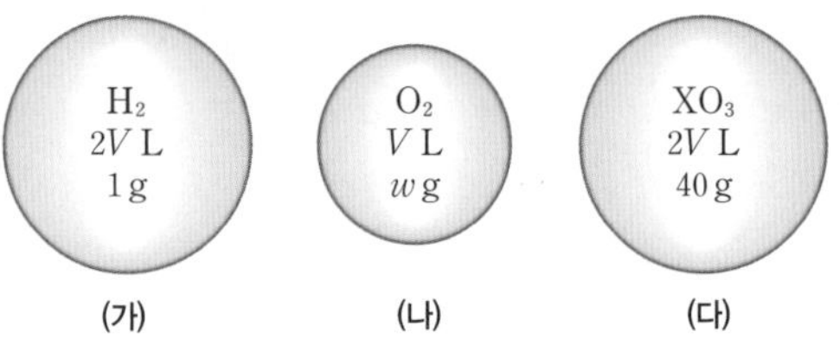

이에 대한 설명으로 옳은 것만을 〈보기〉에서 있는 대로 고른 것은? (단, X는 임의의 원소 기호이며, H와 O의 원자량은 각각 1과 16이다.)

보기
ㄱ. (가)에서 H_2는 0.5몰이다.
ㄴ. (나)에서 w는 8이다.
ㄷ. X의 원자량은 O의 2배이다.

① ㄱ ② ㄴ ③ ㄱ, ㄷ
④ ㄴ, ㄷ ⑤ ㄱ, ㄴ, ㄷ

정답과 해설 010쪽

출제예감

05 그림은 같은 질량의 기체 A와 B가 실린더에 각각 들어 있는 모습을 나타낸 것으로, A와 B는 O_2와 O_3 중 하나이다.

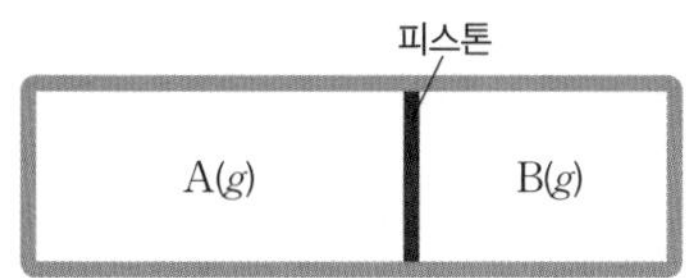

이에 대한 설명으로 옳은 것만을 〈보기〉에서 있는 대로 고른 것은? (단, 온도는 일정하다.)

보기
ㄱ. A는 O_2이다.
ㄴ. 기체 A와 B의 밀도비는 2 : 3이다.
ㄷ. 단위 부피당 산소 원자(O)의 수는 기체 B가 A보다 크다.

① ㄱ ② ㄷ ③ ㄱ, ㄴ
④ ㄴ, ㄷ ⑤ ㄱ, ㄴ, ㄷ

출제예감

06 표는 수소 원자(H) 수가 동일한 탄화수소 (가)와 (나)의 분자량과 구성 성분 원소의 질량비를 나타낸 것이다.

탄화수소	(가)	(나)
분자량	42	54
질량비(C : H)	6 : 1	$x : y$

이에 대한 설명으로 옳은 것만을 〈보기〉에서 있는 대로 고른 것은? (단, H와 C의 원자량은 각각 1과 12이다.)

보기
ㄱ. (가)의 분자식은 CH_2이다.
ㄴ. (나)의 $\frac{\text{C 원자 수}}{\text{H 원자 수}}=1$이다.
ㄷ. $x : y=8 : 1$이다.

① ㄱ ② ㄷ ③ ㄱ, ㄴ
④ ㄴ, ㄷ ⑤ ㄱ, ㄴ, ㄷ

서술형

07 다음은 일정한 압력에서 A의 분자량을 구하는 실험의 과정을 나타낸 것이다.

실험 과정
(가) 동일한 두 실린더에 같은 질량의 $H_2O(l)$과 $A(l)$를 각각 넣고 가열한다.
(나) 두 물질이 모두 기체로 존재하는 온도 t ℃에서 바닥으로부터 피스톤까지의 높이를 측정하였더니 $h_1 : h_2=16 : 9$이었다.

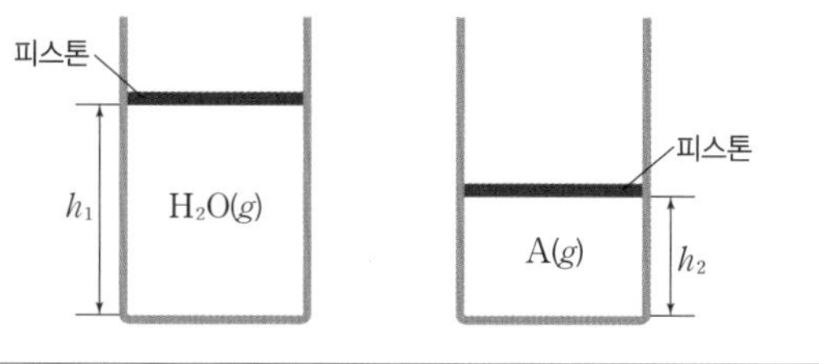

A의 분자량(M)을 구하고 풀이 과정과 함께 서술하시오. (단, H와 O의 원자량은 1과 16이고, 피스톤의 질량과 마찰은 무시한다.)

서술형

08 표는 원소 A, B로 이루어진 화합물 X~Z에 대한 자료이다. (단, A, B는 임의의 원소 기호이다)

화합물	분자당 구성 원자 수	성분 원소의 질량비 (A : B)
X	3	7 : 4
Y	3	7 : 16
Z	5	7 : 12

(1) X~Z의 분자식을 각각 구하시오.

(2) X 1 g에 있는 A 원자와 Y 1 g에 있는 B 원자의 몰비를 구하고, 그 까닭을 분자량 비를 언급하여 서술하시오.

02 화학 반응식과 양적 관계

핵심 키워드로 흐름잡기

- A 화학 반응식, 화학 반응식을 나타내는 방법
- B 화학 반응식에서의 양적 관계

A 화학 반응식

|출·제·단·서| 화학 반응식을 통해 양적 관계를 파악하는 문제가 시험에 나와.

1. 화학 반응식 화학 반응을 화학식과 기호를 사용하여 나타낸 식

(1) 화학 반응식을 나타내는 방법

① 메테인이 연소하여 이산화 탄소와 물을 생성하는 반응을 화학 반응식으로 나타내기

1단계	반응물과 생성물을 화학식으로 나타낸다.	• 반응물: 메테인(CH_4), 산소(O_2) • 생성물: 이산화 탄소(CO_2), 물(H_2O)
2단계	⟶를 기준으로 반응물의 화학식은 왼쪽, 생성물의 화학식은 오른쪽에 쓰고, 각 물질을 ＋로 연결한다.	메테인＋산소 ⟶ 이산화 탄소＋물 ➡ $CH_4+O_2 \longrightarrow CO_2+H_2O$
3단계	반응 전후 원자의 종류와 개수가 같도록 •계수를 맞춘다.❶	① 탄소 원자의 수가 같도록 맞춘다. $CH_4+O_2 \longrightarrow CO_2+H_2O$ ② 수소 원자의 수가 같도록 맞춘다. $CH_4+O_2 \longrightarrow CO_2+2H_2O$ ③ 산소 원자의 수가 같도록 맞춘다. $CH_4+2O_2 \longrightarrow CO_2+2H_2O$
4단계	물질의 상태❷를 표시할 경우 (　) 안에 기호를 이용하여 화학식 뒤에 나타낸다.	$CH_4(g)+2O_2(g) \longrightarrow CO_2(g)+2H_2O(l)$

화살표는 반응물이 생성물로 변화하였음을 의미하며, 수학에서 사용하는 '＝'와는 의미가 다르다는 것에 주의한다.

② 에탄올이 연소하여 이산화 탄소와 물을 생성하는 반응을 화학 반응식으로 나타내기: 복잡한 화학 반응식의 계수는 방정식을 이용하여 구할 수 있다. → 미정 계수법

1단계	반응물과 생성물의 계수를 a, b, c, d 등으로 나타낸다.	$aC_2H_5OH+bO_2 \longrightarrow cCO_2+dH_2O$
2단계	반응 전후 원자의 종류와 수가 같도록 방정식을 세운다.	• C 원자 수: $2a=c$, • H 원자 수: $6a=2d$, • O 원자 수 : $a+2b=2c+d$
3단계	방정식의 계수 중 하나를 1로 놓고 다른 계수를 구한 다음, 구한 계수를 화학 반응식에 대입하여 계수가 가장 간단한 정수가 되도록 조정한다.	a가 1이라면 $c=2$, $d=3$, $b=3$이다. ➡ $C_2H_5OH+3O_2 \longrightarrow 2CO_2+3H_2O$
4단계	물질의 상태를 표시하고 반응 전과 후에 원자의 종류와 수가 같은지 확인한다.	$C_2H_5OH(g)+3O_2(g) \longrightarrow 2CO_2(g)+3H_2O(l)$

❶ 화학 반응식의 계수

화학 반응식에서 계수는 가장 간단한 정수비로 쓰며, '1'은 생략하고 표현하지 않는다.

❷ 물질의 상태

상태	약자
고체(solid)	s
액체(liquid)	l
기체(gas)	g
수용액 (aqueous solution)	aq

용어 알기

•계수(잇다 係, 숫자 數) 기호 문자와 숫자로 된 식에서 숫자를 이르는 말

2. 화학 반응식으로 알 수 있는 정보 탐구 POOL 화학 반응식을 통해 반응물과 생성물의 종류와 화학식, 양(mol), 분자 수, 부피, 질량 등의 여러 가지 양적 관계를 알 수 있다.

(1) 화학 반응식의 계수비

① 화학 반응식의 계수비는 물질의 몰비 또는 분자 수비와 같다.

② 기체의 부피비는 몰비와 같으므로 기체 반응에서 화학 반응식의 계수비는 기체의 부피비와 같다.

> 계수비=몰비=분자 수비=부피비(기체인 경우)≠질량비

물질 1몰에 해당하는 질량의 값은 물질의 종류에 따라 다르므로 질량비와 계수비는 같지 않다.

(2) 화학 반응 전후에 원자의 종류와 개수가 일정하므로 질량 보존 법칙이 성립한다.

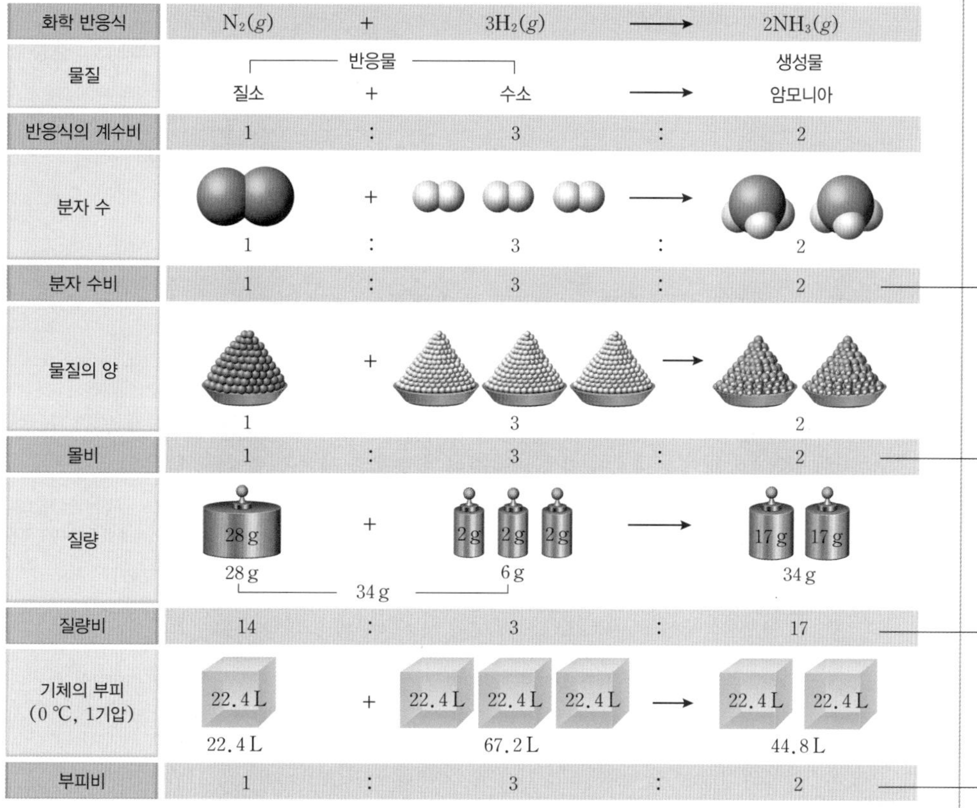

화학 반응식	$N_2(g)$	+	$3H_2(g)$	⟶	$2NH_3(g)$
물질	반응물: 질소	+	반응물: 수소	⟶	생성물: 암모니아
반응식의 계수비	1	:	3	:	2
분자 수	1	+	3	⟶	2
분자 수비	1	:	3	:	2
물질의 양	1	+	3	⟶	2
몰비	1	:	3	:	2
질량	28 g (28 g)	+	6 g (2 g, 2 g, 2 g)	⟶	34 g (17 g, 17 g)
	34 g				
질량비	14	:	3	:	17
기체의 부피 (0 ℃, 1기압)	22.4 L	+	67.2 L (22.4 L, 22.4 L, 22.4 L)	⟶	44.8 L (22.4 L, 22.4 L)
부피비	1	:	3	:	2

분자 수비
N_2 분자 1개와 H_2 분자 3개가 반응하여 NH_3 분자 2개가 생성된다.

몰비
N_2 1몰과 H_2 3몰이 반응하여 NH_3 2몰이 생성된다.

N_2 28 g과 H_2 6 g이 반응하여 NH_3 34 g이 생성되므로 질량 보존 법칙이 성립한다.

부피비(기체 반응일 때)
0 ℃, 1기압에서 N_2 22.4 L와 H_2 67.2 L가 반응하여 NH_3 44.8 L가 생성된다. 이때 기체의 부피는 $N_2 : H_2 : NH_3 = 1 : 3 : 2$로 기체 반응 법칙이 성립한다.

? 계수비와 질량비가 같지 않은 까닭은 무엇일까?
물질의 질량(g)은 물질의 양(mol)과 몰 질량(g/mol)을 곱한 값인데, 물질에 따라 몰 질량이 다르므로 화학 반응식의 계수비와 질량비는 같지 않다.

B 화학 반응에서의 양적 관계

|출·제·단·서| 화학 반응식을 통해 물질의 양(mol), 부피, 질량 등의 관계를 구하는 문제가 시험에 나와.

1. 화학 반응식에서의 양적 관계 개념 POOL 화학 반응식에서 각 물질의 계수비가 몰비와 같다는 것을 이용하여 반응물과 생성물의 질량이나 부피를 구할 수 있다.

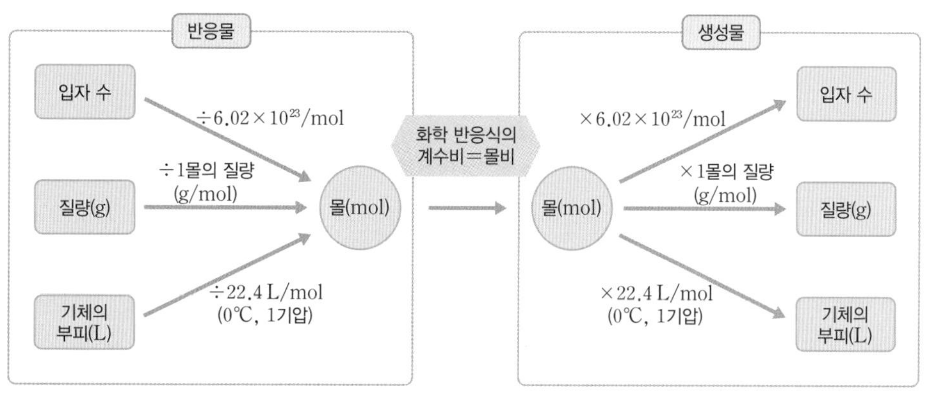

❸ **질량 관계**
반응물과 생성물의 질량 관계를 알기 위해서는 반응물과 생성물의 양(mol)을 알아야 한다.

❹ **부피 관계**
반응물과 생성물의 부피 관계를 알기 위해서는 반응물과 생성물을 양(mol)으로 전환하지 않아도 된다.

❺ **질량과 부피 관계**
반응물과 생성물의 질량 관계를 알기 위해서는 반응물과 생성물의 양(mol)을 알아야 한다.

2. 화학 반응에서의 질량 관계❸ 화학 반응식의 계수비가 몰비와 같으므로 반응물과 생성물 중 어느 한쪽의 질량을 알면 다른 한쪽의 질량을 구할 수 있다. 계수비=몰비 이용

예 프로페인(C_3H_8) 22 g을 완전 연소시킬 때 생성되는 이산화 탄소(CO_2)의 질량 구하기

1단계 화학 반응식 완성하기 ➡ $C_3H_8(g)+5O_2(g) \longrightarrow 3CO_2(g)+4H_2O(l)$

2단계 프로페인의 양(mol) 구하기 ➡ C_3H_8의 양(mol)$=\frac{질량(g)}{몰\ 질량(g/mol)}=\frac{22\ g}{44\ g/mol}=0.5\ mol$

3단계 화학 반응식 계수 관계 끌어내기 ➡ $1C_3H_8(g)+5O_2(g) \longrightarrow 3CO_2(g)+4H_2O(l)$ (C_3H_8 0.5몰, CO_2 1.5몰)

4단계 이산화 탄소의 양(mol)을 이용해 질량 구하기 ➡ 질량(g)=물질의 양(mol)×몰 질량(g/mol)
$=1.5\ mol\times 44\ g/mol=66\ g$

3. 화학 반응에서의 부피 관계❹ 화학 반응식의 계수비가 기체의 부피비와 같으므로 반응물과 생성물 중 어느 한쪽의 부피를 알면 다른 한쪽의 부피를 구할 수 있다. 계수비=부피비 이용

예 0 ℃, 1기압에서 암모니아(NH_3) 44.8 L를 얻기 위해 필요한 질소(N_2) 기체의 부피 구하기

1단계 화학 반응식 완성하기 ➡ $N_2(g)+3H_2(g) \longrightarrow 2NH_3(g)$

2단계 화학 반응식 계수 관계 끌어내기 ➡ $1N_2(g)+3H_2(g) \longrightarrow 2NH_3(g)$ (부피비 1 : 2)

3단계 부피비를 이용하여 필요한 질소의 부피 구하기 ➡ 질소와 암모니아의 부피비가 1 : 2이므로 필요한 질소의 부피는 22.4 L이다.

4. 화학 반응에서의 질량과 부피 관계❺ 화학 반응식의 계수비가 몰비와 같고, 0 ℃, 1기압에서 기체 1몰의 부피가 22.4 L인 것을 이용하여 반응물과 생성물 중 어느 한쪽의 질량으로부터 다른 한쪽의 부피를 구하거나, 어느 한쪽의 부피로부터 다른 한쪽의 질량을 구할 수 있다. 계수비=몰비=부피비 이용

예 0 ℃, 1기압에서 메테인(CH_4) 8 g을 완전 연소시킬 때 필요한 산소(O_2)의 부피 구하기

1단계 화학 반응식 완성하기 ➡ $CH_4(g)+2O_2(g) \longrightarrow CO_2(g)+2H_2O(l)$

2단계 메테인의 양(mol) 구하기 ➡ CH_4의 양(mol)$=\frac{질량(g)}{몰\ 질량(g/mol)}=\frac{8\ g}{16\ g/mol}=0.5\ mol$

3단계 화학 반응식 계수 관계 끌어내기 ➡ $1CH_4(g)+2O_2(g) \longrightarrow CO_2(g)+2H_2O(l)$ (CH_4 0.5몰, O_2 1몰)

4단계 산소의 양(mol)을 이용해 0 ℃, 1기압에서의 부피 구하기 ➡ 1 mol×22.4 L/mol=22.4 L

빈출 계산연습 화학 반응에서의 질량과 기체의 부피 관계 계산하기

0 ℃, 1기압에서의 광합성 과정에서 포도당($C_6H_{12}O_6$) 90 g을 생성하는 데 필요한 이산화 탄소(CO_2)의 부피를 구해 보자. (단, 포도당 1몰의 질량은 180 g이다.)

1단계 포도당 합성 반응의 화학 반응식을 완성한다.
$6H_2O(l)+6CO_2(g) \longrightarrow C_6H_{12}O_6(s)+6O_2(g)$

2단계 포도당의 질량으로부터 포도당의 양(mol)을 구한다.
포도당 90 g ➡ $\frac{90\ g}{180\ g/mol}=0.5\ mol$

3단계 화학 반응식의 계수비로부터 반응하는 이산화 탄소 기체의 양(mol)을 구한다.
이산화 탄소와 포도당의 계수비가 6 : 1이므로 몰비도 6 : 1이다. 따라서 포도당 0.5몰을 생성하는 데 필요한 이산화 탄소는 3몰이다.

4단계 이산화 탄소의 양(mol)으로부터 0 ℃, 1기압에서의 이산화 탄소의 부피를 구한다.
필요한 이산화 탄소가 3몰이므로 부피는 3 mol×22.4 L/mol=67.2 L이다.

화학 반응식과 물질의 양(mol)

목표 화학 반응식으로부터 물질의 양(mol)을 구하여 몰과 입자 수, 질량, 기체의 부피 사이의 관계를 설명할 수 있다.

• 에탄올 연소 반응의 화학 반응식으로부터 반응물과 생성물 사이의 양적 관계를 알아 보자.

$C_2H_5OH(l)+3O_2(g) \longrightarrow 2CO_2(g)+3H_2O(l)$ (단, C, H, O의 원자량은 각각 12, 1, 16이다.)

1 화학 반응식과 질량 관계

예 에탄올 92 g이 충분한 양의 산소와 반응할 때 생성되는 물의 질량 구하기

에탄올(C_2H_5OH): 92 g —(÷몰 질량 46 g/mol)→ 2 mol —(계수비=몰비 1 : 3)→ 물(H_2O): 6 mol —(×몰 질량 18 g/mol)→ 108 g

❶ 에탄올의 질량을 에탄올의 몰 질량으로 나누어 에탄올의 양(mol)을 구한다.
❷ 계수비=몰비임을 이용하여 물의 양(mol)을 구한다.
❸ 물의 양(mol)에 물의 몰 질량을 곱하여 물의 질량을 구한다.

2 화학 반응식과 분자 수, 부피 관계

예 0 ℃, 1기압에서 산소 분자 1.806×10^{24}개가 충분한 양의 에탄올과 반응할 때 생성되는 이산화 탄소의 부피 구하기

산소(O_2): 1.806×10^{24}개 —(÷아보가드로수 6.02×10^{23}개/mol)→ 3 mol —(계수비=몰비 3 : 2)→ 이산화 탄소(CO_2): 2 mol —(×기체 1몰의 부피 22.4 L)→ 44.8 L

❶ 산소의 분자 수를 아보가드로수로 나누어 산소의 양(mol)을 구한다.
❷ 계수비=몰비임을 이용하여 이산화 탄소의 양(mol)을 구한다.
❸ 이산화 탄소의 양(mol)에 기체 1몰의 부피를 곱하여 이산화 탄소의 부피를 구한다.

3 화학 반응식과 질량, 부피 관계

예 0 ℃, 1기압에서 물 9 g을 생성하는 데 필요한 산소의 부피 구하기

물(H_2O): 9 g —(÷몰 질량 18 g/mol)→ 0.5 mol —(계수비=몰비 1 : 1)→ 산소(O_2): 0.5 mol —(×기체 1몰의 부피 22.4 L)→ 11.2 L

❶ 물의 질량을 물의 몰 질량으로 나누어 물의 양(mol)을 구한다.
❷ 계수비=몰비임을 이용하여 산소의 양(mol)을 구한다.
❸ 산소의 양(mol)에 기체 1몰의 부피를 곱하여 산소의 부피를 구한다.

한·줄·핵심 화학 반응식의 계수비=몰비=분자 수비=부피비(기체인 경우)≠질량비

확인 문제

정답과 해설 012쪽

01 다음은 메탄올의 연소 반응을 화학 반응식이다.

$2CH_3OH(l)+3O_2(g) \longrightarrow aCO_2(g)+bH_2O(l)$ (a, b는 반응 계수)

이에 대한 설명으로 옳은 것은 ○, 옳지 않은 것은 ×로 표시하시오. (단, C, H, O의 원자량은 각각 12, 1, 16이다.)

(1) 생성물에서 CO_2와 H_2O의 부피비는 $a : b$이다. ( )

(2) 16 g의 CH_3OH이 연소하면 0.5몰의 CO_2가 생성된다. ( )

(3) 0℃, 1기압에서 H_2O 36 g을 생성하는 데 필요한 O_2의 부피는 67.2 L이다. ( )

화학 반응에서의 양적 관계 확인하기

목표 화학 반응에서 반응물과 생성물의 양적 관계를 확인할 수 있다.

과정

❶ 탄산 칼슘($CaCO_3$) 가루의 질량 측정하기
1.0 g, 2.0 g, 3.0 g의 탄산 칼슘을 각각 측정하여 준비한다.

❷ 묽은 염산($HCl(aq)$) 준비하기
삼각 플라스크에 묽은 염산 70 mL를 넣고 질량을 측정한다.

❸ 묽은 염산과 탄산 칼슘 반응시키기
묽은 염산이 들어 있는 삼각 플라스크를 저울 위에 올려 놓은 후 탄산 칼슘 1.0 g을 넣어 반응시킨다.

❹ 반응 전과 후의 질량 비교하기
반응이 완전히 끝나면 삼각 플라스크 전체의 질량을 측정하고, 반응 전 질량과 비교한다.

❺ 탄산 칼슘의 양을 다르게 하여 실험 반복하기
탄산 칼슘 2.0 g, 3.0 g을 각각 사용하여 과정 ❷, ❸을 반복하고, 반응이 완전히 끝나면 삼각 플라스크 전체의 질량을 각각 측정한다.

❻ 화학 반응식의 계수비에 따른 양적 관계 확인하기
반응한 탄산 칼슘과 발생한 이산화 탄소의 양(mol)이 어떤 양적 관계에 있는지 확인한다.

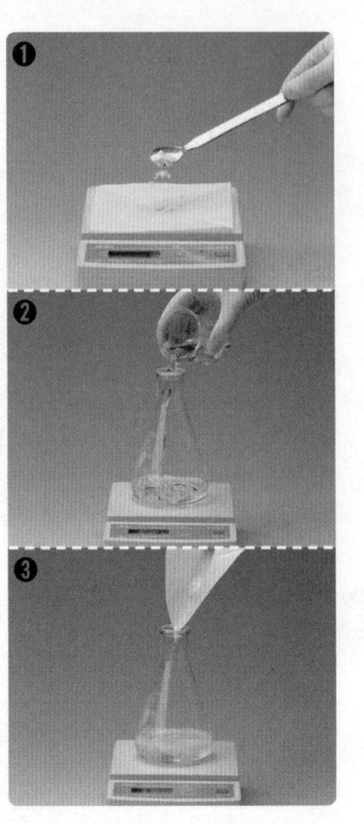

유의점

탄산 칼슘과 묽은 염산이 반응하면 열이 발생하는데, 이 열에 의해 수용액 속 물이 증발할 수 있다. 이 경우 이산화 탄소의 질량이 실제보다 크게 측정될 수 있으므로 플라스크 입구를 솜으로 막아 수증기를 빠져나가지 못하게 하면 오차를 줄일 수 있다.

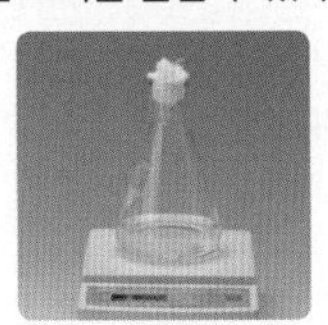

결과

실험	Ⅰ	Ⅱ	Ⅲ
반응한 $CaCO_3$의 질량(g)	1.0	2.0	3.0
생성된 CO_2의 질량(g)	0.4	0.9	1.3
반응한 $CaCO_3$의 양(mol)	$\frac{1.0}{100}=0.01$	$\frac{2.0}{100}=0.02$	$\frac{3.0}{100}=0.03$
생성된 CO_2의 양(mol)	$\frac{0.4}{44}\fallingdotseq 0.01$	$\frac{0.9}{44}=0.02$	$\frac{1.3}{44}=0.03$

(생성된 CO_2의 질량(g)) — (탄산 칼슘의 질량+반응 전 묽은 염산이 들어 있는 삼각 플라스크의 질량)−반응 후 삼각 플라스크의 질량

정리 및 해석

❶ 화학 반응식: $CaCO_3(s)+2HCl(aq) \longrightarrow CaCl_2(aq)+H_2O(l)+CO_2(g)$

❷ 이산화 탄소 기체가 발생하여 플라스크 밖으로 빠져나가므로 반응 후 질량이 감소한다.

❸ 반응한 $CaCO_3$과 생성된 CO_2의 몰비는 1 : 1이며, 화학 반응식의 계수비인 1 : 1과 같다.

한·줄·핵심 화학 반응식의 계수비는 반응물과 생성물의 몰비와 같다.

이런 실험도 있어요!

마그네슘과 묽은 염산의 반응

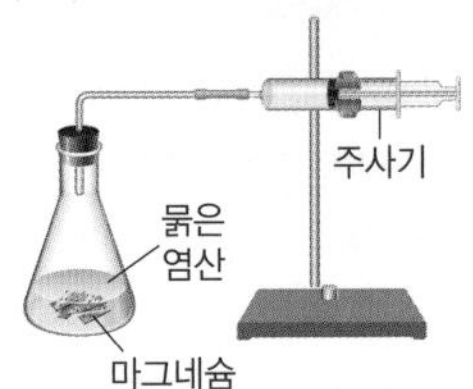

충분한 양의 묽은 염산(HCl)에 마그네슘(Mg) 리본을 넣어 반응시켰을 때 주사기에 모이는 기체의 부피를 측정함으로써 반응한 마그네슘의 양(mol)에 따라 생성된 수소의 몰비를 유추할 수 있다.

확인 문제

정답과 해설 012쪽

01 탄산 칼슘 4.0 g으로 이 탐구 활동을 수행했을 때 생성되는 이산화 탄소의 부피를 구하시오. (단, $CaCO_3$의 화학식량은 100이며, 실험 조건에서 기체 1몰의 부피는 25 L이다.)

02 이 탐구 활동에서 탄산 칼슘($CaCO_3$) 0.01몰과 반응하기 위해 필요한 묽은 염산($HCl(aq)$)의 양(mol)을 구하시오.

콕콕! 개념 확인하기

정답과 해설 012쪽

✔ 잠깐 확인!

1. □□□□□

화학식과 기호를 사용하여 화학 반응을 나타낸 식으로, 화살표(⟶)를 기준으로 왼쪽에 반응물, 오른쪽에 생성물을 표기한다.

2. 화학 반응식의 □□□

반응물과 생성물의 몰비, 분자 수비와 같으며, 기체인 경우 부피비와도 같다.

3. □□□□

물질의 질량이 주어졌을 때 물질의 양(mol)을 구하기 위해 필요한 값으로, 물질의 몰 질량과 같으며 단위가 없다.

4.  L

0 ℃, 1기압에서 기체의 부피가 주어졌을 때 기체의 양(mol)을 구하기 위해 필요한 기체 1몰의 부피

5. □

화학 반응식에서 물질의 기체 상태를 표시하는 기호

6. □

화학 반응식에서 물질의 액체 상태를 표시하는 기호

7. □□

화학 반응식에서 물질의 수용액 상태를 표시하는 기호

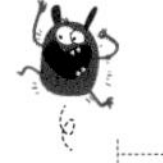

A 화학 반응식

01 화학 반응식에 대한 설명으로 옳은 것은 ○, 옳지 않은 것은 ×로 표시하시오.

(1) 화학 반응식에서 화학식 앞의 계수비는 반응하거나 생성되는 물질의 질량비와 같다. (　　)

(2) 온도와 압력이 일정할 때 반응하는 기체 분자의 몰비는 부피비와 같다. (　　)

(3) 화학 반응식에서 반응물의 계수의 합은 생성물의 계수의 합과 항상 같다. (　　)

02 표는 프로페인(C_3H_8)의 연소 반응의 화학 반응식에서 얻을 수 있는 자료를 나타낸 것이다. ㉠~㉤에 들어갈 알맞은 말을 쓰시오. (단, 탄소(C), 수소(H), 산소(O)의 원자량은 각각 12, 1, 16이다.)

화학 반응식	$C_3H_8(g)$ +	$5O_2(g)$ ⟶	$3CO_2(g)$ +	$4H_2O(l)$
양(mol)	0.1	㉠	0.3	㉡
질량(g)	4.4	16	㉢	7.2
기체의 부피(L) (0 ℃, 1기압)	㉣		㉤	

B 화학 반응에서의 양적 관계

03 다음은 화학 반응 A ⟶ B에서 반응물(A)의 질량을 이용하여 생성물(B)의 부피를 구하는 과정을 나타낸 것이다.

> 반응물(A)의 질량(g) $\xrightarrow{㉠}$ 반응물(A)의 양(mol) $\xrightarrow{㉡}$ 생성물(B)의 양(mol) $\xrightarrow{㉢}$ 생성물(B)의 부피(L)

과정 ㉠~㉢에 필요한 정보로 알맞은 것을 〈보기〉에서 찾아 기호로 쓰시오.

> 보기
> ㄱ. 화학 반응식의 계수비 = 몰비
> ㄴ. 반응 조건에서 기체 1몰의 부피(L/mol)
> ㄷ. 반응물(A)의 몰 질량(g/mol)

04 다음은 에탄올(C_2H_5OH)의 연소 반응에 대한 화학 반응식이다. ㉠~㉢에 들어갈 알맞은 말을 쓰시오. (단, a~d는 반응 계수이며, 탄소(C), 수소(H), 산소(O)의 원자량은 각각 12, 1, 16이다.)

$$aC_2H_5OH(g) + bO_2(g) \longrightarrow cCO_2(g) + dH_2O(l)$$

> 23 g의 C_2H_5OH이 완전 연소하기 위해 필요한 O_2의 양(mol)은 (㉠)몰이고, 이때 발생하는 CO_2의 0 ℃, 1기압에서의 부피는 (㉡) L이고, H_2O의 질량은 (㉢) g이다.

탄탄! 내신 다지기

A 화학 반응식

01 다음 중 화학 반응식에 대한 설명으로 옳은 것만을 〈보기〉에서 있는 대로 고른 것은?

보기
ㄱ. 화학 반응 전후 원자의 종류와 수가 같다.
ㄴ. 반응물과 생성물이 기체인 경우 화학 반응식의 계수비는 밀도비와 같다.
ㄷ. 화학 반응식에서 반응물의 상태와 생성물의 상태는 항상 같다.

① ㄱ ② ㄷ ③ ㄱ, ㄴ
④ ㄴ, ㄷ ⑤ ㄱ, ㄴ, ㄷ

단답형

02 ㉠~㉦에 들어갈 알맞은 수를 써서 화학 반응식을 완성하시오.

(가) (㉠)$C_2H_6(g)$+(㉡)$O_2(g) \longrightarrow$ (㉢)$CO_2(g)$+(㉣)$H_2O(l)$
(나) (㉤)$Fe(s)$+(㉥)$O_2(g) \longrightarrow$ (㉦)$Fe_2O_3(s)$

03 다음은 수소(H_2)와 질소(N_2)를 이용하여 암모니아(NH_3)를 생성하는 반응의 화학 반응식이다.

$$N_2(g)+3H_2(g) \longrightarrow 2NH_3(g)$$

이에 대한 설명으로 옳은 것만을 〈보기〉에서 있는 대로 고른 것은?

보기
ㄱ. 반응물은 모두 이원자 분자이다.
ㄴ. 반응하는 N_2와 H_2의 질량의 합은 생성된 NH_3의 질량의 합과 같다.
ㄷ. 온도와 압력이 일정할 때 반응하는 N_2와 H_2의 부피비는 1 : 3이다.

① ㄱ ② ㄴ ③ ㄱ, ㄷ
④ ㄴ, ㄷ ⑤ ㄱ, ㄴ, ㄷ

04 그림은 메테인(CH_4)의 연소 반응을 모형으로 나타낸 것이다.

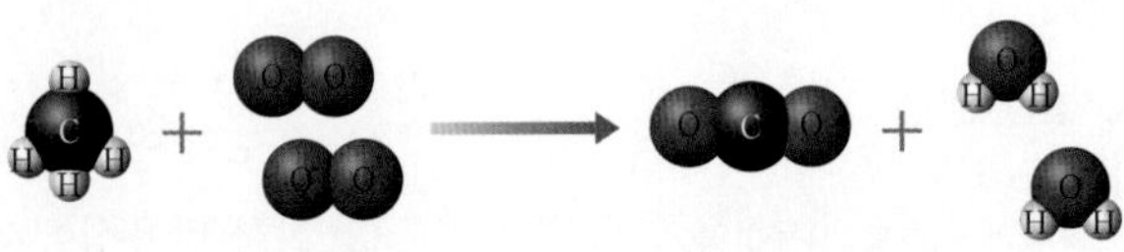

이 반응에 대한 설명으로 옳은 것만을 〈보기〉에서 있는 대로 고른 것은? (단, C, H, O의 원자량은 각각 12, 1, 16이다.)

보기
ㄱ. 반응물 전체의 양(mol)과 생성물 전체의 양(mol)은 같다.
ㄴ. 반응하는 CH_4과 O_2의 질량비는 1 : 4이다.
ㄷ. 생성물의 종류는 3가지이다.

① ㄱ ② ㄷ ③ ㄱ, ㄴ
④ ㄴ, ㄷ ⑤ ㄱ, ㄴ, ㄷ

B 화학 반응에서의 양적 관계

단답형

05 그림은 어떤 기체들의 화학 반응을 모형으로 나타낸 것이다. (단, A와 B는 임의의 원소 기호이다.)

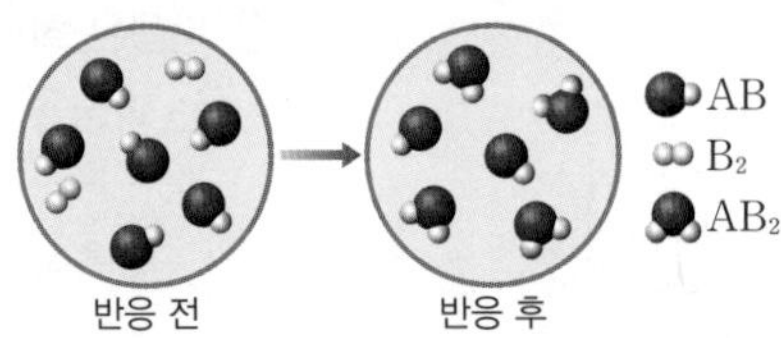

(1) 이 반응에서 반응물과 생성물의 화학식을 각각 쓰시오.

(2) 이 반응의 화학 반응식을 쓰시오.

06 다음은 산화 알루미늄(Al_2O_3)을 제련할 때의 화학 반응식이다.

$$aAl_2O_3(s)+bC(s) \longrightarrow cAl(s)+dCO_2(g)$$

Al_2O_3 10.2 g을 완전히 반응시킬 때의 설명으로 옳은 것은? (단, a~d는 반응 계수이며, Al, O, C의 원자량은 각각 27, 16, 12이다.)

① 반응하는 Al_2O_3의 양(mol)은 0.01몰이다.
② 반응하는 C의 질량(g)은 18 g이다.
③ Al은 0.2몰이 생성된다.
④ 0 ℃, 1기압에서 생성된 CO_2의 부피는 33.6 L이다.
⑤ 반응물의 계수의 합과 생성물의 계수의 합은 같다.

07 그림은 기체 A와 B가 반응하여 기체 C가 생성되는 반응을 모형으로 나타낸 것이다.

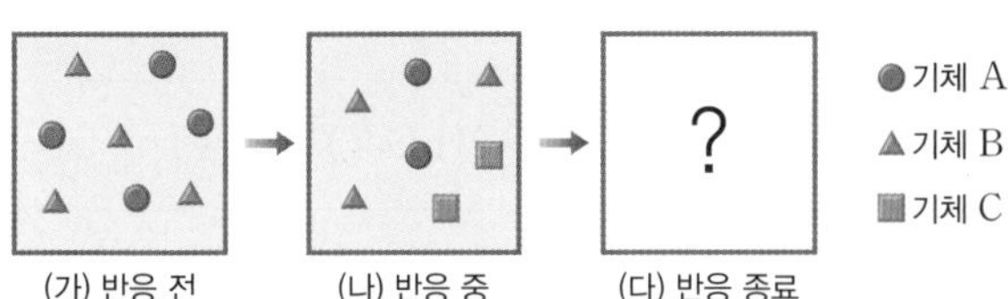

(가) 반응 전 (나) 반응 중 (다) 반응 종료

이에 대한 설명으로 옳은 것만을 ⟨보기⟩에서 있는 대로 고른 것은?

> 보기
> ㄱ. 화학 반응식은 $A(g)+B(g) \longrightarrow C(g)$이다.
> ㄴ. (다)에서 기체 A는 모두 반응하였다.
> ㄷ. 전체 기체의 분자 수비는 (가) : (다)=4 : 3이다.

① ㄱ ② ㄴ ③ ㄱ, ㄷ
④ ㄴ, ㄷ ⑤ ㄱ, ㄴ, ㄷ

08 그림은 어떤 기체들의 화학 반응을 모형으로 나타낸 것이다.

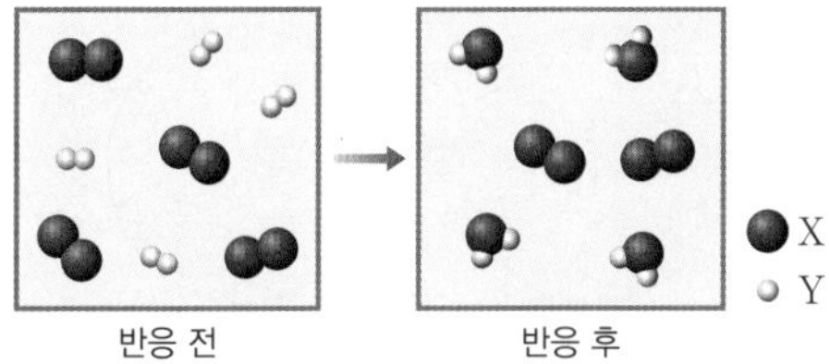

반응 전 반응 후

이에 대한 설명으로 옳은 것만을 ⟨보기⟩에서 있는 대로 고른 것은? (단, X, Y는 임의의 원소 기호이다.)

> 보기
> ㄱ. 생성물의 화학식은 X_2Y이다.
> ㄴ. 화학 반응식은 $2X_2+Y_2 \longrightarrow 2XY_2$이다.
> ㄷ. 온도와 압력이 일정할 때, 반응하는 Y_2의 부피와 생성물의 부피는 같다.

① ㄱ ② ㄷ ③ ㄱ, ㄴ
④ ㄴ, ㄷ ⑤ ㄱ, ㄴ, ㄷ

[09~10] 그림은 충분한 양의 묽은 염산($HCl(aq)$)에 탄산 칼슘($CaCO_3$) 일정량을 넣어 반응시키는 모습을 나타낸 것이다.

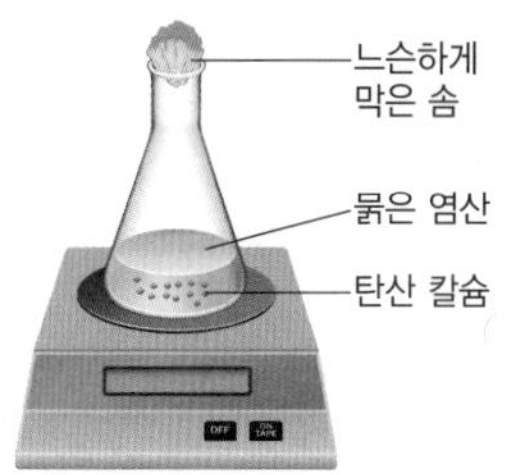

단답형

09 탄산 칼슘($CaCO_3$)과 묽은 염산($HCl(aq)$) 반응의 화학 반응식을 쓰시오.

10 탄산 칼슘($CaCO_3$) 5.0 g이 모두 반응할 때의 설명으로 옳은 것만을 ⟨보기⟩에서 있는 대로 고른 것은? (단, $CaCO_3$의 화학식량은 100이고, CO_2의 분자량은 44이다.)

> 보기
> ㄱ. 반응 후 전체 질량은 2.2 g 감소한다.
> ㄴ. 발생한 CO_2의 부피는 0 ℃, 1기압에서 11.2 L이다.
> ㄷ. 생성된 H_2O의 질량은 0.09 g이다.

① ㄱ ② ㄷ ③ ㄱ, ㄴ
④ ㄴ, ㄷ ⑤ ㄱ, ㄴ, ㄷ

11 그림은 기체 A와 B가 모두 반응하여 기체 C가 생성되는 반응을 모형으로 나타낸 것이다.

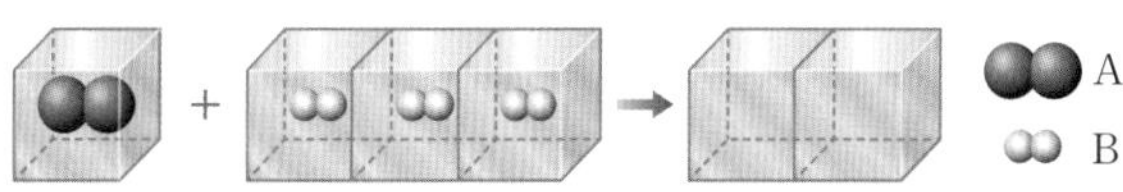

이에 대한 설명으로 옳은 것만을 ⟨보기⟩에서 있는 대로 고른 것은? (단, 반응 전과 후 온도와 압력은 같고, 정육면체의 부피는 모두 같다.)

> 보기
> ㄱ. 반응 전 기체의 분자 수는 반응 후의 2배이다.
> ㄴ. A 1몰과 반응하는 B의 양(mol)은 3몰이다.
> ㄷ. C 분자 1개를 구성하는 원자 수는 4개이다.

① ㄱ ② ㄷ ③ ㄱ, ㄴ
④ ㄴ, ㄷ ⑤ ㄱ, ㄴ, ㄷ

도전! 실력 올리기

01 그림은 실린더에 뷰테인(C_4H_{10}) 0.02몰과 산소(O_2) 0.20몰이 담긴 모습을 나타낸 것이다.

C_4H_{10}이 모두 완전 연소하였을 때의 설명으로 옳은 것만을 〈보기〉에서 있는 대로 고른 것은? (단, 반응 전과 후의 온도와 압력은 같고, 모든 물질은 기체 상태로 존재하며, 피스톤의 질량과 마찰은 무시한다.)

보기
ㄱ. CO_2는 0.08몰이 생성된다.
ㄴ. 반응 후 남은 O_2의 양(mol)은 0.07몰이다.
ㄷ. 실린더 내부의 부피비는 반응 전 : 반응 후 $=22:25$이다.

① ㄱ ② ㄴ ③ ㄱ, ㄷ
④ ㄴ, ㄷ ⑤ ㄱ, ㄴ, ㄷ

02 다음은 기체 X_2와 Y_2가 반응하여 기체 XY_3가 생성되는 반응의 화학 반응식이다.

$$aX_2(g)+bY_2(g) \longrightarrow cXY_3(g)\ (a\sim c\text{는 반응 계수})$$

1몰의 X_2와 4몰의 Y_2를 실린더에 담아 어느 한 기체가 모두 소모될 때까지 반응시켰을 때의 설명으로 옳은 것만을 〈보기〉에서 있는 대로 고른 것은? (단, X, Y는 임의의 원소 기호이다.)

보기
ㄱ. $a+c=b$이다.
ㄴ. 반응 후 남은 기체는 Y_2이다.
ㄷ. 전체 기체의 밀도비는 반응 전 : 반응 후$=5:3$이다.

① ㄱ ② ㄷ ③ ㄱ, ㄴ
④ ㄴ, ㄷ ⑤ ㄱ, ㄴ, ㄷ

03 다음은 과산화 수소(H_2O_2)가 분해되어 발생하는 산소(O_2) 기체를 수상 치환으로 포집하는 모습과 이 반응의 화학 반응식을 나타낸 것이다.

$$2H_2O_2(aq) \xrightarrow{MnO_2} 2H_2O(l)+O_2(g)$$

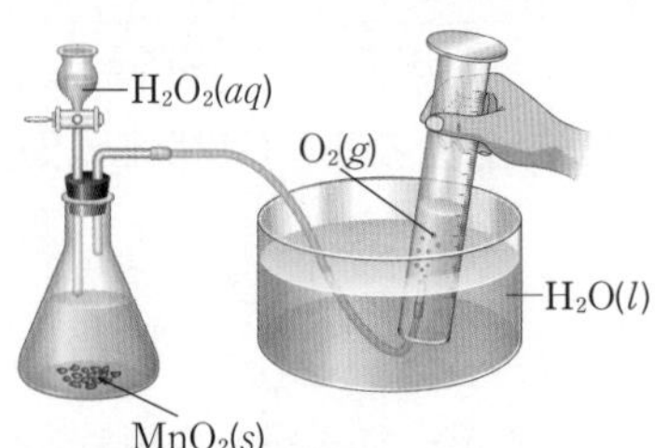

이에 대한 설명으로 옳은 것만을 〈보기〉에서 있는 대로 고른 것은? (단, H, O의 원자량은 각각 1, 16이고, 0 ℃, 1기압에서 기체 1몰의 부피는 22.4 L이다.)

보기
ㄱ. O_2 기체 0.1몰을 얻기 위해 필요한 H_2O_2의 질량은 6.8 g이다.
ㄴ. 1몰의 H_2O_2가 완전히 분해되었을 때 발생하는 O_2의 부피는 0 ℃, 1기압에서 1.12 L이다.
ㄷ. 0.2몰의 H_2O_2가 반응할 때 생성되는 H_2O의 질량은 0.36 g이다.

① ㄱ ② ㄴ ③ ㄱ, ㄷ
④ ㄴ, ㄷ ⑤ ㄱ, ㄴ, ㄷ

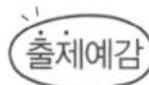

04 그림은 질소(N_2) 기체와 수소(H_2) 기체가 각각 들어 있는 두 강철 용기가 꼭지로 연결된 모습을 나타낸 것이다.

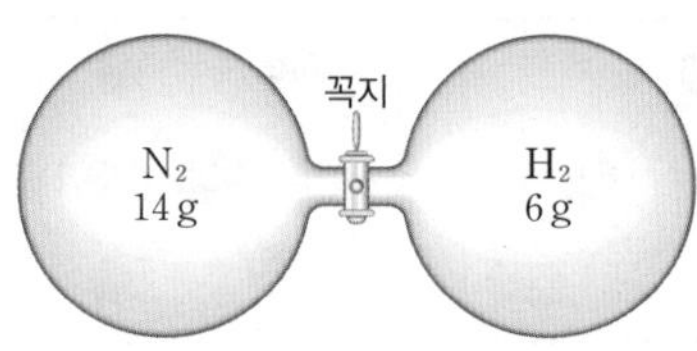

일정한 온도에서 꼭지를 열어 두 기체를 혼합시킨 후 완전히 반응시켜 암모니아(NH_3) 기체를 합성했을 때의 설명으로 옳은 것만을 〈보기〉에서 있는 대로 고른 것은? (단, H와 N의 원자량은 각각 1과 14이다.)

보기
ㄱ. 반응 전 H_2의 양(mol)은 N_2의 2배이다.
ㄴ. 반응하지 않고 남은 H_2의 질량은 3 g이다.
ㄷ. 생성된 NH_3의 질량은 17 g이다.

① ㄱ ② ㄴ ③ ㄱ, ㄷ
④ ㄴ, ㄷ ⑤ ㄱ, ㄴ, ㄷ

출제예감

05 다음은 탄산 칼슘($CaCO_3$)과 묽은 염산($HCl(aq)$)의 반응에서 양적 관계를 알아보기 위한 실험이다.

> 화학 반응식
>
> $CaCO_3(s)+2HCl(aq) \longrightarrow CaCl_2(aq)+H_2O(l)+CO_2(g)$
>
> 실험 과정
>
> (가) 묽은 염산 100 mL를 담은 삼각 플라스크의 질량을 측정하였더니 w_1 g이었다.
>
> (나) $CaCO_3$ 1.0 g을 (가)의 삼각 플라스크에 넣었더니 $CaCO_3$이 모두 반응하였다.
>
> (다) 반응이 끝난 후 용액이 담긴 삼각 플라스크의 질량을 측정하였더니 w_2 g이었다.

이에 대한 설명으로 옳은 것만을 <보기>에서 있는 대로 고른 것은? (단, $CaCO_3$의 화학식량은 100이고, 0 ℃, 1기압에서 기체 1몰의 부피는 22.4 L이다.)

> 보기
>
> ㄱ. 발생한 CO_2의 질량은 (w_1-w_2) g이다.
>
> ㄴ. 반응한 $HCl(aq)$의 양(mol)은 0.02몰이다.
>
> ㄷ. 0 ℃, 1기압에서 생성된 CO_2의 부피는 0.224 L이다.

① ㄱ ② ㄷ ③ ㄱ, ㄴ
④ ㄴ, ㄷ ⑤ ㄱ, ㄴ, ㄷ

출제예감

06 다음은 요소($CO(NH_2)_2$) 합성에 관련된 반응의 화학 반응식이다.

> (가) 질소를 이용하여 암모니아를 생성한다.
>
> $N_2(g)+aH_2(g) \longrightarrow bNH_3(g)$
>
> (나) (가)에서 생성된 암모니아를 모두 이산화 탄소와 반응시켜 요소를 합성한다.
>
> $bNH_3(g)+CO_2(g) \longrightarrow cCO(NH_2)_2(s)+H_2O(l)$

$CO(NH_2)_2$ 30 g이 생성되었을 때, 이 반응에 대한 설명으로 옳은 것만을 <보기>에서 있는 대로 고른 것은? (단, a~c는 화학 반응식의 계수이고, H, C, N, O의 원자량은 각각 1, 12, 14, 16이다.)

> 보기
>
> ㄱ. $a=b+c$이다.
>
> ㄴ. (가)에서 생성된 NH_3의 질량은 17 g이다.
>
> ㄷ. (나)에서 반응한 CO_2의 양(mol)은 0.5몰이다.

① ㄱ ② ㄷ ③ ㄱ, ㄴ
④ ㄴ, ㄷ ⑤ ㄱ, ㄴ, ㄷ

서술형

07 그림은 수소(H_2)와 산소(O_2)의 혼합 기체 10 g이 들어 있는 용기에서 연소 반응이 일어날 때 반응 전과 후의 상태를 나타낸 것이다. (단, H와 O의 원자량은 각각 1과 16이고, 생성된 H_2O은 모두 액체로 존재한다.)

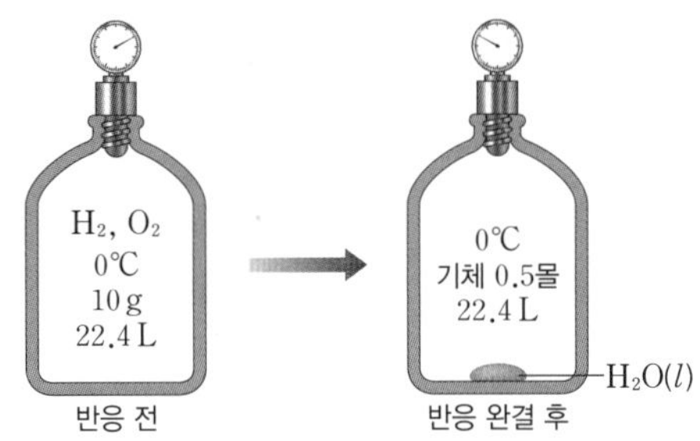

(1) $H_2O(l)$이 생성되는 반응의 화학 반응식을 완성하시오.

(2) 반응 전 각 기체의 양(mol)을 구하고 그렇게 판단한 까닭과 함께 서술하시오.

서술형

08 표는 0 ℃, 1기압의 강철 용기 속에서 프로페인(C_3H_8)의 완전 연소와 관련된 화학 반응에 대한 자료이다. 반응 후 생성된 X의 질량을 x, y, z를 모두 사용하여 나타내고, 그 까닭과 함께 서술하시오. (단, H, C, O의 원자량은 각각 1, 12, 16이고, 0 ℃, 1기압에서 기체 1몰의 부피는 22.4 L이다.)

화학 반응식	$C_3H_8(g)$ +	$5O_2(g)$ ⟶	$3CO_2(g)$ +	4X
반응 전 물질의 양	x(L)	y(mol)	0	0
반응 후 물질의 양	0	0	z(g)	

03 몰 농도

핵심 키워드로 흐름잡기

A 용액, 용액의 농도, 퍼센트 농도

B 몰 농도, 묽은 용액의 몰 농도, 혼합 용액의 몰 농도

A 퍼센트 농도

|출·제·단·서| 용액의 퍼센트 농도를 통해 용해된 용질의 양(mol)을 계산하는 문제가 시험에 나와.

1. 용액 두 종류 이상의 •순물질이 균일하게 섞여 있는 혼합물

(1) 용해 두 종류 이상의 순물질이 균일하게 섞이는 현상

(2) 용매 다른 물질을 녹이는 물질 대체로 혼합된 물질 중 양이 많은 물질을 뜻한다.

(3) 용질 다른 물질에 녹아 들어가는 물질 대체로 혼합된 물질 중 양이 적은 물질을 뜻한다.

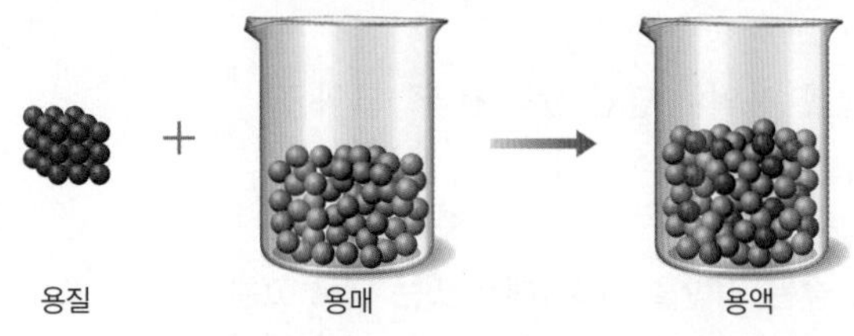

(4) 용액의 농도 일정량의 용매에 녹아 있는 용질의 상대적인 양을 수치로 나타낸 것

2. 퍼센트 농도 용액 100 g에 녹아 있는 용질의 질량(g)을 백분율로 나타낸 것으로, 단위는 %이다.

$$\text{퍼센트 농도(\%)} = \frac{\text{용질의 질량(g)}}{\text{용액의 질량(g)}} \times 100 = \frac{\text{용질의 질량(g)}}{\text{(용매+용질)의 질량(g)}} \times 100$$

예 10 % 포도당 수용액 100 g에는 포도당 10 g이 녹아 있다. – 물 90 g + 포도당 10 g

(1) 퍼센트 농도의 특징

① 실생활에서 가장 흔하게 사용하는 농도이다.❶

② 용액의 질량을 기준으로 한 농도이므로 온도와 압력이 변하여도 퍼센트 농도는 변하지 않는다. – 온도와 압력이 변해도 질량은 변하지 않기 때문이다.

③ 용액의 퍼센트 농도가 같을 때 용질의 종류에 따라 일정한 질량의 용액에 녹아 있는 용질의 질량은 같지만, 입자 수는 다르다.
물질의 종류에 따라 화학식량이 다르기 때문이다.

	10 % 포도당 수용액	10 % 설탕 수용액
용액의 종류	포도당 10 g + 물 90 g →(용해) 10 % 포도당 수용액	설탕 10 g + 물 90 g →(용해) 10 % 설탕 수용액
용액의 질량	100 g	100 g
용매의 질량	90 g	90 g
용질의 질량	10 g	10 g
용질의 양 (mol)	포도당의 분자량은 180이므로 $\frac{10\text{ g}}{180\text{ g/mol}} ≒ 0.056\text{ mol}$	설탕의 분자량은 342이므로 $\frac{10\text{ g}}{342\text{ g/mol}} ≒ 0.029\text{ mol}$

(2) 퍼센트 농도의 한계 퍼센트 농도는 질량을 기준으로 하므로 수용액과 관련된 화학 반응의 양적 관계를 파악할 때는 활용하기 불편하다. 화학 반응의 양적 관계는 물질의 입자 수와 관련이 있기 때문이다.

❶ 실생활에서 사용되는 퍼센트 농도
식초나 식염수, 음료의 경우 퍼센트 농도를 많이 사용한다.

용어 알기

•순물질(순수하다 純, 종류 物, 바탕 質) 한 가지 종류의 화합물로 이루어진 물질

B 몰 농도

|출·제·단·서| 몰 농도를 이용하여 화학 반응의 양적 관계를 계산하는 문제가 시험에 나와.

1. 몰 농도 용액 1 L에 녹아 있는 용질의 양(mol)으로, 단위는 M 또는 mol/L이다.

$$몰\ 농도(M)=\frac{용질의\ 양(mol)}{용액의\ 부피(L)} - \frac{용질의\ 질량}{용질의\ 화학식량}$$

예 몇 가지 1 M 용액

NaOH(aq) 1 L

1 M NaOH 수용액 1 L
- 용액의 부피: 1 L
- 용질의 양(mol): 1몰
- 용질의 질량: 40 g – NaOH의 몰 질량
- 용질의 입자 수: Na^+ 6.02×10^{23}개, OH^- 6.02×10^{23}개❷

설탕(aq) 1 L

1 M 설탕 수용액 1 L
- 용액의 부피: 1 L
- 용질의 양(mol): 1몰
- 용질의 질량: 342 g – 설탕의 몰 질량
- 용질의 입자 수: 설탕 6.02×10^{23}개

❷ 전해질 수용액의 이온화
전해질 1몰의 경우 물에 녹아 각각의 이온이 물에 둘러싸여 수화된 상태로 존재하므로 양이온과 음이온이 각각 물에 녹아 1몰씩만큼 존재한다.

2. 몰 농도의 특징

(1) 용액의 몰 농도가 같으면 용질의 종류에 관계없이 일정한 부피의 용액에 녹아 있는 용질의 입자 수가 같다.

(2) 용액의 몰 농도가 같고 부피가 다르면 용액에 녹아 있는 용질의 입자 수는 부피에 비례하여 달라진다.

몰 농도와 부피가 같은 용액		구분	몰 농도는 같지만 부피가 다른 용액	
		수용액		
0.1 M	0.1 M	용액의 농도	0.1 M	0.1 M
50 mL	50 mL	용액의 부피	50 mL	25 mL
0.005몰	0.005몰	용질의 양 (mol)	0.005몰	0.0025몰
$0.005\times6.02\times10^{23}$개	$0.005\times6.02\times10^{23}$개	용질의 입자 수	$0.005\times6.02\times10^{23}$개	$0.0025\times6.02\times10^{23}$개
➡ 용액의 몰 농도와 부피가 같으면 용질의 종류에 관계없이 용액에 녹아 있는 입자 수가 같다.			➡ 용액의 몰 농도는 같지만 부피가 다르면 용액에 녹아 있는 용질의 입자 수도 부피에 비례하여 달라진다.	

용액의 몰 농도와 부피의 곱은 용질의 양(mol)과 같으므로 같은 몰 농도의 용액에서 부피가 다를 경우 용질의 양(mol)도 부피에 비례하여 달라진다.

(3) 용액의 부피를 기준으로 하므로 용액의 제조와 사용이 편리하다.

(4) 온도가 변할 때 용질의 양(mol)은 변하지 않지만, 용액의 부피가 변하기 때문에 용액의 몰 농도가 변한다.

(5) 용액의 몰 농도와 부피를 알면 용액에 녹아 있는 용질의 양(mol)을 구할 수 있다.

용질의 양(mol)=용액의 몰 농도(mol/L)×용액의 부피(L)

2. 몰 농도의 이용 개념 POOL

(1) 특정 몰 농도 용액 제조 탐구 POOL 용액의 몰 농도와 부피, 용질의 화학식량을 알면 용액을 제조하는 데 필요한 용질의 질량을 구할 수 있다.

빈출 계산연습 특정 몰 농도의 용액을 만드는 데 필요한 용질의 질량 계산하기

0.1 M 포도당($C_6H_{12}O_6$) 수용액 1 L를 만드는 데 필요한 포도당의 질량을 구해 보자. (단, 포도당 1몰의 질량은 180 g이다.)

1단계 0.1 M 포도당 수용액 1 L에 포함된 용질의 양(mol)을 구한다.
포도당의 양(mol)=용액의 몰 농도(M)×용액의 부피(L)=0.1 M×1 L=0.1 mol

2단계 용질의 양(mol)으로부터 필요한 용질의 질량(g)을 구한다.
필요한 포도당의 질량(g)=용질의 양(mol)×몰 질량(g/mol)=0.1 mol×180 g/mol=18 g

(2) 묽은 용액의 몰 농도 용액을 묽힐 때 용액에 녹아 있는 용질의 양(mol)이 변하지 않는 것을 이용하여 묽은 용액의 몰 농도를 구할 수 있다.

예 진한 용액을 묽은 용액으로 만들 때 묽은 용액의 농도 구하기

1단계 용질의 양(mol)을 구한다.
- 진한 용액 속 용질의 양(mol)=진한 용액의 몰 농도(M_1)×진한 용액의 부피(V_1)
- 묽은 용액 속 용질의 양(mol)=묽은 용액의 몰 농도(M_2)×묽은 용액의 부피(V_2)

2단계 용액을 묽혀도 용질의 양(mol)은 일정함을 이용하여 묽은 용액의 몰 농도를 구한다.
➡ $M_1 \times V_1 = M_2 \times V_2$이므로 묽은 용액의 농도($M_2$)$=\dfrac{M_1 \times V_1}{V_2}$

(3) 혼합 용액의 몰 농도 같은 종류의 용질이 용해된 농도가 서로 다른 두 용액을 혼합할 때 용질의 전체 양(mol)이 변하지 않는 것을 이용하여 혼합 용액의 몰 농도를 구할 수 있다.

예 몰 농도와 부피가 각각 M_1, V_1과 M_2, V_2인 용액을 혼합할 때 혼합 용액의 농도 구하기

1단계 용질의 전체 양(mol)을 구한다.
➡ 용질의 전체 양(mol)$=M_1 \times V_1 + M_2 \times V_2$

2단계 용질의 전체 양(mol)이 변하지 않는 것을 이용하여 혼합 용액의 몰 농도를 구한다.
➡ $M_{혼합} \times V_{혼합} = M_1 \times V_1 + M_2 \times V_2$이므로 혼합 용액의 몰 농도($M_{혼합}$)$=\dfrac{M_1 \times V_1 + M_2 \times V_2}{V_{혼합}}$

(4) 화학 반응의 양적 관계와 몰 농도 반응물에 해당하는 수용액의 몰 농도를 이용하여 화학 반응에 필요한 반응물의 양(mol)을 구할 수 있다.

빈출 계산연습 특정 몰 농도의 용액과 반응하는 물질의 질량 계산하기

0.1 M 질산 은(AgNO) 수용액 100 mL와 완전히 반응하는 염화 나트륨(NaCl)의 질량을 구해 보자. (단, NaCl의 화학식량은 58.5이다.)

1단계 반응물과 생성물을 화학 반응식으로 나타낸다.
$AgNO_3(aq) + NaCl(aq) \longrightarrow AgCl(s) + NaNO_3(aq)$

2단계 $AgNO_3$의 양(mol)을 구한다.
$AgNO_3$의 양(mol)=몰 농도(M)×용액의 부피(L)=0.1 mol/L×0.1 L=0.01 mol

3단계 $AgNO_3$과 완전히 반응하는 NaCl의 질량을 구한다.
$AgNO_3$과 NaCl의 계수비는 1 : 1이므로 $AgNO_3$ 0.01몰과 반응하는 NaCl의 양은 0.01몰로, 질량은 0.585 g이다.

몰 농도의 이용

목표 용액의 몰 농도 정의를 이용하여 묽은 용액이나 혼합 용액의 몰 농도를 구할 수 있다.

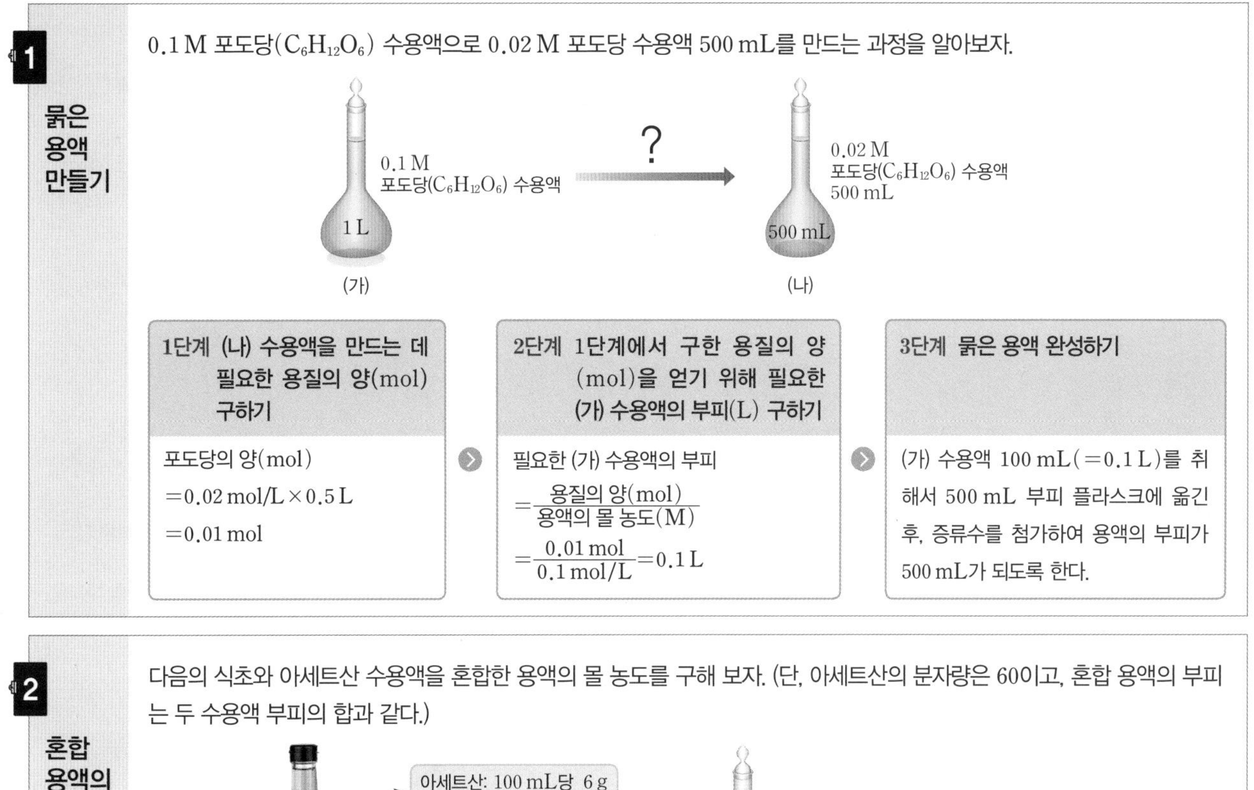

1 묽은 용액 만들기

0.1 M 포도당($C_6H_{12}O_6$) 수용액으로 0.02 M 포도당 수용액 500 mL를 만드는 과정을 알아보자.

(가) (나)

1단계 (나) 수용액을 만드는 데 필요한 용질의 양(mol) 구하기

포도당의 양(mol)

=0.02 mol/L × 0.5 L

=0.01 mol

2단계 1단계에서 구한 용질의 양(mol)을 얻기 위해 필요한 (가) 수용액의 부피(L) 구하기

필요한 (가) 수용액의 부피

$=\frac{\text{용질의 양(mol)}}{\text{용액의 몰 농도(M)}}$

$=\frac{0.01\ \text{mol}}{0.1\ \text{mol/L}}=0.1\ \text{L}$

3단계 묽은 용액 완성하기

(가) 수용액 100 mL(=0.1 L)를 취해서 500 mL 부피 플라스크에 옮긴 후, 증류수를 첨가하여 용액의 부피가 500 mL가 되도록 한다.

2 혼합 용액의 몰 농도 구하기

다음의 식초와 아세트산 수용액을 혼합한 용액의 몰 농도를 구해 보자. (단, 아세트산의 분자량은 60이고, 혼합 용액의 부피는 두 수용액 부피의 합과 같다.)

아세트산: 100 mL당 6 g
용량: 750 mL

\+ 0.5 M 아세트산 수용액 500 mL → ?

500 mL

(가) (나)

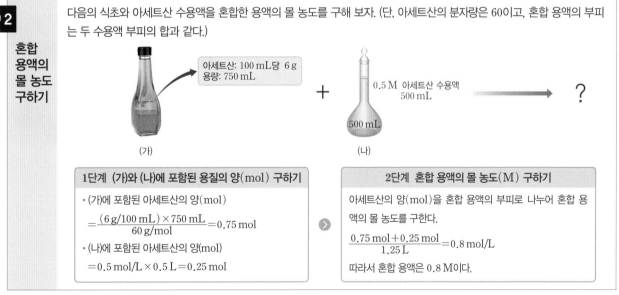

1단계 (가)와 (나)에 포함된 용질의 양(mol) 구하기

- (가)에 포함된 아세트산의 양(mol)

  $=\frac{(6\ \text{g}/100\ \text{mL})\times 750\ \text{mL}}{60\ \text{g/mol}}=0.75\ \text{mol}$

- (나)에 포함된 아세트산의 양(mol)

  =0.5 mol/L × 0.5 L = 0.25 mol

2단계 혼합 용액의 몰 농도(M) 구하기

아세트산의 양(mol)을 혼합 용액의 부피로 나누어 혼합 용액의 몰 농도를 구한다.

$\frac{0.75\ \text{mol}+0.25\ \text{mol}}{1.25\ \text{L}}=0.8\ \text{mol/L}$

따라서 혼합 용액은 0.8 M이다.

한·줄·핵심 묽은 용액이나 혼합 용액의 농도를 구할 때는 용액에 녹아 있는 용질의 양(mol)을 이용한다.

확인 문제

정답과 해설 014쪽

01 1 M 염화 나트륨(NaCl) 수용액으로 0.05 M 염화 나트륨 수용액 200 mL를 만들려고 할 때, 필요한 1 M 염화 나트륨(NaCl) 수용액의 부피(mL)를 구하시오.

02 10 % 포도당 수용액 90 g과 1 M 포도당 수용액 10 mL를 혼합한 용액의 몰 농도를 구하시오. (단, 포도당의 분자량은 180이며, 모든 수용액의 밀도는 1.0 g/mL이고, 혼합 용액의 부피는 각 용액의 부피를 합한 것과 같다.)

0.1 M 포도당 수용액 만들기

목표 화학 반응에 필요한 특정 몰 농도의 용액을 제조할 수 있다.

과정

❶ 포도당의 질량 측정하기

0.1 M 포도당 수용액 1 L에 포함된 포도당의 양(mol)은 0.1 M × 1 L = 0.1 mol인 18.0 g이다. 이를 전자저울로 정확히 측정한다.

❷ 포도당 용해하기

18.0 g의 포도당을 비커에 넣고 증류수를 100 mL 정도 부은 후 유리 막대로 저어 잘 녹인다.

❸ 부피 플라스크로 옮기기

깔때기를 이용하여 1 L 부피 플라스크에 과정 ❷에서 만든 용액을 넣고, 비커를 증류수로 2~3회 씻어 부피 플라스크에 함께 붓는다.

❹ 포도당 수용액 묽히기

증류수를 1 L 부피 플라스크 전체 부피의 $\frac{2}{3}$ 정도가 되도록 채운 후 부피 플라스크의 마개를 닫고 여러 번 흔들며 잘 섞는다.

❺ 부피 플라스크 표선 맞추기

과정 ❹의 부피 플라스크의 눈금까지 증류수를 채운다. 이때 눈금선에 가까워지면 씻기병을 사용하여 눈금선까지 정확하게 맞추어 넣는다.

❻ 포도당 수용액 완성하기

과정 ❺의 부피 플라스크의 마개를 닫고 거꾸로 세워 여러 번 흔든다.

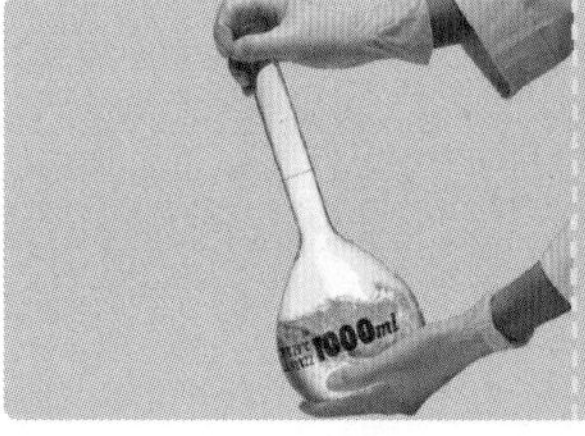

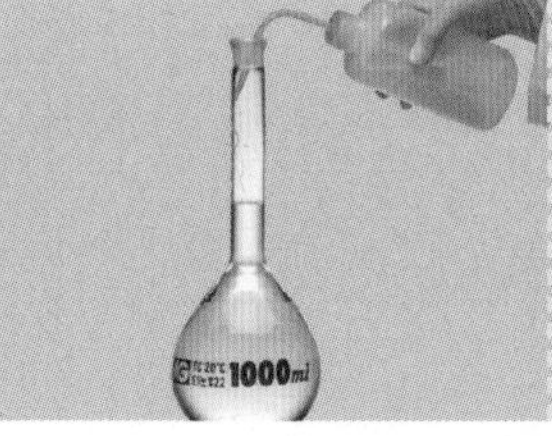

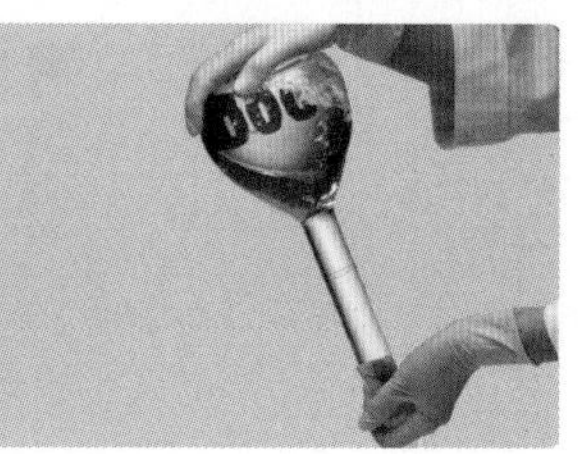

유의점

- 과정 ❸에서 비커의 용액을 부피 플라스크에 넣을 때 흘리지 않도록 한다.
- 과정 ❺에서 용액의 메니스커스 위치가 눈금에 오도록 정확히 맞춘다.

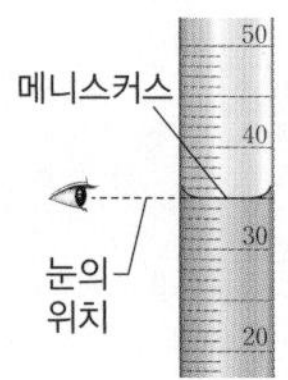

- 유리 기구를 사용할 때에는 떨어뜨리지 않게 주의한다.
- 용액을 제조할 때 용액의 온도는 일정하게 유지할 수 있도록 한다.

정리 및 해석

❶ **포도당 수용액을 모두 녹인 후 증류수를 더 넣어 용액의 부피를 1 L로 맞추는 까닭:** 포도당 0.1몰이 녹아 있는 용액의 전체 부피가 1 L가 되어야 하기 때문이다. 증류수 1 L에 포도당 0.1몰을 넣어 녹이면 용액의 부피가 1 L를 넘으므로 용액의 몰 농도가 0.1 M보다 작아진다.

❷ **용액의 온도를 일정하게 유지하는 까닭:** 온도가 변하면 용질의 양(mol)은 변하지 않지만, 용액의 부피가 변하므로 용액의 몰 농도가 변하게 된다. 따라서 일정한 몰 농도의 용액을 만드는 실험을 할 때는 온도를 일정하게 유지해야 한다.

한·줄·핵심 용액의 몰 농도는 용액 1 L에 녹아 있는 용질의 양(mol)이다.

확인 문제

정답과 해설 015쪽

01 이 탐구 활동과 같은 과정으로 0.2 M 포도당 수용액 50 mL를 만들 때, 필요한 포도당의 질량을 구하시오.

02 이 탐구 활동에서 제조한 포도당 수용액을 100 mL 덜어 내어 500 mL 부피 플라스크에 옮긴 후 증류수를 부어 표선까지 맞추었을 때, 이 수용액의 몰 농도를 구하시오.

콕콕! 개념 확인하기

정답과 해설 015쪽

✔ 잠깐 확인!

1. ☐☐
두 종류 이상의 순물질이 균일하게 섞이는 현상

2. ☐☐
두 종류 이상의 순물질이 균일하게 섞여 있는 혼합물

3. ☐☐
다른 물질을 녹이는 물질

4. ☐☐
다른 물질에 녹아 들어가는 물질

5. 용액의 ☐☐
일정량의 용매에 녹아 있는 용질의 상대적인 양을 수치로 나타낸 것

6. ☐☐☐ ☐☐
용액 100 g에 녹아 있는 용질의 질량(g)을 백분율로 나타낸 것

7. ☐ ☐☐
용액 1 L에 녹아 있는 용질의 양(mol)

A 퍼센트 농도

01 용액의 농도에 대한 설명으로 옳은 것은 ○, 옳지 않은 것은 ×로 표시하시오.

(1) 온도가 올라가면 용액의 퍼센트 농도는 감소한다. ( )

(2) 10 % 염화 나트륨 수용액 50 g에 녹아 있는 염화 나트륨은 5 g이다. ( )

(3) 20 % 설탕물 100 g에 녹아 있는 설탕의 양(mol)은 20몰이다. ( )

B 몰 농도

02 표는 서로 다른 농도의 3가지 수용액에 대한 자료이다. ㉠~㉢에 들어갈 알맞은 말을 쓰시오.

수용액	(가)	(나)	(다)
용질의 종류	NaOH	$KHCO_3$	$C_6H_{12}O_6$
용질의 질량	4 g	20 g	45 g
용질의 화학식량	40	㉠	180
용액의 질량 또는 부피	㉡ g	200 mL	500 mL
용액의 농도	10 %	1 M	㉢ M

03 주어진 용액에 녹아 있는 용질의 질량(g) 또는 양(mol)으로 옳은 것끼리 연결하시오. (단, 수산화 나트륨의 화학식량은 40이다.)

(1) 20 % 염화 나트륨 수용액 50 g • • ㉠ 0.05몰

(2) 0.1 M 수산화 나트륨 수용액 500 mL • • ㉡ 0.8 g

(3) 0.2 M 수산화 나트륨 수용액 100 mL • • ㉢ 10 g

04 다음은 특정 몰 농도의 수산화 나트륨(NaOH) 수용액을 만드는 과정이다. ㉠~㉢에 들어갈 알맞은 말을 쓰시오. (단, NaOH의 화학식량은 40이다.)

> (가) NaOH 4 g을 비커에 넣고 소량의 증류수로 녹인다.
> (나) (가)의 용액을 500 mL (㉠)에 넣고 표시선까지 증류수를 채운다.
> (다) (㉠)의 마개를 막고 흔들어 용액을 골고루 섞어 (㉡) M의 용액을 만든다.
> (라) 이 용액의 온도를 높이면 용액의 몰 농도는 (㉡) M보다 (㉢)진다.

탄탄! 내신 다지기

A 퍼센트 농도

01 표는 25 ℃에서 수산화 나트륨(NaOH)이 녹아 있는 수용액 (가)와 (나)에 대한 자료이다.

수용액	(가)	(나)
용질의 질량(g)		4
용매의 질량(g)	x	100
용액의 질량(g)	100	
퍼센트 농도(%)	4	

이에 대한 설명으로 옳은 것만을 〈보기〉에서 있는 대로 고른 것은?

보기
ㄱ. x는 96이다.
ㄴ. 용액의 퍼센트 농도는 (가)와 (나)가 같다.
ㄷ. (나)의 온도를 50 ℃로 높이면 퍼센트 농도는 감소한다.

① ㄱ ② ㄴ ③ ㄱ, ㄷ
④ ㄴ, ㄷ ⑤ ㄱ, ㄴ, ㄷ

B 몰 농도

단답형

02 그림은 비커에 포도당 수용액이 들어 있는 모습을 나타낸 것이다. 이 수용액의 ㉠ 퍼센트 농도(%)와 ㉡ 몰 농도(M)를 각각 구하시오. (단, 포도당의 분자량은 180이고, 수용액의 밀도는 1 g/mL이다.)

03 다음 중 용액의 농도에 대한 설명으로 옳은 것만을 〈보기〉에서 있는 대로 고른 것은?

보기
ㄱ. 용액의 퍼센트 농도는 용질의 질량과 용매의 질량을 알면 구할 수 있다.
ㄴ. 용액의 몰 농도는 용질의 양(mol)과 용액의 부피를 알면 구할 수 있다.
ㄷ. 서로 다른 두 수용액의 퍼센트 농도가 같으면 몰 농도는 같다.

① ㄱ ② ㄷ ③ ㄱ, ㄴ
④ ㄴ, ㄷ ⑤ ㄱ, ㄴ, ㄷ

04 표는 포도당 수용액 (가)와 (나)에 대한 자료이다.

수용액	(가)	(나)
물의 질량(g)	100	50
포도당의 질량(g)	90	45
수용액의 온도(℃)	20	80

수용액 (가)와 (나)에 대한 설명으로 옳은 것만을 〈보기〉에서 있는 대로 고른 것은?

보기
ㄱ. 몰 농도가 같다.
ㄴ. 퍼센트 농도가 같다.
ㄷ. 용질의 양(mol)이 같다.

① ㄱ ② ㄴ ③ ㄱ, ㄷ
④ ㄴ, ㄷ ⑤ ㄱ, ㄴ, ㄷ

단답형

05 다음은 0.1 M X 수용액을 만드는 실험 과정이다.

(가) 용질 X 5 g을 비커에 넣고 소량의 증류수로 완전히 녹인다.
(나) (가)의 용액을 x mL 부피 플라스크에 모두 넣고 표시선까지 증류수를 가한다.

㉠ x의 값과 ㉡ (나) 수용액의 퍼센트 농도(%)를 구하시오. (단, X의 화학식량은 100이며, (나) 수용액의 밀도는 d g/mL이다.)

06 그림은 100 g의 물에 같은 질량의 분자 A~C를 각각 녹여 만든 수용액 (가)~(다)를 모형으로 나타낸 것이다.

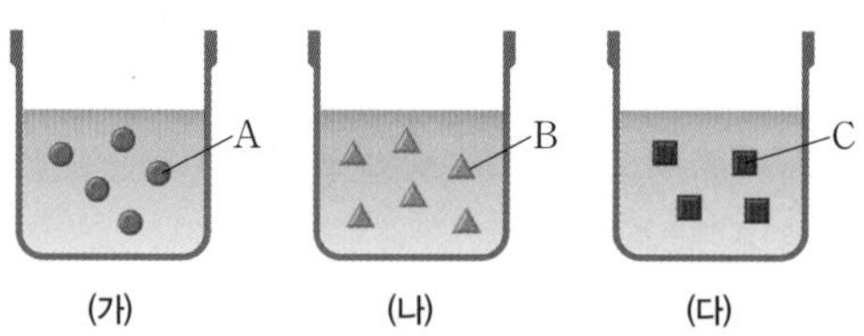

이에 대한 설명으로 옳은 것만을 〈보기〉에서 있는 대로 고른 것은? (단, (가)~(다)에서 수용액의 밀도는 같다.)

보기
ㄱ. 퍼센트 농도는 (가)~(다)에서 모두 같다.
ㄴ. 분자량이 가장 큰 용질은 C이다.
ㄷ. 몰 농도가 가장 큰 수용액은 (나)이다.

① ㄱ ② ㄴ ③ ㄱ, ㄷ
④ ㄴ, ㄷ ⑤ ㄱ, ㄴ, ㄷ

07 다음은 실온에서 1 M 포도당 수용액에 포도당과 증류수를 가하여 새로운 농도의 포도당 수용액을 만드는 실험 과정이다.

> (가) 1 M 포도당 수용액 20 mL를 500 mL 부피 플라스크에 넣는다.
> (나) (가)의 부피 플라스크에 포도당 5.4 g을 넣는다.
> (다) (나)의 부피 플라스크의 표선까지 증류수를 채운다.

(가)~(다) 수용액에 대한 설명으로 옳은 것만을 〈보기〉에서 있는 대로 고른 것은? (단, 수용액의 밀도는 모두 1 g/mL이고, 포도당의 분자량은 180이다.)

보기
ㄱ. (가)의 몰 농도는 0.04 M이다.
ㄴ. (나)의 퍼센트 농도는 45 %이다.
ㄷ. (다) 수용액의 온도를 높이면 농도는 0.1 M보다 작아진다.

① ㄱ ② ㄷ ③ ㄱ, ㄴ
④ ㄴ, ㄷ ⑤ ㄱ, ㄴ, ㄷ

08 그림은 수산화 나트륨(NaOH) 수용액 (가)와 (나)를 나타낸 것이다.

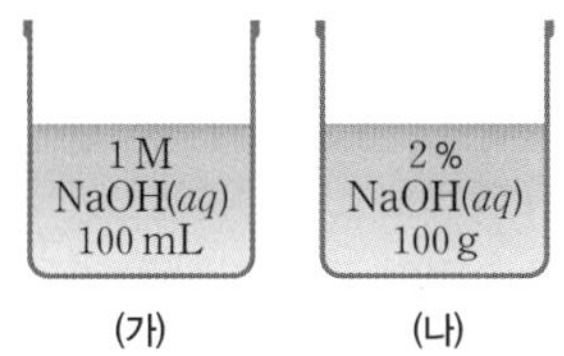

이에 대한 설명으로 옳은 것만을 〈보기〉에서 있는 대로 고른 것은? (단, NaOH의 화학식량은 40이고, (가)의 밀도는 1.0 g/mL이다.)

보기
ㄱ. (가)의 퍼센트 농도는 4 %이다.
ㄴ. 용질의 질량은 (가)가 (나)의 2배이다.
ㄷ. 물의 질량은 (가)와 (나)가 같다.

① ㄱ ② ㄷ ③ ㄱ, ㄴ
④ ㄴ, ㄷ ⑤ ㄱ, ㄴ, ㄷ

단답형

09 표는 용질이 X인 수용액 (가)와 (나)에 대한 자료이다.

수용액	(가)	(나)
용질의 질량(g)	a	b
수용액의 양	250 mL	50 g
수용액의 농도	0.1 M	4 %

a와 b를 각각 구하시오. (단, X의 화학식량은 40이다.)

10 다음은 0.1 M $KHCO_3$ 수용액을 만드는 과정이다.

> (가) $KHCO_3$ x g을 증류수가 들어 있는 비커에 넣어 완전히 용해시킨다.
> (나) (가)의 $KHCO_3$ 수용액을 250 mL [㉠]에 넣은 다음 증류수로 비커에 묻어 있는 용액을 씻어 넣는다.
> (다) [㉠]에 증류수를 $\frac{2}{3}$ 정도 넣은 다음 흔들거나 뒤집어서 용액을 잘 섞는다.
> (라) 증류수를 표선까지 가하여 0.1 M $KHCO_3$ 수용액을 만든다.

이에 대한 설명으로 옳은 것만을 〈보기〉에서 있는 대로 고른 것은? (단, $KHCO_3$의 화학식량은 100이다.)

보기
ㄱ. x는 2.5이다.
ㄴ. ㉠은 둥근바닥 플라스크이다.
ㄷ. 증류수 250 mL에 $KHCO_3$ 2.5 g을 용해하면 수용액의 몰 농도는 0.1 M이다.

① ㄱ ② ㄷ ③ ㄱ, ㄴ
④ ㄴ, ㄷ ⑤ ㄱ, ㄴ, ㄷ

단답형

11 다음은 염화 나트륨(NaCl) 수용액의 몰 농도를 알아내기 위한 실험이다.

> 실험 과정
> (가) 500 mL 삼각 플라스크의 질량(w_1)을 측정한다.
> (나) (가)의 삼각 플라스크에 염화 나트륨 수용액 200 mL를 넣는다.
> (다) 물을 모두 증발시킨 후 삼각 플라스크의 질량(w_2)을 측정한다.
> 실험 결과
> • w_1= 255.0 g • w_2=260.85 g

염화 나트륨 수용액의 몰 농도(M)를 구하시오. (단, 염화 나트륨의 화학식량은 58.5이다.)

도전! 실력 올리기

01 다음은 0.1 M 염화 나트륨(NaCl) 수용액 1000 mL를 만드는 실험 과정을 순서 없이 나타낸 것이다.

(가) 증류수를 1000 mL ㉠ 에 표선까지 넣고 잘 섞는다.
(나) 비커에 남은 NaCl 수용액을 증류수로 씻어 1000 mL ㉠ 에 넣는다.
(다) 소량의 증류수가 들어 있는 비커에 NaCl x g을 넣어 녹인 후 이 수용액을 1000 mL ㉠ 에 넣는다.

이에 대한 설명으로 옳은 것만을 〈보기〉에서 있는 대로 고른 것은? (단, NaCl의 화학식량은 58.5이다.)

보기
ㄱ. ㉠은 비커이다.
ㄴ. 실험 과정을 순서대로 배열하면 (다)－(나)－(가)이다.
ㄷ. x는 58.5이다.

① ㄱ ② ㄴ ③ ㄱ, ㄷ
④ ㄴ, ㄷ ⑤ ㄱ, ㄴ, ㄷ

02 그림은 서로 다른 농도의 과산화 수소(H_2O_2) 수용액의 표지를 나타낸 것이다.

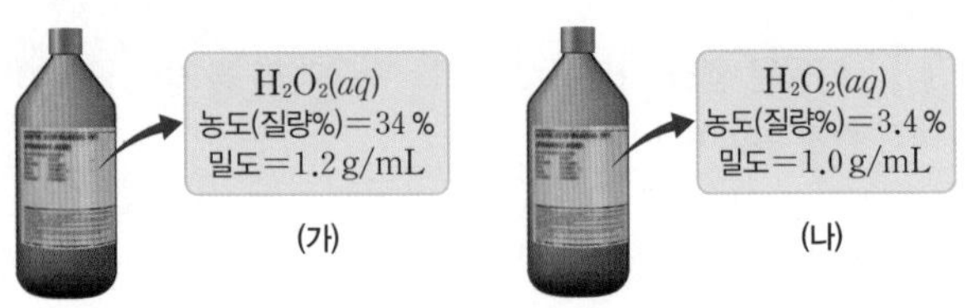

용액의 질량이 같을 때, 이에 대한 설명으로 옳은 것만을 〈보기〉에서 있는 대로 고른 것은? (단, H_2O_2의 분자량은 34이다.)

보기
ㄱ. 용질의 질량은 (가)가 (나)의 10배이다.
ㄴ. 용액의 부피는 (나)가 (가)의 1.2배이다.
ㄷ. 용액의 몰 농도는 (가)가 (나)의 12배이다.

① ㄱ ② ㄷ ③ ㄱ, ㄴ
④ ㄴ, ㄷ ⑤ ㄱ, ㄴ, ㄷ

03 표는 X 수용액 (가)와 (나)에 대한 자료이다.

X 수용액	(가)	(나)
농도	10 %	1 M
용액의 질량(g)	100	100
X의 질량(g)	x	y

이에 대한 설명으로 옳은 것만을 〈보기〉에서 있는 대로 고른 것은? (단, X의 화학식량은 100이고, 수용액의 밀도는 1.1 g/mL이다.)

보기
ㄱ. x는 y보다 크다.
ㄴ. 용액의 몰 농도는 (가)와 (나)가 같다.
ㄷ. 수용액 속 용질의 양(mol)은 (가)와 (나)가 같다.

① ㄱ ② ㄴ ③ ㄱ, ㄷ
④ ㄴ, ㄷ ⑤ ㄱ, ㄴ, ㄷ

출제예감

04 그림은 1 M 수산화 나트륨(NaOH) 수용액 (가)와 온도가 낮아졌을 때 수면이 표선 아래로 내려간 (나)를 나타낸 것이다.

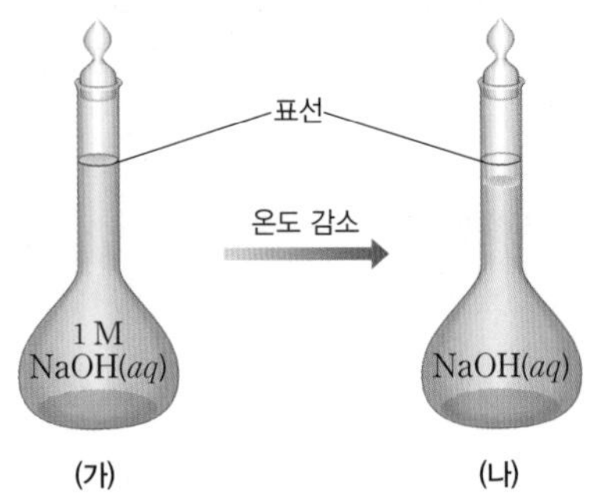

이에 대한 설명으로 옳은 것만을 〈보기〉에서 있는 대로 고른 것은?

보기
ㄱ. 용액의 질량은 (가)가 (나)보다 크다.
ㄴ. 용액의 몰 농도는 (나)가 (가)보다 크다.
ㄷ. 용액의 퍼센트 농도는 (가)와 (나)가 같다.

① ㄱ ② ㄴ ③ ㄱ, ㄷ
④ ㄴ, ㄷ ⑤ ㄱ, ㄴ, ㄷ

정답과 해설 016쪽

출제예감

05 그림은 25 ℃에서 수산화 나트륨(NaOH) 수용액을 희석시키는 과정을 나타낸 것이다.

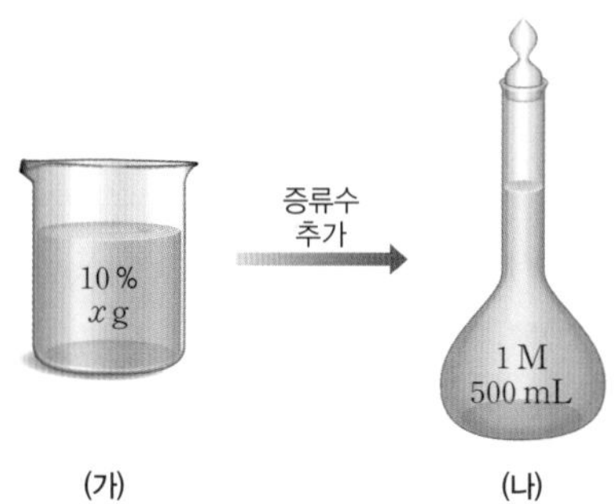

(나)에서 수용액의 밀도가 d g/mL일 때, 이에 대한 설명으로 옳은 것만을 〈보기〉에서 있는 대로 고른 것은? (단, 온도는 일정하고, NaOH의 화학식량은 40이다.)

보기

ㄱ. x는 200이다.

ㄴ. 추가된 증류수의 질량은 $(500d-x)$ g이다.

ㄷ. (나)의 퍼센트 농도는 $\frac{2}{5d}$ %이다.

① ㄱ　② ㄷ　③ ㄱ, ㄴ　④ ㄴ, ㄷ　⑤ ㄱ, ㄴ, ㄷ

06 다음은 X 수용액 (가)~(다)를 만드는 과정이다.

- (가): 물 80 g에 X 20 g을 넣어 모두 녹인다.
- (나): (가) 10 g에 물을 넣어 용액 500 mL를 만든다.
- (다): (가) 50 g과 (나) 250 mL를 혼합한다.

이에 대한 설명으로 옳은 것만을 〈보기〉에서 있는 대로 고른 것은? (단, X의 화학식량은 100이고, 온도는 일정하다.)

보기

ㄱ. (가)의 퍼센트 농도는 20 %이다.

ㄴ. (나)의 몰 농도는 0.04 M이다.

ㄷ. (다)에 녹아 있는 X의 양(mol)은 0.11몰이다.

① ㄱ　② ㄷ　③ ㄱ, ㄴ　④ ㄴ, ㄷ　⑤ ㄱ, ㄴ, ㄷ

서술형

07 그림은 수산화 나트륨(NaOH) 0.04 g이 녹아 있는 수용액 (가)에서 1 mL를 취한 후 증류수를 가해 수용액 (나)를 만든 모습을 나타낸 것이다

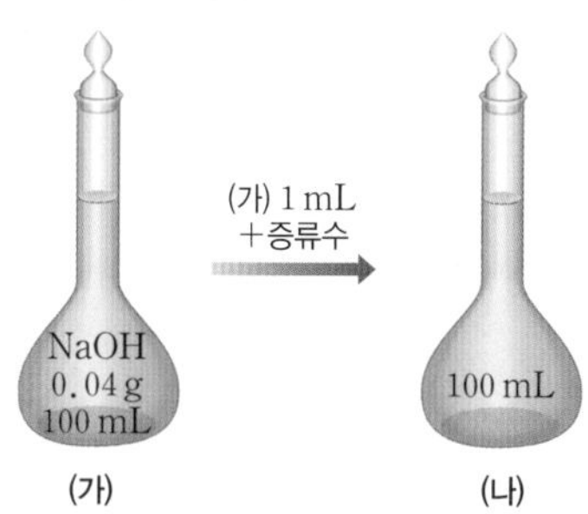

(가)와 (나) 수용액의 몰 농도를 각각 구하고, 그 과정을 각 용액 속 용질의 양(mol)을 언급하여 서술하시오. (단, NaOH의 화학식량은 40이다.)

서술형

08 다음은 0.005 M 수산화 나트륨(NaOH) 수용액을 만드는 과정이다.

(가) 고체 NaOH x g을 1 L 부피 플라스크에 넣고 증류수를 가하여 0.1 M NaOH 수용액을 만든다.

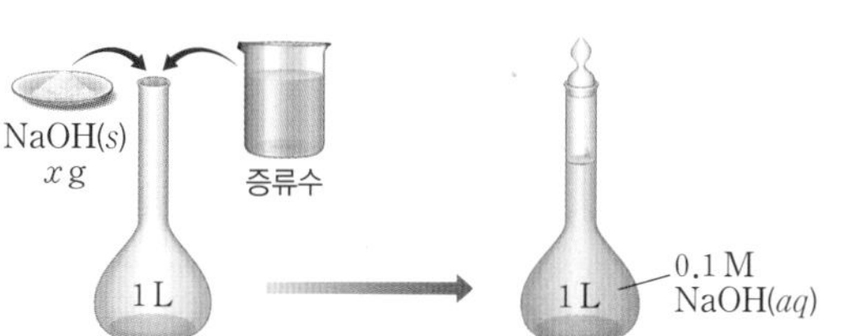

(나) 200 mL 부피 플라스크에 (가)의 용액 y mL를 넣고 증류수를 표선까지 가하여 0.005 M NaOH 수용액을 만든다.

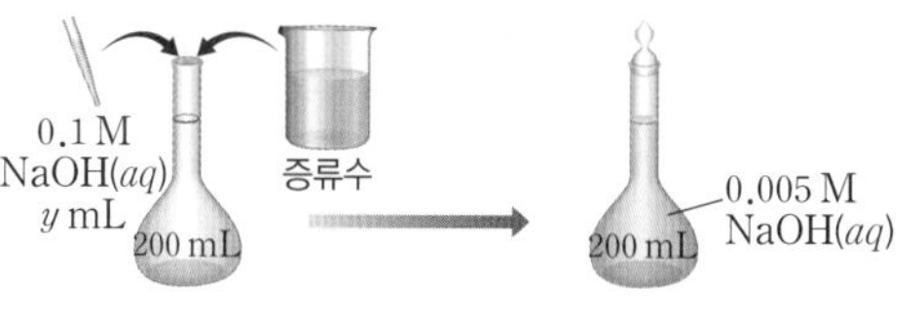

x와 y를 각각 구하고, 그 과정을 각 용액 속 용질의 양(mol)을 언급하여 서술하시오. (단, NaOH의 화학식량은 40이다.)

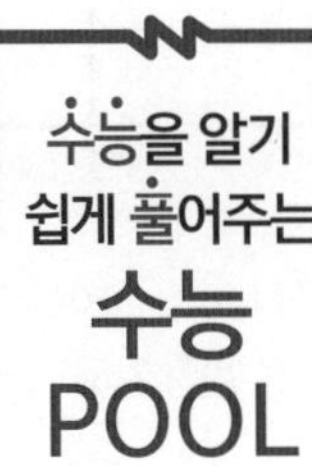

화학 반응의 양적 관계

대표 유형

출제 의도

화학 반응식의 계수비는 반응하고 생성되는 물질들의 몰비임을 이용하여 화학 반응의 양적 관계를 유도하는 문제이다.

이것이 함정

화학 반응식의 계수를 구할 때는 반응 전후 원자의 종류와 수가 같다는 것을 이용하여 정확하게 구해야 한다.

다음은 어떤 반응의 화학 반응식이다.

$$aNH_3(g)+bO_2(g) \longrightarrow cNO(g)+dH_2O(g)$$ (a~d는 반응 계수)

└ 화학 반응식에서 반응물과 생성물을 이루는 원자의 종류와 수는 같다.

표는 반응물의 양을 달리하여 수행한 실험 Ⅰ과 Ⅱ에 대한 자료이다.

실험	반응물의 양		생성물의 양	
	$NH_3(g)$	$O_2(g)$	$NO(g)$	$H_2O(g)$
Ⅰ	34 g	100 g		㉠ g
Ⅱ	4.0몰	2.5몰	㉡ L	

→ $\frac{34\text{ g}}{17\text{ g/mol}}=2\text{ mol}$ → $\frac{100\text{ g}}{32\text{ g/mol}}=\frac{25}{8}\text{ mol}$

이에 대한 설명으로 옳은 것만을 〈보기〉에서 있는 대로 고른 것은? (단, 반응은 완결되었다. H, N, O의 원자량은 각각 1, 14, 16이고, 기체 1몰의 부피는 t ℃, 1기압에서 24 L이다.)

보기

ㄱ. $a+b<c+d$이다.
└ 화학 반응 전과 후 원자의 종류와 수가 일정하므로 $a=4$, $b=5$, $c=4$, $d=6$이다.

ㄴ. ㉠은 54이다.
└ 화학 반응식에서 계수비는 몰비와 같으므로 실험 Ⅰ에서 NH_3 2몰은 O_2 2.5몰과 반응하여 NO 2몰과 H_2O 3몰을 생성한다. H_2O 1몰은 18 g이므로 ㉠은 54이다.

ㄷ. t ℃, 1기압에서 ㉡은 96이다.
└ 실험 Ⅱ에서 NH_3 2몰은 O_2 2.5몰과 반응하여 NO 2몰과 H_2O 3몰을 생성한다. t ℃, 1기압에서 기체 1몰의 부피는 24 L이므로 ㉡은 48이다.

① ㄱ ② ㄷ ③ ㄱ, ㄴ ④ ㄴ, ㄷ ⑤ ㄱ, ㄴ, ㄷ

표나 그래프에서 경향성 찾기

화학 반응식에서 원자의 종류와 수가 일정함을 이용하여 반응식의 계수를 구한다. >>> 화학 반응식의 계수비는 몰비이므로 실험 Ⅰ과 Ⅱ에서 반응하는 물질의 몰비를 구한다. >>> 반응식의 계수비＝몰비임을 이용하여 반응하는 물질의 양(mol)에 따라 생성되는 물질의 양(mol)을 구하고, 생성물의 질량을 구한다. >>> 반응식의 계수비＝몰비임을 이용하여 반응하는 물질의 양(mol)에 따라 생성되는 물질의 양(mol)을 구하고, 주어진 온도와 압력에서의 생성물의 부피를 구한다.

추가 선택지

• 실험 Ⅰ에서 반응 후 남은 O_2의 질량은 20 g이다. (○)
⋯→ 실험 Ⅰ에서 O_2는 2.5몰인 80 g이 반응하므로 남은 질량은 20 g이다.

• t ℃, 1기압에서 H_2O가 차지하는 부피는 실험 Ⅰ이 Ⅱ보다 크다. (×)
⋯→ 실험 Ⅰ과 Ⅱ에서 생성되는 H_2O의 양(mol)은 3몰로 같다. 따라서 t ℃, 1기압에서 H_2O가 차지하는 부피는 같다.

실전! 수능 도전하기

정답과 해설 017쪽

01 그림은 일정한 온도와 압력에서 실린더에 들어 있는 3가지 기체의 부피와 질량을 나타낸 것이다.

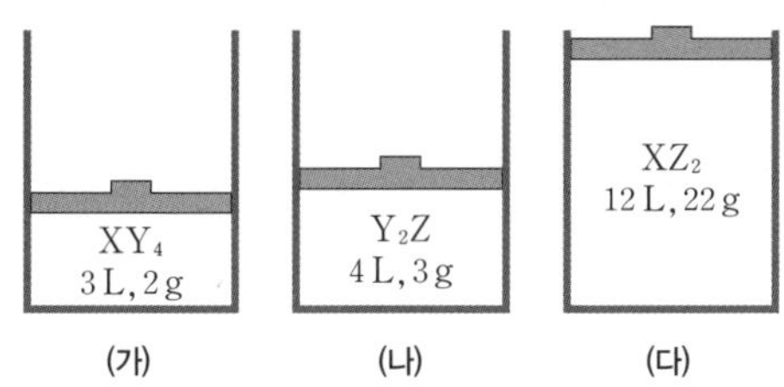

이에 대한 설명으로 옳은 것만을 〈보기〉에서 있는 대로 고른 것은? (단, X~Z는 임의의 원소 기호이다.)

보기
ㄱ. (나)와 (다)의 밀도비는 9 : 22이다.
ㄴ. Z의 원자량은 Y의 8배이다.
ㄷ. XY_4와 Z_2의 분자량 비는 1 : 2이다.

① ㄴ ② ㄷ ③ ㄱ, ㄴ
④ ㄱ, ㄷ ⑤ ㄱ, ㄴ, ㄷ

02 다음은 2가지 화학 반응식이다.

(가) $CaCO_3(s)+2HCl(aq) \longrightarrow CaCl_2(aq)+H_2O(l)+$ ㉠ (g)
(나) $Fe_2O_3(s)+aCO(g) \longrightarrow bFe(s)+c$ ㉡ (g)
(a~c는 반응 계수)

이에 대한 설명으로 옳은 것만을 〈보기〉에서 있는 대로 고른 것은?

보기
ㄱ. ㉠과 ㉡은 같은 화합물이다.
ㄴ. $a+b+c=8$이다.
ㄷ. 반응 후 전체 기체의 양(mol)이 증가하는 반응은 (가)이다.

① ㄱ ② ㄷ ③ ㄱ, ㄴ
④ ㄴ, ㄷ ⑤ ㄱ, ㄴ, ㄷ

03 그림 (가)는 피스톤으로 분리된 용기에 기체 A와 B가 들어 있는 것을, (나)는 (가)의 B가 들어 있는 부분에 기체 C를 더 넣은 것을 나타낸 것이다.

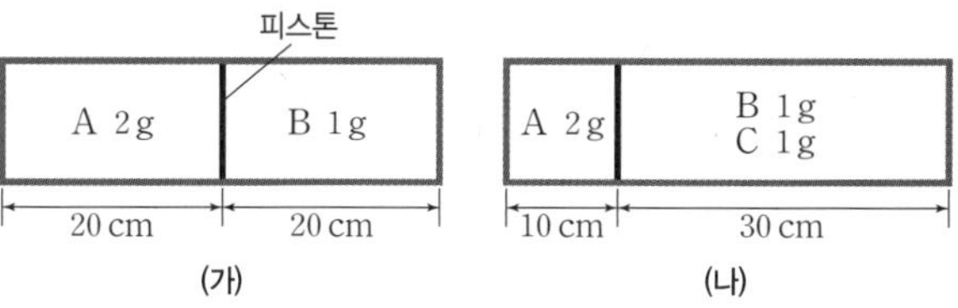

B와 C는 반응하지 않을 때, 이에 대한 설명으로 옳은 것만을 〈보기〉에서 있는 대로 고른 것은? (단, 온도는 일정하고, 피스톤의 두께와 마찰은 무시한다.)

보기
ㄱ. (가)에서 A와 B의 양(mol)은 같다.
ㄴ. (나)에서 B와 C의 양(mol)은 같다.
ㄷ. 기체의 분자량 비는 A : B : C=4 : 2 : 1이다.

① ㄱ ② ㄴ ③ ㄱ, ㄷ
④ ㄴ, ㄷ ⑤ ㄱ, ㄴ, ㄷ

수능 기출

04 표는 화합물 (가)~(다)에 대한 자료의 일부이다.

화합물	실험식	분자식	분자량
(가)		AB_2C	65
(나)		C_2B_2	70
(다)	AB_2		46

이에 대한 설명으로 옳은 것만을 〈보기〉에서 있는 대로 고른 것은? (단, A~C는 임의의 원소 기호이다.)

보기
ㄱ. 원자량은 B > A이다.
ㄴ. 실험식량은 (다)가 가장 크다.
ㄷ. 1몰에 들어 있는 B의 원자 수는 (다) > (가)이다.

① ㄱ ② ㄴ ③ ㄱ, ㄷ
④ ㄴ, ㄷ ⑤ ㄱ, ㄴ, ㄷ

실전! 수능 도전하기

05 다음은 화학 반응에서 양적 관계를 알아보는 실험이다.

실험 과정

(가) 묽은 염산($HCl(aq)$) 100 mL를 삼각 플라스크에 넣은 후, 질량(w_1)을 측정한다.

(나) 탄산 칼슘($CaCO_3$)의 질량(w_2)을 측정하여 (나)의 삼각 플라스크에 천천히 넣으면서 반응시킨다.

(다) 반응이 완전히 끝나면 용액이 들어 있는 삼각 플라스크의 질량(w_3)을 측정한다.

(라) $CaCO_3$의 질량을 변화시키면서 (가)~(라)를 반복한다.

실험 결과

실험	Ⅰ	Ⅱ	Ⅲ	Ⅳ	Ⅴ
$CaCO_3$의 질량(g)	1.00	2.00	3.00	4.00	5.00
생성된 기체 A의 질량(g)	0.44	0.88	1.32	1.76	x

이에 대한 설명으로 옳은 것만을 <보기>에서 있는 대로 고른 것은? (단, $HCl(aq)$은 반응을 일으키기에 충분하며, $CaCO_3$과 A의 화학식량은 각각 100, 44이고, 물의 증발과 물에 대한 기체의 용해는 무시한다.)

보기

ㄱ. x는 2.20이다.

ㄴ. 생성된 A의 질량은 (w_1-w_3)이다.

ㄷ. 반응한 $CaCO_3$과 생성된 A의 몰비는 1 : 2이다.

① ㄱ ② ㄴ ③ ㄱ, ㄷ ④ ㄴ, ㄷ ⑤ ㄱ, ㄴ, ㄷ

수능 기출

06 다음은 A와 B가 반응하여 C와 D를 생성하는 화학 반응식이다.

$2A(g)+bB(g) \longrightarrow C(g)+2D(g)$ (b는 반응 계수)

표는 실린더에 $A(g)$를 x L 넣고 $B(g)$의 부피를 달리하여 반응을 완결시켰을 때, 반응 전과 후에 대한 자료이다.

실험	반응 전		반응 후
	A의 부피(L)	B의 부피(L)	$\frac{\text{전체 기체의 양(mol)}}{\text{C의 양(mol)}}$
Ⅰ	x	4	4
Ⅱ	x	9	4

$\frac{x}{b}$는? (단, 온도와 압력은 일정하다.)

① $\frac{3}{4}$ ② $\frac{4}{3}$ ③ 2 ④ 3 ⑤ 12

07 다음은 마그네슘(Mg)과 염산($HCl(aq)$)의 반응의 화학 반응식이다.

$$Mg(s)+2HCl(aq) \longrightarrow MgCl_2(aq)+X(g)$$

그림은 t ℃, 1기압에서 $HCl(aq)$ 0.1 L에 Mg의 질량을 달리하여 반응시킬 때 Mg의 질량에 따른 생성물 X의 부피를 나타낸 것이다.

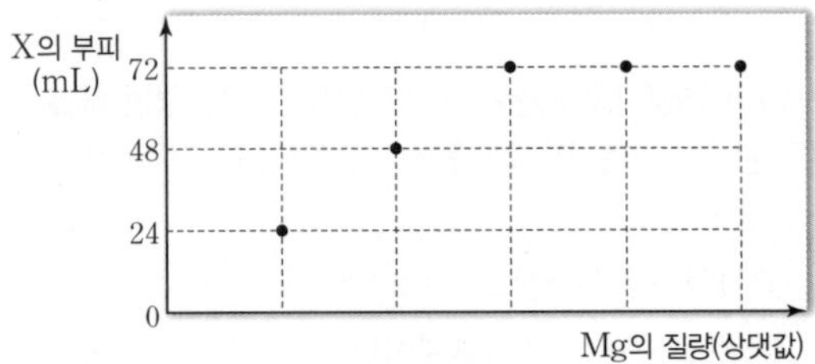

이에 대한 설명으로 옳은 것만을 <보기>에서 있는 대로 고른 것은? (단, t ℃, 1기압에서 $X(g)$ 1몰의 부피는 24 L이다.)

보기

ㄱ. X는 H_2이다.

ㄴ. X 24 mL가 발생했을 때 반응하는 Mg의 양(mol)은 1몰이다.

ㄷ. Mg을 넣기 전 $HCl(aq)$ 0.1 L에 들어 있는 H^+의 양(mol)은 0.006몰이다.

① ㄱ ② ㄴ ③ ㄱ, ㄷ ④ ㄴ, ㄷ ⑤ ㄱ, ㄴ, ㄷ

08 표는 20 ℃에서 같은 질량의 용질 X와 Y가 각각 녹아 있는 수용액 (가)와 (나)에 대한 자료이다.

수용액	용질	수용액의 양	퍼센트 농도(%)	몰 농도(M)	용질의 분자량
(가)	X	100 g	10		
(나)	Y	1 L	㉠	0.2	㉡

이에 대한 설명으로 옳은 것만을 <보기>에서 있는 대로 고른 것은? (단, (나)의 밀도는 1.0 g/mL이다.)

보기

ㄱ. ㉠은 10이다.

ㄴ. ㉡은 50이다.

ㄷ. 온도를 40 ℃로 높이면 (가)와 (나)의 퍼센트 농도는 모두 감소한다.

① ㄱ ② ㄴ ③ ㄱ, ㄷ ④ ㄴ, ㄷ ⑤ ㄱ, ㄴ, ㄷ

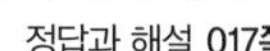

수능 기출

09 다음은 탄산수소 칼륨($KHCO_3$) 수용액을 제조하여 밀도를 측정하는 실험이다.

> 실험 과정
> (가) $KHCO_3$ 1 g을 100 mL 부피 플라스크에 넣고 물에 녹인 후 표선까지 물을 채운다.
> (나) 피펫을 이용하여 (가)의 수용액 x mL를 500 mL 부피 플라스크에 넣고 표선까지 물을 채워 1×10^{-3} M 수용액을 만든다.
> (다) (나)에서 만든 수용액의 밀도를 측정한다.
> 실험 결과
> • (다)에서 측정한 수용액의 밀도: d g/mL

이에 대한 설명으로 옳은 것만을 <보기>에서 있는 대로 고른 것은? (단, $KHCO_3$의 화학식량은 100이고, 온도는 일정하다.)

보기
ㄱ. (가)의 수용액의 몰 농도는 0.1 M이다.
ㄴ. $x=10$이다.
ㄷ. (나)에서 만든 수용액의 퍼센트 농도는 $\frac{1}{100d}$ %이다.

① ㄱ ② ㄴ ③ ㄷ
④ ㄱ, ㄴ ⑤ ㄱ, ㄷ

10 그림은 일정한 온도와 압력에서 탄화수소(C_mH_n)를 실린더에서 연소시키기 전과 후의 물질의 양(mol)을 나타낸 것이다.

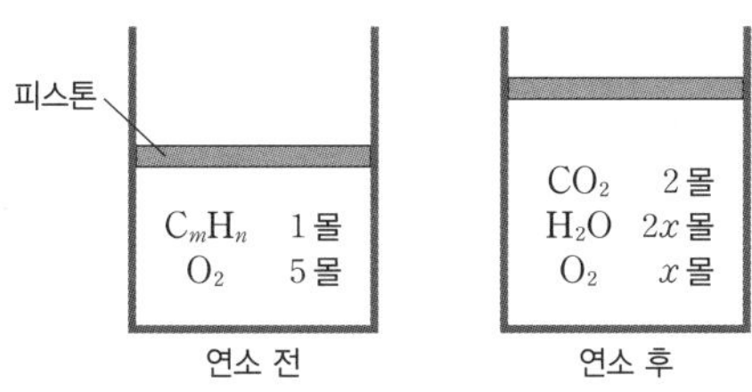

이에 대한 설명으로 옳은 것만을 <보기>에서 있는 대로 고른 것은? (단, 반응물과 생성물은 모두 기체이다.)

보기
ㄱ. $m+n=8$이다.
ㄴ. $x=3$이다.
ㄷ. 기체의 밀도비는 연소 전 : 연소 후=12 : 13이다.

① ㄱ ② ㄴ ③ ㄱ, ㄷ
④ ㄴ, ㄷ ⑤ ㄱ, ㄴ, ㄷ

11 다음은 기체 A_2와 B_2가 반응하여 기체 X가 생성되는 반응의 화학 반응식이다.

$$aA_2(g)+bB_2(g)\longrightarrow 2X(g)\ (a,\ b\text{는 반응 계수})$$

그림은 A_2와 B_2의 양(mol)을 달리하여 반응시켰을 때 생성된 X의 양(mol)을 나타낸 것이다.

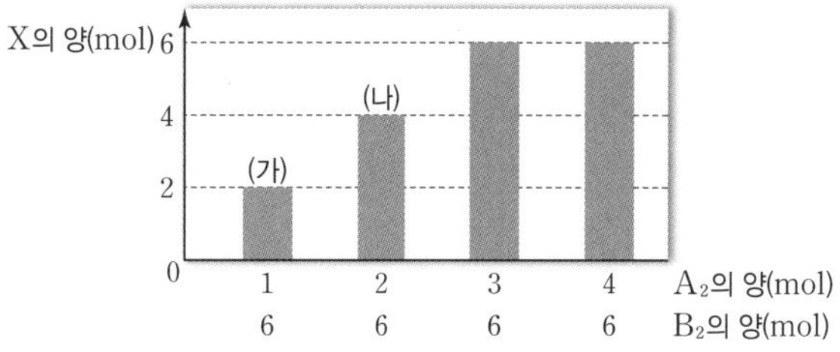

이에 대한 설명으로 옳은 것만을 <보기>에서 있는 대로 고른 것은? (단, A와 B는 임의의 원소 기호이다.)

보기
ㄱ. $b=2a$이다.
ㄴ. X의 화학식은 A_2B이다.
ㄷ. 반응하고 남은 B_2의 양(mol)은 (가)가 (나)의 3배이다.

① ㄱ ② ㄴ ③ ㄱ, ㄷ
④ ㄴ, ㄷ ⑤ ㄱ, ㄴ, ㄷ

12 다음은 알루미늄(Al)을 이용하여 은(Ag)의 녹을 제거하는 반응의 화학 반응식이다.

$$aAg_2S+bAl\longrightarrow cAg+dAl_2S_3$$
(a~b는 반응 계수)

이에 대한 설명으로 옳은 것만을 <보기>에서 있는 대로 고른 것은? (단, Al의 원자량은 27이다.)

보기
<보기>
ㄱ. $a\times b=c\times d$이다.
ㄴ. 0.3몰의 Ag_2S과 반응하는 Al의 질량은 5.4 g이다.
ㄷ. 0.02몰의 Al이 반응할 때 생성되는 Ag의 양(mol)은 0.06몰이다.

① ㄱ ② ㄷ ③ ㄱ, ㄴ
④ ㄴ, ㄷ ⑤ ㄱ, ㄴ, ㄷ

한눈에 보는
대단원 정리

1 화학과 우리 생활

01 화학의 유용성

1. 식량 문제 해결

필요성	산업 혁명 이후 인구의 급격한 증가로 천연 비료에 의존하던 농업이 한계에 이름
해결	• 화학 비료의 개발: 1906년 하버는 공기 중의 질소를 수소와 반응시켜 암모니아를 대량으로 합성하는 제조 공정을 개발 ➡ 질소 비료를 대량 생산하게 되어 농업 생산량 증대 • 살충제 및 제초제 사용: 잡초나 해충의 피해가 줄어 농산물의 질이 향상되고 생산량이 증대 • 비닐하우스를 이용하여 계절에 상관없는 작물 재배 가능
미래	최근 곤충을 이용한 식량 개발 연구

2. 의류 문제 해결

필요성		식물에서 얻은 면이나 마, 동물에서 얻은 비단과 같은 천연 섬유는 흡습성 및 촉감 등은 좋지만, 질기지 않아 쉽게 닳고 대량 생산이 어렵다.
해결	합성 섬유	• 나일론: 최초의 합성 섬유로 매우 질기고 유연하며 신축성이 좋다. • 폴리에스터: 가장 널리 사용되는 합성 섬유로 다른 섬유보다 강하고 탄성이 좋아 잘 구겨지지 않는다. • 폴리아크릴: 보온성이 있고 열에 강하다.
	합성 염료	원하는 색깔의 섬유와 옷감 제작이 가능함에 따라 다양한 색깔의 의류 등장
미래		기능성 의류나 스마트 의류 및 신소재 섬유(슈퍼 섬유)를 이용한 다양한 기능성 의복 개발

3. 주거 문제 해결

필요성		천연 재료는 건축 시간이 오래 걸리고 대규모 건축이 어려우며 산업 혁명 이후 인구의 급격한 증가에 따른 주거 공간 부족, 대규모 주거 공간과 안락한 주거 환경이 필요하다.
해결	건축 재료	• 철: 철의 제련으로 얻으며 단단하고 내구성이 뛰어나 건축 재료로 가장 많이 사용 • 시멘트: 석회석을 가열해 생석회로 만든 후 점토를 섞은 건축 재료 • 콘크리트: 모래와 자갈 등에 시멘트를 섞어 반죽한 재료로 철근을 넣어 콘크리트의 강도를 높임 • 알루미늄: 가볍고 단단하여 창틀이나 건물 외벽 등에 이용
	화석 연료	연소 시 방출되는 열을 이용하여 난방이나 조리에 사용한다.
미래		건축 재료의 성능 개발 및 단열재, 바닥재 등 신소재 개발

02 탄소 화합물의 유용성

1. 탄소 화합물

① **정의:** 탄소(C)를 골격으로 하여 수소(H), 산소(O), 질소(N), 할로젠(F, Cl, Br) 등의 원자가 결합하고 있는 화합물

② **탄소 화합물이 다양한 까닭:** 탄소 원자는 원자가 전자가 4개이므로 최대 4개의 다른 원자와 공유 결합을 하며 탄소 원자끼리 결합하여 다양한 길이와 구조의 화합물을 만들 수 있기 때문이다.

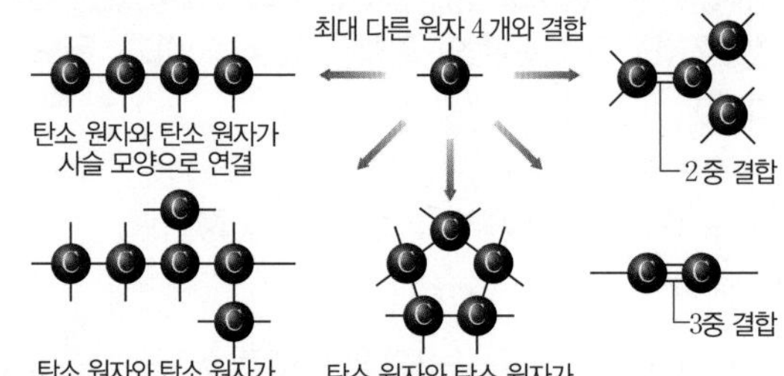

③ **우리 주위의 탄소 화합물:** 우리 몸, 음식, 의류, 연료, 의약품, 플라스틱, 화장품, 비누, 합성세제 등

④ **원유:** 탄소와 수소로 이루어진 탄소 화합물이며 분별 증류하여 자동차나 가정에서 사용되는 다양한 연료로 이용

2. 탄소 화합물의 종류

화합물 · 구조	특징
메테인(CH_4)	• 탄화수소 중 하나 • 천연가스에서 얻는다. • 냄새와 색깔이 없다. • 연소하면 많은 에너지를 방출한다. • LNG와 CNG의 주성분
에탄올(C_2H_5OH)	• 알코올(C원자에 1개 이상의 $-OH$가 결합) 중 하나 • 곡물과 과일을 발효시켜 얻는다. • 특유의 냄새가 나고 무색이다. • 실온에서 액체이고, 휘발성이 강하다. • 술의 성분, 소독용 알코올과 약품의 원료 등
아세트산(CH_3COOH)	• 카복실산(C원자에 1개 이상의 $-COOH$가 결합) 중 하나 • 물에 녹아 약한 산성을 띤다. • 에탄올을 발효시켜 얻는다. • 17 ℃보다 낮은 온도에서 고체 상태 • 식초의 성분, 의약품, 염료 등의 원료

2 화학 반응에서의 양적 관계

01 화학식량과 몰

1. 화학식량

원자량	질량수가 12인 탄소 원자의 질량을 12로 정하고 이를 기준으로 결정한 원자들의 상대적인 질량
분자량	분자를 구성하는 모든 원자들의 원자량을 합한 값으로, 분자의 상대적인 질량
화학식량	분자로 존재하지 않는 물질의 화학식을 이루는 모든 원자들의 원자량을 합한 값

2. 몰

① **정의:** 원자, 분자 등과 같이 매우 작은 입자의 양을 나타내는 묶음 단위

② **아보가드로수:** 탄소(^{12}C) 원자 12 g 속에 들어 있는 탄소 원자 수로, 6.02×10^{23}이다.

몰과 입자 수	• 원자 1몰=원자 6.02×10^{23} • 분자 1몰=분자 6.02×10^{23} • 이온 1몰=이온 6.02×10^{23}
몰과 질량	• 원자 1몰의 질량=원자량 g • 분자 1몰의 질량=분자량 g • 이온 1몰의 질량=이온의 원자량 g • 이온 결합 물질 1몰의 질량=화학식량 g • 몰 질량=물질 1몰의 질량
몰과 기체의 부피	• 아보가드로 법칙: 온도와 압력이 같을 때 모든 기체는 같은 부피 속에 같은 수의 분자를 포함한다. • 0 ℃, 1기압에서 기체 1몰의 부피=22.4 L

3. 물질의 양

$$\text{물질의 양(mol)}=\frac{\text{물질의 입자 수}}{6.02\times10^{23}(/\text{mol})}=\frac{\text{물질의 질량(g)}}{\text{물질의 몰 질량(g/mol)}}$$

$$=\frac{\text{기체의 부피(L)}}{22.4(\text{L/mol})}\ (0\ ℃,\ 1\text{기압})$$

02 화학 반응식과 양적 관계

1. 화학 반응식: 화학 반응을 화학식과 기호를 이용하여 나타낸 식

1단계	반응물과 생성물을 화학식으로 나타낸다.
2단계	⟶를 기준으로 반응물은 왼쪽에, 생성물은 오른쪽에 쓰고 물질 사이를 +로 연결한다.
3단계	반응 전후 원자의 종류와 개수가 같도록 계수를 맞춘다.
4단계	물질의 상태를 표시할 경우 (　　) 안에 기호를 이용한다.

2. 화학 반응에서의 양적 관계

① **화학 반응식으로 알 수 있는 것**

계수비=몰비=분자 수비=부피비(기체)≠질량비

② **화학 반응에서의 양적 관계**

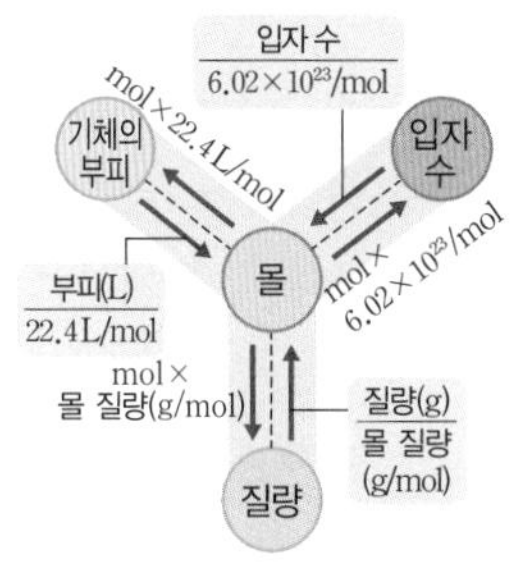

03 몰 농도

1. 퍼센트 농도

정의	용액 100 g에 녹아 있는 용질의 질량(g)을 백분율로 나타낸 것
식	퍼센트 농도(%)$=\frac{\text{용질의 질량(g)}}{\text{용액의 질량(g)}}\times100$
특징	• 실생활에서 가장 흔하게 사용한다. • 용액의 질량을 기준으로 한 농도이므로 온도와 압력에 의해 변하지 않는다. • 퍼센트 농도가 같을지라도 용질의 종류에 따라 입자 수는 다르다.

2. 몰 농도

정의	용액 1 L에 녹아 있는 용질의 양(mol)
식	몰 농도(M)$=\frac{\text{용질의 양(mol)}}{\text{용액의 부피(L)}}$
특징	• 용액의 몰 농도가 같으면 용질의 종류에 관계없이 일정한 부피의 용액에 녹아 있는 용질의 입자 수가 같다. • 온도가 변할 때 용질의 양(mol)은 변하지 않지만 용액의 부피는 변하므로 몰 농도가 달라진다. • 용질의 양(mol) =용액의 몰 농도(mol/L)×용액의 부피(L) • 용액을 묽힐 때에는 용액에 녹아 있는 용질의 양(mol)이 변하지 않는 것을 이용하여 묽힌 용액의 농도를 구할 수 있다. 묽은 용액의 몰 농도(M_2) $=\frac{\text{진한 용액의 몰 농도}(M_1)\times\text{진한 용액의 부피}(V_1)}{\text{묽은 용액의 부피}(V_2)}$

한번에 끝내는
대단원 문제

정답과 해설 020쪽

01 다음은 인류 문명과 관련된 화학 반응을 나타낸 것이다.

(가) 화석 연료의 연소:
화석 연료 A+산소 ⟶ B+물
(나) 철의 제련:
산화 철+일산화 탄소 ⟶ B+철

이에 대한 설명으로 옳은 것만을 〈보기〉에서 있는 대로 고른 것은?

보기
ㄱ. A는 탄소와 수소를 포함하고 있다.
ㄴ. B는 이산화 탄소이다.
ㄷ. (가)와 (나)는 주거 문제를 개선하는 데 영향을 준 화학 반응이다.

① ㄱ ② ㄷ ③ ㄱ, ㄴ
④ ㄴ, ㄷ ⑤ ㄱ, ㄴ, ㄷ

02 그림은 인류의 삶에 큰 영향을 준 어떤 화학 물질을 가열하여 성분 물질로 분리하는 장치를 나타낸 것이다.

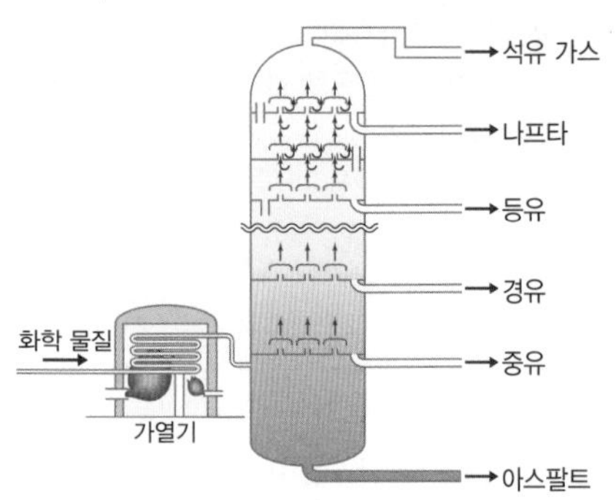

이에 대한 설명으로 옳은 것만을 〈보기〉에서 있는 대로 고른 것은?

보기
ㄱ. 화학 물질은 혼합물이다.
ㄴ. 끓는점 차이를 이용하여 화학 물질을 분리한다.
ㄷ. 증류탑의 위쪽으로 갈수록 탄소 수가 많은 탄화수소가 분리되어 나온다.

① ㄱ ② ㄷ ③ ㄱ, ㄴ
④ ㄴ, ㄷ ⑤ ㄱ, ㄴ, ㄷ

03 표는 화석 연료를 이루는 주성분 물질 A~D의 끓는점과 밀도를 조사한 것이다.

물질	A	B	C	D
끓는점(℃)	−162	−42	−0.6	64
밀도(g/L)	0.65	1.80	2.40	786

이에 대한 설명으로 옳은 것만을 〈보기〉에서 있는 대로 고른 것은? (단, 밀도는 25 ℃, 1기압에서의 값이며, 같은 조건에서 공기의 밀도는 1.16 g/L이다.)

보기
ㄱ. 저장과 운반이 상대적으로 가장 어려운 성분은 A이다.
ㄴ. 25 ℃에서 액체 상태로 존재하는 연료는 D이다.
ㄷ. B와 C로 이루어진 연료는 가스 경보기를 바닥 쪽에 설치해야 한다.

① ㄱ ② ㄷ ③ ㄱ, ㄴ
④ ㄴ, ㄷ ⑤ ㄱ, ㄴ, ㄷ

04 그림은 몇 가지 탄화수소의 구조식을 나타낸 것이다.

(가) $CH_3CH_2CH{=}CHCH_2CH_3$

(나) $CH_2{=}CH{-}C(CH_3)_2{-}CH_3$ (중앙 C에 위아래로 CH_3 결합)

(다) $CH_3CHCH{=}CHCH_3$ (두 번째 C에 CH_3 결합)

(라) $CH_3CH_2C{=}CHCH_3$ (세 번째 C에 CH_3 결합)

(가)~(라)의 공통점으로 옳은 것만을 〈보기〉에서 있는 대로 고른 것은?

보기
ㄱ. 1몰의 질량
ㄴ. 1기압에서의 끓는점
ㄷ. 완전 연소 시 CO_2와 H_2O이 생성된다.

① ㄱ ② ㄴ ③ ㄱ, ㄷ
④ ㄴ, ㄷ ⑤ ㄱ, ㄴ, ㄷ

05 다음은 인류의 의식주 생활에 기여한 화학 반응을 나타낸 것이다.

> (가) $Fe_2O_3 + 3CO \longrightarrow 2Fe + 3CO_2$
> (나) $N_2 + 3H_2 \longrightarrow 2NH_3$

이에 대한 설명으로 옳은 것만을 〈보기〉에서 있는 대로 고른 것은? (단, Fe, C, O의 원자량은 각각 55.8, 12, 16이다.)

보기
ㄱ. (가)에 의해 철제 농기구를 사용하게 되면서 식량 생산량이 증가하였다.
ㄴ. (나)에 의해 농업 생산력이 증대되면서 인류의 식량 문제를 해결하였다.
ㄷ. Fe 558 g을 얻기 위해 필요한 CO의 질량은 420 g이다.

① ㄱ ② ㄷ ③ ㄱ, ㄴ
④ ㄴ, ㄷ ⑤ ㄱ, ㄴ, ㄷ

06 그림은 같은 부피의 용기에 0 ℃, 1기압의 3가지 기체가 들어 있는 모습을 나타낸 것이다.

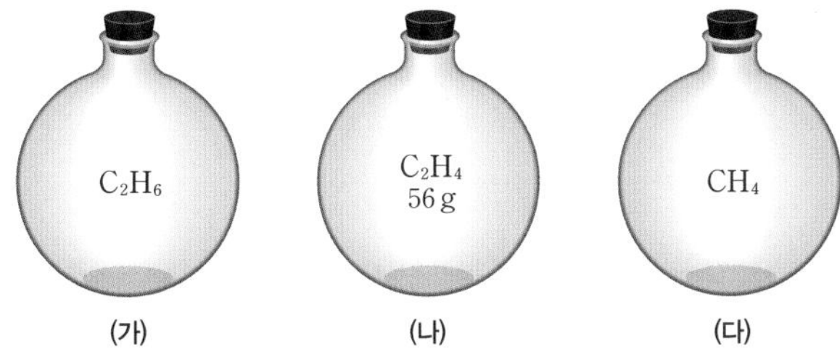

이에 대한 설명으로 옳은 것만을 〈보기〉에서 있는 대로 고른 것은? (단, H와 C의 원자량은 각각 1, 12이고 아보가드로수는 6.02×10^{23}이다.)

보기
ㄱ. 전체 원자 수는 (가)가 (나)의 $\frac{4}{3}$배이다.
ㄴ. 기체의 질량은 (가)가 (다)의 2배이다.
ㄷ. (가)~(다)에 들어 있는 기체의 분자 수는 각각 6.02×10^{23}개이다.

① ㄱ ② ㄷ ③ ㄱ, ㄴ
④ ㄴ, ㄷ ⑤ ㄱ, ㄴ, ㄷ

07 다음은 흑연(C)과 마그네슘(Mg)의 연소 실험이다.

> (가) 흑연(C) 12 g을 넣은 실린더에 산소(O_2) 기체 1몰을 채운 후 완전히 연소시킨다.
> $C(s) + O_2(g) \longrightarrow CO_2(g)$
> (나) 마그네슘(Mg) 12 g을 넣은 실린더에 산소(O_2) 기체 1몰을 채운 후 완전히 연소시킨다.
> $2Mg(s) + O_2(g) \longrightarrow 2MgO(s)$

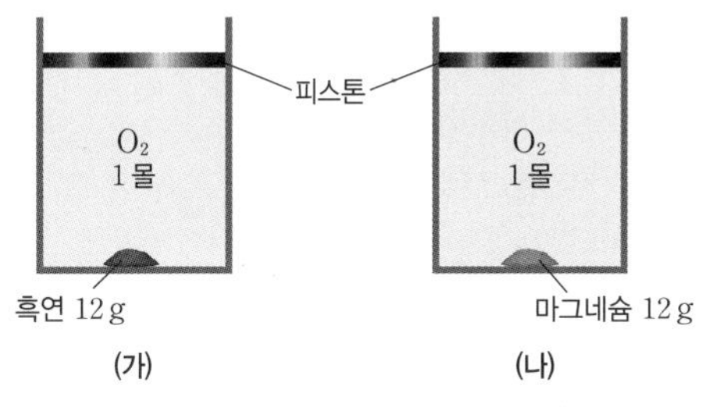

이에 대한 설명으로 옳은 것만을 〈보기〉에서 있는 대로 고른 것은? (단, C, Mg의 원자량은 각각 12, 24이며, 반응 전과 후의 온도와 압력은 같고, 피스톤의 질량과 마찰, 실린더 내부에 있는 고체의 부피는 무시한다.)

보기
ㄱ. (가)에서 반응 후 실린더 내부의 밀도는 반응 전 실린더 내부의 밀도와 같다.
ㄴ. (나)에서 반응하고 남은 O_2의 양(mol)은 0.25몰이다.
ㄷ. 반응 후 실린더 내부의 부피비는 (가) : (나)=4 : 5이다.

① ㄱ ② ㄷ ③ ㄱ, ㄴ
④ ㄴ, ㄷ ⑤ ㄱ, ㄴ, ㄷ

08 표는 같은 온도와 압력에서 원소 A~C로 이루어진 기체에 대한 자료이다.

분자식	A_2B	AC_3	C_2B
분자량	x	y	z
부피(L)	1	1	1.5
질량(g)	8.8	3.4	5.4

이에 대한 설명으로 옳은 것만을 〈보기〉에서 있는 대로 고른 것은? (단, A~C는 임의의 원소 기호이다.)

보기
ㄱ. $x > y + z$이다.
ㄴ. 원자량이 가장 큰 원소는 B이다.
ㄷ. 원자의 양(mol)이 가장 많은 분자는 C_2B이다.

① ㄱ ② ㄷ ③ ㄱ, ㄴ
④ ㄴ, ㄷ ⑤ ㄱ, ㄴ, ㄷ

고난도

09 다음은 실린더에 뷰테인(C_4H_{10}) 0.02몰과 산소(O_2) 0.25몰을 200 ℃, 1기압이 되도록 넣은 것과 이때 일어나는 화학 반응식을 나타낸 것이다.

$$aC_4H_{10}(g)+13O_2(g) \longrightarrow bCO_2(g)+cH_2O(g)$$
(a~c는 반응 계수)

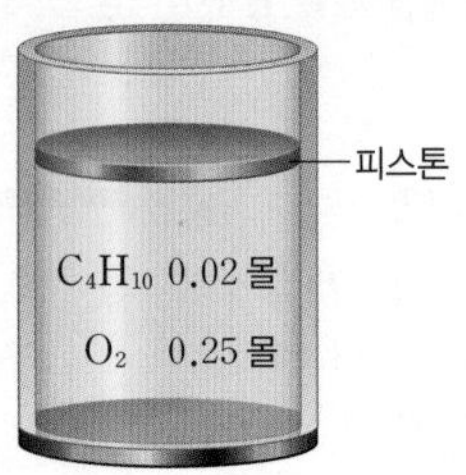

C_4H_{10}을 모두 완전 연소시켰을 때, 이에 대한 설명으로 옳은 것만을 〈보기〉에서 있는 대로 고른 것은? (단, 반응 전후의 온도와 압력은 같고, 피스톤의 질량과 마찰은 무시한다.)

보기
ㄱ. $a+b$는 c보다 크다.
ㄴ. 반응 후 남은 O_2의 양(mol)은 0.12몰이다.
ㄷ. 실린더 내부의 밀도비는 반응 전 : 반응 후=10 : 9 이다.

① ㄱ ② ㄷ ③ ㄱ, ㄴ
④ ㄴ, ㄷ ⑤ ㄱ, ㄴ, ㄷ

10 그림은 물 50 g에 분자량이 M인 용질 x g을 녹여 A 수용액을 만드는 모습을 나타낸 것이다.

A 수용액에 대한 설명으로 옳은 것만을 〈보기〉에서 있는 대로 고른 것은? (단, A 수용액의 밀도는 d g/mL이고 물의 증발은 무시한다.)

보기
ㄱ. 퍼센트 농도는 $2x$ %이다.
ㄴ. 몰 농도는 $\frac{1000xd}{M(50+x)}$ M이다.
ㄷ. 물 50 g을 추가하면 퍼센트 농도는 $\frac{1}{2}$배가 된다.

① ㄱ ② ㄴ ③ ㄱ, ㄷ
④ ㄴ, ㄷ ⑤ ㄱ, ㄴ, ㄷ

고난도

11 다음은 X_2와 Y_2가 반응하여 X_2Y_4를 생성하는 반응의 화학 반응식이다.

$$X_2(g)+aY_2(g) \longrightarrow bX_2Y_4(g)$$ (a, b는 반응 계수)

표는 반응 전과 후의 기체에 대한 자료이다.

실험	반응 전		반응 후		
	X_2의 부피(L)	Y_2의 부피(L)	X_2의 질량(g)	Y_2의 질량(g)	전체 기체의 부피(L)
Ⅰ	11.2	V_1	0	0.5	16.8
Ⅱ	V_2	11.2	21	0	22.4

이에 대한 설명으로 옳은 것만을 〈보기〉에서 있는 대로 고른 것은? (단, X, Y는 임의의 원소 기호이고, 온도와 압력은 일정하며, 기체 1몰의 부피는 22.4 L이다.)

보기
ㄱ. $a+b$는 3이다.
ㄴ. V_1과 V_2는 각각 22.4 L로 같다.
ㄷ. 원자량은 X가 Y의 14배이다.

① ㄱ ② ㄴ ③ ㄱ, ㄷ
④ ㄴ, ㄷ ⑤ ㄱ, ㄴ, ㄷ

12 표는 25 ℃에서 A 수용액 (가)와 (나)에 대한 자료이다.

A 수용액	(가)	(나)
농도	2 M	2 %
질량		100 g
부피	100 mL	
밀도	1.02 g/mL	

이에 대한 설명으로 옳은 것만을 〈보기〉에서 있는 대로 고른 것은? (단, A의 화학식량은 40이다.)

보기
ㄱ. 수용액에 녹아 있는 A의 질량은 (가)가 (나)의 4배이다.
ㄴ. 퍼센트 농도는 (가)가 (나)의 4배보다 작다.
ㄷ. (가)와 (나)를 혼합한 용액의 밀도가 1.0 g/mL라면 혼합 용액의 몰 농도는 1.25 M보다 크다.

① ㄱ ② ㄷ ③ ㄱ, ㄴ
④ ㄴ, ㄷ ⑤ ㄱ, ㄴ, ㄷ

서술형
13 그림은 탄화수소 A~D의 탄소 수에 따른 $\frac{\text{수소 수}}{\text{탄소 수}}$를 나타낸 것이다. (단, A~D는 모두 사슬모양의 탄화수소이고, 3중 결합을 가진 분자를 포함하고 있다.)

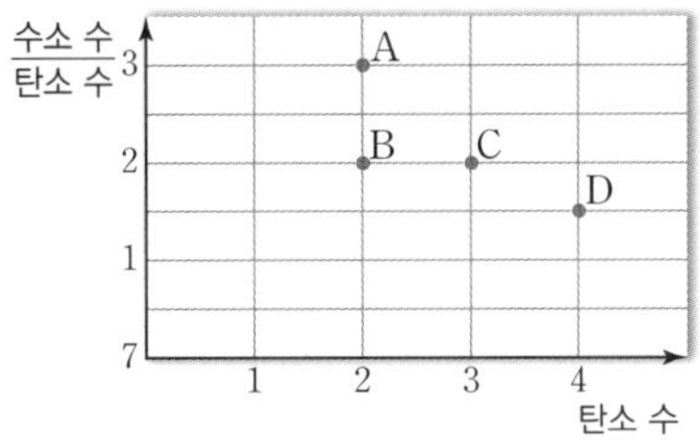

(1) A~D의 화학식을 각각 쓰시오.

(2) A~D 중 2중 결합을 포함한 화합물을 있는 대로 고르고, 그렇게 판단한 까닭을 탄소의 원자가 전자 수를 언급하여 서술하시오.

서술형
14 다음은 기체 X_2와 Y_2가 반응하여 기체 XY_3가 생성되는 반응의 화학 반응식이다.

$aX_2(g)+bY_2(g) \longrightarrow cXY_3(g)$ (a~c는 반응 계수)

그림은 1몰의 X_2와 4몰의 Y_2를 용기에 넣고 어느 한 기체가 모두 소모될 때까지 반응시켰을 때의 모습을 나타낸 것이다.

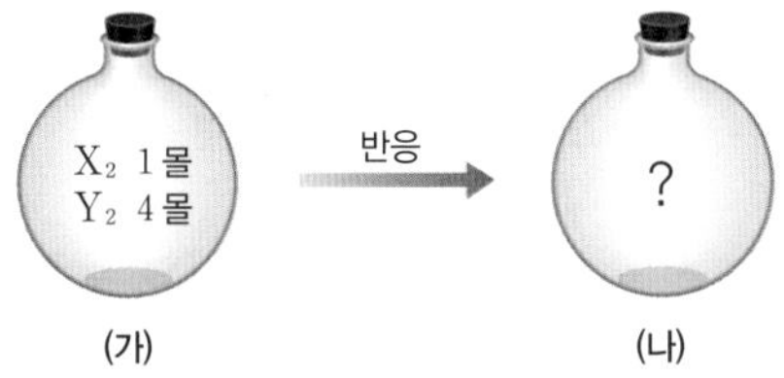

(1) a~c를 구하시오.

(2) (가)와 (나)의 전체 기체의 몰비를 구하고, 그렇게 판단한 까닭을 각 기체의 양(mol)을 언급하여 서술하시오.

15 다음은 프로페인(C_3H_8) 연소 반응의 화학 반응식을 나타낸 것이다. (단, H, C, O의 원자량은 각각 1, 12, 16이며, 0 ℃, 1기압에서 기체 1몰의 부피는 22.4 L이다.)

$C_3H_8(g)+5O_2(g) \longrightarrow 3CO_2(g)+4H_2O(l)$

(1) $C_3H_8(g)$ 22 g을 완전 연소시키는 데 필요한 O_2의 최소 질량을 구하시오.

(2) 0 ℃, 1기압에서 CO_2 1.5몰을 생성하기 위해 필요한 C_3H_8의 부피를 구하시오.

서술형
16 다음은 탄산 칼슘($CaCO_3$)과 묽은 염산($HCl(aq)$)의 반응을 이용해서 이산화 탄소(CO_2)의 분자량을 구하는 실험이다. (단, $CaCO_3$의 화학식량은 M이고, 물에 용해되는 CO_2의 양과 물의 증발은 무시한다.)

(가) 탄산 칼슘 가루의 질량을 측정하였더니 w_1 g이었다.
(나) 충분한 양의 묽은 염산이 들어 있는 삼각 플라스크의 질량을 측정하였더니 w_2 g이었다.
(다) 묽은 염산에 탄산 칼슘을 넣었더니 CO_2가 발생하였다.
$CaCO_3(s)+2HCl(aq) \longrightarrow CaCl_2(aq)+H_2O(l)+CO_2(g)$
(라) 반응이 완전히 끝난 후 삼각 플라스크의 질량을 측정하였더니 w_3 g이었다.

(1) (가)에서 $CaCO_3$의 양(mol)을 구하시오.

(2) (다)에서 발생한 CO_2의 질량(g)을 구하시오.

(3) (1)과 (2)를 이용하여 CO_2의 분자량(X)을 구하고, 그렇게 판단한 까닭과 함께 서술하시오.

Ⅱ 원자의 세계

나의 학습 계획표

중단원	소단원	계획일	실천일	성취도
1 원자의 구조	01. 원자의 구조	/	/	○△×
	02. 현대의 원자 모형	/	/	○△×
	03. 원자의 전자 배치	/	/	○△×
	수능 POOL + 실전! 수능 도전하기	/	/	○△×
2 원소의 주기적 성질	01. 주기율표	/	/	○△×
	02. 원소의 주기적 성질(1)	/	/	○△×
	03. 원소의 주기적 성질(2)	/	/	○△×
	수능 POOL + 실전! 수능 도전하기	/	/	○△×
	대단원 정리 + 문제	/	/	○△×

한食왕

스스로 계획하고 실천하면
실력이 올라간다~옹!

1 원자의 구조

배울 내용 살펴보기

01 원자의 구조

- A 원자를 구성하는 입자의 발견
- B 원자의 구조와 표시 방법
- C 동위 원소와 평균 원자량

양성자, 중성자, 전자로 구성된 원자를 원소 기호와 원자 번호로 나타내고, 동위 원소의 존재 비율을 이용하여 평균 원자량을 구할 수 있어.

02 현대의 원자 모형

- A 보어의 원자 모형
- B 현대의 원자 모형
- C 오비탈의 에너지 준위

보어의 원자 모형을 알고, 양자수와 오비탈을 이용하여 원자의 현대적 모형을 설명할 수 있어.

03 원자의 전자 배치

- A 쌓음 원리와 파울리 배타 원리
- B 훈트 규칙
- C 원자가 전자와 이온의 전자 배치

쌓음 원리, 파울리 배타 원리, 훈트 규칙에 따라 원자의 전자를 오비탈에 배치할 수 있어..

01 원자의 구조

핵심 키워드로 흐름잡기

- A 전자, 원자핵, 양성자, 중성자
- B 원자의 구조, 원자 번호, 양성자수, 질량수
- C 동위 원소, 평균 원자량

A 원자❶를 구성하는 입자의 발견

|출·제·단·서| 음극선 실험, 알파(α) 입자 산란 실험을 해석하고, 원자를 이루는 입자들의 종류와 성질, 원자가 중성인 까닭을 묻는 문제들이 출제돼.

1. 전자의 발견(1897년, 톰슨)

(1) 음극선의 발견 진공 상태의 기체 •방전관 안에 있는 두 금속으로 이루어진 전극판 사이에 높은 전압을 걸었을 때 (−)극에서 (+)극으로 흐르는 녹색 형광을 발견하고, 이 선을 음극선이라고 하였다.

(2) 톰슨의 음극선 실험 여러 실험을 통해 음극선이 음전하를 가진 입자의 흐름이라는 것을 밝혔고, 이 입자를 전자라고 하였다.

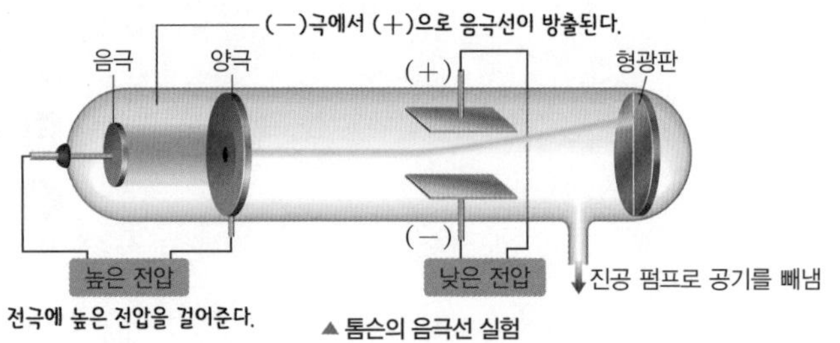

▲ 톰슨의 음극선 실험

실험 장치	(−) (+)	(−) (+)	(−) (+) (+) (−) 전기장 / (−) (+) 자기장
결과	음극선이 지나가는 길에 물체를 놓아두면 물체의 그림자가 생긴다.	음극선이 지나가는 길에 바람개비를 놓아두면 바람개비가 회전한다.	• 음극선 주위에 전기장을 걸어주면 음극선이 (+)극 쪽으로 휘어진다. • 음극선 주위에 자기장을 걸어주면 음극선의 진로가 휘어진다.
해석	음극선은 직진한다.	음극선은 질량을 가진 입자이다.	음극선은 음전하를 띤 입자이다.❷

(3) 톰슨의 원자 모형 전자의 발견으로 양전하를 띤 부드러운 공 모양의 물체에 전자가 박혀있는 원자 모형을 제안하였다.

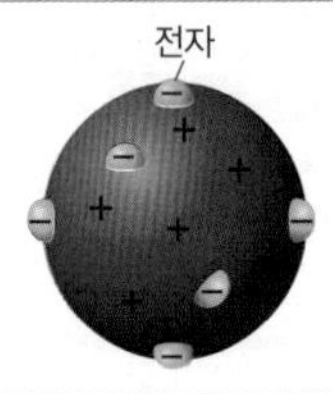

• 원자는 (−)전하를 띤 전자가 (+)전하를 띠는 공 모양의 물질에 박혀있는 모습을 띠고 있다.
• 톰슨이 전자를 발견하여 원자는 더 이상 쪼개지지 않는다는 돌턴의 원자설이 수정되었다.

2. 원자핵의 발견(1911년, 러더퍼드)

(1) •알파(α) 입자 산란 실험❸ 러더퍼드는 얇은 금박 주위에 형광막을 장치하고 α 입자를 쏘는 실험을 통해 극소수의 α 입자가 큰 각도로 튕겨져 나오거나 휘는 결과를 확인하였다. 이 결과 원자 내부에 (+)전하를 띠는 밀도가 매우 큰 입자가 있다는 것을 밝혔고, 이를 원자핵이라고 하였다. **암기TiP** 알파(α) 입자 산란 실험 → 원자핵 존재 알아냄

(형광막: 알파(α) 입자가 형광막에 부딪히면 빛이 나오기 때문에 알파(α) 입자의 위치를 알 수 있다.)

---

❶ 돌턴
1803년 영국의 과학자 돌턴은 물질은 더 이상 쪼갤 수 없는 공 모양의 입자인 원자로 이루어져 있다고 주장하였다.

❷ 음극선 실험 결과
전하를 띠는 입자는 앙페르 법칙에 의하면 주위에 자기장을 형성하게 되므로 다른 자기장이 걸리면 영향을 받게 된다.

❸ 알파(α) 입자 산란 실험
러더퍼드는 톰슨의 원자 모형대로라고 하면 모든 알파 입자가 금박을 투과할 것이라고 생각하고 실험을 하였는데, 실험 결과 약 $\frac{1}{8000}$ 확률로 튀어나오는 입자가 있었다.

용어 알기

• 방전관(놓다 放, 전지 電, 관 館) 기체와 같은 절연체를 넣고 높은 전압을 가했을 때 전류가 흐르게 하는 전극을 넣은 유리관
• 알파(α) 입자(alpha particle) 알파(α)입자는 He^{2+}로 He 원자에서 전자 2개가 떨어져 나간 방사선 물질

빈출 자료 **알파(α) 입자 산란 실험**

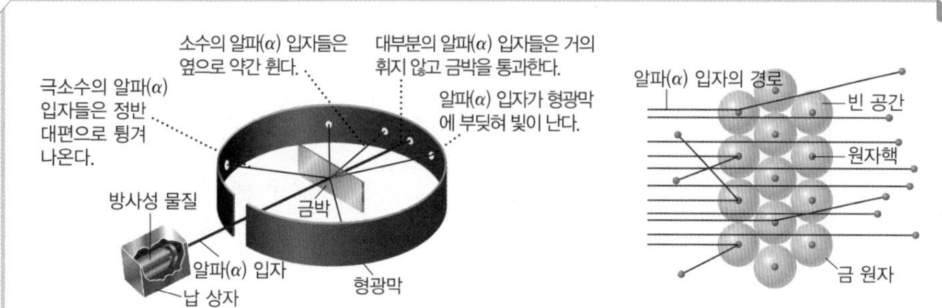

❶ 대부분의 알파(α) 입자가 금박을 그대로 통과하였다. ⇨ 원자의 대부분은 빈 공간이다.

❷ 극소수의 알파(α) 입자가 튕겨져 나오거나 휘었다. ⇨ 원자의 중심에는 양전하를 띠고, 원자 질량의 대부분을 차지하는 원자핵이 있다.

❸ 정반대편으로 튕겨나오는 알파(α) 입자의 수가 극소수이다. ⇨ 원자에 비하여 원자핵은 매우 작다.

❹ 알 수 있는 사실: 원자는 대부분 빈 공간이며, 중심에 양전하를 띠고 원자 질량의 대부분을 차지하는 원자핵이 존재한다.

(2) 러더퍼드의 원자 모형 원자의 가운데 원자 질량의 대부분을 차지하는 원자핵이 있고, 전자가 주위를 회전하는 원자 모형을 제안하였다.

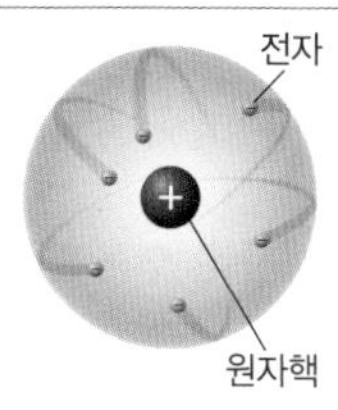

- 원자에는 (+)전하를 띠는 원자핵이 매우 작은 부피와 큰 질량으로 존재하고 있고, 주위에 전자가 돌고 있다.
- 러더퍼드가 원자핵을 발견하여 (+)전하를 띠는 공 모양의 물질에 (−)전하를 띠는 전자가 박혀있다는 톰슨의 원자 모형이 수정되었다.

3. 양성자의 발견(1886, 골트슈타인)

(1) 양극선의 발견 기체 방전관에 소량의 수소 기체를 넣고 높은 전압을 걸어주었을 때 (−)극 쪽으로 이동하는 양전하를 띤 입자의 흐름을 발견하고, 이를 양극선이라고 하였다.

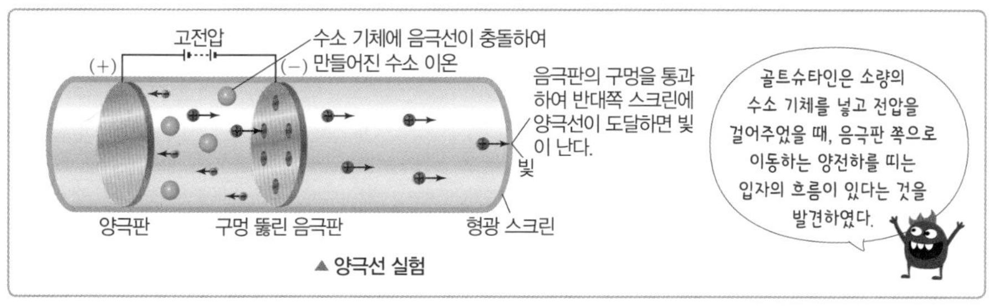

▲ 양극선 실험

(2) 양성자의 발견 골트슈타인은 양극선 실험으로 물질 내부에는 양전하를 띤 입자가 있음을 발견하였으나, 이 양극선의 정체를 정확하게 파악하지 못하였다. 훗날 러더퍼드는 수소 기체를 넣은 방전관에서 발견되는 양극선이 수소 원자핵(H^+)인 양성자의 흐름이라는 것을 밝혀냈다.

4. 중성자❹의 발견(1932년, 채드윅)

(1) •중성자의 발견 얇은 베릴륨(Be) 박판에 알파(α) 입자를 •투과시키는 실험을 통해 전하를 띠지 않는 입자가 있음을 알아냈고, 이를 중성자라고 하였다.

(2) 중성자는 전하를 띠지 않아 전기장이나 사기장에 휘어지지 않기 때문에 원자를 구성하는 입자 중에서 가장 늦게 발견되었다. (그 존재를 알아내는 것이 쉽지 않았다.)

❓ 알파(α) 입자의 투과력은?
방사선 입자 중 가장 질량이 크므로 투과력이 뛰어난 것은 아니고 종이도 뚫지는 못한다. 알파(α) 입자 산란 실험에서는 얇은 금박 대부분을 투과했으므로 원자의 대부분은 비어있다고 생각할 수 있다.

❓ 양극선의 흐름은 어떻게 만들어질까?
양극선 실험 장치에서는 고전압으로 방전된 음극선이 먼저 튀어나오면서 수소 기체의 전자를 떼어내게 된다. 이때 양성자(H^+)가 생성되는데 양성자는 (+)전하를 띠므로 (−)를 띠는 음극판 쪽으로 이동하게 되고 음극판에는 구멍이 뚫려 있어서 반대쪽으로 가서 방전관이 밝게 빛나게 된다.

❹ 중성자의 발견
러더퍼드는 헬륨의 질량이 수소의 4배인데 양성자는 2배임을 토대로 중성자의 존재를 예측하였고, 제자인 채드윅이 실험을 통해 중성자의 존재를 확인하였다.

원자 모형이 제안된 실험

실험	입자
음극선 실험	전자
알파(α) 입자 산란 실험	원자핵
양극선 실험	양성자
베릴륨(Be) 박판에 알파(α) 입자 투과 실험	중성자

용어 알기

•중성자(neutron) 원자를 구성하고 있는 입자의 한 종류로, 전하를 띠지 않음

•투과(**꿰뚫다 透, 지나다 過**) 광선이 물질의 내부를 통과하는 현상

B 원자의 구조와 표시 방법

|출·제·단·서| 원자 번호와 질량수를 사용하여 원소 기호를 나타낸 표시에서 각 입자 수의 확인이 시험에 나와.

1. 원자의 구조

(1) 원자의 구조 원자의 중심에 양전하를 띠는 원자핵이, 원자핵 주위에 음전하를 띠는 전자가 분포한다.

(2) 원자핵[5]의 구조 양전하를 띠는 양성자와 전하를 띠지 않는 •중성자로 이루어져 있다.

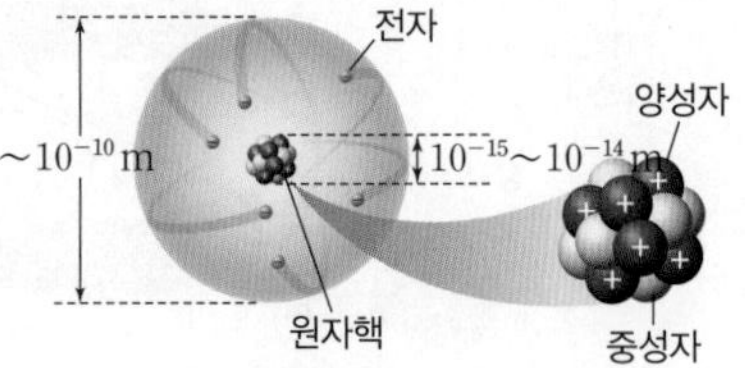

▲ 원자의 구조

2. 원자를 구성하는 입자의 성질

(1) 원자의 질량 양성자와 중성자로 이루어진 원자핵은 원자 질량의 대부분을 차지한다.

(2) 중성 원자 원자는 (+)전하를 띠는 양성자와 (−)전하를 띠는 전자의 수가 같으므로 전기적으로 중성을 띤다. 암기TiP 중성 원자 → 양성자수=전자 수

구성 입자		질량(g)	상대적 질량	•전하량(C)	상대적 전하량
원자핵	양성자	1.673×10^{-24}	1	$+1.602 \times 10^{-19}$	+1
	중성자	1.675×10^{-24}	1	0	0
전자		9.109×10^{-28}	$\frac{1}{1837}$	-1.602×10^{-19}	−1

└ 양성자와 전자는 전하량의 크기는 같고, 부호는 반대이다.

3. 원자의 표시 방법

(1) 원자 번호[6] 암기TiP 질량수는 원자 질량의 대부분을 차지하는 입자의 개수

① **원자 번호:** 원자핵 속의 양성자수는 원자의 종류에 따라 다르므로 양성자수를 원자 번호로 정하여 사용한다.

② **원자 번호와 전자 수:** 원자 번호는 양성자수이고, 양성자수는 중성 원자에서 전자 수와 같다.

> 원자 번호 = 양성자수 = 중성 원자의 전자 수

(2) 질량수 양성자수와 중성자수를 합한 값을 질량수로 나타내서 사용한다.

> 질량수 = 양성자수 + 중성자수

(3) 원자의 표시 방법[7] 원자를 표시할 때 원자 번호(=양성자수)는 원소 기호의 왼쪽 아래에 나타내고, 질량수는 원소 기호의 왼쪽 위에 함께 나타내어 표시한다.

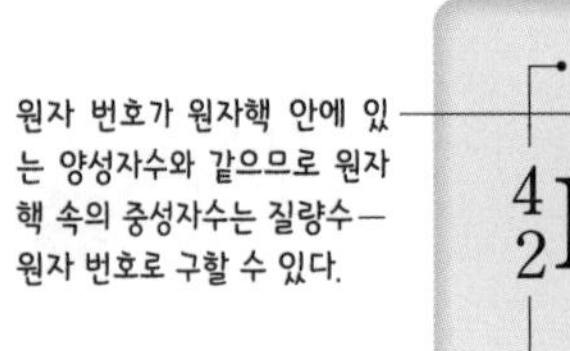

원자 번호가 원자핵 안에 있는 양성자수와 같으므로 원자핵 속의 중성자수는 질량수−원자 번호로 구할 수 있다.

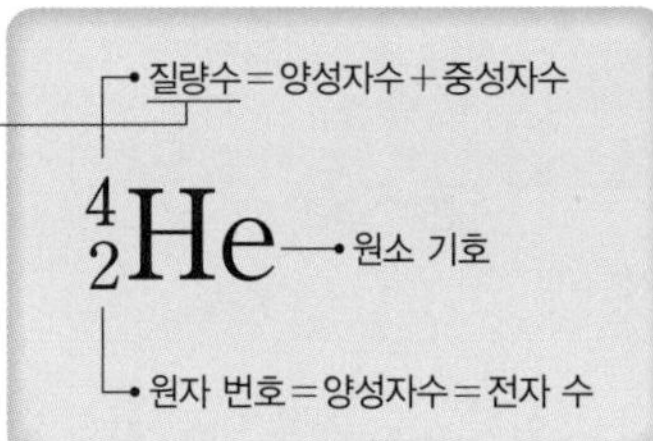

원자	$^{7}_{3}Li$	$^{23}_{11}Na$
원자 번호	3	11
질량수	7	23
양성자수	3	11
중성자수	4	12
전자 수	3	11

빈출 자료 중성 원자의 표시

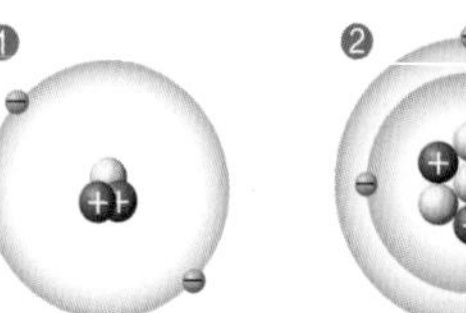

❶ 중성 원자는 전자 수와 양성자수가 같다. → ⊕는 양성자이고, ●은 중성자이다. → 양성자수가 2, 중성자수가 1이므로 질량수가 3, 원자 번호가 2번인 He이다. 따라서 원자를 표시하면 $^{3}_{2}He$이다.

❷ 전자가 3개이므로 전자 수와 같은 수를 나타내는 입자가 양성자이다. → ⊕는 양성자이고, ●은 중성자이다. → 양성자수가 3, 중성자수가 4이므로 질량수가 7, 원자 번호가 3번인 Li이다. 따라서 원자를 표시하면 $^{7}_{3}Li$이다.

---

❺ 원자에서 원자핵의 크기
원자의 지름은 약 10^{-10} m인데 원자핵의 지름은 $10^{-15} \sim 10^{-14}$ m 정도이므로 원자핵은 원자에서 $\frac{1}{100000} \sim \frac{1}{10000}$ 정도의 크기이다. 원자핵의 부피는 원자의 부피와 비교하면 매우 작아 원자는 거의 비어 있다고 볼 수 있다.

❻ 원자 번호
멘델레예프의 주기율표는 원자량 순서로 나타냈으나 현대에는 원자 번호 순서대로 나타낸다.

? 질량수는 원자량과 같을까?
원자량은 질량수 12인 C 원자를 기준으로 다른 원자들의 상대적인 질량을 나타낸 것이고, 질량수는 원자핵의 양성자수와 중성자수를 합한 정수이다. 따라서 질량수와 원자량은 비슷한 개념이지만 값에 있어서는 차이가 있다.

❼ 이온이나 분자, 화합물의 표시 방법
이온이 되었을 경우 오른쪽 위에는 전하를, 분자나 화합물에서는 오른쪽 아래에는 원자의 개수를 나타낸다.
예 He^{2+}, Cl_2

용어 알기
- 중성자(neutron) 원자를 구성하고 있는 입자의 한 종류로, 전하를 띠지 않음
- 전하량(전기 電, 메다 荷, 헤아리다 量) 어떤 물체 또는 입자가 띠고 있는 전기의 양

C 동위 원소와 평균 원자량

|출·제·단·서| 동위 원소의 성질을 물어보는 문제와 평균 원자량을 구하는 문제가 시험에 자주 나와.

1. 동위 원소

(1) 동위 원소 양성자수(원자 번호)는 같지만 중성자수가 서로 달라서 질량수가 다른 원소

(2) 동위 원소의 성질❽ 전자의 수가 같으므로 화학적 성질은 비슷하지만, 질량수가 다르므로 물리적 성질은 다르다.
반응성, 화학 결합 등의 전자가 관여하는 성질

원자 구조 모형	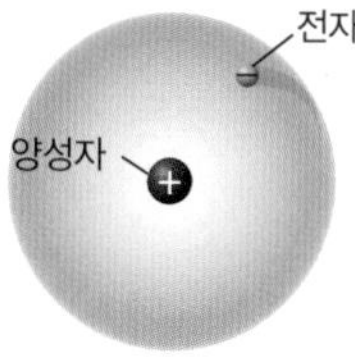 수소(^1_1H)	 중수소(^2_1H)	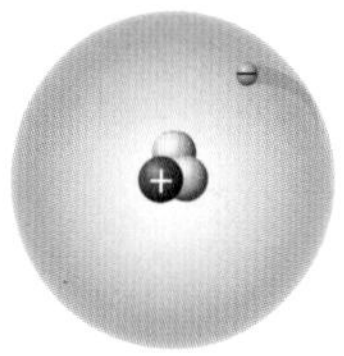 3중 수소(^3_1H)
양성자수	1	1	1
중성자수	0	1	2
질량수	1	2	3
전자 수	1	1	1

(3) 동위 원소의 존재 비율 자연계에 존재하는 비율은 장소에 상관없이 거의 일정하다. 일부 동위 원소 중에는 원자핵이 붕괴하여 방사선이 나오는 것들이 있다.

2. 평균 •원자량

(1) 평균 원자량 자연계에 존재하는 동위 원소의 존재 비율을 고려하여 평균값으로 나타낸 원자량

(2) 평균 원자량 구하는 방법 동위 원소의 원자량에 존재 비율(%)을 곱한 값을 모두 더한 다음 100으로 나누어 구한다.

㉠ 탄소 동위 원소의 원자량과 존재 비율(%)

원소	동위 원소	원자량	존재 비율(%)
C	$^{12}_{6}C$	12.000	98.93
	$^{13}_{6}C$	13.003	1.07

$$\text{탄소(C)의 평균 원자량}=\frac{(12.000\times98.93)+(13.003\times1.07)}{100}=12.011$$

빈출 계산연습 평균 원자량 구하기

다음은 염소(Cl)의 동위 원소에 대한 자료이다. 이를 이용하여 염소(Cl)의 평균 원자량을 구해 보자.

원소	동위 원소	원자량	존재 비율(%)
Cl	$^{35}_{17}Cl$	34.969	75.76
	$^{37}_{17}Cl$	36.966	24.24

- 염소(Cl)의 평균 원자량은 각 동위 원소의 원자량에 존재 비율(%)을 곱한 값을 모두 더한 다음 100으로 나누면 된다.
- 염소(Cl)의 평균 원자량$=\frac{(34.969\times75.76)+(36.966\times24.24)}{100}=35.453$

❽ 동위 원소의 공통점과 차이점

공통점	차이점
양성자수	중성자수
원자 번호	질량수
화학적 성질	물리적 성질

❓ 평균 원자량의 표시

주기율표에는 동위 원소의 존재비를 고려하여 평균 원자량을 나타낸다.

6	7	8	9
C	N	O	F
12.011	14.007	15.999	18.998

용어 알기

•원자량(근원 原, 자식 子, 헤아리다 量) 원자의 상대적 질량. 질량수 12의 탄소 원자(^{12}C)를 기준으로 하고, 이것과의 비율에 따라 각 원자의 질량을 나타낸 것

콕콕! 개념 확인하기

정답과 해설 023쪽

✔ 잠깐 확인!

1. ☐☐☐
원자의 중심에 있는 양성자와 중성자로 이루어진 입자

2. ☐☐
음극선 실험으로 발견된 것으로, 원자에서 (−)전하를 띠는 입자

3. ☐☐☐
원자 번호를 결정하는 입자로, 원자핵에 있는 입자

4. ☐☐☐
채드윅이 실험을 통해 발견한 입자로, 원자핵을 구성하면서 전하를 띠지 않는 입자

5. ☐☐☐
양성자수와 중성자수의 합

6. $^{4}_{2}He$에서 양성자수는 ☐이고, 중성자수는 ☐이다.

7. ☐☐ ☐☐
양성자수는 같지만 중성자수가 달라서 질량수가 다른 원소

8. ☐☐ ☐☐☐
동위 원소의 존재 비율을 고려하여 평균값으로 나타낸 원자량

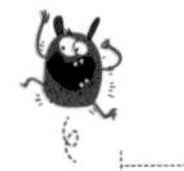

A 원자를 구성하는 입자의 발견

01 톰슨의 음극선 실험 결과와 관계있는 음극선의 성질을 쓰시오.

(1) 음극선이 지나가는 길에 바람개비를 놓으면 회전한다.
(2) 음극선이 지나가는 길에 물체를 놓으면 그림자가 생긴다.
(3) 음극선 주위에 전기장을 걸어주면 음극선이 (+)극 쪽으로 휘어진다.

02 원자의 구성 입자에 대한 설명으로 옳은 것은 ○, 옳지 않은 것은 ×로 표시하시오.

(1) 원자핵은 양성자와 중성자로 이루어져 있다. ( )
(2) 전자는 (−)전하를 띤 입자로, 원자의 중심에 위치한다. ( )
(3) 양성자는 원자핵을 이루는 입자로, 양성자수가 원자 번호이다. ( )
(4) 중성자는 (+)전하를 띠는 입자이다. ( )
(5) 톰슨은 양전하가 분포된 공에 전자가 박혀있는 모형을 제시하였다. ( )
(6) 러더퍼드는 알파(α) 입자 산란 실험으로 양성자를 발견하였다. ( )
(7) 채드윅은 베릴륨 박판에 알파(α) 입자를 충돌시켰을 때 전하를 띠지 않는 입자가 방출되는 것을 발견하고, 이를 중성자라고 하였다. ( )

B 원자의 구조와 표시 방법

03 중성 원자에서 원자 번호와 같은 수를 나타내는 입자를 있는 대로 쓰시오.

04 다음은 원자를 표시한 것이다. ㉠~㉣에 들어갈 알맞은 수를 쓰시오.

원자	양성자수	중성자수	전자 수
$^{12}_{6}C$	6	㉠	㉡
$^{19}_{9}F$	9	㉢	㉣

C 동위 원소와 평균 원자량

05 동위 원소에 대한 설명으로 옳은 것은 ○, 옳지 않은 것은 ×로 표시하시오.

(1) 동위 원소는 양성자수가 같다. ( )
(2) 동위 원소는 화학적 성질은 다르지만, 물리적 성질은 같다. ( )
(3) 동위 원소의 존재 비를 고려한 원자량을 평균 원자량이라고 한다. ( )

06 염소(Cl)의 평균 원자량은 35.453이다. 염소의 동위 원소 ^{35}Cl, ^{37}Cl 중 자연 존재 비가 큰 것은 무엇인지 쓰시오.

탄탄! 내신 다지기

정답과 해설 023쪽

A 원자를 구성하는 입자의 발견

01 다음 중 러더퍼드의 알파(α) 입자 산란 실험으로 발견된 원자를 이루는 입자는?

① 전자 ② 원자핵 ③ 양성자
④ 중성자 ⑤ 쿼크

02 원자의 구성 입자에 대한 설명으로 옳지 않은 것은?

① 중성자는 전하를 띠지 않는다.
② (+)전하를 띤 입자는 양성자이다.
③ 음극선 실험으로 발견된 입자는 전자이다.
④ 원자를 이루는 입자들의 질량은 거의 비슷하다.
⑤ 원자핵은 양성자와 중성자로 이루어져 있다.

03 그림은 음극선 실험을 나타낸 것이다.

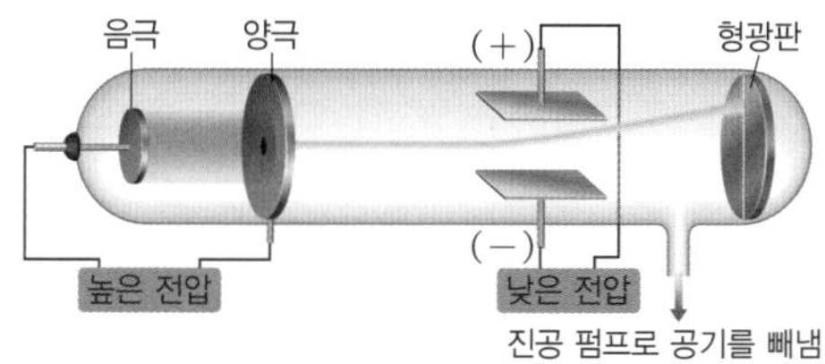

이에 대한 설명으로 옳은 것만을 〈보기〉에서 있는 대로 고른 것은?

보기
ㄱ. 음극선은 (−)전하를 띠는 입자의 흐름이다.
ㄴ. 음극선을 이루는 입자는 원자핵보다 질량이 크다.
ㄷ. 음극선은 (−)극에서 나와 (+)극 쪽으로 이동한다.

① ㄴ ② ㄷ ③ ㄱ, ㄴ
④ ㄱ, ㄷ ⑤ ㄱ, ㄴ, ㄷ

04 원자의 구성 입자에 대한 설명으로 옳은 것만을 〈보기〉에서 있는 대로 고른 것은?

보기
ㄱ. 전자는 음극선 실험으로 발견되었다.
ㄴ. 음극선 실험으로 돌턴의 원자설이 수정되게 되었다.
ㄷ. 알파(α) 입자 산란 실험으로 양성자가 발견되었다.
ㄹ. 양성자와 중성자로 이루어진 입자가 원자 부피의 대부분을 차지한다.

① ㄱ, ㄴ ② ㄴ, ㄷ ③ ㄱ, ㄹ
④ ㄷ, ㄹ ⑤ ㄴ, ㄷ, ㄹ

05 그림은 러더퍼드의 실험을 나타낸 것이다.

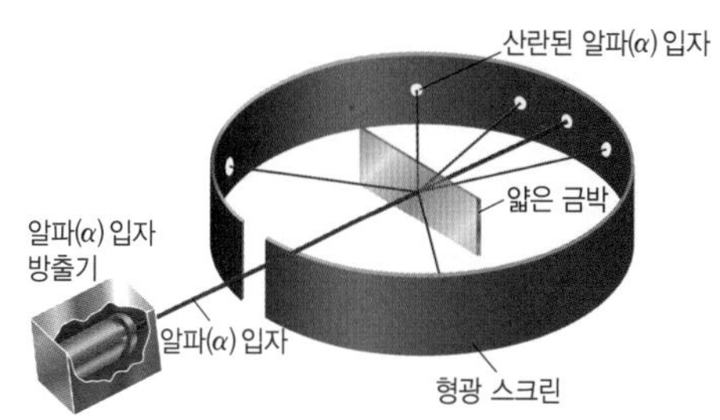

이 실험 결과에 대한 설명으로 옳은 것만을 〈보기〉에서 있는 대로 고른 것은?

보기
ㄱ. 대부분의 알파(α) 입자는 통과하였다.
ㄴ. 극소수의 알파(α) 입자가 튕겨나왔다.
ㄷ. 휘는 입자는 존재하지 않았다.

① ㄱ ② ㄷ ③ ㄱ, ㄴ
④ ㄴ, ㄷ ⑤ ㄱ, ㄴ, ㄷ

단답형

06 그림의 원자 모형이 제안된 실험과 각 실험에서 발견된 입자를 쓰시오.

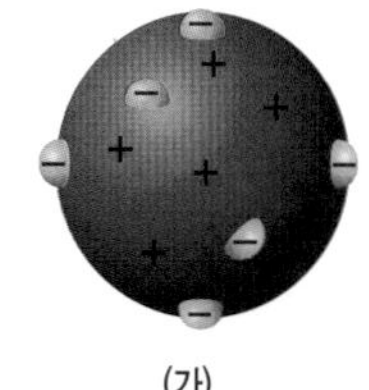
(가)

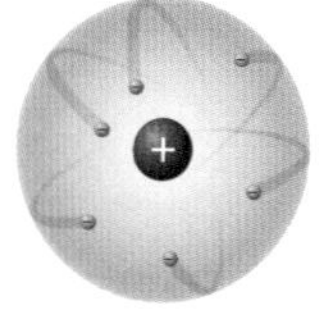
(나)

07 그림은 원자의 구성 입자를 발견하게 된 실험을 나타낸 것이다.

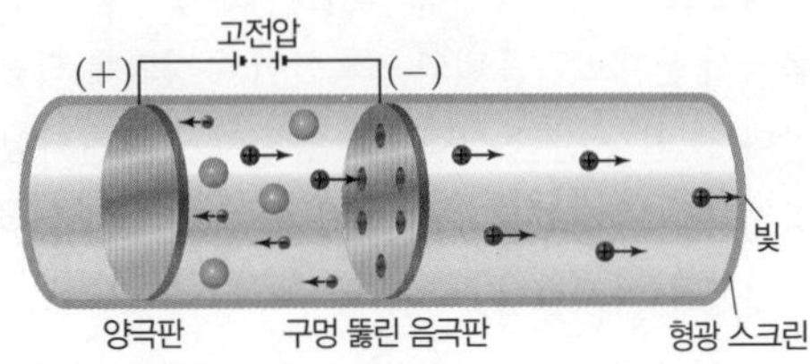

이에 대한 설명으로 옳은 것만을 〈보기〉에서 있는 대로 고른 것은?

보기
ㄱ. 이 실험 결과 발견된 입자는 원자핵이다.
ㄴ. 실험에서 음극선이 빠져나온다.
ㄷ. 모든 원자는 이 실험 결과에서 발견된 입자를 포함하고 있다.

① ㄱ ② ㄷ ③ ㄱ, ㄴ
④ ㄴ, ㄷ ⑤ ㄱ, ㄴ, ㄷ

08 그림은 원자의 구성 입자를 발견하게 된 실험을 나타낸 것이다.

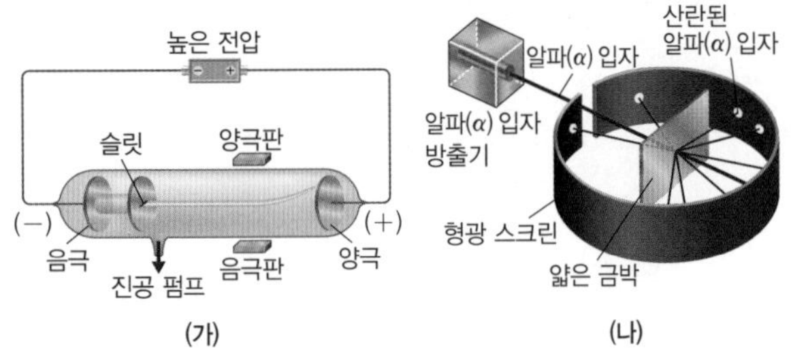

(가)와 (나)에서 발견된 입자를 각각 A, B라고 할 때, 이에 대한 설명으로 옳은 것만을 〈보기〉에서 있는 대로 고른 것은?

보기
ㄱ. A는 전자이다.
ㄴ. 원자에 비하여 B의 크기는 매우 작다.
ㄷ. 질량은 B가 A보다 크다.

① ㄱ ② ㄷ ③ ㄱ, ㄴ
④ ㄴ, ㄷ ⑤ ㄱ, ㄴ, ㄷ

B 원자의 구조와 표시 방법

단답형

09 표는 원자의 구성 입자에 대한 자료의 일부이다.

구성 입자		질량(g)	상대적 전하량
원자핵	(가)	1.67×10^{-24}	+1
	(나)	1.67×10^{-24}	( )
(다)		9.11×10^{-28}	( )

(가)~(다)의 명칭을 쓰고, ( ) 안에 들어갈 알맞은 수를 쓰시오.

[10~11] 그림은 중성 원자 X~Z의 구조를 모형으로 나타낸 것이다. ●, ●, ●은 원자를 구성하는 입자이고, X~Z는 임의의 원소 기호이다.

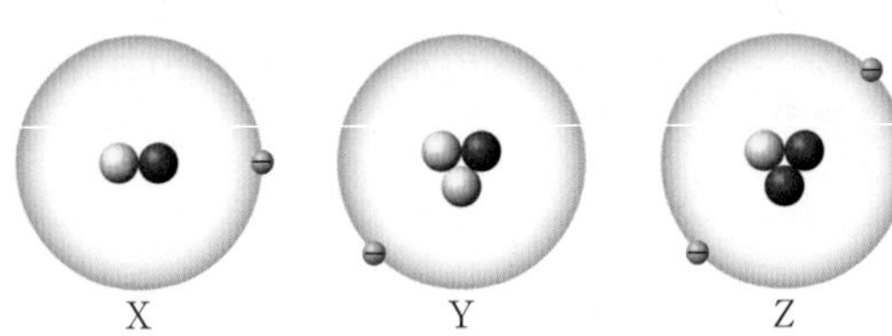

단답형

10 X~Z를 각각 원자 번호와 질량수를 포함하여 나타내시오.

11 X~Z에 대한 설명으로 옳은 것만을 〈보기〉에서 있는 대로 고른 것은?

보기
ㄱ. X와 Y는 원자 번호가 같다.
ㄴ. Y와 Z는 질량수가 같다.
ㄷ. Z는 ^{4}He과 중성자수가 같다.

① ㄴ ② ㄷ ③ ㄱ, ㄴ
④ ㄱ, ㄷ ⑤ ㄱ, ㄴ, ㄷ

12 다음은 붕소(B)와 나트륨(Na) 원자를 표시한 것이다.

$^{11}_{5}B$ $^{23}_{11}Na$

이에 대한 설명으로 옳은 것만을 〈보기〉에서 있는 대로 고른 것은?

보기
ㄱ. $^{11}_{5}B$의 전자 수는 5이다.
ㄴ. $^{23}_{11}Na$의 양성자수는 $^{11}_{5}B$의 질량수와 같다.
ㄷ. 중성자수는 $^{23}_{11}Na$이 $^{11}_{5}B$의 2배이다.

① ㄴ ② ㄷ ③ ㄱ, ㄴ
④ ㄱ, ㄷ ⑤ ㄱ, ㄴ, ㄷ

13 표는 원자 (가)와 (나)의 원소 기호, 양성자수, 중성자수를 나타낸 것이다.

원자	원소 기호	양성자수	중성자수
(가)	C	6	6
(나)	Ar	18	22

원자 (가)와 (나)의 원자 표시를 옳게 나타낸 것은?

	(가)	(나)		(가)	(나)
①	$^{6}_{6}C$	$^{22}_{18}Ar$	②	$^{6}_{6}C$	$^{40}_{18}Ar$
③	$^{12}_{6}C$	$^{22}_{18}Ar$	④	$^{12}_{6}C$	$^{40}_{18}Ar$
⑤	$^{12}_{6}C$	$^{40}_{22}Ar$			

C 동위 원소와 평균 원자량

단답형

14 표는 3가지 원자 (가)~(다)에 대한 자료이다.

원자	중성자수	질량수
(가)	0	1
(나)	1	2
(다)	2	4

(가)~(다) 중 동위 원소를 있는 대로 골라 쓰시오.

단답형

15 그림은 브로민 분자(Br_2)의 분자량과 자연 존재 비율을 나타낸 것이다.

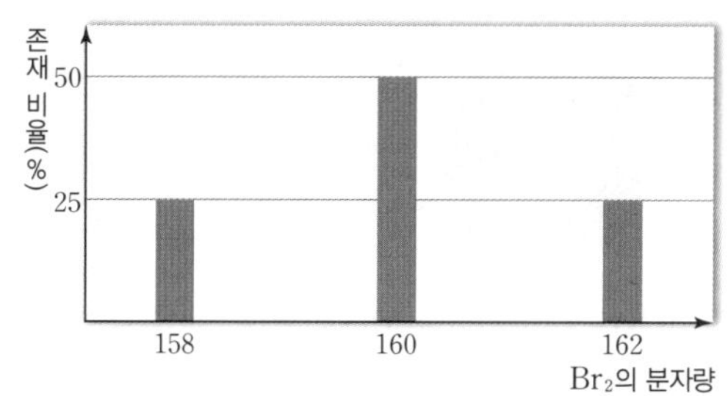

이로부터 브로민(Br)의 평균 원자량을 구하시오.

단답형

16 표는 자연계의 어떤 원소 X의 동위 원소 (가)와 (나)에 대한 설명이다.

동위 원소	원자량
(가)	35.0
(나)	37.0

X의 평균 원자량을 구하기 위해 필요한 자료를 쓰시오. (단, X는 임의의 원소 기호이며, 자연계에서 X의 동위 원소는 (가)와 (나)만 존재한다.)

17 표는 X의 동위 원소에 대한 자료이다.

원자 번호	동위 원소	중성자수	존재 비율(%)
17	(가)	18	75.8
	(나)	20	24.2

이에 대한 설명으로 옳은 것만을 〈보기〉에서 있는 대로 고른 것은? (단, X는 임의의 원소 기호이다.)

보기
ㄱ. (가)의 질량수는 35이다.
ㄴ. X의 평균 원자량은 36보다 크다.
ㄷ. 분자량이 다른 X_2의 개수는 4가지이다.

① ㄱ ② ㄴ ③ ㄱ, ㄷ
④ ㄴ, ㄷ ⑤ ㄱ, ㄴ, ㄷ

도전! 실력 올리기

01 그림은 원자 모형의 변화를 나타낸 것이다.

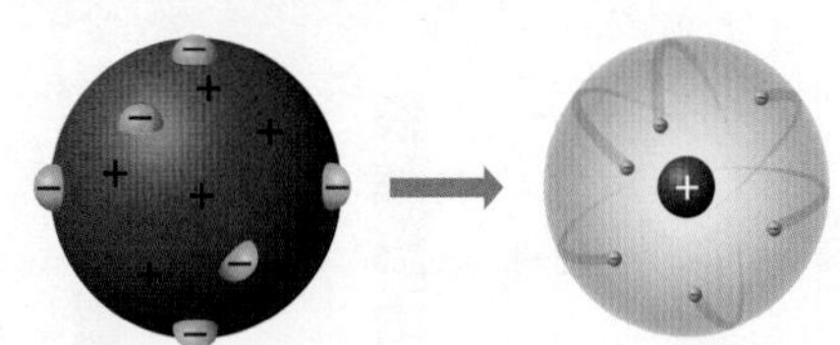

이러한 변화가 일어나게 한 입자에 대한 설명으로 옳은 것만을 〈보기〉에서 있는 대로 고른 것은?

보기
ㄱ. (+)전하를 띤다.
ㄴ. 음극선 실험으로 발견되었다.
ㄷ. 원자 질량의 대부분을 차지한다.

① ㄱ ② ㄴ ③ ㄱ, ㄷ
④ ㄴ, ㄷ ⑤ ㄱ, ㄴ, ㄷ

02 그림은 알파(α) 입자 산란 실험을 나타낸 것이다.

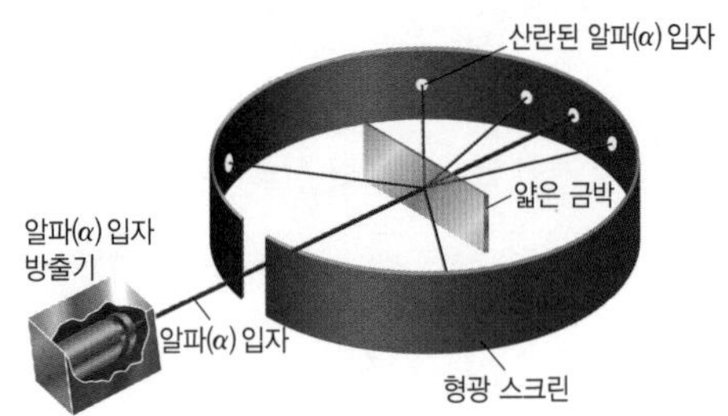

이 실험으로 발견된 입자에 대한 설명으로 옳은 것만을 〈보기〉에서 있는 대로 고른 것은?

보기
ㄱ. 알파(α) 입자와 같은 전하를 띤다.
ㄴ. 원자 질량의 대부분을 차지한다.
ㄷ. 전자와 같은 입자 수로 원자에 존재한다.

① ㄱ ② ㄷ ③ ㄱ, ㄴ
④ ㄴ, ㄷ ⑤ ㄱ, ㄴ, ㄷ

03 그림은 중성 원자를 이루는 세 가지 구성 입자 A~C를 나타낸 것이다.

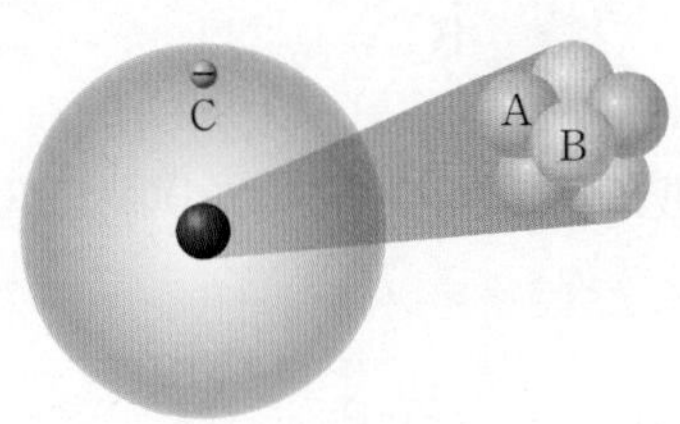

이에 대한 설명으로 옳은 것만을 〈보기〉에서 있는 대로 고른 것은?

보기
ㄱ. 모든 원자는 A와 B의 개수가 같다.
ㄴ. A~C의 전하를 모두 합하면 0이다.
ㄷ. 모든 원자에서 A의 질량은 C보다 작다.

① ㄱ ② ㄴ ③ ㄱ, ㄷ
④ ㄴ, ㄷ ⑤ ㄱ, ㄴ, ㄷ

출제예감

04 표는 임의의 원자 또는 이온 X~Z에 대한 자료를 나타낸 것이다.

원자 또는 이온	X	Y	Z
양성자수	6	(나)	7
중성자수	(가)	8	8
전자 수	6	6	6
질량수	12	14	(다)

이에 대한 설명으로 옳은 것만을 〈보기〉에서 있는 대로 고른 것은? (단, X~Z는 임의의 원소 기호이다.)

보기
ㄱ. X~Z 중 이온은 1가지이다.
ㄴ. (가)와 (나)의 합은 (다)보다 크다.
ㄷ. X와 Y의 화학적 성질은 같다.

① ㄴ ② ㄷ ③ ㄱ, ㄷ
④ ㄴ, ㄷ ⑤ ㄱ, ㄴ, ㄷ

정답과 해설 025쪽

05 표는 원자 X~Z에 대한 자료를 나타낸 것이다.

원자	X	Y	Z
원소 기호	Li	C	(　　)
$\frac{중성자수}{양성자수}$	$\frac{4}{3}$	1	$\frac{4}{3}$
전자 수	3	6	6

X~Z의 표시로 옳은 것은? (단, X~Z는 임의의 원소 기호이다.)

	X	Y	Z
①	$^{4}_{3}Li$	$^{6}_{6}C$	$^{8}_{6}C$
②	$^{4}_{3}Li$	$^{12}_{6}C$	$^{14}_{7}N$
③	$^{7}_{3}Li$	$^{12}_{6}C$	$^{14}_{6}C$
④	$^{7}_{3}Li$	$^{12}_{6}C$	$^{14}_{7}N$
⑤	$^{7}_{3}Li$	$^{14}_{6}C$	$^{14}_{6}O$

06 그림은 원자를 표시한 것이다. a, b에 대한 설명으로 옳은 것만을 〈보기〉에서 있는 대로 고른 것은? (단, X는 임의의 원소 기호이다.)

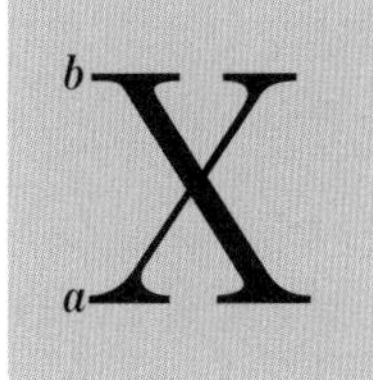

보기
ㄱ. a가 같고 b가 다른 원소는 동위 원소이다.
ㄴ. b로부터 전자 수를 알 수 있다.
ㄷ. b는 a보다 크거나 같다.

① ㄱ　② ㄴ　③ ㄷ　④ ㄱ, ㄷ　⑤ ㄱ, ㄴ, ㄷ

07 표는 원자 C, N에 대한 자료를 나타낸 것이다.

원자 번호	6	7
㉠	^{12}C, ^{13}C	^{14}N, ^{15}N

이에 대한 설명으로 옳은 것만을 〈보기〉에서 있는 대로 고른 것은?

보기
ㄱ. ㉠으로는 동위 원소가 적절하다.
ㄴ. 전자 수는 ^{13}C가 ^{12}C보다 크다.
ㄷ. 중성자수는 ^{13}C와 ^{14}N가 같다.

① ㄴ　② ㄷ　③ ㄱ, ㄴ　④ ㄱ, ㄷ　⑤ ㄱ, ㄴ, ㄷ

서술형

08 동위 원소는 화학적 성질은 같은데 물리적 성질이 다르다. 그 까닭을 원자를 구성하는 입자를 이용하여 서술하시오.

09 표는 탄소(C)의 동위 원소에 관한 자료를 나타낸 것이다.

동위 원소	^{12}C	^{13}C
원자량	x	y
존재 비율(%)	98.9	1.1

C의 평균 원자량를 구하시오.

서술형

10 표는 어떤 수소(H_2) 시료와 산소(O_2) 시료에서 동위 원소의 존재 비율을 나타낸 것이다.

시료	동위 원소	원자량	존재 비율(%)
H_2	^{1}H	1	60
	^{2}H	2	40
O_2	^{16}O	16	80
	^{18}O	18	20

이 시료를 반응시켜 만들 수 있는 물(H_2O)의 평균 분자량을 구하는 과정을 포함하여 서술하시오.

02 현대의 원자 모형

핵심 키워드로 흐름잡기

- A 보어 원자 모형, 전자 껍질, 바닥상태, 들뜬상태
- B 보어 원자 모형, 현대 원자 모형, 오비탈, 양자수
- C 오비탈의 에너지 준위

A 보어의 원자 모형

|출·제·단·서| 시험에는 바닥상태와 들뜬상태에 있는 전자가 존재하는 전자 껍질은 무엇인지를 묻는 문제가 나와.

1. 수소 원자의 선 스펙트럼❶ 수소 방전관에서 방출되는 빛을 분광기에 통과시키면 불연속적인 색깔의 띠가 나타난다.

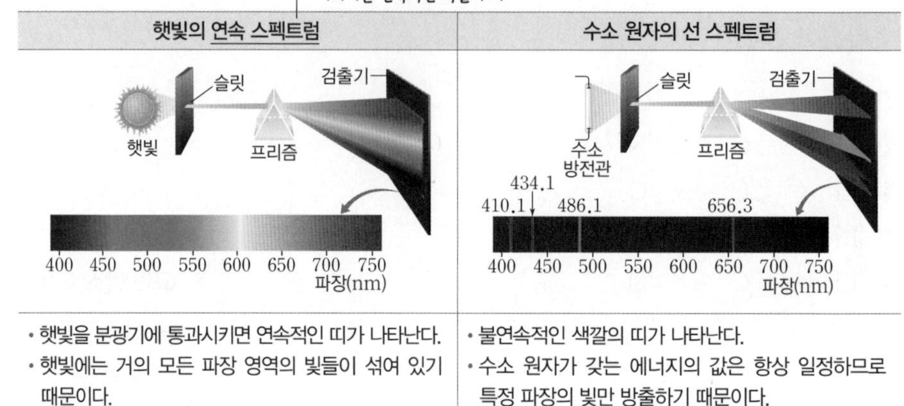

햇빛의 연속 스펙트럼	수소 원자의 선 스펙트럼
• 햇빛을 분광기에 통과시키면 연속적인 띠가 나타난다. • 햇빛에는 거의 모든 파장 영역의 빛들이 섞여 있기 때문이다.	• 불연속적인 색깔의 띠가 나타난다. • 수소 원자가 갖는 에너지의 값은 항상 일정하므로 특정 파장의 빛만 방출하기 때문이다.

❶ 선 스펙트럼
빛을 파장에 따라 분해하여 배열하였을 때 특정한 선만 나타나는 스펙트럼

? 수소 방전관에 걸리는 전압은?
일반적으로 수소 방전관에는 약 2000 V의 전압을 걸어주면 분홍빛의 빛을 방출하게 되는데, 이를 분광기로 분석해보면 선 스펙트럼을 관찰할 수 있다.

2. 보어❷ 원자 모형(1913년) 수소 원자의 선 스펙트럼을 설명하기 위해 전자가 특정한 전자 껍질에서 원운동하고 있다는 새로운 원자 모형을 제안

(1) 전자 껍질 원자핵 주위의 전자는 특정한 에너지를 갖는 몇 개의 원 궤도를 돌고 있는데, 이 궤도를 전자 껍질이라고 한다.

① **주 양자수:** 전자 껍질은 원자핵에서 가까운 순서대로 K(n=1), L(n=2), M(n=3), N(n=4) …… 이라고 부르며, 이때 n을 주 양자수라고 한다.

② **전자 껍질의 에너지 준위:** 수소 원자의 에너지 준위는 주 양자수(n)에 의해 결정되며, n이 커질수록 증가하며 불연속적이다. 즉 에너지 준위는 원자핵에서 가까울수록 작고, 원자핵에서 멀어질수록 커진다. 암기TiP 주 양자수(n)가 작다. → 원자핵에 가깝다 → 에너지는 작다.

❷ 보어(Bohr, 1885~1962)
보어는 러더퍼드의 원자핵 모형에서 원자의 안정성을 엉뚱한 가정을 통해 해결하였다. 즉, 원자가 안정하게 존재하는 것은 전자가 안정한 상태에 있기 때문이라는 것이다. 이 엉뚱한 가정으로 과학자들에게 숙제로 남아 있던 원자의 안정성 문제를 단숨에 해결하였다.

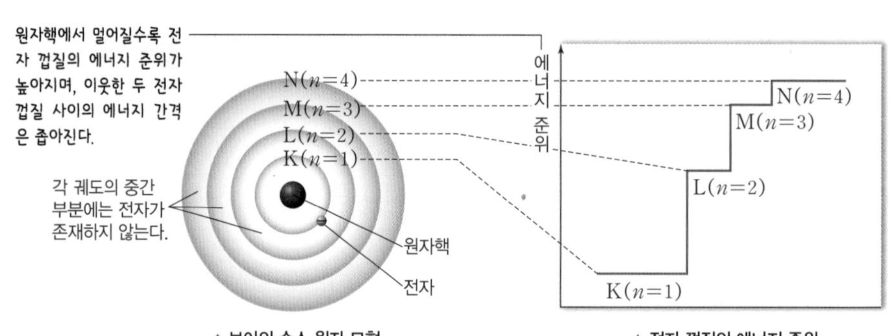

▲ 보어의 수소 원자 모형 ▲ 전자 껍질의 에너지 준위

• 주 양자수를 이용한 각 전자 껍질이 갖는 에너지 준위(E_n)는 다음과 같다.

$$E_n = -\frac{1312}{n^2}\,\text{kJ/mol}(n=1, 2, 3, \cdots)$$

용어 알기

● 선 스펙트럼(Spectrum) 빛을 프리즘(분광기)에 통과시킬 때 빛이 각 파장별로 분리되어 생긴 띠

● 에너지 준위(Energy 평평하다 準, 자리 位)(Energy level) 원자핵 주위에 존재하는 전자가 갖는 불연속적인 에너지 상태

(2) 바닥상태와 들뜬상태

바닥상태	• 원자가 가장 낮은 에너지를 갖는 안정한 상태 • 주 양자수 $n=1$에 전자가 있는 상태
들뜬상태	• 바닥상태보다 높은 에너지 준위에 전자가 존재하는 상태 • 주 양자수 $n\geq 2$에 전자가 있는 상태

(3) 전자 •전이와 에너지 출입 전자가 다른 전자 껍질로 이동하는 것으로, 전자 전이가 일어날 때 두 전자 껍질의 에너지 준위 차이만큼 에너지를 흡수하거나 방출한다.

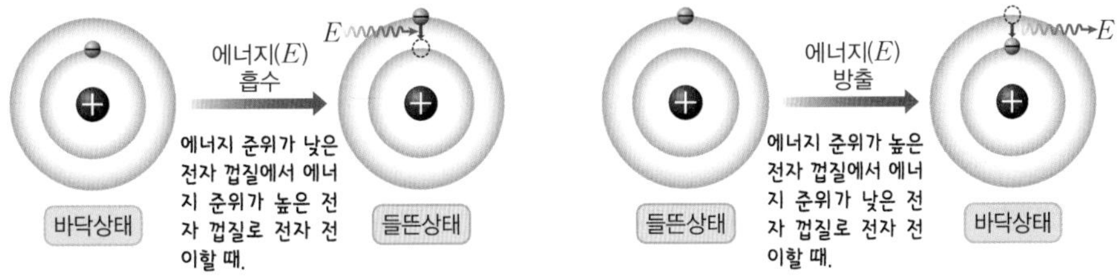

3. 보어 원자 모형과 수소 원자의 선 스펙트럼

(1) 수소 원자의 선 스펙트럼 수소 원자를 방전시키면 높은 에너지를 갖는 들뜬상태의 수소 원자가 생성되고, 들뜬상태의 수소 원자에 있는 전자들은 다시 에너지가 낮은 바닥상태로 전이되어 안정화된다. 이때 두 궤도의 에너지 준위 차이만큼의 에너지를 빛으로 방출하므로 불연속적인 선 스펙트럼이 나타난다.

(2) 수소 원자의 선 스펙트럼이 불연속적인 까닭❸ 수소 원자의 에너지 준위가 불연속적이기 때문

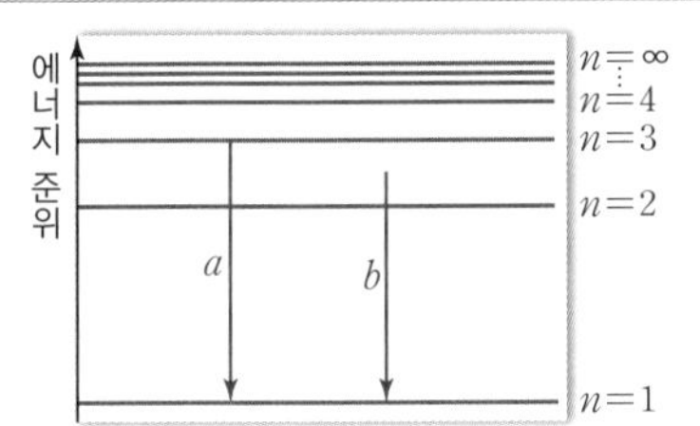

• 한 궤도에서 다른 궤도로 전이하는 a에 해당하는 빛만 스펙트럼에 나타난다.
• 만약 수소 원자의 에너지 준위가 연속적이라면 $n=3$과 $n=2$ 사이에 위치하는 전자가 전이하는 b에 해당하는 빛도 스펙트럼에 나타나야 한다.
→ 이것으로부터 수소 원자는 특정한 에너지 준위만을 가질 수 있음을 알 수 있다.

(3) 수소 원자의 스펙트럼 계열 수소 원자의 전자 전이에 따라 라이먼 계열, 발머 계열, 파셴 계열 등으로 분류한다.

스펙트럼 계열	빛의 영역	전자의 이동(전자 전이)
라이먼 계열	•자외선	$n\geq 2$인 전자 껍질에서 $n=1$인 K 전자 껍질로 이동할 때
발머 계열	가시광선	$n\geq 3$인 전자 껍질에서 $n=2$인 L 전자 껍질로 이동할 때
파셴 계열	적외선	$n\geq 4$인 전자 껍질에서 $n=3$인 M 전자 껍질로 이동할 때

빈출 자료 보어 원자 모형에 따른 수소의 선 스펙트럼 개념 POOL

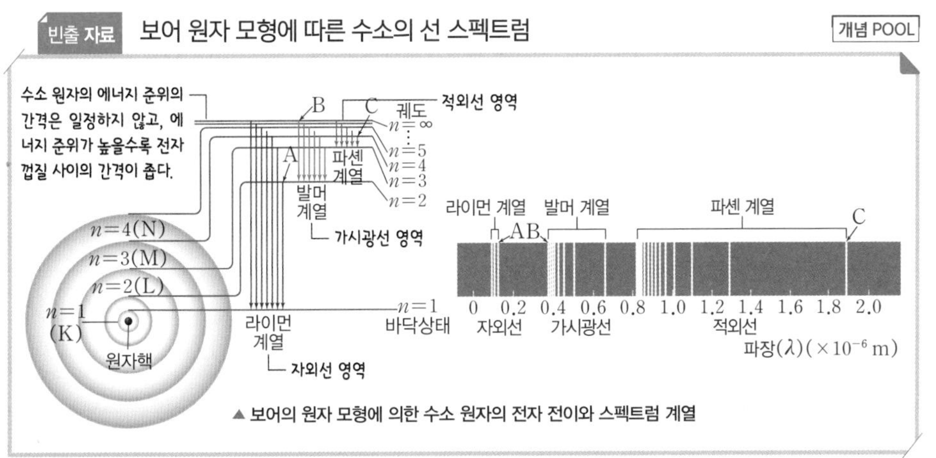

▲ 보어의 원자 모형에 의한 수소 원자의 전자 전이와 스펙트럼 계열

❸ 연속적 에너지와 불연속적 에너지의 비유

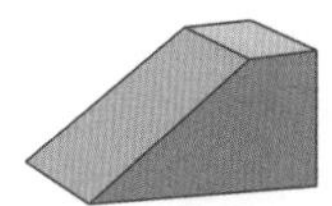
▲ 연속적 에너지의 비유

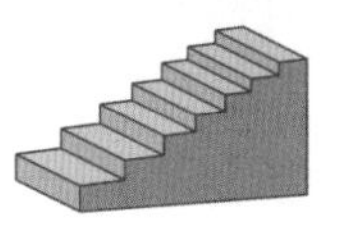
▲ 불연속적 에너지의 비유

위치 에너지가 경사면에서는 연속적으로 변하지만, 계단에서는 계단의 높이에 따라 불연속적으로 변한다. 마찬가지로 원자의 에너지가 불연속적이므로 방출되는 에너지가 선 스펙트럼으로 나타난다.

빛의 에너지, 진동수, 파장의 관계

• 빛의 파동성: 빛은 전자기파의 일종으로 파동의 성질을 가지고 있다.
• 빛의 에너지, 진동수, 파장의 관계: 빛의 에너지(E)는 진동수에 비례하고, 파장에 반비례한다.

$$E=h\nu=\frac{hc}{\lambda}$$

(h: 플랑크 상수 $=6.63\times 10^{-34}\,\text{J}\cdot\text{s}$, ν: 진동수, c: 빛의 속도, λ: 파장)

• 빛의 색깔과 파장: 빛의 색깔은 파장에 의해 결정되는데, 빨간색 빛은 파장이 길고, 보라색 빛은 파장이 짧다.

용어 알기

• **전이(구르다 轉, 옮기다 移)** 자리나 위치를 다른 곳으로 옮김
• **자외선(자줏빛 紫, 바깥 外, 선 線)** 파장이 X선보다 길고, 가시광선보다 짧은 전자기파

B 현대의 원자 모형

|출·제·단·서| 각 전자 껍질에 존재하는 양자수와 오비탈의 종류가 시험에 나와.

1. 보어 원자 모형과 현대 원자 모형

(1) 보어 원자 모형 수소 원자의 선 스펙트럼을 잘 설명할 수 있었으나, 전자를 2개 이상 갖는 •다전자 원자의 선 스펙트럼을 제대로 설명할 수 없다.

(2) 현대 원자 모형

① 전자가 파동성을 가지고 있고, 원자 내 전자의 위치와 속도를 동시에 알 수는 없다. (불확정성의 원리)

② 전자의 위치는 나타낼 수 없고, 전자가 존재할 확률만을 나타낼 수 있다.

❹ 전자 구름 모형
1926년 슈뢰딩거가 전자의 운동을 파동 운동으로 해석하여 방정식을 제안하였고, 1927년 하이젠베르크가 불확정성 원리라는 양자 역학 체계를 확립하면서 현대 원자 모형이 확립되었다.

2. 현대의 원자 모형과 오비탈

(1) 오비탈 일정한 에너지의 전자가 원자핵 주위에 존재하는 확률을 나타내는 함수 또는 전자를 발견할 확률이 높은 공간의 모양

(2) 오비탈의 표현 방법 전자가 발견될 확률을 점으로 찍어 표현하거나, 전자의 존재 확률이 90 %인 공간을 나타내는 경계면의 그림을 그려 나타낸다.

❓ 오비탈의 경계 바깥에는 전자가 존재하지 않을까?
수소 원자의 경우 전자의 존재 확률을 보면, 핵의 중심에서 가장 크며, 핵으로부터 멀어질수록 급격히 작아지지만, 전자를 발견할 확률이 0이 되는 것은 아니다. 오비탈의 경계 바깥에서 전자가 존재하지 않는다고 말할 수는 없고, 전자를 발견할 확률이 매우 낮은 것이다.

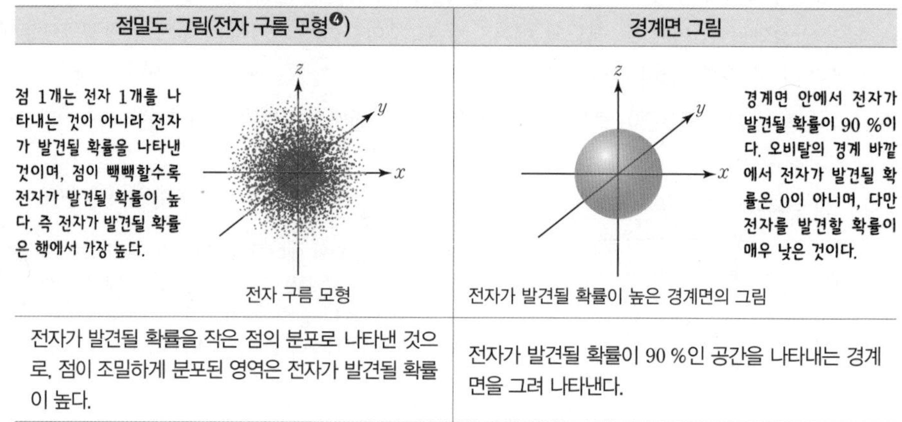

점밀도 그림(전자 구름 모형❹)	경계면 그림
점 1개는 전자 1개를 나타내는 것이 아니라 전자가 발견될 확률을 나타낸 것이며, 점이 빽빽할수록 전자가 발견될 확률이 높다. 즉 전자가 발견될 확률은 핵에서 가장 높다. (z, y, x) 전자 구름 모형	경계면 안에서 전자가 발견될 확률이 90 %이다. 오비탈의 경계 바깥에서 전자가 발견될 확률은 0이 아니며, 다만 전자를 발견할 확률이 매우 낮은 것이다. (z, y, x) 전자가 발견될 확률이 높은 경계면의 그림
전자가 발견될 확률을 작은 점의 분포로 나타낸 것으로, 점이 조밀하게 분포된 영역은 전자가 발견될 확률이 높다.	전자가 발견될 확률이 90 %인 공간을 나타내는 경계면을 그려 나타낸다.

(3) 오비탈의 종류 모양에 따라 s, p, d … 등의 기호를 사용하여 나타낸다.

3. 양자수

(1) 양자수 오비탈은 크기와 방향에 따라 다양하게 존재하므로 오비탈의 공간적 성질과 전자의 운동을 나타내는 일련의 수 – 양자수를 이용하여 오비탈의 종류를 나타낸다.

(2) 주 양자수(n) 오비탈의 크기와 에너지를 결정하는 양자수

① 주 양자수가 클수록 오비탈의 크기가 크고 에너지가 높아진다.

② n=1, 2, 3 … 등의 양의 정수로 나타내며 보어의 원자 모형에서 전자 껍질❺ 순서와 같다.

❺ 주양자수와 보어의 전자 껍질

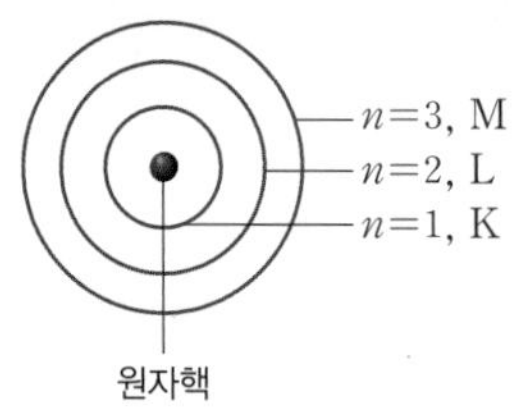

주 양자수(n)	1	2	3	4
전자 껍질	K	L	M	N

(3) 방위 양자수(부 양자수)(l) 다양한 모양의 오비탈을 구별하기 위해서 사용하는 양자수

① 주 양자수가 n일 때, 방위 양자수(l)는 0부터 ($n-1$)까지의 정수이다.

② 오비탈의 모양은 s, p, d 등의 기호로 나타낸다.

주 양자수(n)	1	2		3		
방위 양자수(l)	0	0	1	0	1	2
오비탈	1s	2s	2p	3s	3p	3d

└ 주 양자수가 1일 때 가능한 방위 양자수는 0뿐이고, 주 양자수가 2일 때 가능한 방위 양자수는 0과 1이다. 방위 양자수가 0일 때 전자는 s 오비탈에, 1일 때 전자는 p 오비탈에 존재한다.

용어 알기
•다전자 원자 전자가 1개 이상 존재하는 원자로, 수소를 제외한 모든 원자가 해당

(4) 자기 양자수(m_l) 오비탈의 방향성을 결정하는 양자수로, 방위 양자수가 l인 오비탈의 자기 양자수는 $-l$부터 $+l$까지의 정수로 $2l+1$개의 오비탈이 있다.

방위 양자수(l)	0	1	2
자기 양자수(m_l)	0	$-1, 0, +1$	$-2, -1, 0, +1, +2$
오비탈 수	1	3	5

방위 양자수(부 양자수)가 0이면 자기 양자수는 0으로 1개의 s 오비탈이 존재한다. 방위 양자수가 1이면 자기 양자수는 $-1, 0, +1$이므로 방향이 다른 3개의 p 오비탈이 존재한다.

(5) 스핀 자기 양자수(m_s)⑥

① 자전과 비슷한 운동을 하는 전자의 운동 방향에 따라 결정되는 양자수로 $+\frac{1}{2}$과 $-\frac{1}{2}$ 중 하나이다.

② 스핀 자기 양자수가 서로 다른 전자를 표시하는 방법으로 반대 방향의 화살표(↑, ↓)를 사용한다.

③ 한 오비탈에는 서로 다른 스핀을 갖는 전자만 들어갈 수 있으므로 최대 2개까지만 들어갈 수 있다.

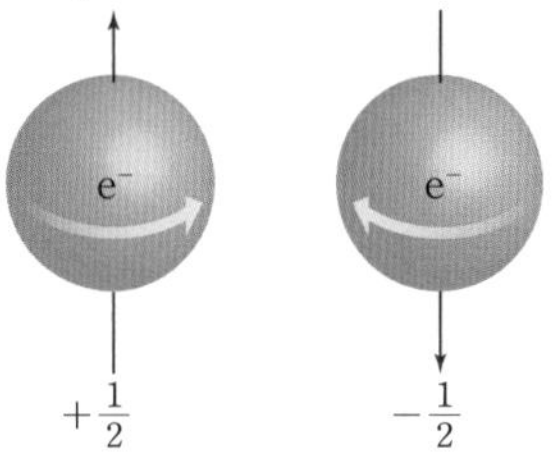
e⁻
e⁻
$+\frac{1}{2}$
$-\frac{1}{2}$
▲ 2가지 전자 스핀

4. s 오비탈과 p 오비탈⑦의 모양과 특징

모양	특징
s 오비탈 	• 공 모양이며 핵으로부터 같은 거리에서 전자가 발견될 확률이 모두 같으므로 방향성이 없다. • 모든 전자 껍질에 1개씩 존재하며, 오비탈의 모양은 같고 크기만 다르다. • 주 양자수가 증가할수록 오비탈의 크기는 증가하고, 전자가 핵으로부터 멀어지기 때문에 에너지 준위가 높아진다. → $1s<2s<3s$ 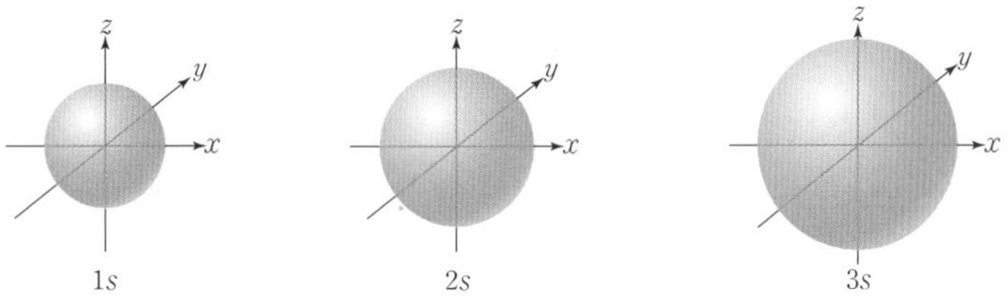 ▲ s 오비탈의 종류
p 오비탈 	• 아령 모양이며 핵으로부터 거리와 방향에 따라 전자가 발견될 확률이 다르다. • x, y, z축의 방향에 따라 p_x, p_y, p_z의 3개의 오비탈로 나누어지며, 에너지 준위는 같다. • L(n=2) 전자 껍질부터 존재한다. 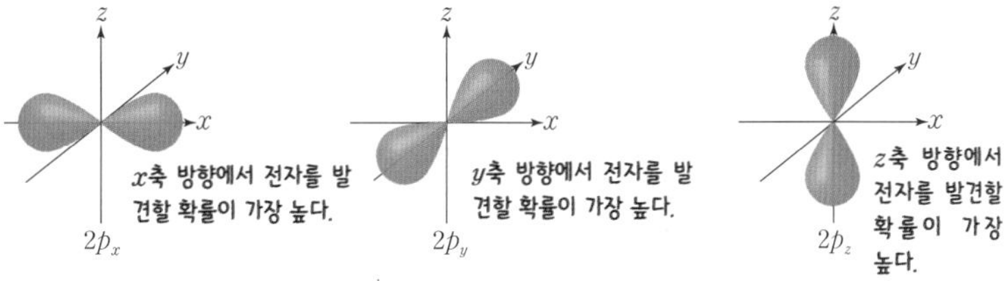 ▲ 3개의 $2p$ 오비탈

z
y
x
1s
2s
3s

x축 방향에서 전자를 발견할 확률이 가장 높다.
y축 방향에서 전자를 발견할 확률이 가장 높다.
z축 방향에서 전자를 발견할 확률이 가장 높다.
$2p_x$
$2p_y$
$2p_z$

빈출 자료 원자 모형의 변천

	톰슨	러더퍼드	보어	현대
모형	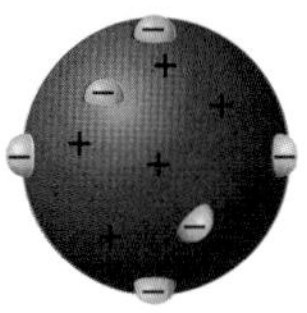	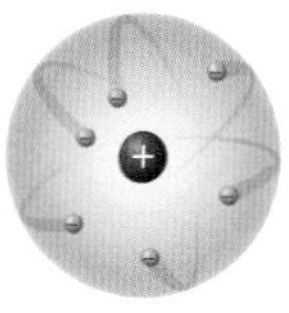	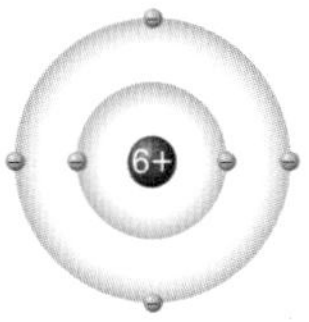	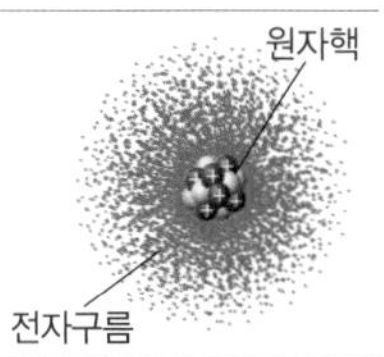
특징	음극선 실험을 통해 전자를 발견하여 제안	알파(α) 입자 산란 실험을 통해 원자핵을 발견하여 제안	수소 원자의 선 스펙트럼을 설명하기 위해 제안	전자는 위치와 운동량을 정확히 측정할 수 없다는 점을 해결하기 위해 제안

6+
원자핵
전자구름

⑥ 스핀 자기 양자수

전자가 반시계 방향으로 돌 때 $+\frac{1}{2}$, 시계 방향으로 돌 때 $-\frac{1}{2}$의 값을 가진다.

암기TIP

s 오비탈과 p 오비탈의 비교

구분	s 오비탈	p 오비탈
모양	공 모양	아령 모양
방향성	없다.	있다.
존재하는 전자 껍질	모든 전자 껍질	L 전자 껍질부터

⑦ s 오비탈과 p 오비탈

• s 오비탈: 's'는 sharp의 첫 글자

• p 오비탈: 'p'는 principal의 첫 글자

오비탈의 표시

오비탈의 모양
오비탈에 들어있는 전자 수
$2p_x^1$
주 양자수 (전자 껍질)
오비탈의 방향

주 양자수는 2이고, 오비탈의 모양과 방향은 p_x이며, 이 오비탈에 들어있는 전자는 1개이다.

용어 알기

• 스핀(spin) 팽이가 축을 중심으로 회전하는 것과 같이 전자가 자체의 축을 중심으로 회전하는 성질로 두 가지 스핀 방향을 방향이 반대인 화살표로 나타낸 것

빈출 자료 전자 껍질에 존재하는 양자수와 오비탈

주 양자수(n)가 1, 2, 3일 때 방위 양자수, 자기 양자수, 오비탈의 종류, 오비탈의 수, 최대 수용 전자 수를 정리하면 다음과 같다.

전자 껍질	K	L				M								
주 양자수(n)	1	2				3								
방위 양자수(l)	0	0	1			0	1			2				
자기 양자수(m_l)	0	0	−1	0	+1	0	−1	0	+1	−2	−1	0	+1	+2
오비탈의 종류	$1s$	$2s$	$2p$			$3s$	$3p$			$3d$				
오비탈의 수(n^2)	1	4				9								
최대 수용 전자 수($2n^2$)	2	8				18								

❶ 방위 양자수(l)는 오비탈의 모양을 결정한다.

❷ 양자수에 따라 각 전자 껍질에 존재하는 오비탈의 수는 n^2이다.

$n=2$인 경우 오비탈은 $2s$, $2p_x$, $2p_y$, $2p_z$의 총 $4(2^2)$개가 존재하고, 전자는 각 오비탈에 최대 2개씩 총 $8(2\times2^2)$개가 존재할 수 있다.

❸ 스핀 자기 양자수에 따라 각 전자 껍질에 최대 수용 전자 수는 $2n^2$이다.

암기TiP 전자 껍질에 채울 수 있는 최대 수용 전자 수는 K 전자 껍질 2개, L 전자 껍질 8개, M 전자 껍질 18개

C 오비탈의 에너지 준위

|출·제·단·서| 수소 원자와 다전자 원자의 오비탈의 에너지 준위를 물어보는 문제가 시험에 나와.

1. 오비탈의 에너지 준위 오비탈의 에너지 준위는 오비탈의 크기와 모양에 의해 결정된다.

2. 수소 원자에서 에너지 준위

(1) 주 양자수(n)가 같으면 오비탈의 에너지 준위가 같다.

➡ 수소 원자는 전자가 1개여서 전자 사이에 반발력이 작용하지 않으므로 수소 원자의 오비탈의 에너지 준위는 주 양자수에 의해서만 결정되기 때문

(2) 주 양자수가 커질수록 오비탈이 원자핵으로부터 멀어지므로 원자핵과의 인력이 약해져 에너지 준위가 높아진다.

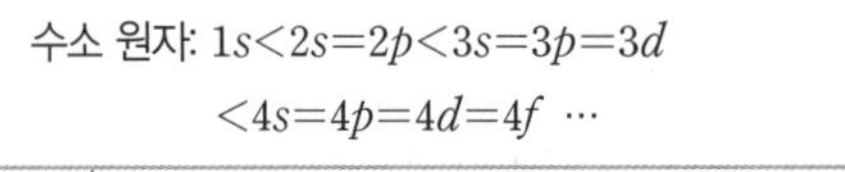
수소 원자: $1s<2s=2p<3s=3p=3d$
$<4s=4p=4d=4f$ ⋯

전자 껍질의 종류는 주 양자수로 나타나므로 주 양자수가 같은 오비탈은 에너지 준위가 같다.

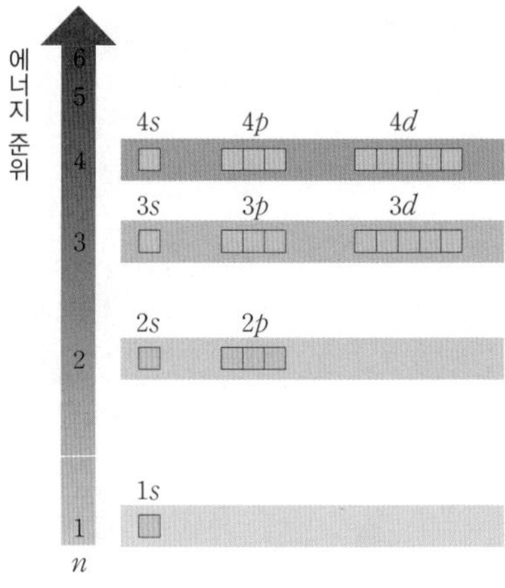

▲ 수소 원자의 에너지 준위

❼ **수소 원자와 다전자 원자에서 오비탈의 에너지는 왜 다를까?**

수소 원자는 전자가 1개로 전자 사이에 반발력이 작용하지 않기 때문에 에너지 준위가 전자와 원자핵 사이에 작용하는 인력에만 영향을 받는다. 따라서 수소 원자의 에너지 준위는 주 양자수에 의해서만 결정된다. 반면, 수소 원자를 제외한 모든 원자는 전자가 2개 이상이므로 전자와 원자핵 사이의 인력뿐만 아니라 전자들 사이의 반발력도 영향을 미치기 때문에 오비탈의 모양도 에너지 준위에 영향을 미치게 된다. 따라서 같은 전자 껍질에 존재하는 오비탈이라도 에너지가 다르다.

3. 다전자 원자의 에너지 준위❽

(1) 주 양자수뿐만 아니라 오비탈의 모양에 의해서도 에너지 준위가 달라진다.

➡ 전자가 2개 이상이므로 전자와 원자핵 간의 인력, 전자들 간의 반발력이 작용하기 때문

(2) 주 양자수가 커질수록 에너지 준위가 높아지고, 주 양자수가 같을 때는 방위 양자수가 클수록 오비탈의 에너지 준위는 높다.

다전자 원자: $1s<2s<2p<3s<3p<4s<3d<4p$ ⋯

$3d$오비탈과 $4s$오비탈의 에너지 준위 순서가 뒤바뀌어 있다.

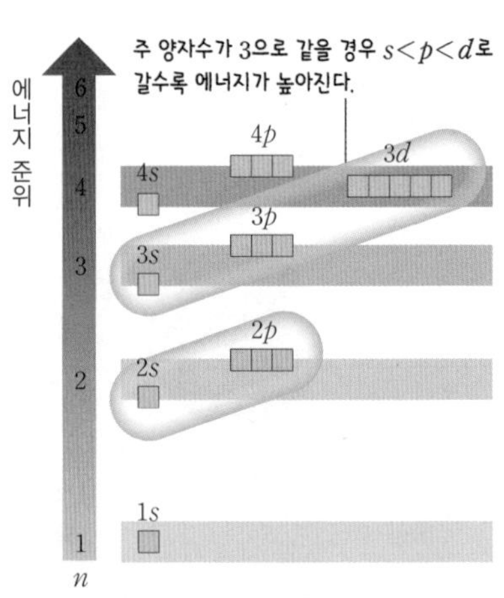

▲ 다전자 원자의 에너지 준위

❽ **다전자 원자의 에너지 준위**

전자 간 상호 작용으로 주 양자수(n)와 방위 양자수(l)가 에너지 준위에 영향을 준다. $n+l$의 수가 클수록 에너지 준위가 크고, $n+l$이 같은 경우 n이 클수록 에너지 준위가 크다.

오비탈의 에너지 준위는 수소 원자와 다전자 원자가 다름을 꼭 기억한다.

수소 원자의 에너지 준위와 전자 전이

목표 보어의 수소 원자 모형을 설명할 수 있으며, 수소 원자의 스펙트럼은 수소 원자의 전자 전이에 따라 라이먼 계열, 발머 계열, 파셴 계열 등으로 분류됨을 알 수 있다.

1 수소 원자의 에너지 준위와 전자 전이

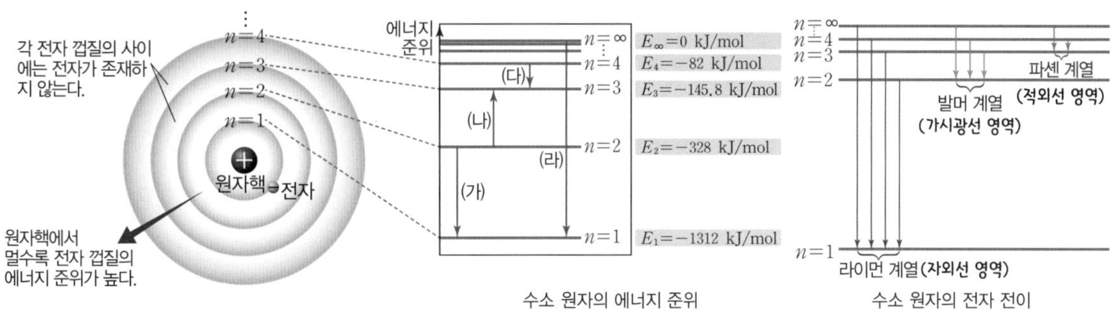

수소 원자의 에너지 준위 수소 원자의 전자 전이

① **수소 원자의 에너지 준위:** 에너지 준위의 간격은 일정하지 않고, 에너지 준위가 높아질수록 전자 껍질 사이의 간격이 좁아진다.

$E_n=-\frac{1312}{n^2}$ kJ/mol($n=1, 2, 3, \cdots$)

$n=1 \to n=\infty$로 전이할 때 흡수되는 에너지는 전자가 수소 원자에서 떨어져 나갈 때 필요한 이온화 에너지와 같다.

구분	E_1	E_2	E_3	E_4	E_∞
에너지(kJ/mol)	-1312	$-\frac{1312}{2^2}=-328$	$-\frac{1312}{3^2}\fallingdotseq-145.8$	$-\frac{1312}{4^2}=-82$	0
상태	바닥상태	들뜬상태	들뜬상태	들뜬상태	핵과 전자의 분리 상태

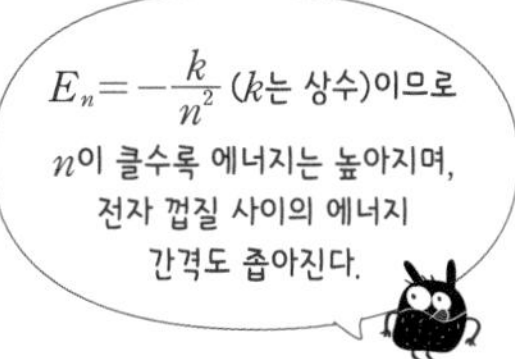

$E_n=-\frac{k}{n^2}$ (k는 상수)이므로
n이 클수록 에너지는 높아지며, 전자 껍질 사이의 에너지 간격도 좁아진다.

② **수소 원자의 전자 전이:** 에너지가 낮은 전자 껍질에서 에너지가 높은 전자 껍질로 전이할 때에는 에너지를 흡수하고, 에너지가 높은 전자 껍질에서 에너지가 낮은 전자 껍질로 전이할 때에는 에너지를 방출한다.

전자 전이	흡수 또는 방출되는 에너지	
$n=2 \to n=1$	$-328-(-1312)=984$(kJ/mol)	에너지 방출
$n=2 \to n=3$	$-328-(-145.8)=-182.2$(kJ/mol)	에너지 흡수
$n=4 \to n=3$	$-82-(-145.8)=63.8$(kJ/mol)	에너지 방출
$n=\infty \to n=1$	$0-(-1312)=1312$(kJ/mol)	에너지 방출

2 보어 원자 모형에 따른 수소의 선 스펙트럼

다양한 에너지 준위로 들뜬상태의 전자가 낮은 에너지 준위로 전이할 때 자외선 영역, 적외선 영역에 해당하는 빛이 방출된다.

전자 전이	스펙트럼 계열	방출하는 에너지	스펙트럼에서의 위치
$n=2 \to n=1$	라이먼 계열 (자외선)	$E_2-E_1=-\frac{1312}{2^2}-\left(-\frac{1312}{1^2}\right)=\frac{3}{4}\times1312$(kJ/mol)	라이먼 계열 중 에너지가 가장 작은 빛에 해당하므로 파장이 가장 길다.
$n=\infty \to n=2$	발머 계열 (가시광선)	$E_\infty-E_2=0-\left(-\frac{1312}{2^2}\right)=\frac{1}{4}\times1312$(kJ/mol)	발머 계열 중 에너지가 가장 큰 빛에 해당하므로 파장이 가장 짧다.
$n=4 \to n=3$	파셴 계열 (적외선)	$E_4-E_3=-\frac{1312}{4^2}-\left(-\frac{1312}{3^2}\right)=\frac{7}{144}\times1312$(kJ/mol)	파셴 계열 중 에너지가 가장 작은 빛에 해당하므로 파장이 가장 길다.

한·줄·핵심 수소 원자의 선 스펙트럼은 보어의 원자 모형으로 설명할 수 있다.

콕콕! 개념 확인하기

정답과 해설 026쪽

✔ 잠깐 확인!

1. □□ □□
보어의 원자 모형에서 원자핵 주위의 특정한 에너지를 가지는 궤도

2. □□□□
원자가 가장 낮은 에너지를 갖는 안정한 상태

3. □□ □□ □□
현대 원자 모형에서 전자가 발견될 확률 분포를 나타낸 원자 모형

4. □ □□□
방위 양자수(l)가 0인 공 모양의 오비탈

5. □ □□□
오비탈의 크기와 에너지를 결정하는 양자수

6. □□ □□□
오비탈의 모양을 결정하는 양자수(부 양자수)

7. □□ □□□
오비탈의 방향성을 결정하는 양자수

A 보어의 원자 모형

01 보어의 원자 모형에 대한 설명으로 옳은 것은 ○, 옳지 않은 것은 ×로 표시하시오.

(1) 보어의 원자 모형은 헬륨의 선 스펙트럼을 설명할 수 있다. (　　)

(2) 보어의 원자 모형에서 원자핵 주위의 특정한 에너지를 갖는 원 궤도를 전자 껍질이라고 한다. (　　)

(3) 주 양자수 $n=1$에 전자가 있는 상태를 바닥상태라고 한다. (　　)

(4) 전자 전이가 일어날 때 두 전자 껍질의 에너지 준위 차이에 해당하는 에너지를 흡수하거나 방출한다. (　　)

02 보어의 원자 모형에서 알 수 있는 수소 원자의 에너지 준위의 특징을 2가지 이상 쓰시오.

B 현대의 원자 모형

03 오비탈과 양자수에 대한 설명으로 옳은 것은 ○, 옳지 않은 것은 ×로 표시하시오.

(1) 오비탈이란 원자핵 주위의 공간에서 전자가 존재할 확률을 나타낸 함수이다. (　　)

(2) s 오비탈은 방향성이 없으나, p 오비탈은 방향성이 있다. (　　)

(3) 핵으로부터 거리만 같으면 전자가 발견될 확률이 방향에 관계없이 같은 오비탈은 p 오비탈이다. (　　)

(4) s 오비탈은 1개의 오비탈로 되어 있고, p 오비탈은 3개의 오비탈로 되어 있다. (　　)

(5) 주 양자수가 n인 전자 껍질에는 $2n^2$개의 오비탈이 있다. (　　)

(6) p 오비탈은 $n=2$인 전자 껍질부터 존재한다. (　　)

(7) 방위 양자수(l)는 오비탈의 크기와 에너지를 결정한다. (　　)

04 오비탈의 주 양자수(n)와 방위 양자수(l)를 쓰시오.

(1) (2)

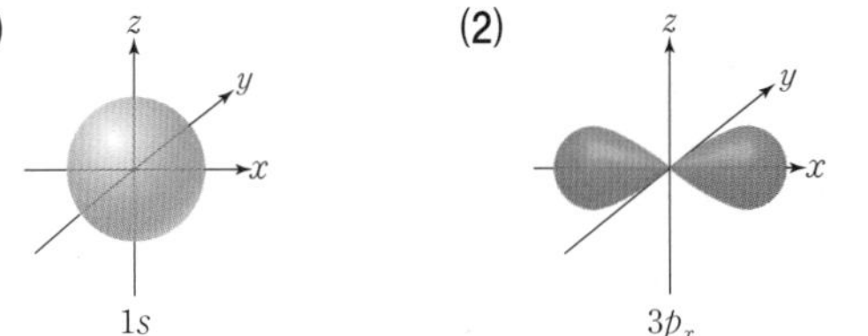

$1s$　　$3p_x$

(3)

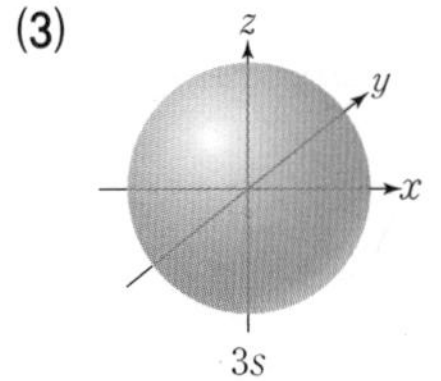

$3s$

C 오비탈의 에너지 준위

05 다전자 원자에서 주 양자수가 $n=1$, 2인 전자 껍질에 존재하는 모든 오비탈의 에너지 준위 크기를 비교하여 나타내시오.

탄탄! 내신 다지기

정답과 해설 026쪽

A 보어의 원자 모형

01 보어의 원자 모형에 대한 설명으로 옳지 않은 것은?

① 수소의 선 스펙트럼을 설명할 수 있다.
② 수소 원자의 전자가 갖는 에너지는 불연속적이다.
③ 원자핵 주위의 전자는 전자 껍질을 돌고 있다.
④ 각 궤도의 중간 부분에 전자가 존재한다.
⑤ 전자 껍질의 에너지 준위는 원자핵으로부터 멀어질수록 높아진다.

단답형

02 전자 껍질의 에너지 준위를 비교하여 부등호로 나타내시오.

03 수소 원자(H)에서 전자가 바닥상태에 있을 때 전자 껍질의 주 양자수를 나타낸 것으로 옳은 것은?

① $n=0$　② $n=1$　③ $n=2$
④ $n=3$　⑤ $n=\infty$

04 다음 중 전자 전이가 일어나서 에너지를 방출하는 것은?

① K → L　② L → N　③ K → M
④ M → K　⑤ M → N

05 보어의 원자 모형으로 설명할 수 있는 것을 〈보기〉에서 있는 대로 고른 것은?

보기
ㄱ. 수소의 선 스펙트럼
ㄴ. 다전자 원자의 선 스펙트럼
ㄷ. 전자의 위치와 속도

① ㄱ　② ㄴ　③ ㄷ
④ ㄱ, ㄴ　⑤ ㄴ, ㄷ

B 현대의 원자 모형

06 오비탈에 대한 설명으로 옳지 않은 것은?

① s 오비탈은 공 모양이다.
② 전자의 존재 확률이 90 %인 공간을 나타낸다.
③ 전자가 발견될 확률을 점으로 찍어 표현할 수 있다.
④ s 오비탈은 방향성이 있으나 p 오비탈은 방향성이 없다.
⑤ K 껍질에 존재하는 오비탈은 $1s$ 오비탈이다.
⑥ 현대 원자 모형에서 전자를 설명하기 위해 도입된 것은 전자가 위치하는 공간의 모양이다.

단답형

07 오비탈의 공간적 성질과 전자의 운동을 나타내는 일련의 수를 무엇이라 하며, 그 종류는 몇 가지인지 쓰시오.

08 그림은 2가지 오비탈을 나타낸 것이다.

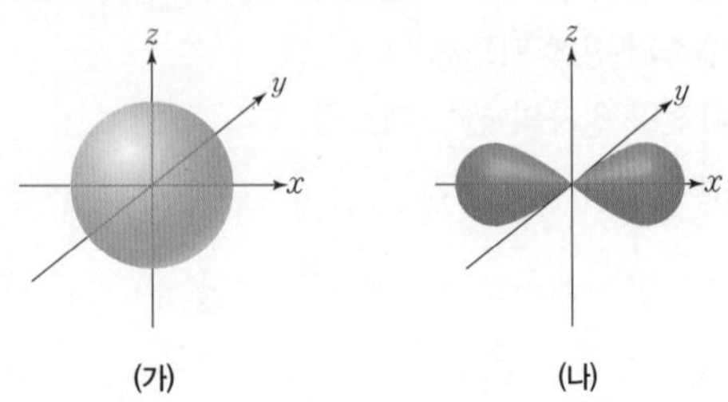

(가), (나)의 오비탈의 종류를 옳게 짝 지은 것은?

	(가)	(나)
①	s 오비탈	s 오비탈
②	s 오비탈	p_x 오비탈
③	s 오비탈	p_y 오비탈
④	p_x 오비탈	p_z 오비탈
⑤	p_z 오비탈	p_x 오비탈

단답형

09 표는 주 양자수(n)에 따른 방위 양자수(l)와 오비탈을 나타낸 것이다.

주양자수(n)	1	2		㉠		
방위 양자수(l)	0	0	㉡	0	1	2
오비탈	㉢	$2s$	$2p$	$3s$	㉣	$3d$

㉠~㉣에 들어갈 알맞은 말을 각각 쓰시오.

단답형

10 다음은 어떤 오비탈에 대한 설명이다.

- 방위 양자수(l)가 1이다.
- 자기 양자수가(m_l)가 -1, 0, 1이다.

이 오비탈은 무엇인지 쓰시오.

11 그림은 $2p_z$ 오비탈을 나타낸 것이다.

이에 대한 설명으로 옳은 것만을 〈보기〉에서 있는 대로 고른 것은?

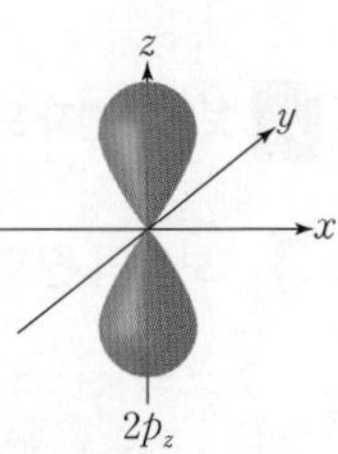

보기
ㄱ. 방향성이 있다.
ㄴ. 주 양자수(n)와 방위 양자수(l)가 같다.
ㄷ. 에너지 준위가 같은 오비탈이 2개 더 있다.

① ㄱ ② ㄴ ③ ㄱ, ㄷ ④ ㄴ, ㄷ ⑤ ㄱ, ㄴ, ㄷ

단답형

12 다음은 두 양자수에 대한 설명이다.

(가): 오비탈의 방향성을 결정하는 양자수이다.
(나): 전자의 운동 방향에 따라 결정되는 양자수이다.

$3p_x$ 오비탈의 (가)와 (나)로 가능한 것을 있는 대로 쓰시오.

13 그림은 주 양자수(n)가 3인 전자 껍질에 존재하는 오비탈을 모형으로 나타낸 것이다.

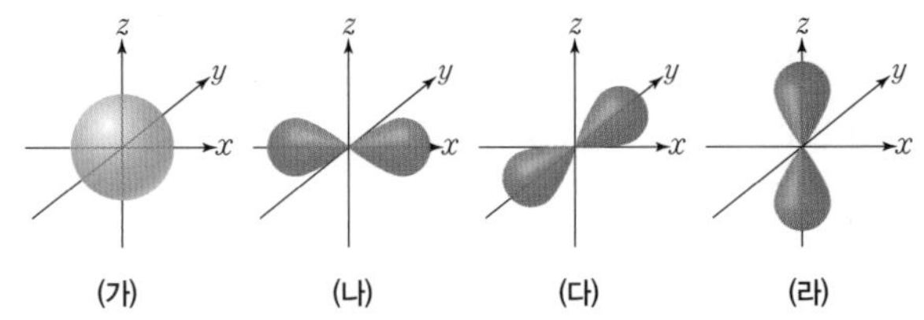

이에 대한 설명으로 옳은 것만을 〈보기〉에서 있는 대로 고른 것은?

보기
ㄱ. (가)는 $3s$ 오비탈이다.
ㄴ. (나)의 방위 양자수는 2이다.
ㄷ. 에너지 준위는 (나)=(다)=(라)이다.

① ㄱ ② ㄴ ③ ㄱ, ㄷ ④ ㄴ, ㄷ ⑤ ㄱ, ㄴ, ㄷ

14 다음은 어떤 전자 껍질에서 가질 수 있는 오비탈을 모두 나타낸 것이다.

> s, p, d

이에 대한 설명으로 옳은 것만을 <보기>에서 있는 대로 고른 것은?

> 보기
> ㄱ. M 전자 껍질이다.
> ㄴ. 주 양자수(n)는 3이다.
> ㄷ. 오비탈의 총수는 18이다.

① ㄱ ② ㄱ, ㄴ ③ ㄱ, ㄷ
④ ㄴ, ㄷ ⑤ ㄱ, ㄴ, ㄷ

15 그림은 3가지 오비탈을 모형으로 나타낸 것이다.

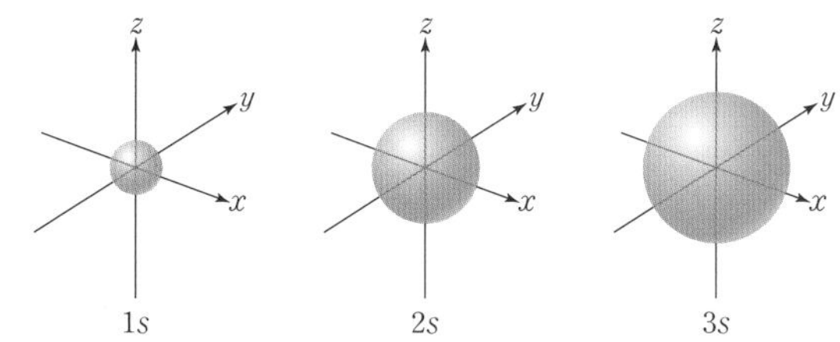

이에 대한 설명으로 옳은 것은?

① 주 양자수(n)가 같다.
② 에너지 준위가 같다.
③ 방위 양자수(부 양자수)(l)가 +1이다.
④ 핵으로부터의 거리가 같으면 전자가 발견될 확률이 같다.
⑤ 전자가 발견될 확률이 100 %인 공간을 나타낸 것이다.

단답형

16 p_x, p_y, p_z의 3가지 오비탈이 모두 존재하는 주 양자수(n)의 조건을 쓰시오.

C 오비탈의 에너지 준위

17 다음은 어떤 원자 X 오비탈의 에너지 준위를 나타낸 것이다.

> $1s < 2s = 2p < 3s = 3p = 3d < 4s = 4p = 4d = 4f \cdots$

이에 대한 설명으로 옳은 것만을 <보기>에서 있는 대로 고른 것은?

> 보기
> ㄱ. X의 전자 수는 1이다.
> ㄴ. 주 양자수(n)가 같으면 에너지 준위가 같다.
> ㄷ. 보어의 원자 모형에서 전자 껍질의 순서와 에너지 준위 순서가 같다.

① ㄱ ② ㄱ, ㄴ ③ ㄱ, ㄷ
④ ㄴ, ㄷ ⑤ ㄱ, ㄴ, ㄷ

단답형

18 다음은 다전자 원자의 오비탈의 에너지 준위를 나타낸 것이다. 옳지 않은 부분을 찾아 고치시오.

> $1s < 2s < 2p < 3s < 3p < 3d < 4s < 4p \cdots$

단답형

19 다음은 3가지 오비탈의 양자수에 대한 자료이다.

오비탈	주 양자수(n)	방위 양자수(부 양자수)(l)
(가)	2	1
(나)	3	2
(다)	4	0

다전자 원자에서 (가)~(다)의 에너지 준위 크기를 비교하시오.

01 그림은 보어의 원자 모형에서 전자의 이동을 나타낸 것이다.

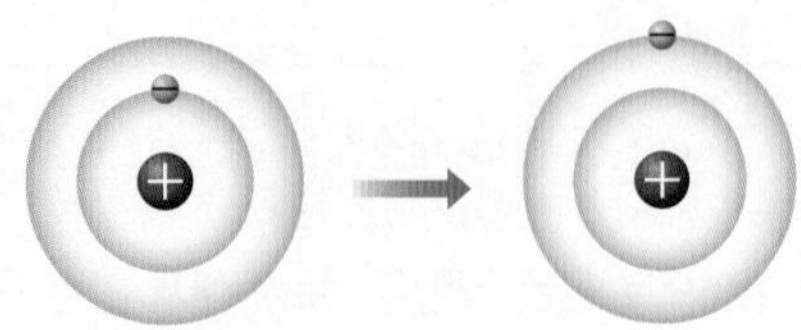

이에 대한 설명으로 옳은 것만을 ⟨보기⟩에서 있는 대로 고른 것은?

보기
ㄱ. 에너지를 흡수해야 한다.
ㄴ. 바닥상태에서 들뜬상태가 된 것이다.
ㄷ. L 전자 껍질에서 M 전자 껍질로 전자가 이동하였다.

① ㄱ ② ㄱ, ㄴ ③ ㄱ, ㄷ
④ ㄴ, ㄷ ⑤ ㄱ, ㄴ, ㄷ

02 표는 2가지 전자 전이를 나타낸 것이다.

전자 전이	전자 껍질 변화	에너지 변화
(가)	L → K	방출
(나)	K → N	( )

이에 대한 설명으로 옳은 것만을 ⟨보기⟩에서 있는 대로 고른 것은?

보기
ㄱ. (가)는 주 양자수의 변화라고 할 수 있다.
ㄴ. (가)에서 전자는 바닥상태로 전이한다.
ㄷ. (나)에서 에너지 변화는 흡수이다.

① ㄱ ② ㄷ ③ ㄱ, ㄴ
④ ㄴ, ㄷ ⑤ ㄱ, ㄴ, ㄷ

03 그림은 현대 원자 모형을 나타낸 것이다.

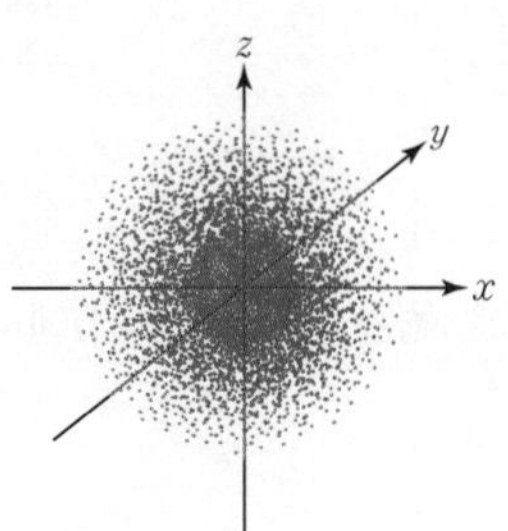

이에 대한 설명으로 옳은 것만을 ⟨보기⟩에서 있는 대로 고른 것은?

보기
ㄱ. 수소 원자의 선 스펙트럼을 설명할 수 있다.
ㄴ. 전자가 존재할 수 있는 공간을 확률 분포로 나타낸 것이다.
ㄷ. 전자가 발견될 확률은 표시된 공간 안에서 모두 같다.

① ㄱ ② ㄱ, ㄴ ③ ㄱ, ㄷ
④ ㄴ, ㄷ ⑤ ㄱ, ㄴ, ㄷ

04 그림은 2가지 오비탈 모형을 나타낸 것이다.

(가) (나)

이에 대한 설명으로 옳은 것만을 ⟨보기⟩에서 있는 대로 고른 것은?

보기
ㄱ. (가)와 (나)는 모두 방향성이 있다.
ㄴ. 수소 원자에서 (가)와 (나) 오비탈의 주 양자수가 같으면 에너지 준위가 같다.
ㄷ. 방위 양자수(부 양자수)는 (나)가 (가)보다 크다.

① ㄱ ② ㄱ, ㄴ ③ ㄱ, ㄷ
④ ㄴ, ㄷ ⑤ ㄱ, ㄴ, ㄷ

05 다음은 오비탈과 양자수에 대한 세 학생의 대화이다.

태랑: 전자 껍질 M의 d 오비탈의 전자가 최대로 가질 수 있는 자기 양자수(m_l)는 5가지 종류야.
유림: 주 양자수(n)가 2인 오비탈의 종류는 총 8가지가 있어.
민수: 주 양자수(n)가 3이고, 방위 양자수(l)가 2인 오비탈에는 $3p_x$, $3p_y$, $3p_z$가 있어.

제시된 내용이 옳은 학생만을 있는 대로 고른 것은?

① 태랑 ② 태랑, 유림 ③ 태랑, 민수
④ 유림, 민수 ⑤ 태랑, 유림, 민수

출제예감

06 그림은 다전자 원자의 오비탈의 에너지 준위를 나타낸 것이다.

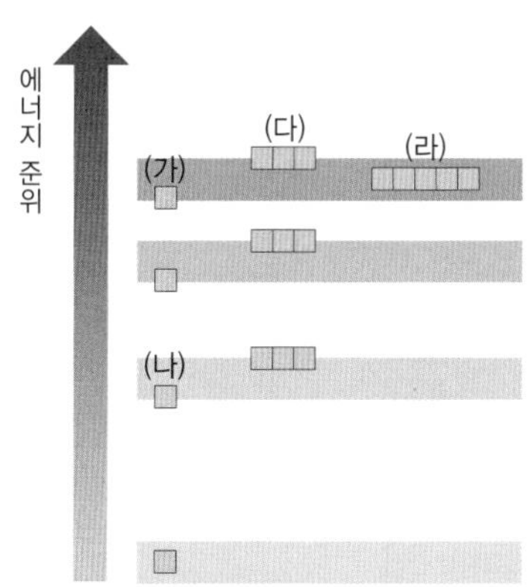

(가)~(라)에 대한 설명으로 옳은 것만을 〈보기〉에서 있는 대로 고른 것은?

보기
ㄱ. (가)와 (나)의 방위 양자수(l)는 같다.
ㄴ. (가)와 (라)의 주 양자수(n)는 같다.
ㄷ. (다)의 자기 양자수(m_l)는 -1, 0, $+1$이다.

① ㄱ ② ㄱ, ㄴ ③ ㄱ, ㄷ
④ ㄴ, ㄷ ⑤ ㄱ, ㄴ, ㄷ

07 다음은 현대 원자 모형에 대한 설명이다. (   ) 안에 들어갈 알맞은 말을 쓰시오.

일정한 에너지의 전자가 원자핵 주위에 존재하는 확률을 나타내는 함수를 (   )이라고 한다.

08 L 전자 껍질의 s 오비탈의 전자가 가질 수 있는 양자수의 조합을 있는 대로 쓰시오.

서술형

09 현대 원자 모형은 전자를 발견할 확률이 높은 공간의 모양인 오비탈을 이용하여 설명하는데, 이때 양자수를 사용하는 까닭를 서술하시오.

서술형

10 다음은 다전자 원자의 오비탈의 에너지 준위를 비교하여 나타낸 것이다.

$$1s < 2s < 2p < 3s < 3p < 4s < 3d < 4p \cdots$$

$4s$ 오비탈이 $3d$ 오비탈보다 에너지 준위가 낮은 까닭을 주 양자수(n)와 방위 양자수(l)를 이용하여 서술하시오.

03 원자의 전자 배치

핵심 키워드로 흐름잡기

- A 쌓음 원리, 파울리 배타 원리
- B 홀전자, 훈트 규칙
- C 원자가 전자, 원자와 이온의 전자 배치

A 쌓음 원리와 파울리 배타 원리

|출·제·단·서| 시험에는 쌓음 원리, 파울리 배타 원리에 잘 맞게 전자가 배치 되었는지 찾는 문제가 나와.

1. 오비탈과 전자 배치❶ 표시

기호로 나타내는 방법	사각형 상자로 나타내는 방법
오비탈의 모양, 오비탈에 들어있는 전자 수, 주 양자수 (전자 껍질), 오비탈의 방향: $2p_x^1$	$_5B$ 1s [↑↓] 2s [↑↓] $2p_x$ $2p_y$ $2p_z$ [↑][ ][ ] (○)
주 양자수는 2이고, 오비탈의 모양과 방향은 p_x이며, 이 오비탈에 전자가 1개 존재한다.	오비탈은 사각형 상자로 나타내고, 오비탈에 배치된 전자는 화살표(↑, ↓)로 나타내며, 점으로 나타내기도 한다.

❶ **오비탈의 전자 배치**
전자 배치는 오비탈을 사각형의 도형으로 나타내고 거기에 전자를 화살표 모양으로 배치하는 방법과 주 양자수와 오비탈 종류, 방향을 적고 오비탈에 채워져 있는 전자 수를 적는 방법 등이 있다.

2. 쌓음 원리와 파울리 배타 원리

(1) 쌓음 원리 바닥상태에 있는 원자의 전자는 에너지가 작은 오비탈에서부터 큰 오비탈로 차례대로 채워진다.

H의 바닥상태 전자 배치: 1s [↑] 또는 $1s^1$

① **수소 원자:** 수소 원자에서 가장 에너지가 작은 오비탈은 $1s$이므로 $1s$ 오비탈에 전자가 1개 채워지면 바닥상태이다.

② **다전자 원자:** 바닥상태에 있는 다전자 원자에서 오비탈 에너지 준위의 크기 순서에 따라 전자가 배치된다.

전자가 배치되는 순서는 $1s \rightarrow 2s \rightarrow 2p \rightarrow 3s \rightarrow 3p \rightarrow 4s \rightarrow 3d \rightarrow 4p \cdots$ 이다.

? 쌓음 원리에 어긋나면 들뜬 상태일까?
쌓음 원리에 어긋나게 되면 에너지가 높은 상태의 오비탈에 전자가 배치된 것이므로 들뜬상태의 전자 배치이다.

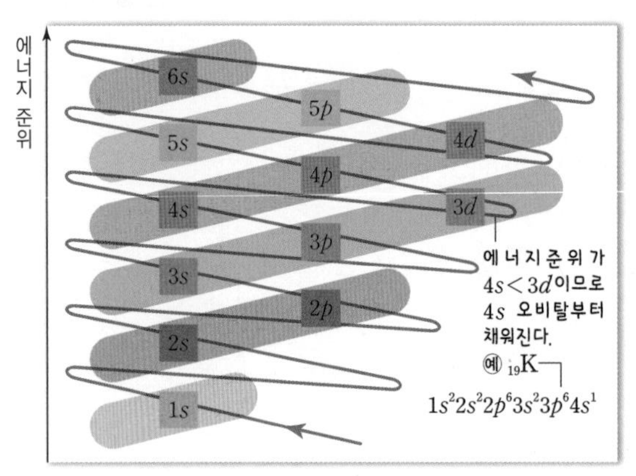

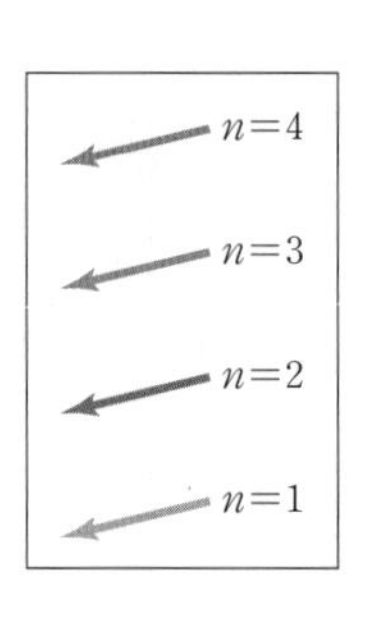

▲ 다전자 원자에서 오비탈에 전자가 채워지는 순서

(2) 파울리●배타 원리 1개의 오비탈에 들어갈 수 있는 최대 전자 수는 2이고, 이때 2개의 전자의 스핀 방향은 서로 반대이어야 한다.

예 $_3Li$: $1s^22s^1$의 전자 배치

1s [↑↓] 2s [↑] (○)

1s [↑↓↑] (×) — 1개의 오비탈에는 전자가 2개까지만 들어갈 수 있다.

1s [↑↑] 2s [↑] (×) — 1개의 오비탈에 들어가는 두 전자의 스핀 방향이 반대이어야 한다.

$_5B$: $1s^22s^22p^1$의 전자 배치

1s [↑↓] 2s [↑↓] $2p_x$ $2p_y$ $2p_z$ [↑][ ][ ] (○) 3개의 $2p$ 오비탈의 에너지는 같기 때문에 5번째 전자는 $2p_x$, $2p_y$, $2p_z$ 중 어느 오비탈에 채워져도 같은 상태가 된다.

용어 알기

●배타 원리(배척하다 排, 다른 他, 근원 原, 다스릴 理) (exclusion principle) 같은 오비탈에 들어 있는 두 전자가 상대방을 배제하는 것처럼 보이므로 붙여지게 된 이름

B 훈트 규칙

|출·제·단·서| 시험에는 훈트 규칙에 맞게 전자가 배치되어 홀전자 수가 0~3개인 원자를 찾는 문제가 나와.

1. 훈트 규칙

(1) ●**홀전자** 오비탈의 전자 배치에서 1개의 오비탈에 쌍을 이루지 않고 있는 전자

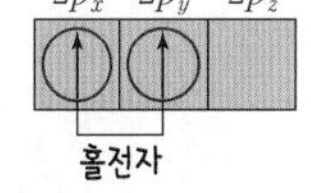

(2) **훈트 규칙❷** 에너지 준위가 같은 여러 개의 오비탈에 전자가 채워질 때에는 가능한 짝을 짓지 않도록(홀전자 수가 최대가 되도록) 배치된다.

전자가 쌍을 이루어 한 오비탈에 들어가게 되면 전자들 사이의 반발력 때문에 홀전자 상태로 있을 때보다 불안정해지기 때문

예 탄소($_6$C)의 전자 배치

$1s^2 2s^2 2p_x^2$(불안정)	$1s^2 2s^2 2p_x^1 2p_y^1$(안정)
$1s$ $2s$ $2p_x$ $2p_y$ $2p_z$	$1s$ $2s$ $2p_x$ $2p_y$ $2p_z$ — 홀전자
1개의 p 오비탈에 전자 2개가 쌍을 지어 들어가는 경우 전자 사이에 반발력이 작용하여 상대적으로 불안정하다.	• 2개의 p 오비탈에 전자가 각각 1개씩 들어가면 전자들 사이의 반발력이 약해지므로 더 안정하다. • 탄소 원자의 경우 바닥상태에서 홀전자는 2개이다. ($2p$ 오비탈에 2개)

2. 오비탈에 배치되는 최대 전자 수 s 오비탈이 2개, p 오비탈이 6개, d 오비탈이 10개이다.

주 양자수(n)	1	2		3		
오비탈의 종류	$1s$	$2s$	$2p$	$3s$	$3p$	$3d$
오비탈의 총수(n^2)	1	1+3=4		1+3+5=9		
최대 수용 전자 수($2n^2$)	2	8		18		

3. 바닥상태와 들뜬상태의 전자 배치

(1) **바닥상태의 전자 배치** 쌓음 원리, 파울리 배타 원리, 훈트 규칙을 모두 만족하는 전자 배치 → 에너지가 가장 낮은 안정한 전자 배치

(2) **들뜬상태의 전자 배치** 파울리 배타 원리를 따르지만 쌓음 원리나 훈트 규칙을 만족하지 않는 전자 배치 → 바닥상태의 전자가 에너지 준위가 높은 전자 껍질로 이동하여 불안정한 상태의 전자 배치

빈출 자료 쌓음 원리와 훈트 규칙에 따른 바닥상태와 들뜬상태의 전자 배치

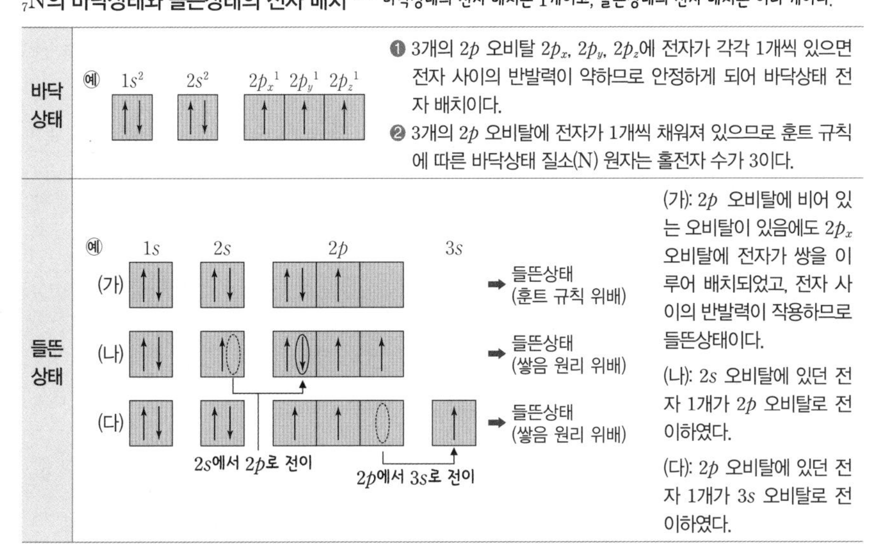

❷ **훈트 규칙과 자기 양자수**
훈트 규칙에서 주 양자수와 방위 양자수가 같은 전자들은 최대한 다른 자기 양자수를 갖는다. 따라서 이때 홀전자들은 스핀 자기 양자수가 서로 같게 된다.

쌓음 원리나 훈트 규칙에 어긋나는 전자 배치를 들뜬상태의 전자 배치라고 해.

용어 알기
●홀전자(unpaired electron) 전자를 배치할 때 쌍을 이루지 않은 전자

C 원자가 전자와 이온의 전자 배치

|출·제·단·서| 원자가 전자 수를 묻거나 이온이 되었을 때 바닥상태 전자 배치에 대하여 물어보는 문제가 시험에 나와.

1. 원자가 전자

❸ 원자의 전자 배치
21번 부터의 원자는 쌓음 원리에 따라 오비탈에 전자가 배치되기 시작한다.

(1) 원자의 전자 배치❸ 원자 번호가 1~20인 원자의 바닥상태에서의 전자 배치

원자 번호	원소 기호	오비탈 1s	2s	2p	3s	3p	4s	바닥상태 전자 배치	가장 바깥 전자 껍질의 전자 수
1	H	[↑]						$1s^1$	1
2	He	[↑↓]						$1s^2$	2
3	Li	[↑↓]	[↑]					$1s^22s^1$	1
4	Be	[↑↓]	[↑↓]					$1s^22s^2$	2
5	B	[↑↓]	[↑↓]	[↑][ ][ ]				$1s^22s^22p^1$	3
6	C	[↑↓]	[↑↓]	[↑][↑][ ]				$1s^22s^22p^2$	4
7	N	[↑↓]	[↑↓]	[↑][↑][↑]				$1s^22s^22p^3$	5
8	O	[↑↓]	[↑↓]	[↑↓][↑][↑]				$1s^22s^22p^4$	6
9	F	[↑↓]	[↑↓]	[↑↓][↑↓][↑]				$1s^22s^22p^5$	7
10	Ne	[↑↓]	[↑↓]	[↑↓][↑↓][↑↓]				$1s^22s^22p^6$	8
11	Na	[↑↓]	[↑↓]	[↑↓][↑↓][↑↓]	[↑]			$1s^22s^22p^63s^1$	1
12	Mg	[↑↓]	[↑↓]	[↑↓][↑↓][↑↓]	[↑↓]			$1s^22s^22p^63s^2$	2
13	Al	[↑↓]	[↑↓]	[↑↓][↑↓][↑↓]	[↑↓]	[↑][ ][ ]		$1s^22s^22p^63s^23p^1$	3
14	Si	[↑↓]	[↑↓]	[↑↓][↑↓][↑↓]	[↑↓]	[↑][↑][ ]		$1s^22s^22p^63s^23p^2$	4
15	P	[↑↓]	[↑↓]	[↑↓][↑↓][↑↓]	[↑↓]	[↑][↑][↑]		$1s^22s^22p^63s^23p^3$	5
16	S	[↑↓]	[↑↓]	[↑↓][↑↓][↑↓]	[↑↓]	[↑↓][↑][↑]		$1s^22s^22p^63s^23p^4$	6
17	Cl	[↑↓]	[↑↓]	[↑↓][↑↓][↑↓]	[↑↓]	[↑↓][↑↓][↑]		$1s^22s^22p^63s^23p^5$	7
18	Ar	[↑↓]	[↑↓]	[↑↓][↑↓][↑↓]	[↑↓]	[↑↓][↑↓][↑↓]		$1s^22s^22p^63s^23p^6$	8
19	K	[↑↓]	[↑↓]	[↑↓][↑↓][↑↓]	[↑↓]	[↑↓][↑↓][↑↓]	[↑]	$1s^22s^22p^63s^23p^64s^1$	1
20	Ca	[↑↓]	[↑↓]	[↑↓][↑↓][↑↓]	[↑↓]	[↑↓][↑↓][↑↓]	[↑↓]	$1s^22s^22p^63s^23p^64s^2$	2

단, [↑↓]는 한 오비탈을 화살표(↑, ↓)는 스핀 방향을 나타낸다. 파란 화살표로 표시한 전자는 가장 바깥 전자 껍질의 전자 수이다.

1~20번 원자들의 바닥상태 전자 배치를 쌓음 원리, 파울리 배타 원리, 훈트 규칙으로 나타내어 홀전자 수와 원자가 전자 수 등을 알 수 있다.

❹ 비활성 기체의 원자가 전자
비활성 기체의 경우 가장 바깥 전자 껍질의 전자 수는 8개이다.(단, He은 2개) 그러나 18족 원소는 화학 결합을 거의 하지 않으므로 원자가 전자 수는 8이 아니라 0이다.

(2) 원자가 전자❹ 화학 결합에 참여하는 전자

① 바닥상태의 전자 배치에서 가장 바깥 전자 껍질에 있는 전자이다.

② 원자가 전자 수가 같은 원소는 화학적 성질이 비슷하다.

예 $_7$N: $1s^22s^22p^3$ $2s$에 2개와 $2p$에 3개이므로 원자가 전자 수는 총 5개이다.

예 $_{10}$Ne: $1s^22s^22p^6$ $2s$와 $2p$ 오비탈에 전자가 모두 채워진 상태이므로 원자가 전자 수가 0이다.

2. 이온의 전자 배치

이온이 되면 안정된 전자 배치를 해야 하므로 가장 가까운 18족 원소와 같은 전자 배치를 한다.

(1) 양이온 원자가 양이온이 될 때에는 에너지 준위가 가장 높은 오비탈의 전자를 잃게 된다.

마그네슘(Mg)의 바닥상태 전자 배치				마그네슘 이온(Mg^{2+})의 바닥상태 전자 배치		
1s	2s	2p	3s	1s	2s	2p
[↑↓]	[↑↓]	[↑↓][↑↓][↑↓]	[↑↓]	[↑↓]	[↑↓]	[↑↓][↑↓][↑↓]

(2) 음이온 원자가 음이온이 될 때에는 비어 있는 오비탈 중에서 에너지 준위가 가장 낮은 오비탈부터 전자가 채워진다.

산소(O)의 바닥상태 전자 배치			산화 이온(O^{2-})의 바닥상태 전자 배치		
1s	2s	2p	1s	2s	2p
[↑↓]	[↑↓]	[↑↓][↑][↑]	[↑↓]	[↑↓]	[↑↓][↑↓][↑↓]

용어 알기

● 원자가 전자(근원 原, 자식 子, 값 價, 번개 電, 자식 子) (valence electron) 바닥상태에서 원자의 가장 바깥 껍질에 있는 전자로, 화학적인 성질과 반응에 관여하는 전자

콕콕! 개념 확인하기

정답과 해설 029쪽

✔ 잠깐 확인!

1. ☐☐ ☐☐
바닥상태 원자의 전자가 에너지가 낮은 오비탈부터 채워지는 원리

2. ☐☐☐ ☐☐ ☐☐
1개의 오비탈에 들어있는 전자의 스핀 방향은 서로 달라야 한다는 원리

3. ☐☐☐
오비탈의 전자 배치에서 1개의 오비탈에 쌍을 이루지 않고 있는 전자

4. ☐☐ ☐☐
에너지 준위가 같은 여러 개의 오비탈에 전자가 채워질 때에는 가능한 짝을 짓지 않도록 배치되는 원리

5. ☐☐☐☐
쌓음 원리, 파울리 배타 원리, 훈트 규칙을 모두 만족시키는 전자 배치 상태

6. ☐☐☐ ☐☐
화학 결합에 참여하는 전자로, 바닥상태의 전자 배치에서 가장 바깥 껍질에 있는 전자

7. 원자가 양이온이 될 때에는 에너지 준위가 가장 큰 ☐☐☐ ☐☐부터 차례로 잃는다.

A 쌓음 원리와 파울리 배타 원리

01 오른쪽은 오비탈을 기호로 나타낸 것이다. (가)~(라)에 대한 설명으로 옳은 것은 ○, 옳지 않은 것은 ×로 표시하시오.

$$2p_x^2$$
(가), (나), (다), (라)

(1) (가)는 오비탈의 종류에 해당한다. ( )

(2) (나)는 오비탈에 들어 있는 중성자수를 나타낸다. ( )

(3) d 오비탈은 (다)가 2 이상인 경우부터 존재한다. ( )

(4) p 오비탈의 경우 (라)는 3가지 종류가 존재한다. ( )

02 쌓음 원리와 파울리 배타 원리에 대한 설명으로 옳은 것은 ○, 옳지 않은 것은 ×로 표시하시오.

(1) 바닥상태에 있는 원자의 전자는 에너지가 작은 오비탈부터 채운다. ( )

(2) 1개의 오비탈에는 전자가 최대 2개까지만 채워질 수 있다. ( )

(3) 4개의 양자수가 모두 같은 전자가 한 오비탈에 채워질 수 있다. ( )

03 오른쪽과 같이 나타낸 전자 배치가 위배한 원리는 무엇인지 쓰시오.

$1s$	$2s$
↑↓	↑↑

B 훈트 규칙

04 다음은 훈트 규칙에 대한 설명이다. ㉠, ㉡에 들어갈 알맞은 말을 쓰시오.

> 에너지 준위가 같은 여러 개의 오비탈에 전자가 채워질 때에는 가능한 짝을 짓지 않게 (㉠)의 수가 (㉡)가 되도록 배치된다.

05 탄소(C) 원자의 바닥상태 전자 배치와 홀전자 수를 쓰시오.

C 원자가 전자와 이온의 전자 배치

06 다음은 이온의 전자 배치에 대한 설명이다. ㉠~㉢에 들어갈 알맞은 말을 쓰시오.

> 원자가 양이온이 될 때에는 에너지 준위가 가장 (㉠) 오비탈의 (㉡)를 잃게 되고, 음이온이 될 때에는 비어 있는 오비탈 중에서 에너지 준위가 가장 (㉢) 오비탈부터 전자가 채워진다.

탄탄! 내신 다지기

A 쌓음 원리와 파울리 배타 원리

01 다음 중 바닥상태 $_3Li$의 전자가 배치된 오비탈을 있는 대로 고르면? (정답 2개)

① $1s$ ② $2s$ ③ $2p$ ④ $3s$ ⑤ $3p$

02 파울리 배타 원리에 대한 설명으로 옳지 않은 것은?

① 1개 오비탈에는 전자가 최대 2개 채워진다.
② p 오비탈에는 전자를 최대 6개 채울 수 있다.
③ 파울리 배타 원리에 어긋난 전자 배치는 들뜬상태이다.
④ 1개의 오비탈에는 같은 방향의 스핀을 갖는 전자가 배치될 수 없다.
⑤ 1개의 오비탈에 배치된 2개의 전자는 스핀 방향이 반대이어야 한다.

단답형

03 그림은 어떤 원자의 전자 배치를 나타낸 것이다.

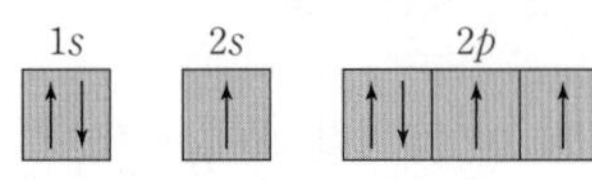

이 전자 배치가 위배한 전자 배치 규칙을 쓰시오.

04 다음 중 탄소($_6C$) 원자의 바닥상태 전자 배치인 것을 있는 대로 고르면? (정답 2개)

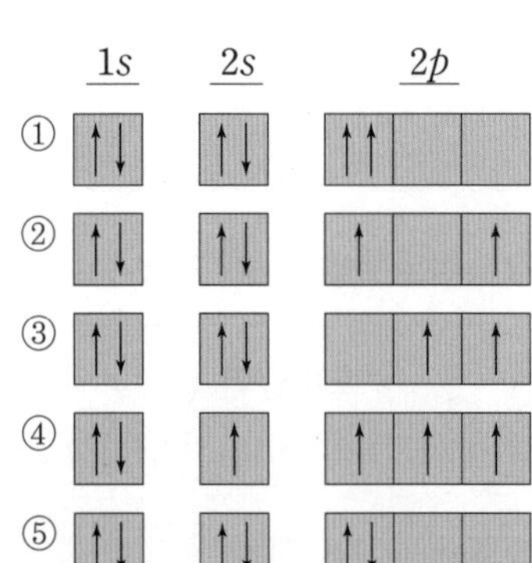

05 다음은 어떤 원자의 전자 배치를 나타낸 것이다.

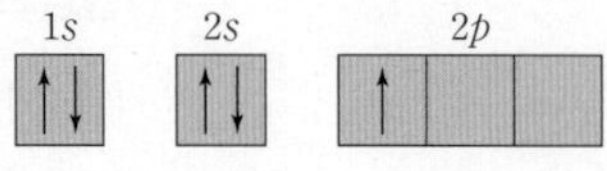

이에 대한 설명으로 옳은 것만을 〈보기〉에서 있는 대로 고른 것은?

보기
ㄱ. 원자 번호가 5번이다.
ㄴ. 쌓음 원리를 만족한다.
ㄷ. 파울리 배타 원리를 위배한 것이다.

① ㄱ ② ㄱ, ㄴ ③ ㄱ, ㄷ
④ ㄴ, ㄷ ⑤ ㄱ, ㄴ, ㄷ

B 훈트 규칙

06 그림은 어떤 학생이 나타낸 질소(N) 원자의 전자 배치이다.

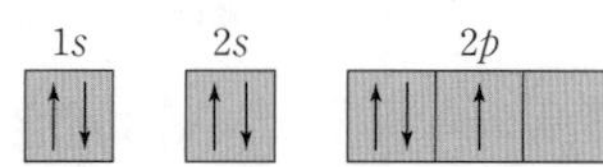

이 학생이 위배한 전자 배치 원리와 바닥상태에서 질소 원자의 홀전자 수를 옳게 나타낸 것은?

	위배한 전자 배치 원리	홀전자 수
①	쌓음 원리	1
②	파울리 배타 원리	1
③	파울리 배타 원리	3
④	훈트 규칙	2
⑤	훈트 규칙	3

단답형

07 바닥상태에서 전자가 배치된 오비탈 수가 5이고, 홀전자 수가 2인 원소는 무엇인지 쓰시오.

08 그림 (가)~(라)는 질소($_7$N) 원자의 전자 배치를 나타낸 것이다.

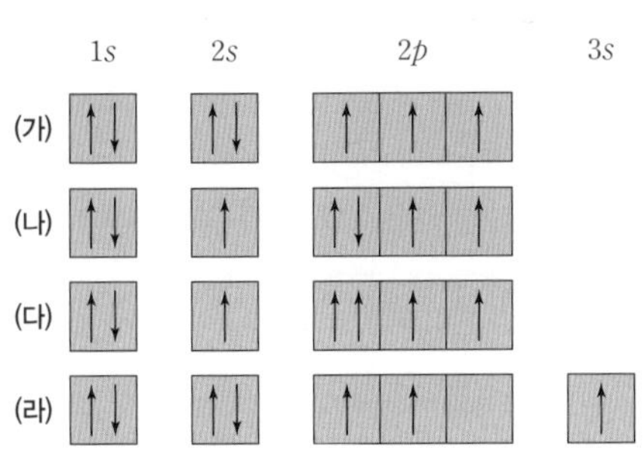

들뜬상태의 전자 배치의 수는?

① 0　② 1　③ 2　④ 3　⑤ 4

09 다음은 2가지 전자 배치를 나타낸 것이다.

(가) $1s^2 2s^2 2p_x^{\,2} 2p_y^{\,1}$
(나) $1s^2 2s^2 2p_x^{\,1} 2p_y^{\,1} 2p_z^{\,1}$

이에 대한 설명으로 옳지 <u>않은</u> 것은?

① (가)는 훈트 규칙에 위배되는 전자 배치이다.
② (나)는 바닥상태 전자 배치이다.
③ 2p 오비탈의 전자 사이의 반발력은 (가)가 (나)보다 크다.
④ (나)가 에너지를 방출하면 (가)의 전자 배치가 될 수 있다.
⑤ (나)의 2p 오비탈의 전자는 모두 홀전자이다.

C 원자가 전자와 이온의 전자 배치

단답형

10 원자가 전자 수는 $_8$O가 $_5$B의 몇 배인지 쓰시오.

11 다음은 몇 가지 바닥상태 원자에 대한 설명이다.

- 바닥상태 $_6$C 원자의 p 오비탈의 전자 수는 x이다.
- 바닥상태 $_9$F 원자의 원자가 전자 수는 y이다.
- 바닥상태 $_{12}$Mg 원자의 s 오비탈의 전자 수는 z이다.

$x+y+z$를 구한 것으로 옳은 것은?

① 13　② 14　③ 15
④ 16　⑤ 17

12 그림은 A^+의 전자 배치를 나타낸 것이다.

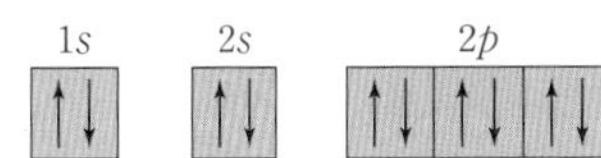

이에 대한 설명으로 옳은 것은? (단, A는 임의의 원소 기호이다.)

① A의 바닥상태 전자 배치는 $_{10}$Ne과 같다.
② 원자 A의 전자 수는 12이다
③ A의 원자가 전자 수는 1이다.
④ 바닥상태 원자 A의 홀전자 수는 2이다.
⑤ 2s 오비탈의 전자의 방위 양자수(l)는 1이다.

단답형

13 다음은 바닥상태 원자 A의 전자 배치를 나타낸 것이다.

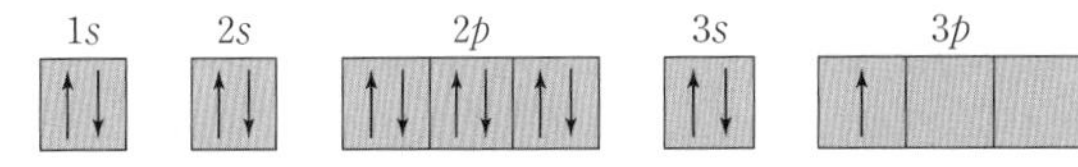

A가 양이온이 되었을 때, 바닥상태 전자 배치를 쓰시오. (단, A는 임의의 원소 기호이다.)

도전! 실력 올리기

01 그림은 중성 원자 (가), (나), (다)의 전자 배치를 나타낸 것이다.

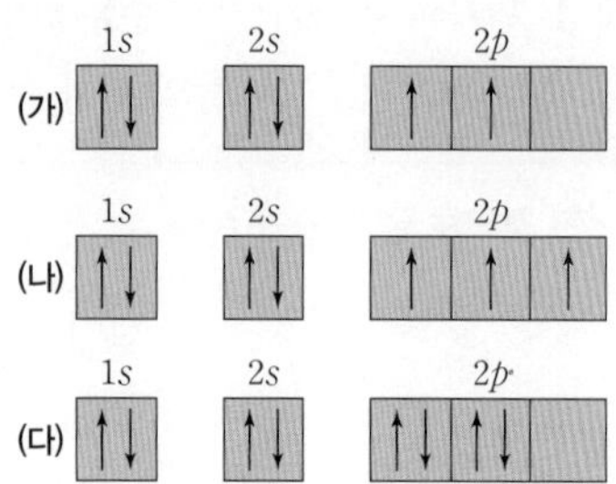

이에 대한 설명으로 옳은 것만을 〈보기〉에서 있는 대로 고른 것은?

보기
ㄱ. (가)의 원자가 전자 수는 2개이다.
ㄴ. (다)의 전자 배치는 훈트 규칙에 위배된다.
ㄷ. 바닥상태의 전자 배치는 2가지이다.

① ㄱ ② ㄴ ③ ㄱ, ㄷ
④ ㄴ, ㄷ ⑤ ㄱ, ㄴ, ㄷ

02 그림은 학생들이 그린 산소($_8O$)의 전자 배치이다.

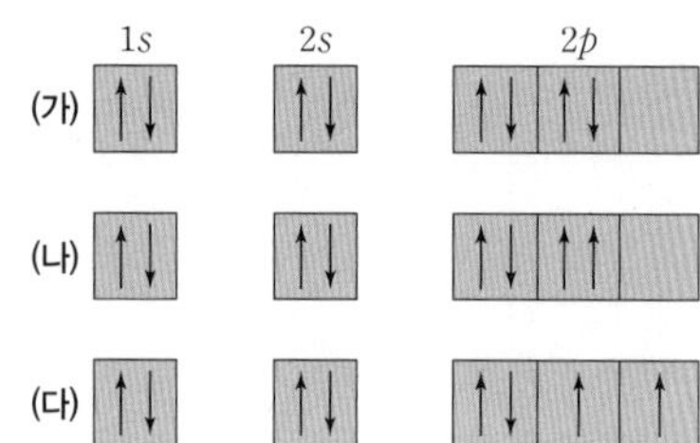

이에 대한 설명으로 옳은 것만을 〈보기〉에서 있는 대로 고른 것은?

보기
ㄱ. 산소 원자의 에너지는 (가)가 (다)보다 크다.
ㄴ. (나)는 쌓음 원리에 위배되는 전자 배치이다.
ㄷ. (다)의 모든 전자의 방위 양자수 합은 4이다.

① ㄱ ② ㄱ, ㄴ ③ ㄱ, ㄷ
④ ㄴ, ㄷ ⑤ ㄱ, ㄴ, ㄷ

03 바닥상태 $_{15}P$이 $_8O$보다 큰 것만을 〈보기〉에서 있는 대로 고른 것은?

보기
ㄱ. 홀전자 수
ㄴ. 원자가 전자 수
ㄷ. s 오비탈의 전자의 스핀 자기 양자수 합

① ㄱ ② ㄷ ③ ㄱ, ㄴ
④ ㄴ, ㄷ ⑤ ㄱ, ㄴ, ㄷ

04 어떤 원자 M은 바닥상태에서 $3p$ 오비탈에 전자가 4개 배치된다. M에 대한 설명으로 옳지 않은 것은? (단, M은 임의의 원소 기호이다.)

① 원자 번호는 16이다.
② 홀전자 수는 2개이다.
③ 원자가 전자 수는 6개이다.
④ 전자 2개를 얻어 음이온이 되기 쉽다.
⑤ 전자가 채워진 오비탈의 수는 7개이다.

출제예감

05 표는 원자 번호 1~10번 원소 중 A~C의 바닥상태 원자에 대한 자료이다.

원자	전자가 들어있는 오비탈 수	홀전자 수
A	3	1
B	5	2
C	5	3

이에 대한 설명으로 옳은 것만을 〈보기〉에서 있는 대로 고른 것은? (단, A~C는 임의의 원소 기호이다.)

보기
ㄱ. A의 원자가 전자 수는 3이다.
ㄴ. 원자 번호는 C>B>A이다
ㄷ. B는 p 오비탈의 모든 전자의 스핀 자기 양자수가 같다.

① ㄱ ② ㄱ, ㄴ ③ ㄱ, ㄷ
④ ㄴ, ㄷ ⑤ ㄱ, ㄴ, ㄷ

06 다음은 몇 가지 이온의 전자 배치에 대한 자료이다.

이온	이온의 전자 배치와 같은 바닥상태 전자 배치를 갖는 원자
A^+, B^{2+}, C^-, D^{2-}	Ne

A~D에 대한 설명으로 옳은 것만을 〈보기〉에서 있는 대로 고른 것은? (단, A~D는 임의의 원소 기호이다.)

보기
ㄱ. 원자 번호는 A>B>C>D이다.
ㄴ. 바닥상태 전자 배치에서 A와 C는 홀전자 수가 같다.
ㄷ. 원자가 전자 수는 D가 B의 3배이다.

① ㄴ ② ㄷ ③ ㄱ, ㄴ
④ ㄴ, ㄷ ⑤ ㄱ, ㄴ, ㄷ

출제예감

07 다음은 두 원자의 바닥상태 전자 배치를 나타낸 것이다.

원자	전자 배치
A	$1s^2 2s^2 2p^6 3s^1$
B	$1s^2 2s^2 2p^6 3s^2 3p^4$

이에 대한 설명으로 옳은 것만을 〈보기〉에서 있는 대로 고른 것은? (단, A, B는 임의의 원소 기호이다.)

보기
ㄱ. 원자가 전자의 주 양자수(n)는 B가 A보다 크다.
ㄴ. B의 홀전자의 방위 양자수(l)는 모두 같다.
ㄷ. 안정한 이온의 전자 배치는 A와 B가 같다.

① ㄴ ② ㄷ ③ ㄱ, ㄴ
④ ㄴ, ㄷ ⑤ ㄱ, ㄴ, ㄷ

08 다음은 황($_{16}S$)의 바닥상태 전자 배치에 대한 설명이다.

바닥상태 $_{16}S$의 홀전자 수는 (㉠)이고, 원자가 전자 수는 (㉡)이다. 이온이 되면 (㉢) 오비탈에 전자가 2개 채워진다.

서술형

09 다음은 학생 A가 나타낸 바닥상태 질소(N) 원자의 전자 배치이다.

$1s$	$2s$	$2p$	$3s$
↑↓	↑↓	↑ ↑ ( )	↑

학생 A가 나타낸 전자 배치가 바닥상태인지 판단의 근거를 포함하여 서술하고, 바닥상태가 아니라면 바닥상태로 고치시오.

서술형

10 다음은 원자의 전자 배치와 양자수 관계의 조건에 대한 설명이다.

바닥상태 원자에서 오비탈에 존재하는 스핀 자기 양자수(m_s)의 합이 0이다.

원자 번호 1~20에 해당하는 원소 중 이 조건을 만족하는 원소의 종류는 몇 가지인지 구하고, 그 까닭을 서술하시오.

전자 배치와 오비탈의 전자 수 관계

출제 의도

들뜬상태와 바닥상태의 전자 배치에서 가장 바깥 전자 껍질의 종류 및 전자 수와 s와 p 오비탈의 전자 수를 통해 전자 배치를 파악해 보는 문제이다.

대표 유형

표는 원자 X~Z의 가장 바깥 전자 껍질의 종류와 전자 수를, 그림은 X~Z의 s와 p 오비탈에 들어 있는 전자 수를 나타낸 것이다.

X는 L 전자 껍질의 s 또는 p 오비탈에 전자가 4개 있다.
Z는 M 전자 껍질의 s 또는 p 오비탈에 전자가 2개 있다.

원자	가장 바깥 전자 껍질	
	종류	전자 수
X	L	4
Y	L	㉠
Z	M	2

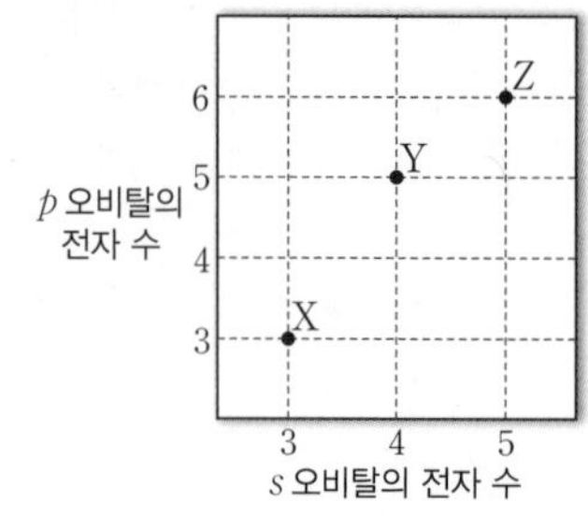

X는 p 오비탈의 종류가 $2p$ 뿐이므로 $2p$ 오비탈에 전자가 3개 있다. 따라서 $2s$ 오비탈에는 전자가 1개 있고, 나머지 2개의 전자는 $1s$ 오비탈에 있다. → $1s^22s^12p^3$

Y는 p 오비탈의 종류가 $2p$ 뿐이므로 $2p$ 오비탈에 전자가 5개 있다. 또한, $2s$와 $1s$에 각각 2개씩 총 4개의 전자가 s 오비탈에 있다. → $1s^22s^22p^5$

Z는 p 오비탈의 종류가 $2p$, $3p$이므로 $2p$와 $3p$에 전자가 나누어서 6개 들어갈 수 있다. 또한, s 오비탈의 종류는 $1s$, $2s$, $3s$이므로 $3s$ 오비탈에 전자가 1개 또는 2개 있으면서 5개의 전자가 나누어서 들어 갈 수 있다. → $1s^22s^22p^53s^13p^1$ 또는 $1s^22s^12p^63s^2$ 또는 $1s^12s^22p^63s^2$ 등

이것이 함정

각 원자의 가장 바깥 전자 껍질이 L인 경우에는 s와 p 오비탈이 각각 2, 1 종류이지만 M 전자 껍질인 경우에는 s와 p 오비탈이 각각 3, 2 종류가 존재함을 기억하도록 한다.

X~Z에 대한 설명으로 옳은 것은? (단, X~Z는 임의의 원소 기호이다.)

① X에서 K 껍질에 있는 전자 수는 1이다.
→ X에서 K 껍질에 있는 전자 수는 2이다.

② ㉠은 5이다.
→ Y에서 L 껍질에는 7개의 전자가 있으므로 ㉠은 7이다.

③ Y의 홀전자 수는 2이다.
→ Y의 홀전자 수는 $2p$ 오비탈에 1이다.

④ Z에서 L 껍질에 있는 전자 수는 6이다.
→ Z에서 L 전자 껍질에 있는 전자 수는 7 또는 8이다.

⑤ 바닥 상태의 원자는 1가지이다.
→ 바닥 상태의 원자는 Y 1가지이다.

전자 수를 토대로 바닥상태 전자 배치하기

표에서 가장 바깥 전자 껍질의 전자 수를 파악하기 ⋙ 표의 정보에 따라 가장 바깥 전자 껍질의 s 또는 p 오비탈에 있는 전자 수 파악하기 ⋙ 나머지 전자 껍질에 있는 전자 수 파악하기 ⋙ 전자 배치 해 보기

추가 선택지

• X의 홀전자 수는 3이다. (×)
⋯→ X는 $2s$ 오비탈에 1개, $2p$ 오비탈에 3개의 홀전자가 있으므로 홀전자 수는 총 4이다.

• 2주기 원소는 2가지이다. (○)
⋯→ X~Z의 원자 번호는 각각 6, 9, 11이다. 따라서 2주기 원소는 X와 Y의 2가지이다.

실전! 수능 도전하기

정답과 해설 032쪽

01 그림은 원자의 구성 입자를 발견하게 된 실험을 나타낸 것이다.

> 방전관에 들어있는 금속에 고전압을 걸어주었더니 직진하는 선이 관찰되었다.
>
> 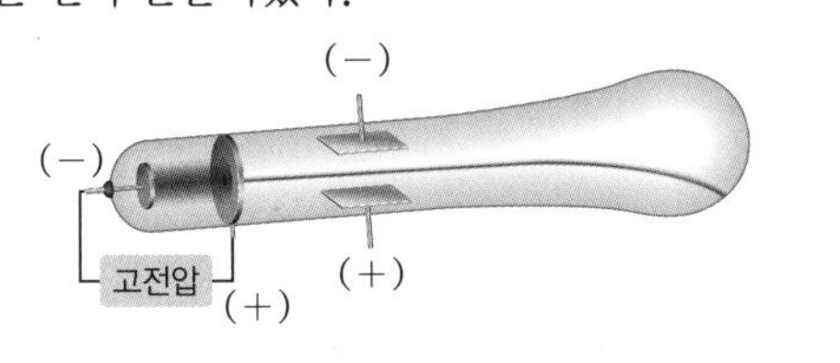
>

이 실험으로 발견된 입자에 대한 설명으로 옳은 것만을 〈보기〉에서 있는 대로 고른 것은?

보기
ㄱ. (−)전하를 띤다.
ㄴ. 원자의 중심에 위치한다.
ㄷ. 중성 원자에서 (+)전하를 띠는 입자와 같은 개수로 존재한다.

① ㄱ ② ㄷ ③ ㄱ, ㄴ
④ ㄱ, ㄷ ⑤ ㄴ, ㄷ

02 그림 (가)~(다)는 원자 모형을 나타낸 것이다.

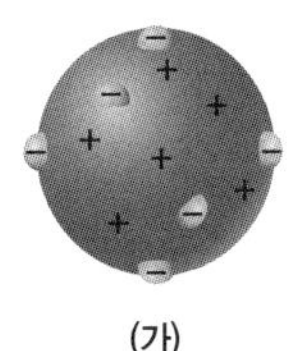
(가)

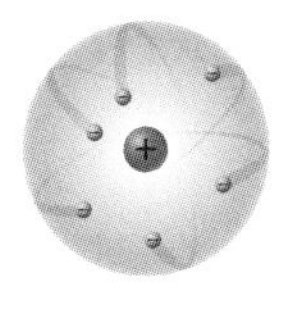
(나)

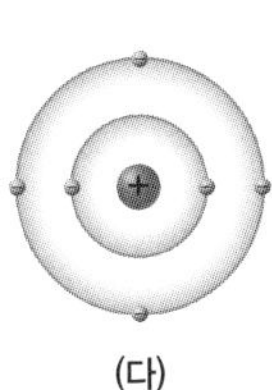
(다)

이에 대한 설명으로 옳은 것만을 〈보기〉에서 있는 대로 고른 것은?

보기
ㄱ. (가)의 원자 모형은 음극선 실험으로 제안되었다.
ㄴ. (나)와 (다)의 모형에서는 원자핵이 존재한다.
ㄷ. (가)~(다) 중 수소 선 스펙트럼을 설명할 수 있는 모형은 (다)이다.

① ㄱ ② ㄷ ③ ㄴ, ㄷ
④ ㄱ, ㄷ ⑤ ㄱ, ㄴ, ㄷ

03 그림은 러더퍼드의 알파(α) 입자 산란 실험을 나타낸 것이다.

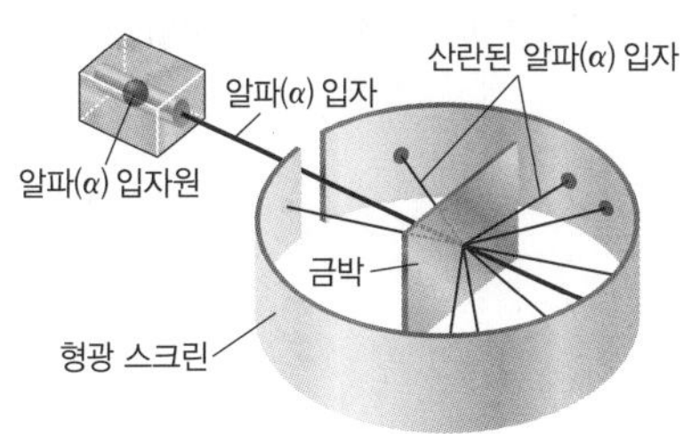

이 실험으로 발견된 입자에 대한 설명으로 옳은 것만을 〈보기〉에서 있는 대로 고른 것은?

보기
ㄱ. (+)전하를 띤다.
ㄴ. 원자 번호를 결정하는 입자이다.
ㄷ. 원자 부피의 대부분을 차지한다.

① ㄱ ② ㄴ ③ ㄱ, ㄷ
④ ㄴ, ㄷ ⑤ ㄱ, ㄴ, ㄷ

수능 기출

04 그림은 원자의 구성 입자인 양성자, 중성자, 전자를 A~C로 분류한 것이고, 표는 원자 ^{15}X와 $^{18}Y^{-}$에 대한 자료이다.

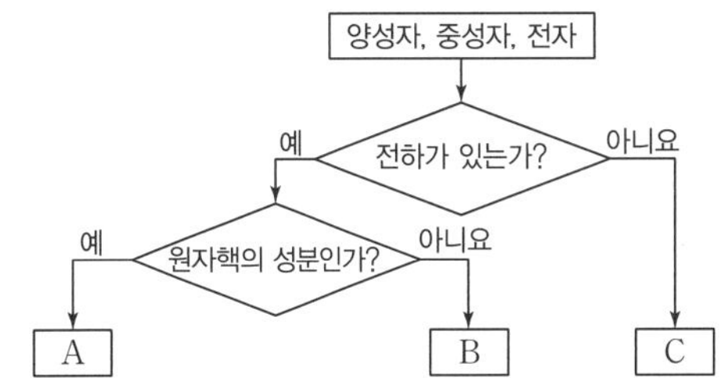

구분	A 수	B 수	C 수
^{15}X	a	7	b
$^{18}Y^{-}$	c	d	10

이에 대한 설명으로 옳은 것만을 〈보기〉에서 있는 대로 고른 것은? (단, X, Y는 임의의 원소 기호이다.)

보기
ㄱ. A는 양성자이다.
ㄴ. X의 원자 번호는 8이다.
ㄷ. $a+d=b+c$이다.

① ㄱ ② ㄴ ③ ㄱ, ㄷ
④ ㄴ, ㄷ ⑤ ㄱ, ㄴ, ㄷ

05 그림은 중성 원자 X~Z의 구조를 모형으로 나타낸 것이다. ●, ●, ●은 원자를 구성하는 입자이다.

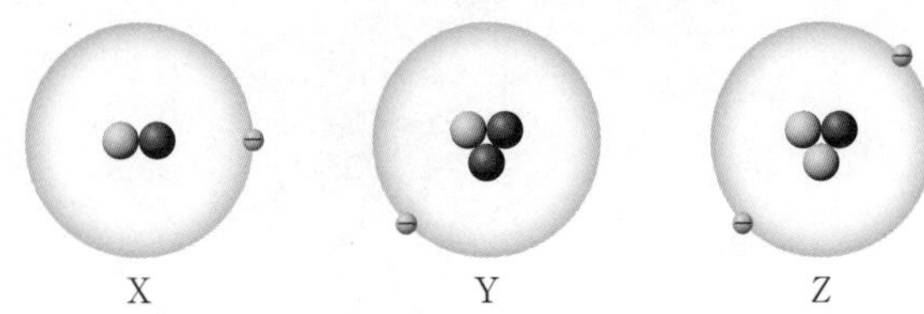

이에 대한 설명으로 옳은 것만을 〈보기〉에서 있는 대로 고른 것은? (단, X~Z는 임의의 원소 기호이다.)

보기
ㄱ. X와 Y는 동위 원소이다.
ㄴ. Y를 원자 표시 방법으로 나타내면 $^{2}_{3}$Y이다.
ㄷ. 질량수는 Y=Z>X이다.

① ㄴ ② ㄷ ③ ㄱ, ㄴ
④ ㄱ, ㄷ ⑤ ㄱ, ㄴ, ㄷ

수능 기출

06 표는 원소 (가)와 (나)의 동위 원소에 관한 자료이다.

원소	원자 번호	동위 원소	중성자수	존재 비율(%)
(가)	12	A	12	79.0
		B	13	10.0
		C	14	11.0
(나)	17	D	18	75.8
		E	20	24.2

이에 대한 설명으로 옳은 것만을 〈보기〉에서 있는 대로 고른 것은? (단, A~E는 임의의 원소 기호이다.)

보기
ㄱ. (가)의 평균 원자량은 25이다.
ㄴ. D와 E의 전자 수는 같다.
ㄷ. A와 D로 이루어진 화합물과 C와 E로 이루어진 화합물의 화학적 성질은 같다.

① ㄱ ② ㄴ ③ ㄷ
④ ㄱ, ㄴ ⑤ ㄴ, ㄷ

07 표는 몇 가지 원자와 이온에 관한 자료이다.

원자 또는 이온	질량수	중성자수	전자 수
A	1	0	1
B	2	1	1
C	1	x	0
D	12	6	6
E	13	7	6

이에 대한 설명으로 옳은 것은? (단, A~E는 임의의 원소 기호이다.)

① 원자 번호는 A가 B보다 크다.
② x=1이다.
③ C는 중성 원자이다.
④ D와 E는 동위 원소이다.
⑤ E를 원자 표시 방법으로 나타내면 $^{13}_{7}$E이다.

08 표는 염소(Cl)와 브로민(Br)의 동위 원소에 대한 자료이다.

원소	동위 원소	원자량	존재 비율(%)
Cl	$^{35}_{17}Cl$	35	75
	$^{37}_{17}Cl$	37	25
Br	$^{79}_{35}Br$	79	51
	$^{81}_{35}Br$	81	49

이에 대한 설명으로 옳은 것만을 〈보기〉에서 있는 대로 고른 것은?

보기
ㄱ. Cl의 평균 원자량은 35.5이다.
ㄴ. 동위 원소의 중성자수 차이는 Cl와 Br이 같다.
ㄷ. 분자량이 다른 BrCl 분자의 수는 4가지이다.

① ㄱ ② ㄷ ③ ㄱ, ㄴ
④ ㄴ, ㄷ ⑤ ㄱ, ㄴ, ㄷ

정답과 해설 032쪽

09 그림은 수소 원자의 에너지 준위와 몇 가지 전자 전이를 나타낸 것이다. 수소 원자의 에너지 준위 $E_n \propto -\frac{1}{n^2}$ 이다.

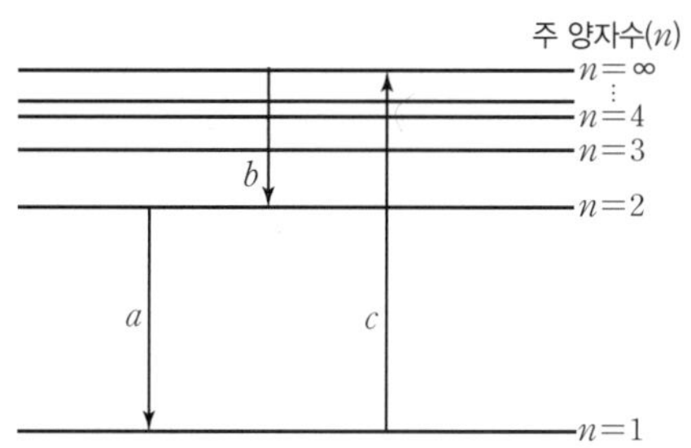

이에 대한 설명으로 옳은 것만을 〈보기〉에서 있는 대로 고른 것은?

보기
ㄱ. 전자가 핵에서 멀어지면 에너지 준위가 증가한다.
ㄴ. a는 전자 껍질 M에서 K로의 전자 전이이다.
ㄷ. a~c 중 에너지를 방출하는 것은 2가지이다.

① ㄱ ② ㄴ ③ ㄱ, ㄴ
④ ㄱ, ㄷ ⑤ ㄴ, ㄷ

10 그림은 원자 X의 오비탈의 에너지 준위를 나타낸 것이다.

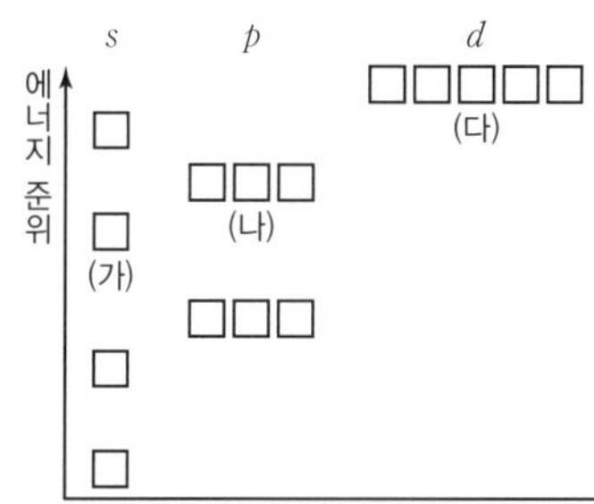

이에 대한 설명으로 옳은 것만을 〈보기〉에서 있는 대로 고른 것은? (단, X는 임의의 원소 기호이다.)

보기
ㄱ. (가)~(다) 오비탈의 주 양자수(n) 합은 10이다.
ㄴ. 방위 양자수는 (다)가 (나)보다 크다.
ㄷ. (나)의 오비탈은 방향성이 없다.

① ㄱ ② ㄴ ③ ㄱ, ㄴ
④ ㄱ, ㄷ ⑤ ㄴ, ㄷ

수능 기출

11 그림 (가)는 수소 원자의 주 양자수(n)에 따른 에너지 준위와 전자 전이 A와 B를 나타낸 것이다. 그림 (나)는 수소 원자의 $2s$와 $2p_x$ 오비탈을 모형으로 나타낸 것이다.

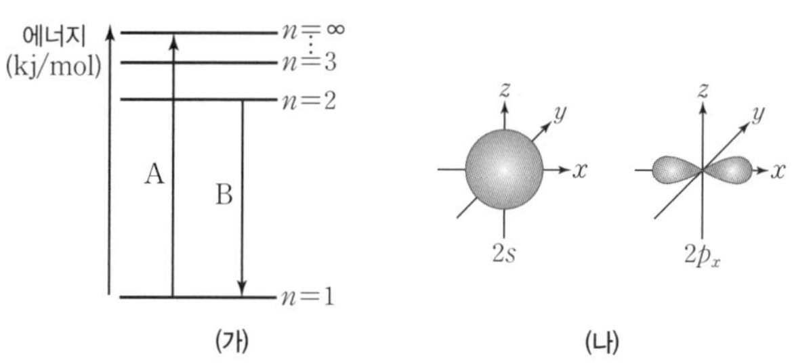

이에 대한 설명으로 옳은 것만을 〈보기〉에서 있는 대로 고른 것은?

보기
ㄱ. (가)의 A에 해당하는 에너지는 수소 원자의 이온화 에너지와 같다.
ㄴ. (가)의 B에서 빛이 방출된다.
ㄷ. (나)의 $2s$와 $2p_x$ 오비탈의 에너지 준위는 (가)에서 $n=2$의 에너지 준위와 같다.

① ㄱ ② ㄴ ③ ㄱ, ㄷ
④ ㄴ, ㄷ ⑤ ㄱ, ㄴ, ㄷ

12 그림은 바닥상태 산소(O) 원자에서 전자가 들어있는 오비탈과 전자 배치를 나타낸 것이다.

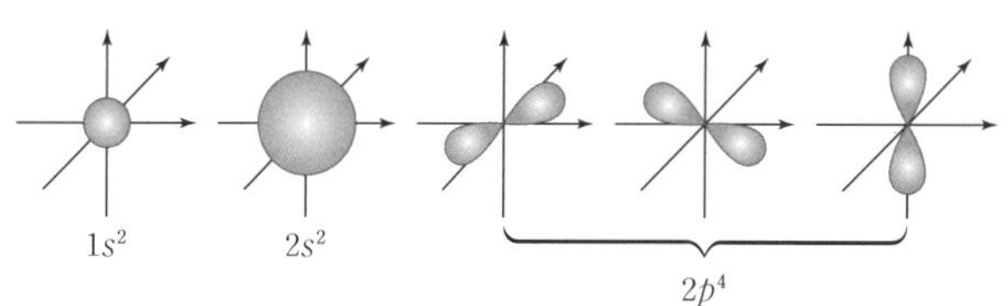

산소 원자에 대한 설명으로 옳은 것만을 〈보기〉에서 있는 대로 고른 것은?

보기
ㄱ. 원자가 전자들의 에너지 준위는 모두 같다.
ㄴ. $2s$에 있는 전자들의 자기 양자수(m_l)는 0이다.
ㄷ. $2p$에 있는 전자들의 스핀 자기 양자수의 합은 0이다.

① ㄴ ② ㄷ ③ ㄱ, ㄴ
④ ㄱ, ㄷ ⑤ ㄱ, ㄴ, ㄷ

실전! 수능 도전하기

정답과 해설 032쪽

수능 기출

13 그림은 학생들이 그린 붕소(B), 탄소(C), 질소(N), 산소(O)원자 각각의 전자 배치 (가)~(라)를 나타낸 것이다.

	1s	2s	2p		
(가)	↑↓	↑↓	↑		
(나)	↑↓	↑	↑	↑	↑
(다)	↑↓	↑↓	↑↓	↑	
(라)	↑↓	↑↓	↑↑	↑	↑

(가)~(라)에 대한 설명으로 옳지 않은 것은?

① (가)는 쌓음 원리를 만족한다.
② (나)는 들뜬상태의 전자 배치이다.
③ (다)는 훈트 규칙을 만족한다.
④ (라)는 파울리 배타 원리에 어긋난다.
⑤ 바닥상태의 전자 배치는 1가지이다.

14 그림은 어떤 중성 원자 A~C와 D^+의 전자 배치를 나타낸 것이다.

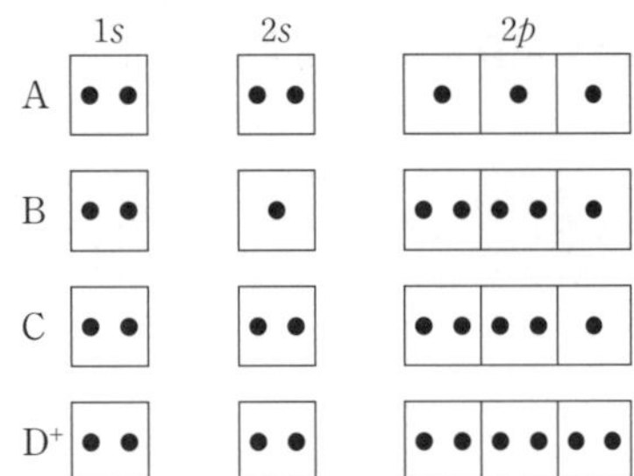

이에 대한 설명으로 옳은 것만을 〈보기〉에서 있는 대로 고른 것은? (단, A~D는 임의의 원소 기호이다.)

보기
ㄱ. B의 전자 배치는 훈트 규칙을 위배한 것이다.
ㄴ. 바닥상태 C^-과 D^+은 전자 배치가 같다.
ㄷ. 바닥상태 홀전자 수는 A가 D의 3배이다.

① ㄱ ② ㄷ ③ ㄱ, ㄴ
④ ㄴ, ㄷ ⑤ ㄱ, ㄴ, ㄷ

수능 기출

15 다음은 질량수가 각각 a, b, c인 원자 ${}^{a}X$, ${}^{b}Y$, ${}^{c}Z$에 대한 자료이다.

- ${}^{a}X$, ${}^{b}Y$, ${}^{c}Z$ 각각에서 $\frac{\text{중성자수}}{\text{양성자수}}=1$이다.
- X에서 $2s$ 오비탈과 $2p$ 오비탈의 에너지 준위는 같다.
- X와 Y는 같은 주기 원소이다.
- $a+b=c$이다.

이에 대한 설명으로 옳은 것만을 〈보기〉에서 있는 대로 고른 것은? (단, X~Z는 임의의 원소 기호이다.)

보기
ㄱ. X는 2주기 원소이다.
ㄴ. Y와 Z는 같은 족 원소이다.
ㄷ. ${}^{a}X$와 ${}^{c}Z$의 중성자수의 합은 ${}^{b}Y$의 전자 수의 2배이다.

① ㄱ ② ㄷ ③ ㄱ, ㄴ
④ ㄴ, ㄷ ⑤ ㄱ, ㄴ, ㄷ

16 다음은 바닥상태 2주기 원자 X와 Y에 대한 자료이다.

- 홀전자 수는 X와 Y가 같다.
- 전자가 들어있는 오비탈 수 비는 X : Y=2 : 5이다.

이에 대한 설명으로 옳은 것만을 〈보기〉에서 있는 대로 고른 것은? (단, X와 Y는 임의의 원소 기호이며, 홀전자 수는 0이 아니다.)

보기
ㄱ. 원자 번호는 Y가 X의 3배이다.
ㄴ. s 오비탈의 전자 수는 X와 Y가 같다.
ㄷ. Y가 안정한 이온이 될 때 방위 양자수가 +1인 오비탈 수가 증가한다.

① ㄱ ② ㄷ ③ ㄱ, ㄴ
④ ㄴ, ㄷ ⑤ ㄱ, ㄴ, ㄷ

2 원소의 주기적 성질

배울 내용 살펴보기

01 주기율표

- A 주기율표의 역사
- B 현대 주기율표
- C 원소의 분류

현재 사용하고 있는 주기율표가 만들어지기까지의 역사를 알고, 종류에 따른 원소, 족에 따른 원소를 분류할 수 있어.

02 원소의 주기적 성질(1)

- A 유효 핵전하
- B 원자 반지름
- C 이온 반지름

주기율표에서 유효 핵전하, 원자 반지름, 이온 반지름의 주기성을 설명할 수 있어.

03 원소의 주기적 성질(2)

- A 이온화 에너지
- B 순차적 이온화 에너지

주기율표에서 이온화 에너지의 주기성을 설명할 수 있어.

01 주기율표

핵심 키워드로 흐름잡기

A 세 쌍 원소설, 옥타브 법칙, 멘델레예프와 모즐리 주기율표

B 주기율, 주기율표, 주기, 족,

C 금속 원소, 비금속 원소, 준금속 원소, 1족 원소, 2족 원소, 17족 원소, 18족 원소,

A 주기율표의 역사

|출·제·단·서| 현대의 주기율표가 완성되기까지의 과정과 멘델레예프와 모즐리의 주기율표 차이를 묻는 문제가 나와.

1. 라부아지에의 °원소 분류❶(18세기 말) 당시 알려진 33종의 원소를 성질에 따라 4개의 그룹으로 분류하였지만, 원소가 아닌 것들이 포함되어 있었다.

기체	빛, 열, 산소, 질소, 수소
비금속	황, 인, 탄소, 염소, 플루오린, 붕소
금속	안티모니, 은, 비소, 비스무트, 코발트, 구리, 주석, 철, 망가니즈, 수은, 몰리브데넘, 니켈, 금, 백금, 납, 텅스텐, 아연
산화물	산화 칼슘(CaO), 산화 바륨(BaO), 산화 마그네슘(MgO), 산화 알루미늄(Al_2O_3), 이산화 규소(SiO_2)

❶ **라부아지에 원소 분류의 단점** 빛, 열 등은 원소가 아니었고, 산화물은 화합물이므로 원소가 아니었다.

2. 되베라이너의 세 쌍 원소설(19세기 초) 세 원소의 화학적 성질이 비슷하며, 중간 원소의 원자량은 다른 두 원소의 원자량의 평균값과 비슷하다는 것을 알아내고, 세 쌍 원소라고 하였다.

예 $\text{Sr의 원자량}=\dfrac{\text{Ca의 원자량}+\text{Ba의 원자량}}{2}≒88.5$

염소(Cl) 35.5	브로민(Br) 80	아이오딘(I) 127
칼슘(Ca) 40.1	스트론튬(Sr) 87.6	바륨(Ba) 137.3

3. 뉴랜즈의 °옥타브 법칙(19세기 말)❷ 원소들을 원자량 순서대로 나열하면 8번째마다 화학적 성질이 비슷한 원소가 나타난다는 옥타브 법칙을 발표하였다.

F Na Mg Al Si P S Cl ⋯
한 옥타브(8개)에서 비슷한 성질이 나타난다.

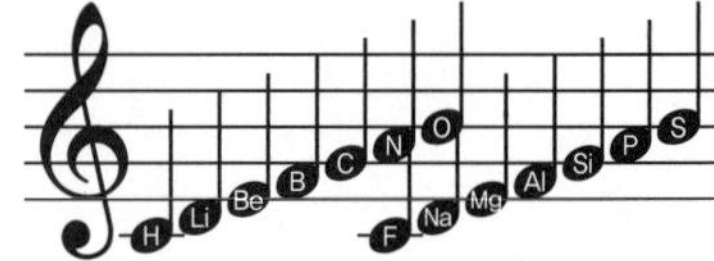

▲ 원소의 옥타브

❷ **옥타브 법칙**

도 - 레 - 미 - 파 - 솔 - 라 - 시
Li Be B C N O F
도 - 레 - 미 - 파 - 솔 - 라 - 시
Na Mg Al Si P S Cl
도 - 레
K Ca

뉴랜즈가 옥타브 법칙을 발표하였을 때에는 18족 원소인 비활성 기체가 발견되지 않았기 때문에 8번째마다 비슷한 성질이 나타난 것이고, 현재는 9번째마다 비슷한 성질이 나타난다.

4. 멘델레예프의 주기율표(19세기 말) 그 당시 알려진 60여 종의 원소들을 원자량 순서대로 나열하였을 때 성질이 비슷한 원소가 주기적으로 나타나는 것을 발견하고 주기율표를 만들었다. 당시 발견되지 않은 원소가 존재할 것임을 예측하고, 주기율표의 빈칸에 들어갈 원소의 성질까지 예측하였다. 암기TiP 멘델레예프의 주기율표 → 원소를 원자량 순으로 배열

(1) 멘델레예프가 예측한 에카알루미늄(Ea)의 성질은 이후 발견된 갈륨(Ga)과 비슷하였다.

원소	원자량	밀도(g/cm^3)	녹는점(℃)	산화물의 화학식
Ea	68	5.9	낮다	Ea_2O_3
Ga	69.7	5.9	29.8	Ga_2O_3

▲ 멘델레예프가 예측한 Ea과 이후 발견된 Ga의 성질

(2) 일부 원소가 원자량 순서와 주기적 성질이 맞지 않았다.

5. 모즐리의 주기율표(1913년) 원자 번호 순서대로 나열하여 멘델레예프 주기율표의 단점을 보완하였고, 현대 주기율표를 완성하는 데 기여하였다.

암기TiP 모즐리의 주기율표 → 원소를 원자 번호 순으로 배열

용어 알기

● 원소(근본 原, 바탕 所) 물질의 기본 성분

● 옥타브(Octave) 음악에서는 도, 레, 미, 파, 솔, 라, 시, 도 8개의 음을 옥타브라고 하며, 공학적으로는 주파수의 비가 2:1이 되는 음정 단위

B 현대 주기율표

|출·제·단·서| 주기율표에서 주기와 족이 무엇인지와 원소를 분류하는 것이 시험에 나와.

1. 주기율❸ 원소를 원자 번호 순서대로 나열했을 때 화학적 성질이 비슷한 원소가 일정한 간격을 두고 나타나는 성질

2. 주기율표 화학적 성질이 비슷한 원소가 일정한 간격으로 반복되어 나타나도록 원소를 배열한 표로, 주기와 족으로 구성되어 있다.

(1) **•주기** 주기율표의 가로줄로 1주기부터 7주기까지 있다.

① 같은 주기에 속하는 원소는 바닥상태 원자에서 전자가 들어 있는 전자 껍질 수가 같다.

② 각 주기의 원소의 수는 화학적 성질이 비슷한 원소들의 원자 번호 간격과 일치한다.

주기	1	2	3	4	5	6	7
전자 껍질	K	K, L	K, L, M	K, L, M, N	K, L, M, N, O	K, L, M, N, O, P	K, L, M, N, O, P, Q
원소의 개수	2	8	8	18	18	32	32

(2) **•족** 주기율표의 세로줄로 1족부터 18족까지 있다.

(암기TiP) 원자가 전자 수는 족 수의 일의 자리와 같다. 단, 18족 원소는 0이다.

① 같은 족에 속하는 원소들은 원자가 전자 수가 같아서 화학적 성질이 비슷하다.

족	1	2	13	14	15	16	17	18
원자가 전자 수	1	2	3	4	5	6	7	0
가장 바깥 전자 껍질의 오비탈 전자 배치	ns^1	ns^2	ns^2np^1	ns^2np^2	ns^2np^3	ns^2np^4	ns^2np^5	ns^2np^6

② 같은 족에서는 원자 번호가 증가함에 따라 물리적 성질이 규칙적으로 증가한다.

❸ 주기율
원소를 원자 번호 순서로 나열하면 원자가 전자 수가 원자 번호에 따라 주기적으로 반복되기 때문에 화학적 성질이 비슷한 원소들이 주기적으로 나타난다.

(암기TiP) 1~20번 원소는 원자 번호 순으로, 주기율표 모양에 맞추어 꼭 외워 둔다.

용어 알기
•주기(돌다 週, 만나다 期)(period) 일정한 간격이나 시간 동안 어떤 현상이 반복될 때 그 현상의 한 마디
•족(무리 族)(group) 주기율표에서 같은 성질을 지닌 원소들이 배열된 세로줄

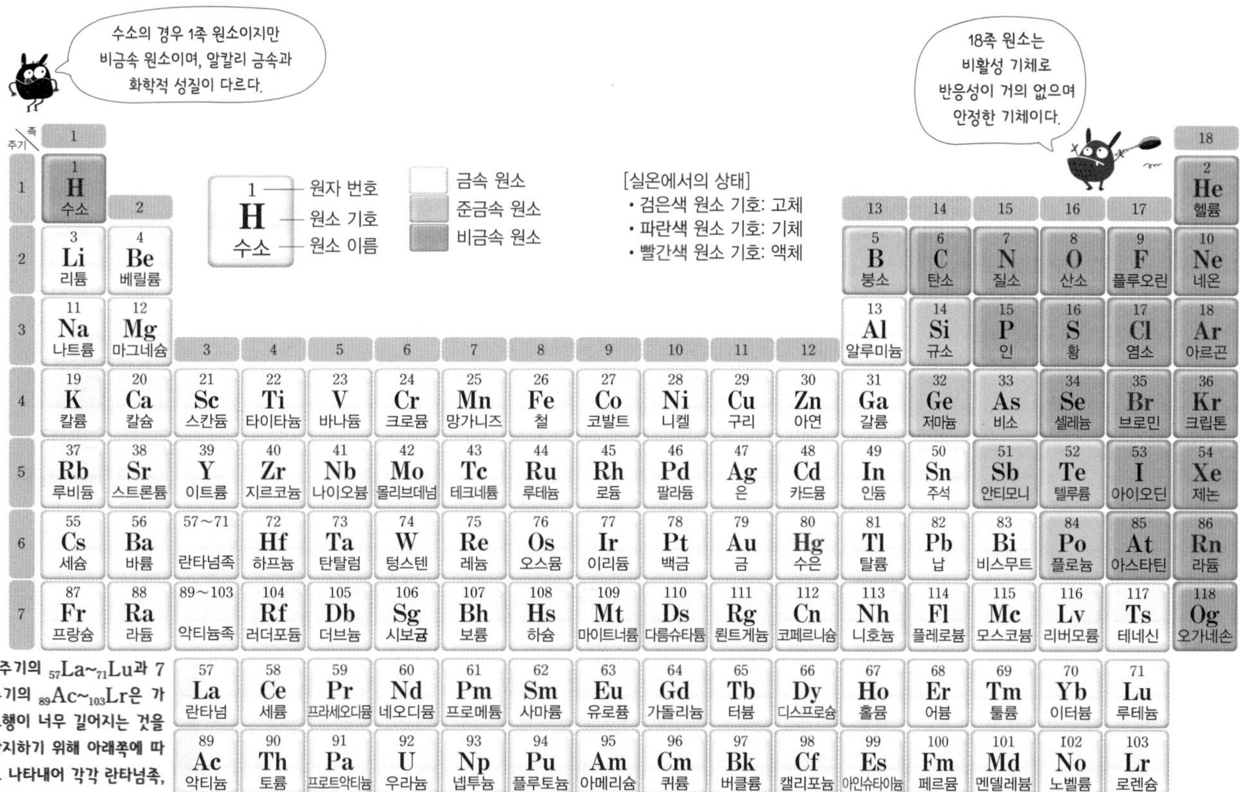

6주기의 $_{57}La$~$_{71}Lu$과 7주기의 $_{89}Ac$~$_{103}Lr$은 가로행이 너무 길어지는 것을 방지하기 위해 아래쪽에 따로 나타내어 각각 란타넘족, 악티늄족이라고 한다.

▲ 현대의 주기율표 — 7개의 가로줄(주기)과 18개의 세로줄(족)로 구성되어 있다.

C 원소의 분류

|출·제·단·서| 같은 족 원소들이 비슷한 화학적 성질을 나타내는 까닭이 원자가 전자 수가 같기 때문임을 확인하는 문제가 시험에 나와.

1. 종류에 따른 원소의 분류

(1) 금속 원소와 비금속 원소

금속 원소는 주기율표 왼쪽 아래에 위치하며, 양이온이 되기 쉽고, 비금속 원소는 주기율표 오른쪽 위에 위치하며, 음이온이 되기 쉽다.

구분	금속 원소	비금속 원소
주기율표의 위치	왼쪽 아래	오른쪽 위
이온의 형성	전자를 잃고 양이온이 되기 쉽다.	전자를 얻어 음이온이 되기 쉽다.
열과 전기 전도성	크다.	매우 작다.(단, 흑연은 제외)
산화물의 특징	물에 녹아 염기성을 나타낸다.	물에 녹아 산성을 나타낸다.
상온에서의 상태	고체(단, 수은은 액체)	기체 또는 고체(단, 브로민은 액체)
특징	• 광택이 있다. • 대부분의 금속은 산과 반응하여 수소 기체를 발생한다. • 외부에서 힘을 가하면 넓게 펴지거나(전성), 가늘게 뽑히는 성질(연성)이 있다.	• 광택이 없다. • 산과 반응하지 않는다. • 고체인 경우 외부에서 힘을 가하면 부서진다.

(2) 준금속 원소 금속과 비금속의 중간 성질을 가지고 있는 원소들이다. 붕소(B), 규소(Si), 저마늄(Ge) 등이 있다. – 반도체나 태양전지의 주재료로 사용된다.

빈출 자료 금속성과 비금속성

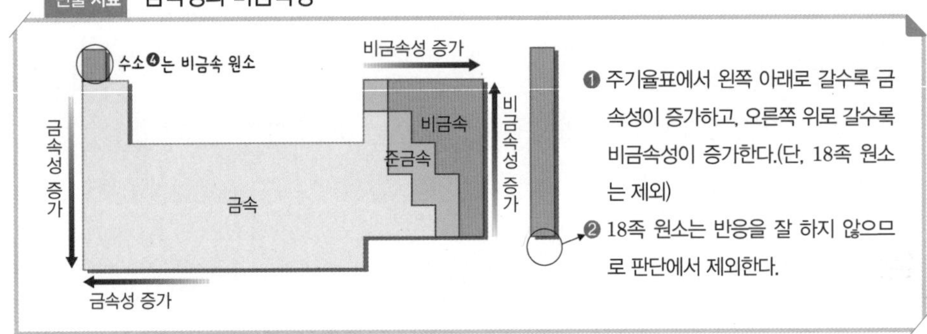

❶ 주기율표에서 왼쪽 아래로 갈수록 금속성이 증가하고, 오른쪽 위로 갈수록 비금속성이 증가한다.(단, 18족 원소는 제외)

❷ 18족 원소는 반응을 잘 하지 않으므로 판단에서 제외한다.

❹ **수소**
주기율표에서 수소는 1족 금속 쪽에 위치하지만 비금속에 해당하는 원소이다.

2. 족에 따른 원소의 분류

암기TiP 1족 → 알칼리 금속 → 반응성이 큰 금속

(1) 1족 원소 수소(H)를 제외한 금속 원소들을 알칼리 금속이라고 한다. 반응성이 매우 커서 공기 중과 물속에서 활발하게 반응하는 금속들이다.

알칼리 금속 (1족)	• 수소를 제외한 1족 원소이다. • 리튬(Li), 나트륨(Na), 칼륨(K), 루비듐(Rb), 세슘(Cs), 프랑슘(Fr) • 원자가 전자 수가 1이다. • 물과 반응하여 수소 기체가 발생한다. • 양이온이 되면 +1의 전하를 띤다. • 원자 번호가 증가할수록 반응하는 정도는 커진다. 반응성: Li<Na<K<Rb<Cs	 ▲ 리튬 이온 배터리

(2) 2족 원소 지각을 구성하는 원소로, 알칼리 토금속이라고 한다.

마그네슘은 공기 중에서 연소하며 밝은 빛을 낸다.

알칼리 토금속 (2족)	• 베릴륨(Be), 마그네슘(Mg), 칼슘(Ca), 스트론튬(Sr), 바륨(Ba), 라듐(Ra) • 원자가 전자 수가 2이다. • 알칼리 금속 다음으로 반응성이 큰 금속이다. • 양이온이 되면 +2의 전하를 띤다.	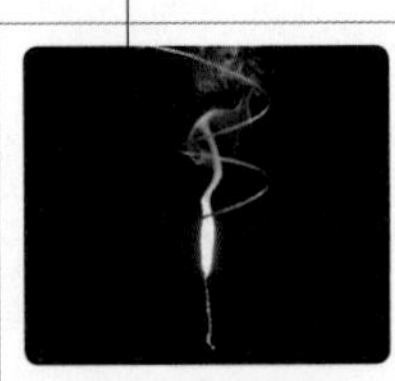 ▲ 마그네슘의 연소

용어 알기

• 금속(쇠 金, 엮다 屬)(metal) 일반적으로 단단하고 광택이 있으며, 열전도율과 전기 전도도가 높은 물질로, 주기율표 상에서는 $\frac{3}{4}$ 정도가 금속 원소

• 알칼리 금속(alkali metal) 알칼리라는 용어는 물에 잘 녹는다는 뜻으로 알칼리 금속은 물에 잘 녹는 금속임

(3) 17족 원소 반응성이 매우 큰 비금속 원소로 할로젠 원소❺라고 한다.
원자 번호가 작을수록 반응성이 증가한다.

할로젠 원소 (17족)	• 플루오린(F), 염소(Cl), 브로민(Br), 아이오딘(I), 아스타틴(At) • 금속과 반응하면 이온 결합 화합물을 만든다. • 음이온이 되면 −1의 전하를 띤다. 암기TiP 17족 → 할로젠 원소 → 반응성이 큰 비금속

(4) 18족 원소 반응성이 거의 없는 기체 상태로 존재하는 비금속 원소들로 비활성 기체라고 한다.

비활성 기체 (18족)	• 헬륨(He), 네온(Ne), 아르곤(Ar), 크립톤(Kr), 제논(Xe), 라돈(Rn) • 반응성이 매우 작아 다른 원소와 반응하지 않는다. • 상온에서 대부분 기체로 존재한다. 암기TiP 18족 → 비활성 기체 → 반응성이 거의 없다.

3. 원소의 전자 배치와 주기율

(1) 주기율표에서 전자 배치 개념 POOL

① 바닥상태 전자 배치에서 원자가 전자의 전자 배치를 통해 주기율표에서 해당 원소의 주기와 족을 알 수 있다.

예 Na의 바닥상태 전자 배치는 $1s^2 2s^2 2p^6 3s^1$이므로 3주기 1족 원소이다.

② 전자가 들어있는 가장 바깥 전자 껍질의 주 양자수는 주기와 같다.

③ 전자가 들어있는 가장 바깥 전자 껍질의 s 오비탈과 p 오비탈에 들어있는 전자 수는 족과 관련이 있다.

구분	1족	2족	13족	14족	15족	16족	17족	18족
1주기	H							He
	$1s^1$							$1s^2$
2주기	Li	Be	B	C	N	O	F	Ne
	$2s^1$	$2s^2$	$2s^2 2p^1$	$2s^2 2p^2$	$2s^2 2p^3$	$2s^2 2p^4$	$2s^2 2p^5$	$2s^2 2p^6$
3주기	Na	Mg	Al	Si	P	S	Cl	Ar
	$3s^1$	$3s^2$	$3s^2 3p^1$	$3s^2 3p^2$	$3s^2 3p^3$	$3s^2 3p^4$	$3s^2 3p^5$	$3s^2 3p^6$
4주기	K	Ca	Ga	Ge	As	Se	Br	Kr
	$4s^1$	$4s^2$	$4s^2 4p^1$	$4s^2 4p^2$	$4s^2 4p^3$	$4s^2 4p^4$	$4s^2 4p^5$	$4s^2 4p^6$
가장 바깥 전자 껍질의 전자 배치	ns^1	ns^2	$ns^2 np^1$	$ns^2 np^2$	$ns^2 np^3$	$ns^2 np^4$	$ns^2 np^5$	$ns^2 np^6$
원자가 전자 수	1	2	3	4	5	6	7	0

같은 족은 가장 바깥 전자 껍질의 주 양자수만 다르고, 가장 바깥 전자 껍질의 s 오비탈과 p 오비탈의 전자 배치가 모두 같다.

(2) 전자 배치와 원자가 전자

① **같은 족 원소(동족 원소):** 같은 족 원소의 바닥상태 전자 배치에서 원자가 전자 수가 같아서 화학적 성질이 비슷하다.

② **원자가 전자:** 원소의 화학적 성질을 결정하는 것으로, 18족 원소를 제외하면 가장 바깥 껍질에 들어 있는 전자 수와 같다.

빈출 자료 주기율이 나타나는 까닭

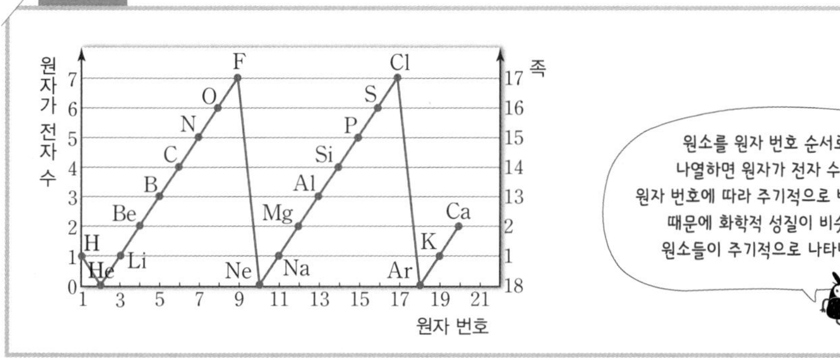

❺ **할로젠 원소**
• 상온에서 2원자 분자로 존재한다.
• 반응성은 $F_2 > Cl_2 > Br_2 > I_2$이다.

▲ 염소, 브로민, 아이오딘

? 18족 원소는 비금속인데 왜 비금속성이 없을까?
18족 원소는 안정한 전자 배치를 하고 있어서 화학 반응이나 화학 결합에 참여하는 전자가 없다. 따라서 비금속에 속하는 원소이지만 전자를 얻어 음이온이 되기 어렵기 때문에 비금속성이 없다.

용어 알기
• 비활성(아니다 非, 살다 活, 성품 性) 활성이 없다는 뜻으로, 반응이 없고 안정하다는 의미

주기율표와 전자 배치

목표 주기율표에서 원소들의 원자가 전자의 전자 배치를 통해 주기와 족을 판단하고, 화학적 성질을 추정할 수 있다.

1 주기율표에 나타낸 전자가 채워지는 오비탈

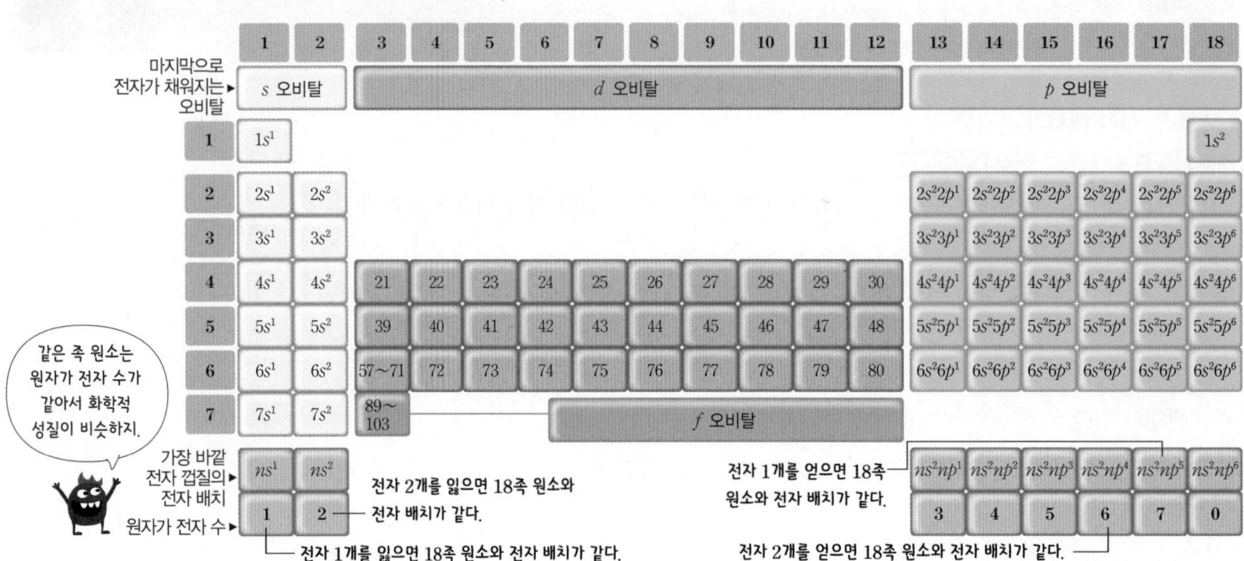

1 2 3 4 5 6 7 8 9 10 11 12 13 14 15 16 17 18
마지막으로 전자가 채워지는 오비탈
s 오비탈
d 오비탈
p 오비탈
1 $1s^1$ $1s^2$
2 $2s^1$ $2s^2$ $2s^22p^1$ $2s^22p^2$ $2s^22p^3$ $2s^22p^4$ $2s^22p^5$ $2s^22p^6$
3 $3s^1$ $3s^2$ $3s^23p^1$ $3s^23p^2$ $3s^23p^3$ $3s^23p^4$ $3s^23p^5$ $3s^23p^6$
4 $4s^1$ $4s^2$ 21 22 23 24 25 26 27 28 29 30 $4s^24p^1$ $4s^24p^2$ $4s^24p^3$ $4s^24p^4$ $4s^24p^5$ $4s^24p^6$
5 $5s^1$ $5s^2$ 39 40 41 42 43 44 45 46 47 48 $5s^25p^1$ $5s^25p^2$ $5s^25p^3$ $5s^25p^4$ $5s^25p^5$ $5s^25p^6$
6 $6s^1$ $6s^2$ 57~71 72 73 74 75 76 77 78 79 80 $6s^26p^1$ $6s^26p^2$ $6s^26p^3$ $6s^26p^4$ $6s^26p^5$ $6s^26p^6$
7 $7s^1$ $7s^2$ 89~103
f 오비탈
같은 족 원소는 원자가 전자 수가 같아서 화학적 성질이 비슷하지.
가장 바깥 전자 껍질의 전자 배치
ns^1 ns^2 ns^2np^1 ns^2np^2 ns^2np^3 ns^2np^4 ns^2np^5 ns^2np^6
원자가 전자 수
1 2 3 4 5 6 7 0
전자 2개를 잃으면 18족 원소와 전자 배치가 같다.
전자 1개를 얻으면 18족 원소와 전자 배치가 같다.
전자 1개를 잃으면 18족 원소와 전자 배치가 같다.
전자 2개를 얻으면 18족 원소와 전자 배치가 같다.

2 주기율표와 전자 배치

주기 번호와 전자가 들어 있는 전자 껍질 수가 같아!

주기 \ 족	1	2	13	14	15	16	17	18	전자가 들어 있는 전자 껍질 수
1	1+ ${}_{1}H$							2+ ${}_{2}He$	1
2	3+ ${}_{3}Li$	4+ ${}_{4}Be$	5+ ${}_{5}B$	6+ ${}_{6}C$	7+ ${}_{7}N$	8+ ${}_{8}O$	9+ ${}_{9}F$	10+ ${}_{10}Ne$	2
3	11+ ${}_{11}Na$	12+ ${}_{12}Mg$	13+ ${}_{13}Al$	14+ ${}_{14}Si$	15+ ${}_{15}P$	16+ ${}_{16}S$	17+ ${}_{17}Cl$	18+ ${}_{18}Ar$	3
가장 바깥 전자 껍질의 전자 배치	ns^1	ns^2	ns^2np^1	ns^2np^2	ns^2np^3	ns^2np^4	ns^2np^5	ns^2np^6	
원자가 전자 수	1	2	3	4	5	6	7	0	

원자가 전자의 전자 배치는 H의 경우 $1s^1$, Li은 $2s^1$, Na은 $3s^1$이지.

한·줄·핵심 주기율표에서 원소의 가장 바깥 전자 껍질의 전자 배치를 나타내 보면 주기와 족에 따라 일정한 경향이 나타난다.

확인 문제

정답과 해설 035쪽

01 다음 원소들의 원자가 전자의 전자 배치를 나타내고, 주기와 족을 쓰시오.

(1) ${}_{2}He$ (2) ${}_{10}Ne$
(3) ${}_{3}Li$ (4) ${}_{11}Na$
(5) ${}_{9}F$ (6) ${}_{17}Cl$

02 다음 설명 중 옳은 것은 ○, 옳지 않은 것은 ×로 표시하시오.

(1) 15족 원소들은 원자가 전자 수가 5개이다. ( )
(2) He과 Ne은 같은 족 원소이다. ( )
(3) Ne과 Na은 같은 주기 원소이다. ( )
(4) 원자가 전자 수는 Ne이 Li의 8배이다. ( )

콕콕! 개념 확인하기

정답과 해설 035쪽

✔ 잠깐 확인!

1. □□□□□
60여 종의 원소들을 원자량 순서대로 나열하여 주기율표를 만든 과학자

2. □□□
멘델레예프 주기율표를 개선하여 원자 번호 순서대로 주기율표를 완성한 과학자

3. □□
주기율표의 가로줄로, 전자 껍질 수를 의미하기도 한다.

4. □
주기율표의 세로줄로, 원자가 전자 수가 같은 원소들이 모여있다.

5. □□□ 원소
전자를 얻어 음이온이 되기 쉬운 원소로, 주기율표에서 오른쪽 위쪽에 있는 원소

6. □□□ □□
주기율표에서 1족에 속하는 반응성이 큰 원소

7. □□□ □□
반응성이 거의 없는 기체 상태로 존재하는 비금속 원소들이다.

A 주기율표의 역사

01 다음은 주기율표의 역사에 대한 설명이다. ㉠~㉣에 들어갈 알맞은 말을 쓰시오.

> 라부아지에가 당시 알려진 33종의 원소를 성질에 따라 분류한 이후, 되베라이너는 세 원소의 화학적 성질이 비슷하고, 중간 원소의 원자량은 다른 원소의 원자량의 평균값과 비슷하다는 것을 알아내어 이를 (㉠)라고 하였다. 뉴랜즈는 원소들을 원자량 순서대로 나열하면 8번째마다 화학적 성질이 비슷한 원소들이 나온다고 하여 (㉡) 법칙을 발표하였다. 이후 멘델레예프는 60여 종의 원소들을 (㉢) 순서대로 나열하여 주기율표를 만들었고, 모즐리는 원소들을 (㉣) 순서대로 나열하여 현대 주기율표를 완성하는 데 기여하였다.

B 현대 주기율표

02 원소를 원자 번호 순서대로 나열했을 때 화학적 성질이 비슷한 원소가 일정한 간격을 두고 나타나는 성질을 무엇이라고 하는지 쓰시오.

03 주기율과 주기율표에 대한 설명으로 옳은 것은 ○, 옳지 않은 것은 ×로 표시하시오.

(1) 주기율표의 주기는 1~18주기가 있다. ( )
(2) 같은 족에 속하는 원소들은 화학적 성질이 비슷하다 ( )
(3) 주기율표의 가로줄을 주기라고 하고, 세로줄은 족이라고 한다. ( )
(4) 같은 주기에 속하는 원소는 바닥상태 원자에서 전자가 들어 있는 전자 껍질 수가 다르다. ( )

C 원소의 분류

04 다음은 주기율표에서 나타나는 특성에 대한 설명이다. ㉠~㉢에 들어갈 알맞은 말을 쓰시오.

> 주기율표에서 왼쪽 아래로 갈수록 (㉠)이 증가하고, 오른쪽 위로 갈수록 (㉡)이 증가한다. 금속과 비금속의 중간 성질을 가지고 있는 원소들은 (㉢) 원소라고 한다.

05 원소들과 원소들의 특징을 옳게 연결하시오.

(1) Li, Na, K • • ㉠ 음이온이 −1의 전하를 띤다.
(2) F, Cl, Br, I • • ㉡ 물과 반응하여 수소 기체가 발생한다.
(3) He, Ne, Ar, Kr • • ㉢ 반응성이 매우 작아서 반응하지 않는다.

탄탄! 내신 다지기

A 주기율표의 역사

01 다음 중 되베라이너가 주장한 세 쌍 원소설에 대한 설명으로 옳은 것은?

① 빛, 열, 산소, 질소, 수소를 기체로 분류할 수 있다.
② 원소들을 원자량 순서대로 나열하면 8번째마다 화학적 성질이 비슷한 원소가 나타난다.
③ 화학적 성질이 비슷하면서 중간 원소의 원자량이 두 원소의 원자량의 평균값과 비슷한 세 원소가 있다.
④ 원소들을 원자량 순서대로 나열하면 비슷한 원소가 주기적으로 나타난다.
⑤ 원소들을 원자 번호 순서대로 나열하면 비슷한 원소가 주기적으로 나타난다.

02 다음에서 설명하는 주기율표를 제안한 과학자는?

> 원소들을 원자량 순서대로 나열하면 8번째마다 화학적 성질이 비슷한 원소가 나타난다. 에카알루미늄(Ea)은 그 당시 발견되지 않았지만 성질은 이후 발견된 갈륨(Ga)과 비슷하였다.

① 라부아지에 ② 되베라이너
③ 뉴랜즈 ④ 멘델레예프
⑤ 모즐리

03 모즐리는 멘델레예프가 제안한 주기율표에서 일부 원소가 성질이 맞지 않는 것을 알고 새로운 방법으로 주기율표를 제안하게 되었다. 모즐리가 제안한 주기율표에서 원소의 나열 방법은?

① 원자량
② 중성자수
③ 원자 번호
④ 오비탈의 전자 수
⑤ 원소 기호의 알파벳 순

B 현대 주기율표

04 현대 주기율표에 대한 설명으로 옳지 않은 것은?

① 1주기에서 7주기까지 있다.
② 1족에서 18족까지 있다.
③ 같은 족에 속하는 원소는 원자가 전자 수가 같다.
④ 같은 주기에 속하는 원소는 전자 껍질 수가 같다.
⑤ 같은 주기에 속하는 원소는 원자 번호가 커짐에 따라 물리적 성질이 규칙적으로 증가한다.

단답형

05 그림은 주기율표의 일부를 나타낸 것이다.

주기＼족	1	2	3~12	13	14	15	16	17	18
1	A								B
2	C							D	
3		E				F		G	
4	H								

A~H 중 화학적 성질이 비슷한 원소끼리 묶어 나타내시오. (단, A~H는 임의의 원소 기호이다.)

C 원소의 분류

단답형

06 그림은 주기율표를 나타낸 것이다.

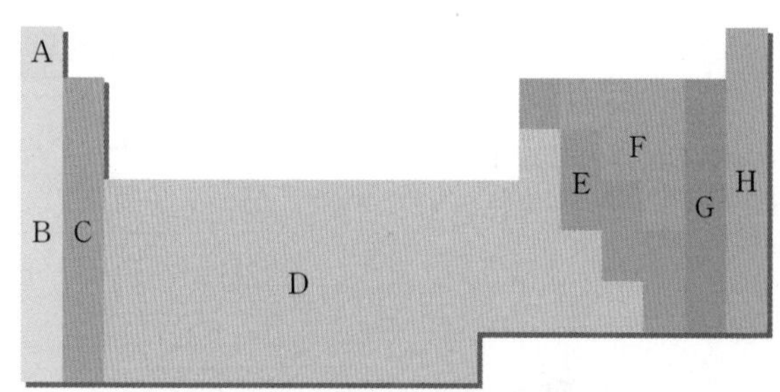

A~H를 금속과 비금속 원소로 구분하시오.

07 준금속 원소들에 대한 설명으로 옳은 것만을 〈보기〉에서 있는 대로 고른 것은?

보기
ㄱ. B, Si, Ge 등이 있다.
ㄴ. 금속과 비금속의 중간적인 성질을 가진다.
ㄷ. 반도체나 태양 전지의 주재료로 사용된다.

① ㄱ ② ㄱ, ㄴ ③ ㄱ, ㄷ
④ ㄴ, ㄷ ⑤ ㄱ, ㄴ, ㄷ

[08~09] 그림은 원자 번호 1~20인 원소들의 원자가 전자 수의 변화를 나타낸 것이다.

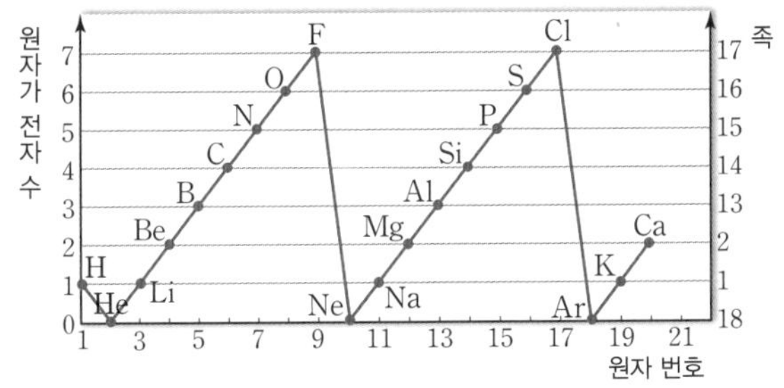

단답형

08 알칼리 금속과 할로젠 원소를 분류하여 쓰시오.

09 이에 대한 설명으로 옳은 것만을 〈보기〉에서 있는 대로 고른 것은?

보기
ㄱ. 18족 원소를 제외하면 원자가 전자 수는 족 번호의 일의 자릿수와 같다.
ㄴ. 같은 족 원소는 원자가 전자 수가 같아서 화학적 성질이 비슷하다.
ㄷ. 같은 주기 원소는 원자 번호가 커질수록 원자가 전자 수가 증가한다.

① ㄱ ② ㄱ, ㄴ ③ ㄱ, ㄷ
④ ㄴ, ㄷ ⑤ ㄱ, ㄴ, ㄷ

10 그림은 주기율표의 일부를 나타낸 것이다.

주기＼족	1	2	3~12	13	14	15	16	17	18
2								A	
3	B							C	
4	D							E	

이에 대한 설명으로 옳은 것만을 〈보기〉에서 있는 대로 고른 것은? (단, A~E는 임의의 원소 기호이다.)

보기
ㄱ. B와 D는 원자가 전자 수가 1이다.
ㄴ. A, C, E는 전자를 잃고 양이온이 되기 쉽다.
ㄷ. A와 B의 안정된 이온의 전자 배치는 같다.

① ㄱ ② ㄱ, ㄴ ③ ㄱ, ㄷ
④ ㄴ, ㄷ ⑤ ㄱ, ㄴ, ㄷ

단답형

11 다음은 주기율표에 속하는 어떤 원소들에 대한 설명이다. ㉠, ㉡에 들어갈 알맞은 말을 쓰시오.

(㉠)는 원자가 전자의 전자 배치가 ns^2np^6인 원소들로 원자가 전자 수가 (㉡)인 원소들이다.

12 표는 중성 원자 A~C의 전자 배치를 나타낸 것이다.

중성 원자	전자 배치
A	$1s^2 2s^2$
B	$1s^2 2s^2 2p^6 3s^2$
C	$1s^2 2s^2 2p^6 3s^2 3p^6 4s^2$

A~C의 공통점에 대한 설명으로 옳은 것만을 〈보기〉에서 있는 대로 고른 것은? (단, A~C는 임의의 원소 기호이다.)

보기
ㄱ. 2족 원소이다.
ㄴ. 원자가 전자 수가 2이다.
ㄷ. 산화물을 형성할 때, 원자 1몰당 결합하는 산소 원자 수가 2몰이다.

① ㄱ ② ㄱ, ㄴ ③ ㄱ, ㄷ
④ ㄴ, ㄷ ⑤ ㄱ, ㄴ, ㄷ

도전! 실력 올리기

01 다음은 주기율표의 역사에 관한 내용이다.

(가) 되베라이너의 세 쌍 원소설
(나) 모즐리의 주기율표
(다) 뉴랜즈의 옥타브 법칙
(라) 멘델레예프의 주기율표

(가)~(라)를 시대 순서대로 옳게 나타낸 것은?

① (가) → (나) → (다) → (라)
② (가) → (다) → (나) → (라)
③ (가) → (다) → (라) → (나)
④ (다) → (가) → (라) → (나)
⑤ (다) → (가) → (나) → (라)

02 다음은 어떤 과학자의 주기율표에 대한 설명이다.

당시 알려진 60여 종의 원소들을 배열하여 발견되지 않은 원소가 있음을 예측하고, 주기율표의 빈칸에 에카알루미늄(Ea)과 같이 미래에 발견된 원소들의 특징까지 예측하였다

이 주기율표에 대한 설명으로 옳은 것만을 〈보기〉에서 있는 대로 고른 것은?

보기
ㄱ. 원소를 원자 번호 순서대로 나열하였다.
ㄴ. 에카알루미늄은 이후 발견된 갈륨(Ga)과 성질이 비슷하였다.
ㄷ. 일부 원소가 원자량 순서와 주기적 성질이 맞지 않았다.

① ㄱ ② ㄴ ③ ㄷ
④ ㄱ, ㄴ ⑤ ㄴ, ㄷ

03 그림은 주기율표의 일부를 나타낸 것이다.

주기＼족	1	2	3	4	5	6	7	8~12	13	14	15	16	17	18
1														
2	A													
3		B											C	D
4	E					F								

A~F에 대한 설명으로 옳은 것만을 〈보기〉에서 있는 대로 고른 것은? (단, A~F는 임의의 원소 기호이다.)

보기
ㄱ. 금속 원소는 4가지이다.
ㄴ. A는 2주기 1족 원소이다.
ㄷ. 바닥상태에서 전자 껍질 수가 3개인 원소는 3가지이다.

① ㄱ ② ㄷ ③ ㄱ, ㄴ
④ ㄴ, ㄷ ⑤ ㄱ, ㄴ, ㄷ

출제예감

04 그림은 주기율표의 일부를 나타낸 것이다.

주기＼족	1	2	3~12	13	14	15	16	17	18
1									A
2	B						C	D	
3	E							F	

A~F에 대한 설명으로 옳은 것만을 〈보기〉에서 있는 대로 고른 것은? (단, A~F는 임의의 원소 기호이다.)

보기
ㄱ. E는 B보다 반응성이 크다.
ㄴ. A는 비금속성이 가장 크다.
ㄷ. D와 F는 원자가 전자 수가 같다.

① ㄱ ② ㄴ ③ ㄱ, ㄷ
④ ㄴ, ㄷ ⑤ ㄱ, ㄴ, ㄷ

05 표는 중성 원자 A~D의 전자 배치를 나타낸 것이다.

중성 원자	전자 배치
A	$1s^1$
B	$1s^2 2s^1$
C	$1s^2 2s^2 2p^5$
D	$1s^2 2s^2 2p^6 3s^2 3p^5$

이에 대한 설명으로 옳은 것만을 〈보기〉에서 있는 대로 고른 것은? (단, A~D는 임의의 원소 기호이다.)

보기
ㄱ. 원자가 전자 수는 D가 B보다 많다.
ㄴ. A~D 중 금속 원소는 2가지이다.
ㄷ. 2주기 17족 원소는 D이다.

① ㄱ ② ㄴ ③ ㄱ, ㄷ
④ ㄴ, ㄷ ⑤ ㄱ, ㄴ, ㄷ

출제예감

06 그림은 주기율표의 일부를 나타낸 것이다.

주기＼족	1	2	13	14	15	16	17	18
1	A							B
2	C						D	
3		E			F		G	
4	H							

이에 대한 설명으로 옳은 것만을 〈보기〉에서 있는 대로 고른 것은? (단, A~H는 임의의 원소 기호이다.)

보기
ㄱ. A, C, H는 알칼리 금속이다.
ㄴ. D와 E는 안정한 이온의 전자 배치가 같다.
ㄷ. A~H 중 원자가 전자 수가 가장 큰 것은 B이다.

① ㄴ ② ㄷ ③ ㄱ, ㄴ
④ ㄱ, ㄷ ⑤ ㄱ, ㄴ, ㄷ

07 다음은 알칼리 금속을 설명한 것이다.

> Li, Na, K은 a족 원소로 원자가 전자 수가 b개로 같아서 이온이 되면 $+c$의 전하를 갖는 등 화학적 성질이 비슷하다.

$a+b+c$를 구하시오.

서술형

08 금속 원소는 전자를 잃고 양이온이 되기 쉬운 원소이며, 비금속 원소는 전자를 얻어 음이온이 되기 쉬운 원소이다. 원자 번호 1~20번 원소 중 금속성과 비금속성이 가장 큰 원소를 각각 쓰고, 그 까닭을 서술하시오.

서술형

09 다음은 어떤 원소 A~D를 설명한 것이다.

> • 음이온이 되면 -1의 전하를 띤다.
> • 금속과 반응하면 이온 결합 화합물을 만든다.
> • 2~5주기 원소이며, 원자 번호는 A>B>C>D이다.

A~D는 어떤 원소인지 각각 쓰고, 그 까닭을 서술하시오. (단, A~D는 임의의 원소 기호이다.)

02 원소의 주기적 성질(1)

핵심 키워드로 흐름잡기

A 가려막기 효과, 유효 핵전하, 유효 핵전하의 주기성

B 원자 반지름, 원자 반지름의 주기성

C 이온 반지름, 이온 반지름의 주기성

❶ **가려막기 효과**
전자가 2개 이상인 다전자 원자에서 전자들 사이에 반발력이 작용하여 원자핵과 전자 사이의 인력이 약해지는 현상

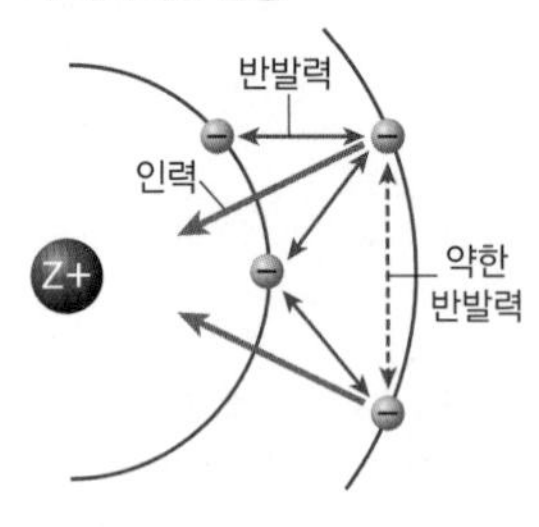

반발력
인력
Z+
약한 반발력

❷ **1주기 원소의 유효 핵전하**
수소(H)는 1.0, 헬륨(He)은 1.7이다. 헬륨은 다전자 원자이므로 가려막기 효과가 발생하여 핵전하보다 유효 핵전하가 작다.

용어 알기

•유효 핵전하(effective nuclear charge) 전자가 실질적으로 원자핵의 양성자로부터 느낄 수 있는 인력

A •유효 핵전하

|출·제·단·서| 같은 주기의 원소들에서 원자 번호가 커질수록 유효 핵전하가 증가함을 아는지를 묻는 문제가 나와.

1. 가려막기 효과❶ 전자가 2개 이상인 다전자 원자에서 다른 전자들이 원자핵의 양전하를 가림으로써 전자가 실제로 느끼는 핵전하의 크기가 감소하는 효과

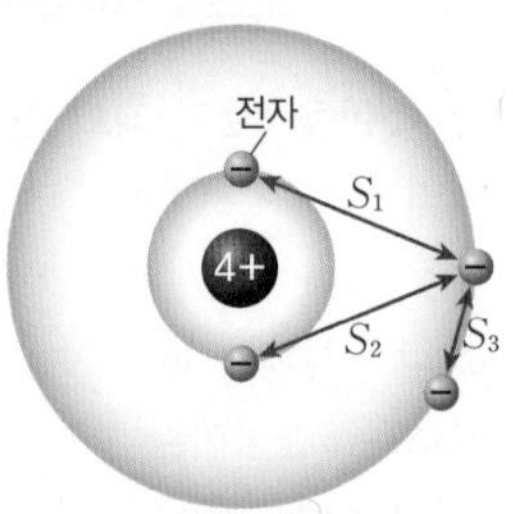

전자
4+
S_1
S_2
S_3

▲ 가려막기 효과

• S_1, S_2: 안쪽 전자 껍질에 존재하는 전자에 의한 가려막기 효과
• S_3: 같은 전자 껍질에 존재하는 전자에 의한 가려막기 효과

(1) 수소 원자 전자가 1개이므로, 원자핵의 핵전하는 전자가 실제로 느끼는 핵전하와 같다. ─ 전자 사이의 반발력이 존재하지 않으므로, 한 전자가 다른 전자를 가리는 현상이 나타나지 않는다.

(2) 다전자 원자 전자가 여러 개 존재하므로 전자들 사이에 반발력이 작용하게 되어 전자가 느끼는 핵전하가 실제 핵전하보다 작다. (원자핵 주위의 전자들 사이에 반발력이 작용하여 원자핵과 전자 사이의 인력을 약하게 만든다.)

2. 유효 핵전하 원자핵과 전자 사이의 인력과 전자들의 가려막기 효과를 고려하여 전자 1개가 실제로 느끼는 핵전하 (암기TiP) 수소 원자: 핵전하 = 유효 핵전하, 다전자 원자: 핵전하 > 유효 핵전하

(1) 안쪽 전자 껍질에 있는 전자일수록 가려막기 효과가 작으므로 유효 핵전하 증가

(2) 전자 껍질 수가 같은 원자들의 경우 원자 번호가 커질수록 가려막기 효과보다는 핵전하 증가가 더 크게 기여하므로, 원자가 전자의 유효 핵전하가 증가한다.

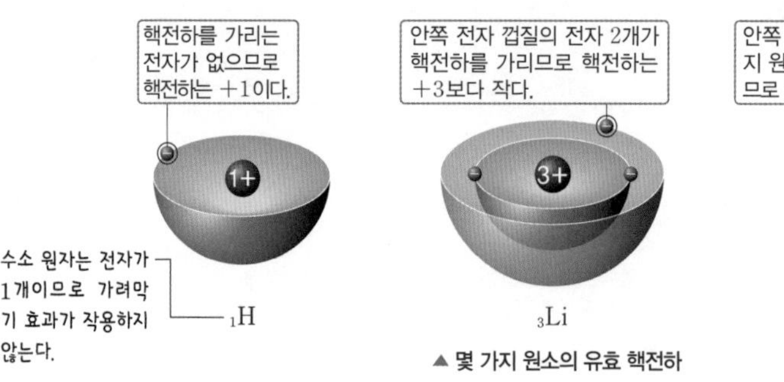

핵전하를 가리는 전자가 없으므로 핵전하는 +1이다.
안쪽 전자 껍질의 전자 2개가 핵전하를 가리므로 핵전하는 +3보다 작다.
안쪽 전자 껍질의 전자 2개와 나머지 원자가 전자 3개가 핵전하를 가리므로 핵전하는 +6보다 작다.
1+
3+
6+
수소 원자는 전자가 1개이므로 가려막기 효과가 작용하지 않는다.
$_1$H
$_3$Li
$_6$C

▲ 몇 가지 원소의 유효 핵전하

(암기TiP) 같은 주기: 원자 번호 커질수록 → 유효 핵전하 증가

3. 유효 핵전하의 주기성❷ 같은 주기에서는 원자 번호가 커질수록 원자핵의 양성자수가 증가하므로 원자가 전자에 작용하는 유효 핵전하가 증가한다.

(1) 각 주기 1족 원소가 최솟값을 갖고, 18족 원소가 최댓값을 가진다.

(2) 같은 족 원자 번호가 커질수록, 전자 껍질 수 증가보다 핵전하의 증가가 더 크게 기여하여 원자가 전자가 느끼는 유효 핵전하는 증가한다.

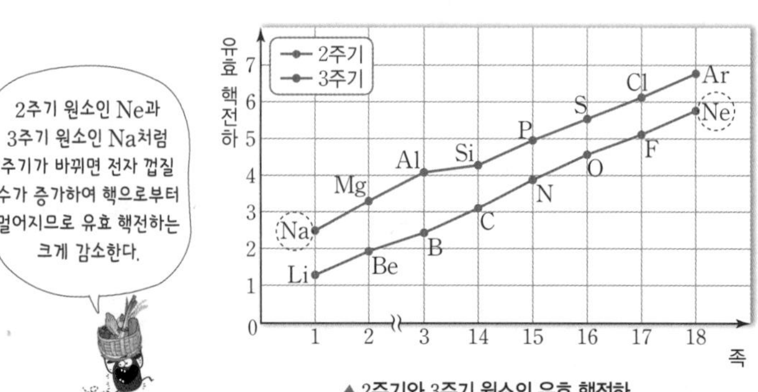

2주기 원소인 Ne과 3주기 원소인 Na처럼 주기가 바뀌면 전자 껍질 수가 증가하여 핵으로부터 멀어지므로 유효 핵전하는 크게 감소한다.
유효 핵전하
2주기
3주기
Li
Be
B
C
N
O
F
Ne
Na
Mg
Al
Si
P
S
Cl
Ar
족
• 같은 주기에서 원자 번호 1 증가하면 양성자수 1 증가하므로 원자가 전자에 작용하는 유효 핵전하는 증가한다.
• 같은 전자 껍질에 있는 전자는 가려막기 효과가 크지 않으므로 원자 번호가 커질수록 유효 핵전하는 증가한다.

▲ 2주기와 3주기 원소의 유효 핵전하

B 원자 반지름

|출·제·단·서| 같은 주기 또는 같은 족 원소들의 원자 반지름을 비교하여 원자 번호 순서를 비교하는 것이 시험에 나와.

1. 원자 반지름❸ 일반적으로 같은 종류의 두 원자가 결합한 상태에서 두 원자핵 간 거리의 반

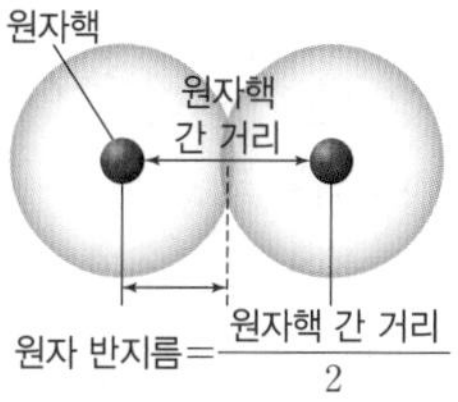

원자핵
원자핵 간 거리
원자 반지름 = 원자핵 간 거리 / 2

2. 원자 반지름의 결정 원자들은 다양한 형태의 결합을 하면서 이루어져 있으므로 결합을 한 상태에서 원자 반지름을 결정한다.

같은 원자로 이루어진 2원자 분자	다른 종류의 원자로 이루어진 분자	금속
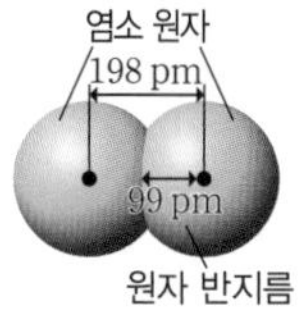 염소 원자 198 pm 99 pm 원자 반지름	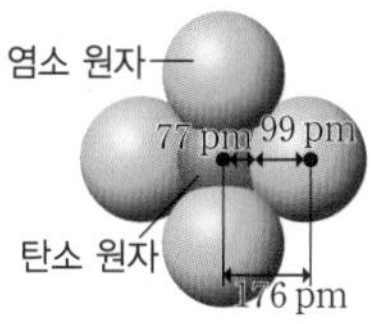 염소 원자 77 pm 99 pm 탄소 원자 176 pm	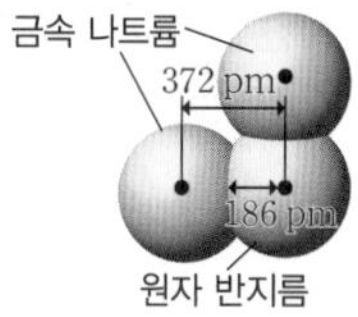 금속 나트륨 372 pm 186 pm 원자 반지름
이웃하는 두 염소 원자의 원자핵 간 거리의 반	두 원자의 핵 간 거리에서 한 원자의 반지름을 뺀 값	고체 금속 결정에서 가장 가까운 원자핵 간 거리의 반

3. 원자 반지름❹의 주기성❺

같은 족	같은 주기
원자 번호가 커질수록 원자 반지름 증가 ➡ 원자 번호가 커질수록 •전자 껍질 수가 증가하기 때문	원자 번호가 커질수록 원자 반지름 감소 ➡ 전자 껍질 수가 같지만 원자 번호가 커질수록 양성자수가 증가하여 유효 핵전하가 증가하기 때문
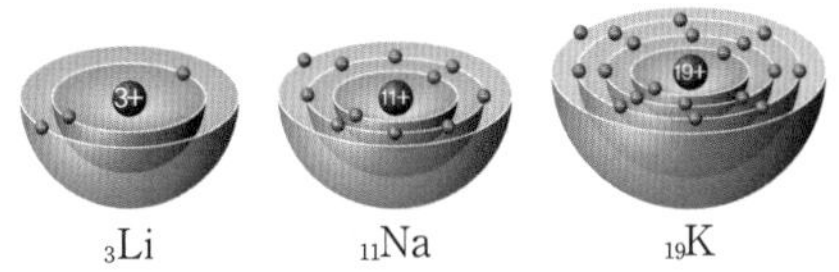 3+ 11+ 19+ $_3$Li $_{11}$Na $_{19}$K	 3+ 4+ 5+ $_3$Li $_4$Be $_5$B

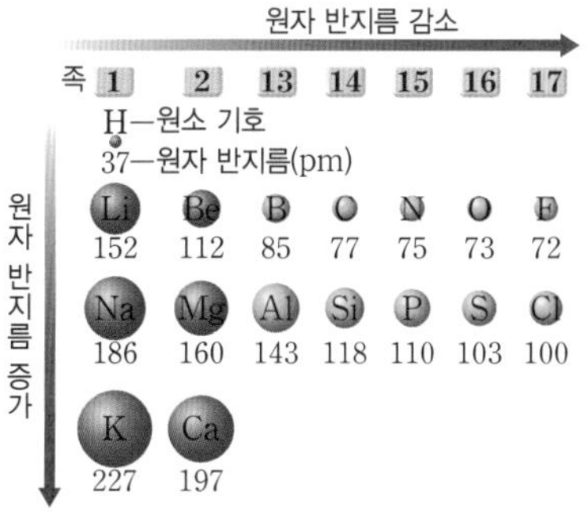

원자 반지름 감소
족 1 2 13 14 15 16 17
H—원소 기호
37—원자 반지름(pm)
원자 반지름 증가
Li 152 Be 112 B 85 C 77 N 75 O 73 F 72
Na 186 Mg 160 Al 143 Si 118 P 110 S 103 Cl 100
K 227 Ca 197

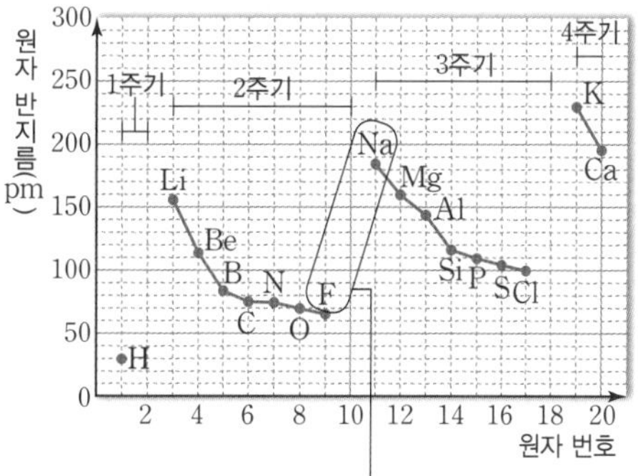

원자 반지름(pm)
1주기
2주기
3주기
4주기
H Li Be B C N O F Na Mg Al Si P S Cl K Ca
원자 번호

▲ 원자 반지름의 주기성

같은 족은 원자 번호가 커질수록 원자 반지름이 증가하고, 같은 주기는 원자 번호가 커질수록 원자 반지름이 감소한다.

주기가 바뀌면 전자 껍질 수가 증가하므로 반지름이 급격히 증가한다.

빈출 자료 3주기 원소의 유효 핵전하와 원자 반지름

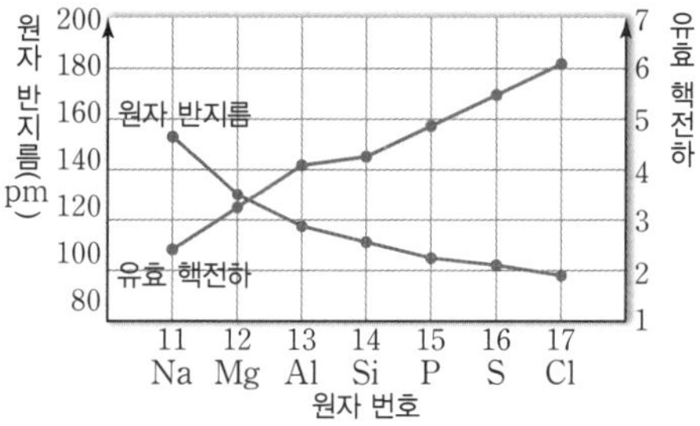

원자 반지름(pm)
유효 핵전하
원자 반지름
유효 핵전하
11 12 13 14 15 16 17
Na Mg Al Si P S Cl
원자 번호

❶ 원자 반지름의 크기는 원자가 전자와 원자핵 사이의 인력에 의해 좌우된다.

❷ 같은 주기의 원소들은 전자 껍질 수가 같으므로 원자 번호가 커질수록 유효 핵전하가 증가하여 원자 반지름이 감소한다.

❸ 원자 반지름
원자나 이온의 반지름은 매우 작기 때문에 •피코 미터(pm, 10^{-12} m) 단위로 주로 나타낸다.
예) 수소 원자: 37 pm

❹ 원자 반지름에 영향을 주는 요인
- 전자 껍질 수가 증가할수록 증가 → 전자가 원자핵에서 멀어지기 때문
- 유효 핵전하가 증가할수록 감소 → 유효 핵전하가 증가하면 원자핵과 전자의 정전기적 인력이 증가하기 때문

❺ 원자 반지름의 주기성
- 같은 족: 원자 번호가 커질수록 증가
- 같은 주기: 원자 번호가 커질수록 감소

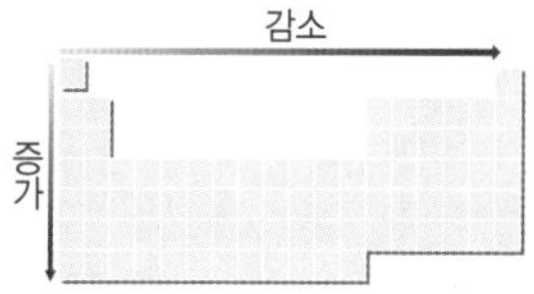

감소
증가

? 18족 원소의 원자 반지름은?
18족 원소인 비활성 기체는 결합을 형성하지 않으므로 원자 반지름의 정의가 다른 원소들과 달라 주기성에서 벗어나게 된다. 따라서 원자 반지름의 주기성을 판단할 때에는 18족 원소들은 제외한다.

용어 알기
- pm(피코미터) p(피코)는 단위 앞에 붙이는 접두사로, 10^{-12}배를 나타냄
- 전자 껍질(electron Shell) 전자가 운동하는 특정한 에너지를 갖는 궤도

C 이온 반지름

|출·제·단·서| 같은 전자 수를 갖는 이온들이 원자 번호가 커질수록 이온 반지름이 감소하는 것을 확인하는 문제가 시험에 나와.

1. 양이온과 음이온❻의 이온 반지름 양이온이 되는 과정에서는 원자가 전자를 잃고, 음이온이 되는 과정에서는 가장 바깥 껍질에 전자를 얻는다. 안정한 양이온과 음이온이 되면 18족 원소와 같은 전자 배치를 갖게 된다.

양이온의 반지름	음이온의 반지름
원자 반지름 > 양이온 반지름 ➡ 금속 원자가 전자를 잃고 양이온이 되면 전자 껍질 수가 감소하므로 이온 반지름은 원자 반지름보다 작아진다.	원자 반지름 < 음이온 반지름 ➡ 비금속 원자가 전자를 얻어 음이온이 되면 전자 껍질 수는 일정하지만 전자 수가 증가하여 전자 사이의 반발력이 커지기 때문에 이온 반지름은 원자 반지름보다 커진다.
11+ → 11+ Na → Na^+	9+ → 9+ F → F^-

암기TiP 금속 원소 → 원자 반지름 > 이온 반지름

암기TiP 비금속 원소 → 원자 반지름 < 이온 반지름

2. 이온 반지름의 주기성

(1) **같은 족** 원자 번호가 커질수록 이온 반지름은 증가한다. ➡ 원자 반지름과 같이 원자 번호가 커질수록 이온의 전자 껍질 수가 증가하기 때문이다.

(2) **같은 주기** 원자 번호가 커질수록 이온 반지름은 감소한다. ➡ 양이온과 음이온이 되는 경우의 차이가 존재하며, 양이온이 되는 원자들의 이온 반지름과 음이온이 되는 원자들의 이온 반지름은 각각 원자 번호가 커질수록 원자가 전자가 느끼는 유효 핵전하가 증가하기 때문이다. 암기TiP 원소의 주기적 성질
유효 핵전하 증가 → 원자, 이온 반지름 감소
유효 핵전하 감소 → 원자, 이온 반지름 증가

3. 등전자 이온의 반지름 등전자 이온❼에서 원자 번호가 커질수록 이온 반지름은 감소한다.
➡ 전자 수가 같은 등전자 이온은 원자 번호가 커질수록 원자가 전자가 느끼는 유효 핵전하가 증가하기 때문에 원자 번호가 커질수록 이온 반지름은 감소한다.

예 $O^{2-} > F^- > Na^+ > Mg^{2+} > Al^{3+}$ 전자 수가 10개로 같지만 원자가 전자가 느끼는 유효 핵전하는 다르다.

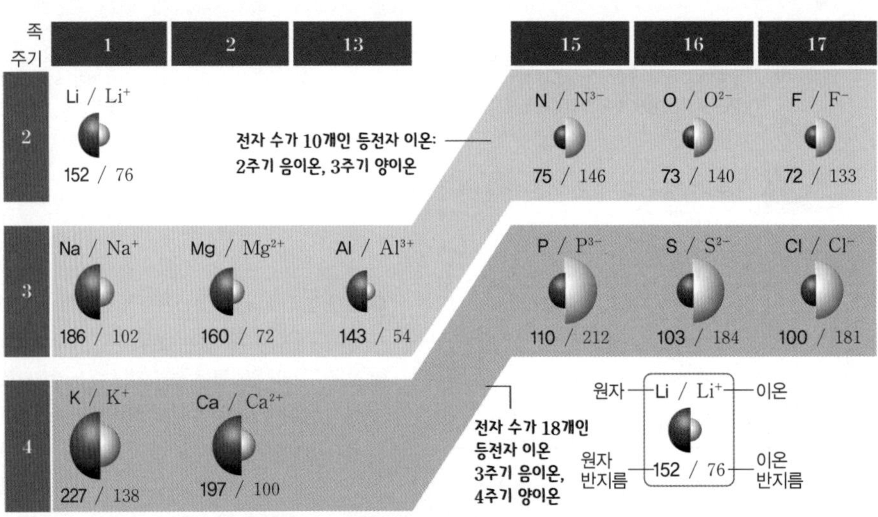

▲ 몇 가지 금속 원소와 비금속 원소의 원자 반지름과 이온 반지름(pm)

❻ 양이온과 음이온
금속 원소는 주로 전자를 잃고 양이온이 되고, 비금속 원소는 주로 전자를 얻어 음이온이 된다. 이온이 되면 18족 원소와 같은 전자 배치를 갖게 되므로 더 이상 반응하지 않는다.

금속 원자와 이온 반지름 비교

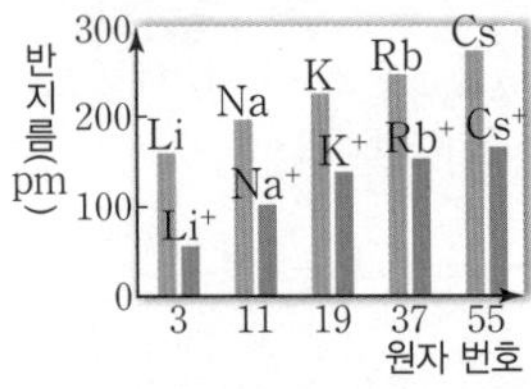

금속 원자가 전자를 잃고 양이온이 될 때 전자 껍질 수가 감소하므로 원자 반지름보다 양이온 반지름이 작다.

비금속 원자와 이온 반지름 비교

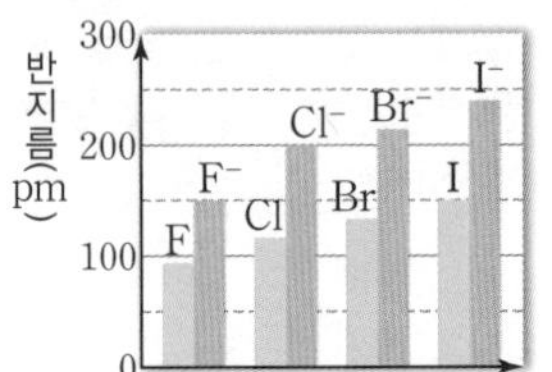

비금속 원자가 전자를 얻어 음이온이 될 때 전자 간 반발력이 증가하므로 원자 반지름보다 음이온 반지름이 크다.

❼ 등전자 이온
- 전자 수가 같은 이온
- N^{3-}, O^{2-}, F^-, Na^+, Mg^{2+}, Al^{3+}의 전자 수는 Ne과 같다.
- P^{3-}, S^{2-}, Cl^-, K^+, Ca^{2+}의 전자 수는 Ar과 같다.

용어 알기

● 등전자 이온(등급 等, 번개 電, 자식 子, 이온)(isoelectronic ion) 전자 수가 같아서 전자 배치가 같은 이온으로, 주로 18족 원소의 전자 배치를 나타냄

콕콕!
개념 확인하기

정답과 해설 037쪽

✔ 잠깐 확인!

1. □□□□ 효과
전자들의 반발력으로 인하여 실제로 느끼는 핵전하의 크기가 감소하는 효과

2. □□ □□□
가려막기를 고려하여 전자가 실제로 느끼는 핵전하

3. □□ □□□
같은 종류의 원자가 결합한 상태에서 두 원자핵 사이의 거리의 반

4. 같은 주기에서 원자 번호가 커질수록 원자가 전자가 느끼는 □□ □□□가 증가하므로 원자 반지름이 □□한다.

5. 같은 족에서 원자 번호가 커질수록 □□ □□ □가 증가하므로 원자 반지름이 □□한다.

6. □□□ □□
같은 수의 전자를 가지고 있어서 전자 배치가 같은 이온

7. 원자 반지름>□□□ 반지름이다.

A 유효 핵전하

01 유효 핵전하에 대한 설명으로 옳은 것은 ○, 옳지 않은 것은 ×로 표시하시오.

(1) 안쪽 전자 껍질에 있는 전자일수록 가려막기 효과가 작으므로 유효 핵전하가 증가한다. (　　)

(2) 같은 족 원소의 경우 유효 핵전하는 원자 번호가 커질수록 감소한다. (　　)

(3) 유효 핵전하는 Na이 Al보다 크다. (　　)

(4) 유효 핵전하는 각 주기에서 1족 원소가 최댓값을 나타낸다. (　　)

(5) 같은 주기 원소의 경우 원자가 전자가 느끼는 유효 핵전하는 원자 번호가 커질수록 증가한다. (　　)

02 다음은 원소의 주기적 성질 대한 설명이다. ㉠, ㉡에 들어갈 알맞은 말을 쓰시오.

> 다전자 원자에서 다른 전자들이 원자핵의 양전하를 가림으로써 전자가 실제로 느끼는 핵전하의 크기가 감소하는 효과인 (㉠) 효과로 인하여 전자가 실제로 느끼는 핵전하를 (㉡)라고 한다.

B 원자 반지름

03 다음 원자의 반지름의 크기를 비교하여 (　　) 안에 부등호로 나타내시오.

(1) $_{3}Li$ (　　) $_{5}B$　　(2) $_{11}Na$ (　　) $_{19}K$

(3) $_{4}Be$ (　　) $_{12}Mg$　　(4) $_{8}O$ (　　) $_{9}F$

04 Li, Na, Mg의 원자 반지름의 크기를 비교하시오.

05 2주기 원소 A~C의 원자 반지름이 C>B>A일 때, A~C를 원자 번호가 작은 것부터 순서대로 쓰시오.

C 이온 반지름

06 이온 반지름에 대한 설명으로 옳은 것은 ○, 옳지 않은 것은 ×로 표시하시오.

(1) 비금속 원소가 전자를 얻어 음이온이 되면 반지름이 증가한다. (　　)

(2) 나트륨(Na)이 나트륨 이온(Na^{+})이 되면 반지름이 감소한다. (　　)

(3) 이온 반지름은 $_{13}Al^{3+} > _{9}F^{-}$이다. (　　)

(4) 이온 반지름이 $_{20}Ca^{2+} > _{12}Mg^{2+}$인 까닭은 전자 껍질 수 때문이다. (　　)

탄탄! 내신 다지기

A 유효 핵전하

01 다음 중 유효 핵전하에 대한 설명으로 옳은 것은?

① 수소 원자의 전자는 가려막기 효과로 유효 핵전하가 1보다 작다.
② 가려막기 효과는 안쪽 전자 껍질에 있는 전자에게서만 나타난다.
③ 유효 핵전하는 전자 껍질이 서로 다른 전자에게 서로 같은 크기로 나타난다.
④ 같은 주기에서 원자 번호가 커질수록 원자가 전자가 느끼는 유효 핵전하는 증가한다.
⑤ 같은 족에서 원자 번호가 커질수록 원자가 전자가 느끼는 유효 핵전하는 감소한다.

02 그림은 주기적 성질 중 하나를 2, 3주기 원소에서 나타낸 것이다.

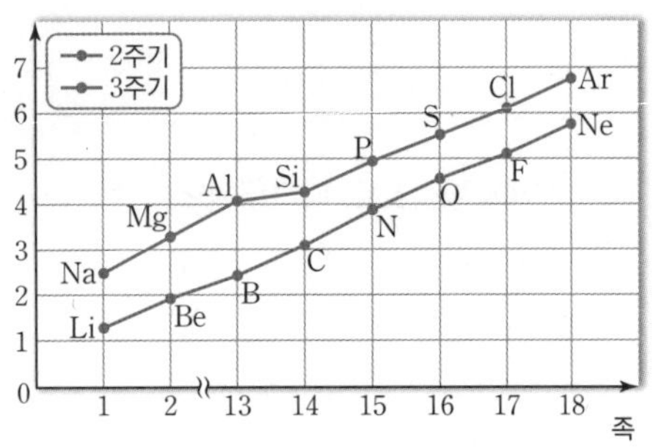

이와 같은 경향을 보이는 원소의 주기적 성질은?

① 원자 번호 ② 원자 반지름
③ 이온 반지름 ④ 유효 핵전하
⑤ 이온화 에너지

03 그림은 2주기 원소 A~D의 주기적 성질을 나타낸 것이다. A~D는 원자 번호가 증가하는 순서이고, (가)와 (나)는 원자가 전자가 느끼는 유효 핵전하, 원자 반지름 중 하나이다.

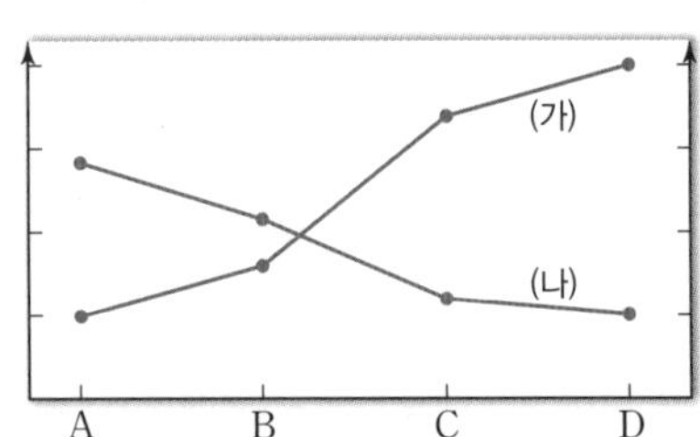

(가)와 (나)는 무엇인지 쓰시오. (단, A~D는 임의의 원소 기호이다.)

B 원자 반지름

04 원자 반지름에 대한 설명으로 옳은 것만을 〈보기〉에서 있는 대로 고른 것은?

> 보기
> ㄱ. 1족~18족 원소들이 주기성을 나타낸다.
> ㄴ. 같은 종류의 두 원자가 결합한 상태에서 두 원자핵 사이의 거리의 반이다.
> ㄷ. 같은 족 원소들은 원자 번호가 커질수록 원자 반지름이 증가한다.

① ㄱ ② ㄱ, ㄴ ③ ㄱ, ㄷ
④ ㄴ, ㄷ ⑤ ㄱ, ㄴ, ㄷ

단답형

05 그림은 중성 원자 A~D의 원자 반지름을 나타낸 것이다. A~D는 F, Na, Cl, K 중 하나이다.

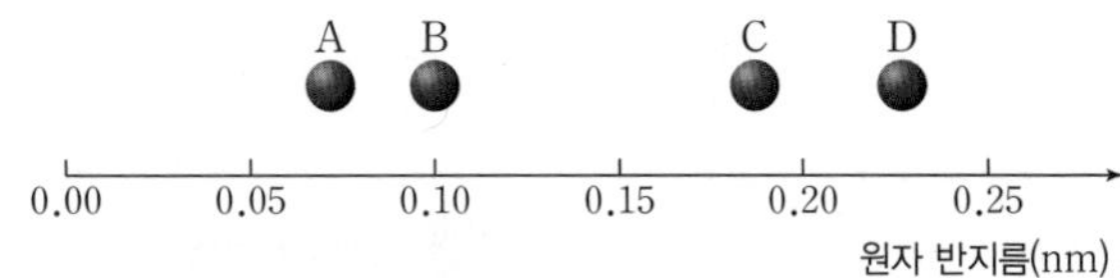

A~D를 각각 쓰시오. (단, A~D는 임의의 원소 기호이다.)

06 그림은 2~4주기 원소의 원자 반지름을 나타낸 것이다.

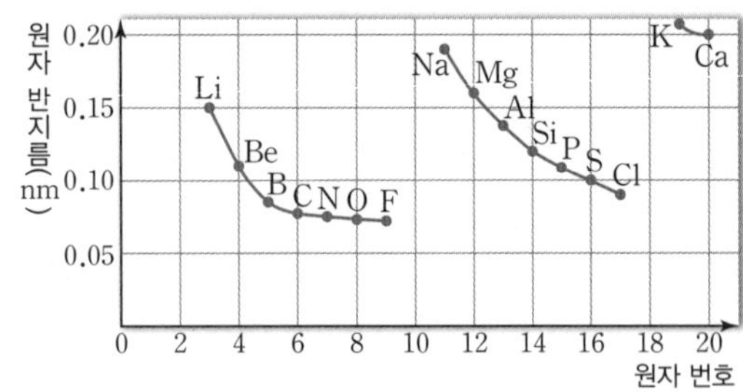

이에 대한 설명으로 옳은 것만을 〈보기〉에서 있는 대로 고른 것은?

> 보기
> ㄱ. 원자 반지름은 ${}_{11}Na > {}_{17}Cl$이다.
> ㄴ. 같은 족에서는 원자 번호가 커질수록 원자 반지름이 증가한다.
> ㄷ. 같은 주기에서는 원자 번호가 커질수록 원자 반지름이 감소한다.

① ㄱ ② ㄱ, ㄴ ③ ㄱ, ㄷ
④ ㄴ, ㄷ ⑤ ㄱ, ㄴ, ㄷ

C 이온 반지름

07 다음 두 가지 원소의 원자 반지름과 이온 반지름의 크기를 부등호로 옳게 비교한 것은?

	원자 반지름	이온 반지름
①	$Na = F$	$F^- > Na^+$
②	$Na < F$	$F^- = Na^+$
③	$Na > F$	$F^- < Na^+$
④	$Na < F$	$F^- > Na^+$
⑤	$Na > F$	$F^- > Na^+$

08 그림은 2, 3주기 원소 A~F의 원자 반지름과 이온 반지름을 원자 번호에 따라 나타낸 것이다. A~F는 18족 원소를 제외하고 원자 번호가 연속이다.

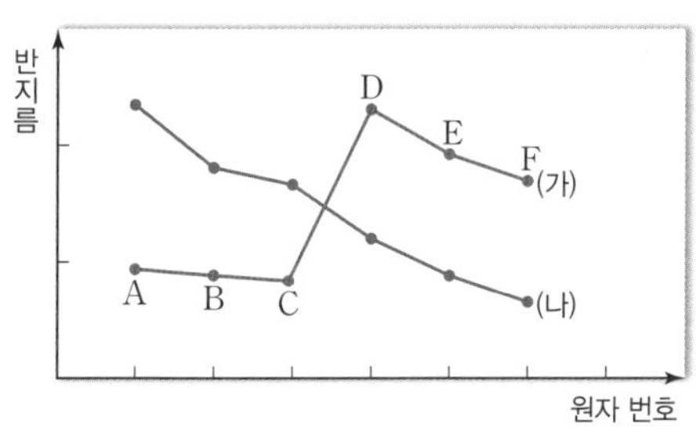

이에 대한 설명으로 옳은 것만을 〈보기〉에서 있는 대로 고른 것은? (단, A~F는 임의의 원소 기호이다.)

보기
ㄱ. (나)는 이온 반지름이다.
ㄴ. $\frac{\text{이온 반지름}}{\text{원자 반지름}}$은 D가 C보다 크다.
ㄷ. 원자가 전자가 느끼는 유효 핵전하는 A가 C보다 크다.

① ㄱ　② ㄱ, ㄴ　③ ㄱ, ㄷ　④ ㄴ, ㄷ　⑤ ㄱ, ㄴ, ㄷ

단답형

09 다음 원소들이 18족 원소와 같은 전자 수를 갖는 안정한 이온이 되었을 때의 이온식을 쓰고, 이온 반지름의 크기를 비교하시오.

O, F, Na, Mg, Al

10 다음 원자나 이온의 크기를 비교한 것으로 옳은 것만을 〈보기〉에서 있는 대로 고른 것은?

보기
ㄱ. $Mg > Mg^{2+}$　ㄴ. $O^{2-} > S^{2-}$
ㄷ. $F^- > Na^+$　ㄹ. $K > Cl$

① ㄱ, ㄴ　② ㄴ, ㄷ　③ ㄴ, ㄹ　④ ㄱ, ㄴ, ㄷ　⑤ ㄱ, ㄷ, ㄹ

단답형

11 다음은 이온 반지름에 대한 설명이다. ㉠, ㉡에 들어갈 알맞은 말을 쓰시오.

이온 반지름은 같은 족 원소들은 원자 번호가 커질수록 (㉠)한다. 이는 원자 번호가 커질수록 (㉡) 수가 증가하기 때문이다.

12 표는 A~D 원소의 원자 반지름과 이온 반지름을 나타낸 것이다. A~D는 Li, Be, F, Cl 중 하나이다.

원소 기호	A	B	C	D
원자 반지름(pm)	72	112	100	152
이온 반지름(pm)	133	31	181	76

이에 대한 설명으로 옳은 것만을 〈보기〉에서 있는 대로 고른 것은? (단, A~D는 임의의 원소 기호이다.)

보기
ㄱ. A는 F이다.
ㄴ. 원자 번호는 $C > B$이다.
ㄷ. D와 A는 18족 원소와 같은 전자 배치를 갖는 안정한 이온의 전자 수가 같다.

① ㄱ　② ㄱ, ㄴ　③ ㄱ, ㄷ　④ ㄴ, ㄷ　⑤ ㄱ, ㄴ, ㄷ

도전! 실력 올리기

01 다음은 원자 A~C의 바닥상태 전자 배치이다.

원자	전자 배치
A	$1s^2 2s^1$
B	$1s^2 2s^2 2p^1$
C	$1s^2 2s^2 2p^5$

이에 대한 설명으로 옳은 것만을 〈보기〉에서 있는 대로 고른 것은? (단, A~C는 임의의 원소 기호이다.)

보기
ㄱ. 원자가 전자가 느끼는 유효 핵전하는 A>B>C이다.
ㄴ. 원자 반지름은 A>B>C이다.
ㄷ. 이온 반지름은 C>A이다.

① ㄱ ② ㄷ ③ ㄱ, ㄴ
④ ㄴ, ㄷ ⑤ ㄱ, ㄴ, ㄷ

02 그림은 원자 A~D의 이온 반지름을 나타낸 것이다. A~D 이온은 모두 Ne의 전자 배치를 가지며, 원자 번호는 8, 9, 11, 12 중 하나이다.

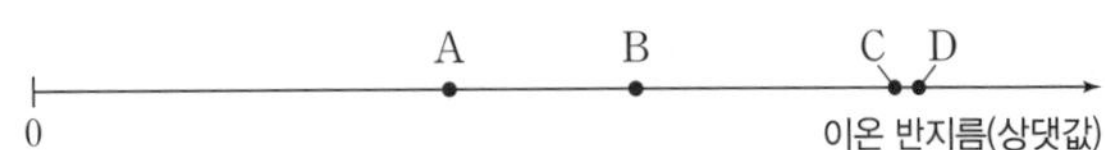

이에 대한 설명으로 옳은 것만을 〈보기〉에서 있는 대로 고른 것은? (단, A~D는 임의의 원소 기호이다.)

보기
ㄱ. 원자 번호는 A>B이다.
ㄴ. 원자가 전자가 느끼는 유효 핵전하는 C>D이다.
ㄷ. 원자 번호 17번의 이온 반지름은 C보다 크다.

① ㄱ ② ㄷ ③ ㄱ, ㄴ
④ ㄴ, ㄷ ⑤ ㄱ, ㄴ, ㄷ

03 그림은 몇 가지 원소의 원자 반지름, 이온 반지름, 원자가 전자가 느끼는 유효 핵전하의 상댓값을 순서 없이 나타낸 것이다.

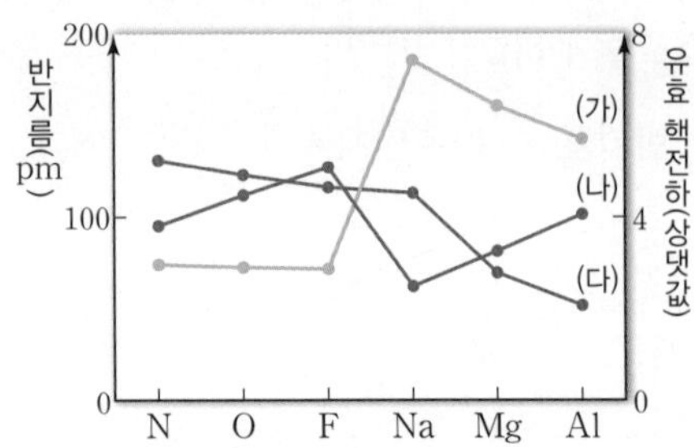

이에 대한 설명으로 옳은 것만을 〈보기〉에서 있는 대로 고른 것은?

보기
ㄱ. (다)는 이온 반지름이다.
ㄴ. 금속 원소는 $\frac{(다)}{(가)}<1$이다.
ㄷ. Na보다 Mg의 (나)가 큰 까닭은 전자 껍질 수 때문이다.

① ㄱ ② ㄷ ③ ㄱ, ㄴ
④ ㄴ, ㄷ ⑤ ㄱ, ㄴ, ㄷ

출제예감

04 그림은 원소 A~D의 이온 반지름을 나타낸 것이다. A~D는 O, F, Na, Mg 중 하나이다.
이에 대한 설명으로 옳은 것만을 〈보기〉에서 있는 대로 고른 것은? (단, A~D는 임의의 원소 기호이다.)

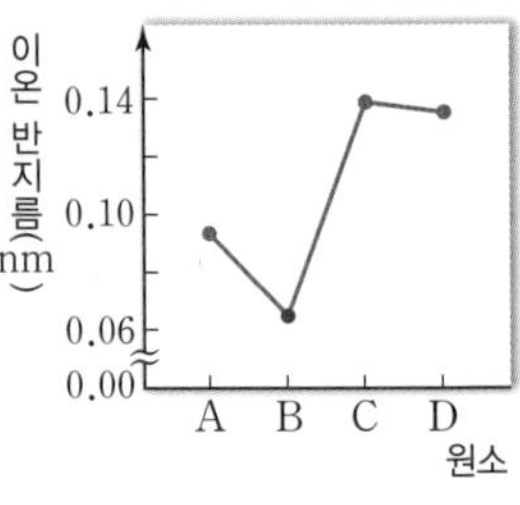

보기
ㄱ. A~D 중 원자 반지름은 C가 가장 크다.
ㄴ. 바닥상태 원자에서 홀전자 수는 A와 D가 같다.
ㄷ. 원자가 전자가 느끼는 유효 핵전하는 D가 C보다 크다.

① ㄱ ② ㄴ ③ ㄱ, ㄷ
④ ㄴ, ㄷ ⑤ ㄱ, ㄴ, ㄷ

05 그림은 원소 A~C의 원자 또는 이온의 전자 배치를 모형으로 나타낸 것이다.

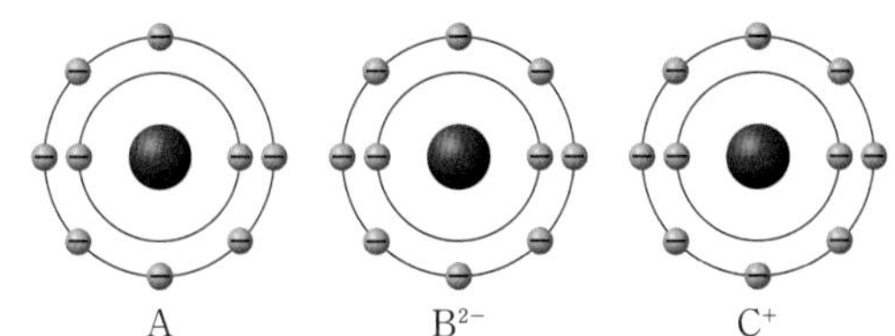

이에 대한 설명으로 옳은 것만을 〈보기〉에서 있는 대로 고른 것은? (단, A~C는 임의의 원소 기호이다.)

〈보기〉
ㄱ. 원자가 전자가 느끼는 유효 핵전하는 A>B이다.
ㄴ. 이온 반지름은 C>A이다.
ㄷ. $\frac{\text{이온 반지름}}{\text{원자 반지름}}$은 B>C이다.

① ㄱ ② ㄴ ③ ㄱ, ㄷ
④ ㄴ, ㄷ ⑤ ㄱ, ㄴ, ㄷ

출제예감

06 그림 (가)는 2, 3주기 원소 A~C의 원자 반지름을 나타낸 것이고, (나)는 A~C가 Ne의 전자 배치를 갖는 안정한 이온이 되었을 때의 이온 반지름을 나타낸 것이다.

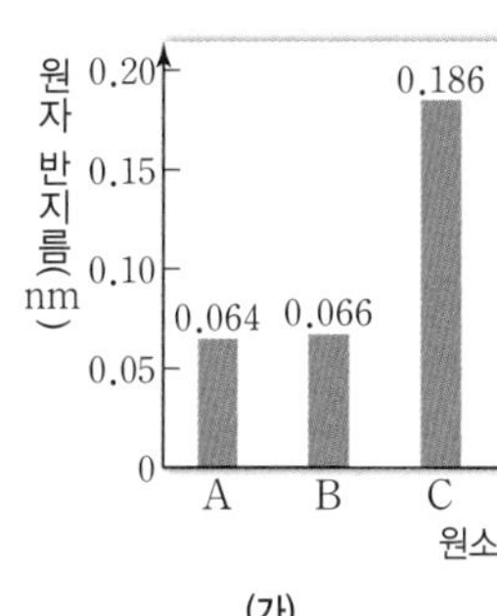

(가)

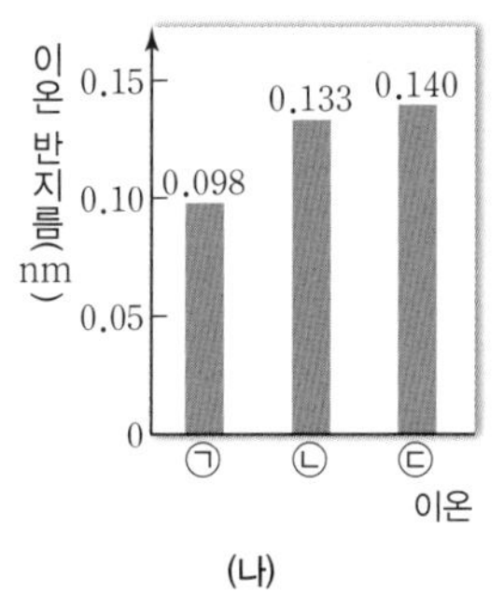

(나)

㉠~㉢을 옳게 짝 지은 것은? (단, A~C는 임의의 원소 기호이다.)

	㉠	㉡	㉢
①	A	B	C
②	A	C	B
③	B	C	A
④	C	A	B
⑤	C	B	A

[07~08] 그림은 3주기 금속 원소 A~C가 안정한 이온이 되었을 때 이온 반지름을 상댓값으로 나타낸 것이다. (단, A~C는 임의의 원소 기호이다.)

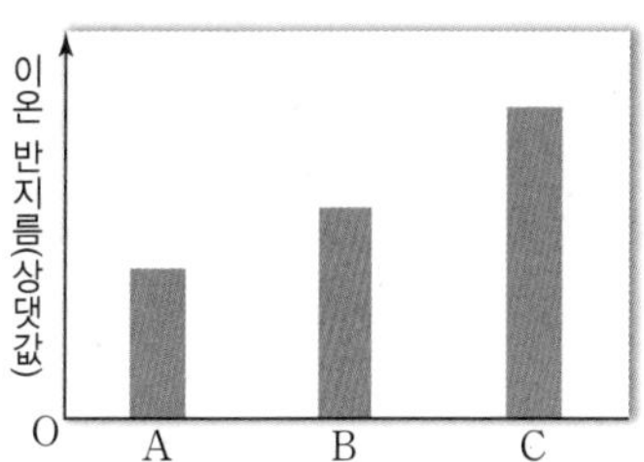

서술형

07 A~C의 원자가 전자가 느끼는 유효 핵전하를 비교하고, 그 까닭을 서술하시오.

서술형

08 A~C의 원자 반지름을 비교하고, 그 까닭을 서술하시오.

서술형

09 다음은 주기적 성질에 관한 자료이다.

이온 반지름의 크기 비교
• ${}_{8}O^{2-} > {}_{9}F^{-} > {}_{11}Na^{+} > {}_{12}Mg^{2+}$
• ${}_{16}S^{2-} > {}_{17}Cl^{-} > {}_{19}K^{+} > {}_{20}Ca^{2+}$

(1) 제시된 이온과 같이 전자 수가 같은 이온을 무엇이라고 하는지 쓰시오.

(2) 이온 반지름의 크기가 위와 같이 나타나는 까닭을 서술하시오.

03 원소의 주기적 성질(2)

핵심 키워드로 흐름잡기

A 이온화 에너지, 이온화 에너지의 주기성

B 순차적 이온화 에너지

A 이온화 에너지

|출·제·단·서| 이온화 에너지를 비교하여 원소의 종류나 원자 번호 순서를 비교하는 문제가 출제돼.

1. ●이온화 에너지❶ 기체 상태의 원자 1몰에서 전자 1몰을 떼어 내어 기체 상태의 양이온으로 만드는 데 필요한 에너지 – 항상 양의 값이다.

$$M(g)+E \longrightarrow M^+(g)+e^-$$ (E: 이온화 에너지, kJ/mol)

예 $Na(g)+496\ kJ/mol \longrightarrow Na^+(g)+e^-$ – 같은 상태의 나트륨 원자에서 전자 1개를 떼어 내는 데 496 kJ의 에너지가 필요하다.

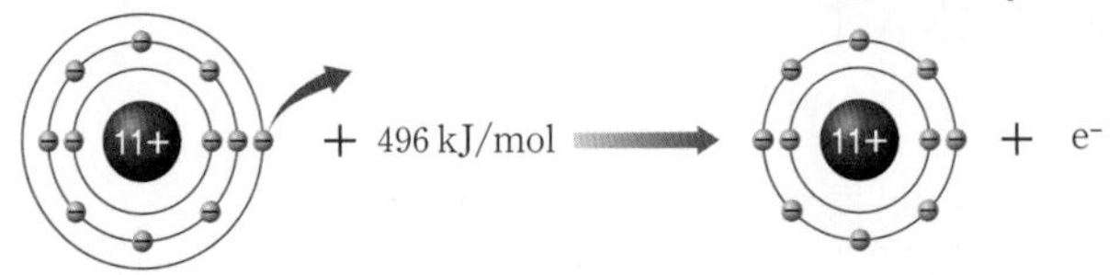

(1) 이온화 에너지가 작다. → 전자를 잃기 쉽다. → 양이온이 되기 쉽다. → 금속성이 크다.

(2) 이온화 에너지가 크다. → 전자를 잃기 어렵다. → 양이온이 되기 어렵다.

2. 이온화 에너지의 주기성❷ 개념 POOL

암기TiP 원자 번호 증가
- 같은 족 → 이온화 E 감소
- 같은 주기 → 이온화 E 증가

(1) **같은 족** 원자 번호가 커질수록 이온화 에너지 감소 → 전자 껍질 수가 증가하여 원자핵과 가장 바깥 전자 껍질에 있는 전자와의 인력이 감소하기 때문

(2) **같은 주기** 원자 번호가 커질수록 이온화 에너지 대체로 증가 → 유효 핵전하가 증가하여 원자핵과 전자 사이의 인력이 증가하기 때문

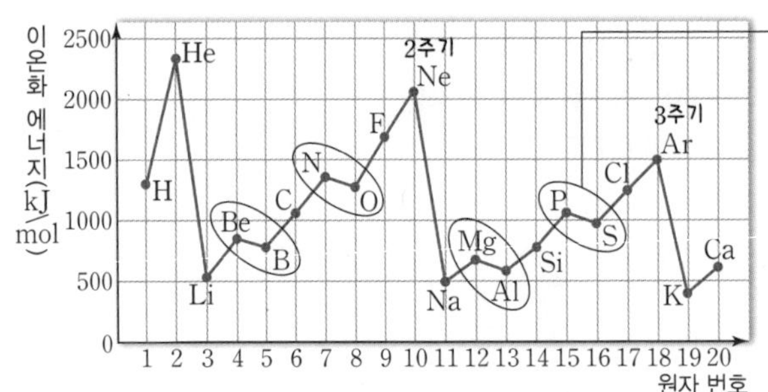

같은 주기에서는 원자 번호가 커질수록 이온화 에너지가 증가하는데, 2, 3주기 2족, 13족과 15, 16족 원소들은 이온화 에너지가 원자 번호가 증가함에도 감소하는 예외가 나타난다.

이온화 에너지는 같은 주기에서는 18족 비활성 기체가 최댓값을, 1족 알칼리 금속이 최솟값을 갖는다.

빈출 자료 이온화 에너지 주기성의 예외

같은 주기에서는 원자 번호가 커질수록 이온화 에너지가 대체로 증가하는데, 전자 배치 때문에 감소하는 부분이 주기별로 두 군데 있다. ➡ 2족과 13족, 15족과 16족

2족과 13족	15족과 16족
Be 1s ↑↓ 2s ↑↓ → 1s ↑↓ 2s ↑ B 1s ↑↓ 2s ↑↓ 2p ↑ → 1s ↑↓ 2s ↑↓ 2p	N 1s ↑↓ 2s ↑↓ 2p ↑ ↑ ↑ → 1s ↑↓ 2s ↑↓ 2p ↑ ↑ O 1s ↑↓ 2s ↑↓ 2p ↑↓ ↑ ↑ → 1s ↑↓ 2s ↑↓ 2p ↑ ↑ ↑
13족인 B에서는 에너지 준위가 높은 $2p$ 오비탈에서 전자가 떨어져 나오기 때문에 더 쉽게 떨어져 나온다. 따라서 13족인 B의 이온화 에너지가 2족인 Be보다 작다.	16족인 O의 경우는 p 오비탈 중 1개의 오비탈에 전자가 쌍으로 배치되면서 전자 간 반발력이 작용하게 되어 에너지가 커져서 상대적으로 쉽게 이온화시킬 수 있으므로, 16족인 O의 이온화 에너지가 15족인 N보다 작다.

❶ 이온화 에너지

전자를 떼어 내는 데 필요한 에너지이므로 대체로 유효 핵전하가 크면 이온화 에너지가 크다. 따라서 18족 원소들이 각 주기에서 이온화 에너지가 가장 크다.

❷ 이온화 에너지의 주기성

- 같은 족: 원자 번호가 커질수록 감소
- 같은 주기: 원자 번호가 커질수록 대체로 증가

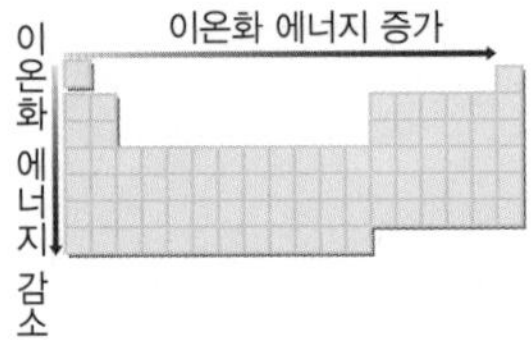

? 이온화 에너지와 유효 핵전하는 어떤 관계가 있을까?

유효 핵전하가 크면 전자가 원자핵으로부터 강하게 끌리므로 전자를 떼어 내기 어렵다. 따라서 유효 핵전하가 클수록 이온화 에너지가 크다.

용어 알기

●이온화 에너지(ionization energy) 바닥상태에 있는 원자 또는 분자 1몰에서 전자 1몰을 떼어 내어 기체 상태의 양이온으로 만드는 데 필요한 에너지로, 단위는 kJ/mol 또는 eV를 사용함

B 순차적 이온화 에너지

|출·제·단·서| 여러 원자의 순차적 이온화 에너지로 원자 번호의 순서를 비교하는 것이 시험에 나와.

1. •순차적 이온화 에너지❸ 기체 상태의 원자에서 전자를 1개씩 순차적으로 떼어 낼 때 각 단계에서 필요한 에너지

$M(g)+E_1 \longrightarrow M^+(g)+e^-$ (E_1: 제1 이온화 에너지)
$M^+(g)+E_2 \longrightarrow M^{2+}(g)+e^-$ (E_2: 제2 이온화 에너지)
$M^{2+}(g)+E_3 \longrightarrow M^{3+}(g)+e^-$ (E_3: 제3 이온화 에너지)

❸ 순차적 이온화 에너지
차례대로 전자를 떼어 내는 데 필요한 에너지이므로 제1, 제2, 제3 … 제n 이온화 에너지로 구분한다.

2. 순차적 이온화 에너지의 특성

(1) 순차적 이온화 에너지는 차수가 증가할수록 커진다. → $E_1<E_2<E_3<\cdots$
└ 전자를 떼어 낼수록 유효 핵전하는 상대적으로 증가하기 때문이다.

예 Be의 순차적 이온화 에너지

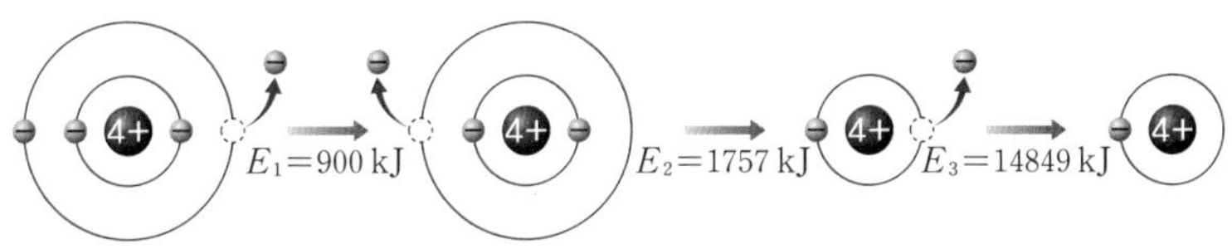

(2) 순차적 이온화 에너지가 급격하게 증가하기 전까지 떼어 낸 전자의 수가 원자가 전자의 수이다.

$E_1<E_2 \ll E_3$: 원자가 전자 2개
└ 안쪽 전자 껍질의 전자를 떼는 데 필요한 에너지이다.

(3) 몇 가지 원소의 순차적 이온화 에너지

족	원소	순차적 이온화 에너지(kJ/mol)						이온화 에너지 급증 단계	원자가 전자 수(개)
		E_1	E_2	E_3	E_4	E_5	E_6		
1	$_3$Li	520	7298	11815				$E_1 \ll E_2$	1
2	$_4$Be	900	1757	14849	21007			$E_2 \ll E_3$	2
13	$_5$B	801	2427	3660	25026	32827		$E_3 \ll E_4$	3
14	$_6$C	1087	2353	4621	6223	37831	47277	$E_4 \ll E_5$	4
15	$_7$N	1402	2866	4578	7475	9445	53267	$E_5 \ll E_6$	5

① 순차적 이온화 에너지는 원자가 전자 수를 결정하게 되고, 족의 수를 알 수 있는 정보가 된다.

② Be이 Be^{2+}이 되는 데 필요한 에너지: 900+1757=2657(kJ/mol)이다.

❓ 이온화 에너지와 순차적 이온화 에너지는 어떤 관계가 있을까?
이온화 에너지는 전자 1개를 떼어 내는 데 필요한 에너지이므로 순차적 이온화 에너지에서는 제1 이온화 에너지(E_1)에 해당한다.

암기TiP 이온화 에너지

정의	기체 원자에서 전자를 떼어 내는 데 필요한 에너지
경향성	양이온이 되려는 경향
성질	이온화 에너지가 작으면 양이온이 되기 쉽다.

보충 자료 제1 이온화 에너지로 제n 이온화 에너지의 경향성 파악

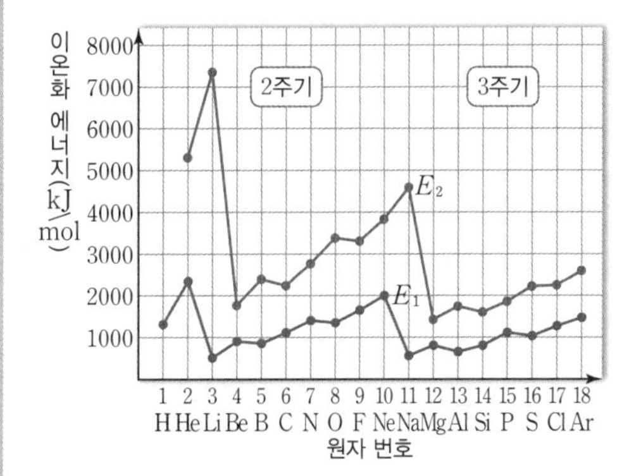

❶ 제2 이온화 에너지(E_2)의 경향성은 원자 번호가 1 작은 제1 이온화 에너지(E_1)로부터 파악할 수 있다.

❷ 제3 이온화 에너지(E_3)의 경향성은 원자 번호가 2 작은 제1 이온화 에너지(E_1)를 나타내는 원소의 이온화 에너지로부터 파악할 수 있다.

❸ 제1 이온화 에너지(E_1)의 경향성으로부터 제n 이온화 에너지의 값은 구할 수 없지만 경향성을 파악할 수 있다.

용어 알기
•순차적 이온화 에너지(이어받다 順, 이을 次, 과녁 的)(successive ionization energy) 바닥상태에 있는 기체 상태의 원자나 이온 1몰에서 전자를 1몰씩 차례로 떼어 낼 때 필요한 각각의 최소 에너지

원소의 주기적 성질 한눈에 보기

목표 원소의 주기적 성질인 유효 핵전하, 원자 반지름, 이온 반지름, 이온화 에너지 등을 복합적으로 알 수 있다.

1 주기율표에서 유효 핵전하, 원자 반지름, 이온화 에너지의 주기성

유효 핵전하, 이온화 에너지 증가 / 원자 반지름 증가 / 이온화 에너지 증가 / 유효 핵전하, 원자 반지름 증가

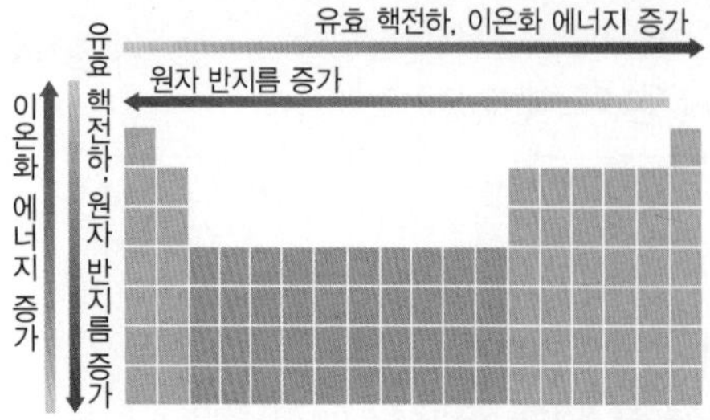

- 주기율표에서 1족, 2족, 13족~18족 원소는 유효 핵전하, 원자 반지름, 이온화 에너지가 족과 주기에 따라 주기성을 갖는다.
- 18족 원소의 원자 반지름은 측정 방법이 다르고, 주기적 성질에 맞지 않으므로 제외하여 판단한다.
- 유효 핵전하는 같은 주기의 원소들의 크기를 비교하며, 같은 주기에서 원자 번호가 커질수록 증가한다.

2 유효 핵전하에 따른 원자 반지름과 이온 반지름의 주기성

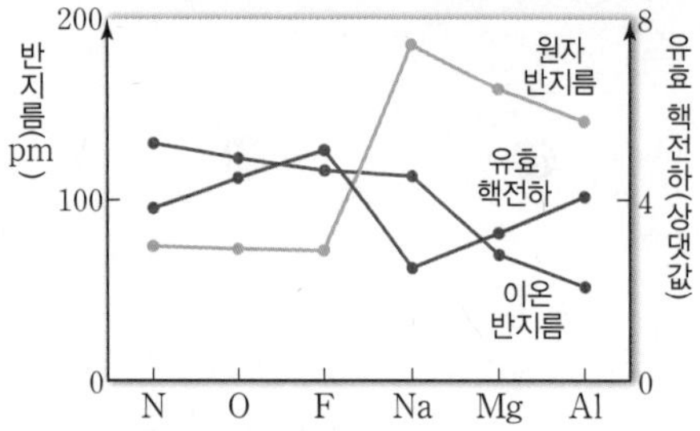

반지름(pm) 0, 100, 200 / 유효 핵전하(상댓값) 0, 4, 8 / N O F Na Mg Al / 원자 반지름 / 유효 핵전하 / 이온 반지름

원자 반지름과 이온 반지름

- 비금속 원소(N, O, F): 원자 반지름 < 이온 반지름
  ➡ 전자 사이의 반발력 때문
- 금속 원소(Na, Mg, Al): 원자 반지름 > 이온 반지름
  ➡ 전자 껍질 수 변화 때문
- 등전자 이온: 원자 번호가 커질수록 유효 핵전하가 증가하므로 이온 반지름 감소

3 2, 3주기 원소의 이온화 에너지 주기성

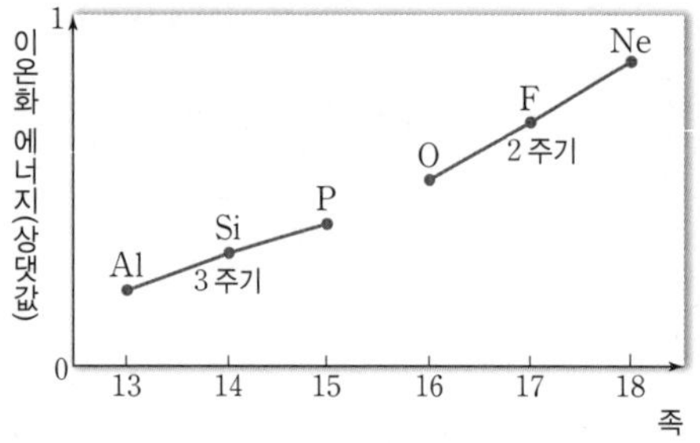

이온화 에너지(상댓값) 0, 1 / 족 13 14 15 16 17 18 / 3주기: Al, Si, P / 2주기: O, F, Ne

이온화 에너지의 주기성

- 같은 족: 원자 번호가 증가할수록 감소 ➡ 전자 껍질 수가 증가하기 때문
- 같은 주기: 원자 번호가 증가할수록 대체로 증가 ➡ 유효 핵전하가 증가하기 때문(예외: 2족 > 13족, 15족 > 16족)

주기적 성질	같은 주기에서 원자 번호가 증가할수록	같은 족에서 원자 번호가 증가할수록
원자가 전자가 느끼는 유효 핵전하	증가(핵전하 > 가려막기 효과)	증가
원자 반지름	감소(유효 핵전하 증가)	증가(전자 껍질 수 증가), 18족 원소는 제외
이온 반지름	감소(유효 핵전하 증가)	증가(전자 껍질 수 증가)
이온화 에너지	대체로 증가(2, 13족, 15, 16족 예외)	감소(전자 껍질 수 증가)

한·줄·핵심 주기율표에서 유효 핵전하, 원자 또는 이온 반지름, 이온화 에너지는 족과 주기에 따라 주기적 성질을 나타낸다.

확인 문제

정답과 해설 041쪽

01 다음 원소들의 주기적 성질을 비교하시오.

N, O, F, Na, Mg, Al

(1) 같은 주기 원소들의 원자가 전자가 느끼는 유효 핵전하
(2) 원자 반지름
(3) 이온 반지름
(4) 이온화 에너지

02 다음 설명 중 옳은 것은 ○, 옳지 않은 것은 ×로 표시하시오.

(1) 유효 핵전하는 Li > B 이다. ( )
(2) 원자 반지름은 Na > Li 이다. ( )
(3) 이온 반지름은 O > Mg 이다. ( )
(4) 이온화 에너지는 N > O 이다. ( )
(5) 순차적 이온화 에너지 비 $\frac{E_2}{E_1}$는 Na > Mg이다. ( )

콕콕! 개념 확인하기

정답과 해설 2쪽

✔ 잠깐 확인!

1. ☐☐☐ ☐☐☐
기체 상태의 원자에서 전자 1개를 떼어 내어 기체 상태의 양이온으로 만드는 데 필요한 에너지

2. 같은 주기에서 원자 번호가 커질수록 원자가 전자가 느끼는 ☐☐ ☐☐☐가 증가하여 이온화 에너지는 대체로 ☐☐한다.

3. 같은 족에서 원자 번호가 커질수록 ☐☐ ☐☐ 수가 증가하여 이온화 에너지는 대체로 ☐☐한다.

4. ☐☐☐ ☐☐☐ ☐ ☐☐
기체 상태의 중성 원자에서 전자를 1개씩 순차적으로 떼어 낼 때 각 단계에서 필요한 에너지

5. 순차적 이온화 에너지가 급격하게 증가하기 전까지 떼어 낸 전자의 수가 ☐☐ ☐ ☐☐의 수이다.

A 이온화 에너지

01 다음은 이온화 에너지에 대한 설명이다. ㉠~㉤에 들어갈 알맞은 말을 쓰시오.

- 같은 주기에서는 원자 번호가 커질수록 이온화 에너지가 (㉠)하고, 같은 족에서는 원자 번호가 커질수록 이온화 에너지가 (㉡)한다.
- 이온화 에너지가 작을수록 (㉢)이온이 되기 쉽다.
- 같은 주기에서는 (㉣)족 원소의 이온화 에너지가 가장 작고, (㉤)족 원소의 이온화 에너지가 가장 크다.

02 다음 원소들의 이온화 에너지를 비교하시오.

(1) Li ( ) Na (2) Be ( ) B

(3) O ( ) F (4) He ( ) Ne

03 그림은 원자 번호 1~20번 원소들의 이온화 에너지 변화를 나타낸 것이다. 금속성이 가장 큰 원소를 쓰시오.

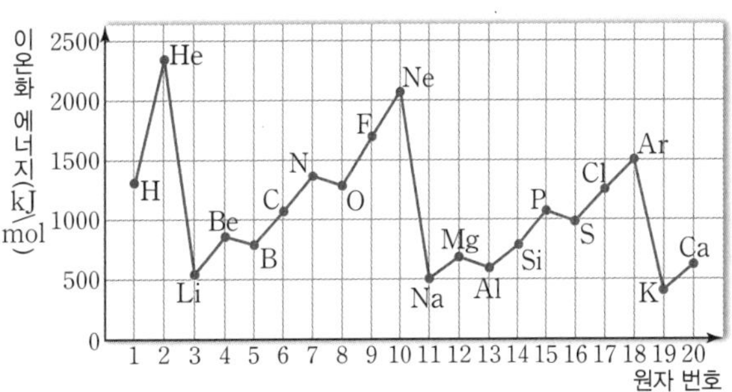

B 순차적 이온화 에너지

04 다음은 순차적 이온화 에너지를 나타낸 것이다. ㉠~㉢에 들어갈 알맞은 말을 쓰시오.

- $M(g) + E_1 \longrightarrow$ (㉠)$(g) + e^-$ (E_1: 제1 이온화 에너지)
- $M^+(g) + E_2 \longrightarrow$ (㉡)$(g) + e^-$ (E_2: 제2 이온화 에너지)
- $M^{2+}(g) + E_3 \longrightarrow$ (㉢)$(g) + e^-$ (E_3: 제3 이온화 에너지)

05 표는 3주기에 속한 임의의 원소 X의 순차적 이온화 에너지를 나타낸 것이다. 원소 X에 대한 설명 중 옳은 것은 ○, 옳지 않은 것은 ×로 표시하시오.

순차적 이온화 에너지(kJ/mol)	E_1	E_2	E_3	E_4
	577	1816	2912	11577

(1) 원자가 전자 수는 4이다. ( )

(2) 3주기 13족 원소이다. ( )

(3) 안정한 이온이 될 때 필요한 에너지는 2912 kJ/mol 이다. ( )

(4) X 산화물의 화학식은 X_2O_3이다. ( )

탄탄! 내신 다지기

A 이온화 에너지

01 다음 중 이온화 에너지에 대한 설명으로 옳은 것은?

① 이온화 에너지가 클수록 전자를 잃기 쉽다.
② 이온화 에너지가 작을수록 양이온이 되기 어렵다.
③ 같은 주기 원소에서 1족 원소가 가장 이온화 에너지가 작다.
④ 18족 원소는 원자 번호가 커질수록 이온화 에너지가 증가한다.
⑤ 고체 상태 원자에서 전자 1개를 떼어 내어 기체 상태 양이온으로 만드는 데 필요한 에너지이다.

02 그림은 원자 A~D의 보어 모형을 나타낸 것이다.

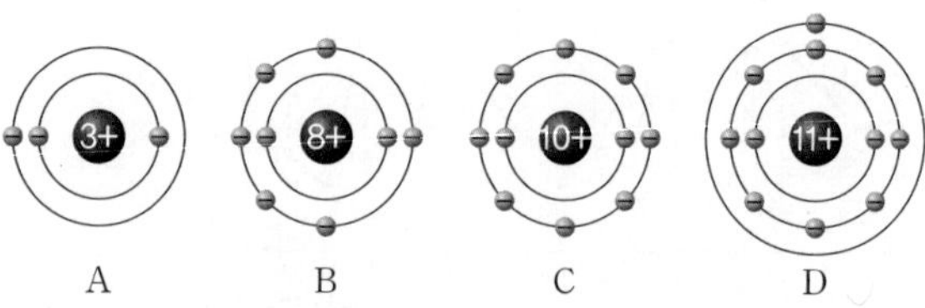

A~D의 이온화 에너지 크기를 옳게 비교한 것은? (단, A~D는 임의의 원소 기호이다.)

① A>B>C>D　② B>A>C>D
③ B>C>A>D　④ C>B>A>D
⑤ C>A>B>D

단답형

03 그림은 원자 번호가 연속인 2주기 원자 X~Z의 이온화 에너지를 나타낸 것이다. 원자 번호는 X<Y<Z이다.

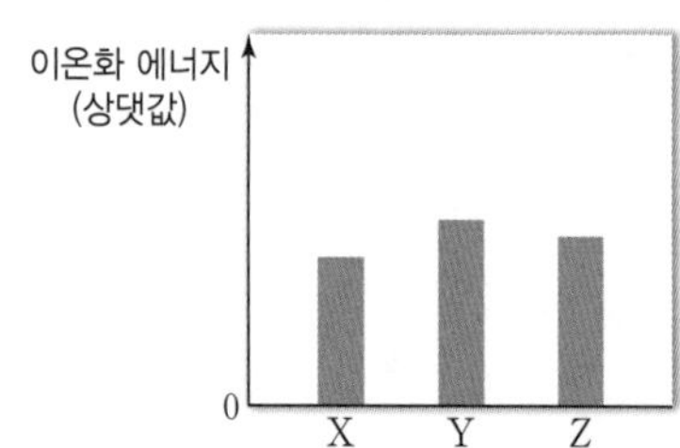

X~Z로 가능한 원소를 모두 쓰시오. (단, X~Z는 임의의 원소 기호이다.)

04 그림은 원자 번호 1~20번까지 원소들의 원자 번호에 따른 이온화 에너지를 나타낸 것이다.

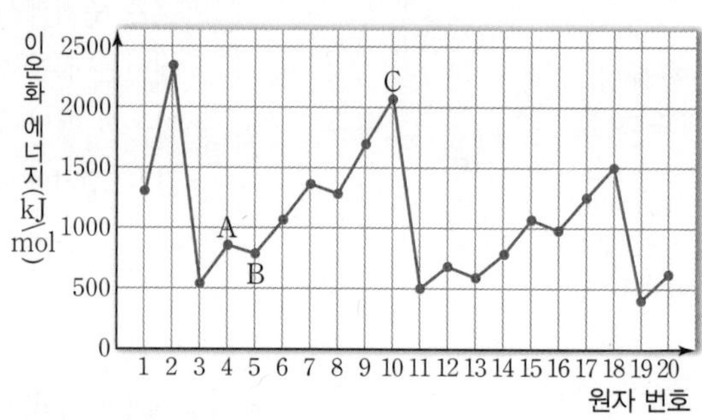

이에 대한 설명으로 옳은 것은? (단, A~C는 임의의 원소 기호이다.)

보기
ㄱ. 같은 족에서 원자 번호가 커질수록 이온화 에너지는 감소한다.
ㄴ. B의 이온화 에너지가 A보다 작은 까닭은 $2p$ 오비탈에 전자가 배치되기 때문이다.
ㄷ. C는 18족 원소이다.

① ㄱ　② ㄱ, ㄴ　③ ㄱ, ㄷ
④ ㄴ, ㄷ　⑤ ㄱ, ㄴ, ㄷ

B 순차적 이온화 에너지

05 순차적 이온화 에너지에 대한 설명으로 옳은 것만을 〈보기〉에서 있는 대로 고른 것은?

보기
ㄱ. 제1 이온화 에너지는 이온화 에너지와 같다.
ㄴ. 순차적 이온화 에너지가 급격하게 증가한 것을 통해 원자가 전자의 수를 알 수 있다.
ㄷ. $_3Li$은 $\frac{E_3}{E_2}$가 $\frac{E_2}{E_1}$보다 크다.

① ㄱ　② ㄱ, ㄴ　③ ㄱ, ㄷ
④ ㄴ, ㄷ　⑤ ㄱ, ㄴ, ㄷ

06 다음 반응식의 에너지(E)가 제1 이온화 에너지를 나타내는 것은?

① $Mg^+(s)+E \longrightarrow Mg^{2+}(s)+e^-$
② $Mg^+(s)+E \longrightarrow Mg^{2+}(g)+e^-$
③ $Na(g)+E \longrightarrow Na^+(g)+e^-$
④ $Cl^-(g)+e^- \longrightarrow Cl^{2-}(g)+E$
⑤ $Cl^-(g)+E \longrightarrow Cl(g)+e^-$

단답형

07 그림은 3주기 원소 X~Z의 순차적 이온화 에너지를 나타낸 것이다.

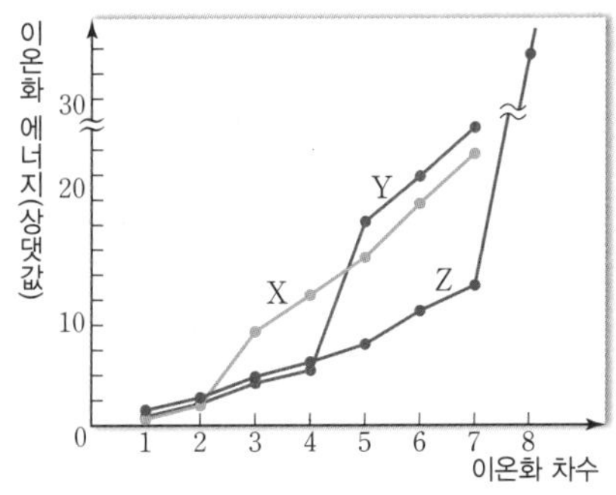

X~Z의 원소 기호를 쓰시오. (단, X~Z는 임의의 원소 기호이다.)

단답형

08 표는 2주기 원소 A, B의 순차적 이온화 에너지(E_n)를 나타낸 것이다.

원소	순차적 이온화 에너지(E_n, 10^3 kJ/mol)						
	E_1	E_2	E_3	E_4	E_5	E_6	E_7
A	1.4	2.9	4.6	7.5	9.4	53.3	64.4
B	1.3	3.4	5.3	7.5	11.0	13.3	71.3

A, B의 원소 기호를 쓰시오. (단, A, B는 임의의 원소 기호이다.)

09 그림은 2~3주기의 금속 원소 A와 비금속 원소 B의 순차적 이온화 에너지(E_n)를 나타낸 것이다. A와 B는 안정한 이온의 전자 배치가 같다.

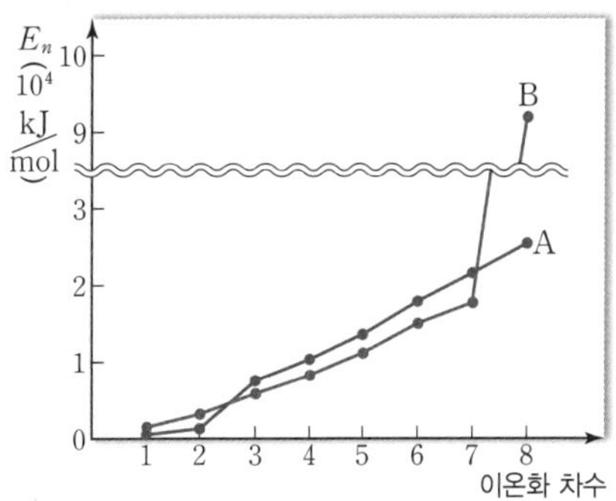

이에 대한 설명으로 옳은 것만을 〈보기〉에서 있는 대로 고른 것은? (단, A, B는 임의의 원소 기호이다.)

보기
ㄱ. A는 3주기 원소이다.
ㄴ. B의 원자가 전자 수는 7이다.
ㄷ. 안정한 화합물의 화학식은 AB이다.

① ㄱ ② ㄱ, ㄴ ③ ㄱ, ㄷ
④ ㄴ, ㄷ ⑤ ㄱ, ㄴ, ㄷ

10 표는 Li, Be, B의 순차적 이온화 에너지를 나타낸 것이다.

원소	순차적 이온화 에너지(kJ/mol)				
	E_1	E_2	E_3	E_4	E_5
$_3$Li	x	7298	11815		
$_4$Be	y	1757	14849	21007	
$_5$B	z	2427	3660	25026	32827

이에 대한 설명으로 옳은 것만을 〈보기〉에서 있는 대로 고른 것은?

보기
ㄱ. Be의 원자가 전자 수는 2이다.
ㄴ. $z>y>x$이다.
ㄷ. $_{11}$Na의 E_1는 x보다 크다.

① ㄱ ② ㄱ, ㄴ ③ ㄱ, ㄷ
④ ㄴ, ㄷ ⑤ ㄱ, ㄴ, ㄷ

도전! 실력 올리기

01 표는 바닥상태 원자 A~D의 전자 배치를 나타낸 것이다.

원자	전자 배치
A	$1s^1$
B	$1s^2 2s^1$
C	$1s^2 2s^2 2p^6 3s^1$
D	$1s^2 2s^2 2p^6 3s^2 3p^4$

A~D에 대한 설명으로 옳은 것만을 〈보기〉에서 있는 대로 고른 것은? (단, A~D는 임의의 원소 기호이다.)

보기
ㄱ. 같은 족 원소는 3가지이다.
ㄴ. 이온화 에너지는 C>D이다.
ㄷ. $\frac{\text{이온화 에너지}}{\text{전자 수}}$는 B>C이다.

① ㄱ ② ㄱ, ㄴ ③ ㄱ, ㄷ
④ ㄴ, ㄷ ⑤ ㄱ, ㄴ, ㄷ

02 다음은 어떤 가설을 검증하는 과정이다.

가설
2, 3주기 원소들에서 같은 주기의 원소들은 원자 번호가 커질수록 이온화 에너지가 증가한다.
조사
이온화 에너지는 ㉠ 이다.
가설 검증
가설은 타당하지 않다.

㉠으로 옳은 것만을 〈보기〉에서 있는 대로 고른 것은?

보기
ㄱ. Be>B
ㄴ. P>S
ㄷ. F>O

① ㄱ ② ㄷ ③ ㄱ, ㄴ
④ ㄴ, ㄷ ⑤ ㄱ, ㄴ, ㄷ

03 그림은 원자 번호가 연속인 2, 3주기 원소 A~H의 이온화 에너지를 나타낸 것이다.

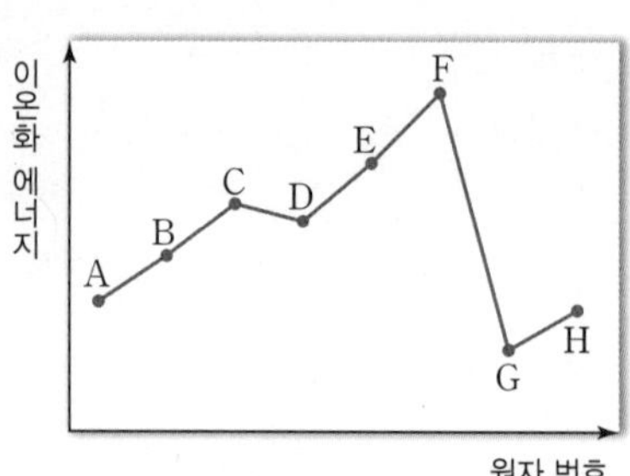

이에 대한 설명으로 옳은 것만을 〈보기〉에서 있는 대로 고른 것은? (단, A~H는 임의의 원소 기호이다.)

보기
ㄱ. C는 2주기 15족 원소이다.
ㄴ. F의 이온화 에너지는 He보다 작다.
ㄷ. 제2 이온화 에너지는 D가 E보다 크다.

① ㄱ ② ㄷ ③ ㄱ, ㄴ
④ ㄴ, ㄷ ⑤ ㄱ, ㄴ, ㄷ

출제예감

04 그림은 3주기 원소 A~C의 순차적 이온화 에너지의 상댓값을 각각의 제4 이온화 에너지를 100으로 하여 나타낸 것이다.

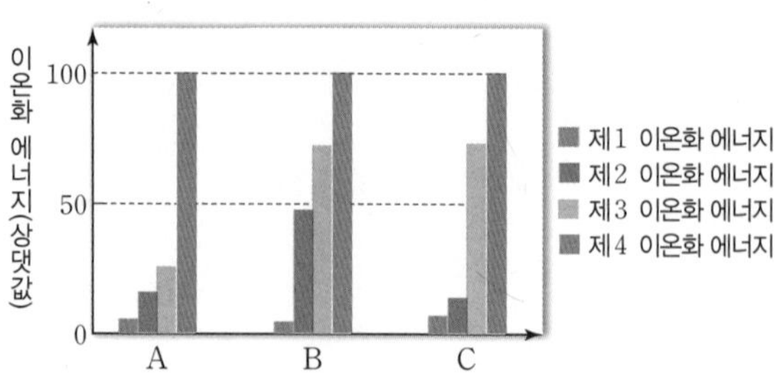

이에 대한 설명으로 옳은 것만을 〈보기〉에서 있는 대로 고른 것은? (단, A~C는 임의의 원소 기호이다.)

보기
ㄱ. A는 3족 원소이다.
ㄴ. 원자 번호는 C>B이다.
ㄷ. 제1 이온화 에너지는 C>A이다.

① ㄱ ② ㄴ ③ ㄱ, ㄷ
④ ㄴ, ㄷ ⑤ ㄱ, ㄴ, ㄷ

정답과 해설 042쪽

05 표는 원자 A~C의 이온화 에너지에 대한 자료이다.

원자	A	B	C
제2 이온화 에너지 / 제1 이온화 에너지	2.0	2.6	9.2

이에 대한 설명으로 옳은 것만을 〈보기〉에서 있는 대로 고른 것은? (단, A~C는 각각 O, F, Na 중 하나이다.)

보기
ㄱ. A는 F이다.
ㄴ. C의 원자가 전자 수는 1이다.
ㄷ. B와 C의 안정한 화합물의 화학식은 C_2B이다.

① ㄱ ② ㄴ ③ ㄱ, ㄷ
④ ㄴ, ㄷ ⑤ ㄱ, ㄴ, ㄷ

출제예감

06 그림은 원자 번호가 연속적으로 증가하는 A~D의 제1, 제2 이온화 에너지를 나타낸 것이다.

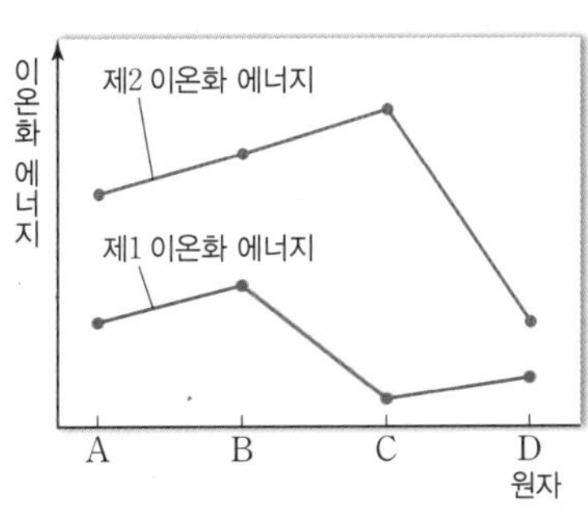

이에 대한 설명으로 옳은 것만을 〈보기〉에서 있는 대로 고른 것은? (단, A~D는 임의의 원소 기호이며, 2, 3주기 원소이다.)

보기
ㄱ. A~D 중 금속 원소는 2가지이다.
ㄴ. 원자가 전자의 수는 A가 D의 6배이다.
ㄷ. 이온 반지름의 크기는 D>A이다.

① ㄱ ② ㄴ ③ ㄱ, ㄷ
④ ㄴ, ㄷ ⑤ ㄱ, ㄴ, ㄷ

07 그림은 2, 3주기인 몇 가지 원소의 이온화 에너지를 족에 따라 나타낸 것이다.

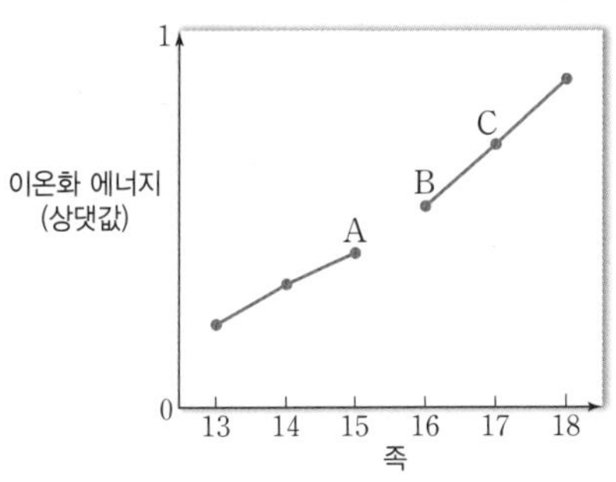

A~C의 전자 배치를 각각 쓰시오. (단, A~C는 임의의 원소 기호이며, 같은 선으로 연결한 원소는 같은 주기에 속한다.)

[08~09] 표는 3주기 원소 A, B의 순차적 이온화 에너지를 나타낸 것이다. (단, A, B는 임의의 원소 기호이다.)

원소	순차적 이온화 에너지(kJ/mol)			
	E_1	E_2	E_3	E_4
A	496	4562	6912	9543
B	738	1451	7733	10540

서술형

08 A와 B의 원자가 전자 수를 구하고, 그렇게 구한 까닭을 서술하시오.

서술형

09 기체 상태의 원자 B에서 전자 2개를 떼어 내는 데 필요한 에너지(kJ/mol)를 구하고, 그렇게 구한 까닭을 서술하시오.

수능을 알기 쉽게 풀어주는 수능 POOL

원소의 주기적 성질

대표 유형

출제 의도

주어진 조건에 맞추어 각 원소를 결정한 뒤에 각 원소의 주기적 성질을 비교하는 문제이다.

다음은 탄소(C)와 2, 3주기 원자 V~Z에 대한 자료이다.

- 모든 원자는 바닥상태이다.
- 전자가 들어있는 p 오비탈 수는 3 이하이다.
  - └ $3p$ 오비탈에 전자가 배치된 원소는 제외한다. 3주기 원소는 Al부터 제외
- 홀전자 수와 제1 이온화 에너지

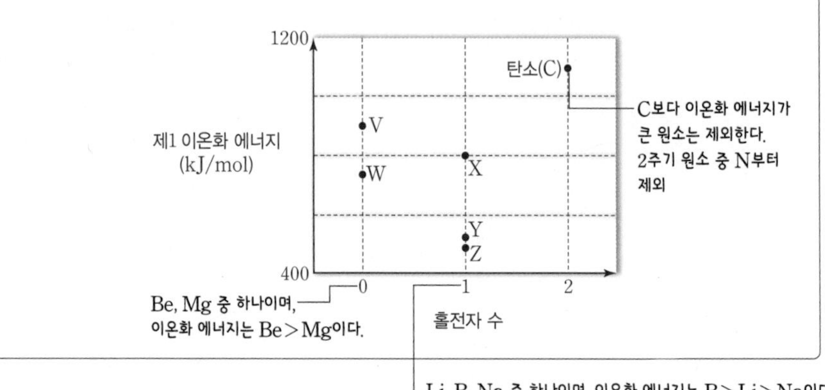

1200
400
제1 이온화 에너지 (kJ/mol)
탄소(C)
V
W
X
Y
Z
0
1
2
홀전자 수
C보다 이온화 에너지가 큰 원소는 제외한다. 2주기 원소 중 N부터 제외
Be, Mg 중 하나이며, 이온화 에너지는 Be>Mg이다.
Li, B, Na 중 하나이며, 이온화 에너지는 B>Li>Na이다.

이것이 함정

탄소(C)의 이온화 에너지보다 작고, 전자가 들어있는 p 오비탈 수가 3 이하이면 2주기 1, 2, 13족 또는 3주기 1, 2족 원소만 조건에 해당함을 파악해야 한다.

이에 대한 설명으로 옳은 것만을 <보기>에서 있는 대로 고른 것은? (단, V~Z는 임의의 원소 기호이다.)

보기

ㄱ. X는 13족 원소이다.
  └ X는 Li, B, Na 중 이온화 에너지가 가장 큰 것이므로 B이다.

ㄴ. 원자 반지름은 W>X>V이다.
  └ V는 Be, W는 Mg, X는 B이다. 원자 반지름은 W>V>X 이다.

ㄷ. 제2 이온화 에너지는 Y>Z>X이다.
  └ X는 B, Y는 Li, Z는 Na이다. Y^+과 Z^+은 18족 원소와 전자 수가 같다.

① ㄱ ② ㄴ ③ ㄱ, ㄷ ④ ㄴ, ㄷ ⑤ ㄱ, ㄴ, ㄷ

그래프에서 경향성 찾기

주어진 조건 두 번째에서 3주기 원소를 제외한다. >>> 그래프에서 탄소(C)원자보다 이온화 에너지가 작은 것으로부터 2주기 원소 중 질소(N)부터 제외한다. >>> V~Z가 각각 Be, Mg, B, Li, Na임을 찾는다. >>> V~Z의 주기적 성질을 비교한다.

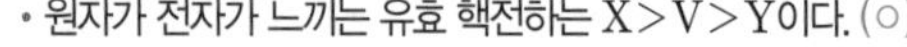

추가 선택지

- 원자가 전자가 느끼는 유효 핵전하는 X>V>Y이다. (○)
  - → 같은 주기에서 원자 번호가 커질수록 유효 핵전하가 증가하므로 X>V>Y이다.
- 이온 반지름은 W>Z이다. (×)
  - → W와 Z는 이온이 되면 Ne과 같은 전자 배치를 나타내므로 핵전하가 큰 W가 Z보다 이온 반지름이 작다.

실전! 수능 도전하기

정답과 해설 043쪽

01 그림은 원소 A~D의 원자 반지름과 이온 반지름을 나타낸 것이다. A~D는 O, F, Na, Mg 중 하나이다.

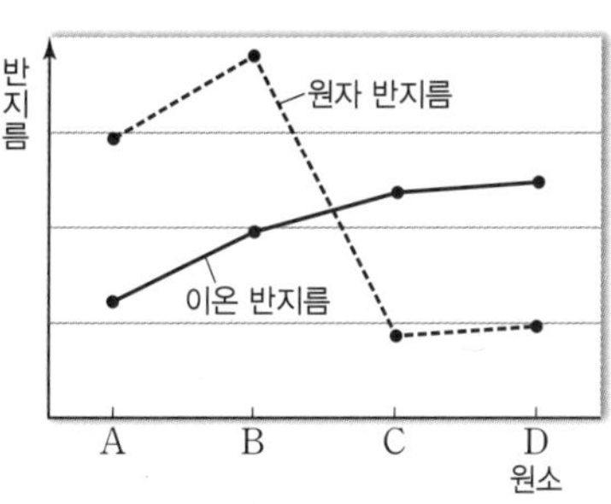

이에 대한 설명으로 옳은 것만을 〈보기〉에서 있는 대로 고른 것은?

보기
ㄱ. B는 Mg이다.
ㄴ. 원자가 전자가 느끼는 유효 핵전하는 A가 B보다 크다.
ㄷ. 이온화 에너지는 C가 D보다 크다.

① ㄱ ② ㄷ ③ ㄱ, ㄴ
④ ㄴ, ㄷ ⑤ ㄱ, ㄴ, ㄷ

02 표는 2, 3주기 원소 A~D의 원자 반지름을 나타낸 것이다. A~D는 각각 O, F, S, Cl 중 하나이다.

원자	원자 반지름(pm)
A	103
B	99
C	73
D	71

이에 대한 설명으로 옳은 것만을 〈보기〉에서 있는 대로 고른 것은?

보기
ㄱ. A는 Cl이다.
ㄴ. 이온 반지름의 크기는 C가 D보다 크다.
ㄷ. 제1 이온화 에너지의 크기는 B가 A보다 크다.

① ㄱ ② ㄴ ③ ㄱ, ㄷ
④ ㄴ, ㄷ ⑤ ㄱ, ㄴ, ㄷ

03 그림은 원자 A~D의 이온 반지름을 나타낸 것이다. A~D의 이온은 모두 Ne의 전자 배치를 가지며, 원자 번호는 각각 8, 9, 11, 12 중 하나이다.

이에 대한 설명으로 옳은 것만을 〈보기〉에서 있는 대로 고른 것은? (단, A~D는 임의의 원소 기호이다.)

보기
ㄱ. 원자 반지름의 크기는 A>B이다.
ㄴ. 원자가 전자가 느끼는 유효 핵전하는 C>D이다.
ㄷ. A~D 중 제1 이온화 에너지 크기는 B가 가장 작다.

① ㄱ ② ㄷ ③ ㄱ, ㄴ
④ ㄴ, ㄷ ⑤ ㄱ, ㄴ, ㄷ

수능 기출

04 그림은 원소 A~D가 Ne과 같은 전자 배치를 갖는 이온이 되었을 때 이온 반지름을 나타낸 것이다. A~D는 각각 O, F, Na, Mg 중 하나이다.

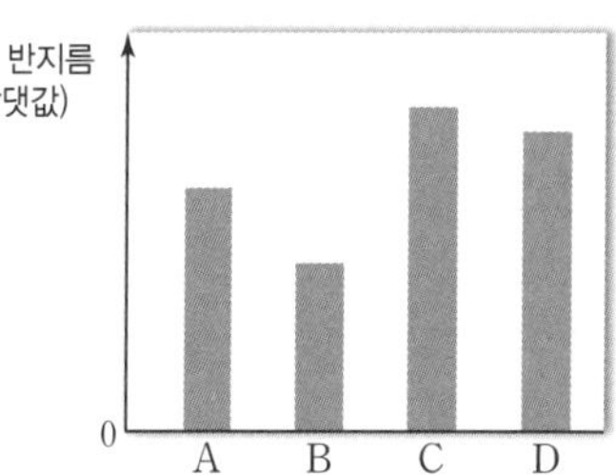

이에 대한 설명으로 옳은 것만을 〈보기〉에서 있는 대로 고른 것은?

보기
ㄱ. C는 Na이다.
ㄴ. 원자가 전자가 느끼는 유효 핵전하는 B>A이다.
ㄷ. C와 D는 같은 주기 원소이다.

① ㄱ ② ㄴ ③ ㄷ
④ ㄱ, ㄴ ⑤ ㄴ, ㄷ

05 그림은 원자 a~i의 제1 이온화 에너지를 나타낸 것이다. a~i는 각각 원자 번호 2~10의 원소 중 하나이다.

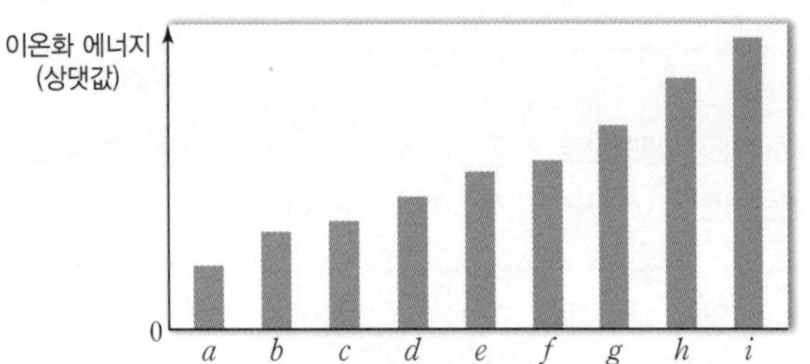

이에 대한 설명으로 옳은 것만을 〈보기〉에서 있는 대로 고른 것은? (단, a~i는 임의의 원소 기호이다.)

보기
ㄱ. c는 B이다.
ㄴ. a~g 중 원자 반지름이 가장 큰 것은 a이다.
ㄷ. h와 i는 같은 족 원소이다.

① ㄱ ② ㄴ ③ ㄱ, ㄷ ④ ㄴ, ㄷ ⑤ ㄱ, ㄴ, ㄷ

수능 기출

06 그림 (가)는 2주기 원소의 원자 번호에 따른 핵전하(Z)와 원자가 전자가 느끼는 유효 핵전하(Z^*)를 나타낸 것이고, (나)는 2주기 원소 A~E의 바닥상태 원자의 전자 배치에서 홀전자 수에 따른 Z와 Z^*의 차($Z-Z^*$)를 나타낸 것이다.

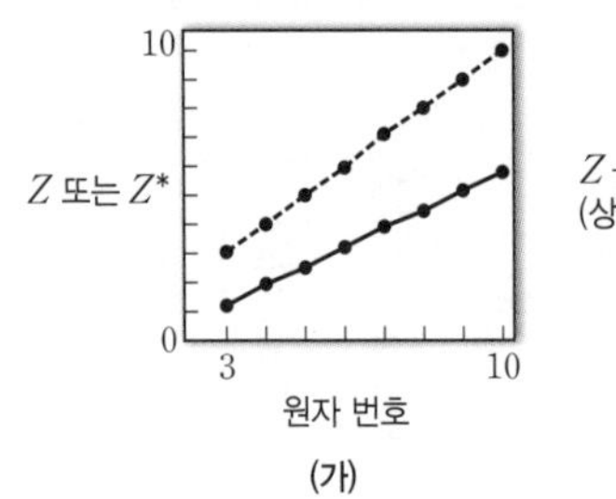

(가)

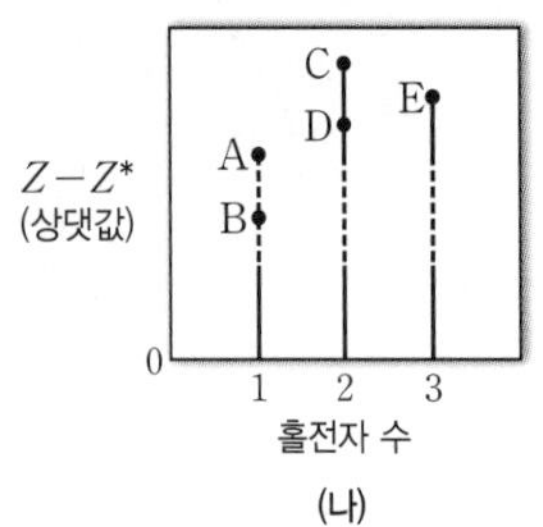

(나)

이에 대한 설명으로 옳은 것만을 〈보기〉에서 있는 대로 고른 것은? (단, A~E는 임의의 원소 기호이다.)

보기
ㄱ. A는 플루오린(F)이다.
ㄴ. 제1 이온화 에너지는 E>C이다.
ㄷ. 바닥상태 원자에서 전자가 들어있는 오비탈의 수는 D가 B의 2배이다.

① ㄱ ② ㄴ ③ ㄷ ④ ㄱ, ㄴ ⑤ ㄴ, ㄷ

07 다음은 원소 A, B에 대한 자료이다. .

- A는 2주기, B는 3주기 원소이다.
- 그림에서 R_A는 A의 원자 반지름, R_B는 B의 원자 반지름이다.
- 그림에서 ㉠과 ㉡은 각각 A 이온의 반지름, B 이온의 반지름 중 하나이다.

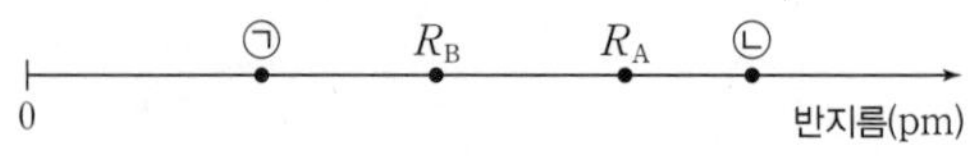

이에 대한 설명으로 옳은 것만을 〈보기〉에서 있는 대로 고른 것은? (단, A와 B는 임의의 원소 기호이고, 이온은 안정한 상태이며 18족 원소의 전자 배치를 갖는다.)

보기
ㄱ. ㉡은 B 이온의 반지름이다.
ㄴ. 금속성은 A>B이다.
ㄷ. A 이온과 B 이온의 전자 배치는 같다.

① ㄱ ② ㄷ ③ ㄱ, ㄴ ④ ㄴ, ㄷ ⑤ ㄱ, ㄴ, ㄷ

08 그림은 원자 a~d의 제1 이온화 에너지를 나타낸 것이다. a~d는 각각 Li, Be, B, C 중 하나이다.

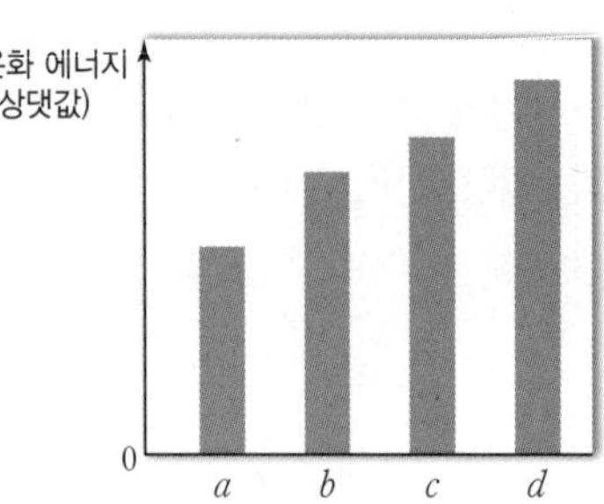

이에 대한 설명으로 옳은 것만을 〈보기〉에서 있는 대로 고른 것은? (단, a~d는 임의의 원소 기호이다.)

보기
ㄱ. 원자 반지름은 $c>b$이다.
ㄴ. 이온 반지름은 $c>a$이다.
ㄷ. a~d 중 원자가 전자가 느끼는 유효 핵전하는 d가 가장 크다.

① ㄱ ② ㄴ ③ ㄱ, ㄷ ④ ㄴ, ㄷ ⑤ ㄱ, ㄴ, ㄷ

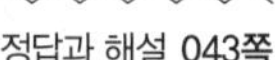

수능 기출

09 표는 원자 A~C의 이온화 에너지에 대한 자료이다. A~C는 각각 O, F, Na 중 하나이다. .

원자	A	B	C
$\frac{\text{제2 이온화 에너지}}{\text{제1 이온화 에너지}}$	2.0	2.6	9.2

A~C에 대한 설명으로 옳은 것만을 〈보기〉에서 있는 대로 고른 것은?

보기
ㄱ. C는 Na이다.
ㄴ. 원자가 전자가 느끼는 유효 핵전하는 A>B이다.
ㄷ. Ne의 전자 배치를 갖는 이온의 반지름은 A 이온이 가장 크다.

① ㄴ ② ㄷ ③ ㄱ, ㄴ
④ ㄱ, ㄷ ⑤ ㄱ, ㄴ, ㄷ

10 그림은 주기율표에서 원자 번호 1~20인 원소의 위치를 나타낸 것이다.

주기 \ 족	1	2	13	14	15	16	17	18
1								
2								
3								
4								

위의 원소 중 아래 제시된 (가)~(다)에 해당하는 원소의 원자 번호를 모두 합한 값은?

보기
(가) 제1 이온화 에너지가 가장 작은 원소
(나) 원자 반지름이 가장 큰 원소
(다) 3주기 원소 중 유효 핵전하가 가장 큰 원소

① 54 ② 56 ③ 58
④ 59 ⑤ 60

11 그림은 원자 번호가 연속인 2, 3주기 몇 가지 원소의 제1 이온화 에너지의 상댓값을 나타낸 것이다.

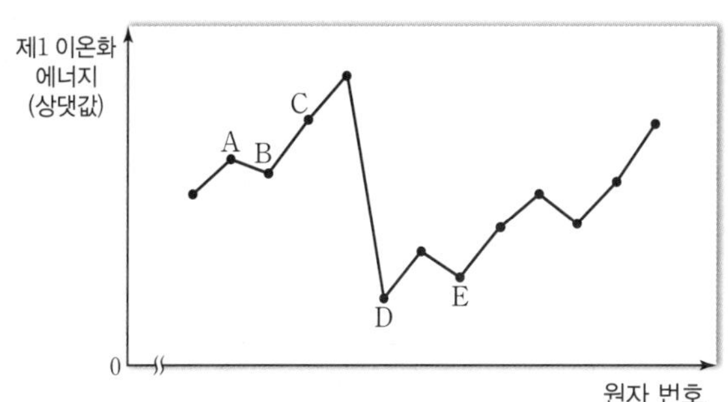

A~E에 대한 설명으로 옳은 것만을 〈보기〉에서 있는 대로 고른 것은? (단, A~E는 임의의 원소 기호이다.)

보기
ㄱ. 제2 이온화 에너지는 D가 가장 크다.
ㄴ. 원자 반지름은 E가 가장 크다.
ㄷ. 안정한 이온의 반지름은 A가 가장 크다.

① ㄱ ② ㄴ ③ ㄱ, ㄴ
④ ㄱ, ㄷ ⑤ ㄱ, ㄴ, ㄷ

12 표는 원자 번호가 연속인 2주기 원자 W~Z의 홀전자 수와 제1 이온화 에너지를 나타낸 것이다.

원자	W	X	Y	Z
바닥상태 원자의 홀전자 수	0	1	2	a
제1 이온화 에너지(상댓값)	b	1	2.1	1.5

W~Z에 대한 설명으로 옳은 것만을 〈보기〉에서 있는 대로 고른 것은? (단, W~Z는 임의의 원소 기호이다.)

보기
ㄱ. a=3이다.
ㄴ. b>1.5이다.
ㄷ. 원자가 전자의 유효 핵전하는 Y가 가장 크다.

① ㄱ ② ㄷ ③ ㄱ, ㄴ
④ ㄴ, ㄷ ⑤ ㄱ, ㄴ, ㄷ

한눈에 보는

대단원 정리

1 원자의 구조

01 원자의 구조

1. 원자의 구조

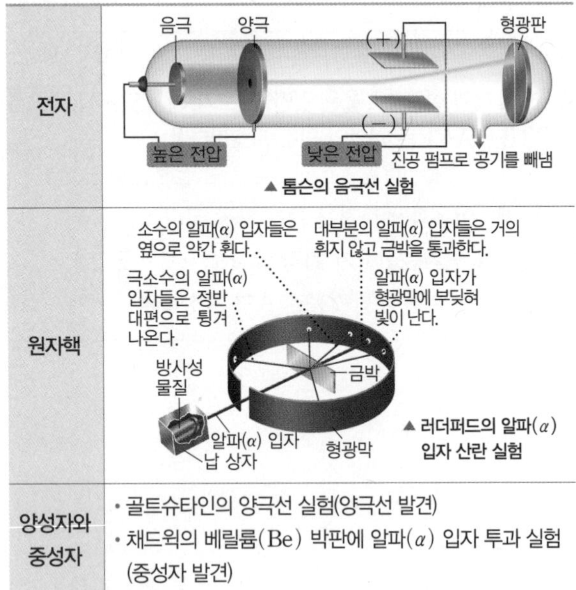

전자	▲ 톰슨의 음극선 실험
원자핵	▲ 러더퍼드의 알파(α) 입자 산란 실험
양성자와 중성자	• 골트슈타인의 양극선 실험(양극선 발견) • 채드윅의 베릴륨(Be) 박판에 알파(α) 입자 투과 실험 (중성자 발견)

2. 원자 모형의 변천

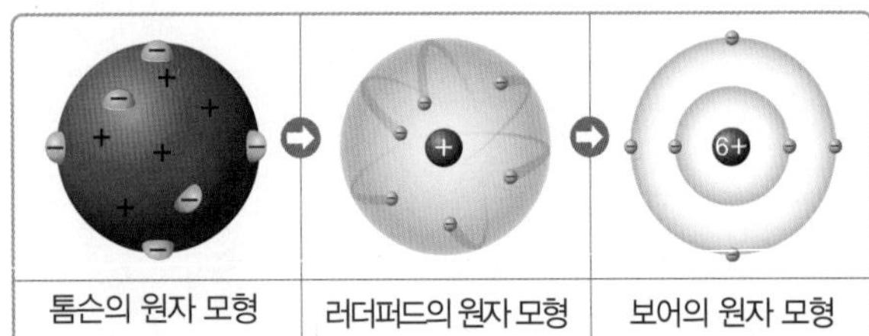

톰슨의 원자 모형	러더퍼드의 원자 모형	보어의 원자 모형

3. 원자의 표시 방법: 원자 번호(양성자수)는 원소 기호의 왼쪽 아래에, 질량수는 원소 기호의 왼쪽 위에 함께 나타내어 표시한다.

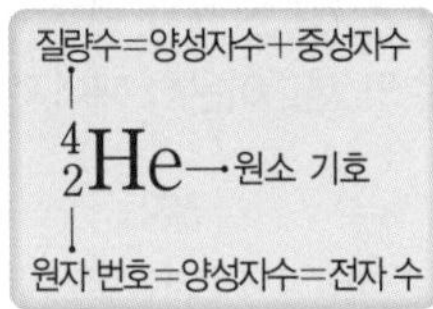

4. 동위 원소: 양성자수(원자 번호)는 같지만 중성자수가 달라서 질량수가 다른 원소

5. 평균 원자량: 자연계에 존재하는 동위 원소의 존재 비율을 고려하여 평균값으로 나타낸 원자량

원소	동위 원소	원자량	존재 비율(%)
C	$^{12}_{6}C$	12.000	98.93
	$^{13}_{6}C$	13.003	1.07

예 탄소(C)의 평균 원자량

$$=\frac{(12.000\times98.93)+(13.003\times1.07)}{100}=12.011$$

02 현대의 원자 모형

1. 보어의 원자 모형

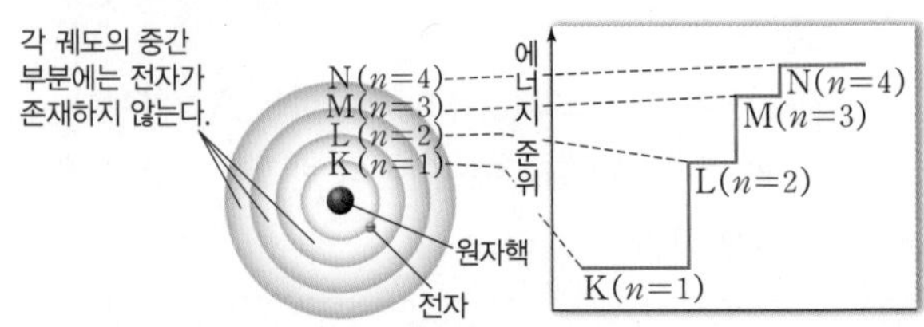

2. 오비탈: 일정한 에너지의 전자가 원자핵 주위에 존재하는 확률을 나타내는 함수 또는 전자를 발견할 확률이 높은 공간의 모양

전자 구름 모형	경계면 그림
z, y, x	z, y, x

3. s 오비탈과 p 오비탈의 모양과 특징

s 오비탈	• 공 모양으로, 핵으로부터 거리가 같으면 전자가 발견될 확률이 모두 같으므로 방향성이 없다. • 모든 전자 껍질에 1개씩 존재한다.
p 오비탈	• 아령 모양으로, 핵으로부터 거리와 방향에 따라 전자가 발견될 확률이 다르다. • x, y, z축의 방향에 따라 p_x, p_y, p_z의 3개의 오비탈로 나누어진다.

4. 양자수와 오비탈

① 주 양자수(n)와 방위 양자수(l)

전자 껍질	K	L		M		
주 양자수(n)	1	2		3		
방위 양자수(l)	0	0	1	0	1	2
자기 양자수(m_l)	0	0	−1, 0, +1	0	−1, 0, +1	−2, −1, 0, +1, +2
오비탈	$1s$	$2s$	$2p$	$3s$	$3p$	$3d$

5. 스핀 자기 양자수: $+\frac{1}{2}$, $-\frac{1}{2}$

6. 오비탈의 에너지 준위: 오비탈의 크기와 모양에 의해 결정

• 수소 원자: $1s<2s=2p<3s=3p=3d<4s=4p=4d=4f$ …

• 다전자 원자: $1s<2s<2p<3s<3p<4s<3d<4p$ …

03 원자의 전자 배치

1. 전자 배치 원리

쌓음 원리	바닥상태에 있는 원자의 전자는 에너지가 작은 오비탈에서부터 큰 오비탈로 차례대로 채워진다. 전자가 채워지는 순서: $1s \rightarrow 2s \rightarrow 2p \rightarrow 3s \rightarrow 3p \rightarrow 4s \rightarrow 3d$ ……
파울리 배타 원리	1개의 오비탈에 전자가 최대 2개까지 채워지며, 2개의 전자는 스핀 자기 양자수가 서로 다르다. ($1s$ ↑↓)
훈트 규칙	• 홀전자: 오비탈의 전자 배치에서 1개의 오비탈에 쌍을 이루지 않고 있는 전자 ($2p_x$ $2p_y$ $2p_z$, 홀전자) • 훈트 규칙: 에너지 준위가 같은 여러 개의 오비탈에 전자가 채워질 때에는 가능한 짝을 짓지 않도록(홀전자 수가 최대가 되도록) 배치된다.

2. 바닥상태와 들뜬상태, 원자가 전자

① **바닥상태와 들뜬상태**

• 바닥상태: 쌓음 원리, 파울리 배타 원리, 훈트 규칙을 모두 만족하는 전자 배치

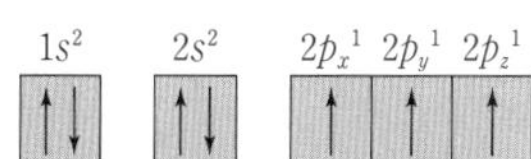

• 들뜬상태: 쌓음 원리나 훈트 규칙을 만족하지 않는 전자 배치

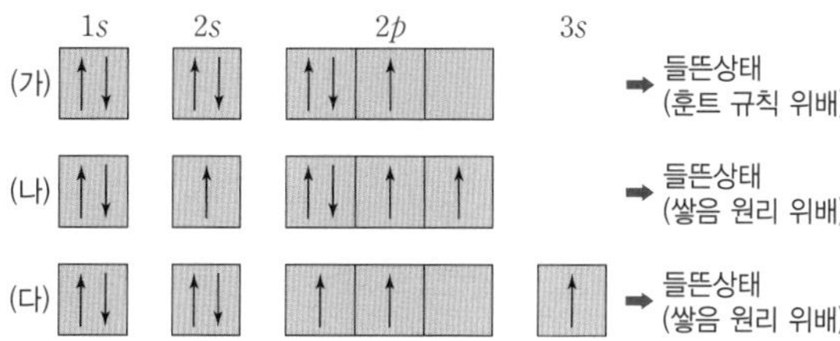

② **원자가 전자:** 화학 결합에 참여하는 전자로, 바닥상태의 전자 배치에서 가장 바깥 전자 껍질에 있는 전자이다.

예 $_7N$ $1s^2 2s^2 2p^3$: 원자가 전자 수는 $2s$에 2개와 $2p$에 3개이므로 총 5개이다.

③ **이온의 전자 배치:** 이온이 되면 안정된 전자 배치를 해야 하므로 가장 가까운 18족 원소와 같은 전자 배치를 한다.

양이온	예 Mg^{2+} $1s$ ↑↓ $2s$ ↑↓ $2p$ ↑↓ ↑↓ ↑↓
음이온	예 O^{2-} $1s$ ↑↓ $2s$ ↑↓ $2p$ ↑↓ ↑↓ ↑↓

2 원소의 주기적 성질

01 유효 핵전하, 원자 반지름, 이온 반지름

1. 물질을 구성하는 입자

① **유효 핵전하:** 전자가 실제로 느끼는 핵전하, 같은 주기에서 원자 번호가 커질수록 유효 핵전하는 증가한다.

② **원자 반지름:** 같은 주기에서 원자 번호가 커질수록 원자가 전자가 느끼는 유효 핵전하가 증가하여 원자 반지름이 작아진다. 같은 족에서 원자 번호가 커질수록 전자 껍질 수가 증가하여 원자 반지름이 커진다.

③ **이온 반지름**

• 원자 반지름 > 양이온 반지름

• 원자 반지름 < 음이온 반지름

• 등전자 이온의 이온 반지름: 원자 번호가 커질수록 이온 반지름은 작아진다.

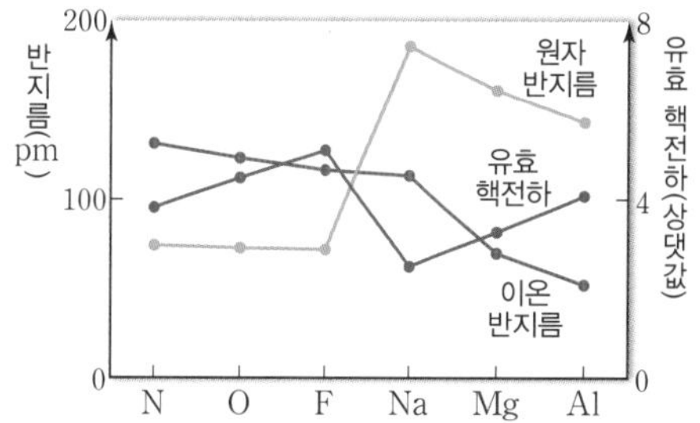

02 이온화 에너지와 순차적 이온화 에너지

1. 이온화 에너지: 기체 상태의 원자에서 전자 1몰을 떼어 내어 기체 상태의 양이온으로 만드는 데 필요한 에너지

같은 족	원자 번호가 커질수록 이온화 에너지는 감소한다.
같은 주기	원자 번호가 커질수록 이온화 에너지는 대체로 증가한다.

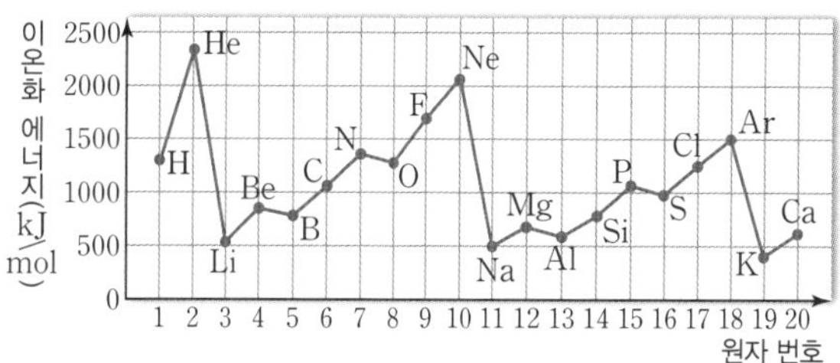

2. 순차적 이온화 에너지

① 기체 상태의 중성 원자에서 전자 1개씩 순차적으로 떼어 낼 때 각 단계에서 필요한 에너지

$E_1 < E_2 \ll E_3$: 원자가 전자 2개

(안쪽 전자 껍질의 전자를 떼어 내는 데 필요한 에너지)

② 순차적 이온화 에너지가 급격하게 증가하기 전까지 떼어 낸 전자의 수가 원자가 전자의 수

한번에 끝내는

대단원 문제

정답과 해설 045쪽

01 그림은 어떤 원소 (가)와 (나)의 이온을 모형으로 나타낸 것이다.

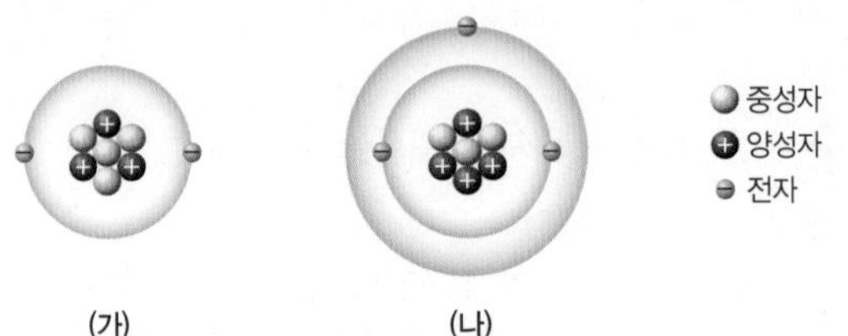

이에 대한 설명으로 옳은 것만을 〈보기〉에서 있는 대로 고른 것은?

보기
ㄱ. (가)는 양이온이다.
ㄴ. 질량수는 (가)와 (나)가 같다.
ㄷ. (나)는 $^{7}_{4}Be^{+}$이다.

① ㄱ ② ㄴ ③ ㄱ, ㄴ
④ ㄴ, ㄷ ⑤ ㄱ, ㄴ, ㄷ

02 그림은 원자 A, B와 이온 C^-의 중성자수와 질량수를 나타낸 것이다.

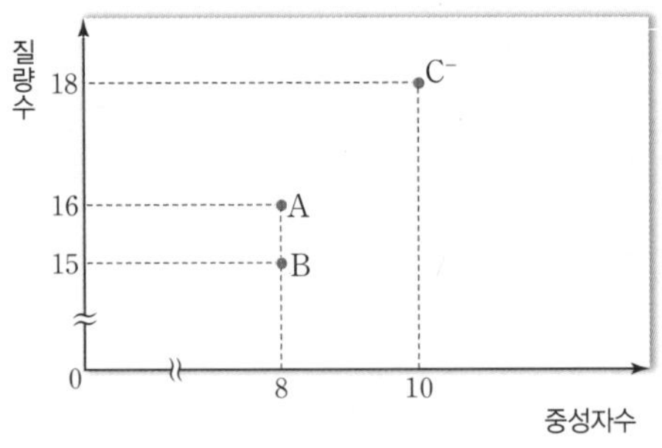

이에 대한 설명으로 옳은 것만을 〈보기〉에서 있는 대로 고른 것은? (단, A~C는 임의의 원소 기호이다.)

보기
ㄱ. A와 B는 동위 원소이다.
ㄴ. 양성자수는 C>B이다.
ㄷ. C의 전자 수는 9이다.

① ㄱ ② ㄴ ③ ㄱ, ㄴ
④ ㄴ, ㄷ ⑤ ㄱ, ㄴ, ㄷ

고난도

03 그림 (가)는 수소 원자의 전자 전이 a~e를 전이 전의 주 양자수($n_{전}$)와 전이 후의 주 양자수($n_{후}$)로 나타낸 것이고, (나)는 수소 원자의 가시광선 영역의 선 스펙트럼을 나타낸 것이다.

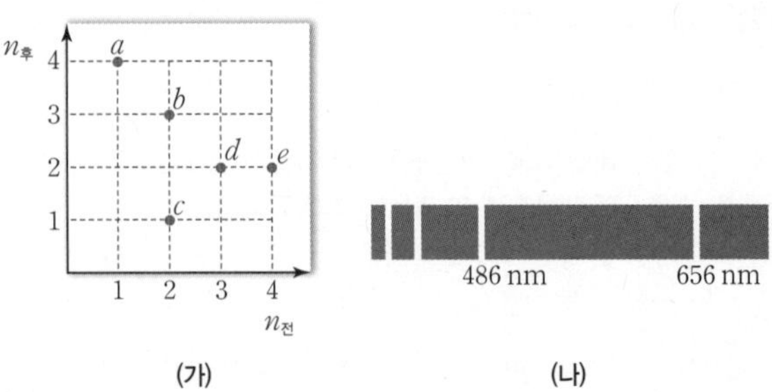

이에 대한 설명으로 옳은 것만을 〈보기〉에서 있는 대로 고른 것은? (단, 수소 원자의 에너지 준위 $E_n=-\frac{1312}{n^2}$ kJ/mol이고, n은 주 양자수이다.)

보기
ㄱ. 486 nm의 선은 e에 해당한다.
ㄴ. a~e 중 에너지를 흡수하는 전자 전이는 2가지이다.
ㄷ. c와 d에서 흡수하거나 방출하는 에너지 크기의 비는 27 : 5이다.

① ㄱ ② ㄴ ③ ㄱ, ㄴ
④ ㄴ, ㄷ ⑤ ㄱ, ㄴ, ㄷ

04 그림은 보어의 수소 원자 모형에서 4가지 전자 전이 A~D를 나타낸 것이다.

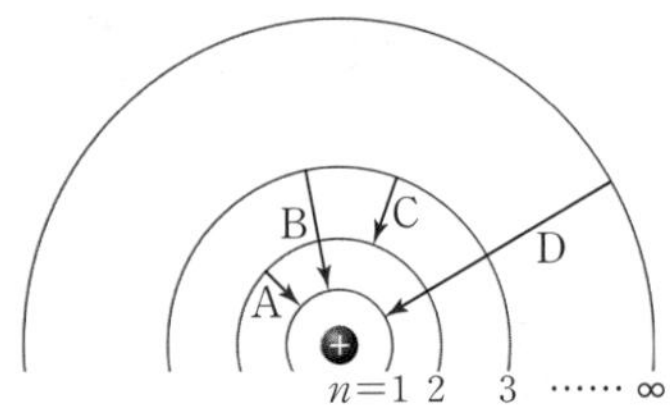

A~D에서 방출하는 에너지의 크기를 옳게 비교한 것은? (단, 수소 원자의 에너지 준위 $E_n=-\frac{1312}{n^2}$ kJ/mol이고, n은 주 양자수이다.)

① A>B>C>D ② B>A>C>D
③ B>C>A>D ④ D>A>B>C
⑤ D>B>A>C

05 표는 수소 원자의 전자 전이에서 방출되는 빛의 스펙트럼 Ⅰ~Ⅳ에 대한 자료이다.

선	전자 전이	에너지(kJ/mol)
Ⅰ	$n=4 \rightarrow n=1$	x
Ⅱ	$n=$㉠$\rightarrow n=2$	
Ⅲ	$n=3 \rightarrow n=2$	y
Ⅳ	$n=2 \rightarrow n=1$	z

이에 대한 설명으로 옳은 것만을 〈보기〉에서 있는 대로 고른 것은? (단, 수소 원자의 에너지 준위 $E_n=-\frac{1312}{n^2}$ kJ/mol이고, n은 주 양자수이다.)

〈보기〉
ㄱ. Ⅰ~Ⅳ 중 발머 계열은 2가지이다.
ㄴ. $x>y+z$이다.
ㄷ. 방출하는 빛의 파장은 Ⅳ가 Ⅱ보다 짧다.

① ㄱ ② ㄷ ③ ㄱ, ㄴ
④ ㄴ, ㄷ ⑤ ㄱ, ㄴ, ㄷ

06 그림은 M 전자 껍질에 존재하는 오비탈의 일부를 모형으로 나타낸 것이다.

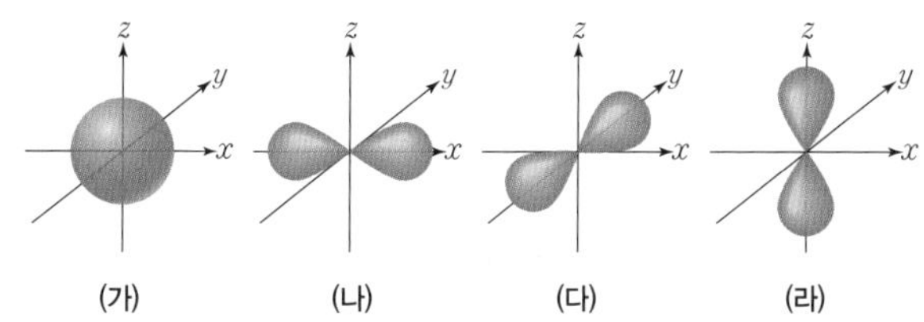

(가) (나) (다) (라)

이에 대한 설명으로 옳은 것만을 〈보기〉에서 있는 대로 고른 것은?

〈보기〉
ㄱ. (가)의 모양을 띠는 오비탈의 방위 양자수는 0이다.
ㄴ. (나)의 주 양자수는 방위 양자수보다 크다.
ㄷ. 주 양자수가 같은 (다)와 (라)는 에너지 준위가 같다.

① ㄱ ② ㄱ, ㄴ ③ ㄱ, ㄷ
④ ㄴ, ㄷ ⑤ ㄱ, ㄴ, ㄷ

고난도

07 다음은 원자 번호 7번인 N의 바닥상태 전자 배치의 일부를 나타낸 것이다.

$1s^2$ ☐

이 전자 배치를 완성하고자 할 때에 대한 설명으로 옳은 것만을 〈보기〉에서 있는 대로 고른 것은?

〈보기〉
ㄱ. 주 양자수가 2이고, 방위 양자수가 0인 오비탈에 전자를 2개 배치해야 한다.
ㄴ. 주 양자수가 2이고, 방위 양자수가 1인 오비탈 2개에 전자를 3개 배치해야 한다.
ㄷ. 주 양자수가 2이고, 방위 양자수가 1인 오비탈 3개에 전자를 하나씩 배치해야 한다.

① ㄱ ② ㄴ ③ ㄱ, ㄷ
④ ㄴ, ㄷ ⑤ ㄱ, ㄴ, ㄷ

[08~09] 다음은 Ne의 전자 배치를 갖는 몇 가지 이온의 이온식을 나타낸 것이다.

A^+, B^{2+}, C^{3+}, D^-, E^{2-}

08 A~E의 바닥상태 전자 배치를 옳게 나타낸 것은? (단, A~E는 임의의 원소 기호이다.)

① A: $1s^22s^22p^63s^2$
② B: $1s^22s^22p^63s^1$
③ C: $1s^22s^22p^63s^23p^1$
④ D: $1s^22s^22p^4$
⑤ E: $1s^22s^22p^3$

09 A~E의 원자 번호 순서를 옳게 비교한 것은?

① A<B<C<D<E ② C<B<A<D<E
③ C<E<D<A<B ④ E<D<A<C<B
⑤ E<D<A<B<C

10 그림은 주기율표의 일부이다.

주기＼족	1	2	3~12	13	14	15	16	17	18
1									A
2	B						C	D	
3	E								

A~E에 대한 설명으로 옳은 것은? (단, A~E는 임의의 원소 기호이다.)

① 비금속성이 가장 큰 원소는 A이다.
② B는 1족 비금속 원소이다.
③ C는 원자가 전자 수가 16이다.
④ D는 안정한 이온이 될 때 전자 1개를 얻는다.
⑤ E는 B보다 전자 껍질 수가 작다.

고난도

11 그림은 원소 A~D가 각각 Ar과 같은 전자 배치를 갖는 이온이 될 때의 반지름을 나타낸 것이다. A~D는 각각 S, Cl, K, Ca 중 하나이다.

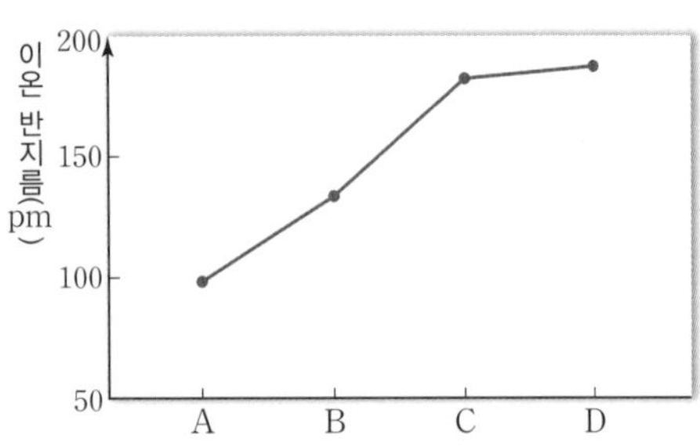

A~D에 대한 설명으로 옳은 것만을 <보기>에서 있는 대로 고른 것은?

보기
ㄱ. A는 K이다.
ㄴ. 원자가 전자 수는 D가 A의 3배이다.
ㄷ. 제1 이온화 에너지는 D>C이다.

① ㄱ ② ㄴ ③ ㄱ, ㄷ
④ ㄴ, ㄷ ⑤ ㄱ, ㄴ, ㄷ

12 그림은 2, 3주기 원소 A~C의 제1~제3 이온화 에너지를 나타낸 것이다.

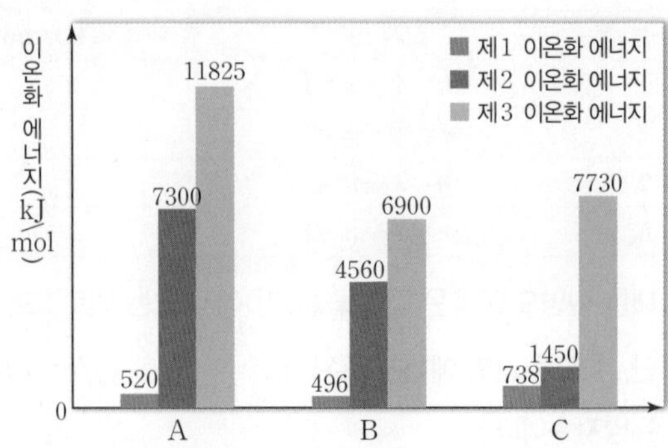

A~C에 대한 설명으로 옳은 것만을 <보기>에서 있는 대로 고른 것은? (단, A~C는 임의의 원소 기호이다.)

보기
ㄱ. A와 B는 원자가 전자 수가 같다.
ㄴ. B는 3주기 원소이다.
ㄷ. C가 안정한 이온이 되는 데 필요한 에너지는 1450 kJ/mol이다.

① ㄱ ② ㄷ ③ ㄱ, ㄴ
④ ㄴ, ㄷ ⑤ ㄱ, ㄴ, ㄷ

13 그림은 바닥 상태 원자에서 홀전자 수가 같은 임의의 2주기 원소 X~Z의 전기 음성도를 나타낸 것이다. X~Z에 대한 설명으로 옳은 것만을 <보기>에서 있는 대로 고른 것은? (단, 전기 음성도는 같은 주기에서 원자 번호가 커질수록 증가한다.)

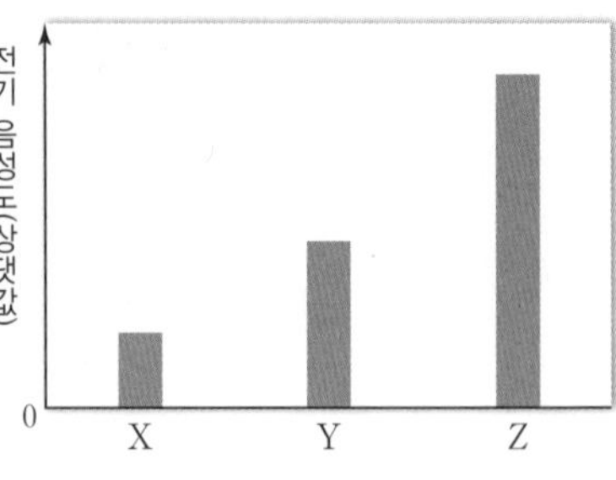

보기
ㄱ. Y는 13족 원소이다.
ㄴ. 원자가 전자가 느끼는 유효 핵전하는 Z>Y>X이다.
ㄷ. 제2 이온화 에너지는 X>Z>Y이다.

① ㄱ ② ㄷ ③ ㄱ, ㄴ
④ ㄴ, ㄷ ⑤ ㄱ, ㄴ, ㄷ

서술형

14 그림은 러더퍼드에 의해 제안된 원자 모형에 의해 예상된 알파(α) 입자 산란 실험 결과를 나타낸 것이다.

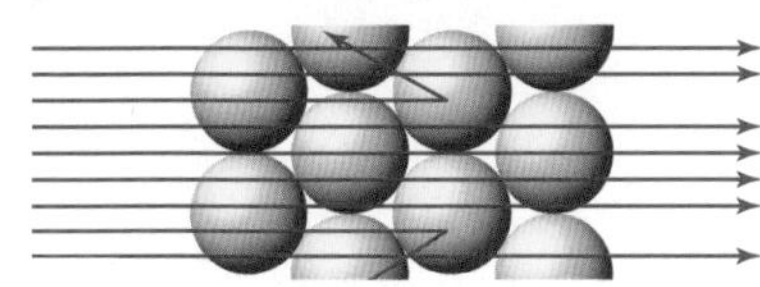

이 실험의 결과로 제안된 원자 모형에 대하여 실험에 의해 발견된 입자를 포함하여 서술하시오.

서술형

15 그림은 $_7$N인 질소 원자에 대하여 임의로 전자를 배치한 것을 나타낸 것이다.

	1s	2s	2p			3s
(가)	↑	↑↓↑	↑	↑	↑	
(나)	↑↓	↑	↑↓	↑	↑	
(다)	↑↓	↑↓	↑	↑	↑	
(라)	↑↓	↑↓	↑	↑		↑

(가)~(라) 중 바닥상태, 들뜬상태, 불가능한 전자 배치를 고르고, 그렇게 쓴 까닭을 서술하시오.

[16~17] 그림은 임의의 원소 A~D의 이온 반지름을 나타낸 것이다. A~D는 O, F, Na, Mg 중 하나이며, 이온의 전자 배치는 Ne과 같다.

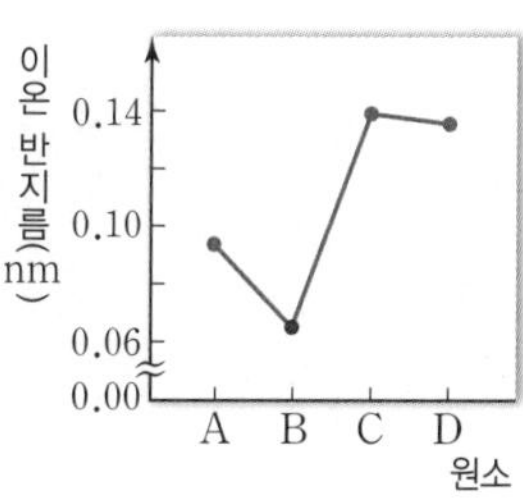

16 A~D 원소를 쓰시오.

서술형

17 A~D의 원자 반지름의 크기를 부등호로 비교하고, 그 까닭을 서술하시오.

서술형

18 다음은 원소 (가)~(마)를 구별하기 위한 자료이다. (가)~(마)는 Li, C, N, O, F 중 하나이다.

- 바닥상태 전자 배치의 홀전자 수: (가)=(나)
- 원자가 전자 수: (다)>(가)>(나)
- 제1 이온화 에너지: (마)>(가)

(가)~(마)를 결정하고, 그렇게 결정한 까닭을 서술하시오.

Ⅲ

화학 결합과 분자의 세계

나의 학습 계획표

중단원	소단원	계획일	실천일	성취도
1 화학 결합	01. 화학 결합의 전기적 성질	/	/	○△×
	02. 이온 결합	/	/	○△×
	03. 공유 결합과 금속 결합	/	/	○△×
	수능 POOL + 실전! 수능 도전하기	/	/	○△×
2 분자의 구조와 성질	01. 전기 음성도와 결합의 극성	/	/	○△×
	02. 전자쌍 반발 이론과 분자의 구조	/	/	○△×
	03. 분자의 성질	/	/	○△×
	수능 POOL + 실전! 수능 도전하기	/	/	○△×
	대단원 정리 + 문제	/	/	○△×

한食왕

스스로 계획하고 실천하면
실력이 올라간다~옹!

1 화학 결합

배울 내용 살펴보기

01 화학 결합의 전기적 성질

- A 화학 결합의 전기적 성질
- B 화학 결합의 원리

물질이 화학 결합을 형성할 때는 전자가 관여해. 물질이 전자를 잃고 얻거나, 공유해서 안정한 전자 배치를 가지려고 하지.

02 이온 결합

- A 이온 결합의 형성
- B 이온 결합 물질의 성질

이온 결합은 양이온과 음이온 사이의 인력과 반발력이 균형을 이루어 에너지가 가장 낮아지는 거리에서 형성돼.

03 공유 결합과 금속 결합

- A 공유 결합의 형성과 에너지
- B 공유 결합 물질의 성질
- C 금속 결합

이온 결합, 공유 결합, 금속 결합 물질은 결합의 종류에 따라서 각각 다른 성질을 가지게 돼.

01 화학 결합의 전기적 성질

핵심 키워드로 흐름잡기

A 물의 전기 분해, 공유 결합과 전자, $NaCl(l)$의 전기 분해, 이온 결합과 전자

B 화학 결합의 원리, 옥텟 규칙

A 화학 결합의 전기적 성질

|출·제·단·서| $H_2O(l)$과 $NaCl(l)$의 전기 분해에서 (+)극과 (−)극에서 생성되는 물질의 종류와 성질을 묻는 문제가 나와.

1. 물의 전기 분해 탐구 POOL

암기TIP 전기 분해 → (+)극: 전자를 잃는 반응, (−)극: 전자를 얻는 반응

(1) 물의 전기 분해❶ 물에 •전해질인 황산 나트륨(Na_2SO_4)을 소량 넣은 후 전류를 흘려주면, 물이 전자를 잃거나 얻어 물의 성분 물질인 산소 기체와 수소 기체가 발생한다.

- (+)극: H_2O이 전자를 잃어 산소(O_2) 기체가 발생한다. (꺼져 가는 불씨를 다시 타오르게 한다.)
- (−)극: H_2O이 전자를 얻어 수소(H_2) 기체가 발생한다. (불을 가까이 대면 '펑' 소리를 내며 탄다.)

[전극에서 일어나는 반응]

(+)극: $2H_2O \longrightarrow O_2+4H^++4e^-$

(−)극: $4H_2O+4e^- \longrightarrow 2H_2+4OH^-$

전체 반응: $2H_2O \longrightarrow 2H_2+O_2$

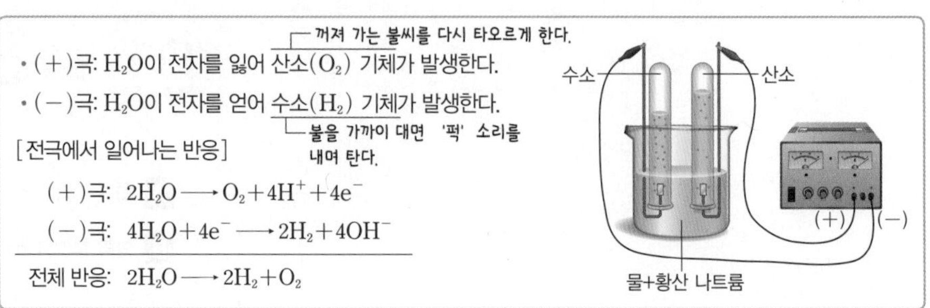

(2) 공유 결합과 전자 공유 결합 물질인 물을 구성하는 산소와 수소가 결합을 형성할 때 전자가 관여한다는 것을 알 수 있다. (산소 원자 1개는 수소 원자 2개와 각각 전자쌍 1개를 공유하여 결합한다.)

빈출 자료 라부아지에❷의 물 분해 실험

❶ 물이 뜨거운 주철관을 통과할 때 수소와 산소로 분해되며, 산소는 주철관과 결합한다.

❷ 냉각수를 통과한 수소가 유리병에 모인다.

➡ 물 분해 실험을 통해 물이 원소가 아니라 수소 원자와 산소 원자의 결합으로 이루어진 물질임을 증명하였다.

물이 원소가 아님을 증명하여 아리스토텔레스의 4원소설이 무너지게 되고 원소설을 확립할 수 있었다.

2. 염화 나트륨 •용융액의 전기 분해

(1) 염화 나트륨(NaCl)의 상태에 따른 전기 전도성 고체 상태에서는 이온들이 자유롭게 움직일 수 없으므로 전류가 흐르지 않는다. 그러나 액체 상태나 수용액에서는 이온들이 자유롭게 움직일 수 있으므로 전류가 흐른다.

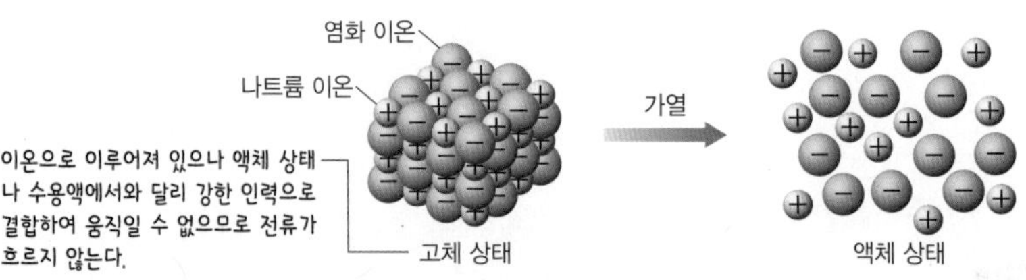

---

❶ 물의 전기 분해

물은 산소와 수소가 전자쌍을 공유하여 형성된 분자로 자유롭게 움직일 수 있는 전자나 이온이 존재하지 않으므로 전기 전도성이 없다. 따라서 전해질을 넣어 전류를 흐르게 한 후 전기 분해한다.

? 물을 전기 분해할 때 넣어 주는 전해질의 종류와 상관없이 항상 수소와 산소 기체가 발생할까?

NaCl과 같이 Cl^-이 포함되어 있거나 $CuSO_4$와 같이 Cu^{2+}이 포함되어 있는 물질은 O_2나 H_2 대신 Cl_2와 Cu가 생성되므로 물을 분해할 때 NaCl과 $CuSO_4$를 넣으면 안 된다.

❷ 라부아지에의 원소설

아리스토텔레스는 물질이 물, 불, 흙, 공기의 4원소로 이루어져 있으며, 이들은 따뜻함, 차가움, 건조함, 습함의 4가지 성질에 의해 서로 변환될 수 있다는 4원소 변환설을 주장하였다. 이는 근대에 이르기까지 물질관을 지배하였으나 라부아지에가 물이 원소가 아님을 실험으로 증명하여 원소설이 확립되게 되었다.

용어 알기

• 전해질(번개 電, 풀다 解, 바탕 質) 물에 녹아 양이온과 음이온으로 해리되어 전류를 흐르게 하는 물질

• 용융액(녹이다 鎔, 녹이다 融, 액체 液) 고체 상태의 물질에 열을 가해 녹여 만든 액체

(2) 염화 나트륨 용융액❸의 전기 분해 염화 나트륨 용융액에 전류를 흘려주면 전자를 잃거나 얻는 반응이 일어나서 (+)극에서는 염소 기체가, (−)극에서는 금속 나트륨이 생성된다.

- (+)극 : Cl^-이 전자를 잃어 염소(Cl_2) 기체가 발생한다.
- (−)극 : Na^+이 전자를 얻어 금속 나트륨(Na)이 생성된다.
  └ 녹는점이 낮아 액체 상태로 생성된다.

[전극에서 일어나는 반응]

(+)극: $2Cl^- \longrightarrow Cl_2+2e^-$

(−)극: $2Na^++2e^- \longrightarrow 2Na$

전체 반응: $2NaCl \longrightarrow 2Na+Cl_2$

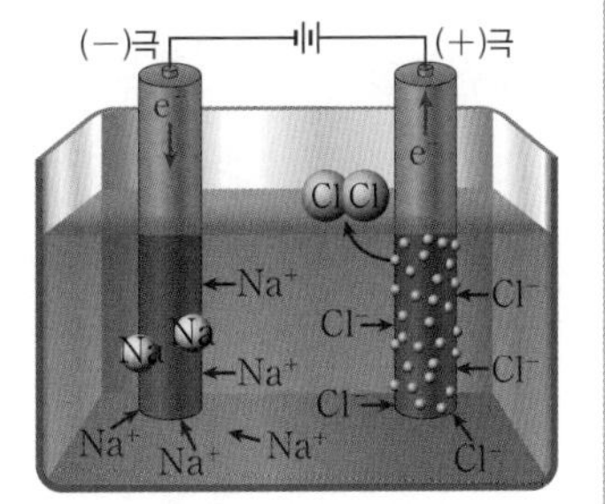

(3) 이온 결합과 전자 이온 결합 물질인 염화 나트륨을 구성하는 나트륨과 염소가 •결합을 형성할 때 전자가 관여한다는 것을 알 수 있다.

빈출 자료 화학 결합❹과 전기적 성질

화합물		물(H_2O)	염화 나트륨(NaCl)
결합의 종류		공유 결합	이온 결합
전기 분해 생성물	(+)극	H_2O이 전자를 잃어 O_2 생성	Cl^-이 전자를 잃어 Cl_2 생성
	(−)극	H_2O이 전자를 얻어 H_2 생성	Na^+이 전자를 얻어 금속 Na 생성
	공통점	(+)극과 (−)극에서 생성되는 물질의 몰비 ➡ (+)극:(−)극=1:2	
알 수 있는 사실		화합물을 전기 분해하면 화합물이 분해되어 각 성분 물질이 생성된다. ➡ 공유 결합과 이온 결합은 결합 형성 시 전자가 관여하는 전기적 성질을 가지고 있다.	

B 화학 결합의 원리

|출·제·단·서| 18족 이외의 원소들이 화학 결합을 형성할 때 어떤 18족 원소와 전자 배치가 같아지는지를 찾는 것이 시험에 나와.

1. 비활성 기체❺

(1) 비활성 기체 주기율표의 18족 원소로, 화학적으로 안정하여 다른 원소와 결합하여 분자를 거의 만들지 않는다. → 18족 원소는 결합을 거의 하지 않으므로 원자가 전자 수가 0이다.

(2) 전자 배치 He을 제외한 나머지 18족의 비활성 기체는 가장 바깥 전자 껍질에 8개의 전자가 배치되어 있다.

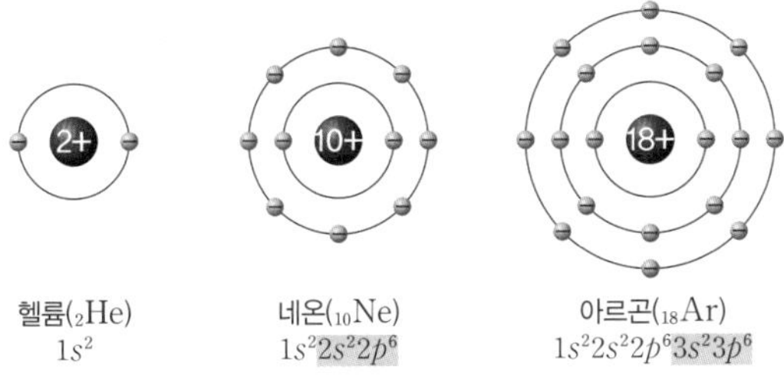

헬륨($_2He$) $1s^2$ 네온($_{10}Ne$) $1s^22s^22p^6$ 아르곤($_{18}Ar$) $1s^22s^22p^63s^23p^6$

2. •옥텟 규칙

(1) 옥텟 규칙 18족 원소 이외의 원자들이 18족 원소와 같이 가장 바깥 전자 껍질에 8개의 전자를 채워 안정한 전자 배치를 가지려는 경향

(2) 화학 결합과 옥텟 규칙 18족 원소 이외의 원자들은 전자를 잃거나 얻어서 또는 전자를 공유함으로써 옥텟 규칙을 만족한다.

---

❸ 염화 나트륨의 융해
공기 중에서 고체 NaCl을 가열하면 공기 중 산소와 결합하여 액체 NaCl이 되지 않고 산화물이 형성되므로 밀폐 용기에서 가열해야 하며, 약 801 ℃에서 융해된다.

❹ 화학 결합을 형성하는 까닭
원자들이 서로 가까이 접근하면 핵과 전자, 핵과 핵, 전자와 전자 사이에 인력과 반발력이 생기며, 인력과 반발력이 균형을 이루는 거리에서 결합이 형성된다. 원자들이 원자 상태로 존재하지 않고 결합을 이루는 것은 원자로 존재하는 것보다 결합을 형성하는 것이 에너지 면에서 더 유리하기 때문이다.

❺ 비활성 기체의 이용
- 헬륨: 광고용 기구
- 네온: 광고판
- 아르곤: 형광등의 충전 기체

▲ 네온

▲ 아르곤

용어 알기

•결합(맺다 結, 합치다 合) 두 대상이 하나로 합하는 것

•옥텟(octet) 옥타(octa)란 숫자 8로, 옥텟은 가장 바깥 전자 껍질에 8개의 전자를 채우려는 원리를 의미함

물의 전기 분해

목표 물 분자를 형성하는 결합의 성질을 설명할 수 있다.

과정

❶ 전극 만들기

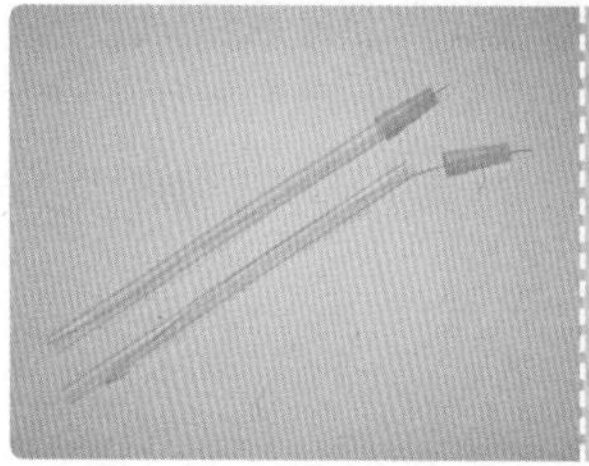

실리콘 마개 2개에 니크롬선을 각각 꽂아 통과시킨 뒤 빨대 2개에 끼운다.

❷ 플라스틱병에 수용액 넣기

24홈판에 플라스틱병을 꽂은 뒤 황산 나트륨 수용액을 $\frac{1}{3}$ 정도 넣는다.

❸ 빨대에 수용액 넣기

과정 ❶의 빨대에 스포이트를 이용하여 각각 황산 나트륨 수용액을 가득 채운다.

❹ 플라스틱병에 빨대 꽂기

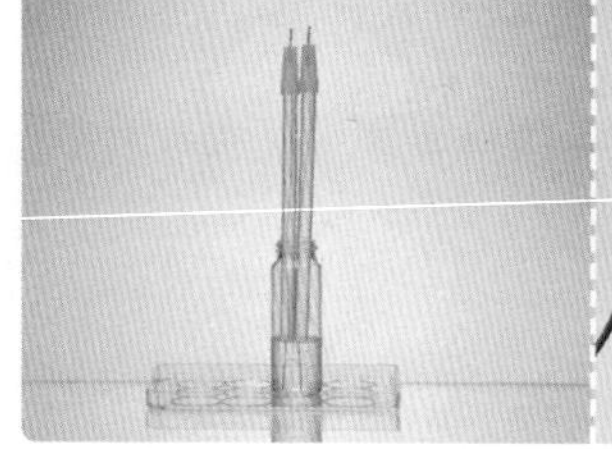

과정 ❸의 빨대를 플라스틱병에 실리콘 마개가 위로 오도록 뒤집어 꽂는다.

❺ 전원 장치 연결하기

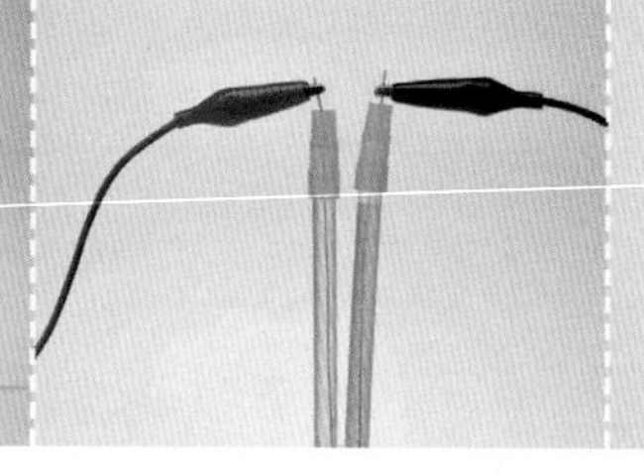

니크롬선을 집게 도선으로 건전지에 연결한다.

❻ 빨대 내부의 변화 관찰하기

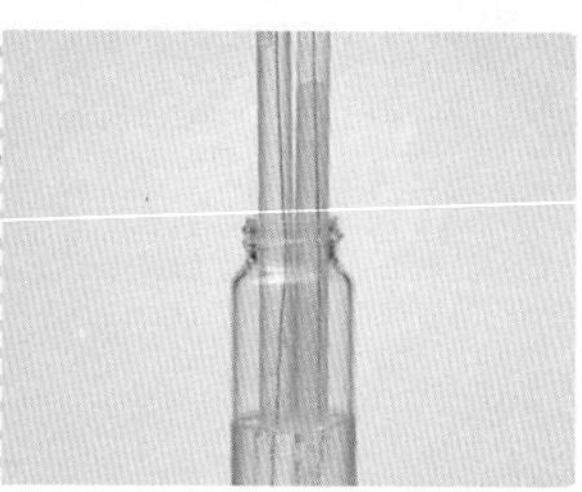

빨대의 내부에서 나타나는 변화를 관찰한다.

유의점

- 실험 장치를 전원에 연결할 때 젖은 손으로 전선을 만지지 않도록 주의한다.
- 플라스틱병 속 수용액이 넘치면 스포이트로 용액을 덜어낸 후 실험한다.
- 실험 후 남은 용액은 폐수통에 버린다.

결과

각 전극에서 기체가 발생하며, 각 전극에 모인 기체의 부피비는 (－)극 : (＋)극＝2 : 1이다.

정리 및 해석

❶ 물은 수소 원자와 산소 원자가 2 : 1의 개수비로 결합되어 있으므로 물을 전기 분해하면 수소 기체와 산소 기체가 2 : 1의 부피비로 발생한다. 따라서 (－)극에서 수소 기체가, (＋)극에서 산소 기체가 발생함을 알 수 있다.

- (－)극: 물이 전자를 얻어 수소(H_2) 기체가 발생한다.
- (＋)극: 물이 전자를 잃어 산소(O_2) 기체가 발생한다.

❷ 순수한 물은 이온이나 전자가 없어 전류가 흐르지 않으므로 전기 분해할 때 전류가 잘 흐르게 하기 위해 황산 나트륨을 넣고 전기 분해한다.

❸ 전기 분해에 의해 물이 성분 물질인 수소와 산소로 분해될 때 전자가 관여하는 것으로 보아 공유 결합에 의해 물 분자가 형성될 때 전자가 관여함을 알 수 있다.

한·줄·핵심 공유 결합에 의해 물 분자가 형성될 때 전자가 관여함을 알 수 있다.

이런 실험도 있어요!

샤프심을 이용한 물의 전기 분해

샤프심의 주성분은 흑연으로, 흑연은 전기 전도성이 있어 전극으로 사용하기도 한다.

확인 문제

정답과 해설 049쪽

01 이 탐구 활동에서 물이 분해될 때 발생하는 기체의 몰비를 쓰시오.

02 이 탐구 활동에서 (＋)극에서 생성되는 물질을 확인하는 방법을 쓰시오.

콕콕! 개념 확인하기

정답과 해설 049쪽

✔ 잠깐 확인!

1. □□ □□
물질에 전류를 흘려 전자의 이동이 일어나게 하여 화합물을 분해하는 방법

2. □□□
용매가 물인 용액

3. □□□
고체 상태의 물질에 열을 가하여 액체로 만든 것

4. □□□
고체 상태에서는 전류가 흐르지 않으나 수용액에서 전류가 흐르는 물질

5. □□□ 기체
주기율표의 18족에 속하는 원소로 화학적으로 매우 안정하여 일원자 분자로 존재하는 기체

6. 가장 바깥 전자 껍질에 He은 전자 □개, Ne은 전자 □개가 채워져 있다.

A 화학 결합의 전기적 성질

01 순수한 물의 전기 분해에 대한 설명으로 옳은 것은 ○, 옳지 않은 것은 ×로 표시하시오.

(1) 물에 전원을 연결하면 전류가 흐른다. (　　)

(2) 황산 나트륨을 조금 넣어 주어야 한다. (　　)

(3) 발생하는 기체의 부피비는 (＋)극 : (－)극＝1 : 2이다. (　　)

(4) (＋)극에서 발생하는 기체에 향불을 대면 활발하게 탄다. (　　)

02 염화 나트륨 용융액의 전기 분해에 대한 설명으로 옳은 것은 ○, 옳지 않은 것은 ×로 표시하시오.

(1) 염화 나트륨 용융액에 전원을 연결하면 Cl^-은 (＋)극으로 이동한다. (　　)

(2) (－)극에서 기체가 발생한다. (　　)

(3) 각 전극에서 생성되는 물질의 몰비는 (＋)극 : (－)극＝1 : 2이다. (　　)

03 다음은 전기 분해에 대한 설명이다. ㉠, ㉡에 들어갈 알맞은 말을 쓰시오.

> 물이나 염화 나트륨 용융액을 전기 분해할 때 (＋)극에서는 전자를 잃는 (㉠) 반응이 일어나고, (－)극에서는 전자를 얻는 (㉡) 반응이 일어난다.

B 화학 결합의 원리

04 다음 (　　) 안에 들어갈 알맞은 말을 쓰시오.

> 18족 원소 이외의 원자들이 18족 원소와 같이 가장 바깥 전자 껍질에 8개의 전자를 채워 안정한 전자 배치를 가지려는 경향을 (　　)이라고 한다.

05 옥텟 규칙에 대한 설명으로 옳은 것은 ○, 옳지 않은 것은 ×로 표시하시오.

(1) 18족 원소 이외의 원소들은 화학 결합을 통해 18족 원소와 같은 안정한 전자 배치를 이룬다. (　　)

(2) 플루오린 원자(F)는 전자 1개를 얻으면 옥텟 규칙을 만족한다. (　　)

(3) 마그네슘 원자(Mg)가 전자 2개를 잃으면 같은 주기 18족 원소인 아르곤(Ar)과 같은 전자 배치를 이룬다. (　　)

탄탄! 내신 다지기

A 화학 결합의 전기적 성질

01 다음 중 화학 결합의 전기적 성질에 대한 설명으로 옳지 않은 것은?

① 공유 결합이 형성될 때에도 전자가 관여한다.
② 이온 결합은 금속 원소와 비금속 원소 사이에 형성된다.
③ 나트륨과 염소가 결합할 때, 전자는 나트륨 원자에서 염소 원자로 이동한다.
④ 염화 나트륨 용융액에 전류가 흐를 때 전자를 잃거나 얻는 반응이 일어난다.
⑤ 물을 전기 분해할 때 전류가 흐르는 것은 물 분자가 전하를 띠고 있기 때문이다.

02 다음은 X와 Y의 전기 분해에 대한 설명이다.

> (가) 전해질을 소량 녹인 X를 전기 분해하였더니 수소 기체와 산소 기체가 생성되었다.
> (나) Y의 용융액을 전기 분해하였더니 염소 기체와 나트륨이 생성되었다.

물질 X와 Y의 공통점만을 〈보기〉에서 있는 대로 고른 것은?

> 보기
> ㄱ. 화합물이다.
> ㄴ. 화학식을 구성하는 원자 수는 2이다.
> ㄷ. 구성 원소의 가짓수는 2가지이다.

① ㄱ ② ㄴ ③ ㄱ, ㄴ
④ ㄱ, ㄷ ⑤ ㄴ, ㄷ

단답형

03 물을 전기 분해할 때 소량의 황산 나트륨(Na_2SO_4)을 넣어 주는 까닭을 쓰시오.

04 다음 중 용융액을 전기 분해할 때, (+)극에서 생성되는 물질의 종류가 다른 것은?

① $NaCl$ ② KCl ③ $LiCl$
④ Al_2O_3 ⑤ $MgCl_2$

05 그림과 같은 장치를 이용하여 물을 전기 분해하였다.

이에 대한 설명으로 옳은 것은?

① 물은 이온으로 구성된 물질이다.
② (−)극에서 발생한 기체는 산소이다.
③ (+)극에서 가연성 기체가 발생한다.
④ 발생한 기체의 몰비는 (+)극 : (−)극=2 : 1이다.
⑤ 전기 분해할 때, 물에 소량의 전해질을 넣어야 한다.

06 그림은 염화 나트륨 용융액의 전기 분해 장치를 나타낸 것이다.

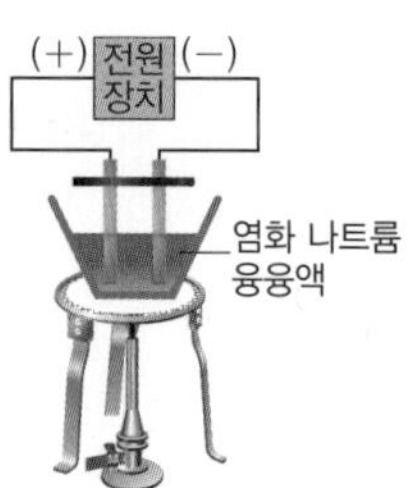

염화 나트륨 용융액의 전기 분해에 대한 설명으로 옳지 않은 것은?

① (+)극에서 염소 기체가 발생한다.
② (−)극에서 전자를 얻는 반응이 일어난다.
③ 염화 나트륨 용융액에서 전자가 이동한다.
④ 액체 상태에서 염화 나트륨은 전기 전도성이 있다.
⑤ 이 실험을 통해 염화 나트륨의 생성에 전자가 관여함을 알 수 있다.

정답과 해설 049쪽

B 화학 결합의 원리

단답형

07 다음은 주기율표의 18족 비활성 기체에 대한 설명이다. ㉠, ㉡에 들어갈 알맞은 기호나 숫자를 쓰시오.

> He을 제외한 18족 원소들의 가장 바깥 전자 껍질의 전자 배치를 오비탈 기호를 이용하여 나타내면 (㉠)로, 가장 바깥 전자 껍질에 전자 (㉡)개가 모두 채워져 있다. 따라서 다른 원자와 반응하여 전자를 얻거나 잃으려 하지 않는다.

08 다음 중 18족 원소인 네온(Ne)과 같은 전자 배치가 되기 위해 잃거나 얻어야 하는 전자 수가 가장 큰 원자는?

① Al ② Mg ③ Na
④ O ⑤ F

09 그림은 원자 A~C의 전자 배치를 모형으로 나타낸 것이다.

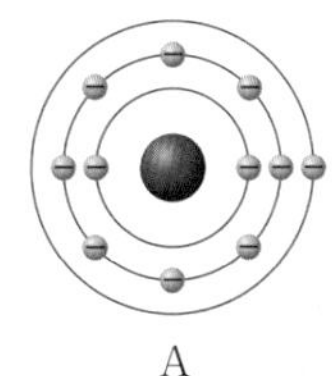
A

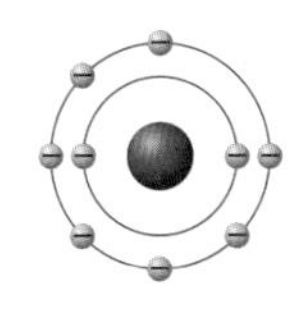
B

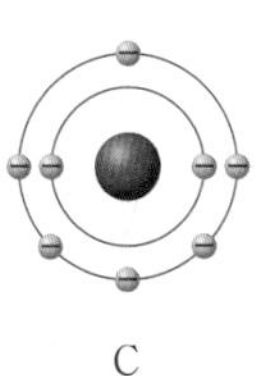
C

A~C에 대한 설명으로 옳은 것을 모두 고르면? (단, A~C는 임의의 원소 기호이다.) (정답 2개)

① A는 전자 1개를 잃는 것보다 7개를 얻는 것이 쉽다.
② B는 전자 1개를 얻으면 Ar과 전자 배치가 같아진다.
③ C는 전자 2개를 얻으면 안정한 전자 배치를 이룬다.
④ B와 C가 결합할 때 B는 전자를 잃고 옥텟 규칙을 만족하는 전자 배치를 이룬다.
⑤ A~C가 옥텟 규칙을 만족하는 이온이 될 때 전자 배치는 모두 같다.

단답형

10 주기율표의 17족 원소인 염소(Cl)는 어떤 방법을 통해 18족 원소와 같은 전자 배치를 이루어 옥텟 규칙을 만족하는지 쓰시오.

11 화학 결합의 형성 원리에 대한 설명으로 옳은 것만을 〈보기〉에서 있는 대로 고른 것은?

> 보기
> ㄱ. 원소들은 18족 원소의 전자 배치를 이루어 안정해지려는 경향이 있다.
> ㄴ. 원소들은 안정한 전자 배치를 이루기 위해 항상 전자를 공유하여 화학 결합을 형성한다.
> ㄷ. 3주기 1족, 2족 원소는 원자가 전자를 모두 잃어 Ne과 같은 전자 배치가 된다.

① ㄱ ② ㄴ ③ ㄱ, ㄴ
④ ㄱ, ㄷ ⑤ ㄴ, ㄷ

12 그림은 원소 A~D의 원자 또는 안정한 이온의 바닥상태 전자 배치를 나타낸 것이다.

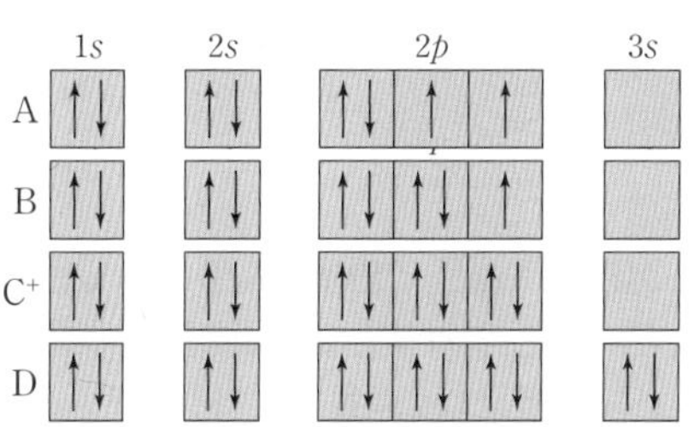

이에 대한 설명으로 옳은 것만을 〈보기〉에서 있는 대로 고른 것은? (단, A~D는 임의의 원소 기호이다.)

> 보기
> ㄱ. B는 전자 1개를 얻으면 옥텟 규칙을 만족한다.
> ㄴ. C의 원자가 전자는 7개이다.
> ㄷ. A와 D가 결합하여 안정한 화합물을 형성할 때 전자 배치는 모두 Ne과 같다.

① ㄱ ② ㄴ ③ ㄱ, ㄴ
④ ㄱ, ㄷ ⑤ ㄴ, ㄷ

도전! 실력 올리기

01 그림은 원자 A와 B의 전자 배치를 모형으로 나타낸 것이다.

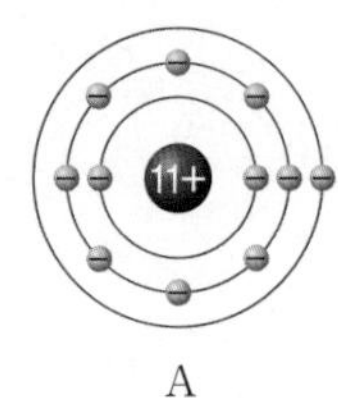

A

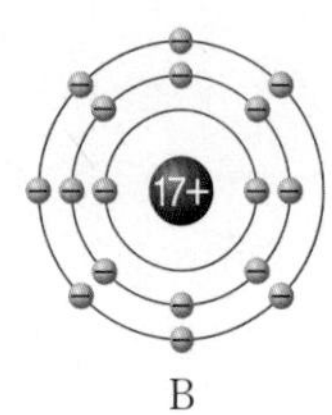

B

A와 B로 이루어진 화합물 X에 대한 설명으로 옳은 것만을 〈보기〉에서 있는 대로 고른 것은? (단, A와 B는 임의의 원소 기호이다.)

〈보기〉

ㄱ. X의 화학식은 AB이다.

ㄴ. X의 용융액을 전기 분해하면 (−)극에서 금속 A가 생성된다.

ㄷ. X에서 구성 입자의 전자 배치는 서로 같다.

① ㄱ ② ㄷ ③ ㄱ, ㄴ ④ ㄴ, ㄷ ⑤ ㄱ, ㄴ, ㄷ

02 그림은 원자 A~D의 전자 배치를 모형으로 나타낸 것이다.

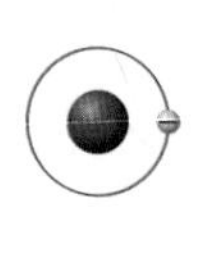
A

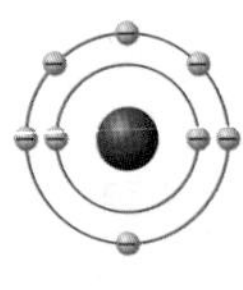
B

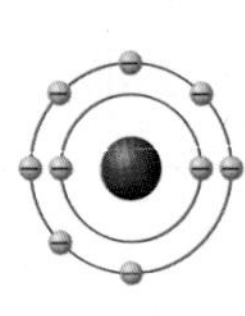
C

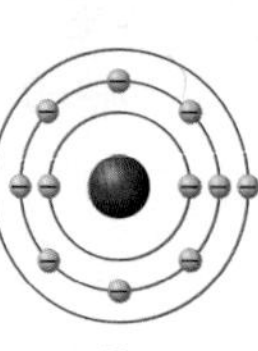
D

이에 대한 설명으로 옳은 것만을 〈보기〉에서 있는 대로 고른 것은? (단, A~D는 임의의 원소 기호이고, $A_2B(l)$를 전기 분해할 때 소량의 황산 나트륨을 넣었다.)

〈보기〉

ㄱ. 화합물 D_2B에서 구성 입자의 전자 배치는 모두 네온과 같다.

ㄴ. $A_2B(l)$와 $DC(l)$를 전기 분해하면 (−)극에서 모두 기체가 생성된다.

ㄷ. $A_2B(l)$와 $DC(l)$를 전기 분해할 때 (+)극에서 생성되는 물질은 모두 2주기 원소이다.

① ㄱ ② ㄴ ③ ㄱ, ㄷ ④ ㄴ, ㄷ ⑤ ㄱ, ㄴ, ㄷ

03 그림은 화합물 X의 용융액에 전원 장치를 연결하였을 때 입자의 이동을 나타낸 것이다. X의 구성 원소는 모두 3주기 원소이다.

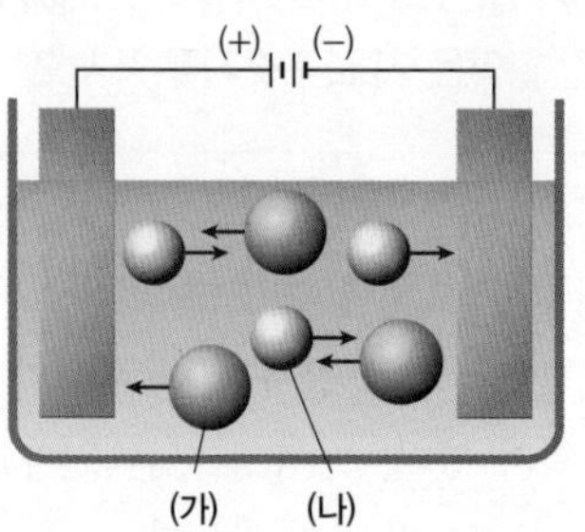

이에 대한 설명으로 옳은 것만을 〈보기〉에서 있는 대로 고른 것은?

〈보기〉

ㄱ. (가)는 Ar과 전자 배치가 같다.

ㄴ. (나)는 (−)극에서 전자를 얻는다.

ㄷ. (가)와 (나)의 전하량의 절댓값은 같다.

① ㄱ ② ㄷ ③ ㄱ, ㄴ ④ ㄴ, ㄷ ⑤ ㄱ, ㄴ, ㄷ

출제예감

04 표는 바닥상태인 원자 A~C에 대한 자료이다.

원소	A	B	C
원자가 전자 수	x	6	2
s 오비탈의 전자 수	5		y
전자가 들어 있는 전자 껍질 수		2	4

이에 대한 설명으로 옳은 것만을 〈보기〉에서 있는 대로 고른 것은? (단, A~C는 임의의 원소 기호이다.)

〈보기〉

ㄱ. $x+y=9$이다.

ㄴ. B와 C의 안정한 이온의 전자 배치는 네온과 같다.

ㄷ. A와 B는 전자를 공유하여 안정한 화합물을 형성한다.

① ㄱ ② ㄴ ③ ㄱ, ㄴ ④ ㄱ, ㄷ ⑤ ㄴ, ㄷ

정답과 해설 051쪽

출제예감

05 다음은 물의 성분 원소를 알아보기 위한 실험이다.

(가) 소량의 전해질이 녹아 있는 물을 2개의 플라스틱 관에 넣고 그림과 같이 장치하여 전지에 연결한다.
(나) (+)극에서 발생한 기체에 향불을 대었더니 더욱 밝게 타올랐다.
(다) (−)극에서 발생한 기체에 불꽃을 대었더니 '펑' 하는 소리가 났다.

이에 대한 설명으로 옳은 것만을 〈보기〉에서 있는 대로 고른 것은?

보기
ㄱ. (+)극에서 발생한 기체는 광합성에서도 생성된다.
ㄴ. (−)극과 (+)극에서 발생한 기체는 물에 녹지 않는다.
ㄷ. 생성된 기체의 몰비는 (+)극 : (−)극=2 : 1이다.

① ㄱ ② ㄷ ③ ㄱ, ㄴ
④ ㄴ, ㄷ ⑤ ㄱ, ㄴ, ㄷ

06 표는 X의 용융액과 소량의 X를 첨가한 물을 각각 전기 분해할 때 각 전극에서 생성되는 물질을 나타낸 것이다.

전극	(+)극	(−)극
X의 용융액	$A_2(g)$	$B(s)$
X를 첨가한 물	$C_2(g)$	$D_2(g)$

이에 대한 설명으로 옳은 것만을 〈보기〉에서 있는 대로 고른 것은? (단, A~D는 임의의 원소 기호이다.)

보기
ㄱ. X를 물에 녹이면 이온화한다.
ㄴ. X의 구성 원소는 2가지이다.
ㄷ. 생성되는 C_2와 D_2의 부피비는 2 : 1이다.

① ㄱ ② ㄷ ③ ㄱ, ㄴ
④ ㄴ, ㄷ ⑤ ㄱ, ㄴ, ㄷ

07 다음은 물의 전기 분해에 대한 설명이다. ㉠~㉢에 들어갈 알맞은 말을 쓰시오.

물은 전류가 흐르지 않으므로 소량의 황산 나트륨을 넣은 후 전기 분해한다. 이때 (−)극에서는 (㉠) 기체가 발생하고, (+)극에서는 (㉡) 기체가 발생하며, 각 전극에서 발생하는 기체의 몰비는 (−)극 : (+)극=(㉢)이다.

서술형

08 오른쪽 그림은 소량의 황산 나트륨을 넣은 물에 건전지를 넣은 것을 나타낸 것이다. (가)에서가 (나)에서보다 발생하는 기체의 양이 더 많을 때, (나)에서 발생하는 기체를 확인할 수 있는 방법을 서술하시오.

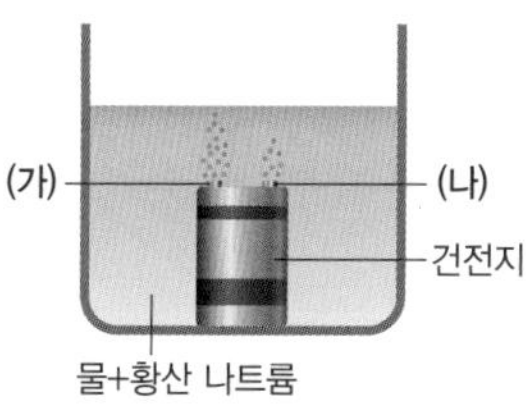

서술형

09 그림은 알루미늄과 산소의 전자 배치를 모형으로 나타낸 것이다.

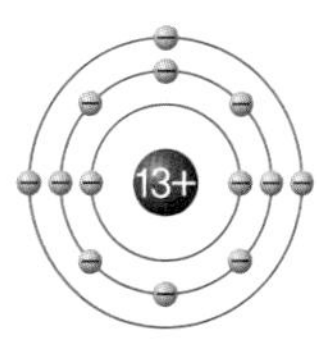

알루미늄

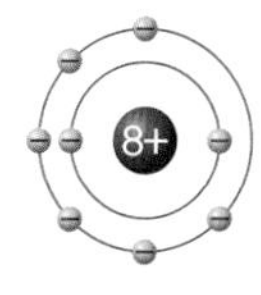

산소

알루미늄과 산소는 옥텟 규칙을 만족하는 안정한 전자 배치를 이루기 위해 어떤 이온이 되는지 서술하시오.

02 이온 결합

핵심 키워드로 흐름잡기

A 양이온, 음이온, 이온 결합, 이온 결합 물질

B 이온 결합 물질의 성질

이온의 전자 배치가 18족 원소와 같아지면 성질도 18족 원소와 같아질까?

이온은 18족 원소와 전자 배치는 같지만 양성자수는 다르므로 원소의 종류가 변하는 것은 아니다. 따라서 이온과 18족 원소의 성질은 다르다.

양이온 또는 음이온이 되기 쉬운 원소는 정해져 있을까?

금속 원소의 원자는 양이온이 되기 쉽고, 비금속 원소의 원자는 음이온이 되기 쉽다.

1. 양이온이 되기 쉬운 원소
   - 원자가 전자가 1~3개인 원소
   - 전자를 잃기 쉬운 금속 원소
   - 이온화 에너지가 작은 원소
2. 음이온이 되기 쉬운 원소
   - 원자가 전자가 6, 7개인 원소
   - 전자를 얻기 쉬운 비금속 원소

용어 알기

- 이온(ion) 원자가 전자를 잃거나 얻어서 전하를 띠는 입자

A 이온 결합의 형성

|출·제·단·서| 이온 및 이온 결합의 형성 과정, 이온 결합의 형성과 에너지 변화에 대해 이해하고 있는지를 묻는 문제가 나와.

1. 이온의 형성

암기TiP 금속과 비금속 → 각각 전자를 잃거나 얻음 → 양이온과 음이온 형성

(1) 양이온의 형성 금속 원소는 원자가 전자를 잃고 양이온이 되면서 옥텟 규칙을 만족한다.

금속 원자가 양이온이 될 때 전자 껍질 수가 감소한다. → 양이온의 전자 배치는 전 주기의 18족 원소와 같다.

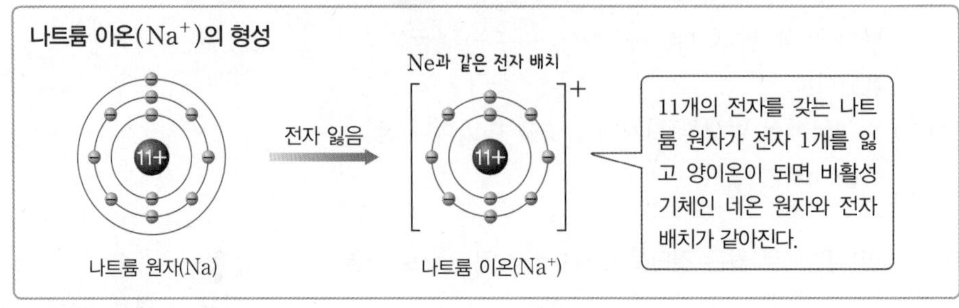

나트륨 이온(Na^+)의 형성
Ne과 같은 전자 배치
11+
전자 잃음
나트륨 원자(Na)
나트륨 이온(Na^+)
11개의 전자를 갖는 나트륨 원자가 전자 1개를 잃고 양이온이 되면 비활성 기체인 네온 원자와 전자 배치가 같아진다.

(2) 음이온의 형성 비금속 원소는 전자를 얻어 음이온이 되면서 옥텟 규칙을 만족한다.

비금속 원자가 음이온이 될 때 전자 껍질 수는 변하지 않는다. → 음이온의 전자 배치는 같은 주기의 18족 원소와 같다.

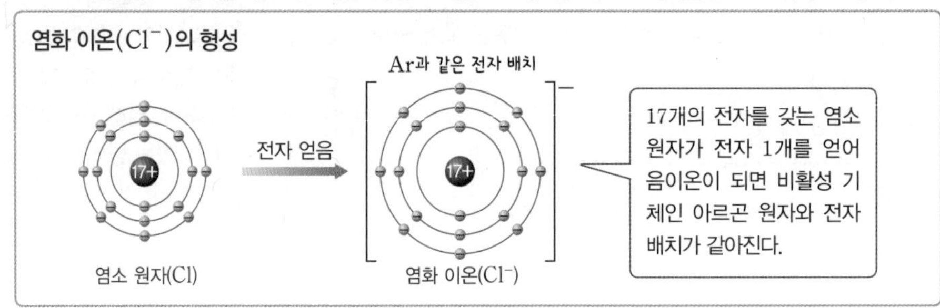

염화 이온(Cl^-)의 형성
Ar과 같은 전자 배치
17+
전자 얻음
염소 원자(Cl)
염화 이온(Cl^-)
17개의 전자를 갖는 염소 원자가 전자 1개를 얻어 음이온이 되면 비활성 기체인 아르곤 원자와 전자 배치가 같아진다.

빈출 자료 안정한 이온의 전자 배치

금속 원소의 원자와 비금속 원소의 원자가 화합물을 형성하면 각각 전자를 잃거나 얻어 18족 원소의 원자와 같은 전자 배치를 이루면서 옥텟 규칙을 만족하는 안정한 이온이 된다.

1	2	13	15	16	17	18
						He $1s^2$
Li^+ $1s^2$	Be^{2+} $1s^2$		N^{3-} $[He]2s^22p^6$	O^{2-} $[He]2s^22p^6$	F^- $[He]2s^22p^6$	Ne $[He]2s^22p^6$
Na^+ $[He]2s^22p^6$	Mg^{2+} $[He]2s^22p^6$	Al^{3+} $[He]2s^22p^6$	P^{3-} $[Ne]3s^23p^6$	S^{2-} $[Ne]3s^23p^6$	Cl^- $[Ne]3s^23p^6$	Ar $[Ne]3s^23p^6$
K^+ $[Ne]3s^23p^6$	Ca^{2+} $[Ne]3s^23p^6$		As^{3-} $[Ar]4s^23d^{10}4p^6$	Se^{2-} $[Ar]4s^23d^{10}4p^6$	Br^- $[Ar]4s^23d^{10}4p^6$	Kr $[Ar]4s^23d^{10}4p^6$

❶ 주기율표의 1족, 2족, 13족 금속 원소

➡ 원자가 전자 수만큼 전자를 잃고 양이온이 되어 옥텟 규칙을 만족한다.

➡ 원자가 전자 수만큼 전자를 잃으면 전자 껍질 수가 감소하므로 전 주기 18족 원소와 같은 전자 배치를 갖는다.

❷ 주기율표의 16족, 17족 비금속 원소

➡ (8－원자가 전자 수)만큼 전자를 얻고 음이온이 되어 옥텟 규칙을 만족한다.

➡ 같은 주기의 18족 원소와 같은 전자 배치를 갖는다.

2. 이온 결합의 형성 (암기TiP) 금속과 비금속 → 양이온과 음이온 → 이온 결합의 형성

(1) 이온 결합 금속 양이온과 비금속 음이온 사이의 정전기적 인력에 의해 형성되는 결합

(2) 이온 결합의 형성 과정 전자를 잃기 쉬운 금속 원자와 전자를 얻기 쉬운 비금속 원자가 전자를 주고받아 생성된 양이온과 음이온 사이에 •정전기적 인력이 작용하여 형성된다.

염화 나트륨(NaCl)의 생성❶

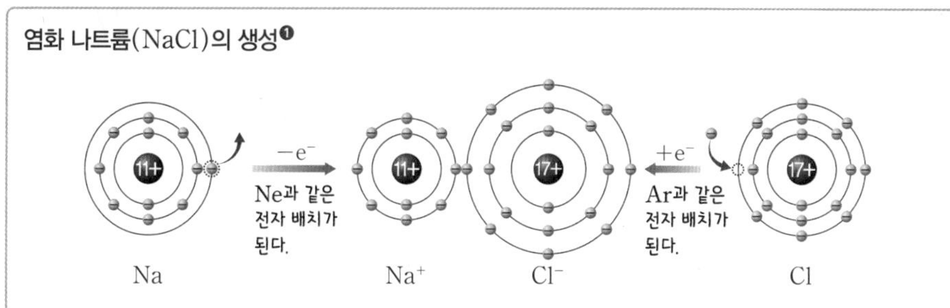

❶ 나트륨 원자 1개는 전자 1개를 잃고 나트륨 이온이 되고, 염소 원자 1개는 전자 1개를 얻어 염화 이온이 된다.

❷ 나트륨 이온(Na^+)과 염화 이온(Cl^-)이 정전기적 인력에 의해 결합하여 NaCl을 생성한다.

(3) 이온 결합의 형성과 에너지 변화 개념 POOL

① 양이온과 음이온 사이에는 인력과 반발력이 작용한다.

② 두 이온 사이에 작용하는 인력과 반발력이 균형을 이루어 에너지가 가장 낮아지는 평형 거리❷(r_0)에서 이온 결합이 형성된다.

(반발력: 이온이 가까워지면 전자 껍질과 전자 껍질 사이의 거리가 가까워지므로 반발력이 증가한다.)

빈출 자료 이온 결합의 형성과 에너지 변화

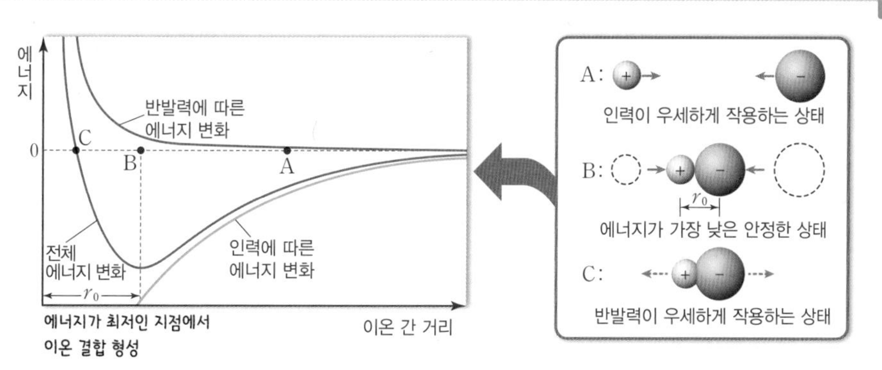

❶ A → B: 두 이온이 접근할수록 정전기적 인력이 우세하게 작용하여 에너지가 낮아지며 안정해진다.

❷ B: 이온 사이의 거리가 가까워지면 인력과 함께 반발력도 커지게 되는데, 인력과 반발력이 균형을 이루어 에너지가 가장 낮은 지점에서 결합이 형성된다.

❸ B → C: 두 이온 사이의 거리가 너무 가까워지면 반발력이 우세하게 작용하여 에너지가 높아지며 불안정한 상태가 된다.

3. 이온 결합 물질❸

(1) 이온 결합 물질의 구조 양이온과 음이온이 한 쌍으로 존재하는 것이 아니라, 수없이 많은 양이온과 음이온들이 이온 결합하여 3차원적으로 서로를 둘러싸며 배열되어 있다.

하나의 Na^+을 6개의 Cl^-이 둘러싸고 있고, 하나의 Cl^-을 6개의 Na^+이 둘러싸고 있다.

Na^+

Cl^-

▲ 염화 나트륨 결정

(2) 이온 결합 물질의 화학식❹

① 화합물을 구성하는 성분 원소의 가장 간단한 결합 개수비로 나타낸다.

② 이온 결합 물질은 전기적으로 중성이므로 양이온의 총 전하량과 음이온의 총 전하량의 크기가 같아지는 이온 수비로 양이온과 음이온이 결합한다.

$$(\text{양이온의 전하} \times \text{양이온 수}) + (\text{음이온의 전하} \times \text{음이온 수}) = 0$$

❶ 염화 나트륨의 생성

염소 기체에 나트륨을 넣어 반응시키면 열과 빛을 내며 격렬하게 반응하여 염화 나트륨을 생성한다.

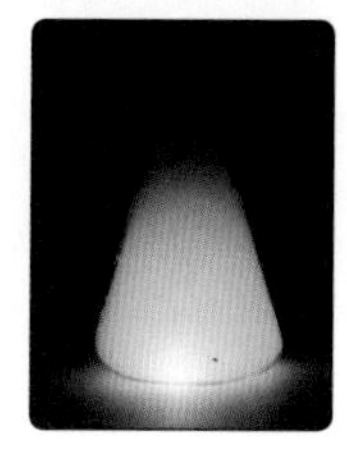

❷ 평형 거리(r_0)

양이온과 음이온이 이온 결합을 형성할 때 결합이 형성되는 거리이며, 양이온의 반지름과 음이온의 반지름을 더한 값과 같다.

❸ 이온 •결정

이온 결합 물질은 3차원적으로 일정하게 배열되어 있어 이온 결정이라고도 한다.

❹ 화학식

물질을 원소 기호와 숫자로 나타낸 것으로, 이온 결합 물질은 분자가 아니므로 구성 입자의 가장 간단한 정수비인 실험식으로 나타낸다.

용어 알기

•정전기적 인력(electrostatic attraction) (+)전하를 띤 입자와 (−)전하를 띤 입자 사이에 작용하는 인력

•결정(뭉치다 結, 빛나다 晶) 원자, 분자, 이온 등이 규칙적인 배열을 한 고체 물질

> **이온 결합 물질의 화학식**
> 예) M^{a+}과 X^{b-}이 결합하여 형성되는 화합물의 화학식 ➡ M_bX_a
> • 양이온의 총 전하량 : $(+a)\times b=+ab$
> • 음이온의 총 전하량 : $(-b)\times a=-ab$
>
> 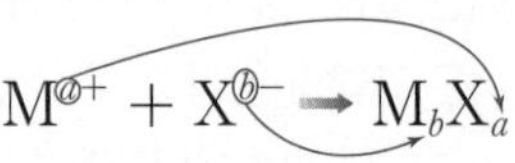
>

(3) 이온 결합 물질의 이름 음이온의 이름에서 '이온'을 생략하고 먼저 읽고, 양이온의 이름에서 '이온'을 생략하고 나중에 읽는다.

화학식	화합물의 이름	화학식	화합물의 이름
$MgCl_2$	염화 마그네슘	NaF	플루오린화 나트륨
Na_2CO_3	탄산 나트륨	KI	아이오딘화 칼륨
$CuSO_4$	황산 구리(Ⅱ)	CaO	산화 칼슘
$Al_2(SO_4)_3$	황산 알루미늄	$Mg(OH)_2$	수산화 마그네슘

B 이온 결합 물질의 성질

|출·제·단·서| 이온 결합 물질에 힘을 가했을 때 일어나는 변화, 상태에 따른 전기 전도성 등을 알고 있는지를 묻는 문제가 나와.

1. 결정의 부스러짐 이온 결합 물질에 힘을 가하면 쉽게 부스러진다. ➡ 이온 층이 밀리면서 두 층의 경계면에서 같은 전하를 띤 이온들 사이에 반발력이 작용하기 때문이다.

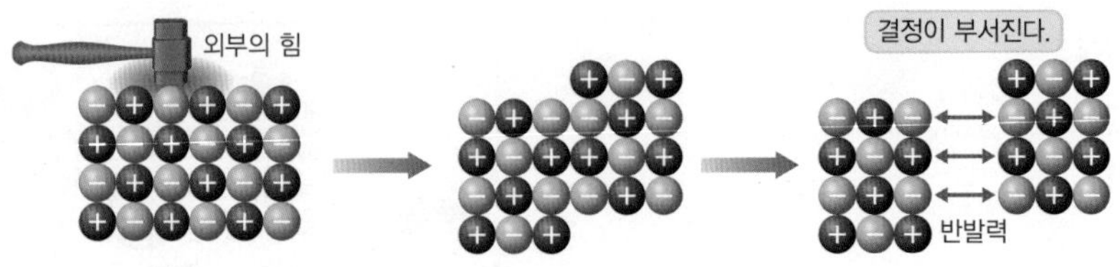

2. 물에 대한 용해성 대부분 극성 용매인 물에 잘 녹는다.

예) 염화 나트륨이 물에 녹으면 나트륨 이온(Na^+)과 염화 이온(Cl^-)이 물 분자에 의해 둘러싸여 안정한 상태로 존재하게 된다.

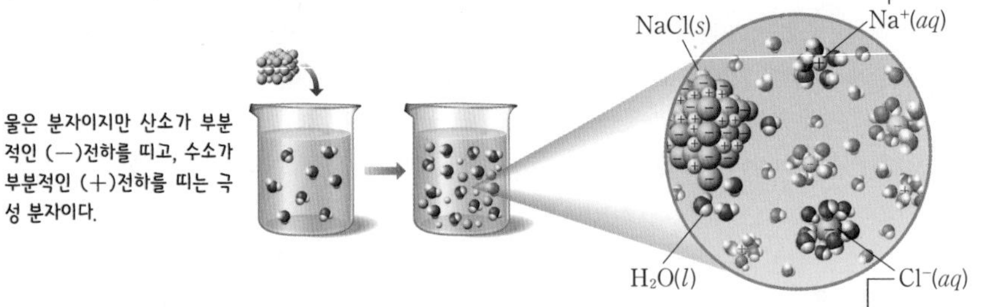

3. 전기 전도성[5]

(1) 고체 상태 이온들이 자유롭게 이동할 수 없으므로 전류가 흐르지 않는다.

(2) 액체 상태와 수용액 양이온과 음이온이 자유롭게 이동하여 전하를 운반할 수 있으므로 전류가 흐른다.

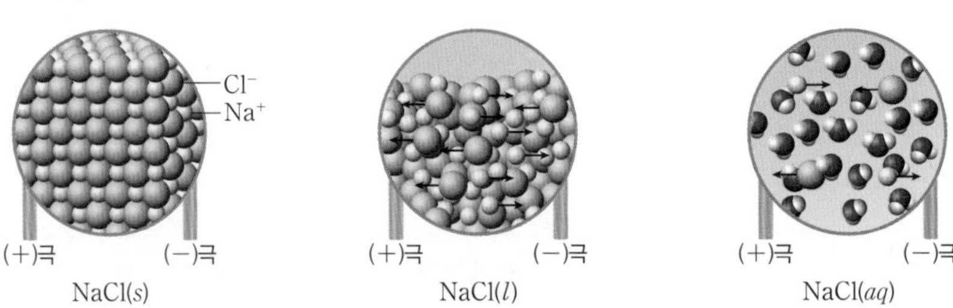

? 이온 결합은 이온 사이의 정전기적 인력에 의한 강한 결합인데, 이온 결합 물질은 왜 물에 잘 용해될까?

이온 결합 물질에서 양이온과 음이온은 강한 정전기적 인력에 의해 결합되어 있는데, 이온 결합 물질을 물에 용해시키면 여러 개의 물 분자가 이온을 수화하므로 양이온과 음이온 사이의 인력이 끊어져 이온이 물속으로 흩어진다.

5 이온 결합 물질의 온도에 따른 전기 전도도

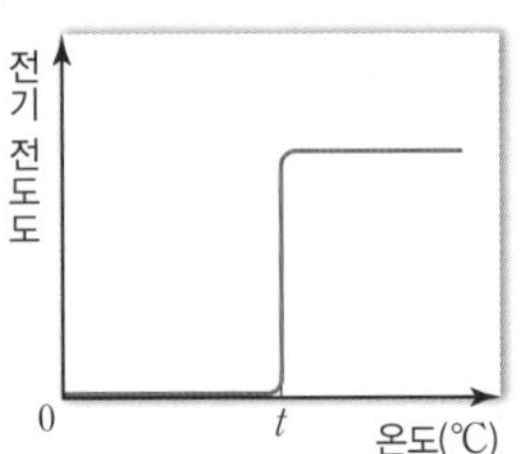

고체인 이온 결합 물질에 열을 가하면 녹는점 t ℃에서 물질이 융해되어 이온이 자유롭게 움직일 수 있으므로 전기 전도도가 급격히 커진다.

용어 알기

• 수화(hydration) 이온 결합 물질을 물에 녹였을 때 물 분자가 이온을 둘러싸는 것
• 용해성(녹다 溶, 풀다 解, 성질 性) 용질이 특정 용매에 대하여 녹는 성질
• 극성(다하다 極, 성질 性) 전하의 분포가 균일하지 않아 (+)전하를 띠는 쪽과 (−)전하를 띠는 쪽이 나누어져 나타나는 성질

빈출 탐구 이온 결합 물질의 전기 전도성 확인

이온 결합 물질의 상태에 따른 전기 전도성을 확인할 수 있다.

과정

① 고체 염화 나트륨과 염화 나트륨 용융액에 각각 전기 전도성 측정 장치의 전극을 대어 전류가 흐르는지 관찰한다.

② 순수한 물과 염화 나트륨 수용액에 각각 전기 전도성 측정 장치의 전극을 대어 전류가 흐르는지 관찰한다.

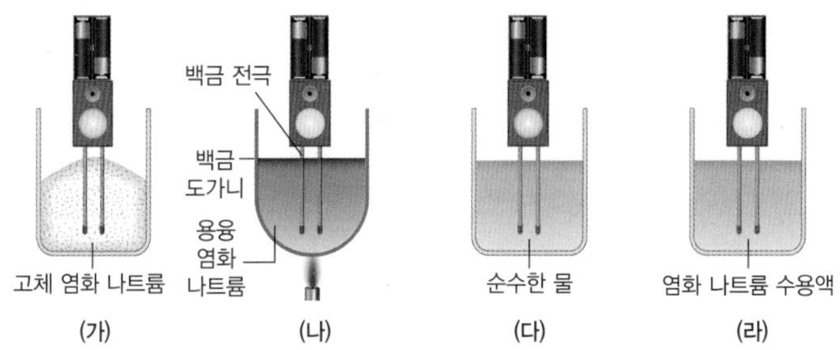

결과

실험	(가)	(나)	(다)	(라)
물질	$NaCl(s)$	$NaCl(l)$	$H_2O(l)$	$NaCl(aq)$
전기 전도성	×	○	×	○

정리

❶ (가)에서 전기 전도성이 나타나지 않는 까닭 ➡ 고체 상태에서는 이온들 사이의 거리가 가까워 강한 인력이 작용하므로 이온들이 자유롭게 움직일 수 없어 전류가 흐르지 않는다.

❷ (나)와 (라)에서 전기 전도성이 나타나는 까닭 ➡ 액체 상태나 수용액에서는 이온이 자유롭게 움직일 수 있기 때문에 전류가 흐른다.

? **실험에서 순수한 물의 전기 전도성을 측정하는 까닭은 무엇인가?**

염화 나트륨 수용액에서 전류가 흐르는 까닭이 물에 의한 것이 아님을 확인하기 위해서이다.

우리 주변의 이온 결합 물질

물질	이용
탄산 칼슘 ($CaCO_3$)	대리석, 시멘트
탄산수소 나트륨 ($NaHCO_3$)	베이킹파우더
염화 마그네슘 ($MgCl_2$)	두부 만들 때 사용하는 간수
염화 칼슘 ($CaCl_2$)	습기 제거제, 제설제
황산 칼슘 ($CaSO_4$)	석고의 성분
염화 칼륨 (KCl)	링거액

4. 녹는점과 끓는점

(1) 이온 결합 물질은 녹는점과 끓는점이 비교적 높아 실온에서 대부분 고체 상태로 존재한다.

➡ 양이온과 음이온 사이에 강한 정전기적 인력이 작용하기 때문이다.

(2) 정전기적 인력의 세기(쿨롱 힘)[6]**와 녹는점, 끓는점**

① 이온 사이의 거리가 짧을수록, 이온의 •전하량이 클수록 정전기적 인력이 크다.

② 이온 결합력은 양이온과 음이온 사이의 정전기적 인력이 클수록 커지므로, 이온 결합 물질의 녹는점, 끓는점은 정전기적 인력이 클수록 높다.

❻ 정전기적 인력(쿨롱 힘)

이온 결합 물질에서 양이온과 음이온 사이에 작용하는 힘의 크기(F), 즉 정전기적 인력은 두 이온의 전하(q)의 곱에 비례하고, 이온 간 거리(r)의 제곱에 반비례한다.

$$F = k \cdot \frac{q_1 q_2}{r^2}$$

빈출 자료 이온 결합 물질의 녹는점

이온 결합 물질	이온 간 거리(pm)	녹는점(℃)	이온 결합 물질	이온 간 거리(pm)	녹는점(℃)
NaF	231	993	MgO	210	2853
NaCl	276	801	CaO	240	2614
NaBr	291	755	SrO	256	2430
NaI	311	661	BaO	275	1923

❶ 양이온과 음이온의 전하량 크기가 같은 경우: 이온 간 거리가 짧을수록 녹는점이 높다.

예 이온 간 거리: NaF < NaCl < NaBr < NaI ➡ 녹는점 : NaI < NaBr < NaCl < NaF

❷ 이온 사이의 거리가 비슷한 경우: 이온의 전하량이 클수록 녹는점이 높다.

예 이온의 전하량: NaF(+1 −1) < CaO(+2 −2) ➡ 녹는점 : NaF < CaO

용어 알기

•전하량(번개 電, 메다 荷, 헤아릴 量) 어떤 물체 또는 입자가 띠고 있는 전기의 양

개념을 알기 쉽게 풀어주는
개념 POOL

이온 결합의 형성과 에너지 변화

목표 이온 간 거리에 따른 에너지 변화로부터 이온 결합이 형성되는 거리와 이온 결합 물질의 녹는점을 비교할 수 있다.

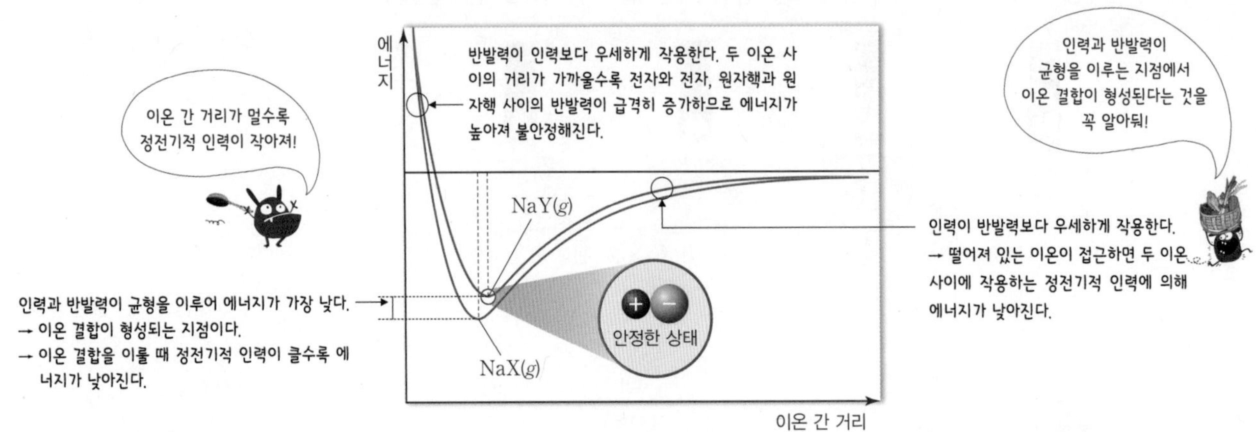
이온 간 거리가 멀수록 정전기적 인력이 작아져!
에너지
반발력이 인력보다 우세하게 작용한다. 두 이온 사이의 거리가 가까울수록 전자와 전자, 원자핵과 원자핵 사이의 반발력이 급격히 증가하므로 에너지가 높아져 불안정해진다.
인력과 반발력이 균형을 이루는 지점에서 이온 결합이 형성된다는 것을 꼭 알아둬!
NaY(g)
인력이 반발력보다 우세하게 작용한다. → 떨어져 있는 이온이 접근하면 두 이온 사이에 작용하는 정전기적 인력에 의해 에너지가 낮아진다.
인력과 반발력이 균형을 이루어 에너지가 가장 낮다. → 이온 결합이 형성되는 지점이다. → 이온 결합을 이룰 때 정전기적 인력이 클수록 에너지가 낮아진다.
안정한 상태
NaX(g)
이온 간 거리

이온 간 거리	정전기적 인력	녹는점
이온 결합 물질의 이온 간 거리: $NaY(g) > NaX(g)$ ➡ 양이온이 Na^+으로 동일하므로 음이온의 반지름은 $Y^- > X^-$이다.	이온 결합이 형성될 때의 에너지가 낮을수록 정전기적 인력이 크다. ➡ 정전기적 인력: $NaX(g) > NaY(g)$ ➡ 각 이온의 전하량이 같으므로 정전기적 인력은 이온 간 거리가 짧을수록 크다.	정전기적 인력이 클수록 화합물의 녹는점이 높다. ➡ 정전기적 인력: $NaX(g) > NaY(g)$ ➡ 녹는점: $NaX(s) > NaY(s)$

한·줄·핵심 이온의 전하량이 같은 경우 이온 간 거리가 짧을수록 결합이 형성될 때 에너지가 크게 낮아지고, 정전기적 인력이 크므로 녹는점이 높다.

확인 문제

정답과 해설 052쪽

[01~02] 그림은 이온 결합이 형성될 때 이온 간 거리에 따른 에너지를 나타낸 것이다.

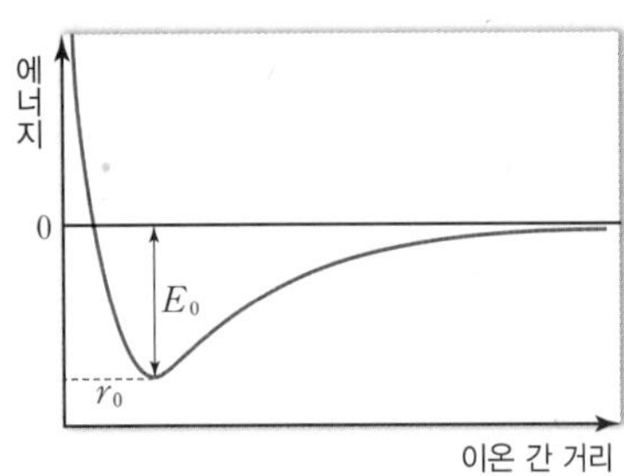
에너지
0
E_0
r_0
이온 간 거리

01 위 그림에 대한 설명으로 옳은 것은 ○, 옳지 않은 것은 ×로 표시하시오.

(1) 이온 간 거리가 r_0일 때 이온 결합이 형성된다. (　　)

(2) r_0는 양이온과 음이온의 반지름이 클수록 커진다. (　　)

(3) E_0의 크기는 MgO가 NaCl보다 크다. (　　)

02 ㉠, ㉡에 들어갈 알맞은 말을 고르시오.

> 이온 간 거리가 r_0보다 작을 때 에너지가 급격히 증가하는 것은 ㉠(인력, 반발력)보다 ㉡(인력, 반발력)이 우세하게 작용하기 때문이다.

03 몇 가지 이온 결합 물질에서 다음의 크기를 등호나 부등호를 이용하여 비교하시오.

(1) 이온 간 거리(r_0): $NaF(g)$(　　) $NaCl(g)$

(2) 이온 결합이 형성될 때 방출하는 에너지(E_0): $NaF(g)$(　　) $NaCl(g)$

(3) 녹는점의 크기: $NaF(s)$(　　) $NaCl(s)$

콕콕! 개념 확인하기

정답과 해설 052쪽

✔ 잠깐 확인!

1. ☐☐☐
원자가 전자를 잃어 형성된 (+)전하를 띤 입자

2. ☐☐ ☐☐
양이온과 음이온 사이의 정전기적 인력에 의해 형성되는 결합

3. 양이온과 음이온은 ☐☐과 ☐☐☐이 균형을 이루어 에너지가 가장 낮은 거리에서 결합을 형성한다.

4. 이온 결합 물질은 전기적으로 중성이므로 양이온과 음이온의 총 전하량의 합이 ☐이다.

5. 이온 결합 물질에 힘을 가하면 이온 층이 밀리면서 같은 전하를 띤 이온 사이에 ☐☐☐이 작용하기 때문에 잘 부스러진다.

6. 이온 결합 물질은 ☐☐ 상태와 수용액에서 전기 전도성이 있다.

7. 이온 결합 물질은 양이온과 음이온 사이의 거리가 ☐수록, 이온의 전하량이 ☐수록 녹는점이 높다.

A 이온 결합의 형성

01 이온의 형성에 대한 설명으로 옳은 것은 ○, 옳지 않은 것은 ×로 표시하시오.

(1) 비금속 원소는 전자를 얻어 음이온이 된다. ( )

(2) 금속 원소가 전자를 잃어 양이온이 되면 같은 주기의 18족 원소와 전자 배치가 같아진다. ( )

(3) 산화 마그네슘에서 마그네슘 이온과 산화 이온은 모두 네온과 같은 전자 배치를 갖는다. ( )

02 다음은 원자 A와 B의 전자 배치를 나타낸 것이다. (단, A, B는 임의의 원소 기호이다.)

A: $1s^2 2s^2 2p^6 3s^2$	B: $1s^2 2s^2 2p^5$

(1) 원자 A와 B가 각각 안정한 이온을 형성할 때의 이온식을 각각 쓰시오.

(2) A와 B 이온의 전자 배치는 18족의 어떤 원소와 같은지 각각 쓰시오.

(3) A와 B 이온이 이온 결합하여 형성한 안정한 화합물의 화학식을 쓰시오.

03 그림은 NaCl이 생성될 때 이온 간 거리에 따른 에너지 변화를 나타낸 것이다.

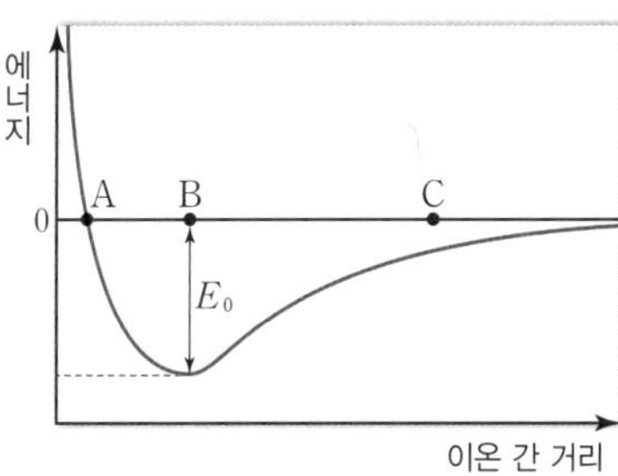

(1) A~C 중 인력보다 반발력이 더 우세하게 작용하는 지점을 쓰시오.

(2) 이온 결합이 형성되는 지점을 쓰시오.

(3) NaF이 형성될 때 E_0의 크기 변화를 쓰시오.

B 이온 결합 물질의 성질

04 이온 결합 물질의 성질에 대한 설명으로 옳은 것은 ○, 옳지 않은 것은 ×로 표시하시오.

(1) 대부분 물에 잘 용해된다. ( )

(2) 양이온과 음이온 사이의 힘이 강하여 힘을 가해도 잘 부서지지 않는다. ( )

(3) 고체와 액체 상태에서 모두 전기 전도성이 있다. ( )

(4) 녹는점과 끓는점이 비교적 높아 실온에서 고체 상태로 존재한다. ( )

탄탄! 내신 다지기

A 이온 결합의 형성

01 이온의 형성에 대한 설명으로 옳지 않은 것은?

① 1족 원소는 전자 1개를 잃고 양이온이 된다.
② 16족 원소는 전자 2개를 얻어 음이온이 된다.
③ 3주기 13족 원소는 전자 3개를 잃고 양이온이 되어 옥텟 규칙을 만족한다.
④ 2족 원소의 양이온은 같은 주기의 18족 원소와 전자 배치가 같다.
⑤ 17족 원소의 음이온은 같은 주기의 18족 원소와 전자 배치가 같다.

단답형

02 다음에서 설명하는 이온의 이온식을 쓰시오. (단, X, Y는 임의의 원소 기호이다.)

(1) 원자 X가 n개의 전자를 얻은 이온
(2) 3주기 13족 원자 Y의 안정한 이온

03 다음은 원소 A와 B에 대한 설명이다.

- A는 3주기 1족 원소이다.
- B는 원자가 전자 수가 7이다.
- 안정한 A 이온과 B 이온의 전자 배치는 서로 같다.

이에 대한 설명으로 옳지 않은 것은? (단, A, B는 임의의 원소 기호이다.)

① A의 안정한 이온의 전하는 +1이다.
② B는 3주기 원소이다.
③ A와 B는 이온 결합을 형성한다.
④ A와 B가 결합할 때 전자는 A에서 B로 이동한다.
⑤ A와 B의 안정한 이온의 전자 배치에서 전자가 들어 있는 전자 껍질 수는 같다.

04 다음 중 화합물에서 양이온과 음이온의 전자 배치가 같은 물질은?

① LiF ② NaCl ③ KF
④ MgO ⑤ CaO

05 그림은 주기율표의 일부를 나타낸 것이다.

주기＼족	1	2	14	15	16	17	18
1	A						
2	B				C		
3		D				E	
4		F					

이온 결합을 형성하는 원소끼리 짝 지은 것만을 〈보기〉에서 있는 대로 고르시오. (단, A~F는 임의의 원소 기호이다.)

보기
ㄱ. A, C ㄴ. B, C ㄷ. B, F
ㄹ. C, D ㅁ. C, E ㅂ. E, F

06 그림은 원자 A와 B가 이온 결합을 형성하는 과정을 전자 배치 모형으로 나타낸 것이다.

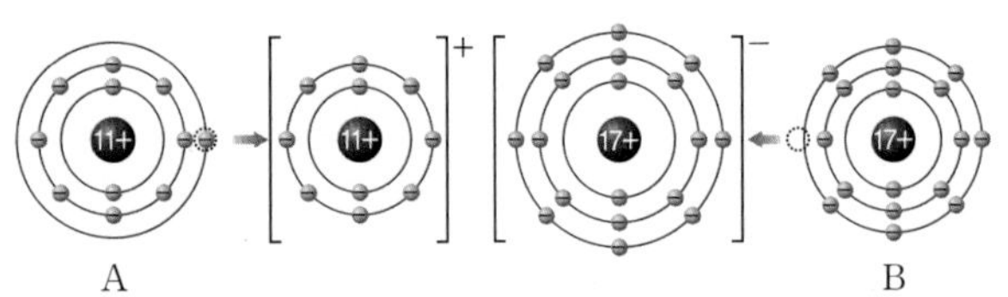

이에 대한 설명으로 옳은 것만을 〈보기〉에서 있는 대로 고른 것은? (단, A, B는 임의의 원소 기호이다.)

보기
ㄱ. B가 B 이온이 될 때 전자 1개를 얻는다.
ㄴ. 전자가 들어 있는 전자 껍질 수는 A 이온이 A보다 크다.
ㄷ. 화합물에서 A 이온과 B 이온의 전자 배치는 서로 같다.

① ㄱ ② ㄴ ③ ㄱ, ㄴ
④ ㄱ, ㄷ ⑤ ㄴ, ㄷ

07 그림은 XY_2의 화학 결합 모형을 나타낸 것이다.

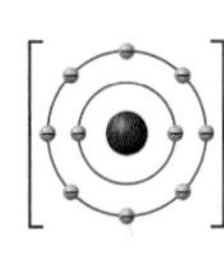
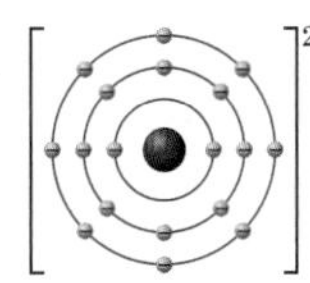
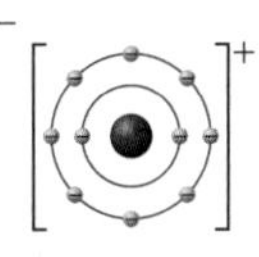

이에 대한 설명으로 옳은 것만을 ⟨보기⟩에서 있는 대로 고른 것은? (단, X, Y는 임의의 원소 기호이다.)

> 보기
> ㄱ. 원자가 전자 수는 X가 Y보다 6 크다.
> ㄴ. X, Y는 전자가 들어 있는 전자 껍질 수가 같다.
> ㄷ. XY_2는 액체 상태에서 전기 전도성이 있다.

① ㄷ ② ㄱ, ㄴ ③ ㄱ, ㄷ
④ ㄴ, ㄷ ⑤ ㄱ, ㄴ, ㄷ

B 이온 결합 물질의 성질

08 다음과 같은 성질을 가지는 물질은?

> • 실온에서 고체 상태이다.
> • 외부에서 힘을 가하면 쉽게 부스러진다.
> • 고체 상태에서는 전기를 통하지 않다가 가열하여 특정 온도가 되면 전기를 통한다.

① Cu ② S_8 ③ I_2
④ SiO_2 ⑤ NaCl

09 그림은 3주기 원소 A와 B로 구성된 화합물의 결합 모형을 나타낸 것이다.

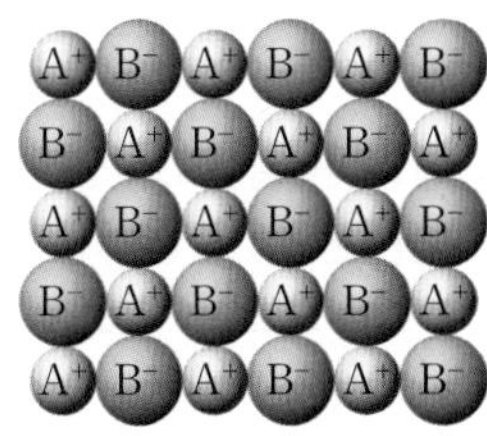

이에 대한 설명으로 옳지 않은 것은? (단, A, B는 임의의 원소 기호이다.)

① A는 금속 원소이다.
② AB는 물에 잘 녹는다.
③ AB에 힘을 가하면 잘 부서진다.
④ AB에서 A와 B의 전자 배치는 같다.
⑤ AB는 액체 상태에서 전기 전도성이 있다.

10 다음 물질을 물에 녹인 수용액에 전기 전도성 측정기를 넣어 전기 전도성을 측정할 때 전류가 흐르는 물질을 있는 대로 고르면? (정답 2개)

① 염화 나트륨 ② 설탕
③ 염화 구리(Ⅱ) ④ 포도당
⑤ 식용유

단답형

11 다음은 이온 결합 물질의 녹는점에 대한 설명이다. ㉠, ㉡에 들어갈 알맞은 말을 쓰시오.

> 이온 결합 물질의 녹는점은 양이온과 음이온 사이의 정전기적 (㉠)이 클수록 높은데, 양이온과 음이온의 전하량 크기가 같은 경우 이온 사이의 거리가 (㉡)수록 녹는점은 높다.

12 표는 몇 가지 이온 결합 물질에 대한 자료이다.

물질	이온 |전하의 곱|	이온 사이의 거리 (pm)	녹는점 (℃)
LiF	1	207	870
LiCl	1	255	614
MgO	4	212	2800
SrO	4	256	2430

이에 대한 설명으로 옳지 않은 것은?

① 음이온의 반지름은 $Cl^- > F^-$이다.
② 양이온의 반지름은 $Sr^{2+} > Mg^{2+}$이다.
③ 이온 |전하의 곱|이 같을 때, 이온 사이의 거리가 멀수록 녹는점이 낮다.
④ 이온 사이의 거리가 비슷할 때, 이온 |전하의 곱|이 클수록 녹는점이 높다.
⑤ LiBr(s)의 녹는점은 614 ℃보다 높고 870 ℃보다 낮을 것이다.

도전! 실력 올리기

01 그림은 3주기 원자 A와 B가 각각 18족 원소와 같은 전자 배치를 갖는 이온이 되는 과정을 모형으로 나타낸 것이다.

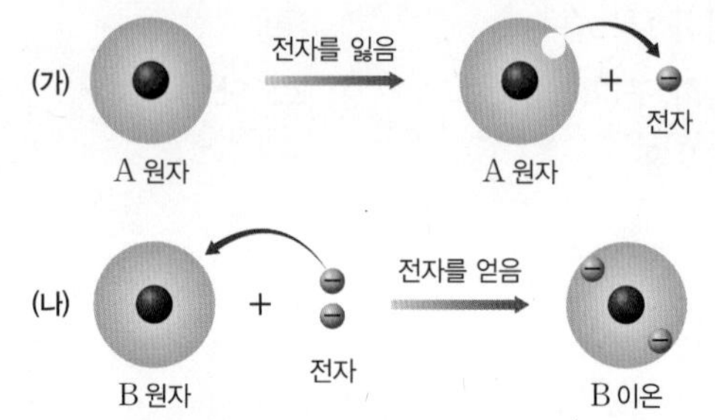

이에 대한 설명으로 옳은 것만을 〈보기〉에서 있는 대로 고른 것은? (단, A와 B는 임의의 원소 기호이다.)

> 보기
> ㄱ. B 이온의 전하는 -2이다.
> ㄴ. A 이온과 B 이온의 전자 배치는 같다.
> ㄷ. A 이온과 B 이온으로 이루어진 안정한 화합물의 화학식은 A_2B이다.

① ㄱ ② ㄴ ③ ㄱ, ㄷ
④ ㄴ, ㄷ ⑤ ㄱ, ㄴ, ㄷ

02 그림은 원자 A~C의 전자 배치를 모형으로 나타낸 것이다.

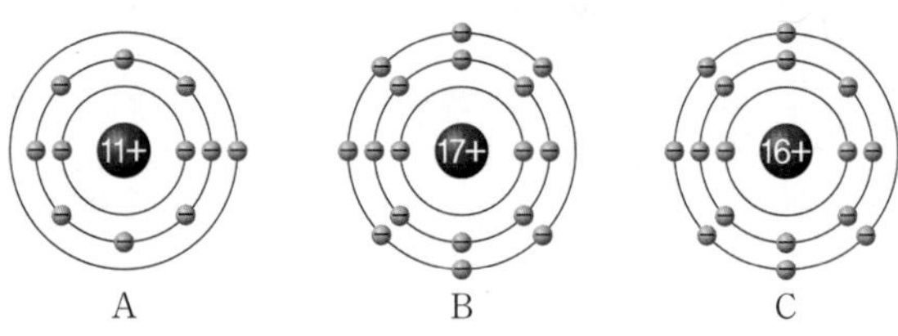

A와 B로 이루어진 안정한 화합물 X와 A와 C로 이루어진 안정한 화합물 Y에 대한 설명으로 옳은 것만을 〈보기〉에서 있는 대로 고른 것은? (단, A~C는 임의의 원소 기호이다.)

> 보기
> ㄱ. 녹는점은 $Y(s)$가 $X(s)$보다 높다.
> ㄴ. 전기 전도성은 $Y(s)$가 $X(s)$보다 크다.
> ㄷ. 화학식을 구성하는 원자 수는 Y가 X보다 크다.

① ㄱ ② ㄴ ③ ㄱ, ㄷ
④ ㄴ, ㄷ ⑤ ㄱ, ㄴ, ㄷ

03 표는 원자 A~D의 양성자수와 안정한 이온의 전자 수를 나타낸 것이다.

구분	A	B	C	D
양성자수	8	9	11	12
전자 수	10	10	10	10

이에 대한 설명으로 옳은 것만을 〈보기〉에서 있는 대로 고른 것은? (단, A~D는 임의의 원소 기호이다.)

> 보기
> ㄱ. 이온 반지름은 B의 이온이 가장 크다.
> ㄴ. B와 D의 안정한 화합물의 화학식은 DB_2이다.
> ㄷ. 녹는점은 $DA(s)$가 $CB(s)$보다 높다.

① ㄱ ② ㄴ ③ ㄱ, ㄷ
④ ㄴ, ㄷ ⑤ ㄱ, ㄴ, ㄷ

출제예감

04 그림은 알칼리 금속 $M(g)$과 $Cl_2(g)$가 이온 결합을 형성할 때, 이온 간 거리에 따른 에너지를 나타낸 것이다.

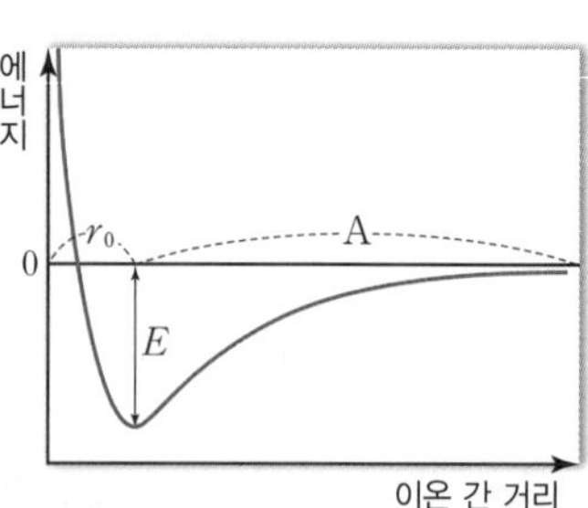

이에 대한 설명으로 옳은 것만을 〈보기〉에서 있는 대로 고른 것은? (단, M은 임의의 원소 기호이다.)

> 보기
> ㄱ. M의 원자 번호가 클수록 r_0가 커진다.
> ㄴ. M의 원자 번호가 클수록 E가 커진다.
> ㄷ. A 구간에서는 정전기적 인력이 반발력보다 우세하게 작용한다.

① ㄱ ② ㄴ ③ ㄱ, ㄷ
④ ㄴ, ㄷ ⑤ ㄱ, ㄴ, ㄷ

05 다음은 물질 X의 전기 전도성을 알아보는 실험이다.

(가) 고체 X에 전극을 대어보았더니 전류가 흐르지 않았다.
(나) 고체 X를 가열하여 녹인 후 용융액에 전극을 담갔더니 전류가 흘렀다.

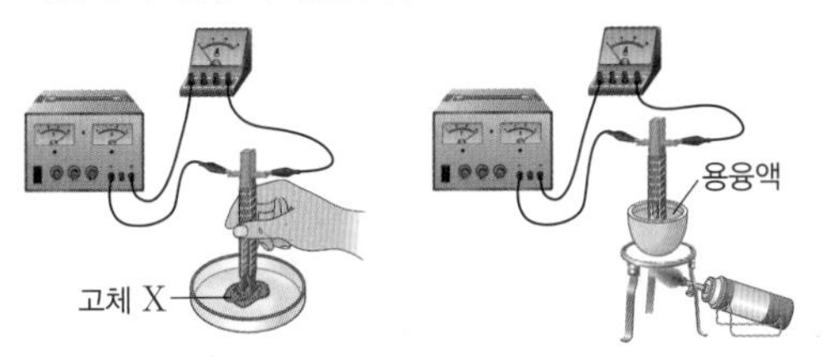

X에 대한 설명으로 옳은 것만을 〈보기〉에서 있는 대로 고른 것은? (단, X는 물에 잘 녹는다.)

보기
ㄱ. 성분 원소는 2 종류 이상이다.
ㄴ. X 수용액은 전류가 흐른다.
ㄷ. 고체 X를 가열하여 녹이면 이온이 생성된다.

① ㄴ ② ㄷ ③ ㄱ, ㄴ
④ ㄴ, ㄷ ⑤ ㄱ, ㄴ, ㄷ

출제예감

06 그림은 3주기 원소로 구성된 MX(s)를 일정한 열원으로 가열할 때, 온도에 따른 전기 전도도의 변화를 나타낸 것이다.

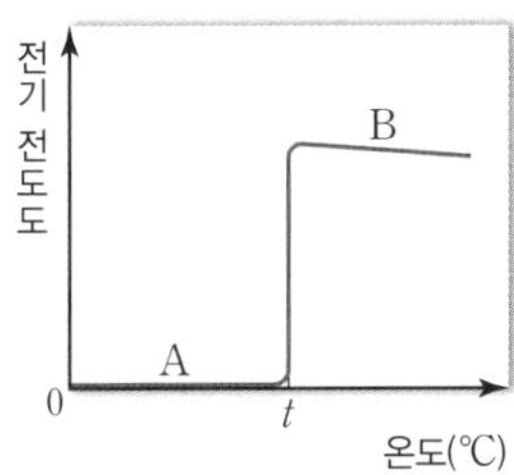

이에 대한 설명으로 옳은 것만을 〈보기〉에서 있는 대로 고른 것은? (단, M, X는 임의의 원소 기호이다.)

보기
ㄱ. MX(s)의 녹는점은 t ℃이다.
ㄴ. MX(s)에 힘을 가하면 넓게 펴진다.
ㄷ. 이온 사이의 평균 거리는 B에서가 A에서보다 멀다.

① ㄱ ② ㄴ ③ ㄱ, ㄴ
④ ㄱ, ㄷ ⑤ ㄴ, ㄷ

07 다음은 Na과 Cl_2가 이온 결합을 형성하는 과정에 대한 설명이다. ㉠~㉢에 들어갈 알맞은 말을 쓰시오.

나트륨과 염소가 가까이 접근하면 (㉠) 원자에서 (㉡) 원자로 전자가 이동하여 나트륨 이온과 염화 이온이 생성되고, 이들 이온 사이에 (㉢)이 작용하여 결합이 형성된다.

서술형

08 그림은 NaX와 NaY가 각각 이온 결합을 형성할 때, 이온 간 거리에 따른 에너지 변화를 나타낸 것이다.

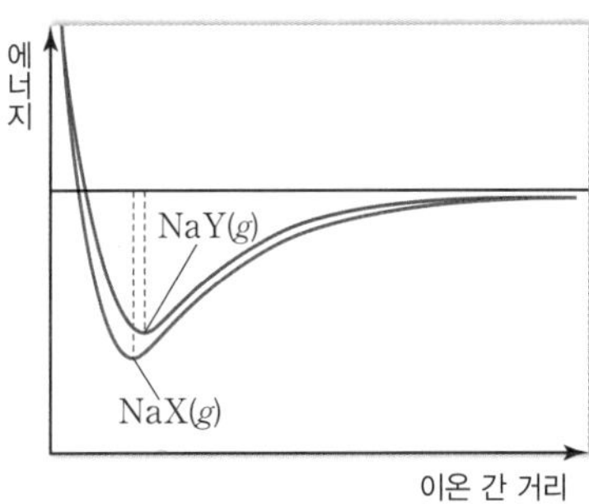

NaX(s)와 NaY(s)의 녹는점을 비교하고 그 까닭을 서술하시오.

서술형

09 그림은 알루미늄(Al) 원자와 산소(O) 원자의 전자 배치를 나타낸 것이다.

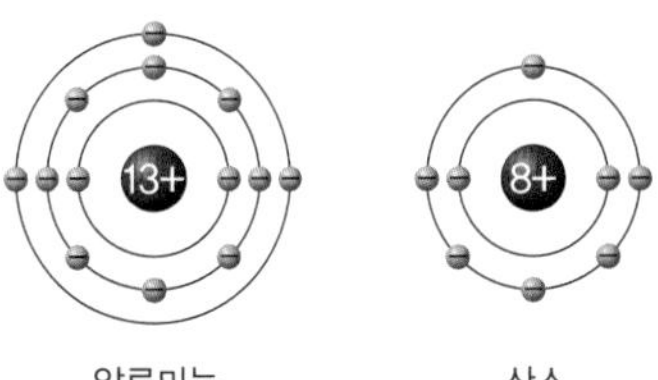

알루미늄과 산소가 결합하여 산화 알루미늄을 생성하는 과정을 서술하시오.

03 공유 결합과 금속 결합

핵심 키워드로 흐름잡기

- A 공유 결합, 단일 결합, 2중 결합, 3중 결합, 공유 결합의 형성과 에너지
- B 공유 결합 물질의 성질
- C 자유 전자, 금속 결합, 금속 결정, 금속의 특성

A 공유 결합의 형성과 에너지

|출·제·단·서| 결합 모형에서 구성 원자의 전자 배치와 같은 18족 원소를 찾는 문제와 각 구성 원자의 원자가 전자 수, 주기적 성질 등을 비교하는 문제가 나와.

1. 공유 결합의 형성

암기TiP (8 − 원자가 전자 수) → 공유 전자쌍 수 → 공유 결합

(1) 공유 결합 비금속 원소의 원자들이 전자쌍을 서로 공유하여 이루는 결합❶

(2) 공유 결합의 형성

① 비금속 원소들은 각각 전자를 내놓아 전자쌍을 만들고, 이 전자쌍을 공유함으로써 화학 결합을 형성한다. 이때 두 원자가 공유하는 전자쌍을 공유 전자쌍이라고 한다.

② 비금속 원소들은 공유 결합을 형성함으로써 18족 원소와 같은 안정한 ●전자 배치를 이룬다.
공유 결합은 원자핵과 공유한 전자쌍 사이의 정전기적 인력에 의한 결합을 한다.

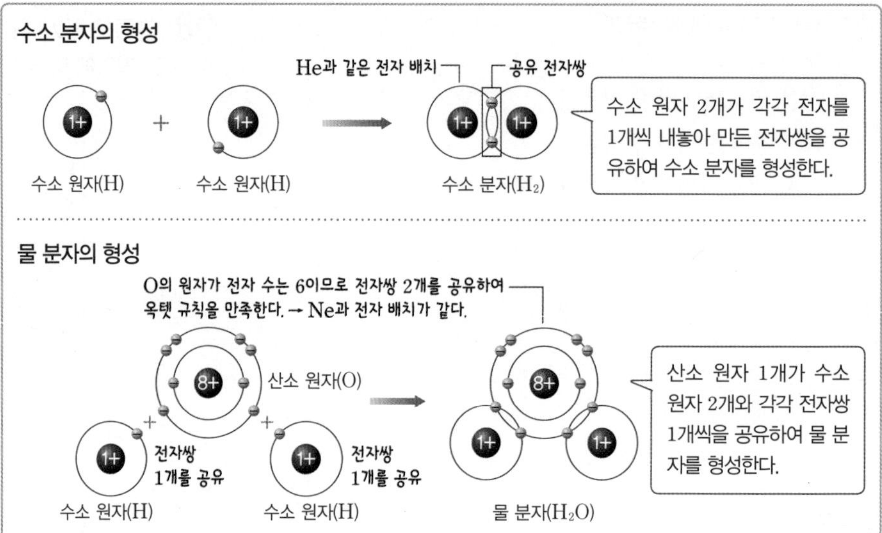

수소 분자의 형성
He과 같은 전자 배치
공유 전자쌍
1+
수소 원자(H)
수소 원자(H)
수소 분자(H_2)
수소 원자 2개가 각각 전자를 1개씩 내놓아 만든 전자쌍을 공유하여 수소 분자를 형성한다.
물 분자의 형성
O의 원자가 전자 수는 6이므로 전자쌍 2개를 공유하여 옥텟 규칙을 만족한다. → Ne과 전자 배치가 같다.
8+
산소 원자(O)
전자쌍 1개를 공유
수소 원자(H)
물 분자(H_2O)
산소 원자 1개가 수소 원자 2개와 각각 전자쌍 1개씩을 공유하여 물 분자를 형성한다.

❶ **비금속 원소와 공유 결합**
주기율표의 14~17족 원소는 원자가 전자 수가 4~7로 전자를 얻으려는 성질이 비슷하므로 이들 비금속 원소끼리 화학 결합을 형성할 때는 전자를 주고받아 결합을 형성하기보다는 부족한 전자 수만큼의 전자를 서로 공유하여 안정한 전자 배치를 이룬다.

빈출 자료 이온 결합과 공유 결합의 화학 결합 모형

그림 (가)와 (나)는 화합물 AB와 CB_2의 결합 모형을 나타낸 것이다.

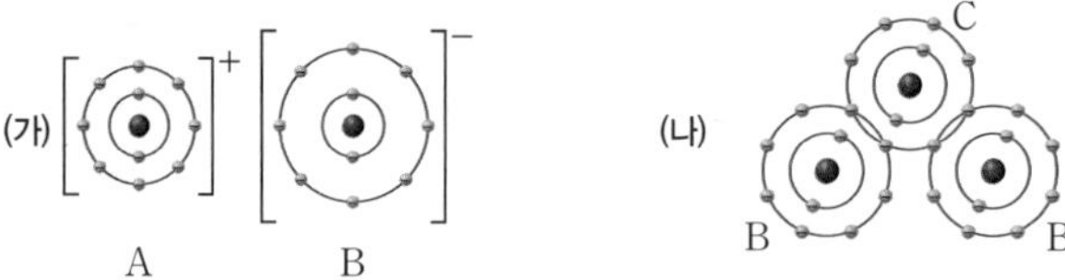

(가)
A
B
(나)
C
B
B

❶ 화합물에서 구성 입자는 모두 10개의 전자를 가진다.
➡ 화학 결합을 통해 구성 입자는 모두 비활성 기체인 네온과 같은 전자 배치를 이루어 옥텟 규칙을 만족한다.

❷ 이온 결합 물질에서 원자가 전자 수 구하기
- 금속 원소의 원자가 전자 수=|양이온의 전하| ➡ A의 원자가 전자 수=1
- 비금속 원소의 원자가 전자 수=(8−|음이온의 전하|) ➡ B의 원자가 전자 수=8−1=7

❸ 공유 결합을 하는 원자의 원자가 전자 수=(결합에 참여하지 않은 전자 수+공유 전자쌍 수)
➡ C의 원자가 전자 수=4+2=6

∴ A는 3주기 1족, B는 2주기 17족, C는 2주기 16족 원소이다.

? 왜 물의 분자식은 HO가 아닐까?
원자가 전자 수는 H 1, O 6이므로 H와 O가 1:1로 결합을 하면 O는 가장 바깥 전자 껍질에 7개의 전자가 있으므로 옥텟 규칙을 만족하지 않는다. 따라서 O 원자 1개는 2개의 H 원자와 결합을 하여 옥텟 규칙을 만족한다.

용어 알기
●전자 배치(번개 電, 자식 子, 나누다 配, 두다 置) 원자핵 주위의 전자를 에너지 순서에 맞게 표현한 것

2. 단일 결합과 다중 결합❷

(1) 단일 결합 두 원자 사이에 1개의 전자쌍을 공유하여 형성되는 결합

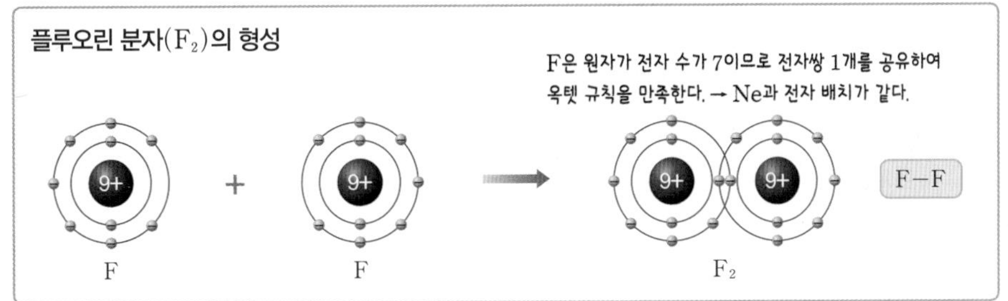

플루오린 분자(F_2)의 형성
F은 원자가 전자 수가 7이므로 전자쌍 1개를 공유하여 옥텟 규칙을 만족한다. → Ne과 전자 배치가 같다.
9+
F
F
F_2
F−F

(2) 2중 결합 두 원자 사이에 2개의 전자쌍을 공유하여 형성되는 결합

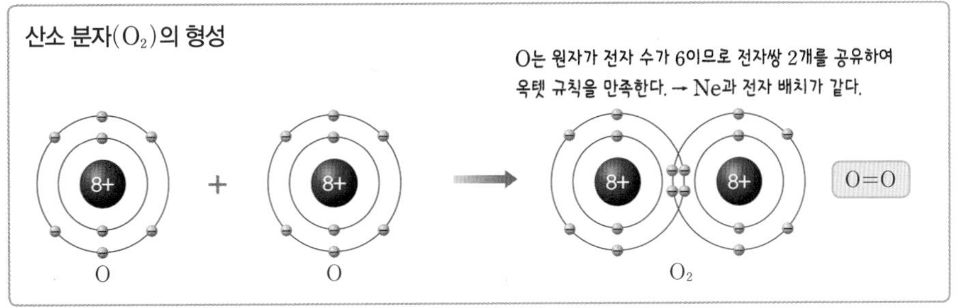

산소 분자(O_2)의 형성
O는 원자가 전자 수가 6이므로 전자쌍 2개를 공유하여 옥텟 규칙을 만족한다. → Ne과 전자 배치가 같다.
8+
O
O
O_2
O=O

(3) 3중 결합 두 원자 사이에 3개의 전자쌍을 공유하여 형성되는 결합

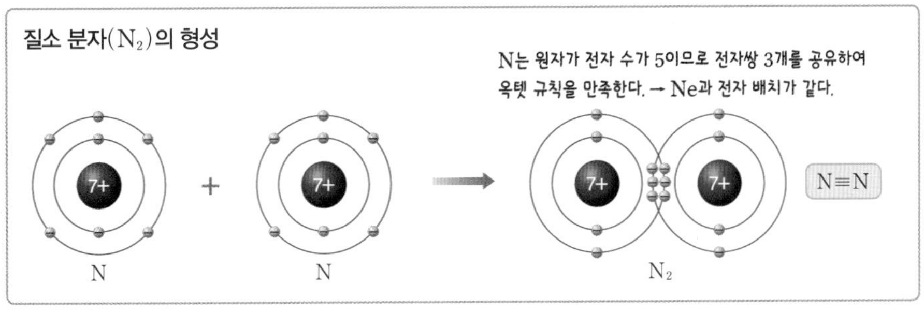

질소 분자(N_2)의 형성
N는 원자가 전자 수가 5이므로 전자쌍 3개를 공유하여 옥텟 규칙을 만족한다. → Ne과 전자 배치가 같다.
7+
N
N
N_2
N≡N

3. 공유 결합의 형성과 에너지

(1) 공유 결합의 형성과 에너지 변화 두 원자가 공유 결합을 형성할 때 두 원자의 핵 간 거리에 따른 에너지가 가장 낮은 거리에서 결합이 형성된다.❸

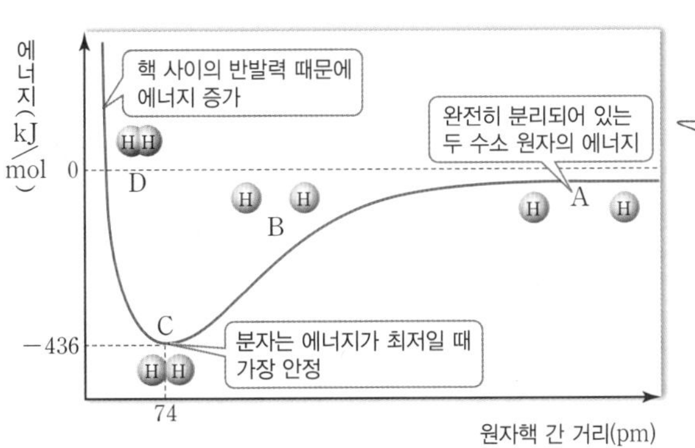

에너지(kJ/mol)
핵 사이의 반발력 때문에 에너지 증가
완전히 분리되어 있는 두 수소 원자의 에너지
0
D
B
A
C
−436
분자는 에너지가 최저일 때 가장 안정
74
원자핵 간 거리(pm)

- A → B → C: 완전히 분리되어 있던 두 수소 원자 사이의 거리가 가까워지면 인력이 크게 작용하여 에너지가 점차 낮아져 안정해진다.
- C: 인력과 반발력이 균형을 이루어 에너지가 가장 낮은 지점에서 공유 결합이 형성된다.
- C → D: 결합 길이보다 원자 사이의 거리가 더 가까워지면 반발력이 크게 작용하여 에너지가 급증한다.

(2) 공유 결합 길이❹ 공유 결합을 하고 있는 분자에서 두 원자핵 사이의 거리 ➡ 수소 원자의 공유 결합 길이는 74 pm이다.

(3) 결합 에너지 기체 상태의 분자 1몰에서 원자 사이의 공유 결합을 끊을 때 필요한 에너지이며, 결합 에너지가 클수록 결합이 강하다. 결합이 형성될 때 방출하는 에너지와 크기가 같으므로 수소의 결합 에너지는 436 kJ/mol이다.

---

❷ 원자가 전자 수에 따른 공유 전자쌍 수

- 원자가 전자 수가 1인 수소와 원자가 전자 수가 7인 17족 원소는 단일 결합을 형성한다.
- 원자가 전자 수가 6인 16족 원소는 2중 결합을 형성하거나 단일 결합 2개를 형성한다.
- 원자가 전자 수가 5인 15족 원소는 3중 결합을 형성하거나 2중 결합 1개와 단일 결합 1개 또는 단일 결합 3개를 형성한다.

❸ 수소 원자 사이의 상호 작용

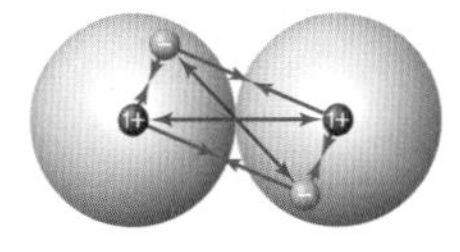

반발력
인력

각 수소 원자의 원자핵과 전자 사이에는 인력이 작용하며 핵과 핵, 전자와 전자 사이에는 반발력이 작용한다.

? 전자쌍이 두 원자 사이에 존재하면 전자 사이의 반발력이 작용하여 더 불안정해지지 않을까?

두 원자가 결합을 할 때 전자 사이의 반발력이 작용하여 불안정해지지만 원자핵과 공유 전자쌍 사이의 인력도 작용하므로 두 힘이 균형을 이루게 되어 분자를 형성할 수 있다.

❹ 공유 결합 반지름

같은 종류의 원자가 공유 결합을 이루고 있을 때 결합 길이의 $\frac{1}{2}$이다. ➡ 수소 원자의 공유 결합 반지름은 37 pm이다.

B 공유 결합 물질의 성질

|출·제·단·서| 공유 결합 물질의 특성과 이온 결합 물질의 특성을 비교하는 문제가 나와.

1. 공유 결합 물질

암기TiP 공유 결합 물질 → 분자 결정 → 전기 전도성 ×, 녹는점↓

(1) 원자들이 공유 결합하여 형성된 물질로 대부분 분자를 이룬다.

예 물(H_2O), 이산화 탄소(CO_2), 메테인(CH_4), 포도당($C_6H_{12}O_6$), 설탕($C_{12}H_{22}O_{11}$) 등

(2) 고체 상태의 공유 결합 물질

구분	분자 결정[5]	공유(원자) 결정
정의	분자가 규칙적으로 배열되어 이루어진 결정	원자들이 연속적으로 공유 결합을 하여 그물처럼 연결되어 이루어진 결정
예	드라이아이스(CO_2), 설탕($C_{12}H_{22}O_{11}$), 아이오딘(I_2), 나프탈렌($C_{10}H_8$) 등 CO_2와 CO_2 사이에 분자 간 힘이 작용한다. O, C 드라이아이스 아이오딘	다이아몬드(C), 흑연(C), 석영(SiO_2) 등 C 원자 사이의 공유 결합으로만 이루어져 있어 매우 단단하다. Si, O 다이아몬드 석영

2. 공유 결합 물질의 성질 개념 POOL 탐구 POOL

(1) **물에 대한 용해성** 대부분 물에 녹지 않으나 HCl, NH_3 등과 같이 물에 녹아 이온화하는 일부 물질은 물에 잘 녹는다.

(2) **결정에 힘을 가했을 때의 변화** 분자 결정은 분자 사이의 힘이 약하므로 쉽게 부스러지나, 공유 결정은 원자 사이의 힘이 강하여 매우 단단하다.

(3) **녹는점과 끓는점**

분자 결정	분자 사이의 인력이 약한 편이므로 녹는점과 끓는점이 낮아 실온에서 승화성을 갖는 것이 많다.
공유 결정	원자 사이의 결합력이 강하여 녹는점과 끓는점이 매우 높다.

(4) **전기 전도성** 공유 결합 물질은 이온으로 구성되어 있지 않기 때문에 고체와 액체 상태에서 전기 전도성이 없다. (단, 흑연[6], 탄소 나노 튜브, 그래핀 등은 고체 상태에서 전기 전도성이 있다.)

└ 모두 탄소로만 이루어진 탄소 동소체이며, 결합에 참여하지 않은 전자가 자유로이 돌아다닌다.

5 분자 결정
원자들이 공유 결합을 하여 형성된 분자들로 구성된 물질이며, 결정을 이루는 힘은 분자 사이의 힘이다. 분자 사이의 힘은 공유 결합이나 이온 결합보다 매우 약한 힘이다.

6 흑연의 전기 전도성
흑연을 이루는 탄소의 원자가 전자 중 3개는 다른 탄소 원자와 결합을 하는 데 사용되고, 나머지 1개의 전자가 자유롭게 이동하므로 전기 전도성이 있다.

C 금속 결합

|출·제·단·서| 금속의 특성과 3가지 결합에 따른 물질의 특성을 비교하는 문제가 나와.

1. 금속 결합

(1) **자유 전자** 금속은 이온화 에너지가 작아서 쉽게 원자가 전자를 내놓고 양이온이 된다. 금속에서 떨어져 나온 전자는 금속 양이온 사이를 자유롭게 움직이므로 자유 전자라고 한다.

(2) **금속 결합[7]** 금속 양이온과 자유 전자 사이의 정전기적 인력에 의해 형성되는 결합

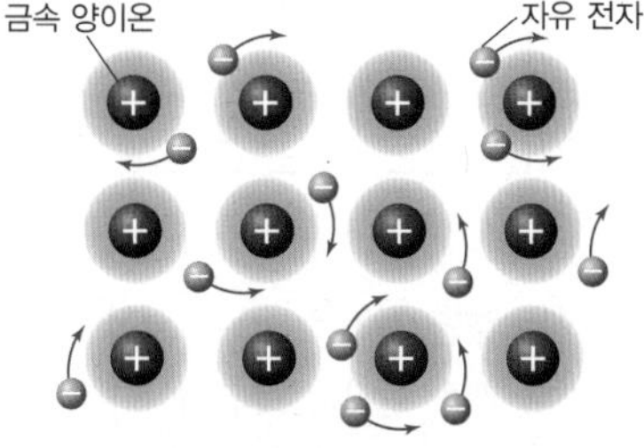

▲ 금속 결정의 전자 바다 모형[8]

2. 금속 결정 금속 결합을 하여 금속 원자가 규칙적으로 배열된 고체

7 금속 원소의 결합
금속은 전자를 잃고 양이온이 되려는 성질이 있으므로 금속 원소끼리는 전자를 주고 받거나 얻어서, 또는 전자를 공유하여 결합할 수 없다.

8 금속 결합과 전자 바다 모형
금속 원자는 전자를 내놓아 양이온이 되고, 금속 원자가 내놓은 전자는 금속 양이온 사이를 자유롭게 돌아다니면서 금속 결합을 형성하는데, 이때 수많은 자유 전자가 자유롭게 돌아다니는 것을 전자 바다라고 하고, 이 모형을 전자 바다 모형이라고 한다.

3. 금속의 특성 금속의 특성은 자유 전자에 의해 나타난다. 개념 POOL

(1) 전기 전도성 금속 양 끝에 전압을 걸어주면 자유 전자가 (+)극 쪽으로 이동하므로 고체와 액체 상태에서 전기 전도성이 있다.

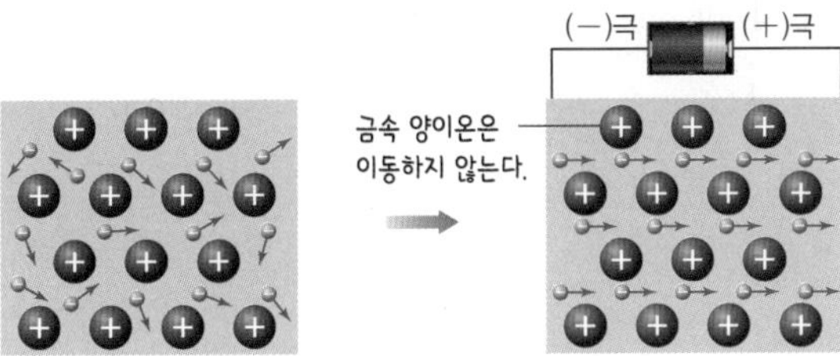

(2) 열전도성 금속을 가열하면 자유 전자가 열에너지를 얻게 되고, 자유 전자가 인접한 자유 전자와 금속 양이온에 열에너지를 전달하므로 열전도성이 매우 크다.

(3) 뽑힘성과 펴짐성 금속 결정에 힘을 가하면 금속 양이온들의 층이 미끄러져 변형되지만, 자유 전자들이 이동하여 금속 결합을 유지시키므로 뽑힘성(●연성)과 펴짐성(●전성)❾이 크다.

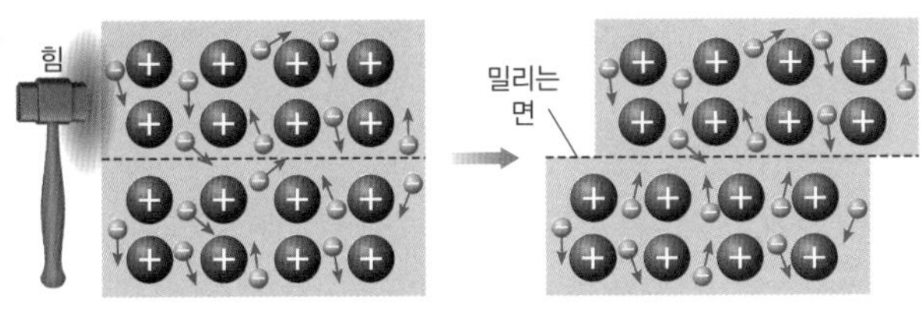

(4) 녹는점과 끓는점 금속은 자유 전자와 금속 양이온 사이에 강한 정전기적 인력이 작용하므로 녹는점과 끓는점이 높다. 따라서 대부분 실온에서 고체 상태로 존재한다.
└ 수은은 액체로 존재한다.

빈출 자료 **화학 결합의 종류에 따른 물질의 성질과 상대적 세기 비교하기**

[전기 전도성]

구분	고체	액체
다이아몬드	×	×
산화 칼슘	×	○
산화 알루미늄	×	○
칼슘	○	○
알루미늄	○	○
설탕	×	×

(○: 전류가 흐름, ×: 전류가 흐르지 않음)

[녹는점]

녹는점(℃)
4440 — 공유 결정
이온 결정
2613
2054
금속 결정
842
660
분자 결정
189
0
다이아몬드 산화 칼슘 산화 알루미늄 칼슘 알루미늄 설탕

❶ 전기 전도성으로 결정의 종류 구분

- 고체 상태에서의 전기 전도성으로 금속 결합 물질을 구별할 수 있다. ➡ 고체 상태에서 전기 전도성이 있는 칼슘과 알루미늄은 금속 결정이다.
- 액체 상태에서의 전기 전도성으로 이온 결합 물질을 구별할 수 있다. ➡ 고체 상태에서는 전기 전도성이 없으나 액체 상태에서 전기 전도성이 있는 산화 칼슘과 산화 알루미늄은 이온 결정이다.
- 고체와 액체 상태에서 모두 전기 전도성이 없는 다이아몬드와 설탕은 공유 결합 물질이다.

❷ 녹는점으로 화학 결합의 세기 비교

- 공유 결합 물질: 다이아몬드는 원자 사이의 공유 결합으로 결정을 이루므로 녹는점이 매우 높다. 설탕은 결정이 분자로 구성되어 있어 녹는점이 매우 낮다.
- 이온 결합 물질: 양이온과 음이온 사이의 정전기적 인력에 의해 결합하므로 녹는점이 높다.
- 금속 결합 물질: 금속 양이온과 자유 전자 사이의 정전기적 인력에 의해 결합하므로 녹는점이 비교적 높다.

➡ 녹는점은 결정을 이루는 화학 결합의 세기가 강할수록 높아지므로 화학 결합의 세기는 공유 결합 > 이온 결합 > 금속 결합 순이다.
┌ 일반적으로 이온 결정의 녹는점이 금속 결정의 녹는점보다 높은데, 이것은 이온 결합력이 대부분의 금속 결합력보다 강하기 때문이다.

❓ 금속의 광택은 왜 은백색이 많을까?

금속에 빛을 비추면 자유 전자가 대부분의 빛을 반사하기 때문에 은백색을 띤다.

❾ 금속의 성질과 이용

▲ 구리 전선(연성, 전기 전도성)

▲ 알루미늄박(전성)

용어 알기

● 연성(늘이다 延, 성질 性) 물질을 가늘고 길게 뽑아낼 수 있는 성질

● 전성(펴다 展, 성질 性) 물질을 두드려 얇게 펼 수 있는 성질

결합의 종류에 따른 물질의 성질

목표 결정을 이루는 입자들의 결합의 종류와 물질의 성질을 설명할 수 있다.

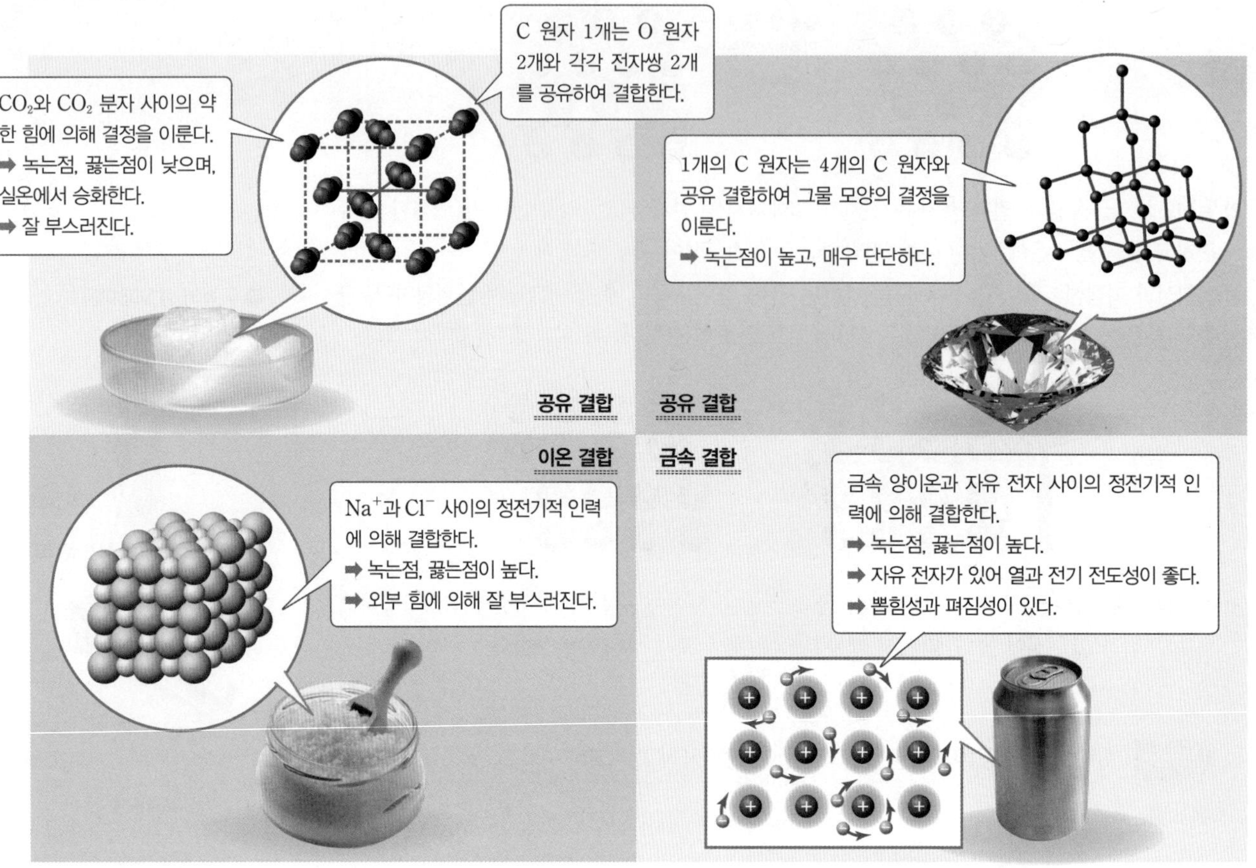

C 원자 1개는 O 원자 2개와 각각 전자쌍 2개를 공유하여 결합한다.
CO_2와 CO_2 분자 사이의 약한 힘에 의해 결정을 이룬다.
➡ 녹는점, 끓는점이 낮으며, 실온에서 승화한다.
➡ 잘 부스러진다.
1개의 C 원자는 4개의 C 원자와 공유 결합하여 그물 모양의 결정을 이룬다.
➡ 녹는점이 높고, 매우 단단하다.
공유 결합
공유 결합
이온 결합
금속 결합
Na^+과 Cl^- 사이의 정전기적 인력에 의해 결합한다.
➡ 녹는점, 끓는점이 높다.
➡ 외부 힘에 의해 잘 부스러진다.
금속 양이온과 자유 전자 사이의 정전기적 인력에 의해 결합한다.
➡ 녹는점, 끓는점이 높다.
➡ 자유 전자가 있어 열과 전기 전도성이 좋다.
➡ 뽑힘성과 펴짐성이 있다.

고체 결정의 분류

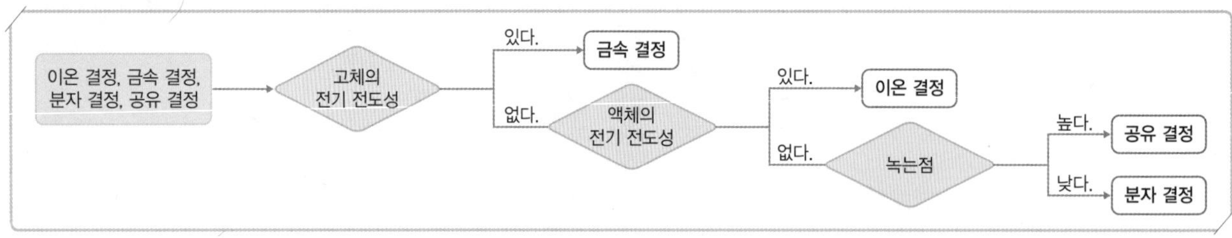

한·줄·핵심 고체 상태에서 전기 전도성이 있는 것은 금속, 액체 상태에서만 전기 전도성이 있는 것은 이온 결합 물질, 전기 전도성이 없는 것은 공유 결합 물질이다.

확인 문제

정답과 해설 056쪽

01 ①~⑦에 들어갈 알맞은 말을 쓰시오.

물질		분자 결정	공유 결정	이온 결정	금속 결정
결합의 종류		공유 결합, 분자 사이의 힘	(①)	양이온과 음이온 사이의 (②)	금속 양이온과 (③) 사이의 정전기적 인력
전기 전도성	고체	(④)	없다.	없다.	(⑤)
	액체	(⑥)	없다.	(⑦)	있다.

02 다음 설명 중 옳은 것은 ○, 옳지 않은 것은 ×로 표시하시오.

(1) 분자 결정은 금속과 비금속 원소로 구성된다. (　　)

(2) 금속 결정은 뽑힘성과 펴짐성이 있다. (　　)

(3) 자유 전자는 금속에 외부 힘이 가해져 변형이 되어도 금속 결합을 유지하는 역할을 한다. (　　)

이온 결합 물질과 공유 결합 물질의 전기 전도성

목표 이온 결합 물질과 공유 결합 물질의 고체 및 수용액에서의 전기 전도성을 비교하여 설명할 수 있다.

유의점

전기 전도성을 측정할 때에는 전극을 증류수에 충분히 씻어 주어야 한다.

과정

❶ 고체 상태에서 전기 전도성 측정하기

염화 나트륨, 질산 구리(Ⅱ), 포도당, 설탕을 각각 페트리 접시에 담은 뒤에 전기 전도성 측정 장치의 전극을 대어 전류가 흐르는지 알아본다.

❷ 수용액에서 전기 전도성 측정하기

증류수가 담긴 4개의 비커에 4가지 물질을 각각 넣어 녹이고, 물에 녹은 물질의 수용액에 전기 전도성 측정 장치의 전극을 넣어 전류가 흐르는지 알아본다.

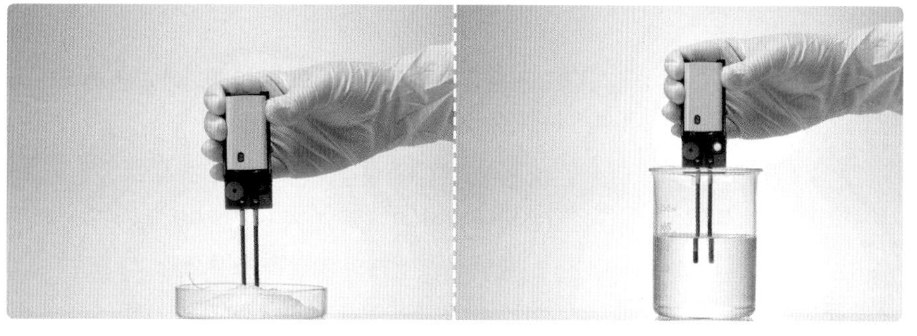

❓ 공유 결합 물질의 수용액은 모두 전기 전도성이 없을까?

공유 결합 물질 중 물에 녹았을 때 분자 상태로 존재하는 설탕, 포도당과 같은 물질은 수용액에서 전기 전도성이 없지만 물에 녹아 이온을 형성하는 HCl, CH_3COOH, NH_3 등은 수용액에서 전기 전도성이 있다. 따라서 수용액에서 전기 전도성만으로 이온 결합 물질과 공유 결합 물질을 구별할 수 없다.

결과

• 고체 상태와 수용액에서의 전기 전도성

상태 \ 물질	염화 나트륨	질산 구리(Ⅱ)	포도당	설탕
고체	×	×	×	×
수용액	○	○	×	×

(단, ○: 전류 흐름, ×: 전류 흐르지 않음)

정리 및 해석

• 이온 결합 물질: 수용액에서 이온이 자유롭게 움직일 수 있으므로 전기 전도성이 있다.

• 공유 결합 물질: 물에 용해되어도 분자 상태로 존재하기 때문에 전기 전도성이 없다.

한·줄·핵심 공유 결합 물질과 이온 결합 물질은 고체 상태에서 모두 전기 전도성이 없지만 이온 결합 물질은 수용액에서 전기 전도성이 있다.

이온 결합 물질과 공유 결합 물질은 액체 상태에서의 전기 전도성으로 구별하는 것이 가장 정확해!

확인 문제

정답과 해설 056쪽

01 이 탐구 활동에 대한 설명으로 옳은 것은 ○, 옳지 않은 것은 ×로 표시하시오.

(1) 염화 나트륨이 물에 녹으면 이온이 생성된다. ( )

(2) 질산 구리(Ⅱ)가 물에 녹으면 양이온과 음이온 사이의 거리가 멀어진다. ( )

(3) 설탕물에는 이온이 존재하지 않는다. ( )

02 이 탐구 활동의 결과로부터 소금과 설탕을 구별할 수 있는 실험 방법을 제시하시오.

콕콕! 개념 확인하기

정답과 해설 056쪽

✔ 잠깐 확인!

1. ▢▢ 결합
비금속 원소의 원자들이 전자쌍을 서로 공유하면서 형성되는 결합

2. ▢▢ 결합
두 원자 사이에 2개의 전자쌍을 공유하여 형성되는 결합

3. 원자가 전자가 5개인 질소 원자 2개가 결합하여 질소 분자를 형성할 때는 전자쌍 ▢개를 공유하여 ▢▢ 결합을 형성한다.

4. 대부분의 공유 결합 물질은 ▢▢로 이루어져 있어 녹는점, 끓는점이 비교적 낮다.

5. ▢▢ 결합
금속 양이온과 자유 전자 사이의 정전기적 인력에 의해 형성되는 결합

6. 금속은 ▢▢ ▢▢가 자유롭게 움직일 수 있으므로 고체 상태에서 전기 전도성이 있다.

7. 금속은 외부 힘에 의해 변형되어도 자유 전자가 이동하여 금속 결합을 유지하므로 뽑힘성과 ▢▢▢이 크다.

A 공유 결합의 형성과 에너지

01 공유 결합에 대한 설명으로 옳은 것은 ○, 옳지 않은 것은 ×로 표시하시오.

(1) 공유 결합은 금속 원소의 원자들이 전자쌍을 서로 공유하면서 형성하는 결합이다. ( )

(2) 두 원자 사이에 2개의 전자쌍을 공유하여 형성되는 결합을 2중 결합이라고 한다. ( )

(3) H_2O에서 O 원자 1개는 H 원자 2개와 각각 전자쌍 1개를 공유하여 공유 결합을 형성한다. ( )

(4) NH_3에서 N 원자 1개는 3개의 H 원자와 각각 공유 결합을 형성하므로 NH_3에는 3중 결합이 있다. ( )

02 그림은 두 수소 원자(H)의 핵 간 거리에 따른 에너지 변화를 나타낸 것이다.

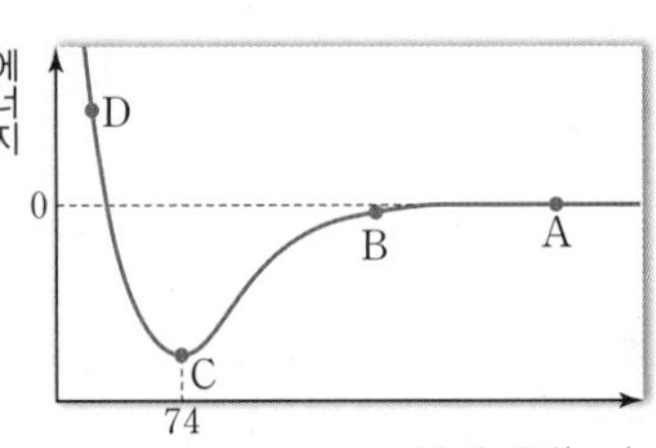

(1) 공유 결합이 형성되는 지점을 쓰시오.

(2) 반발력이 우세하게 작용하여 에너지가 높은 불안정한 상태의 지점을 쓰시오.

(3) 수소 분자의 공유 결합 길이를 쓰시오.

B 공유 결합 물질의 성질

03 공유 결합 물질의 성질에 대한 설명으로 옳은 것은 ○, 옳지 않은 것은 ×로 표시하시오.

(1) 분자 사이의 인력이 약하므로 녹는점, 끓는점이 비교적 낮다. ( )

(2) 대부분 고체나 액체 상태에서 전기 전도성이 없다. ( )

(3) 공유 결합 물질 중 분자를 이루지 않고 결정을 이룬 물질 중에는 승화성이 있는 것도 있다. ( )

C 금속 결합

04 다음은 금속 결합에 대한 설명이다. ㉠, ㉡에 들어갈 알맞은 말을 쓰시오.

> 금속 결정에서 각 금속 원자들은 전자를 내놓고 양이온으로 존재하는데, 금속 원자에서 떨어져 나온 (㉠)와 금속 양이온 사이의 정전기적 인력에 의해 형성되는 결합을 (㉡)이라고 한다. (㉠)는 금속 양이온 사이를 자유롭게 움직이면서 금속 양이온을 결합시키는 역할을 한다.

05 금속의 특성에 대한 설명으로 옳은 것은 ○, 옳지 않은 것은 ×로 표시하시오.

(1) 고체와 액체 상태에서 전기 전도성이 있다. ( )

(2) 외부에서 힘을 가하면 같은 금속 양이온 사이의 반발력에 의해 잘 부스러진다. ( )

(3) 열을 가하면 자유 전자에 의해 쉽게 열이 전달된다. ( )

탄탄! 내신 다지기

정답과 해설 056쪽

A 공유 결합의 형성과 에너지

01 다음은 수소 원자(H)와 산소 원자(O)가 결합하여 물 분자를 형성하는 과정에 대한 설명이다. ㉠, ㉡에 들어갈 알맞은 말을 쓰시오.

> 산소 원자(O) 1개는 수소 원자(H) 2개와 각각 전자쌍 (㉠)개를 공유하여 물 분자(H_2O)를 형성한다. 이렇게 비금속 원자들이 전자쌍을 공유하여 형성하는 결합을 (㉡)이라고 한다.

[02~04] 그림은 주기율표의 일부를 나타낸 것이다. (단, A~F는 임의의 원소 기호이다.)

주기＼족	1	2	13	14	15	16	17	18
1	A							B
2	C				D	E	F	

단답형

02 공유 결합을 형성할 수 있는 원소만을 있는 대로 고르시오.

단답형

03 A와 공유 결합을 할 때 원자 1개당 가장 많은 A와 결합하는 원자를 쓰시오.

04 다음 중 2중 결합을 포함하는 분자는?

① A_2　② D_2　③ E_2
④ F_2　⑤ A_2E

05 그림은 수소와 염소 원자의 결합을 모형으로 나타낸 것이다.

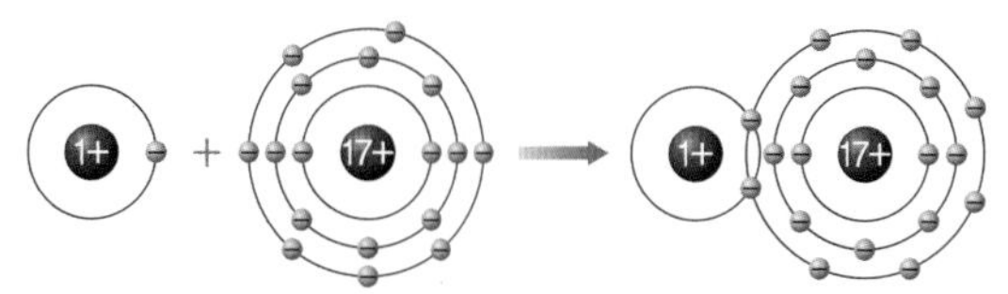

이에 대한 설명으로 옳은 것만을 〈보기〉에서 있는 대로 고른 것은?

> 보기
> ㄱ. H와 Cl는 공유 결합을 형성한다.
> ㄴ. 생성물에 있는 공유 전자쌍은 3개이다.
> ㄷ. 생성물에는 단일 결합이 있다.

① ㄱ　② ㄴ　③ ㄱ, ㄴ
④ ㄱ, ㄷ　⑤ ㄴ, ㄷ

06 그림은 AB_2를 결합 모형으로 나타낸 것이다.
이에 대한 설명으로 옳지 않은 것은? (단, A와 B는 임의의 원소 기호이다.)

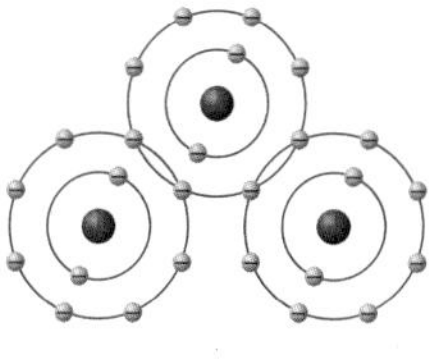

① A는 2주기 원소이다.
② B는 원자가 전자 수가 7이다.
③ AB_2에서 A와 B는 모두 옥텟 규칙을 만족한다.
④ AB_2에는 2중 결합이 있다.
⑤ AB_2는 공유 전자쌍 수가 2이다.

07 그림은 두 수소 원자가 공유 결합하여 수소 분자를 형성할 때 원자핵 간 거리에 따른 에너지를 나타낸 것이다.

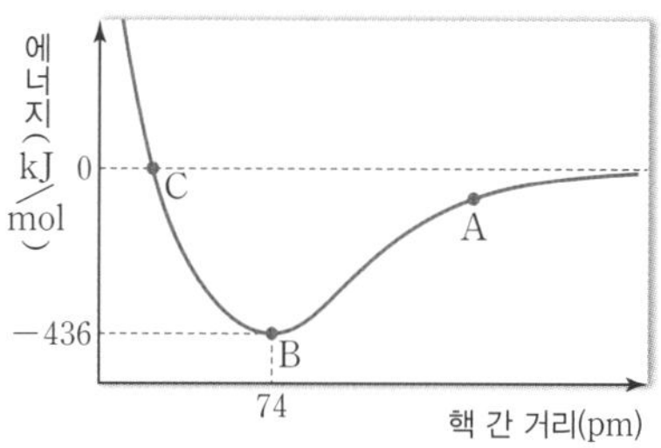

이에 대한 설명으로 옳은 것은?

① 공유 결합 반지름은 74 pm이다.
② 수소 원자가 수소 분자를 형성할 때 에너지를 흡수한다.
③ A에서는 원자핵과 전자 사이의 인력만 작용한다.
④ B에서 공유 결합을 형성한다.
⑤ C에서 반발력과 인력이 균형을 이룬다.

B 공유 결합 물질의 성질

08 다음은 공유 결합 물질에 대한 설명이다. ㉠, ㉡에 들어갈 알맞은 말을 쓰시오.

> 공유 결합 물질은 원자들이 공유 결합하여 형성된 물질로 (㉠)가 규칙적으로 배열되어 이루어진 물질과 원자들이 연속적으로 (㉡) 결합을 하여 그물처럼 연결되어 있는 물질로 구분할 수 있다.

09 분자로 구성된 공유 결합 물질에 대한 설명으로 옳지 않은 것은?

① 녹는점과 끓는점이 낮다.
② 힘을 가하면 잘 부스러진다.
③ 고체와 액체 상태에서 전기 전도성이 없다.
④ 분자 사이의 인력이 약하여 승화성을 나타내기도 한다.
⑤ 원자 사이의 공유 결합으로 그물 구조를 이루어 물질을 형성한다.

10 그림은 주기율표의 일부를 나타낸 것이다.

주기＼족	1	2	13	14	15	16	17	18
1	A							
2				B			C	

A와 B로 이루어진 물질 (가)와 A와 C로 이루어진 물질 (나)에 대한 설명으로 옳은 것만을 〈보기〉에서 있는 대로 고른 것은? (단, A~C는 임의의 원소이다.)

보기
ㄱ. 모두 단일 결합으로만 이루어져 있다.
ㄴ. 공유 전자쌍 수는 (가)가 (나)보다 많다.
ㄷ. 액체 상태에서 전기 전도성은 (나)가 (가)보다 크다.

① ㄱ　② ㄷ　③ ㄱ, ㄴ　④ ㄴ, ㄷ　⑤ ㄱ, ㄴ, ㄷ

11 그림은 2가지 물질을 모형으로 나타낸 것이다.

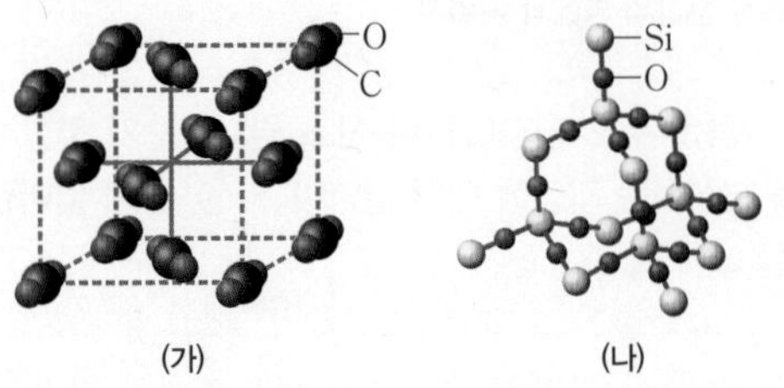

(가)와 (나)에 대한 설명으로 옳은 것만을 〈보기〉에서 있는 대로 고른 것은?

보기
ㄱ. 모두 공유 결합 물질이다.
ㄴ. 외부 힘에 의해 잘 부스러진다.
ㄷ. 녹는점은 (나)가 (가)보다 높다.

① ㄱ　② ㄴ　③ ㄱ, ㄷ　④ ㄴ, ㄷ　⑤ ㄱ, ㄴ, ㄷ

12 표는 3가지 물질 (가)~(다)에 대한 자료의 일부이다. (가)~(다)는 포도당, 염화 나트륨, 브로민화 나트륨 중 하나이다.

물질		(가)	(나)	(다)
전기 전도성	고체	없다.		
	수용액		있다.	있다.
녹는점(℃)			747	801

이에 대한 설명으로 옳은 것만을 〈보기〉에서 있는 대로 고른 것은?

보기
ㄱ. (나)는 브로민화 나트륨이다.
ㄴ. (가)는 수용액에서 전기 전도성이 있다.
ㄷ. (나)와 (다)는 모두 고체 상태에서 전기 전도성이 있다.

① ㄱ　② ㄴ　③ ㄱ, ㄷ　④ ㄴ, ㄷ　⑤ ㄱ, ㄴ, ㄷ

정답과 해설 056쪽

C 금속 결합

13 금속의 성질로 옳지 않은 것은?

① 펴짐성과 뽑힘성이 있다.
② 자유 전자가 있어 광택이 있다.
③ 정전기적 인력으로 결합이 형성된다.
④ 고체와 액체 상태에서 전기 전도성이 있다.
⑤ 전압을 가하면 금속 양이온은 (−)극으로 이동한다.

14 그림은 어떤 고체 물질 M의 화학 결합 모형을 나타낸 것이다.

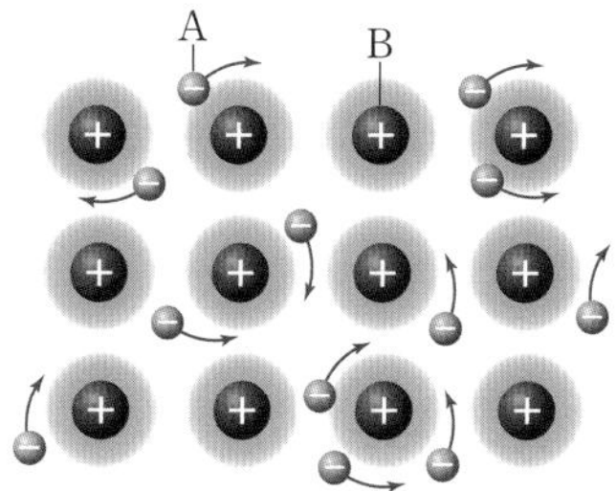

M에 대한 설명으로 옳지 않은 것은?

① 힘을 가하면 넓게 펴진다.
② 고체 상태에서 전기 전도성이 있다.
③ 금속이 광택을 나타내는 것은 B 때문이다.
④ A와 B 사이의 정전기적 인력에 의해 결합한다.
⑤ 전압을 걸어 주면 A는 (+)극으로 이동한다.

단답형

15 오른쪽 그림은 어떤 금속으로 만든 제품이다. 금속의 어떤 성질과 관련이 있는지 쓰시오.

단답형

16 다음 설명과 관련 있는 결정의 종류를 〈보기〉에서 각각 골라 기호로 쓰시오.

보기	
ㄱ. 이온 결정	ㄴ. 공유 결정
ㄷ. 금속 결정	ㄹ. 분자 결정

(1) 열과 전기를 잘 통하며, 힘을 가하면 부서지지 않고 변형되는 물질
(2) 고체 상태에서는 전기를 통하지 않지만, 액체 상태에서 전기를 잘 통하는 물질
(3) 분자 사이의 인력이 약하여 녹는점과 끓는점이 낮은 물질

단답형

17 다음은 몇 가지 물질의 화학식을 나타낸 것이다.

(가) HCl	(나) Al
(다) Al_2O_3	(라) C(다이아몬드)

(1) 물질을 이루는 원자 사이의 화학 결합의 종류가 같은 것을 골라 기호로 쓰시오.
(2) 액체 상태에서 전기 전도성이 있는 물질을 있는 대로 골라 기호로 쓰시오.

18 표는 3가지 물질 A~C의 상태에 따른 전기 전도성을 나타낸 자료이다.

물질	전기 전도성		
	고체	액체	수용액
A	○	○	물에 녹지 않음
B	×	○	○
C	×	×	○

(단, ○: 전기 전도성 있음, ×: 전기 전도성 없음)

이에 대한 설명으로 옳지 않은 것은?

① A는 금속이다.
② B에는 양이온과 음이온이 존재한다.
③ C는 분자 사이의 힘으로 결정을 이룬다.
④ 녹는점은 B가 C보다 높다.
⑤ 액체 상태의 A와 B는 자유 전자가 있다.

도전! 실력 올리기

01 표는 바닥상태 원자 A~C의 전자 배치를 나타낸 것이다.

원자	전자 배치
A	$1s^2 2s^2 2p^3$
B	$1s^2 2s^2 2p^4$
C	$1s^2 2s^2 2p^5$

이에 대한 설명으로 옳은 것만을 〈보기〉에서 있는 대로 고른 것은? (단, A~C는 임의의 원소 기호이다.)

보기
ㄱ. 공유 전자쌍 수는 B_2가 C_2보다 크다.
ㄴ. A와 B의 화합물은 액체 상태에서 전기 전도성이 있다.
ㄷ. A와 C의 안정한 화합물의 화학식은 AC_3이다.

① ㄱ ② ㄴ ③ ㄱ, ㄷ
④ ㄴ, ㄷ ⑤ ㄱ, ㄴ, ㄷ

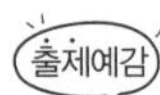

02 그림은 원자 A 2개가 결합하여 A_2 분자를 생성하는 반응을 모형으로 나타낸 것이다.

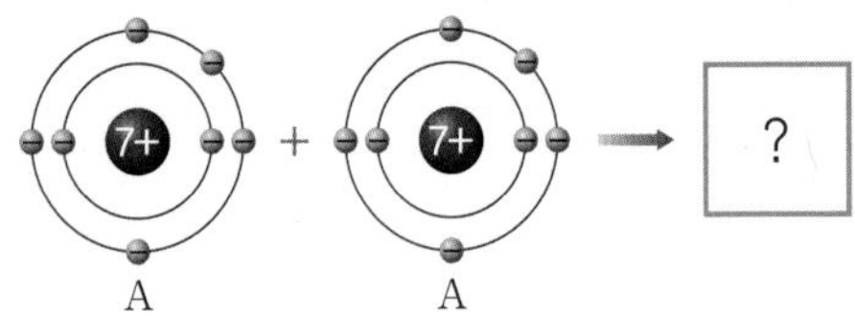

이에 대한 설명으로 옳은 것만을 〈보기〉에서 있는 대로 고른 것은? (단, A는 임의의 원소 기호이다.)

보기
ㄱ. A의 원자가 전자 수는 5이다.
ㄴ. A_2에는 3중 결합이 있다.
ㄷ. A_2의 구성 원자는 Ne과 전자 배치가 같다.

① ㄱ ② ㄷ ③ ㄱ, ㄴ
④ ㄴ, ㄷ ⑤ ㄱ, ㄴ, ㄷ

03 그림은 원소 A~C의 원자 또는 이온의 전자 배치를 모형으로 나타낸 것이다.

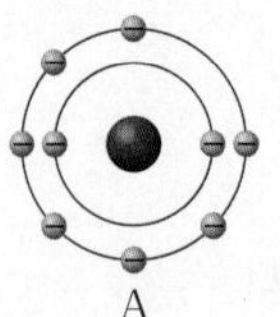
A

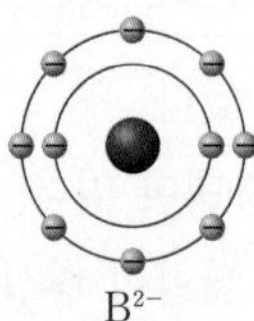
B^{2-}

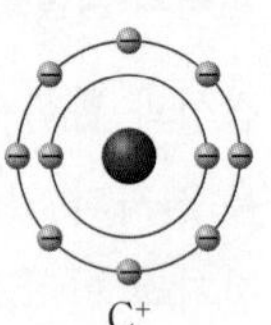
C^{+}

이에 대한 설명으로 옳지 않은 것은? (단, A~C는 임의의 원소 기호이다.)

① 공유 전자쌍 수는 B_2가 A_2보다 크다.
② 이온 반지름은 A^-가 C^+보다 크다.
③ A와 C의 안정한 화합물의 화학식은 CA이다.
④ A와 B의 화합물은 2중 결합을 포함한다.
⑤ B와 C의 화합물은 액체 상태에서 전기 전도성이 있다.

04 표는 물질 A~C의 녹는점과 상태에 따른 전기 전도성을 나타낸 것이다.

물질	녹는점(℃)	전기 전도성	
		고체	액체
A	146	없다.	없다.
B	770	없다.	있다.
C	801	없다.	있다.

이에 대한 설명으로 옳은 것만을 〈보기〉에서 있는 대로 고른 것은?

보기
ㄱ. A는 공유 결합 물질이다.
ㄴ. B는 수용액에서 전기 전도성이 있다.
ㄷ. B와 C는 구성 입자 사이에 같은 종류의 결합을 이루고 있다.

① ㄱ ② ㄷ ③ ㄱ, ㄴ
④ ㄴ, ㄷ ⑤ ㄱ, ㄴ, ㄷ

05 그림은 3주기 원소인 금속 A와 B를 모형으로 나타낸 것이다.

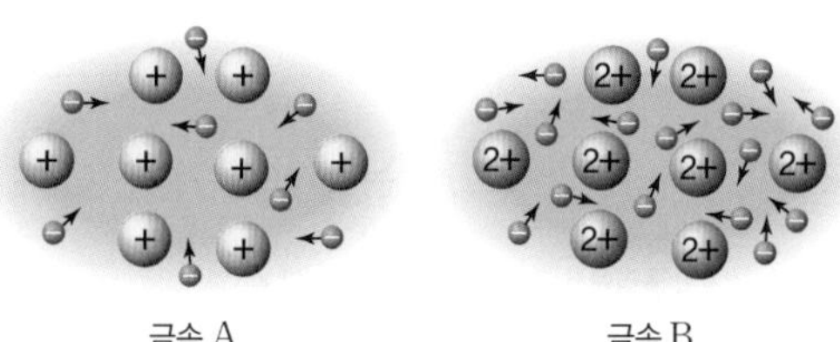

고체 상태의 A와 B에 대한 설명으로 옳은 것만을 〈보기〉에서 있는 대로 고른 것은?

보기
ㄱ. 원자 번호는 B가 A보다 크다.
ㄴ. 녹는점은 A가 B보다 높다.
ㄷ. A와 B는 모두 전기 전도성이 있다.

① ㄴ ② ㄷ ③ ㄱ, ㄴ
④ ㄱ, ㄷ ⑤ ㄴ, ㄷ

출제예감

06 그림은 4가지 고체의 결정 구조나 결합 모형을 나타낸 것이다.

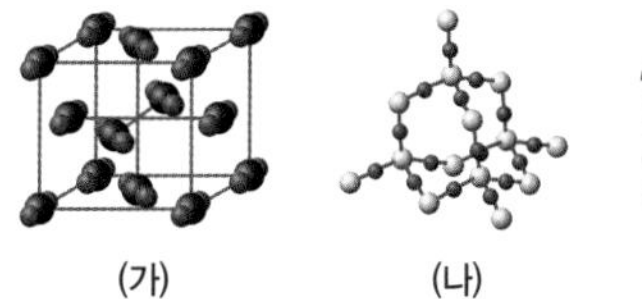
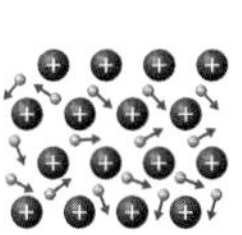

(가) (나) (다) (라)

(가)~(라)에 대한 설명으로 옳은 것만을 〈보기〉에서 있는 대로 고른 것은?

보기
ㄱ. 녹는점은 (나)가 (가)보다 높다.
ㄴ. (다)와 (라)는 모두 양이온과 음이온 사이의 정전기적 인력에 의해 결합되어 있다.
ㄷ. 액체 상태에서 전기 전도성이 있는 물질은 2가지이다.

① ㄴ ② ㄷ ③ ㄱ, ㄴ
④ ㄱ, ㄷ ⑤ ㄴ, ㄷ

07 다음은 원자 A와 B의 바닥상태 전자 배치이다.

A: $1s^1$ B: $1s^2 2s^2 2p^4$

A_2, B_2, A_2B에 있는 공유 전자쌍 수를 등호나 부등호로 비교하시오. (단, A와 B는 임의의 원소 기호이다.)

서술형

08 그림은 두 염소 원자가 결합하여 염소 분자가 형성되는 과정에서 핵 간 거리에 따른 에너지를 나타낸 것이다.

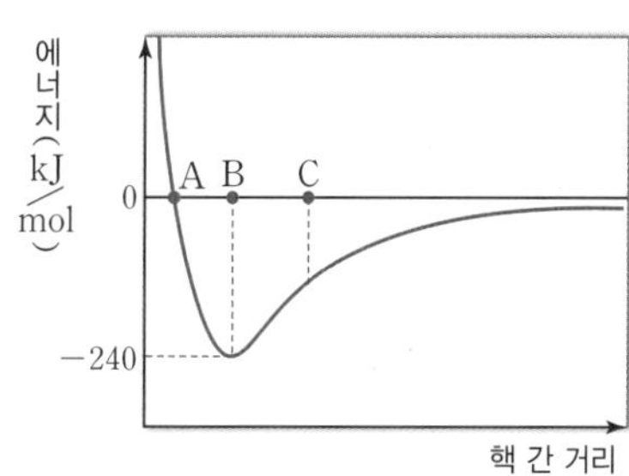

A~C 중에서 두 원자 사이의 결합이 형성되는 거리를 쓰고, 그렇게 생각한 까닭을 서술하시오.

서술형

09 그림은 금속의 결정 구조를 모형으로 나타낸 것이다. 금속에 힘을 가했을 때 부스러지지 않고 모양만 변형되는 까닭을 서술하시오.

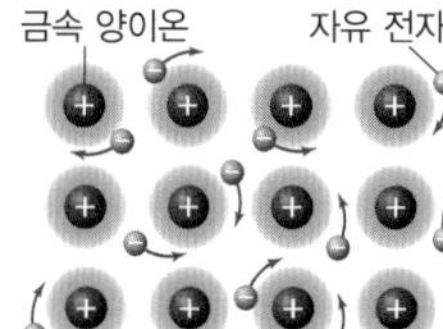

수능을 알기 쉽게 풀어주는 수능 POOL

이온 결합 물질과 공유 결합 물질

출제 의도

화합물을 구성하는 원자의 원자가 전자 수를 알아내어, 그 원자들이 결합하여 형성한 다른 화합물의 분자식을 추론하는 문제이다.

이것이 함정

수소와 산소는 항상 2 : 1의 개수비로 결합하는 것이 아니라 1 : 1의 개수비로 결합할 수 있다는 것을 알고, 이때 수소는 전자쌍 1개를, 산소는 전자쌍 2개를 공유하여야 옥텟 규칙을 만족한다는 것을 염두에 두고 결합 모형을 그려 본다.

대표 유형

그림은 화합물 AB와 CD를 각각 결합 모형으로 나타낸 것이고, 표는 화합물 (가)와 (나)에 대한 자료이다.

공유 결합 물질에서 구성 원자의 원자가 전자 수 = 비공유 전자쌍 수 × 2 + 공유 전자쌍 수
→ A는 원자가 전자 수 1 → 1주기 1족 원소
→ B는 원자가 전자 수 7 → 2주기 17족 원소

이온 결합 물질에서 구성 원자의 원자가 전자 수
금속 원자 = 잃은 전자 수
→ C는 원자가 전자 수 2 → 3주기 2족 원소
비금속 원자 = 8 - 얻은 전자 수
→ D는 원자가 전자 수 6 → 2주기 16족 원소

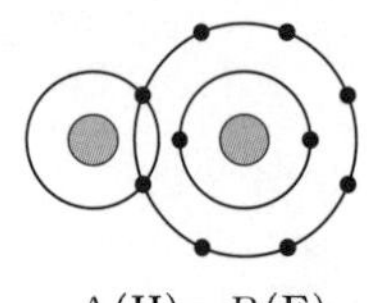
A(H) B(F)

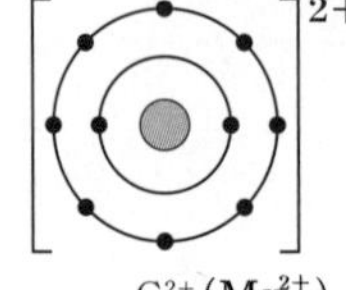
2+
$C^{2+}(Mg^{2+})$

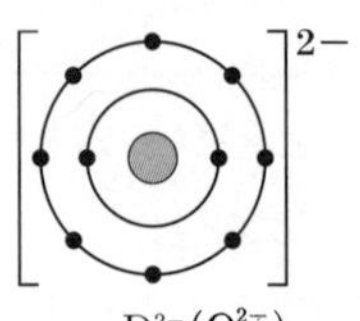
2−
$D^{2-}(O^{2-})$

화합물	(가)	(나)
원자 수비	A : D = 1 : 1	B : C = 2 : 1

(가): $A_2D_2(H_2O_2)$ 공유 결합 물질
(나): $CB_2(MgF_2)$ 이온 결합 물질

이온 결합은
금속 원소 + 비금속 원소의
결합이야!

공유 결합은
비금속 원소끼리의
결합!!

이에 대한 설명으로 옳은 것만을 〈보기〉에서 있는 대로 고른 것은? (단, A~D는 임의의 원소 기호이다.)

〈보기〉

구조식: A−D−D−A

ㄱ. (가)에서 비공유 전자쌍 수는 2이다. (✗, 4) → 산소(O) 원자 당 2개의 비공유 전자쌍을 가지므로 비공유 전자쌍 수는 4이다.

ㄴ. (나)는 액체 상태에서 전기 전도성이 있다. → (나)는 이온 결합 물질로 액체 상태에서 이온들이 자유롭게 움직이므로 전기 전도성이 있다.
화학식 : $CB_2(MgF_2)$

ㄷ. (나)에서 B와 C는 Ne의 전자 배치를 갖는다. → 전자 수가 10이므로 Ne의 전자 배치와 같다.
B 이온(F^-), C 이온(Mg^{2+})

① ㄱ ② ㄴ ③ ㄱ, ㄷ ④ ㄴ, ㄷ ⑤ ㄱ, ㄴ, ㄷ

화합물 (가), (나)의 화학식 구하기

그림에서 원자 A~D의 원자가 전자 수를 알아낸다. ⋙ 표에서 화합물 (가)와 (나)의 구성 원자 수비를 통해 실험식을 구한다. ⋙ 화합물 (가), (나)의 결합 형태를 알아낸다. ⋙ (가)의 구성 원자 수비와 A, D의 원자가 전자 수로부터 분자식을 구한다.

추가 선택지

• (가)에서 공유 전자쌍 수는 4이다. (×)
⋯ (가)의 분자식은 A_2D_2로 A와 D, D와 D 사이의 결합은 단일 결합으로 공유 전자쌍 수는 3이다.

• (나)의 구성 원소는 모두 2주기 원소이다. (×)
⋯ (나)의 구성 원소인 B(F)는 2주기 17족 원소이고, C(Mg)는 3주기 2족 원소이다.

실전! 수능 도전하기

정답과 해설 060쪽

01 다음은 2가지 화학 반응에 대한 설명이다.

> (가) 물을 전기 분해하였더니 수소 기체와 X가 생성되었다.
> (나) 염화 나트륨 용융액을 전기 분해하였더니 염소 기체와 Y가 생성되었다.

X와 Y에 대한 설명으로 옳은 것만을 <보기>에서 있는 대로 고른 것은?

보기
ㄱ. 모두 (−)극에서 생성된다.
ㄴ. 고체 상태에서 전기 전도성은 Y가 X보다 크다.
ㄷ. X와 Y는 공유 결합으로 화합물을 형성한다.

① ㄱ ② ㄴ ③ ㄱ, ㄴ
④ ㄱ, ㄷ ⑤ ㄴ, ㄷ

02 다음은 고체 MX의 전기 분해 실험이다.

실험 방법
(가) 고체 MX를 가열하여 용융액을 만든다.
(나) (가)의 용융액을 전기 분해한다.

실험 결과
• 생성된 물질의 몰비는 $M : X_2 = 2 : 1$이다.

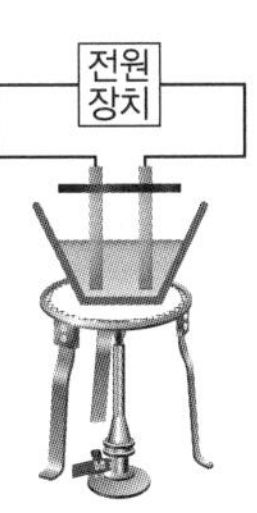

이에 대한 설명으로 옳은 것만을 <보기>에서 있는 대로 고른 것은? (단, M, X는 임의의 원소 기호이다.)

보기
ㄱ. M은 금속 결합으로 형성된 물질이다.
ㄴ. (+)극에서 X_2가 생성된다.
ㄷ. 이 실험으로 이온 결합이 형성될 때 전자가 관여함을 알 수 있다.

① ㄱ ② ㄴ ③ ㄱ, ㄷ
④ ㄴ, ㄷ ⑤ ㄱ, ㄴ, ㄷ

03 그림은 원소 A, B로 구성된 액체 상태의 화합물 X에 건전지를 넣은 것을 나타낸 것이다.

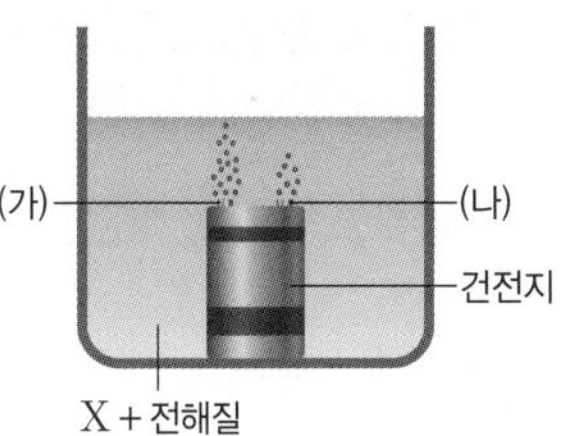

(가)에서 생성된 기체 A_2와 (나)에서 생성된 기체 B_2의 몰비가 2 : 1일 때, 이에 대한 설명으로 옳은 것만을 <보기>에서 있는 대로 고른 것은? (단, A, B는 임의의 원소 기호이다.)

보기
ㄱ. X가 물일 때 (가)는 (−)극이다.
ㄴ. X에서 A와 B 사이의 결합은 공유 결합이다.
ㄷ. X 1분자 당 구성 원자 수는 B가 A의 2배이다.

① ㄱ ② ㄷ ③ ㄱ, ㄴ
④ ㄴ, ㄷ ⑤ ㄱ, ㄴ, ㄷ

수능 기출

04 그림은 학생 A가 작성한 탐구 보고서의 일부이다.

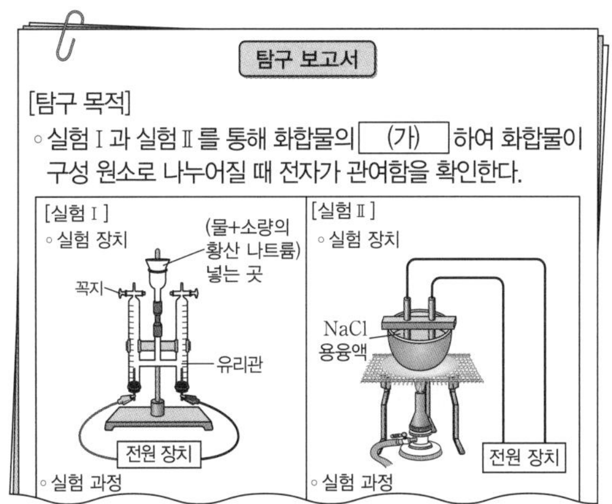

탐구 보고서
[탐구 목적]
◦ 실험 Ⅰ과 실험 Ⅱ를 통해 화합물의 (가) 하여 화합물이 구성 원소로 나누어질 때 전자가 관여함을 확인한다.
[실험 Ⅰ]
◦ 실험 장치
(물+소량의 황산 나트륨) 넣는 곳
꼭지
유리관
전원 장치
◦ 실험 과정
[실험 Ⅱ]
◦ 실험 장치
NaCl 용융액
전원 장치
◦ 실험 과정

다음 중 (가)에 해당하는 것으로 가장 적절한 것은?

① 부피를 측정 ② 끓는점을 비교
③ 녹는점을 비교 ④ 용해도를 비교
⑤ 전기 분해를 수행

실전! 수능 도전하기

05 그림은 원소 A와 B가 결합하여 화합물 X를 형성하는 과정을 나타낸 것이다. X의 결합 모형은 나타내지 않았다.

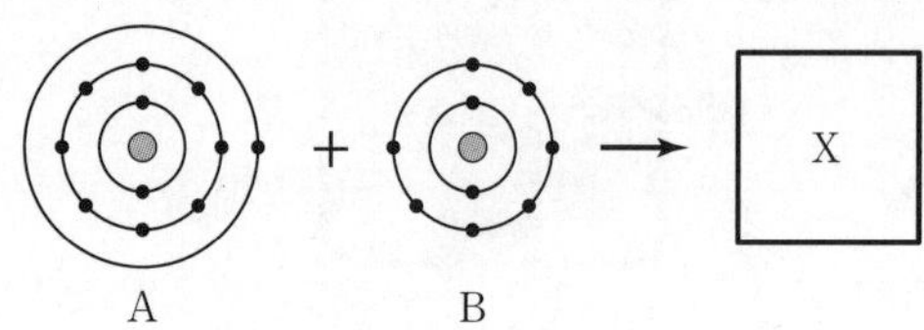

이에 대한 설명으로 옳은 것만을 〈보기〉에서 있는 대로 고른 것은? (단, A, B는 임의의 원소 기호이다.)

보기
ㄱ. X는 수용액에서 전기 전도성이 없다.
ㄴ. X를 구성하는 입자의 전자 배치는 서로 같다.
ㄷ. A와 B가 결합을 형성할 때 전자는 A에서 B로 이동한다.

① ㄱ ② ㄷ ③ ㄱ, ㄴ
④ ㄴ, ㄷ ⑤ ㄱ, ㄴ, ㄷ

06 그림은 나트륨(Na)과 3가지 할로젠 원소가 결합하여 생성된 화합물 (가)~(다)에서 각각 이온 결합이 형성될 때 이온 간 거리에 따른 에너지를 나타낸 것이다. (가)~(다)의 화학식은 각각 NaX, NaY, NaZ이다.

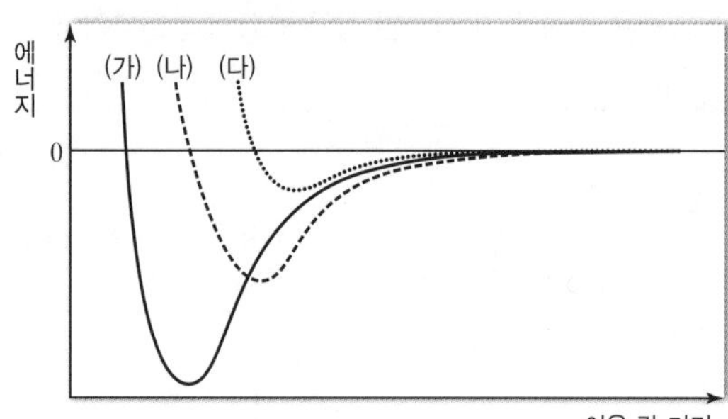

이에 대한 설명으로 옳은 것만을 〈보기〉에서 있는 대로 고른 것은? (단, X~Z는 임의의 원소 기호이다.)

보기
ㄱ. 녹는점은 (가)가 (다)보다 높다.
ㄴ. 원자 번호는 Y가 Z보다 크다.
ㄷ. 정전기적 인력의 세기는 (나)가 (가)보다 크다.

① ㄱ ② ㄴ ③ ㄱ, ㄷ
④ ㄴ, ㄷ ⑤ ㄱ, ㄴ, ㄷ

07 그림은 원자 A~C의 전자 배치를 모형으로 나타낸 것이다.

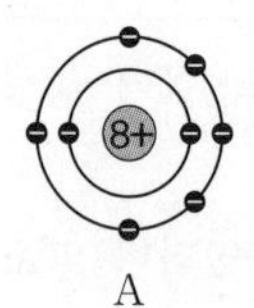

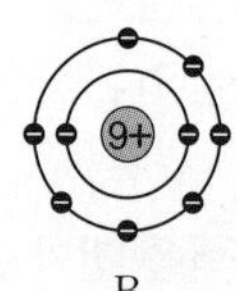

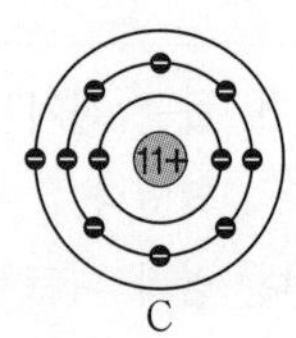

A~C가 결합하여 생성된 물질에 대한 설명으로 옳은 것만을 〈보기〉에서 있는 대로 고른 것은? (단, A~C는 임의의 원소 기호이다.)

보기
ㄱ. 공유 전자쌍 수는 A_2가 B_2보다 크다.
ㄴ. AB_2와 C_2A를 구성하는 입자 사이에는 같은 종류의 결합을 이루고 있다.
ㄷ. $C_2A(l)$와 $CB(l)$는 모두 전기 전도성이 있다.

① ㄱ ② ㄴ ③ ㄱ, ㄷ
④ ㄴ, ㄷ ⑤ ㄱ, ㄴ, ㄷ

08 그림은 주기율표의 일부를 나타낸 것이다.

주기＼족	1	2	13	14	15	16	17	18
1	A							
2	B				C		D	
3							E	

이에 대한 설명으로 옳은 것만을 〈보기〉에서 있는 대로 고른 것은? (단, A~E는 임의의 원소 기호이다.)

보기
ㄱ. $B(s)$와 $BD(s)$는 모두 전기 전도성이 있다.
ㄴ. AD와 CE_3는 같은 종류의 화학 결합으로 이루어진다.
ㄷ. 녹는점은 $BE(s)$가 $BD(s)$보다 높다.

① ㄱ ② ㄴ ③ ㄱ, ㄷ
④ ㄴ, ㄷ ⑤ ㄱ, ㄴ, ㄷ

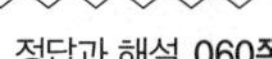

09 그림은 물질 AB, C_2의 화학 결합을 모형으로 각각 나타낸 것이다.

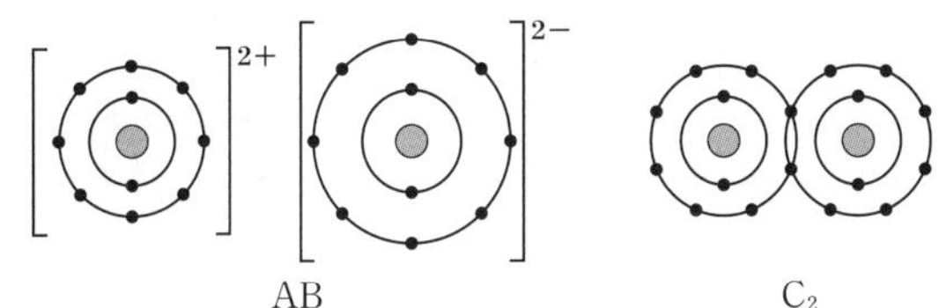

이에 대한 설명으로 옳은 것만을 〈보기〉에서 있는 대로 고른 것은? (단, A~C는 임의의 원소 기호이다.)

보기
ㄱ. AB는 액체 상태에서 전기 전도성이 있다.
ㄴ. BC_2는 2중 결합을 포함한다.
ㄷ. A와 C의 안정한 화합물은 AC_2이다.

① ㄱ ② ㄴ ③ ㄱ, ㄴ
④ ㄱ, ㄷ ⑤ ㄴ, ㄷ

10 그림은 원소 A~D의 전기 음성도를 상댓값으로 나타낸 것이다. A~D는 O, F, Na, Mg 중 하나이다.

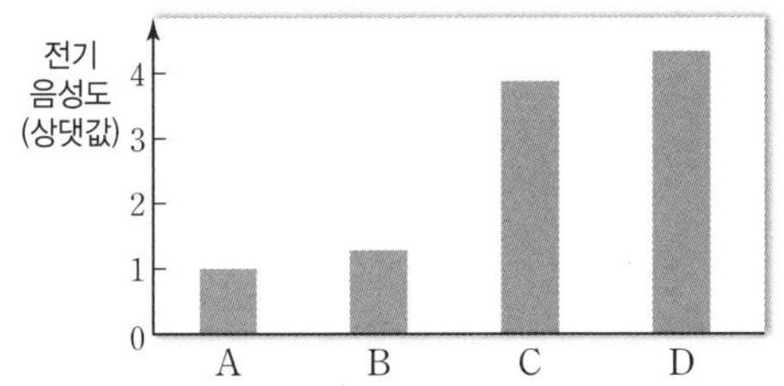

이에 대한 설명으로 옳은 것만을 〈보기〉에서 있는 대로 고른 것은?

보기
ㄱ. C와 D는 2주기 원소이다.
ㄴ. A와 D가 결합한 화합물은 액체 상태에서 전기 전도성이 있다.
ㄷ. 화합물 BC에서 B와 C는 모두 네온(Ne)과 같은 전자 배치를 갖는다.

① ㄱ ② ㄷ ③ ㄱ, ㄴ
④ ㄴ, ㄷ ⑤ ㄱ, ㄴ, ㄷ

11 그림은 원자 A~C의 전자 배치를, 표는 화합물 (가)와 (나)를 구성하는 원소의 종류와 입자 수를 나타낸 것이다.

원자	전자 배치
A	$1s^22s^22p^3$
B	$1s^22s^1$
C	$1s^22s^22p^5$

화합물	A	B	C
(가)	1	0	3
(나)	0	1	1

이에 대한 설명으로 옳은 것만을 〈보기〉에서 있는 대로 고른 것은? (단, A~C는 임의의 원소 기호이다.)

보기
ㄱ. (가)의 1분자당 $\frac{\text{비공유 전자쌍 수}}{\text{공유 전자쌍 수}}=3$이다.
ㄴ. (나)는 액체 상태에서 전기 전도성이 있다.
ㄷ. (가)와 (나)를 구성하는 입자의 전자 배치는 모두 네온(Ne)과 같다.

① ㄱ ② ㄴ ③ ㄱ, ㄴ
④ ㄱ, ㄷ ⑤ ㄴ, ㄷ

12 표는 몇 가지 이온의 전자 배치를 나타낸 것이다.

이온	전자 배치
A^{2-}, B^-, C^+	$1s^22s^22p^6$
D^{2-}, E^+, F^{2+}	$1s^22s^22p^63s^23p^6$

이에 대한 설명으로 옳은 것만을 〈보기〉에서 있는 대로 고른 것은? (단, A~F는 임의의 원소 기호이다.)

보기
ㄱ. 공유 전자쌍 수는 A_2가 B_2의 2배이다.
ㄴ. CB와 EB는 모두 이온 결합 물질이다.
ㄷ. 녹는점은 FA(s)가 FD(s)보다 높다.

① ㄱ ② ㄷ ③ ㄱ, ㄴ
④ ㄴ, ㄷ ⑤ ㄱ, ㄴ, ㄷ

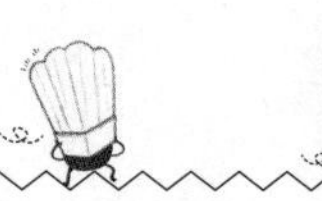

정답과 해설 060쪽

13 그림은 물질 (가)~(다)의 결정 구조나 결합 모형을 나타낸 것이다.

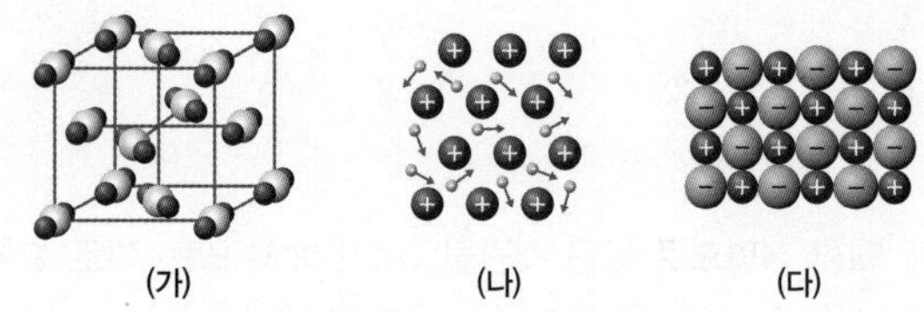

물질 (가)~(다)에 대한 설명으로 옳은 것만을 〈보기〉에서 있는 대로 고른 것은?

보기
ㄱ. 공유 결합 물질은 2가지이다.
ㄴ. 액체 상태에서 전기 전도성이 있는 물질은 2가지이다.
ㄷ. 외부 충격에 의해 쉽게 부스러지는 물질은 2가지이다.

① ㄱ ② ㄴ ③ ㄱ, ㄴ
④ ㄱ, ㄷ ⑤ ㄴ, ㄷ

14 그림은 화합물 ABC의 화학 결합 모형을, 표는 화합물 X, Y의 화학식의 구성 원자 수를 나타낸 것이다.

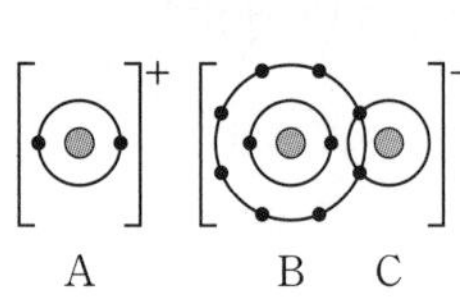

화합물	구성 원자 수		
	A	B	C
X	2	1	0
Y	0	1	2

이에 대한 설명으로 옳은 것만을 〈보기〉에서 있는 대로 고른 것은? (단, A~C는 임의의 원소 기호이다.)

보기
ㄱ. Y는 공유 결합 화합물이다.
ㄴ. 전기 전도성은 $Y(l)$가 $X(l)$보다 크다.
ㄷ. A와 C는 원자가 전자 수가 같다.

① ㄱ ② ㄴ ③ ㄱ, ㄷ
④ ㄴ, ㄷ ⑤ ㄱ, ㄴ, ㄷ

15 그림은 3주기 원소 A와 B_2가 반응하여 AB를 생성하는 반응을 모형으로 나타낸 것이다.

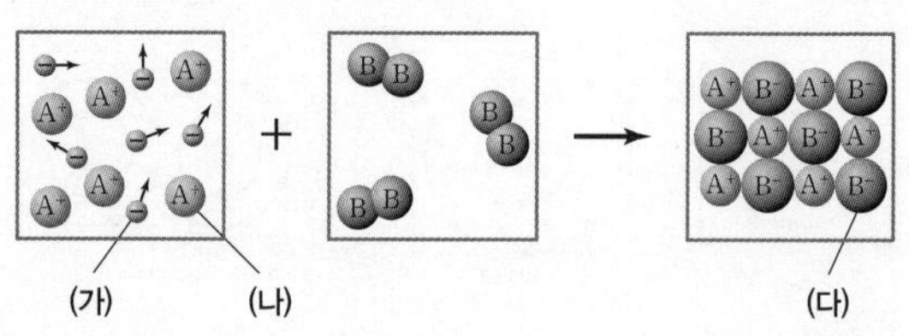

반응물과 생성물에 대한 설명으로 옳은 것만을 〈보기〉에서 있는 대로 고른 것은? (단, A, B는 임의의 원소 기호이다.)

보기
ㄱ. AB에서 B 이온의 전자 배치는 아르곤과 같다.
ㄴ. $A(s)$와 $AB(s)$에 힘을 가하면 잘 부스러진다.
ㄷ. $A(s)$와 $AB(s)$에 전류를 흘려주면 (가)와 (다)가 (+)극으로 이동한다.

① ㄱ ② ㄴ ③ ㄱ, ㄴ
④ ㄱ, ㄷ ⑤ ㄴ, ㄷ

16 그림은 원자 A~D의 전자 배치 모형을, 표는 안정한 화합물 (가)~(라)의 구성 원소를 나타낸 것이다.

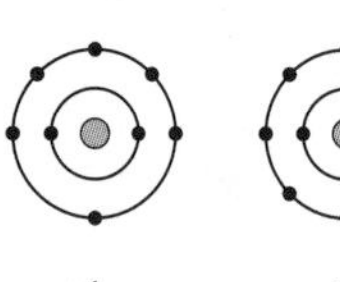

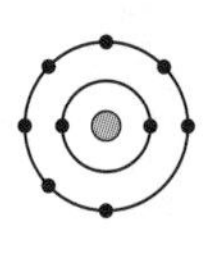

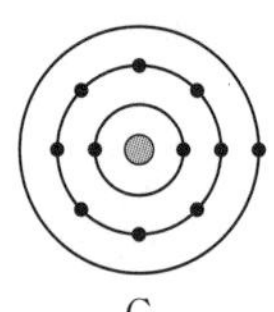

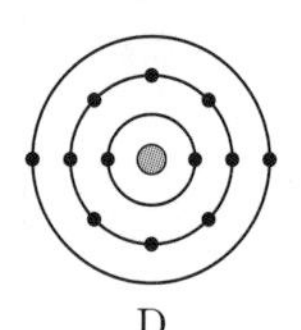

화합물	(가)	(나)	(다)	(라)
구성 원소	A, B	A, D	B, C	B, D

(가)~(라)에 대한 설명으로 옳은 것만을 〈보기〉에서 있는 대로 고른 것은? (단, A~D는 임의의 원소 기호이다.)

보기
ㄱ. 녹는점은 (나)가 (다)보다 높다.
ㄴ. 액체 상태에서 전기 전도성은 (나)가 (가)보다 크다.
ㄷ. 화학식에서 구성 원자 수는 (라)가 (다)보다 크다.

① ㄱ ② ㄷ ③ ㄱ, ㄴ
④ ㄴ, ㄷ ⑤ ㄱ, ㄴ, ㄷ

2 분자의 구조와 성질

배울 내용 살펴보기

01 전기 음성도와 결합의 극성

A 전기 음성도

B 결합의 극성

C 쌍극자 모멘트에 의한 결합의 극성

원자가 공유 전자쌍을 끌어당기는 힘은 원자의 종류에 따라 달라. 이 힘의 차이로부터 결합의 극성을 판단할 수 있어.

02 전자쌍 반발 이론과 분자 구조

A 루이스 전자점식

B 전자쌍 반발 이론과 분자의 구조

공유 결합으로 형성된 분자에서 전자쌍끼리는 반발하기 때문에 서로 멀리 떨어져 있으려고 해. 이를 통해 분자의 구조를 예측할 수 있지.

03 분자의 성질

A 극성 분자와 무극성 분자

B 분자의 극성에 따른 성질

공유 결합 화합물의 극성은 결합을 형성하고 있는 원자들의 전기 음성도 차와 분자의 모양에 의해서 결정돼.

01 전기 음성도와 결합의 극성

핵심 키워드로 흐름잡기

A 전기 음성도
B 극성 공유 결합, 무극성 공유 결합
C 쌍극자, 쌍극자 모멘트

A 전기 음성도

|출·제·단·서| 전기 음성도의 주기적 변화를 알고, 루이스 전자점식이나 구조식에서 원자의 원자가 전자 수를 구한 후 전기 음성도를 비교하는 문제가 나와.

1. 전기 음성도❶

암기TiP 주기율표에서 오른쪽 위로 갈수록 전기 음성도 ↑

공유 결합을 하는 원자가 공유 전자쌍을 끌어당기는 상대적인 힘의 크기를 수치로 나타낸 값 (상대적인 값이므로 단위가 없다.)

(1) 폴링은 플루오린(F)의 전기 음성도를 4.0으로 정하고, 이를 기준으로 다른 원소들의 전기 음성도를 정하였다.

(2) 원자의 크기가 작을수록, 원자핵의 전하량이 클수록 전기 음성도가 크다. (원자핵의 전하량: 공유 결합은 공유 전자쌍과 원자핵 사이에 정전기적 인력이 작용하므로 원소의 종류에 따라 공유 전자쌍을 당기는 힘이 달라진다.)

2. 전기 음성도의 •주기적 변화❷

(1) **같은 족** 원자 번호가 커질수록 전기 음성도는 대체로 작아진다. ➡ 전자 껍질 수가 증가하여 원자핵과 전자 사이의 인력이 감소하기 때문

(2) **같은 주기** 원자 번호가 커질수록 전기 음성도는 대체로 커진다. ➡ 원자 반지름이 작아지고 유효 핵전하가 커지기 때문

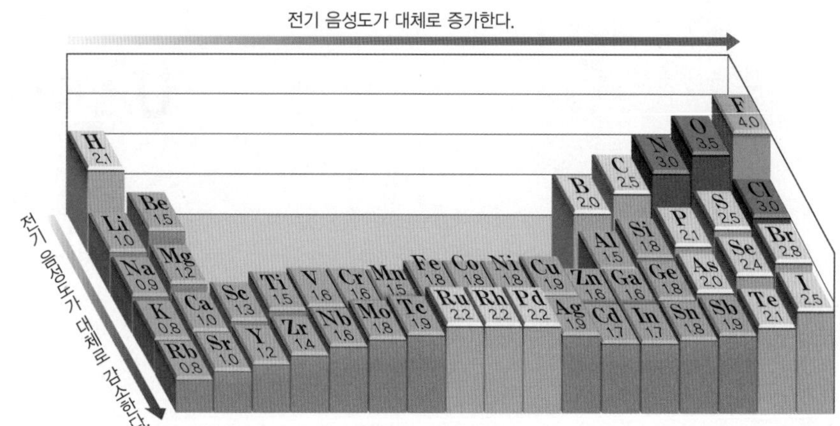

▲ 폴링의 전기 음성도

❶ 이온화 에너지와 전기 음성도
이온화 에너지가 클수록 전자를 떼어 내기 어렵고 그만큼 전자를 끌어당기는 정도가 큰 것이므로 일반적으로 이온화 에너지가 클수록 전기 음성도도 크다.

? 그림에서 18족 원소의 전기 음성도 값은 왜 없을까?
18족 원소의 원자는 매우 안정하여 다른 원자들과 거의 화학 결합을 형성하지 않으므로 전기 음성도를 정의하지 않는다.

❷ 전기 음성도의 주기성
전기 음성도가 2.5 이상인 원소들은 주로 주기율표의 오른쪽 위에 있는 비금속 원소들이다. 반대로 전기 음성도가 1.3 이하인 원소들은 주로 주기율표의 왼쪽 아래에 있는 금속 원소들이다.

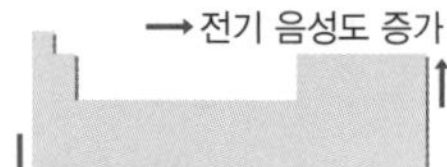

용어 알기
•주기적(돌다 週, 기약하다 期, 과녁 的) 일정한 간격을 두고 되풀이 되는 현상

빈출 자료 결합 모형과 원자의 전기 음성도

그림은 화합물 AB와 CB_2의 결합 모형을 나타낸 것이다.

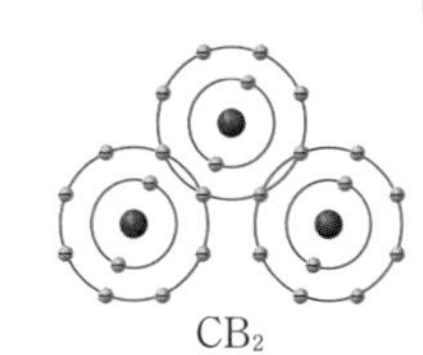

❶ AB: 이온 결합 물질
- A는 전자 1개를 잃고 +1가의 양이온이 되었으므로 3주기 1족 원소이다.
- B는 전자 1개를 얻어 −1가의 음이온이 되었으므로 2주기 17족 원소이다.

❷ CB_2: 공유 결합 물질
- C는 2개의 B와 전자 1개씩을 내놓아 전자쌍을 이루고 공유하였다. ➡ C는 2주기 16족 원소이다.

❸ A~C의 전기 음성도
- 전기 음성도는 같은 주기에서 원자 번호가 클수록 크다. ➡ 원자 번호는 B>C이므로 전기 음성도는 B>C이다.
- 금속 원소의 전기 음성도는 비금속 원소보다 작다. ➡ A는 금속, B와 C는 비금속 원소이므로 전기 음성도는 B>C>A이다.

B 결합의 극성

|출·제·단·서| 극성 공유 결합에서 원자의 부분 전하로부터 원자의 전기 음성도를 비교하는 문제가 나와.

1. •극성 공유 결합

암기TiP 서로 다른 비금속 원자의 결합 → 극성 공유 결합 → 전기 음성도가 큰 원자가 부분적인 음전하

(1) **극성 공유 결합** 전기 음성도가 다른 두 원자 사이의 공유 결합으로 공유 전자쌍이 한쪽으로 치우치는 결합

(2) 전기 음성도가 큰 원자가 공유 전자쌍을 강하게 당겨서 부분적인 음전하(δ^-)를 띠고, 작은 원자는 부분적인 양전하(δ^+)❸를 띤다.

예 $\overset{\delta^+}{H}-\overset{\delta^-}{F}$, $\overset{\delta^+}{H}-\overset{\delta^-}{Cl}$

염화 수소(HCl) 분자와 극성 공유 결합

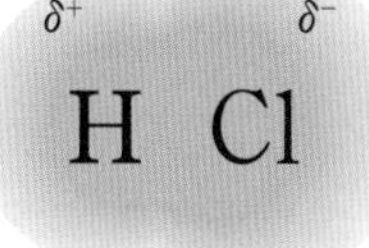

— HCl에서 공유 전자쌍이 Cl 원자 쪽으로 치우치면 Cl는 (+)전하량보다 (−)전하량이 더 커지므로 부분적인 음전하를 띠게 된다.

- 원자의 전기 음성도: Cl > H
- HCl 분자에서 공유 전자쌍이 Cl 쪽으로 치우친다.
- HCl 분자에서 H 원자는 부분적인 양전하(δ^+)를 띠고, Cl 원자는 부분적인 음전하(δ^-)를 띤다.

➡ H−Cl 결합은 극성 공유 결합이다.

2. 무극성 공유 결합

암기TiP 같은 원자 사이의 공유 결합 → 무극성 공유 결합

(1) **무극성 공유 결합** 전기 음성도가 같은 두 원자 사이의 공유 결합으로, 공유 전자쌍의 치우침이 없는 결합

(2) 결합한 두 원자에 부분적인 전하가 생기지 않는다. 예 H−H, Cl−Cl, O=O, N≡N

수소(H_2) 분자와 무극성 공유 결합

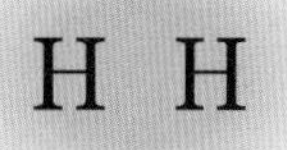

— 같은 원자끼리 공유 결합하면 공유 전자쌍은 어느 한쪽에 치우치지 않고 고르게 분포되므로 부분적인 전하가 나타나지 않는다.

- H_2 분자에서 공유 전자쌍은 어느 한쪽으로 치우치지 않는다.
- H_2 분자에서 H 원자는 부분적인 전하를 띠지 않는다.

➡ H−H 결합은 무극성 공유 결합이다.

빈출 자료 전기 음성도 차에 따른 화학 결합의 구분❹

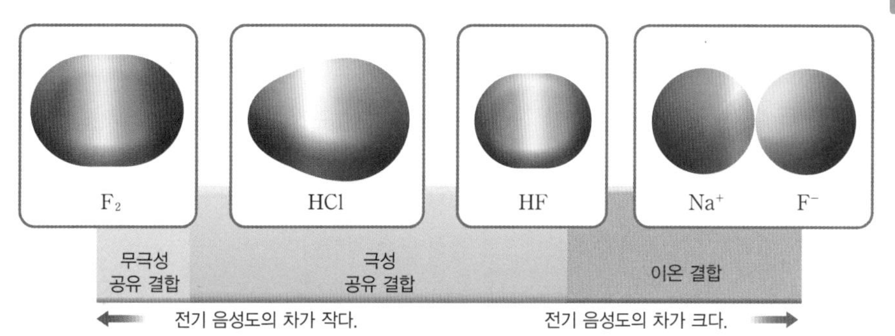

❶ 전기 음성도의 차와 결합의 극성: 극성 공유 결합을 한 두 원자의 전기 음성도 차가 클수록 공유 결합의 극성이 증가한다.

❷ 전기 음성도 차에 따른 화학 결합의 구분 — 이온 결합과 공유 결합의 명확한 경계선은 없으며, 이온 결합의 경우 구성 원자의 전기 음성도 차가 1.7 이상이다.

- 전기 음성도 차가 매우 크면 전기 음성도가 작은 원자에서 전기 음성도가 큰 원자로 전자가 완전히 이동하여 이온 결합을 형성한다.
- 전기 음성도 차가 비교적 작은 원자들은 극성 공유 결합을 형성한다.
- 전기 음성도 차가 없으면 무극성 공유 결합을 형성한다.

---

❸ 부분적인 전하

극성 공유 결합에서는 이온이 형성되지 않고 전자쌍이 한쪽으로 치우치게 된다. 이때 치우침의 정도를 δ(델타)로 표시하여 공유 전자쌍이 끌리는 쪽(전기 음성도가 큰 원소)을 δ^-, 반대쪽(전기 음성도가 작은 원소)을 δ^+로 나타낸다. δ^-는 0보다 크고 1보다 작은 값이다.

? 전기 음성도가 같은 N−Cl 결합은 무극성 공유 결합일까?

N와 Cl의 전기 음성도는 모두 3.0이므로 N−Cl 결합은 무극성 공유 결합이라고 생각할 수 있다. 그러나 제시된 자료는 반올림한 값이며 실제 전기 음성도는 Cl가 N보다 조금 크기 때문에 N−Cl 결합은 극성 공유 결합이다. 따라서 서로 다른 원자 사이의 공유 결합은 극성 공유 결합이라고 생각하면 된다.

❹ 결합의 공유성과 이온성

종류가 다른 두 원자 사이에 결합이 형성될 때, 어떤 형태의 결합을 하는지는 두 원자의 전기 음성도 차에 의해 결정된다. 두 원자의 전기 음성도 차가 클수록 결합의 이온성이 커지며, 일반적으로 결합의 이온성이 50 % 이상이면 이온 결합으로 분류하고, 50 % 미만이면 극성 공유 결합 분자로 분류한다.

용어 알기

•극성(다하다 極, 성품 性) 자석의 N, S극과 같이 분자에도 양전하와 음전하를 띠는 부분이 나누어져 나타나는 성질

C 쌍극자 모멘트에 의한 결합의 극성

|출·제·단·서| 극성 공유 결합과 무극성 공유 결합에서 쌍극자 모멘트의 크기 관계를 물어보는 문제가 나와.

1. 쌍극자 극성 공유 결합을 형성하는 분자 내에서 일정한 거리를 두고 존재하는 크기가 같고 부호가 반대인 두 전하

2. 쌍극자 모멘트(μ) 결합의 극성 또는 분자의 극성 정도를 나타내는 물리량❺❻

(1) 쌍극자 모멘트의 크기 두 원자가 가지는 전하량($+q$, $-q$)과 두 전하 사이의 거리(r)를 곱한 값이다.

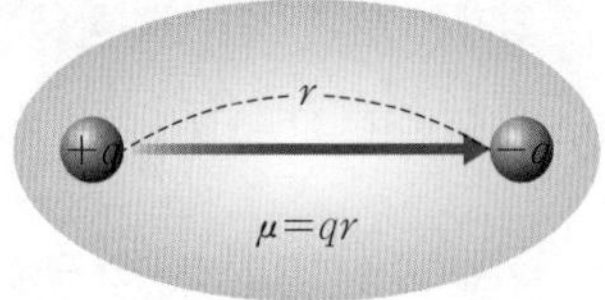

쌍극자 모멘트(μ)$=q\times r$

(2) 쌍극자 모멘트의 표시 부분적인 양전하(δ^+)에서 시작하여 부분적인 음전하(δ^-)로 끝나는 화살표로 표시한다.

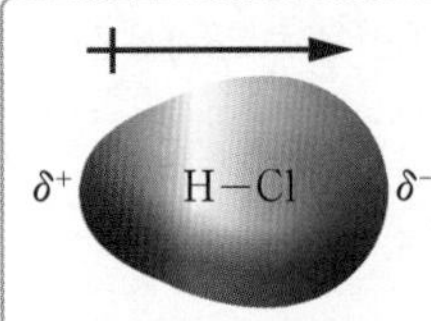

HCl에서 쌍극자 모멘트는 전기 음성도가 작은 H 원자에서 전기 음성도가 큰 Cl 원자를 향하도록 십자 화살표를 이용하여 표시한다.

(3) 쌍극자 모멘트와 결합의 극성 전기 음성도 차가 클수록 부분 전하의 크기가 증가하여 쌍극자 모멘트가 커지고, 결합의 극성이 커진다.

전기 음성도 차와 쌍극자 모멘트

결합	H−H	H−F	H−Cl	H−Br	H−I
전기 음성도 차	0	1.9	0.9	0.7	0.4
쌍극자 모멘트($\times10^{-30}$ C·m)	0	6.37	3.60	2.67	1.40

- 전기 음성도 차가 클수록 쌍극자 모멘트가 크다.
- 결합의 극성 크기는 H−F>H−Cl>H−Br>H−I 순이다.

3. 쌍극자 모멘트와 극성 공유 결합 결합의 쌍극자 모멘트가 0이면 무극성 공유 결합, 결합의 쌍극자 모멘트가 0이 아니면 극성 공유 결합이다.❼

(1) 이원자 분자

① 수소(H_2), 산소(O_2) 등과 같이 같은 원자가 결합한 분자에서는 쌍극자 모멘트가 0이므로 무극성 공유 결합이다.

② 플루오린화 수소(HF), 염화 수소(HCl) 등과 같이 서로 다른 원자가 결합한 분자에서는 결합의 쌍극자 모멘트가 0이 아니므로 극성 공유 결합이다.

(2) 다원자 분자 물(H_2O) 분자에서 O−H 결합, 암모니아(NH_3) 분자에서 N−H 결합, 이산화 탄소(CO_2) 분자에서 C=O 결합은 쌍극자 모멘트가 0이 아니므로 극성 공유 결합이다.

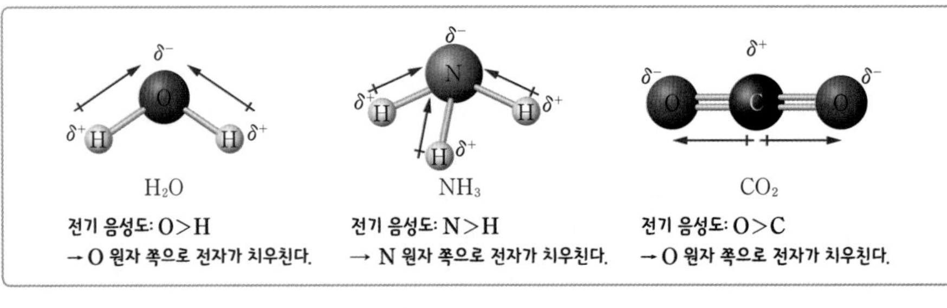

H_2O
전기 음성도: O>H
→ O 원자 쪽으로 전자가 치우친다.

NH_3
전기 음성도: N>H
→ N 원자 쪽으로 전자가 치우친다.

CO_2
전기 음성도: O>C
→ O 원자 쪽으로 전자가 치우친다.

---

❺ 쌍극자 모멘트의 단위
쌍극자 모멘트의 크기는 전하량(단위: C)과 두 전하 사이의 거리(단위: m)의 곱이므로 쌍극자 모멘트의 단위는 C·m(coulomb×meter) 또는 D(debye)이며, 3.34×10^{-30} C·m=1 D이다.

❻ 쌍극자 모멘트의 측정
전류가 흐르는 두 금속판 사이에서 일정한 방향으로 배열하는 분자는 금속판의 전기 용량에 영향을 준다. 따라서 금속판 사이의 전기 용량을 측정하여 쌍극자 모멘트의 크기를 계산할 수 있다.

❼ 결합의 쌍극자 모멘트
다원자 분자의 경우 분자 내에 2개 이상의 결합이 존재하므로 결합마다 쌍극자 모멘트가 다르게 나타난다.
예 CH_2O에는 H−C 결합 2개와 C=O 결합 1개가 있으며, 결합의 쌍극자 모멘트는 H−C와 C=O가 서로 다르다.

용어 알기
● 쌍극자(쌍 雙, 다하다 極, 아들 子) 아주 가까운 거리를 두고 대하고 있는, 크기가 같은 양과 음의 두 극

콕콕! 개념 확인하기

정답과 해설 062쪽

✔ 잠깐 확인!

1. ☐☐ ☐☐☐
공유 결합하는 원자가 공유 전자쌍을 끌어당기는 능력을 상대적인 수치로 나타낸 값

2. 폴링은 ☐☐☐☐ 원자의 전기 음성도를 4.0으로 정하고, 이를 기준으로 다른 원자의 전기 음성도를 정하였다.

3. ☐☐ ☐☐ ☐☐
전기 음성도가 다른 두 원자 사이의 공유 결합

4. ☐☐☐ ☐☐ ☐☐
전기 음성도가 같은 두 원자 사이의 공유 결합

5. ☐☐☐
분자 내에서 일정한 거리를 두고 존재하는 크기가 같고 부호가 반대인 두 전하

6. ☐☐☐ ☐☐☐
분자나 결합의 극성 정도를 나타내는 물리량

7. NH_3 분자에 있는 3개의 N−H 결합은 ☐☐ ☐ ☐ ☐☐이다.

A 전기 음성도

01 전기 음성도에 대한 설명으로 옳은 것은 ○, 옳지 않은 것은 ×로 표시하시오.

(1) 공유 결합하는 원자가 공유 전자쌍을 끌어당기는 에너지이다. ( )

(2) 전기 음성도가 가장 큰 원자는 플루오린(F)이다. ( )

(3) 같은 주기에서 원자 번호가 커질수록 대체로 커진다(18족 원소 제외). ( )

(4) 같은 족에서 원자 번호가 커질수록 대체로 커진다. ( )

02 그림은 화합물 AB와 CB_2의 결합 모형을 각각 나타낸 것이다. A~C의 전기 음성도의 크기를 비교하시오. (단, A~C는 임의의 원소 기호이다.)

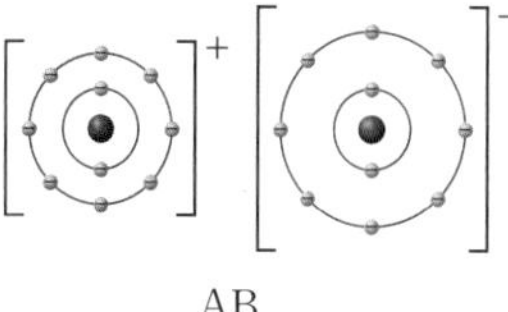
AB

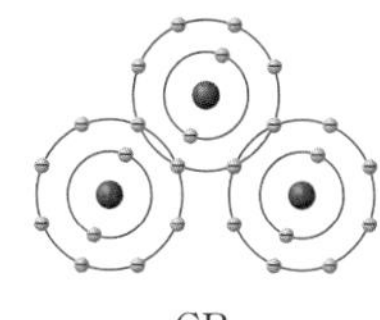
CB_2

B 결합의 극성

03 결합의 극성에 대한 설명으로 옳은 것은 ○, 옳지 않은 것은 ×로 표시하시오.

(1) 전기 음성도가 같은 두 원자 사이의 공유 결합은 극성 공유 결합이다. ( )

(2) HCl에서 전기 음성도가 큰 Cl는 부분적인 음전하(δ^-)를 띤다. ( )

(3) 무극성 공유 결합은 공유 전자쌍이 어느 한쪽으로 치우지지 않아 전하가 고르게 분포한다. ( )

04 다음 중 무극성 공유 결합을 갖는 분자를 있는 대로 고르시오.

H_2 HCl CH_4 O_2 CO_2

C 쌍극자 모멘트에 의한 결합의 극성

05 다음은 결합의 극성에 대한 설명이다. ㉠, ㉡에 들어갈 알맞은 말을 쓰시오.

(㉠)는 결합의 극성 또는 분자의 극성 정도를 나타내는 물리량으로, 두 원자가 가지는 전하량과 두 전하 사이의 거리를 곱한 값으로 나타낸다. 따라서 (㉠)가 클수록 결합의 (㉡)이 강하다.

06 표는 몇 가지 원자의 전기 음성도를 나타낸 것이다.

원자	H	C	N	O	F
전기 음성도	2.1	2.5	3.0	3.5	4.0

원자들 사이의 결합의 극성의 세기가 큰 순서대로 나열하시오.

F−F H−O H−N C−H H−F

탄탄! 내신 다지기

A 전기 음성도

01 전기 음성도에 대한 설명으로 옳은 것은?

① 단위는 kJ/mol이다.
② 유효 핵전하가 클수록 작아진다.
③ 같은 족에서 원자 번호가 커질수록 대체로 작아진다.
④ 같은 주기에서 원자 번호가 커질수록 대체로 작아진다.
⑤ 전기 음성도가 작은 원자일수록 공유 전자쌍을 더 세게 끌어당긴다.

02 그림은 주기율표의 일부를 나타낸 것이다.

주기\족	1	2	13	14	15	16	17	18
1								
2						B	C	
3	A					D		

A~D의 전기 음성도를 옳게 비교한 것은? (단, A~D는 임의의 원소 기호이다.)

① A>B>C>D ② A>D>B>C
③ B>C>A>D ④ C>B>D>A
⑤ C>D>B>A

03 그림은 원소 A~C로 이루어진 화합물 AB와 CB_2의 결합 모형을 나타낸 것이다.

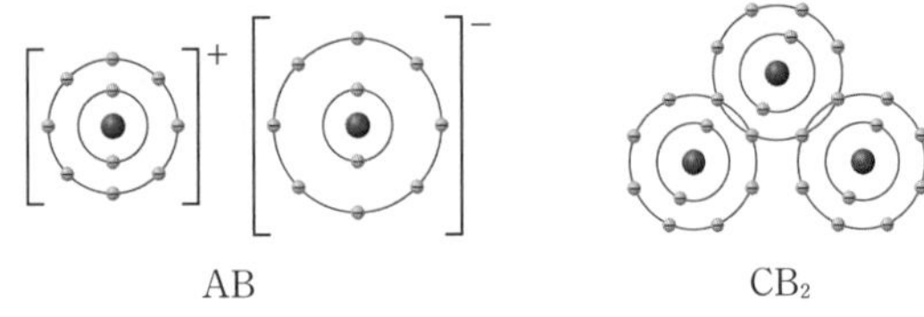

AB　　　CB_2

이에 대한 설명으로 옳은 것은? (단, A~C는 임의의 원소 기호이다.)

① 원자 번호는 C가 A보다 크다.
② 전기 음성도는 A가 B보다 크다.
③ 원자가 전자 수는 C가 B보다 크다.
④ A와 C는 공유 결합으로 화합물을 형성한다.
⑤ 공유 전자쌍을 끌어당기는 힘은 B가 C보다 크다.

B 결합의 극성

04 다음 중 무극성 공유 결합을 포함하는 분자는?

① HCl ② H_2O ③ NH_3
④ C_2H_2 ⑤ CO_2

단답형

05 그림은 화합물 BA_2와 CB_2에서 각 원자의 부분 전하를 나타낸 것이다.

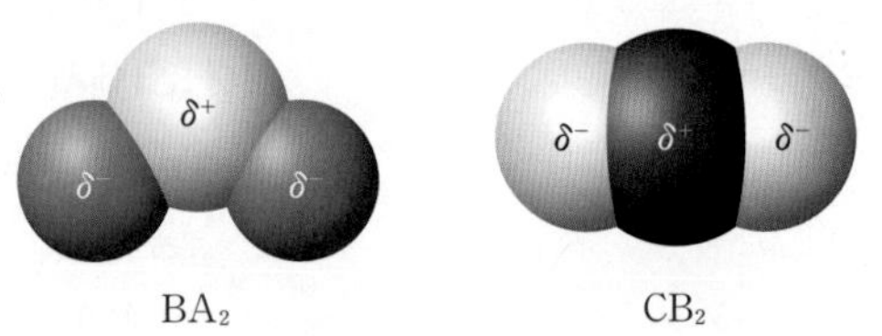

BA_2　　　CB_2

A~C의 전기 음성도의 크기를 비교하시오. (단, A~C는 임의의 원소 기호이다.)

단답형

06 다음은 전기 음성도와 결합의 극성에 대한 설명이다. 잘못된 부분을 찾아 옳게 고치시오.

(1) 두 원자가 결합할 때 두 원자의 전기 음성도가 같아서 전자가 균등하게 공유되는 결합을 극성 공유 결합이라고 한다.
(2) 서로 다른 원자가 공유 결합을 할 때, 전기 음성도가 큰 원자는 부분적인 양전하를, 전기 음성도가 작은 원자는 부분적인 음전하를 띤다.

정답과 해설 063쪽

단답형

07 그림은 할로젠 원소 A~C의 원자 반지름을 상대적으로 나타낸 것이다.

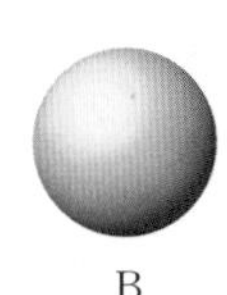

A B C

A~C가 수소(H)와 결합할 때, 결합의 극성이 가장 큰 것과 가장 작은 것을 순서대로 쓰시오. (단, A~C는 임의의 원소 기호이다.)

08 그림은 화합물 AB_2의 결합 모형을 나타낸 것이다.

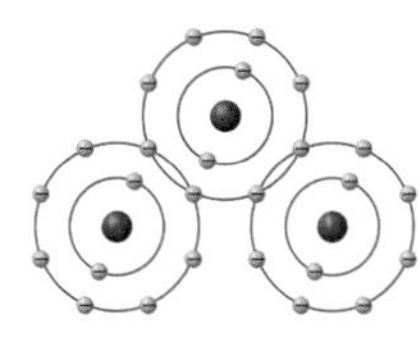

이에 대한 설명으로 옳은 것만을 〈보기〉에서 있는 대로 고른 것은? (단, A, B는 임의의 원소 기호이다.)

보기
ㄱ. 원자가 전자가 느끼는 유효 핵전하는 A가 B보다 크다.
ㄴ. A와 B는 극성 공유 결합을 형성한다.
ㄷ. AB_2에서 A는 부분적인 음전하를 띤다.

① ㄱ ② ㄴ ③ ㄱ, ㄴ
④ ㄱ, ㄷ ⑤ ㄴ, ㄷ

단답형

09 다음 분자들의 원소 기호 위에 부분 전하를 δ^+, δ^-로 나타내시오. (단, 전기 음성도의 크기는 F>O>C>H 순이다.)

(1) H−F
(2) O=C=O
(3) H−O−H

C 쌍극자 모멘트에 의한 결합의 극성

단답형

10 다음은 극성 공유 결합에 대한 설명이다. ㉠, ㉡에 들어갈 알맞은 말을 쓰시오.

> 서로 다른 원자는 극성 공유 결합을 이루어 분자를 형성하는데, 전기 음성도가 큰 원자는 부분적인 음전하를, 전기 음성도가 작은 원자는 부분적인 양전하를 띤다. 이처럼 하나의 분자에 서로 다른 부분 전하가 있으면 이를 (㉠)라고 하고, 그 크기를 (㉡)로 나타낸다.

11 쌍극자 모멘트에 대한 설명으로 옳은 것만을 〈보기〉에서 있는 대로 고른 것은?

보기
ㄱ. 결합에서 극성 크기를 나타내는 척도이다.
ㄴ. 전하와 두 전하 사이의 거리를 곱한 값과 같다.
ㄷ. 무극성 공유 결합에서 결합의 쌍극자 모멘트는 0이다.

① ㄱ ② ㄷ ③ ㄱ, ㄴ
④ ㄴ, ㄷ ⑤ ㄱ, ㄴ, ㄷ

12 다음 중 결합의 쌍극자 모멘트가 0인 것은?

① H−F ② H−O ③ C−Cl
④ C=O ⑤ O=O

도전! 실력 올리기

01 그림은 주기율표의 일부를 나타낸 것이다.

주기＼족	1	2	13	14	15	16	17	18
1	A							
2						B	C	
3							D	

이에 대한 설명으로 옳은 것만을 〈보기〉에서 있는 대로 고른 것은? (단, A~D는 임의의 원소 기호이다.)

보기
ㄱ. 전기 음성도는 C가 D보다 크다.
ㄴ. A−D 결합에서 공유 전자쌍은 D 원자 쪽으로 치우친다.
ㄷ. A−B 결합과 B−C 결합에서 B는 모두 부분적인 음전하(δ^-)를 띤다.

① ㄱ ② ㄷ ③ ㄱ, ㄴ
④ ㄴ, ㄷ ⑤ ㄱ, ㄴ, ㄷ

02 그림은 HCl 분자에 부분적인 전하를 나타낸 것이다.

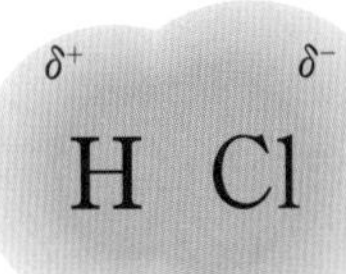

이에 대한 설명으로 옳은 것만을 〈보기〉에서 있는 대로 고른 것은?

보기
ㄱ. 전기 음성도는 Cl>H이다.
ㄴ. 전자는 H 원자에서 Cl 원자로 이동한다.
ㄷ. 결합의 쌍극자 모멘트는 0이 아니다.

① ㄱ ② ㄴ ③ ㄱ, ㄴ
④ ㄱ, ㄷ ⑤ ㄴ, ㄷ

출제예감

03 그림은 원자 X와 Y의 바닥상태 전자 배치를 나타낸 것이다.

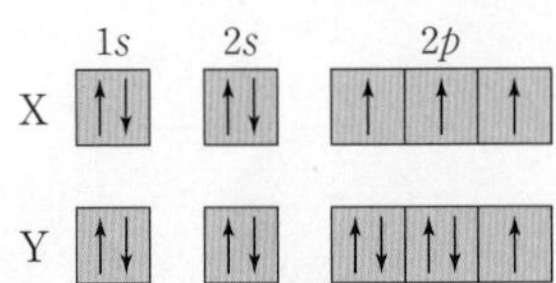

이에 대한 설명으로 옳은 것만을 〈보기〉에서 있는 대로 고른 것은? (단, X와 Y는 임의의 원소 기호이다.)

보기
ㄱ. X_2는 무극성 공유 결합을 포함한다.
ㄴ. Y_2에는 2중 결합이 있다.
ㄷ. XY_3에서 X는 부분적인 음전하를 띤다.

① ㄱ ② ㄷ ③ ㄱ, ㄴ
④ ㄴ, ㄷ ⑤ ㄱ, ㄴ, ㄷ

04 그림은 3가지 물질을 분류 기준 (가), (나)에 의해 분류하는 과정을 나타낸 것이다.

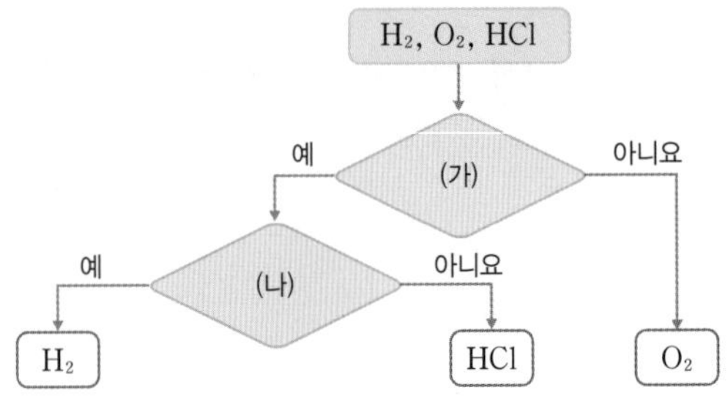

(가), (나)에 들어갈 적절한 분류 기준을 〈보기〉에서 골라 옳게 짝 지은 것은?

보기
ㄱ. 공유 전자쌍 수가 1인가?
ㄴ. 극성 공유 결합이 있는가?
ㄷ. 결합의 쌍극자 모멘트가 0인가?

	(가)	(나)		(가)	(나)
①	ㄱ	ㄴ	②	ㄱ	ㄷ
③	ㄴ	ㄱ	④	ㄴ	ㄷ
⑤	ㄷ	ㄱ			

05 표는 수소(H)가 포함된 3가지 분자에서 원자 간 전기 음성도 차를 나타낸 것이다. X~Z는 각각 H, F, Cl 중 하나이다.

분자	H−X	H−Y	H−Z
전기 음성도 차	0.0	0.9	1.9

이에 대한 설명으로 옳은 것만을 <보기>에서 있는 대로 고른 것은?

보기
ㄱ. Z는 Cl이다.
ㄴ. H−X에는 무극성 공유 결합이 있다.
ㄷ. H−Y에서 Y는 부분적인 음전하를 띤다.

① ㄱ ② ㄴ ③ ㄱ, ㄷ
④ ㄴ, ㄷ ⑤ ㄱ, ㄴ, ㄷ

출제예감

06 다음은 화합물 AB, AC, BC에 대한 자료이다. A~C는 각각 H, F, Cl 중 하나이다.

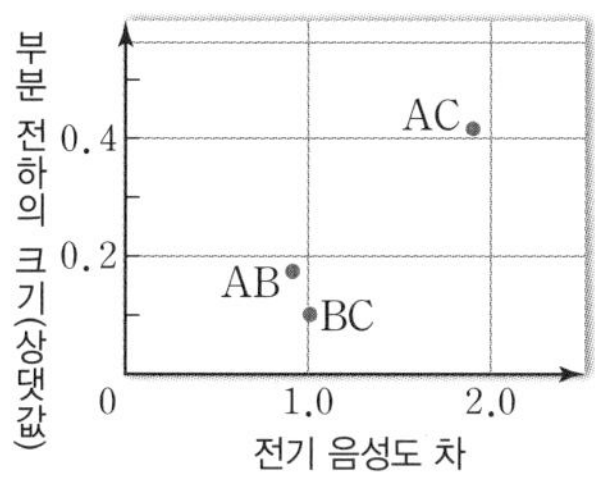

화합물	결합 길이(pm)
AB	128
AC	93
BC	163

이에 대한 설명으로 옳은 것만을 <보기>에서 있는 대로 고른 것은? (단, 쌍극자 모멘트의 크기는 부분 전하의 크기와 두 전하 사이의 거리(결합 길이)의 곱과 같다.)

보기
ㄱ. AC는 이온 결합 물질이다.
ㄴ. 전기 음성도는 C>B이다.
ㄷ. 쌍극자 모멘트는 AC>AB이다.

① ㄴ ② ㄷ ③ ㄱ, ㄴ
④ ㄴ, ㄷ ⑤ ㄱ, ㄴ, ㄷ

07 다음은 결합의 극성에 대한 설명이다. ㉠, ㉡에 들어갈 알맞은 말을 쓰시오.

> 서로 다른 두 원자가 공유 결합을 할 때 공유 전자쌍이 (㉠)가 큰 원자 쪽으로 치우치므로 부분적인 전하를 띠게 되는데, 이렇게 서로 다른 원자 사이에 형성되는 결합을 (㉡) 공유 결합이라고 한다.

서술형

08 표는 원자 A와 B의 전기 음성도를 나타낸 것이다.

원소	A	B
전기 음성도	2.1	4.0

A−B 결합에서 각 원자가 띠는 부분적인 전하를 설명하고, 까닭을 서술하시오.

서술형

09 그림은 화합물 AB와 AC에 대한 자료이다.

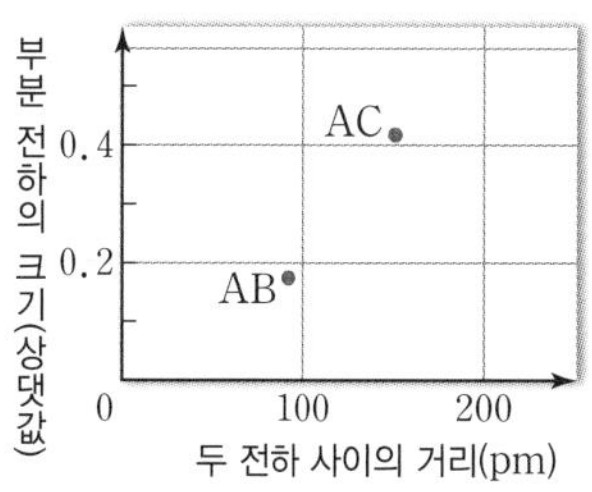

AB와 AC의 쌍극자 모멘트의 크기를 비교하고 그 까닭을 서술하시오.

02 전자쌍 반발 이론과 분자 구조

핵심 키워드로 흐름잡기

A 루이스 전자점식, 공유 전자쌍, 비공유 전자쌍, 루이스 구조식

B 전자쌍 반발 이론, 결합각, 분자 구조

A 루이스 전자점식

|출·제·단·서| 분자의 루이스 구조식을 제시하고 원자의 원자가 전자 수, 전자쌍의 종류와 수, 분자의 구조 등을 알아내는 문제가 나와.

1. 루이스 전자점식 원소 기호 주위에 원자가 전자를 점으로 나타낸 식

(원자가 전자: 가장 바깥 전자 껍질에 있는 전자로 화학 결합에 관여)

2. 원자, 분자의 루이스 전자점식

(1) 원자의 루이스 전자점식 원소 기호의 상하좌우에 먼저 1개씩의 점을 찍은 다음 다섯 번째 전자부터 쌍을 이루도록 그린다.❶

→ 전자가 쌍을 이루지 않고 1개씩 있는 것을 홀전자라고 한다.

→ 전자가 2개씩 쌍을 이루는 것을 전자쌍이라고 한다.

Li· ·Be· ·B· ·C· ·N· :O· :F· :Ne:

비활성 기체의 원자가 전자 수는 0이나 루이스 전자점식을 나타낼 때는 8개를 모두 그린다.

(2) 분자의 루이스 전자점식

① **공유 전자쌍:** 두 원자가 서로 공유하는 전자쌍으로, 두 원소 기호 사이에 표시한다.

② **비공유 전자쌍:** 공유 결합에 참여하지 않고 한 원자에만 속하는 전자쌍으로, 각 원소 기호 주변에 표시한다.

H· + ·Ö: + ·H → H:Ö:H

(홀전자, 공유 전자쌍, 비공유 전자쌍)

③ **루이스 •구조식:** 루이스 전자점식에서 공유 전자쌍을 결합선(—)으로 나타낸 식으로, 비공유 전자쌍은 생략하기도 한다. 단일 결합은 '—', 2중 결합은 '=', 3중 결합은 '≡'으로 나타낸다.

분자	루이스 전자점식	구조식
물	H:Ö: H	H—O | H
사이안화 수소	H:C⋮⋮N:	H—C≡N

분자의 루이스 구조식 나타내기

과정	예 NF_3	예 CO_2
❶ 분자를 구성하는 원자의 원자가 전자 수를 모두 더한다.	N: 5, F: 7 → 5+(7×3)=26(개)	C: 4, O: 6 → 4+(6×2)=16(개)
❷ 분자의 골격 구조를 그린다. 이때 전기 음성도가 가장 작은 원자를 중심에 배치하고 주변 원자와 연결하여 골격을 완성한다.(단, 수소는 예외로 항상 바깥쪽에 위치한다.)	F—N—F | F	O—C—O
	결합에 사용하지 않은 전자 수	
	26−6=20개	16−4=12개
❸ 결합에 사용하지 않은 원자가 전자를 주변 원자에 배치하여 옥텟 규칙을 만족시킨다.	:F̤̈—N—F̤̈: | :F̤̈:	:Ö—C—Ö:
	남은 전자 수 2	남은 전자 수 0
❹ 만일 전자가 남으면 중심 원자에 배치한다.	:F̤̈—N̈—F̤̈: | :F̤̈:	:Ö—C—Ö:
❺ 중심 원자가 옥텟 규칙을 만족하지 않으면 인접한 원자의 비공유 전자쌍을 이용하여 다중 결합으로 나타낸다.	:F̤̈—N̈—F̤̈: | :F̤̈:	Ö=C=Ö

❶ **원자의 루이스 전자점식과 족**
루이스 전자점식은 원자가 전자만을 점으로 나타낸 것이므로, 같은 족 원소이면 원소 기호 주위에 나타내는 점의 수가 서로 같다. 즉, 루이스 전자점식이 같다.

❓ 루이스 전자점식에서 원자가 전자만을 점으로 표시하는 까닭은 무엇일까?
루이스 전자점식은 공유 결합을 간단히 표현하기 위한 것이다. 그런데 안쪽 전자 껍질의 전자는 공유 결합에 참여하지 않으므로 굳이 나타낼 필요가 없기 때문에 결합에 참여하는 원자가 전자만을 점으로 표시하는 것이다.

용어 알기

•구조식(얽다 構, 집을 짓다 造, 법 式) 물질을 이루는 원자의 결합 상태를 결합선을 이용하여 나타낸 식

3. 이온과 이온 결합 화합물의 루이스 전자점식

(1) 이온의 루이스 전자점식

양이온	잃은 전자 수만큼 루이스 전자점식에서 원자가 전자를 빼서 표시하므로 안정한 양이온의 전자 배치는 이온식과 같다.
음이온	얻은 전자 수만큼 원자의 전자점식에 점을 더해서 나타내므로 안정한 음이온의 전자 배치는 비활성 기체와 같이 점이 8개이며, 여기에 이온의 전하를 표시한다.

(2) 이온 결합 화합물의 루이스 전자점식

① 양이온의 루이스 전자점식을 먼저 쓰고, 음이온은 양이온의 루이스 전자점식 뒤에 나타낸다.

② 양이온과 음이온을 구분하기 위해 전자점식을 대괄호로 감싸고 이온의 전하를 표시한다.

양이온	음이온	이온 결합 화합물
$[\mathrm{K}]^{+}$ $[\mathrm{Ca}]^{2+}$	$[:\ddot{\underset{..}{\mathrm{F}}}:]^{-}$ $[:\ddot{\underset{..}{\mathrm{O}}}:]^{2-}$	$[\mathrm{Na}]^{+}[:\ddot{\underset{..}{\mathrm{Cl}}}:]^{-}$

B 전자쌍 반발 이론과 분자의 구조

|출·제·단·서| 전자쌍 반발 이론을 이용하여 분자의 구조와 결합각을 예측하는 문제가 나와.

1. 전자쌍 반발 이론 탐구 POOL

(1) 전자쌍 반발 이론 분자 또는 이온에서 중심 원자를 둘러싸고 있는 전자쌍(공유 전자쌍과 비공유 전자쌍을 모두 포함한다.)들은 모두 (−) 전하를 띠고 있으므로 전자쌍들이 전기적 반발력을 최소화하기 위해 가능한 한 서로 멀리 떨어져 배치되려 한다는 이론

(2) 전자쌍의 공간 배치 중심 원자에 있는 전자쌍의 수에 따라 전자쌍의 배열이 달라지며, 이에 의해 분자의 구조가 결정된다.❷

전자쌍의 수	2	3	4
전자쌍의 배치	전자쌍이 중심 원자를 기준으로 서로 정반대 위치에 배치될 때 가장 안정	전자쌍이 중심 원자를 기준으로 정삼각형의 꼭짓점에 배치될 때 가장 안정	전자쌍이 중심 원자를 기준으로 정사면체의 꼭짓점에 배치될 때 가장 안정
결합각	180°	120°	109.5°
분자의 구조	선형	평면 삼각형	정사면체

(3) 전자쌍 사이의 반발력 크기 전자쌍의 종류에 따라 전자쌍 사이의 반발력이 다르며, 비공유 전자쌍 사이의 반발력이 공유 전자쌍 사이의 반발력보다 크다.❸

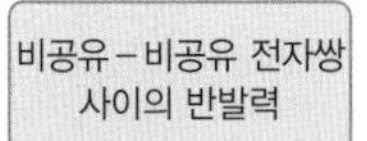

비공유−비공유 전자쌍 사이의 반발력 > 비공유 전자쌍−공유 전자쌍 사이의 반발력 > 공유−공유 전자쌍 사이의 반발력

(4) 결합각❹

① 분자에서 중심 원자의 원자핵과 중심 원자와 결합한 두 원자의 원자핵을 선으로 연결하였을 때 생기는 내각

② 결합각의 크기는 전자쌍 반발 이론에 의해 결정된다.

❶ 전자쌍의 공간 배치에서 중심 원자가 가지는 전자쌍만 고려하는 까닭은?
분자를 구성하는 원자는 모두 전자를 가지고 있지만 중심 원자에 있는 전자는 좁은 공간에 많은 전자들이 있어 반발력이 더 크게 작용하므로 분자 구조를 예측할 때는 중심 원자가 가지는 전자쌍만을 고려한다.

❷ 분자의 구조
분자를 구성하는 원자는 3차원적 공간에서 전자쌍의 반발력을 최소화하여 배열되는데, 이렇게 분자를 구성하는 원자들이 배열된 모습을 분자의 구조라고 한다.

❸ 전자쌍이 차지하는 공간의 크기
공유 전자쌍은 다른 원자와 공유되어 있으므로 중심 원자의 핵에서 멀리 떨어져 있고, 더 좁은 공간을 차지한다. 그러나 비공유 전자쌍은 한 원자에 속해 있으므로 중심 원자의 핵에 더 가까이 있고 더 큰 공간을 차지한다. 따라서 비공유 전자쌍은 주변의 전자쌍에 더 큰 반발력을 작용한다.

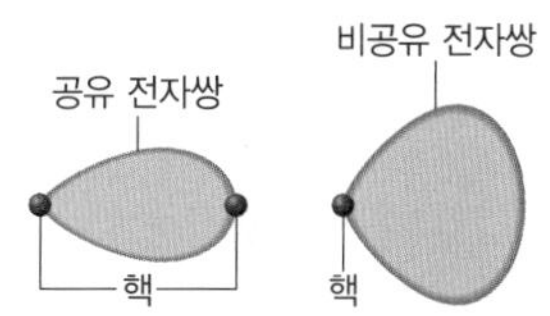

❹ 결합각에 영향을 주는 요인
결합각에 영향을 주는 요인에는 중심 원자에 있는 전자쌍의 종류, 중심 원자의 크기, 결합한 원자 수, 결합한 원자의 전기 음성도 등이 있다. 따라서 같은 분자 구조라도 분자를 구성하는 원자의 특성에 따라 결합각은 달라진다.

용어 알기

- **반발**(되돌리다 反, 튀기다 撥) 어떤 것을 받아 튀기는 성질
- **구조**(얽다 構, 짓다 造) 여러 부분이나 요소가 전체를 짜서 이룬 것

2. 분자의 구조❺

(1) 이원자 분자 2개의 원자가 결합되어 있으므로 항상 선형 구조를 이룬다.

분자식	H_2	HF	O_2	N_2
루이스 전자점식	H:H	H:F̤̈:	:Ö::Ö:	:N⋮⋮N:
분자 모형과 결합각	180°	180°	180°	180°

(2) 다원자 분자

① **중심 원자에 공유 전자쌍만 있는 경우:** 중심 원자에 결합한 원자 수에 따라 구조가 달라진다.

공유 전자쌍 수	2	3	4
예	$BeCl_2$	BCl_3	CH_4
분자 모형	180°	120°	109.5°
분자의 구조	선형	평면 삼각형	정사면체❻
결합각	180°	120°	109.5°

② **중심 원자에 비공유 전자쌍이 있는 경우**

- 전자쌍의 종류와 수에 따라 분자의 구조가 달라진다. 분자의 구조는 비공유 전자쌍을 제외하고 공유 전자쌍만으로 결정한다.
- 전자쌍의 총수가 같을 때 비공유 전자쌍 수가 많을수록 결합각이 작아진다.

전자쌍의 종류와 수	비공유 전자쌍 1개+공유 전자쌍 3개	비공유 전자쌍 2개+공유 전자쌍 2개
예	NH_3	H_2O
분자 모형	비공유 전자쌍 / 107° 4개의 전자쌍은 정사면체로 배치되지만, 공유－비공유 전자쌍 사이의 반발력이 공유 전자쌍 사이의 반발력보다 크기 때문에 결합각은 분자의 구조가 정사면체일 때보다 줄어든다.	비공유 전자쌍 / 104.5° 4개의 전자쌍은 정사면체로 배치되지만, 2개의 비공유 전자쌍 사이의 반발력이 2개의 공유 전자쌍 사이의 반발력보다 크기 때문에 결합각은 분자의 구조가 삼각뿔일 때보다 줄어든다.
결합각	107°	104.5°
분자의 구조	삼각뿔❼	굽은 형

③ **중심 원자에 다중 결합이 포함된 분자의 구조**

- 2중 결합과 3중 결합은 단일 결합보다 결합 길이가 짧고, 결합의 세기가 크다.
  ➡ 다중 결합에 있는 전자쌍은 같은 두 원자핵 사이에 공유된 것이므로 분자의 구조에는 영향을 주지 않는다.
- 2중 결합이나 3중 결합이 존재하는 경우에는 단일 결합처럼 취급하여 분자의 구조를 결정한다.

---

❺ 평면 구조와 °입체 구조
평면 구조는 분자를 이루는 모든 원자들이 동일 평면에 배열되는 구조로 선형과 굽은 형, 평면 삼각형 구조가 이에 해당한다.
삼각뿔과 사면체는 입체 구조이다.

? 중심 원자가 같은 족 원소인 분자의 구조는 같을까?
같은 족 원소는 원자가 전자 수가 같기 때문에 중심 원자가 같은 족 원소이고 결합된 다른 원자의 수가 같다면, 중심 원자가 가지는 결합수와 비공유 전자쌍 수가 같기 때문에 분자의 구조가 같다. 예를 들어 CH_4과 SiH_4의 분자 구조는 정사면체로 같다.

❻ 정사면체와 사면체
중심 원자에 4개의 원자가 결합한 경우 원자의 종류가 모두 같으면 정사면체 구조를 가지나, CH_3Cl, CCl_2F_2 등과 같이 중심 원자에 결합한 원자의 종류가 다른 경우 결합각이 달라지므로 사면체 구조를 이룬다.

❼ 삼각뿔
정사면체 구조에서는 정사면체의 중심에 중심 원자가 있고, 삼각뿔 구조에서는 삼각뿔의 꼭짓점에 중심 원자가 있다.

용어 알기
●입체(서다 立, 몸 體) 삼차원의 공간에서 여러 개의 평면이나 곡면으로 둘러싸인 부분

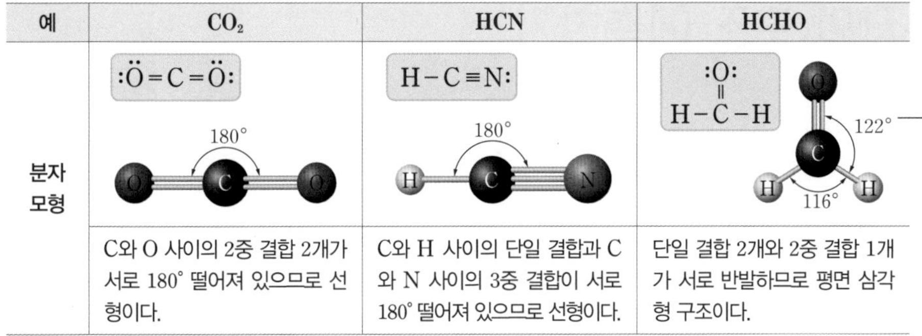

예	CO_2	HCN	HCHO
분자 모형	:Ö=C=Ö: 180°	H−C≡N: 180°	:O: ‖ H−C−H 122° 116°
	C와 O 사이의 2중 결합 2개가 서로 180° 떨어져 있으므로 선형이다.	C와 H 사이의 단일 결합과 C와 N 사이의 3중 결합이 서로 180° 떨어져 있으므로 선형이다.	단일 결합 2개와 2중 결합 1개가 서로 반발하므로 평면 삼각형 구조이다.

단일 결합과 2중 결합의 전자 밀도가 다르므로 평면 삼각형 구조이지만 결합각은 다르다.

(3) 분자의 구조 예측❽ 분자의 구조는 전자쌍 반발 이론에 의해 중심 원자가 가지는 전자쌍의 종류, 수와 관련이 있으므로 다음과 같은 과정에 따라 분자의 구조를 예측할 수 있다.

예 암모니아(NH_3) 분자의 구조 예측

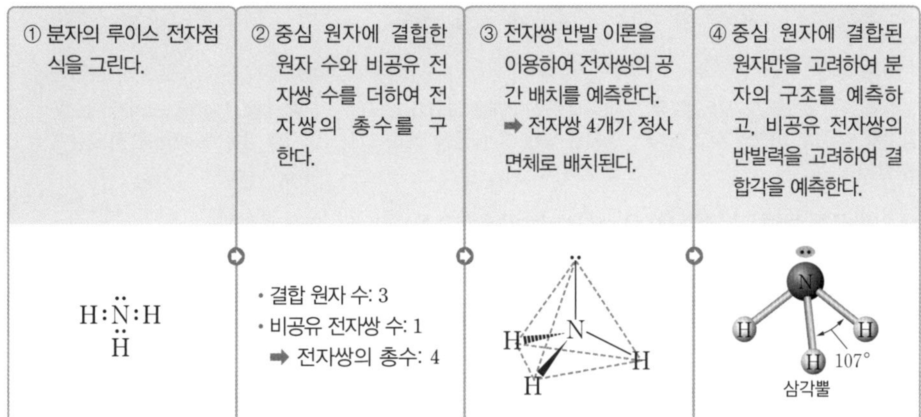

① 분자의 루이스 전자점식을 그린다.	② 중심 원자에 결합한 원자 수와 비공유 전자쌍 수를 더하여 전자쌍의 총수를 구한다.	③ 전자쌍 반발 이론을 이용하여 전자쌍의 공간 배치를 예측한다. ➡ 전자쌍 4개가 정사면체로 배치된다.	④ 중심 원자에 결합된 원자만을 고려하여 분자의 구조를 예측하고, 비공유 전자쌍의 반발력을 고려하여 결합각을 예측한다.
H:N̈:H Ḧ	• 결합 원자 수: 3 • 비공유 전자쌍 수: 1 ➡ 전자쌍의 총수: 4		107° 삼각뿔

❽ 중심 원자가 여러 개인 분자의 구조

분자의 구조는 대부분 중심 원자 주위의 전자쌍에 의해 결정되며, 중심 원자가 아닌 원자에 있는 전자쌍은 분자의 구조에 거의 영향을 주지 않는다.

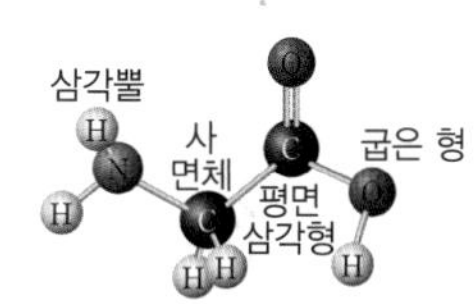

빈출 자료 **중심 원자에 결합한 원자 수와 전자쌍의 종류와 수에 따른 분자의 구조**

	중심 원자에 2개의 원자가 결합된 경우		중심 원자에 3개의 원자가 결합된 경우	
예	$BeF_2$❾	H_2O	$BCl_3$❾	NH_3
공유 전자쌍 수	2	2	3	3
비공유 전자쌍 수	0	2	0	1
총 전자쌍 수	2	4	3	4
분자 모형	180°	비공유 전자쌍 104.5°	120°	비공유 전자쌍 107°
분자의 구조	선형	굽은 형	평면 삼각형	•삼각뿔

❶ 전자쌍은 전자쌍의 종류와 관계없이 전기적 반발력을 최소화하기 위한 최적의 위치에 배치된다.

➡ BeF_2에 있는 2개의 전자쌍은 선형, H_2O에 있는 4개의 전자쌍은 사면체로 배치된다.

➡ BCl_3에 있는 3개의 전자쌍은 평면 삼각형, NH_3에 있는 4개의 전자쌍은 사면체로 배치된다.

❷ 분자의 구조는 결합된 원자의 위치만으로 결정한다.

➡ BeF_2에 있는 2개의 전자쌍에 원자가 결합되어 있으므로 분자 구조는 선형이고, H_2O에 있는 4개의 전자쌍 중 2개의 전자쌍에 원자가 결합되어 있으므로 분자의 구조는 굽은 형이다.

➡ BCl_3에 있는 3개의 전자쌍에 원자가 결합되어 있으므로 분자의 구조는 평면 삼각형이고, NH_3에 있는 4개의 전자쌍 중 3개의 전자쌍에 원자가 결합되어 있으므로 분자의 구조는 삼각뿔이다.

❾ 옥텟 규칙의 예외

Be은 금속 원소이나 금속성이 크지 않아 비금속 원소와 공유 결합을 형성하며 Be과 B가 공유 결합 화합물을 형성할 때는 옥텟 규칙을 만족하지 않는다.

• BeF_2: 중심 원자에 4개의 전자가 배치된다.

• BCl_3: 중심 원자에 6개의 전자가 배치된다.

용어 알기

•삼각뿔 밑면이 삼각형인 각뿔, 사면체라고도 함

분자의 구조 예측하기

목표 고무풍선을 전자쌍으로 가정하여 전자쌍을 배치해 보고 분자의 구조를 예측할 수 있다.

과정

❶ 2개의 전자쌍을 배치하기

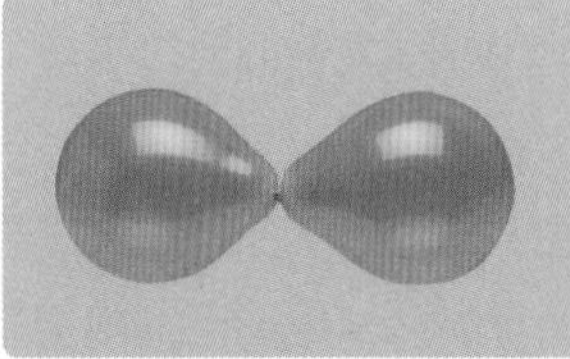

노란색 풍선 2개를 크기가 같도록 공기를 넣은 후 매듭을 짓고, 2개를 함께 묶는다.

❷ 3개의 전자쌍을 배치하기

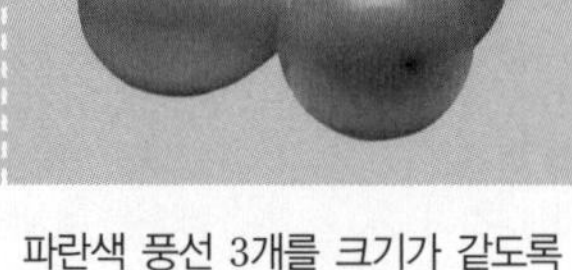

파란색 풍선 3개를 크기가 같도록 공기를 넣은 후 매듭을 짓고, 3개를 함께 묶는다.

❸ 4개의 전자쌍을 배치하기

분홍색 풍선 4개를 크기가 같도록 공기를 넣은 후 매듭을 짓고, 4개를 함께 묶는다.

❹ **입체 구조 관찰하기:** 과정 ❶~❸에서 고무풍선의 방향과 풍선 사이의 각도를 측정한다.

❺ **비공유 전자쌍이 있는 분자 구조 예측하기:** ❶과 ❷의 고무풍선 묶음에 더 큰 고무풍선을 하나 더 연결한 후 구조나 풍선 사이의 각도가 어떻게 달라지는지 관찰한다.

결과

① 고무풍선의 방향과 풍선 사이의 각도

고무풍선 수	2	3	4
고무풍선의 배열	선형	평면 삼각형	정사면체
풍선 사이의 각도	180°	120°	109.5°

고무풍선은 부피가 있어서 서로 밀어내므로 중심 원자의 원자핵 주위에 존재하는 전자쌍 사이의 반발을 비유적으로 나타낼 수 있어.

② ❶에 크기가 더 큰 고무풍선 하나를 더 연결하면 ❷와 같이 크기가 같은 고무풍선을 3개 연결하였을 때의 결합각 120°보다 더 작아진다. 반면 크기가 더 큰 고무풍선과 기존의 고무풍선 사이의 각도는 120° 보다 더 커진다. ❷에 크기가 더 큰 고무풍선 하나를 더 연결하면 ❸과 같이 크기가 같은 고무풍선 4개를 연결하였을 때의 결합각 109.5°보다 더 작아진다. 반면 크기가 더 큰 고무풍선과 기존의 고무풍선 사이의 각도는 109.5° 보다 더 커진다.

정리 및 해석

❶ 원자들은 고무풍선의 끝이 향하는 쪽으로 배열하며, 분자의 구조도 그 형태를 유지한다. 따라서 ❶과 같이 공유 전자쌍이 2개이면 분자의 구조는 선형, ❷와 같이 전자쌍이 3개이면 분자의 구조는 평면 삼각형, ❸과 같이 4개이면 정사면체가 된다.

❷ 고무풍선을 공유 전자쌍이라고 한다면 더 큰 고무풍선은 비공유 전자쌍에 비유할 수 있으며, 비공유 전자쌍은 중심 원자에 더 가까이 넓게 퍼져 있어 반발력이 더 크게 작용하므로 결합각이 작아진다.

한·줄·핵·심 분자의 중심 원자에 있는 전자쌍들은 서로 반발하므로 가능한 한 멀리 떨어져 배치되려고 한다. 이를 이용하면 분자의 구조를 예측할 수 있다.

확인 문제

정답과 해설 065쪽

01 이 탐구 활동의 결과를 근거로 $BeCl_2$, BCl_3, CCl_4의 분자 구조를 예측하시오.

02 이 탐구 활동 ❺의 결과로부터 전자쌍의 종류에 따른 반발력의 크기를 비교하시오.

콕콕! 개념 확인하기

정답과 해설 065쪽

✔ 잠깐 확인!

1. ☐☐☐ ☐☐☐☐
원소 기호 주위에 원자가 전자를 점으로 나타낸 식

2. ☐☐ ☐☐☐
결합에 참여하는 두 원자가 서로 공유하는 전자쌍

3. ☐☐☐
공유 전자쌍을 결합선(−)으로 나타낸 식으로, 비공유 전자쌍은 생략하기도 한다.

4. ☐☐☐ ☐☐ 이론
중심 원자를 둘러싼 전자쌍들이 가능한 한 멀리 떨어져 있으려고 한다는 이론

5. ☐☐☐
중심 원자의 원자핵과 중심 원자와 결합한 두 원자의 원자핵 사이의 내각

6. 비공유 전자쌍 사이의 반발력이 공유 전자쌍 사이의 반발력보다 ☐다.

7. 분자의 구조는 중심 원자에 결합된 원자의 수와 ☐☐☐ 전자쌍 수에 따라 달라진다.

A 루이스 전자점식

01 다음은 루이스 전자점식에 대한 설명이다. ㉠~㉢에 들어갈 알맞은 말을 쓰시오.

> 루이스 전자점식은 원소 기호 주위에 (㉠) 전자를 점으로 나타낸 식이다. 이때 공유 결합에 참여하는 두 원자가 서로 공유하는 전자쌍을 (㉡) 전자쌍, 공유 결합에 참여하지 않고 한 원자에만 속해 있는 전자쌍을 (㉢) 전자쌍이라고 한다.

02 H_2O을 루이스 전자점식으로 나타내고, 공유 전자쌍과 비공유 전자쌍은 각각 몇 개인지 쓰시오.

B 전자쌍 반발 이론과 분자의 구조

03 전자쌍 반발 이론에 대한 설명으로 옳은 것은 ○, 옳지 않은 것은 ×로 표시하시오.

(1) 중심 원자 주위의 전자쌍들은 모두 (−)전하를 띤다. ( )

(2) 중심 원자 주위의 전자쌍들은 가능한 한 가까이 있으려고 한다. ( )

(3) 공유 전자쌍은 비공유 전자쌍보다 주변의 공간을 더 크게 차지한다. ( )

04 다음은 결합각에 대한 설명이다. ㉠~㉢에 들어갈 알맞은 말을 쓰시오.

> 결합각은 중심 원자의 원자핵과 중심 원자와 결합한 두 원자의 원자핵을 선으로 연결했을 때 생기는 내각이다. (㉠) 전자쌍이 (㉡) 전자쌍보다 반발력이 더 크므로 중심 원자가 가진 전자쌍 수가 같을 때 (㉢) 전자쌍이 많을수록 결합각은 작다.

05 다음 분자와 그 구조를 옳게 연결하시오.

(1) H_2O •	• ㉠ 선형
(2) CO_2 •	• ㉡ 정사면체
(3) BCl_3 •	• ㉢ 평면 삼각형
(4) CCl_4 •	• ㉣ 굽은 형

탄탄! 내신 다지기

A 루이스 전자점식

01 그림은 원자 A, B의 전자 배치를 모형으로 나타낸 것이다.

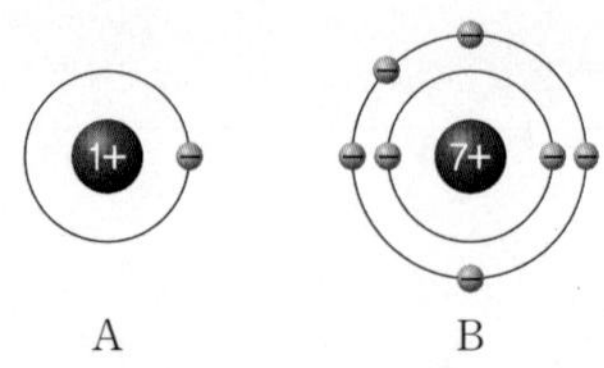

B 원자 1개가 A 원자 3개와 공유 결합하여 만들어지는 분자 1개에 존재하는 비공유 전자쌍의 수는? (단, A와 B는 임의의 원소 기호이다.)

① 1 ② 2 ③ 3 ④ 4 ⑤ 5

02 분자를 루이스 전자점식으로 옳게 나타낸 것은?

① :N̈::N̈: ② :Ö:Ö: ③ H:N̈:H (아래에 H)

④ H:C::C:H ⑤ :F⋮⋮F:

03 그림은 물(H_2O)과 이산화 탄소(CO_2)의 루이스 전자점식을 나타낸 것이다.

H:Ö:H :Ö::C::Ö:

공유 전자쌍 수의 합을 구하면?

① 2 ② 4 ③ 6 ④ 8 ⑤ 10

단답형

04 그림은 분자 A_2BC를 루이스 전자점식으로 나타낸 것이다.

:C:
⋮
A:B̈:A

A~C의 원자가 전자 수를 각각 구하시오. (단, A~C는 임의의 원소 기호이다.)

[05~06] 그림은 원자 X와 Y의 루이스 전자점식을 나타낸 것이다. (단, X와 Y는 임의의 원소 기호이다.)

·Ẍ· :Ÿ:

05 X와 Y로 이루어진 분자에 대한 설명으로 옳지 않은 것은?

① X_2에는 3중 결합이 있다.
② Y_2에 있는 비공유 전자쌍 수는 6이다.
③ XY_3에는 극성 공유 결합이 있다.
④ X_2Y_2에는 무극성 공유 결합이 있다.
⑤ X_2Y_4에 있는 공유 전자쌍 수는 6이다.

단답형

06 XY_3의 루이스 전자점식을 그리시오.

07 그림은 A 원자 2개가 결합하여 A_2 분자를 생성할 때의 반응을 모형으로 나타낸 것이다.

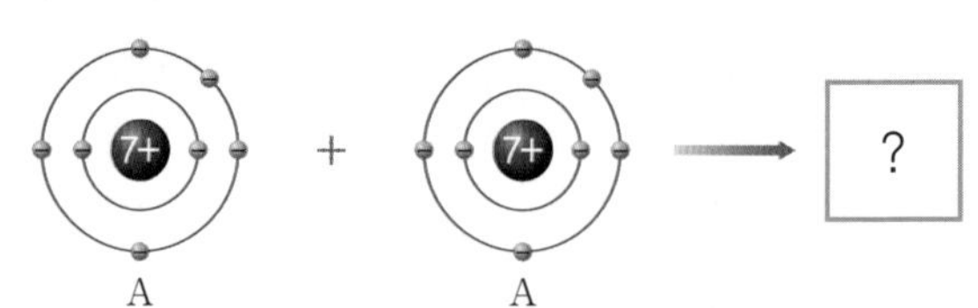

A_2에 대한 설명으로 옳지 않은 것은? (단, A는 임의의 원소 기호이다.)

① 공유 결합 물질이다.
② 2중 결합을 가지고 있다.
③ 무극성 공유 결합이 있다.
④ 비공유 전자쌍 수는 2이다.
⑤ 구성 원자는 옥텟 규칙을 만족한다.

B 전자쌍 반발 이론과 분자의 구조

08 전자쌍 반발 이론에 따른 분자의 구조에 대한 설명으로 옳은 것은?

① 비공유 전자쌍은 분자의 구조에 영향을 주지 않는다.
② 중심 원자에 공유 전자쌍만 4개 있으면 정사면체 구조이다.
③ 중심 원자에 결합된 원자 수가 같으면 분자의 구조가 같다.
④ 중심 원자 주위에 존재하는 전자쌍의 수가 같으면 분자의 구조가 같다.
⑤ 공유 전자쌍 사이의 반발력은 비공유 전자쌍 사이의 반발력보다 크다.

09 전자쌍 반발 이론을 이용하여 예측한 다음 분자의 구조를 〈보기〉에서 각각 골라 쓰시오.

보기
ㄱ. 선형　　ㄴ. 굽은 형
ㄷ. 평면 삼각형　　ㄹ. 삼각뿔
ㅁ. 정사면체

(1) NH_3　　(2) CH_4
(3) H_2S　　(4) CO_2

10 다음 중 분자를 구성하는 원자들이 모두 같은 평면에 있지 않은 것은?

① CO_2　② H_2S　③ CH_2O
④ BCl_3　⑤ NH_3

단답형

11 다음은 3가지 분자 (가)~(다)에 대한 자료이다.

- (가)~(다)의 분자식은 각각 XCl_3, YCl_3, ZCl_2이다.
- 중심 원자에 있는 전자쌍 수는 (나)=(다)>(가)이다.

(가)~(다)의 결합각을 비교하시오. (단, X~Z는 임의의 2주기 원소 기호이다.)

12 그림은 어떤 분자의 구조식을 나타낸 것이다.

```
    H
    |
H - C - O - N - H
  α |       | β
    H       H
```

이 분자에 대한 설명으로 옳지 않은 것은?

① 결합각은 $\alpha > \beta$이다.
② 극성 공유 결합이 있다.
③ 공유 전자쌍 수는 7이다.
④ O는 부분적인 음전하를 띤다.
⑤ C−O−N는 동일한 직선상에 위치한다.

단답형

13 다음은 원자 A~C의 바닥상태 전자 배치를 나타낸 것이다.

A: $1s^1$　B: $1s^2 2s^2 2p^2$　C: $1s^2 2s^2 2p^3$

분자 ABC의 분자 구조를 쓰시오. (단, A~C는 임의의 원소 기호이다.)

14 그림은 원자 A~C의 루이스 전자점식을 나타낸 것이다.

·A　　·B̈·(B: 점 4개)　　:C̈·(C: 점 5개)

이에 대한 설명으로 옳은 것만을 〈보기〉에서 있는 대로 고른 것은? (단, A~C는 임의의 1, 2주기 원소 기호이다.)

보기
ㄱ. BA_4의 분자 구조는 정사면체이다.
ㄴ. A_2C는 평면 구조이다.
ㄷ. BC_2의 결합각은 180°이다.

① ㄱ　② ㄷ　③ ㄱ, ㄴ
④ ㄴ, ㄷ　⑤ ㄱ, ㄴ, ㄷ

도전! 실력 올리기

01 다음은 4가지 분자의 분자식이다.

H_2 F_2 H_2O PH_3

이에 대한 설명으로 옳지 않은 것은?

① H_2O에 있는 공유 전자쌍 수는 2이다.
② PH_3에서 P은 옥텟 규칙을 만족한다.
③ 공유 전자쌍 수는 F_2가 H_2보다 크다.
④ 단일 결합을 이루고 있는 분자는 4가지이다.
⑤ 비공유 전자쌍이 가장 많은 분자는 F_2이다.

02 그림은 2주기 원소 A~C의 루이스 전자점식을 나타낸 것이다.

·Ȧ·　　·B̈·　　:C̈·

이에 대한 설명으로 옳은 것만을 〈보기〉에서 있는 대로 고른 것은? (단, A~C는 임의의 원소 기호이다.)

보기
ㄱ. B_2 분자에 있는 공유 전자쌍 수는 3이다.
ㄴ. B_2C_4의 구성 원자는 모두 같은 평면에 있다.
ㄷ. 결합각은 AC_3이 BC_3보다 크다.

① ㄱ　② ㄴ　③ ㄱ, ㄷ　④ ㄴ, ㄷ　⑤ ㄱ, ㄴ, ㄷ

03 다음은 중심 원자가 탄소인 3가지 분자의 분자식을 나타낸 것이다.

(가) CO_2　(나) HCN　(다) C_2H_2

(가)~(다)의 공통점으로 옳은 것만을 〈보기〉에서 있는 대로 고른 것은?

보기
ㄱ. 평면 구조이다.
ㄴ. 다중 결합을 포함한다.
ㄷ. 공유 전자쌍 수는 4이다.

① ㄴ　② ㄷ　③ ㄱ, ㄴ　④ ㄴ, ㄷ　⑤ ㄱ, ㄴ, ㄷ

04 그림은 분자 (가)~(다)의 구조를 나타낸 것이다.

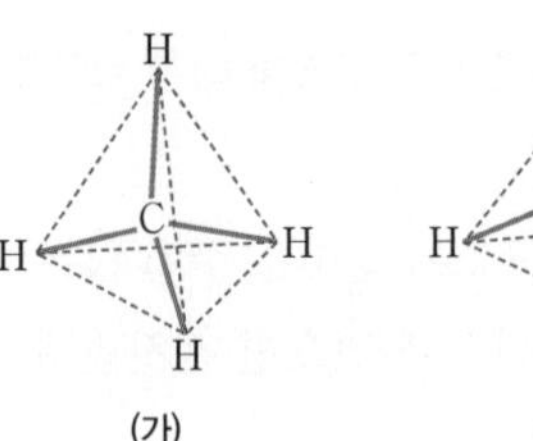

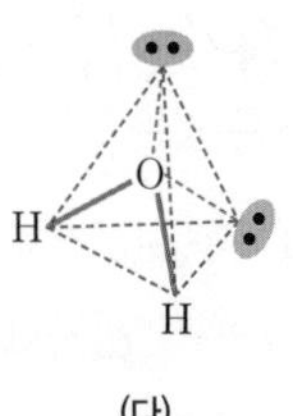

(가)　(나)　(다)

(가)~(다)에 대한 설명으로 옳은 것만을 〈보기〉에서 있는 대로 고른 것은?

보기
ㄱ. 입체 구조는 2가지이다.
ㄴ. 결합각은 (가)가 (다)보다 크다.
ㄷ. 모두 극성 공유 결합이 있다.

① ㄱ　② ㄷ　③ ㄱ, ㄴ　④ ㄴ, ㄷ　⑤ ㄱ, ㄴ, ㄷ

출제예감

05 그림은 수소(H)와 2주기 원소 X~Z로 이루어진 분자 (가), (나)의 루이스 전자점식을 나타낸 것이다.

H:X⋮⋮Y:　　H:Z̤̈:H

(가)　(나)

이에 대한 설명으로 옳은 것만을 〈보기〉에서 있는 대로 고른 것은? (단, X~Z는 임의의 원소 기호이다.)

보기
ㄱ. 원자가 전자 수는 Z>Y이다.
ㄴ. (가)에서 Y는 부분적인 음전하를 띤다.
ㄷ. 결합각은 (가)>(나)이다.

① ㄱ　② ㄷ　③ ㄱ, ㄴ　④ ㄴ, ㄷ　⑤ ㄱ, ㄴ, ㄷ

출제예감

06 다음은 분자 (가)~(라)에 대한 자료이다.

- 중심 원자는 C, N, O 중 하나이다.
- 중심 원자는 1개이며, 옥텟 규칙을 만족한다.
- 분자당 공유 전자쌍 수와 중심 원자에 결합한 원자 수

분자	(가)	(나)	(다)	(라)
공유 전자쌍 수	2	4	3	4
결합한 원자 수	2	2	3	4

(가)~(라)에 대한 설명으로 옳은 것만을 〈보기〉에서 있는 대로 고른 것은?

보기

ㄱ. 입체 구조인 분자는 2가지이다.
ㄴ. 다중 결합이 있는 분자는 2가지이다.
ㄷ. 중심 원자에 비공유 전자쌍이 있는 분자는 2가지이다.

① ㄱ ② ㄴ ③ ㄱ, ㄴ
④ ㄱ, ㄷ ⑤ ㄴ, ㄷ

07 그림은 원자 A와 B의 전자 배치를 나타낸 것이다.

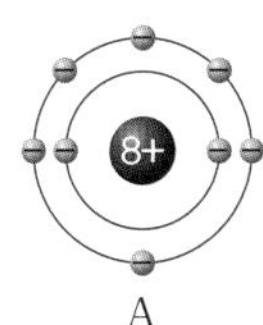

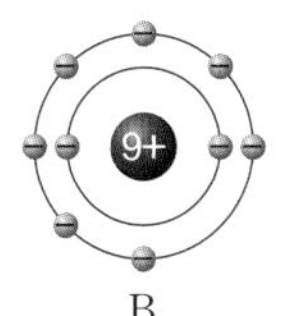

AB_2 분자에 대한 설명으로 옳은 것만을 〈보기〉에서 있는 대로 고른 것은? (단, A와 B는 임의의 원소 기호이다.)

보기

ㄱ. 분자의 구조는 선형이다.
ㄴ. A−B 결합은 극성 공유 결합이다.
ㄷ. 1분자당 비공유 전자쌍 수는 2이다.

① ㄱ ② ㄴ ③ ㄱ, ㄷ
④ ㄴ, ㄷ ⑤ ㄱ, ㄴ, ㄷ

정답과 해설 067쪽

서술형

08 그림은 1, 2주기 비금속 원소 A~C의 루이스 전자점식을 나타낸 것이다. (단, A~C는 임의의 원소 기호이다.)

·A　　·Ḃ·　　·C̈·

(1) CA_3의 루이스 전자점식을 나타내시오.

(2) BA_4와 CA_3의 결합각을 비교하고 그 까닭을 서술하시오.

서술형

09 표는 2주기 원소 X~Z로 구성된 2가지 화합물의 원자가 전자 수의 총수를 나타낸 것이다.

화합물	XZ_3	YZ_3
원자가 전자의 총수	26	24

중심 원자가 가지는 전자쌍의 종류와 수를 비교하시오. (단, X~Z는 임의의 원소 기호이다.)

서술형

10 표는 2주기 원소가 중심 원자인 3가지 분자 (가)~(다)에 대한 자료이다. (단, X~Z는 임의의 원소 기호이다.)

분자	분자식	공유 전자쌍 수	비공유 전자쌍 수
(가)	XH_2	2	2
(나)	YH_3	3	1
(다)	ZH_4	4	0

(1) 입체 구조인 분자를 있는 대로 고르시오.

(2) (가)~(다)의 결합각을 비교하고, 그 까닭을 서술하시오.

03 분자의 성질

핵심 키워드로 흐름잡기

A 극성 분자, 무극성 분자

B 분자의 극성에 따른 녹는점과 끓는점, 전기적 성질, 용해성

A 극성 분자와 무극성 분자

|출·제·단·서| 중심 원자에 결합된 원자 수가 같은 분자를 제시하여 분자의 구조와 성질을 판단할 수 있는지를 묻는 문제가 자주 나와.

암기TiP 분자의 쌍극자 모멘트$\neq 0$ → 극성 분자

1. 극성 분자 분자 내에 •전하의 분포가 고르지 않아서 부분 전하를 갖는 분자로, 분자의 쌍극자 모멘트가 0이 아닌 분자

(1) 이원자 분자 전기 음성도가 다른 2개의 원자는 극성 공유 결합❶을 형성하므로 극성 분자이다.

플루오린화 수소(HF)와 염화 수소(HCl)

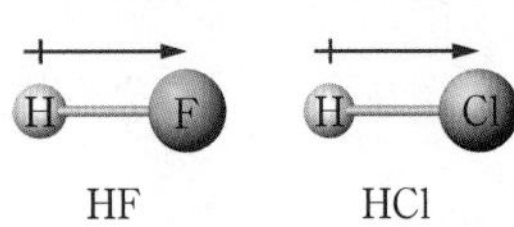

H−F와 H−Cl은 모두 극성 공유 결합을 하므로, 쌍극자 모멘트가 0이 아니다. ➡ HF와 HCl는 모두 극성 분자이다.

(2) 3개 이상의 원자가 결합한 분자 극성 공유 결합을 포함하는 분자 중 결합 내에서 결합의 쌍극자 모멘트가 상쇄되지 않아 분자의 쌍극자 모멘트가 0이 아닌 분자는 극성 분자이다.

3원자 분자에는 공유 결합이 2개 존재하므로 각각의 결합의 쌍극자 모멘트의 합을 구하여야 한다.

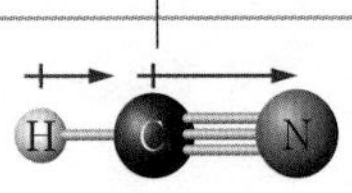

사이안화 수소(HCN)❷
- H−C, C≡N 결합: 극성 공유 결합
- 분자 구조: 선형 ➡ 결합의 쌍극자 모멘트가 상쇄되지 않으므로 극성 분자

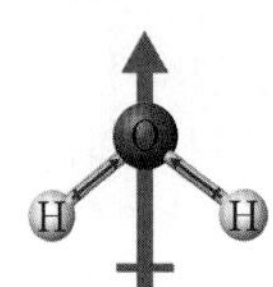

물(H_2O)
- O−H 결합: 극성 공유 결합
- 분자 구조: 굽은 형❸
  ➡ 결합의 쌍극자 모멘트가 상쇄되지 않으므로 극성 분자

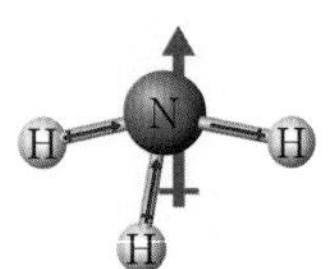

암모니아(NH_3)
- N−H 결합: 극성 공유 결합
- 분자 구조: 삼각뿔❸
  ➡ 결합의 쌍극자 모멘트가 상쇄되지 않으므로 극성 분자

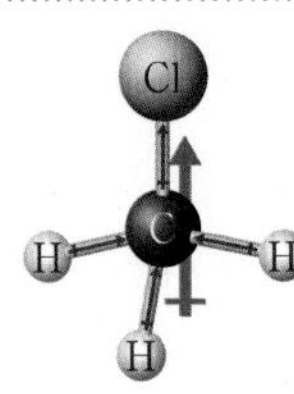

염화 메틸(CH_3Cl)
- C−H 결합, C−Cl 결합: 극성 공유 결합
- 분자 구조: 사면체
  ➡ 결합의 쌍극자 모멘트가 상쇄되지 않으므로 극성 분자

암기TiP 분자의 쌍극자 모멘트$=0$ → 무극성 분자

2. 무극성 분자 분자 내에 전하가 고르게 분포되어 있어서 부분 전하를 갖지 않으므로 분자의 쌍극자 모멘트가 0인 분자

(1) 이원자 분자 전기 음성도가 같은 2개의 원자는 무극성 공유 결합을 형성하므로 무극성 분자이다.

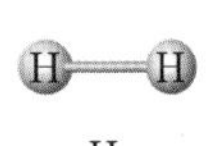

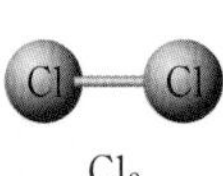

수소(H_2)와 염소(Cl_2)

H−H와 Cl−Cl 결합은 모두 무극성 공유 결합이므로, 쌍극자 모멘트가 0이다. ➡ H_2와 Cl_2는 모두 무극성 분자

---

❶ 극성 공유 결합

극성 공유 결합은 공유 전자쌍이 전기 음성도가 큰 원자 쪽으로 치우치므로 분자에서 전하의 분포가 고르지 않다.

❷ 분자 구조가 선형인 분자의 극성

분자 구조가 선형인 분자인 경우 중심 원자 양 옆에 결합한 원자의 종류가 같으면 무극성 분자, 다르면 극성 분자이다.

H−C≡N과 같이 중심 원자에 결합된 원자가 서로 다른 경우 전자쌍이 전기 음성도가 큰 원자 쪽으로 치우치므로 분자의 쌍극자 모멘트는 0이 아니므로 극성 분자이다.

❸ 분자 구조가 굽은 형 또는 삼각뿔인 분자의 극성

분자 구조가 굽은 형이거나 삼각뿔인 분자는 결합의 쌍극자 모멘트가 상쇄되지 않으므로 분자의 종류와 관계없이 모두 극성 분자이다.

용어 알기

•전하(번개 電, 매다 荷) 물체가 띠고 있는 정전기의 양으로 양전하와 음전하가 있음

(2) 3개 이상의 원자가 결합한 분자 극성 공유 결합을 포함하더라도 한 분자 내에서 결합의 쌍극자 모멘트가 상쇄되어 분자의 쌍극자 모멘트가 0이면 무극성 분자이다.

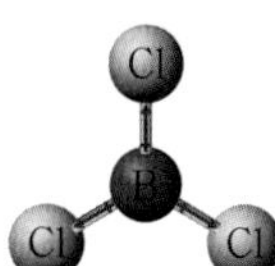

쌍극자 모멘트의 크기가 같고 방향이 반대이다.

이산화 탄소(CO_2)

- C=O 결합: 극성 공유 결합
- 분자 구조: 선형

➡ C 원자를 중심으로 2개의 C=O 결합이 [●]대칭적으로 존재하므로 결합의 쌍극자 모멘트가 상쇄되어 무극성 분자

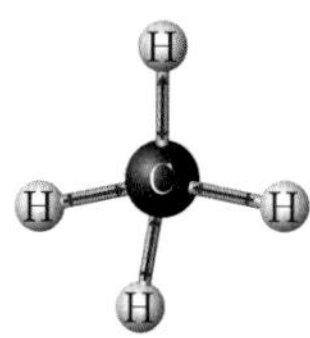

삼염화 붕소(BCl_3)

- B−Cl 결합: 극성 공유 결합
- 분자 구조: 평면 삼각형[❹]

➡ B 원자를 중심으로 3개의 B−Cl 결합이 대칭적으로 존재하므로 결합의 쌍극자 모멘트가 상쇄되어 무극성 분자

메테인(CH_4)

- C−H 결합: 극성 공유 결합
- 분자 구조: 정사면체

➡ C 원자를 중심으로 4개의 C−H 결합이 대칭적으로 존재하므로 결합의 쌍극자 모멘트가 상쇄되어 무극성 분자

빈출 자료 2주기 원소 화합물의 분자 구조와 극성

족		2	13	14	15	16
분자		BeF_2	BCl_3	CH_4	NH_3	H_2O
전자쌍 (중심 원자)	공유	2	3	4	3	2
	비공유	0	0	0	1	2
분자 모형과 결합각		180°	120°	109.5°	107°	104.5°
		선형	평면 삼각형	정사면체	삼각뿔	굽은 형
분자의 극성		무극성	무극성	무극성	극성	극성

❶ 2족과 16족/13족과 15족 원소의 화합물: 중심 원자에 결합된 원자 수는 같지만, 중심 원자에 있는 비공유 전자쌍 유무에 따라 분자 구조와 극성이 달라진다.

분자의 형태	AB_2		XY_3	
	BeF_2	H_2O	BCl_3	NH_3
중심 원자의 비공유 전자쌍	없음	있음	없음	있음
분자의 구조	선형	굽은 형	평면 삼각형	삼각뿔
분자의 극성	무극성	극성	무극성	극성

❷ 14족~17족 원소의 화합물: 중심 원자 주위의 전체 전자쌍 수가 같아도 비공유 전자쌍 수에 따라 분자의 구조와 극성이 달라진다.

분자	CH_4	NH_3	H_2O
공유 전자쌍/비공유 전자쌍	4/0	3/1	2/2
분자의 구조	정사면체	삼각뿔	굽은 형
극성 유무	무극성	극성	극성

? 극성 공유 결합이 있는 분자는 모두 극성 분자일까?

극성 공유 결합이 있는 분자 중 분자 구조가 선형, 평면 삼각형, 정사면체인 분자의 경우 중심 원자에 결합된 원자의 종류가 모두 같다면 전자가 분자 전체에 고르게 분포하므로 무극성 분자이다.

❹ 평면 삼각형과 사면체의 극성

평면 정삼각형이나 정사면체 구조와 같이 중심 원자에 결합한 원자의 종류가 모두 같아 대칭 구조를 이루는 경우는 무극성 분자이다. 그러나 평면 삼각형이나 사면체 구조 중 중심 원자에 결합된 원자가 다른 경우 비대칭 구조를 이루므로 극성 분자이다.

예 HCHO는 평면 삼각형 구조로 분자 내에서 전자는 O 원자 쪽으로 치우치므로 극성 분자이다. CH_3Cl은 사면체 구조로 전자는 Cl 원자 쪽으로 치우치므로 극성 분자이다.

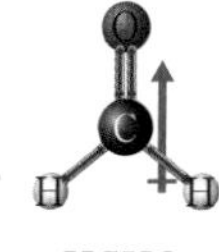

HCHO

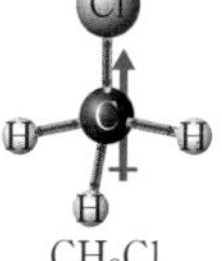

CH_3Cl

용어 알기 

● 대칭(대하다 對, 저울 稱) 점이나 직선 또는 평면의 양쪽에 있는 부분이 꼭 같은 형으로 배치되는 것

B 분자의 극성에 따른 성질

|출·제·단·서| 분자의 극성에 따른 용해성과 전기적 성질을 묻는 문제가 나와.

1. 용해성 극성 분자는 극성 용매에 잘 •용해되고, 무극성 분자는 무극성 용매에 잘 용해된다. (암기TIP) 끼리끼리 섞여→ 극성은 극성끼리, 무극성은 무극성끼리

(1) 극성 물질인 염화 수소(HCl)는 극성 용매인 물에 잘 용해되며, 염화 나트륨(NaCl)과 같은 이온 결합 물질도 물에 잘 용해된다. ┌ 이온 결합 물질은 이온으로 되어 있으므로 부분 전하가 있는 극성 용매에 잘 용해된다.

• 물에 용해되는 물질: HCl, NH_3, SO_2, NaCl, $CuSO_4$ 등 (HCl, NH_3, SO_2: 극성 분자 / NaCl, $CuSO_4$: 이온 결합 물질)

(2) 무극성 물질인 아이오딘(I_2)은 극성 용매인 물에는 잘 용해되지 않지만, 무극성 용매인 사염화 탄소(CCl_4)❺에는 잘 용해된다.

• 사염화 탄소에 용해되는 물질: Br_2, I_2, 벤젠(C_6H_6), 헥세인(C_6H_{14}) 등

빈출 탐구 물질의 용해성

목표

극성 물질과 무극성 물질의 용해성을 비교할 수 있다.

과정

① 5개의 시험관 A~E를 준비하여 A, B에는 물 5 mL씩을, C, D에는 사염화 탄소(CCl_4) 5 mL씩을, E에는 물과 사염화 탄소를 각각 5mL씩 함께 넣는다.

② 시험관 A와 C에는 황산 구리(Ⅱ)($CuSO_4$) 1 g씩을, B와 D에는 아이오딘(I_2) 1 g씩을, E에는 황산 구리(Ⅱ)와 아이오딘을 각각 1 g씩 넣고 잘 흔든 후 용액의 색을 비교한다.

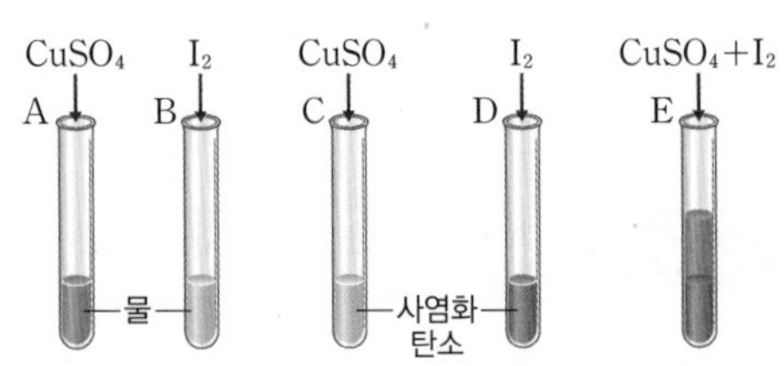

황산 구리(Ⅱ)는 무색의 결정이지만 물에 녹으면 Cu^{2+}이 물에 수화되면서 파란색을 띤다. I_2은 보라색의 할로젠 원소이다.

결과

시험관	A	B	C	D	E	
					위 층	아래 층
결과	잘 녹음(파란색)	거의 녹지 않음	거의 녹지 않음	잘 녹음(보라색)	파란색	보라색

정리

❶ 이온 결합 물질인 황산 구리(Ⅱ)는 극성 용매인 물에 잘 녹으나 무극성 용매인 사염화 탄소에는 잘 녹지 않는다.
➡ $CuSO_4$는 물에 녹아 Cu^{2+}과 SO_4^{2-}으로 나누어지므로 물에 잘 녹는다.

❷ 무극성 물질인 아이오딘은 극성 용매인 물보다 무극성 용매인 사염화 탄소에 잘 녹는다.

❸ 시험관 E에서 물과 사염화 탄소는 서로 섞이지 않고 층을 이룬다. ➡ 극성 물질과 무극성 물질은 서로 섞이지 않는다.

❹ 시험관 E에서 위 층이 파란색, 아래 층이 보라색을 띠므로 밀도는 물<사염화 탄소이다.

2. •녹는점과 •끓는점 분자량이 비슷한 경우 극성 분자가 무극성 분자보다 끓는점이 높다.
➡ 극성 분자는 부분적인 전하를 띤 부분 사이에 인력이 존재하여 부분적인 전하를 띠지 않는 무극성 분자에 비해 분자 사이의 힘❻이 크기 때문이다.

극성 물질			무극성 물질		
화학식	분자량	끓는점(℃)	화학식	분자량	끓는점(℃)
NH_3	17	−33	CH_4	16	−161
H_2S	34	−61	O_2	32	−183
HCl	36.5	−85	F_2	38	−188

❓ **극성 물질과 무극성 물질이 잘 섞이지 않는 까닭은?**
극성 물질끼리는 서로 반대 전하를 띤 부분 사이에 강한 인력이 작용하므로 서로 잘 섞이나 극성 물질과 무극성 물질을 섞으면 극성 물질끼리만 강한 정전기적 인력이 작용하므로 무극성 물질이 극성 물질에 섞여 들어가지 못한다.

❺ **사염화 탄소(CCl_4)**
탄소 원자를 중심으로 4개의 염소 원자가 정사면체의 꼭짓점에 배열되어 있어 대칭 구조를 이루므로, 분자의 쌍극자 모멘트가 0인 무극성 분자이다.

❻ **분자 사이의 힘**
분자로 구성된 물질은 분자 사이에 힘이 작용하기 때문에 고체나 액체로도 존재할 수 있으며, 액체나 기체가 되기 위해서는 분자 사이의 힘을 끊어야 한다. 따라서 분자 사이의 힘이 클수록 녹는점, 끓는점이 높다.

용어 알기
• 용해(녹이다 溶, 풀다 解) 용질이 용매에 녹아 균일하게 섞이는 현상
• 녹는점(melting point) 고체가 액체로 상태 변화할 때의 온도
• 끓는점(boiling point) 액체가 기체로 상태 변화할 때의 온도

빈출 자료 극성 분자와 무극성 분자의 끓는점

물질	메탄올(CH_3OH)	산소(O_2)
구조식	H–C(–H)(–H)–O–H	O=O
분자량	32	32
끓는점(°C)	64.7	−183
물에 대한 용해도	매우 잘 용해됨	거의 녹지 않음

❶ 메탄올과 산소는 분자량은 같지만 극성 분자인 메탄올은 무극성 분자인 산소보다 녹는점과 끓는점이 높다.

❷ 메탄올은 극성 분자이므로 극성 용매인 물에 대한 용해도가 매우 크고, 산소는 무극성 분자이므로 물에 대한 용해도가 매우 작다.

3. 전기적 성질 탐구 POOL

(1) 극성 분자 ┌ 기체 상태의 분자는 분자 사이의 힘이 거의 작용하지 않으므로 전기장의 영향을 많이 받는다.

① 기체 상태의 극성 분자는 *전기장 안에서 일정한 방향으로 배열한다. ➡ 부분적인 음전하를 띠는 부분은 전기장의 (+)극 쪽으로 배열되고, 부분적인 양전하를 띠는 부분은 전기장의 (−)극 쪽으로 배열된다.❼

② 흘러내리는 액체 줄기에 *대전체를 가까이 가져가면 대전체가 띠는 전하의 종류에 관계없이 대전체 쪽으로 끌린다. ➡ 극성 분자의 부분 전하를 띤 부분이 대전체 쪽으로 끌리기 때문

(2) 무극성 분자 기체 상태의 무극성 분자는 분자 내 전하가 고르게 분포하여 부분적인 전하가 없으므로 전기장의 영향을 받지 않으며, 액체 줄기에 대전체를 가까이 해도 곧게 흘러내린다.

빈출 자료 극성에 따른 물질의 전기적 성질

구분	극성 분자	무극성 분자
대전체의 영향	대전체 쪽으로 끌려간다. 물, 에탄올, 대전체	아무런 변화가 없다. 사염화 탄소, n−헥세인❽, 대전체
전기장에서 배향	일정한 방향으로 배열한다. δ^- F H δ^+	전기장의 영향을 받지 않는다. ┐ 무질서하게 배열

❶ 극성 분자에 (+)전하를 띠는 대전체를 가까이 가져가면 분자 내의 부분적인 (−)전하를 띤 부분이 대전체 쪽으로 끌려간다. 그러나 무극성 분자는 대전체의 영향을 받지 않는다.

❷ 기체 상태의 극성 물질을 전기장에 넣어 주면 부분적인 (+)전하를 띤 부분은 (−)극으로, 부분적인 (−)전하를 띤 부분은 (+)극으로 배열된다. 그러나 기체 상태의 무극성 물질은 전기장의 영향을 받지 않는다.

❼ 극성 분자와 전기장
기체 상태의 극성 분자를 전기장에 넣어 두면 분자 내에 부분적인 (+)전하와 (−)전하가 모두 존재하므로 전기장의 어느 한쪽 전극으로 끌려가는 것이 아니라 전기장이 작용하는 방향으로 배열된다.

❽ 헥세인(C_6H_{14})
탄소(C) 원자 6개 사이의 결합이 모두 단일 결합으로 이루어진 사슬 모양의 탄화수소로, 분자가 대칭 구조를 이루고 있어 무극성 분자이다.

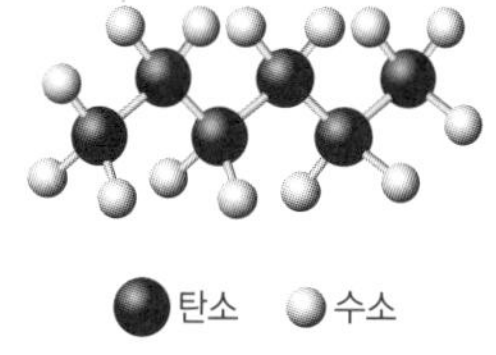

● 탄소 ● 수소

용어 알기

• 전기장(번개 電, 기운 氣, 마당 場) 전기를 띤 물체의 주위에 전기 작용이 미치는 공간

• 대전체(띠 帶, 번개 電, 몸 體) 전기를 띠고 있는 물체

극성 분자와 무극성 분자의 전기적 성질

목표 극성 분자와 무극성 분자의 전기적 성질을 알아낼 수 있다.

과정 및 결과

❶ 뷰렛에 증류수를 넣은 후 꼭지를 열어 물을 가늘게 흐르게 하고 털가죽에 문지른 고무풍선을 물줄기에 가까이 대어 본다. (털가죽으로 문지른 고무풍선은 (−)로 대전된다.)

❷ 물이 흐르는 방향이 어떻게 바뀌는지 관찰한다.

❸ 물 대신 에탄올을 사용하여 과정 ❶, ❷를 반복한다.

❹ 물 대신 헥세인을 사용하여 과정 ❶, ❷를 반복한다.

과정 ❷와 ❸에서 물과 에탄올은 대전체에 끌려가고, 과정 ❹에서 헥세인은 대전체의 영향을 받지 않고 곧게 흘러 내린다.

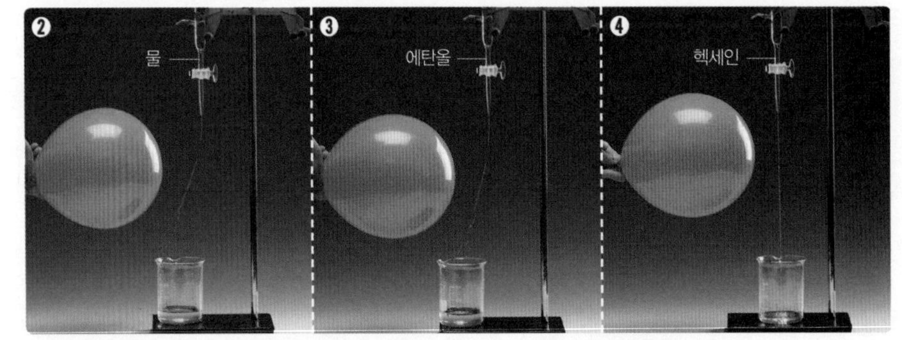

유의점

- 대전된 고무풍선을 물줄기에 가까이 댈 때, 물줄기에 닿지 않도록 유의한다.
- 무극성 분자의 경우도 순간적인 쌍극자가 형성되어 대전체에 끌려갈 수 있음에 유의한다.

대전열

두 종류의 물체를 마찰했을 때 (＋)전하와 (－)전하를 띠는 물질을 순서대로 나열한 것이다.

(＋) 털가죽－유리－명주 헝겊－고무－플라스틱 (－)

따라서 털가죽에 고무풍선을 문지르면 털가죽은 (＋), 고무풍선은 (－)로 대전된다.

정리 및 해석

❶ 물과 에탄올은 극성 분자로 (－)대전체를 가까이 가져가면 분자 내에서 부분적인 (＋)전하를 띤 부분이 대전체에 끌리므로 액체 줄기가 휘어진다. (+)대전체를 가까이 가져가면 분자 내에서 부분적인 (−)전하를 띤 부분이 대전체에 끌리므로 액체 줄기가 휘어진다.

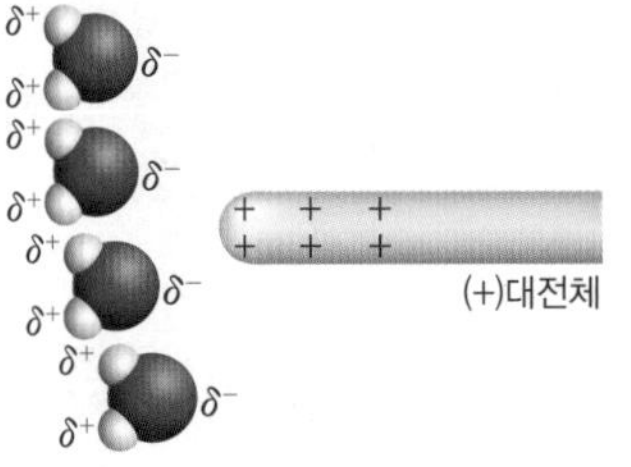

▲ 물줄기에 (＋)대전체를 가까이 가져갔을 때

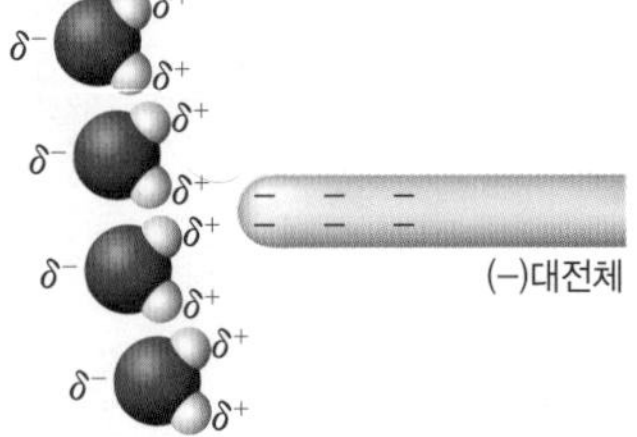

▲ 물줄기에 (－)대전체를 가까이 가져갔을 때

❷ 헥세인은 무극성 분자로 부분적인 전하를 띤 부분이 없으므로 대전체의 영향을 받지 않는다.

한·줄·핵심 극성 분자는 부분적인 전하를 띠므로 대전체에 끌려가지만 무극성 분자는 대전체의 영향을 받지 않는다.

확인 문제

정답과 해설 069쪽

01 이 탐구 활동의 물이나 에탄올과 같은 실험 결과를 얻을 수 있는 물질을 있는 대로 고르시오.

메탄올　　아세트산　　벤젠　　사염화 탄소

02 이 탐구 활동에서 (－)대전체 대신 (＋)대전체를 가까이 대었을 때, 액체 줄기의 변화를 쓰시오.

콕콕! 개념 확인하기

정답과 해설 069쪽

✔ 잠깐 확인!

1. ☐☐ 분자
분자의 쌍극자 모멘트가 0이 아닌 분자

2. ☐☐☐ 분자
분자의 쌍극자 모멘트가 0인 분자

3. CH_4은 $C-H$ 결합은 ☐☐ 공유 결합이지만, 결합의 쌍극자 모멘트의 합이 ☐이므로 무극성 분자이다.

4. H_2O은 분자 구조가 ☐☐ 형이므로 결합의 쌍극자 모멘트의 합이 0이 아닌 극성 분자이다.

5. 극성 용매인 물은 에탄올과 같은 ☐☐ 물질과 잘 섞인다.

6. 분자량이 비슷한 경우 분자 사이의 ☐☐은 극성 분자가 무극성 분자보다 크므로 극성 분자는 무극성 분자보다 끓는점이 ☐다.

7. ☐☐☐ 분자는 분자 내 전하가 고르게 분포하므로 대전체에 끌리지 않는다.

A 극성 분자와 무극성 분자

01 극성 분자와 무극성 분자에 대한 설명으로 옳은 것은 ○, 옳지 않은 것은 ×로 표시하시오.

(1) 이원자 분자는 모두 극성 분자이다. ( )

(2) 무극성 분자는 모두 무극성 공유 결합으로 형성된다. ( )

(3) 분자의 쌍극자 모멘트가 0이 아닌 분자는 극성 분자이다. ( )

(4) 극성 공유 결합으로만 이루어진 분자는 모두 극성 분자이다. ( )

02 다음은 몇 가지 분자의 분자식을 나타낸 것이다.

HF	Cl_2	H_2O	CO_2	NH_3	CH_4

(1) 무극성 공유 결합을 가지고 있는 분자를 있는 대로 고르시오.

(2) 분자의 쌍극자 모멘트가 0이 아닌 분자를 있는 대로 고르시오.

(3) 극성 공유 결합을 가지고 있는 무극성 분자를 있는 대로 고르시오.

B 분자의 극성에 따른 성질

03 극성 분자와 무극성 분자의 성질을 비교한 것으로 옳은 것은 ○, 옳지 않은 것은 ×로 표시하시오.

(1) 극성 분자는 무극성 분자보다 물에 잘 용해된다. ( )

(2) 분자량이 비슷한 경우 무극성 분자는 극성 분자보다 끓는점이 높다. ( )

(3) 가늘게 흐르는 헥세인 줄기에 대전체를 가까이 대면 대전체에 끌려간다. ( )

04 다음은 물의 전기적 성질에 대한 설명이다. ㉠, ㉡에 들어갈 알맞은 말을 쓰시오.

> 가느다란 물줄기에 (+)전하를 띠는 대전체를 가까이 가져가면 물줄기가 대전체 쪽으로 끌려오는데, 이것은 물 분자에서 부분적인 (㉠)을 띠는 (㉡) 원자가 (+)전하를 띤 대전체 쪽으로 배열되기 때문이다.

05 메테인(CH_4)과 암모니아(NH_3)의 끓는점을 비교하시오. (단, 두 물질의 분자량은 비슷하다.)

탄탄! 내신 다지기

A 극성 분자와 무극성 분자

01 그림은 암모니아(NH_3) 분자의 루이스 전자점식을 나타낸 것이다. NH_3에 대한 설명으로 옳지 않은 것은?

$$\mathrm{H:\ddot{N}:H} \atop \mathrm{\ddot{H}}$$

① 극성 분자이다.
② 극성 공유 결합이 있다.
③ 물에 대한 용해도가 크다.
④ N는 부분적인 양전하를 띤다.
⑤ 분자의 쌍극자 모멘트는 0이 아니다.

단답형

02 다음은 4가지 분자의 분자식을 나타낸 것이다.

H_2 N_2 CO_2 H_2O

표는 이 4가지 분자들을 결합의 극성 유무에 따라, 분자의 극성 유무에 따라 구분하여 정리한 것이다.

구분	극성 공유 결합	무극성 공유 결합
극성 분자	(가)	−
무극성 분자	(나)	(다)

(가)~(다)에 해당하는 분자를 각각 쓰시오.

03 그림은 몇 가지 분자의 구조를 공과 막대기 모형으로 나타낸 것이다. 무극성 분자의 모형으로 가장 적당한 것은?

① 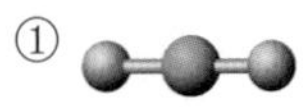
② 
③ 
④ 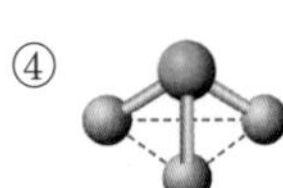
⑤ 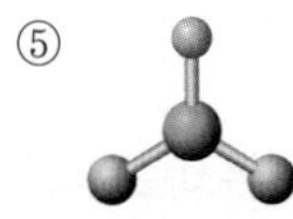

04 극성 공유 결합을 가지지만 분자의 쌍극자 모멘트가 0인 분자는?

① H_2 ② HF ③ CO_2
④ NH_3 ⑤ H_2O

05 그림은 분자 (가)와 (나)를 모형으로 나타낸 것이다.

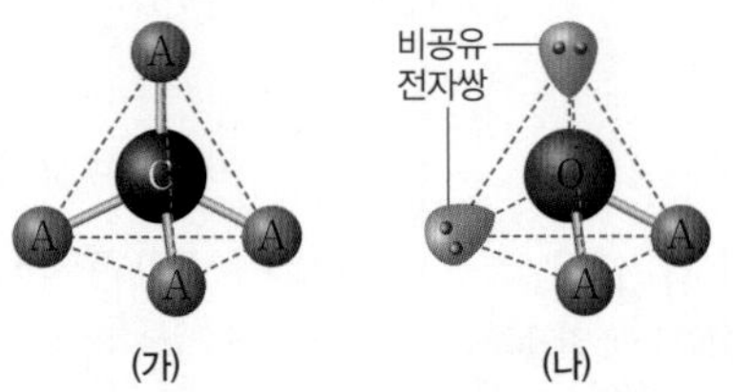

(가) (나)

이에 대한 설명으로 옳은 것만을 〈보기〉에서 있는 대로 고른 것은? (단, A는 임의의 원소 기호이다.)

보기
ㄱ. (가)와 (나)는 모두 극성 공유 결합이 있다.
ㄴ. 결합각은 (가)가 (나)보다 크다.
ㄷ. 분자의 쌍극자 모멘트는 (나)가 (가)보다 크다.

① ㄱ ② ㄷ ③ ㄱ, ㄴ
④ ㄴ, ㄷ ⑤ ㄱ, ㄴ, ㄷ

06 그림은 3가지 분자의 루이스 구조식을 나타낸 것이다.

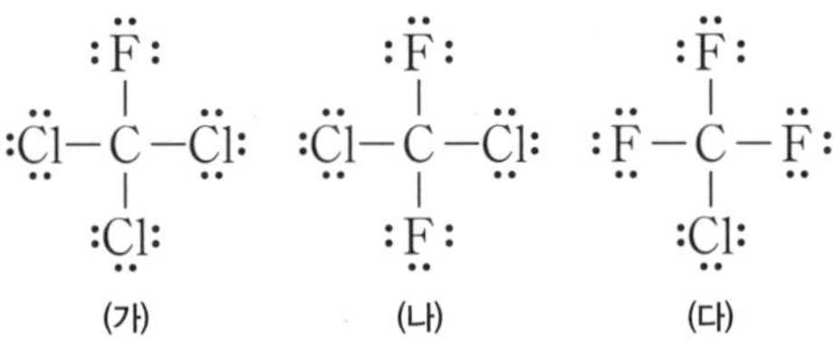

(가) (나) (다)

이에 대한 설명으로 옳지 않은 것은? (정답 2개)

① (가)는 사면체 구조이다.
② (나)의 쌍극자 모멘트는 0이다.
③ (다)의 공유 전자쌍 수는 4이다.
④ (가)~(다)는 모두 극성 공유 결합을 가진다.
⑤ (가)~(다)의 결합각(∠FCCl)은 모두 90°이다.

B 분자의 극성에 따른 성질

07 그림과 같이 물이 들어 있는 뷰렛의 꼭지를 열어 물을 가늘게 흐르게 한 후 물줄기에 대전체를 가까이 대었다.
이에 대한 설명으로 옳은 것은?

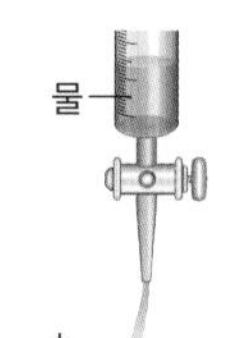

① 물 분자의 쌍극자 모멘트는 0이다.
② 물 분자는 무극성 공유 결합이 있다.
③ 물은 이온 결합으로 이루어진 물질이다.
④ 물 분자의 O 원자 쪽이 대전체에 끌려간다.
⑤ (−)전하를 띤 대전체를 가져가면 반대쪽으로 물줄기가 휘어진다.

08 표는 이원자 분자 (가)~(다)의 구성 원소의 종류와 구성 원자의 전기 음성도 차를 나타낸 것이다. X~Z는 각각 H, Cl, F 중 하나이다.

분자	(가)	(나)	(다)
구성 원소	H, X	H, Y	H, Z
전기 음성도 차	0	1.9	0.9

이에 대한 설명으로 옳지 않은 것은?

① 원자 번호는 Z가 X보다 크다.
② (가)는 무극성 공유 결합이 있다.
③ (나)에서 Y는 부분적인 음전하를 띤다.
④ 물에 대한 용해도는 (가)가 (나)보다 크다.
⑤ 분자의 쌍극자 모멘트는 (다)가 (가)보다 크다.

09 극성 분자의 전기적 성질에 대한 설명으로 옳은 것만을 〈보기〉에서 있는 대로 고른 것은?

보기
ㄱ. 쌍극자가 존재한다.
ㄴ. 기체 상태의 극성 분자를 전기장 속에 넣으면 무질서하게 배열한다.
ㄷ. 극성을 띠는 액체 줄기에 대전체를 가까이 가져가면 액체 줄기가 대전체 쪽으로 끌린다.

① ㄱ ② ㄴ ③ ㄱ, ㄷ
④ ㄴ, ㄷ ⑤ ㄱ, ㄴ, ㄷ

단답형

10 그림은 원자 A~D의 전자 배치를 나타낸 것이다.

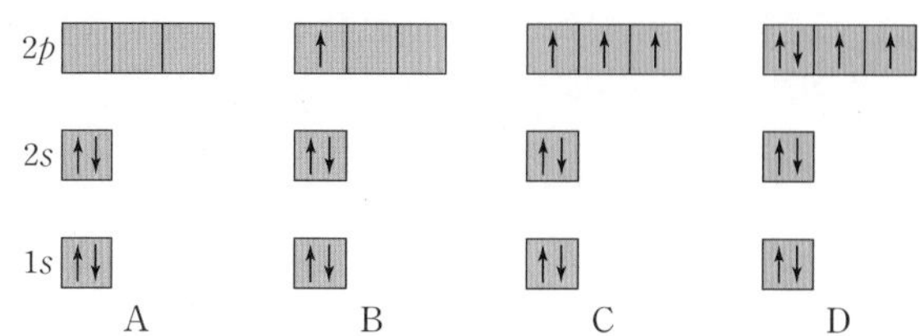

A~D와 염소(Cl)로 이루어진 화합물 중 분자의 쌍극자 모멘트가 0인 분자를 〈보기〉에서 있는 대로 고르시오. (단, A~D는 임의의 원소 기호이다.)

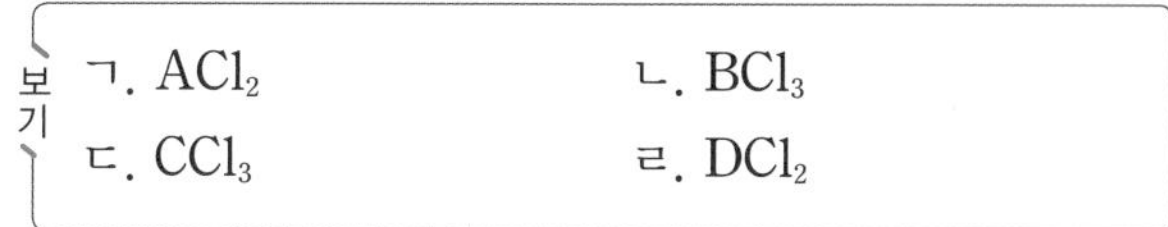

보기
ㄱ. ACl_2 ㄴ. BCl_3
ㄷ. CCl_3 ㄹ. DCl_2

단답형

11 그림은 사염화 탄소의 분자 구조를 모형으로 나타낸 것이다. 사염화 탄소에 잘 녹을 것으로 예상되는 물질만을 〈보기〉에서 있는 대로 고르시오.

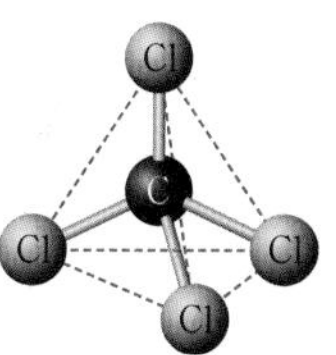

보기
ㄱ. 메테인(CH_4) ㄴ. 물(H_2O)
ㄷ. 염소(Cl_2) ㄹ. 암모니아(NH_3)

12 그림은 4가지 분자를 주어진 기준에 따라 분류한 것이다.

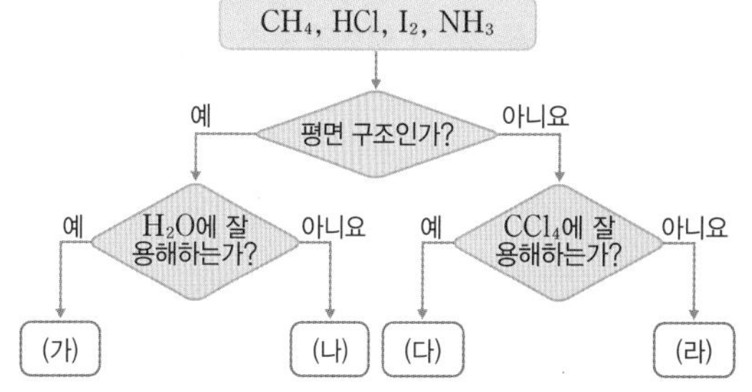

이에 대한 설명으로 옳은 것만을 〈보기〉에서 있는 대로 고른 것은?

보기
ㄱ. (가)는 전기장 속에서 무질서하게 배열한다.
ㄴ. (나)와 (라)의 분자는 쌍극자 모멘트가 0이다.
ㄷ. 결합각은 (다)가 (라)보다 크다.

① ㄱ ② ㄷ ③ ㄱ, ㄴ
④ ㄱ, ㄷ ⑤ ㄴ, ㄷ

도전! 실력 올리기

01 그림은 2주기 원소로 구성된 분자 (가)와 (나)의 루이스 전자점식을 나타낸 것이다.

$:\ddot{\underset{..}{Y}}:\ddot{\underset{..}{X}}:\ddot{\underset{..}{Y}}:$ (가) $:\ddot{X}::Z::\ddot{X}:$ (나)

(가)와 (나)의 공통점만을 <보기>에서 있는 대로 고른 것은? (단, X~Z는 임의의 원소 기호이다.)

보기
ㄱ. 분자 구조는 선형이다.
ㄴ. 극성 공유 결합이 있다.
ㄷ. 분자의 쌍극자 모멘트는 0이다.

① ㄱ ② ㄴ ③ ㄷ
④ ㄱ, ㄷ ⑤ ㄴ, ㄷ

02 표는 서로 다른 2주기 원소의 수소 화합물 (가)~(다)에서 중심 원자에 존재하는 전자쌍의 수를 나타낸 것이다.

화합물	(가)	(나)	(다)
공유 전자쌍 수	2	3	4
비공유 전자쌍 수	2	1	0

(가)~(다)에 대한 설명으로 옳은 것만을 <보기>에서 있는 대로 고른 것은?

보기
ㄱ. 중심 원자의 원자가 전자 수는 (가)가 (나)보다 크다.
ㄴ. 결합각은 (나)가 (다)보다 크다.
ㄷ. 분자의 쌍극자 모멘트는 (가)가 (다)보다 크다.

① ㄱ ② ㄴ ③ ㄱ, ㄷ
④ ㄴ, ㄷ ⑤ ㄱ, ㄴ, ㄷ

03 다음은 1~3주기 원소의 원자로 구성된 2가지 분자 (가)와 (나)에 대한 자료이다.

- (가)와 (나)의 분자식은 각각 A_2B, CD_2이다.
- (가)와 (나)는 실온에서 모두 액체로 존재한다.
- (가)와 (나)의 중심 원자에 있는 전자쌍 수는 서로 같다.
- 중심 원자에 있는 비공유 전자쌍 수는 (가)는 2, (나)는 0이다.

이에 대한 설명으로 옳은 것만을 <보기>에서 있는 대로 고른 것은? (단, A~D는 임의의 원소 기호이다.)

보기
ㄱ. B와 D는 같은 족 원소이다.
ㄴ. 결합각은 (나)가 (가)보다 크다.
ㄷ. (가)와 (나)를 시험관에 넣고 흔든 후, I_2을 넣으면 (가) 층의 색이 보라색으로 변한다.

① ㄱ ② ㄷ ③ ㄱ, ㄴ
④ ㄴ, ㄷ ⑤ ㄱ, ㄴ, ㄷ

출제예감

04 다음은 2주기 원소 X, Y의 염화물에 대한 설명이다.

- XCl_3: 분자의 쌍극자 모멘트가 0이다.
- YCl_3: Y에는 4개의 전자쌍이 있다.

이에 대한 설명으로 옳은 것만을 <보기>에서 있는 대로 고른 것은? (단, X, Y는 임의의 원소 기호이다.)

보기
ㄱ. 원자가 전자 수는 Y가 X보다 크다.
ㄴ. 결합각은 XCl_3가 YCl_3보다 크다.
ㄷ. 공유 전자쌍 수는 YCl_3가 XCl_3보다 크다.

① ㄱ ② ㄷ ③ ㄱ, ㄴ
④ ㄴ, ㄷ ⑤ ㄱ, ㄴ, ㄷ

05 그림은 기체 X에 전기장을 걸어 주었을 때의 모습을 나타낸 것이다.

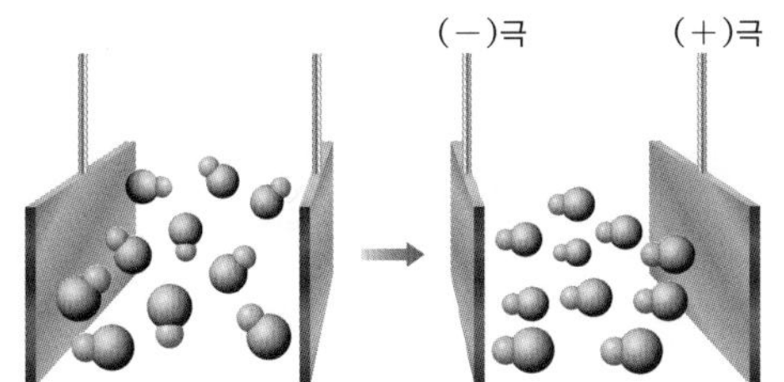

X에 대한 설명으로 옳은 것만을 〈보기〉에서 있는 대로 고른 것은?

보기
ㄱ. 극성 공유 결합이 있다.
ㄴ. 분자의 쌍극자 모멘트는 0이다.
ㄷ. $X(g)$ 대신 $CO_2(g)$를 이용하여 실험해도 X와 같이 일정한 방향으로 배열한다.

① ㄱ ② ㄴ ③ ㄱ, ㄷ
④ ㄴ, ㄷ ⑤ ㄱ, ㄴ, ㄷ

출제예감

06 표는 분자 (가)~(다)에 대한 자료이다. (가)~(다)에서 모든 원자는 옥텟 규칙을 만족한다.

분자	(가)	(나)	(다)
구성 원자의 수	5개	3개	4개
구성 원소의 종류	C, F	C, N, F	C, O, F

이에 대한 설명으로 옳은 것만을 〈보기〉에서 있는 대로 고른 것은?

보기
ㄱ. (가)의 분자식은 CF_4이다.
ㄴ. 결합각은 (다)가 (나)보다 크다.
ㄷ. 분자의 쌍극자 모멘트는 (다)가 (가)보다 크다.

① ㄱ ② ㄴ ③ ㄱ, ㄴ
④ ㄱ, ㄷ ⑤ ㄴ, ㄷ

07 다음은 분자 (가)와 (나)에 대한 설명이다. ㉠, ㉡에 들어갈 알맞은 말을 쓰시오. ㉡은 (가)와 (나) 중 하나이다.

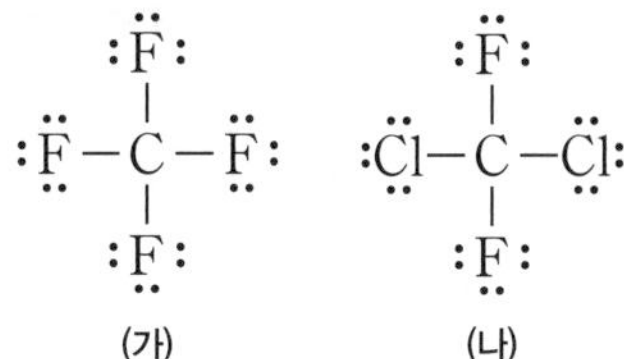

분자 (가)와 (나)의 중심 원자인 C에는 공유 전자쌍만 4개가 있으므로 (가)와 (나)의 분자 구조는 (㉠)이다. 그러나 분자 (㉡)는 결합의 쌍극자 모멘트가 상쇄되지 않으므로 극성 분자이다.

서술형

08 그림은 BCl_3와 NCl_3의 분자 모형을 나타낸 것이다.

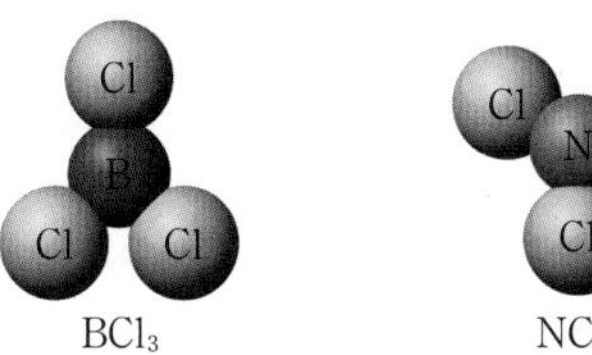

두 분자의 쌍극자 모멘트를 비교하고, 그 까닭을 분자 구조를 근거로 서술하시오.

서술형

09 다음은 물질의 극성과 용해도의 관계에 대한 가설과 가설을 검증하기 위한 실험을 하기 위해 준비한 기구와 시약이다.

가설 극성 물질은 극성 용매에 잘 용해되고, 무극성 물질은 무극성 용매에 잘 용해된다.
준비물 시험관, 물, 용매 X, 아이오딘(I_2), 염화 구리(Ⅱ)($CuCl_2$)

사염화 탄소(CCl_4)와 메탄올(CH_3OH) 중에서 용매 X로 적절한 물질을 고르고, 그 까닭을 서술하시오.

수능을 알기 쉽게 풀어주는 수능 POOL

분자의 모양과 성질

출제 의도

분자식과 구성 원소의 전기 음성도 크기를 이용하여 실제 분자를 찾아내고 분자의 성질을 추론하는 문제이다.

대표 유형

다음은 분자 (가)~(다)에 대한 자료이다.

• (가)~(다)의 분자식

분자	(가)	(나)	(다)
분자식	WX_2Y (CH_2O)	YZ_2 (OF_2)	WY_2 (CO_2)
루이스 구조식	:Y: ‖ X−W−X	:Z̤̈−Ÿ̤−Z̤̈:	:Ÿ=W=Ÿ:

• W~Z는 각각 H, C, O, F 중 하나이고, 전기 음성도는 X가 가장 작다.
→ 전기 음성도: F>O>C>H → X는 H

• (가)~(다)의 중심 원자는 옥텟 규칙을 만족한다.
→ 중심 원자: 공유 전자쌍 수+비공유 전자쌍 수=4
→ (가)의 중심 원자 W는 X 2개, Y 1개와 결합하므로 C이다.

(가)~(다)에 대한 설명으로 옳은 것만을 〈보기〉에서 있는 대로 고른 것은?

〈보기〉

ㄱ. (가)의 분자 모양은 평면 삼각형이다.
→ (가)의 중심 원자 W에 결합한 원자 3, 비공유 전자쌍 0: 평면 삼각형

ㄴ. (나)의 중심 원자는 부분적인 (+)전하를 띤다.
→ 구성 원자의 전기 음성도: Z>Y
→ 전기 음성도가 큰 Z가 공유 전자쌍을 끌어가므로 중심 원자인 Y는 부분적인 (+)전하를 띰

ㄷ. 극성 분자는 1가지이다.
→ 쌍극자 모멘트가 0인 아닌 분자
→ 극성 분자: WX_2Y, YZ_2
무극성 분자: WY_2

① ㄱ ② ㄷ ③ ㄱ, ㄴ ④ ㄴ, ㄷ ⑤ ㄱ, ㄴ, ㄷ

이것이 함정

Y는 O 원자인데 전기 음성도가 F 다음으로 크므로 대부분의 화합물에서 부분적인 (−)전하를 띤다. 그러나 전기 음성도가 큰 F과 결합한 화합물에서는 부분적인 (+)전하를 띤다.

전기 음성도의 크기로 원자의 종류 찾기

X의 전기 음성도가 가장 작다는 것으로부터 X가 H임을 알아낸다. >>> 중심 원자는 옥텟 규칙을 만족하고 X는 H이므로 (가)의 W는 Y와 2중 결합을 형성함을 찾아낸다. >>> 원소 W~Z의 종류를 모두 알아내고 (가)~(다)에 해당하는 실제 분자의 분자식을 나타낸다. >>> (가)~(다)를 루이스 구조식으로 나타내어 본다.

추가 선택지

• (가)~(다)의 구성 원자는 모두 같은 평면에 있다. (○)
⋯→ (가)는 평면 삼각형 구조, (나)는 굽은 형 구조, (다)는 선형 구조이므로 구성 원자가 모두 같은 평면에 있다.

• 결합각은 (다)가 (나)보다 크다. (○)
⋯→ (나)의 중심 원자 Y는 비공유 전자쌍이 있으므로 (나)의 분자 구조는 굽은 형이고, (다)의 중심 원자 W는 비공유 전자쌍이 없으므로 (다)의 분자 구조는 선형이다.

실전! 수능 도전하기

정답과 해설 073쪽

01 그림은 원소 X~Z로 이루어진 3원자 분자 (가), (나)의 구성 원자 수비를 나타낸 것이다. X~Z는 각각 H, C, O 중 하나이다.

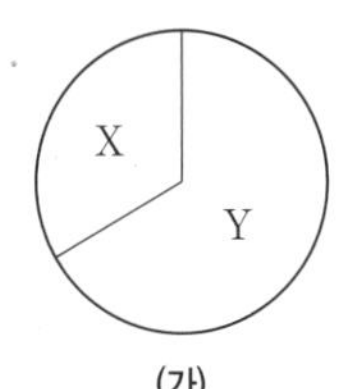

(가)

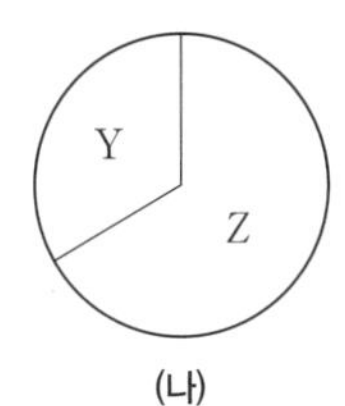

(나)

(가)와 (나)의 공통점만을 〈보기〉에서 있는 대로 고른 것은?

〈보기〉
ㄱ. 무극성 공유 결합이 있다.
ㄴ. 분자의 쌍극자 모멘트는 0이다.
ㄷ. $\frac{\text{비공유 전자쌍 수}}{\text{공유 전자쌍 수}}$는 1이다.

① ㄱ ② ㄷ ③ ㄱ, ㄴ
④ ㄱ, ㄷ ⑤ ㄴ, ㄷ

02 그림은 분자 (가)와 (나)를 화학 결합 모형으로 나타낸 것이다. (가)와 (나)의 분자식은 각각 XY_2와 ZX_2이다.

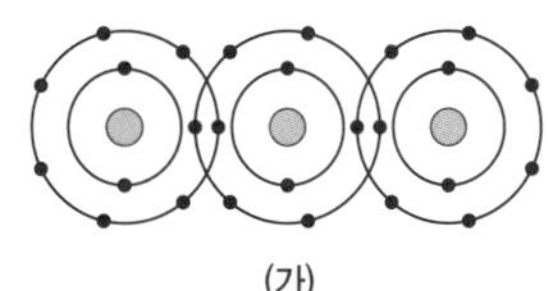
(가)

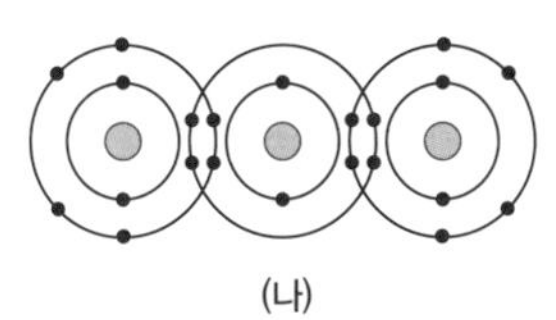
(나)

이에 대한 설명으로 옳은 것만을 〈보기〉에서 있는 대로 고른 것은? (단, X~Z는 임의의 원소 기호이고, 분자 내에서 옥텟 규칙을 만족한다.)

〈보기〉
ㄱ. (가)는 극성 분자이다.
ㄴ. (나)의 분자 모양은 선형이다.
ㄷ. ZXY_2에는 2중 결합이 있다.

① ㄱ ② ㄷ ③ ㄱ, ㄴ
④ ㄴ, ㄷ ⑤ ㄱ, ㄴ, ㄷ

03 다음은 분자 (가)와 (나)의 루이스 전자점식을 나타낸 것이다.

$:\ddot{O}::C::\ddot{O}:$ (가)

$H:\ddot{N}:\ddot{N}:H$ (with H under each N) (나)

이에 대한 설명으로 옳은 것만을 〈보기〉에서 있는 대로 고른 것은?

〈보기〉
ㄱ. (나)는 무극성 공유 결합을 포함한다.
ㄴ. (가)와 (나)에서 모든 원자는 동일 평면에 있다.
ㄷ. 공유 전자쌍 수는 (가)와 (나)가 같다.

① ㄱ ② ㄷ ③ ㄱ, ㄴ
④ ㄴ, ㄷ ⑤ ㄱ, ㄴ, ㄷ

04 다음은 1, 2주기 비금속 원소로 이루어진 분자 (가)~(다)에 대한 자료이다.

- (가)~(다)의 분자식은 각각 ABC, BA_2D_2, EA_2이다.
- ABC에서 중심 원자는 B이다.
- 중심 원자는 모두 옥텟 규칙을 만족한다.
- ABC에서 B는 부분적인 양전하를 띠고, EA_2에서 E는 부분적인 음전하를 띤다.

(가)~(다)에 대한 설명으로 옳은 것만을 〈보기〉에서 있는 대로 고른 것은? (단, A~E는 임의의 원소 기호이다.)

〈보기〉
ㄱ. 분자의 쌍극자 모멘트가 0인 분자는 1가지이다.
ㄴ. 구성 원자가 동일 평면에 있는 분자는 2가지이다.
ㄷ. 1분자당 비공유 전자쌍 수는 (다)가 (가)의 2배이다.

① ㄱ ② ㄴ ③ ㄱ, ㄷ
④ ㄴ, ㄷ ⑤ ㄱ, ㄴ, ㄷ

실전! 수능 도전하기

수능 기출

05 표는 4가지 분자 HCN, CO_2, OF_2, CH_4을 3가지 기준에 따라 각각 분류한 결과를 나타낸 것이다.

분류 기준	예	아니요
(가)	HCN, CO_2	OF_2, CH_4
입체 구조인가?	㉠	㉡
극성 분자인가?	㉢	㉣

이에 대한 설명으로 옳은 것만을 <보기>에서 있는 대로 고른 것은?

보기
ㄱ. (가)에 '공유 전자쌍의 수가 4개인가?'를 적용할 수 있다.
ㄴ. ㉡에 해당되는 분자에는 비공유 전자쌍이 있다.
ㄷ. ㉠과 ㉣에 공통으로 해당되는 분자의 구조는 정사면체이다.

① ㄱ ② ㄴ ③ ㄷ
④ ㄱ, ㄴ ⑤ ㄴ, ㄷ

06 표는 화합물 (가), (나)에 대한 자료이다. X와 Y는 2주기 원소이며 화합물에서 옥텟 규칙을 만족한다.

화합물	(가)	(나)
분자식	X_2H_2	Y_2H_4
공유 전자쌍 수	5	5

이에 대한 설명으로 옳은 것만을 <보기>에서 있는 대로 고른 것은? (단, X, Y는 임의의 원소 기호이다.)

보기
ㄱ. 원자가 전자 수는 Y가 X보다 크다.
ㄴ. 비공유 전자쌍 수는 (나)가 (가)보다 크다.
ㄷ. 결합각은 ∠HXX가 ∠HYY보다 크다.

① ㄱ ② ㄷ ③ ㄱ, ㄴ
④ ㄴ, ㄷ ⑤ ㄱ, ㄴ, ㄷ

07 다음은 3가지 화합물의 분자식이다.

HCN HCHO C_2H_4

3가지 분자에 대한 설명으로 옳은 것만을 <보기>에서 있는 대로 고른 것은?

보기
ㄱ. 3중 결합을 가지고 있는 분자는 1가지이다.
ㄴ. 구성 원자가 모두 같은 평면에 있는 분자는 2가지이다.
ㄷ. 분자의 쌍극자 모멘트가 0이 아닌 분자는 2가지이다.

① ㄱ ② ㄴ ③ ㄱ, ㄷ
④ ㄴ, ㄷ ⑤ ㄱ, ㄴ, ㄷ

08 다음은 2주기 원소로 이루어진 분자 (가)~(다)에 대한 자료이다. (가)~(다)의 중심 원자는 모두 1개이고, 구성 원자는 모두 옥텟 규칙을 만족한다.

- (가)와 (나)는 3원자 분자, (다)는 5원자 분자이다.
- 구성 원소 수는 (가)는 3가지, (나)와 (다)는 2가지이다.
- (가)~(다)의 결합각과 $\frac{\text{비공유 전자쌍 수}}{\text{공유 전자쌍 수}}$

분자	(가)	(나)	(다)
결합각(°)	180	x	109.5
$\frac{\text{비공유 전자쌍 수}}{\text{공유 전자쌍 수}}$	1	4	3

이에 대한 설명으로 옳은 것만을 <보기>에서 있는 대로 고른 것은?

보기
ㄱ. $x<120°$이다.
ㄴ. 공유 전자쌍 수는 (다)가 (가)보다 크다.
ㄷ. 분자의 쌍극자 모멘트는 (다)가 (나)보다 크다.

① ㄱ ② ㄷ ③ ㄱ, ㄴ
④ ㄴ, ㄷ ⑤ ㄱ, ㄴ, ㄷ

09 다음은 전자쌍 사이에 작용하는 반발력을 비교하기 위해 학생 A가 수행한 탐구이다.

> 가설
> - 전자쌍 사이 반발력은 ㉠ 에 따라 다르다.
>
> 자료
> - 분자 (가)~(다)는 각각 C, N, O의 수소 화합물 중 하나이다.
> - 분자 (가)~(다)의 전자쌍의 수는 각각 4이다.
> - 결합각은 (가)는 104.5°, (나)는 107°, (다)는 109.5°이다.
>
> 결론
> - 전자쌍 사이 반발력은 다음과 같으므로 가설은 옳다.
> 비공유 전자쌍 사이 반발력 > 비공유 전자쌍과 공유 전자쌍 사이 반발력 > 공유 전자쌍 사이 반발력

이에 대한 설명으로 옳은 것만을 <보기>에서 있는 대로 고른 것은?

> 보기
> ㄱ. '전자쌍의 종류'는 ㉠으로 적절하다.
> ㄴ. (다)는 극성 분자이다.
> ㄷ. 비공유 전자쌍의 수는 (가) > (나)이다.

① ㄱ ② ㄴ ③ ㄱ, ㄷ
④ ㄴ, ㄷ ⑤ ㄱ, ㄴ, ㄷ

10 다음은 극성 공유 결합만으로 이루어진 2가지 분자의 분자식이다. X와 Y는 2주기 원소이고 분자에서 옥텟 규칙을 만족한다.

> XH_3　　　$YOCl_2$

두 분자의 공통점으로 옳은 것만을 <보기>에서 있는 대로 고른 것은?

> 보기
> ㄱ. 극성 분자이다.
> ㄴ. 분자의 구조는 입체 구조이다.
> ㄷ. 공유 전자쌍은 3개이다.

① ㄱ ② ㄴ ③ ㄱ, ㄷ
④ ㄴ, ㄷ ⑤ ㄱ, ㄴ, ㄷ

11 그림은 원자 A~C의 루이스 전자점식을, 표는 화합물 (가)와 (나)를 구성하는 원소의 종류와 입자 수를 나타낸 것이다.

$\cdot\ddot{\underset{\cdot}{A}}\cdot$　　$B\cdot$　　$:\dot{\underset{\cdot}{C}}\cdot$

화합물	A	B	C
(가)	1	3	0
(나)	0	2	1

(가)와 (나)에 대한 설명으로 옳은 것만을 <보기>에서 있는 대로 고른 것은? (단, A~C는 임의의 1, 2주기 비금속 원소 기호이다.)

> 보기
> ㄱ. 결합각은 (가)가 (나)보다 크다.
> ㄴ. $\frac{\text{비공유 전자쌍 수}}{\text{공유 전자쌍 수}}$는 (나)가 (가)보다 크다.
> ㄷ. (가)와 (나)의 쌍극자 모멘트는 모두 0보다 크다.

① ㄱ ② ㄷ ③ ㄱ, ㄴ
④ ㄴ, ㄷ ⑤ ㄱ, ㄴ, ㄷ

12 다음은 분자 (가)~(다)에 대한 자료이다.

> - 구성 원자 수는 각각 5 이하이다.
> - X~Z는 각각 C, N, F 중 하나이다.
> - 모든 구성 원자는 옥텟 규칙을 만족한다.
> - (가)~(다)의 구성 원자 수비와 $\frac{\text{비공유 전자쌍 수}}{\text{공유 전자쌍 수}}$

분자	(가)	(나)	(다)
원자 수비	X : Y = 3 : 1	X : Y = 1 : 1	X : Z = 4 : 1
$\frac{\text{비공유 전자쌍 수}}{\text{공유 전자쌍 수}}$	x	2	3

이에 대한 설명으로 옳은 것만을 <보기>에서 있는 대로 고른 것은?

> 보기
> ㄱ. x는 3보다 크다.
> ㄴ. (나)에는 무극성 공유 결합이 있다.
> ㄷ. 분자의 쌍극자 모멘트는 (다) > (가)이다.

① ㄱ ② ㄷ ③ ㄱ, ㄴ
④ ㄴ, ㄷ ⑤ ㄱ, ㄴ, ㄷ

한눈에 보는
대단원 정리

1 화학 결합

01 화학 결합의 전기적 성질

1. 물과 염화 나트륨 용융액의 전기 분해

① **각 전극에서 생성되는 물질:** 물질을 전기 분해할 때 (−)극에서는 전자를 얻는 반응이, (+)극에서는 전자를 잃는 반응이 일어난다.

물질	전극	
	(−)극	(+)극
물(H_2O)	$H_2(g)$	$O_2(g)$
염화 나트륨 용융액	$Na(s)$	$Cl_2(g)$

② $H_2O(l)$을 전기 분해할 때 (−)극과 (+)극에서 발생하는 기체의 부피비((−)극 : (+)극)는 $H_2 : O_2 = 2 : 1$이다.

2. 화학 결합과 전자: 물이나 염화 나트륨 용융액이 전기 분해되는 현상으로 원자들 사이의 화학 결합이 형성될 때 전자가 관여한다는 것을 알 수 있다.

02 이온 결합

1. 이온의 형성: 금속 원소와 비금속 원소가 만나면 각각 전자를 잃거나 얻어 양이온과 음이온이 생성된다.

2. 이온 결합: 양이온과 음이온 사이에 정전기적 인력이 작용하여 형성되는 결합

3. 이온 결합의 형성과 에너지 변화

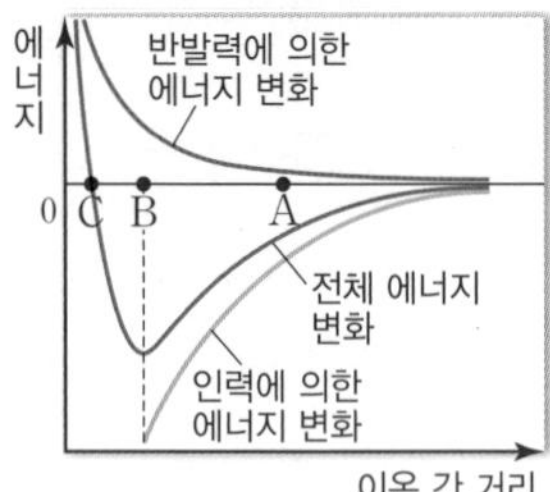

- A → B: 인력이 우세하게 작용 ➡ 에너지 낮아짐
- B: 인력과 반발력이 균형을 이룸 ➡ 에너지 최저 ➡ 이온 결합 형성
- B → C: 반발력이 우세하게 작용 ➡ 에너지 높아짐

4. 이온 결합 물질의 성질

외부에서 힘을 가할 때		이온 층이 밀리면서 같은 전하를 띤 이온 사이에 반발력이 작용하므로 잘 부스러짐
전기 전도성	고체	없다(이온이 움직일 수 없기 때문).
	액체, 수용액	있다(이온이 자유롭게 움직일 수 있기 때문).
녹는점		• 대부분 녹는점과 끓는점이 높아 실온에서 고체로 존재한다. • 이온의 전하량이 클수록, 이온 사이의 거리가 짧을수록 녹는점이 높아진다.

03 공유 결합과 금속 결합

1. 공유 결합: 비금속 원자들이 각각 전자를 내놓아 전자쌍을 만들고, 이 전자쌍을 공유하여 형성되는 결합

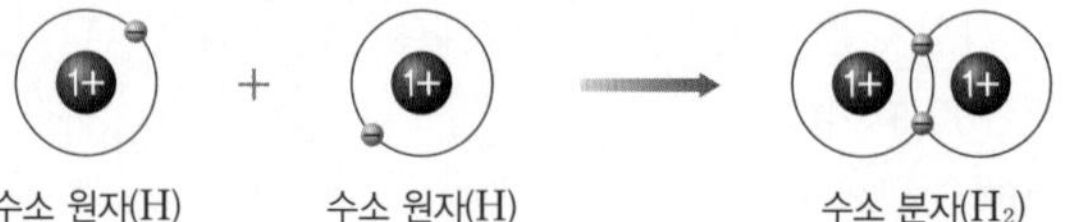

2. 공유 결합의 형성과 에너지: 원자핵과 전자 사이의 인력과 원자핵 사이의 반발력이 균형을 이루어 에너지가 가장 낮은 지점에서 공유 결합이 형성된다.

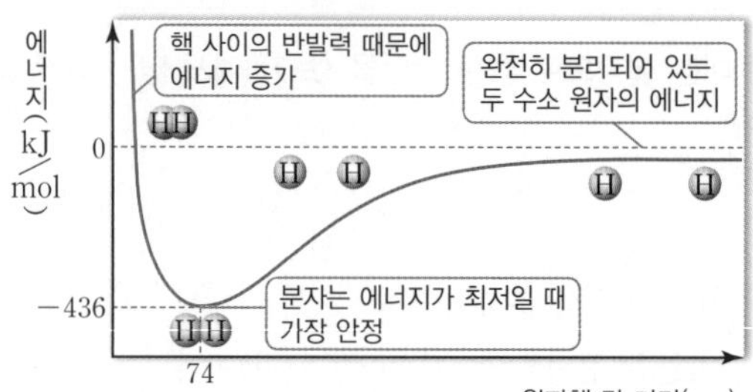

3. 공유 결합 물질과 그 성질

구분	분자 결정	공유(원자) 결정
형성 원리	분자들 사이에 작용하는 인력에 의해 규칙적으로 배열되어 결정을 형성	원자들이 공유 결합으로 그물처럼 연결되어 결정을 형성
전기 전도성	고체, 액체 상태에서 모두 없다(단, 흑연은 예외).	
녹는점	비교적 낮다.	매우 높다.

4. 금속 결합

① **금속 결합:** 금속 양이온과 금속에서 떨어져 나와 자유롭게 움직이는 자유 전자 사이의 정전기적 인력에 의해 형성되는 결합

② **금속의 성질:** 대부분 자유 전자에 의해 나타난다.

열, 전기 전도성	매우 크다.
외부 힘을 가할 때	가늘게 늘어나거나(연성), 얇게 펴진다(전성).

5. 화학 결합의 세기와 녹는점

① 녹는점은 화학 결합의 세기가 강할수록 높다.

② 일반적으로 화학 결합의 세기는 공유 결합−이온 결합−금속 결합 순이므로, 공유 결정의 녹는점이 가장 높다.

2 분자의 구조와 성질

01 전기 음성도와 결합의 극성

1. 전기 음성도: 공유 결합을 하는 원자가 공유 전자쌍을 끌어당기는 힘의 크기를 상대적인 수치로 나타낸 값

같은 족	원자 번호가 커질수록 대체로 감소한다.
같은 주기	원자 번호가 커질수록 대체로 증가한다.

2. 결합의 극성

무극성 공유 결합	같은 종류의 두 원자 사이의 공유 결합 ➡ 부분 전하가 생기지 않음	예 H_2 H H
극성 공유 결합	전기 음성도가 다른 두 원자 사이의 공유 결합 ➡ 전기 음성도가 큰 원자는 부분적인 음전하(δ^-)를, 전기 음성도가 작은 원자는 부분적인 양전하(δ^+)를 띰	예 HCl δ^+ δ^- H Cl

3. 쌍극자 모멘트

① 공유 결합의 극성 크기를 나타내는 척도로, 전하량과 두 전하 사이의 거리를 곱한 값과 같다.

② 전기 음성도 차가 클수록 쌍극자 모멘트가 크게 나타나고, 결합의 극성이 크다.

02 전자쌍 반발 이론과 분자 구조

1. 루이스 전자점식

① **루이스 전자점식:** 원소 기호 주위에 원자가 전자를 점으로 표시하여 나타낸 식 (:F· — 홀전자)

② **홀전자:** 원자가 전자 중 쌍을 이루지 않는 전자

③ **공유 전자쌍과 비공유 전자쌍:** 공유 결합에 참여하는 전자쌍을 공유 전자쌍, 결합에 참여하지 않고 한 원자에만 속해 있는 전자쌍을 비공유 전자쌍이라고 한다.

H· + ·Ö: + ·H ➡ H : Ö : H (공유 전자쌍, 비공유 전자쌍)

2. 전자쌍 반발 이론

① **전자쌍 반발 이론:** 중심 원자를 둘러싼 전자쌍들이 전기적 반발력이 최소가 되도록 가능한 한 멀리 떨어져서 배치되려 한다는 이론

② **전자쌍의 종류에 따른 반발력의 크기:** 비공유 전자쌍 사이의 반발력이 공유 전자쌍 사이의 반발력보다 크다. ➡ 전자쌍의 총수가 같을 때 비공유 전자쌍이 많을수록 결합각이 작아진다.

3. 분자의 구조

① **중심 원자에 비공유 전자쌍이 없는 경우**

공유 전자쌍 2개	공유 전자쌍 3개	공유 전자쌍 4개
Cl–Be–Cl (180°)	BCl_3 (120°)	CH_4 (109.5°)
선형	평면 삼각형	정사면체

② **중심 원자에 비공유 전자쌍이 있는 경우**

공유 3개/비공유 1개	공유 2개/비공유 2개
NH_3 (비공유 전자쌍, 107°)	H_2O (비공유 전자쌍, 104.5°)
삼각뿔	굽은 형

③ **중심 원자에 다중 결합이 포함된 경우:** 다중 결합을 단일 결합으로 취급한다. 예 CO_2(O=C=O): 선형

03 분자의 성질

1. 분자의 극성

구분	무극성 분자	극성 분자
정의	분자 내 전하가 고르게 분포되어 부분 전하를 띠지 않는 분자 ➡ 분자의 쌍극자 모멘트가 0인 분자	분자 내 전하의 분포가 고르지 않아 부분 전하를 띠는 분자 ➡ 분자의 쌍극자 모멘트가 0이 아닌 분자
예	H_2, CO_2, CH_4	HF, H_2O, NH_3, CH_3Cl

2. 분자의 성질

구분	무극성 분자	극성 분자
전기장에서의 배열	방향성을 나타내지 않는다.	일정한 방향으로 배열한다.
대전체의 영향	흘러내리는 액체 줄기에 대전체를 가까이 해도 곧게 흘러내린다.	흘러내리는 액체 줄기에 대전체를 가까이 하면 액체 줄기가 휘어진다.
용해성	무극성 물질에 잘 녹는다.	극성 물질에 잘 녹는다.

한번에 끝내는 대단원 문제

정답과 해설 075쪽

01 다음은 물의 전기 분해에 대한 설명이다.

> 물에 황산 나트륨을 넣고 전류를 흘려주면 (−)극에서 (㉠) 기체가 발생하고, (+)극에서 (㉡) 기체가 발생한다. 물에 전류를 흘려줄 때 전기 분해가 일어나는 것으로 보아 공유 결합이 형성될 때 (㉢)가 관여한다는 것을 알 수 있다.

㉠~㉢에 해당하는 것을 옳게 짝 지은 것은?

	㉠	㉡	㉢
①	산소	수소	전자
②	수소	산소	전자
③	산소	수소	양성자
④	수소	산소	양성자
⑤	수소	질소	전자

02 다음은 물의 성분 원소를 알아보기 위한 실험이다.

> (가) 황산 나트륨을 녹인 물을 2개의 플라스틱 관에 넣고 그림과 같이 전지에 연결한다.
>
> 플라스틱 관
> 물+황산 나트륨
>
> (나) (+)극에서 발생한 기체에 향불을 대었더니 밝게 타올랐다.
>
> (다) (−)극에서 발생한 기체에 불꽃을 대었더니 '펑' 하는 소리가 났다.

이에 대한 설명으로 옳은 것만을 〈보기〉에서 있는 대로 고른 것은?

> 보기
>
> ㄱ. (−)극에서 발생한 기체는 수소이다.
>
> ㄴ. (+)극에서 발생한 기체 분자는 2중 결합을 포함한다.
>
> ㄷ. 각 전극에서 발생하는 기체의 부피비는 (−)극 : (+)극=2 : 1이다.

① ㄱ ② ㄷ ③ ㄱ, ㄴ
④ ㄴ, ㄷ ⑤ ㄱ, ㄴ, ㄷ

고난도

03 그림 (가)와 (나)는 나트륨 원자($_{11}Na$)와 산소 원자($_{8}O$)로부터 생성된 이온의 전자 배치를 나타낸 것이다.

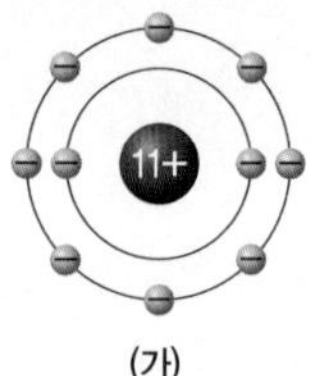

(가)

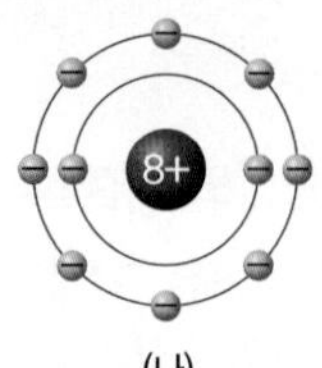

(나)

이에 대한 설명으로 옳은 것만을 〈보기〉에서 있는 대로 고른 것은?

> 보기
>
> ㄱ. (가)는 양이온이다.
>
> ㄴ. (나)는 전자 수가 양성자수보다 많다.
>
> ㄷ. (가)와 (나)는 이온 결합으로 안정한 화합물을 만든다.

① ㄱ ② ㄷ ③ ㄱ, ㄴ
④ ㄴ, ㄷ ⑤ ㄱ, ㄴ, ㄷ

04 그림은 AB_2와 C_2의 결합 모형을 나타낸 것이다.

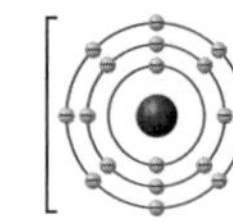

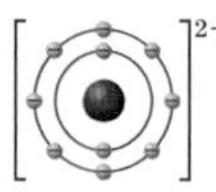

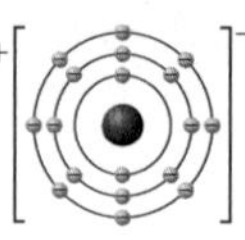

AB_2

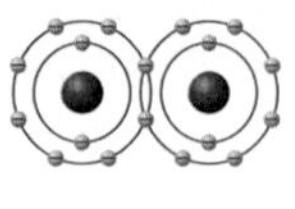

C_2

이에 대한 설명으로 옳은 것만을 〈보기〉에서 있는 대로 고른 것은? (단, A~C는 임의의 원소 기호이다.)

> 보기
>
> ㄱ. A와 B는 같은 주기 원소이다.
>
> ㄴ. $AC_2(l)$는 전기 전도성이 있다.
>
> ㄷ. 공유 전자쌍 수는 B_2가 C_2의 2배이다.

① ㄴ ② ㄷ ③ ㄱ, ㄴ
④ ㄴ, ㄷ ⑤ ㄱ, ㄴ, ㄷ

05 그림은 화합물 X에 힘을 가할 때의 변화를 나타낸 것이다.

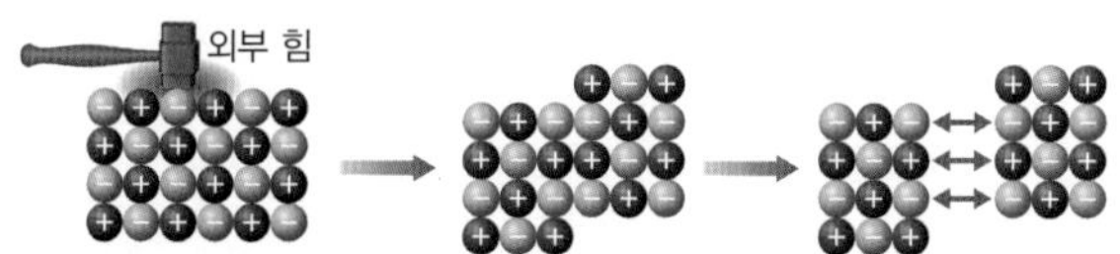

화합물 X와 같은 성질을 나타내는 물질은?

① 얼음(H_2O) ② 염화 나트륨(NaCl)
③ 설탕($C_{12}H_{22}O_{11}$) ④ 드라이아이스(CO_2)
⑤ 다이아몬드(C)

06 그림은 어떤 물질의 결합 모형을 나타낸 것이다.
이에 대한 설명으로 옳은 것만을 〈보기〉에서 있는 대로 고른 것은?

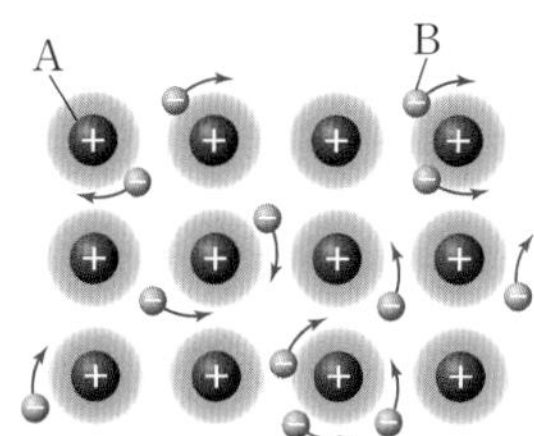

보기
ㄱ. 전류를 흘려주면 A는 (−)극으로 이동한다.
ㄴ. B에 의해 열전도성이 나타난다.
ㄷ. 외부에서 힘을 가하면 B 입자 사이의 반발력으로 인해 쉽게 부서진다.

① ㄴ ② ㄷ ③ ㄱ, ㄴ
④ ㄱ, ㄷ ⑤ ㄴ, ㄷ

07 그림은 주기율표의 일부를 나타낸 것이다.

주기＼족	1	2	13	14	15	16	17	18
1	A							
2							B	
3	C						D	

이에 대한 설명으로 옳은 것만을 〈보기〉에서 있는 대로 고른 것은? (단, A~D는 임의의 원소 기호이다.)

보기
ㄱ. AB는 이온 결합 물질이다.
ㄴ. 전기 전도성은 C(s)가 CD(s)보다 크다.
ㄷ. 녹는점은 CB(s)가 CD(s)보다 높다.

① ㄱ ② ㄴ ③ ㄱ, ㄷ
④ ㄴ, ㄷ ⑤ ㄱ, ㄴ, ㄷ

08 그림은 원자 사이에 이루어진 3가지 유형의 결합 모형을 나타낸 것이다.

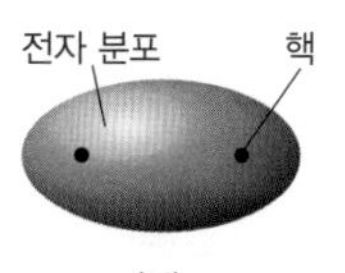

(가)

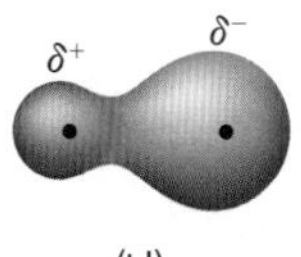

(나)

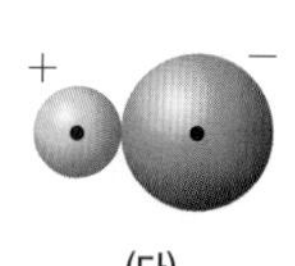

(다)

(가)~(다)의 결합으로 이루어진 물질의 예를 옳게 짝 지은 것은?

	(가)	(나)	(다)
①	NaCl	Cl_2	HCl
②	Cl_2	NaCl	HCl
③	NaCl	HCl	Cl_2
④	Cl_2	HCl	NaCl
⑤	HCl	Cl_2	NaCl

09 그림은 2가지 분자의 루이스 구조식을 나타낸 것이다.

H−Ẍ: (∠H−X−H = α), 아래 H
H−Ÿ−H (∠ = β), 아래 H

(가) (나)

이에 대한 설명으로 옳은 것만을 〈보기〉에서 있는 대로 고른 것은? (단, X와 Y는 임의의 원소 기호이다.)

보기
ㄱ. $\alpha > \beta$이다.
ㄴ. (가)에서 X는 부분적인 음전하를 띤다.
ㄷ. (가)와 (나)는 모두 극성 공유 결합이 있다.

① ㄱ ② ㄴ ③ ㄱ, ㄷ
④ ㄴ, ㄷ ⑤ ㄱ, ㄴ, ㄷ

고난도

10 그림은 중심 원자가 2주기 원소인 분자 (가)와 (나)의 루이스 구조식을 나타낸 것이다. (가)와 (나)에서 A, B는 모두 옥텟 규칙을 만족한다.

H−A−H	S=B=S
(가)	(나)

(가)와 (나)의 공통점만을 〈보기〉에서 있는 대로 고른 것은? (단, A, B는 임의의 원소 기호이다.)

보기
ㄱ. $\frac{\text{비공유 전자쌍 수}}{\text{공유 전자쌍 수}}=1$이다.
ㄴ. 분자의 구조는 선형이다.
ㄷ. 분자의 쌍극자 모멘트는 0이다.

① ㄱ ② ㄴ ③ ㄱ, ㄷ
④ ㄴ, ㄷ ⑤ ㄱ, ㄴ, ㄷ

11 다음은 어떤 분자에 대한 자료이다.

- 구성 원자는 모두 동일 평면에 존재한다.
- 중심 원자 주위에 4개의 전자쌍이 있다.
- 중심 원자 주위에 비공유 전자쌍이 있다.

이와 같은 성질을 갖는 분자로 옳은 것은?

① CO_2 ② H_2O ③ PH_3
④ BCl_3 ⑤ CH_4

12 다음은 몇 가지 분자에 대한 자료이다.

분자 HCl, CO_2, C_2H_2, BCl_3, NH_3
- 5가지 분자 중 무극성 공유 결합이 있는 분자는 x가지이다.
- 5가지 분자 중 쌍극자 모멘트가 0인 분자는 y가지이다.
- 5가지 분자 중 물에 잘 녹는 분자는 z가지이다.

$x+y+z$는?

① 4 ② 5 ③ 6
④ 7 ⑤ 8

13 다음은 2주기 원소 A~C의 루이스 전자점식을 나타낸 것이다.

$\cdot\dot{\underset{\cdot}{\mathrm{A}}}$ $\quad\cdot\ddot{\underset{\cdot\cdot}{\mathrm{B}}}\cdot$ $\quad:\ddot{\underset{\cdot\cdot}{\mathrm{C}}}\cdot$

A~C로 이루어진 분자에 대한 설명으로 옳은 것만을 〈보기〉에서 있는 대로 고른 것은? (단, A~C는 임의의 원소 기호이다.)

보기
ㄱ. 공유 전자쌍 수는 $B_2>C_2$이다.
ㄴ. 결합각은 $AC_3>BC_2$이다.
ㄷ. BC_2 분자의 쌍극자 모멘트는 0보다 크다.

① ㄱ ② ㄴ ③ ㄱ, ㄷ
④ ㄴ, ㄷ ⑤ ㄱ, ㄴ, ㄷ

14 그림은 무색의 액체 A와 B가 들어 있는 시험관 (가)와 (나)에 아이오딘(I_2)과 황산 구리(Ⅱ)($CuSO_4$)를 각각 넣었을 때의 모습과, 시험관 (다)에 물과 헥세인이 들어 있는 모습을 나타낸 것이다.

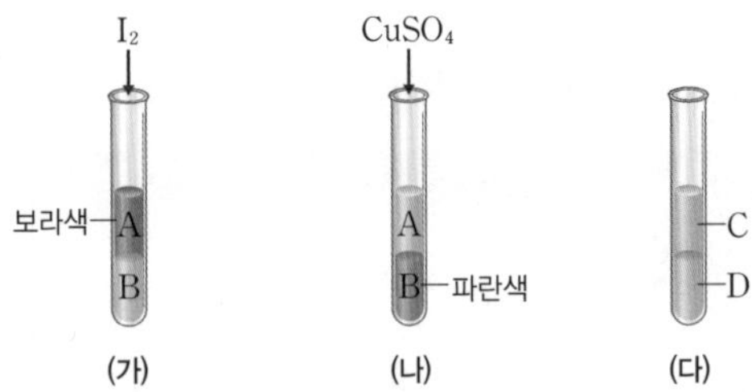

이에 대한 설명으로 옳은 것만을 〈보기〉에서 있는 대로 고른 것은? (단, 밀도는 물>헥세인이다.)

보기
ㄱ. 분자의 쌍극자 모멘트는 A가 B보다 크다.
ㄴ. (나)와 (다)를 혼합하여 흔들어 주면 D 층이 파란색으로 변한다.
ㄷ. (다)에 I_2을 넣으면 C 층이 보라색으로 변한다.

① ㄱ ② ㄴ ③ ㄱ, ㄷ
④ ㄴ, ㄷ ⑤ ㄱ, ㄴ, ㄷ

서술형
15 그림은 물의 전기 분해 장치이다.

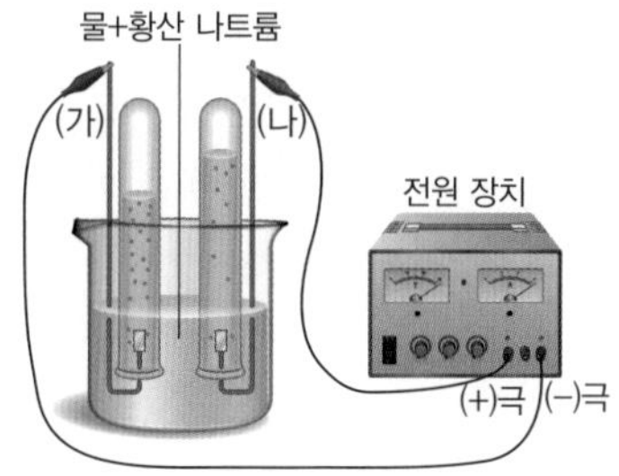

(1) (가)와 (나)에서 생성되는 기체의 종류를 쓰시오.

(2) (가)와 (나)에서 생성되는 기체를 확인하는 방법을 각각 쓰시오.

서술형
16 그림은 염화 나트륨($NaCl$)이 형성될 때 이온 간 거리에 따른 에너지를 나타낸 것이다.

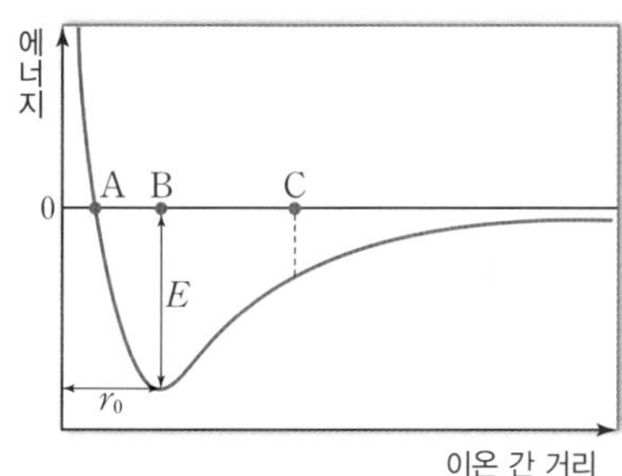

(1) A~C 중 결합이 형성되는 지점을 쓰고, 이온 간 거리가 B에서 A로 갈 때 에너지가 증가하는 까닭을 서술하시오.

(2) KCl이 형성될 때 r_0와 E의 크기를 $NaCl$과 비교하여 서술하시오.

서술형
17 다음은 3가지 분자에 대한 자료이다.

- (가)~(다)의 분자식은 각각 XF_2, YF_3, ZF_4 중 하나이다.
- X~Z는 2주기 원소이다.
- 그림은 (가)~(다)의 구성 원자 간 전기 음성도 차이를 나타낸 것이다.

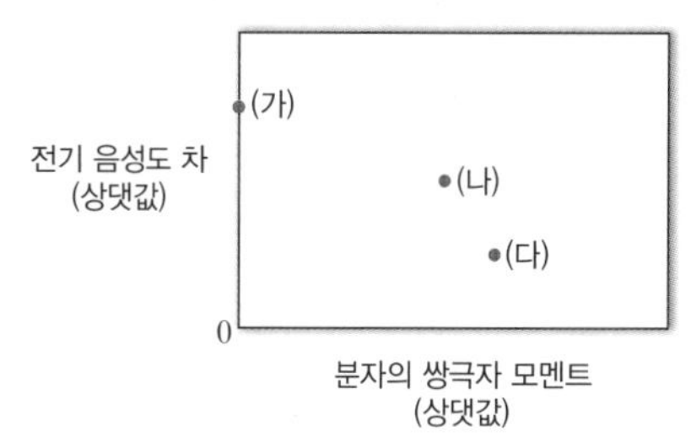

(1) (가)~(다)의 분자식을 각각 쓰시오.

(2) 기체 상태의 (가)~(다)를 전기장에 놓았을 때, 일정한 방향으로 배열되는 기체를 고르고 그 까닭을 서술하시오.

서술형
18 표는 분자 (가)와 (나)에 대한 자료이다.

분자	(가)	(나)
구조식	Cl(H)C=C(Cl)H (Cl, Cl 같은 쪽)	Cl(H)C=C(H)Cl (Cl, Cl 반대쪽)
끓는점(℃)	60.3	47.5

(가)의 끓는점이 (나)보다 높은 까닭을 서술하시오.

Ⅳ 역동적인 화학 반응

한食 왕

나의 학습 계획표

중단원	소단원	계획일	실천일	성취도
1 화학 반응에서 동적 평형	01. 가역 반응과 동적 평형	/	/	○△×
	02. 물의 자동 이온화와 pH	/	/	○△×
	03. 산 염기의 성질 및 정의	/	/	○△×
	04. 산 염기의 중화 반응	/	/	○△×
	수능 POOL + 실전! 수능 도전하기	/	/	○△×
2 화학 반응과 열의 출입	01. 산화 환원 반응	/	/	○△×
	02. 화학 반응에서 열의 출입	/	/	○△×
	수능 POOL + 실전! 수능 도전하기	/	/	○△×
	대단원 정리 + 문제	/	/	○△×

스스로 계획하고 실천하면
실력이 올라간다~옹!

1 화학 반응에서 동적 평형

배울 내용 살펴보기

01 가역 반응과 동적 평형

- A 가역 반응과 비가역 반응
- B 동적 평형

동적 평형 상태에서는 겉으로 보기에 정지한 것처럼 보여도 실제로는 정반응과 역반응이 같은 속도로 일어나고 있어.

02 물의 자동 이온화와 pH

- A 물의 자동 이온화와 수용액의 액성
- B 수소 이온의 농도 지수(pH)와 pH 측정

순수한 물에서는 매우 적은 양의 물 분자가 이온화하여 존재하고 있어. 이 반응은 가역 반응이기 때문에 동적 평형에 도달할 수 있지.

03 산 염기의 성질 및 정의

- A 산과 염기의 성질
- B 산과 염기의 정의

아레니우스의 산 염기 정의로 설명할 수 없는 산 염기 반응도 브뢴스테드 · 로리의 산 염기 정의로는 설명할 수 있어.

04 산 염기의 중화 반응

- A 산 염기 중화 반응
- B 중화 적정

산과 염기를 혼합하면 산과 염기의 성질이 사라지게 돼. 이런 반응을 이용해서 농도를 모르는 산(염기) 수용액의 농도를 구할 수도 있지.

01 가역 반응과 동적 평형

핵심 키워드로 흐름잡기

[A] 정반응, 역반응, 가역 반응, 비가역 반응

[B] 동적 평형, 상평형, 용해 평형, 화학 평형

A 가역 반응과 비가역 반응

|**출·제·단·서**| 시험에는 가역 반응과 비가역 반응의 예를 찾거나, 각 반응의 특징을 묻는 문제가 나와.

1. 정반응과 역반응

(1) 정반응 화학 반응식에서 오른쪽으로 진행되는 화학 반응 '$\longrightarrow$'로 나타낸다.

(2) 역반응 화학 반응식에서 왼쪽으로 진행되는 화학 반응 '$\longleftarrow$'로 나타낸다.

2. 가역 반응과 비가역 반응

(1) 가역 반응 반응 조건에 따라 정반응과 역반응이 모두 일어날 수 있는 반응 '$\rightleftarrows$'로 나타낸다.

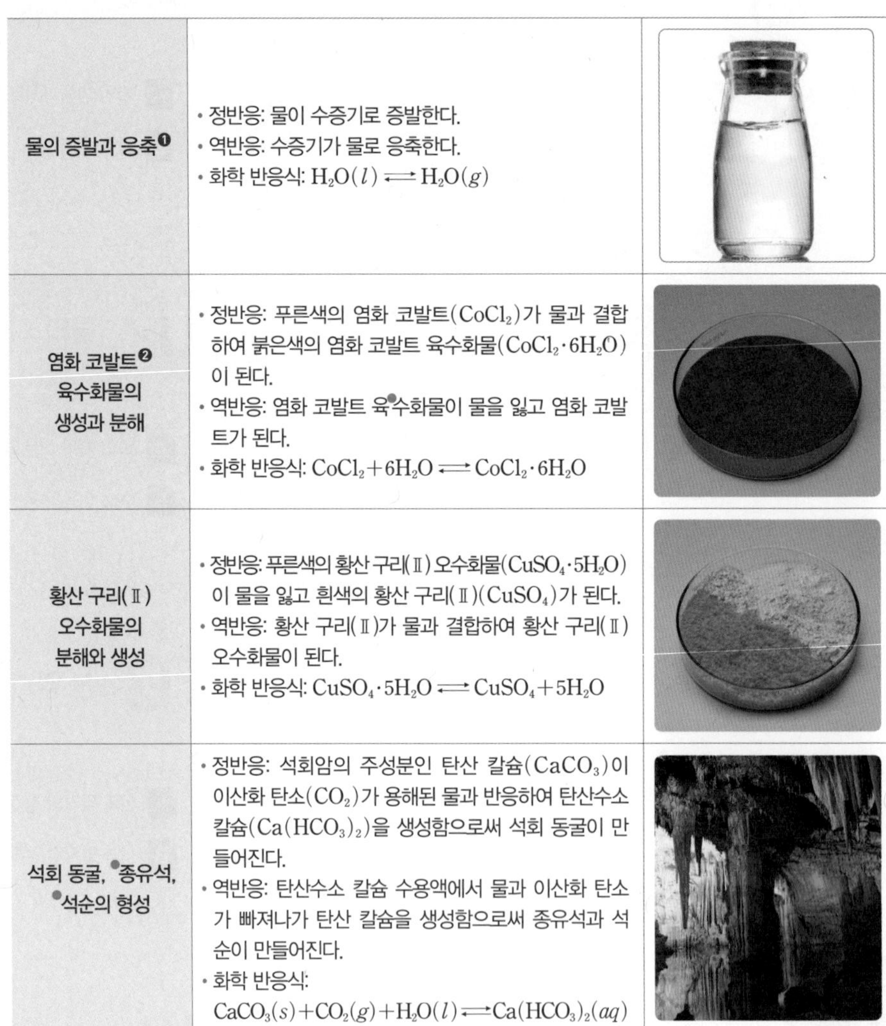

물의 증발과 응축❶	• 정반응: 물이 수증기로 증발한다. • 역반응: 수증기가 물로 응축한다. • 화학 반응식: $H_2O(l) \rightleftarrows H_2O(g)$	
염화 코발트❷ 육수화물의 생성과 분해	• 정반응: 푸른색의 염화 코발트($CoCl_2$)가 물과 결합하여 붉은색의 염화 코발트 육수화물($CoCl_2 \cdot 6H_2O$)이 된다. • 역반응: 염화 코발트 육*수화물이 물을 잃고 염화 코발트가 된다. • 화학 반응식: $CoCl_2 + 6H_2O \rightleftarrows CoCl_2 \cdot 6H_2O$	
황산 구리(Ⅱ) 오수화물의 분해와 생성	• 정반응: 푸른색의 황산 구리(Ⅱ) 오수화물($CuSO_4 \cdot 5H_2O$)이 물을 잃고 흰색의 황산 구리(Ⅱ)($CuSO_4$)가 된다. • 역반응: 황산 구리(Ⅱ)가 물과 결합하여 황산 구리(Ⅱ) 오수화물이 된다. • 화학 반응식: $CuSO_4 \cdot 5H_2O \rightleftarrows CuSO_4 + 5H_2O$	
석회 동굴, *종유석, *석순의 형성	• 정반응: 석회암의 주성분인 탄산 칼슘($CaCO_3$)이 이산화 탄소(CO_2)가 용해된 물과 반응하여 탄산수소 칼슘($Ca(HCO_3)_2$)을 생성함으로써 석회 동굴이 만들어진다. • 역반응: 탄산수소 칼슘 수용액에서 물과 이산화 탄소가 빠져나가 탄산 칼슘을 생성함으로써 종유석과 석순이 만들어진다. • 화학 반응식: $CaCO_3(s) + CO_2(g) + H_2O(l) \rightleftarrows Ca(HCO_3)_2(aq)$	

(2) 비가역 반응 정반응만 일어나거나 역반응이 거의 일어나지 않아 한쪽으로만 진행되는 반응

기체 발생 반응	예 $2HCl(aq) + Mg(s) \longrightarrow H_2(g) + MgCl_2(aq)$
앙금 생성 반응	예 $AgNO_3(aq) + NaCl(aq) \longrightarrow AgCl(s) + NaNO_3(aq)$
중화 반응	예 $HCl(aq) + NaOH(aq) \longrightarrow H_2O(l) + NaCl(aq)$
연소 반응	예 $CH_4(g) + 2O_2(g) \longrightarrow CO_2(g) + 2H_2O(l)$

❶ 증발과 응축

• 증발: 액체 표면의 분자들이 기체로 되는 현상

• 응축: 액체 표면에 충돌한 기체 분자 중 일부가 액체로 되는 현상

❷ 염화 코발트 종이

염화 코발트 수용액을 적신 종이를 건조하여 만든 것으로, 물을 확인하는 데 이용한다.

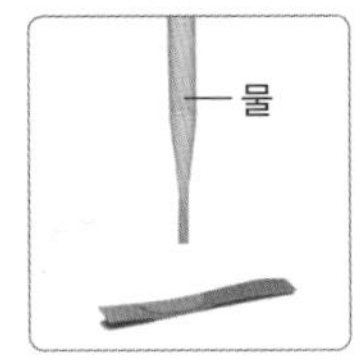

용어 알기

• 수화물(물 水, 되다 化, 물질 物) 분자 형태의 물을 포함하고 있는 화합물

• 종유석(쇠북 鐘, 낳다 乳, 돌 石) 동굴의 천장에 고드름같이 달려 있는 탄산 칼슘 덩어리

• 석순(돌 石, 죽순 筍) 동굴 천장에서 떨어지는 석회질 물질이 바닥에 쌓이고 굳어 죽순 모양으로 형성된 돌출물

B 동적 평형

|출·제·단·서| 시험에는 상평형과 용해 평형의 특징을 묻는 문제가 나와.

1. 동적 평형 개념 POOL 가역 반응에서 정반응 속도와 역반응 속도가 같아서 겉으로 보기에 변화가 없는 것처럼 보이는 상태

(1) 상평형 액체의 증발 속도와 기체의 응축 속도❸가 같아서 겉으로 보기에 변화가 일어나지 않는 것처럼 보이는 상태 암기TiP 상평형: 증발 속도 = 응축 속도 → 물과 수증기의 양 일정

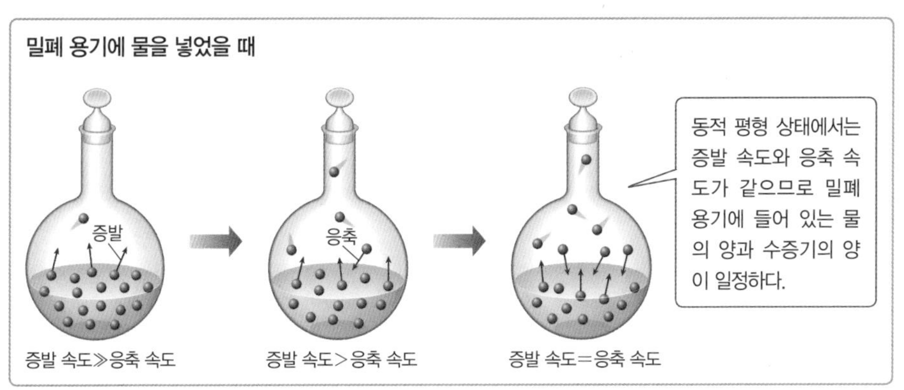

(2) 용해 평형 용질의 용해 속도와 •석출 속도가 같아서 겉으로 보기에 용해가 일어나지 않는 것처럼 보이는 상태 암기TiP 용해 평형: 용해 속도=석출 속도 → 용액의 몰 농도 일정(포화 용액)

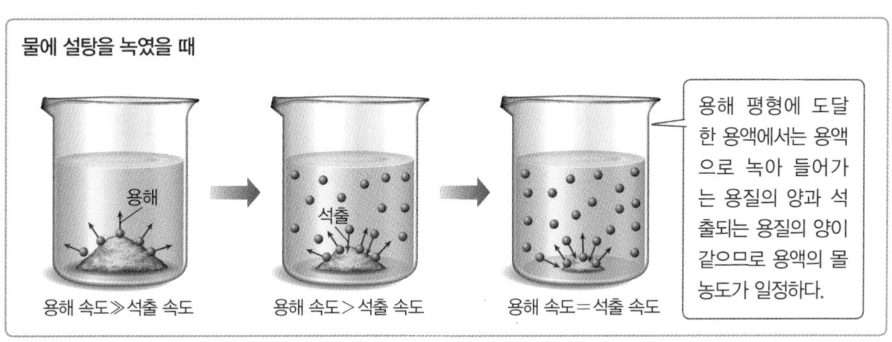

(3) 화학 평형 화학 반응에서 정반응 속도와 역반응 속도가 같아서 반응물의 농도와 생성물의 농도가 일정하게 유지되어 겉으로 보기에 반응이 정지된 것처럼 보이는 상태

① 밀폐 용기에서 진행되는 가역적인 화학 반응은 충분한 시간이 지나면 화학 평형에 도달한다.

② 화학 평형에서는 반응물과 생성물의 양이 일정하게 유지된다.

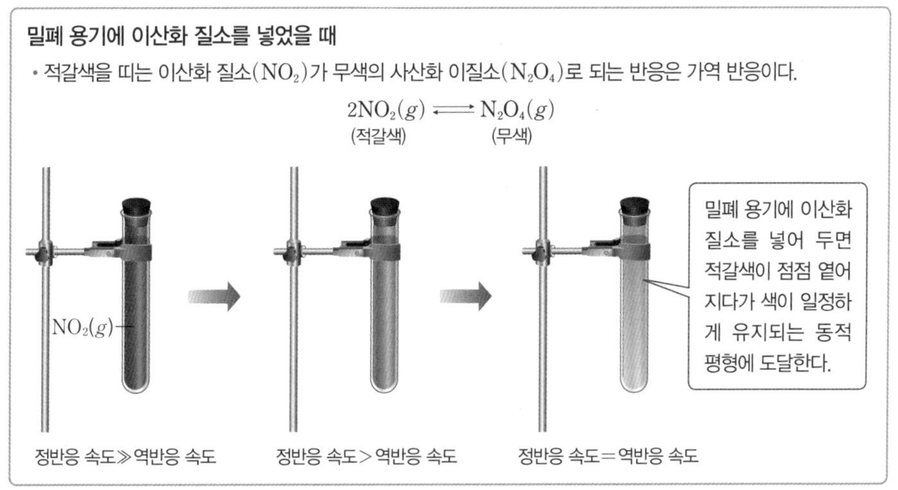

밀폐 용기에 이산화 질소를 넣었을 때
• 적갈색을 띠는 이산화 질소(NO_2)가 무색의 사산화 이질소(N_2O_4)로 되는 반응은 가역 반응이다.
$2NO_2(g) \rightleftharpoons N_2O_4(g)$
(적갈색) (무색)
$NO_2(g)$
밀폐 용기에 이산화 질소를 넣어 두면 적갈색이 점점 옅어지다가 색이 일정하게 유지되는 동적 평형에 도달한다.
정반응 속도≫역반응 속도
정반응 속도>역반응 속도
정반응 속도=역반응 속도

동적 평형의 비유

운동 기구 위에서 달리는 사람은 이동하지 않는 것처럼 보이지만, 실제로는 운동 기구의 벨트가 뒤로 이동하는 속도와 같은 속도로 앞으로 달리고 있다.

❸ 증발 속도와 응축 속도

• 증발 속도: 온도가 일정하면 증발 속도가 일정하다.
• 응축 속도: 용기 속 수증기의 양이 많을수록 증가한다.

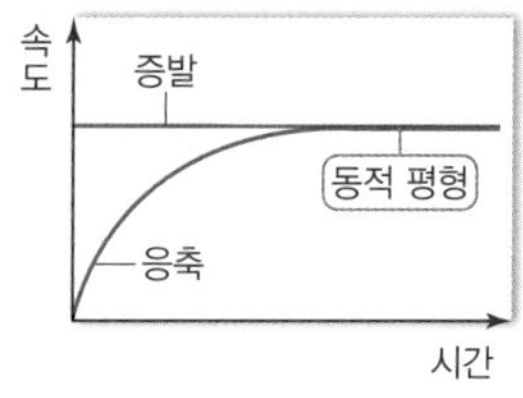

? 동적 평형 상태에서는 반응물과 생성물의 양이 같을까?

동적 평형은 정반응의 속도와 역반응의 속도가 같은 것일 뿐, 반응물과 생성물의 양이 같은 것은 아니다.

용어 알기

• 석출(가르다 析, 나가다 出) 용액에서 결정이나 고체 물질 등이 분리되어 나오는 현상

상평형과 용해 평형

목표 상평형과 용해 평형이 동적 평형의 사례임을 알 수 있다.

1 상평형

겉보기에는 변화가 일어나지 않는 것 같지만, 액체의 증발과 기체의 응축이 같은 속도로 일어나고 있는 동적 평형 상태이다.

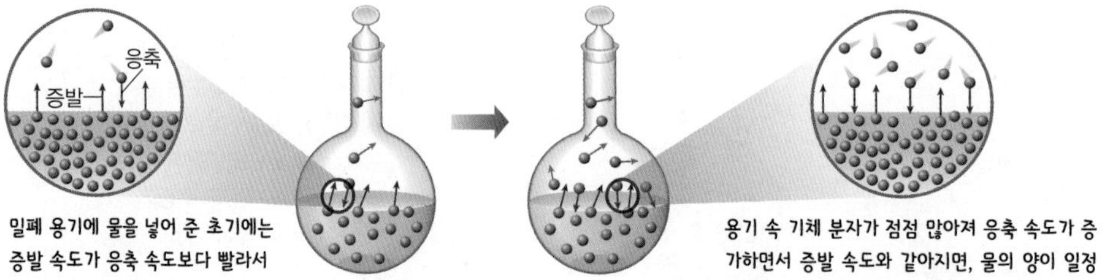

밀폐 용기에 물을 넣어 준 초기에는 증발 속도가 응축 속도보다 빨라서 물의 양이 점점 줄어든다.

용기 속 기체 분자가 점점 많아져 응축 속도가 증가하면서 증발 속도와 같아지면, 물의 양이 일정하게 유지되는 상평형에 도달한다.

2 용해 평형

겉보기에는 변화가 일어나지 않는 것 같지만, 용질의 용해와 석출이 같은 속도로 일어나고 있는 동적 평형 상태이다.

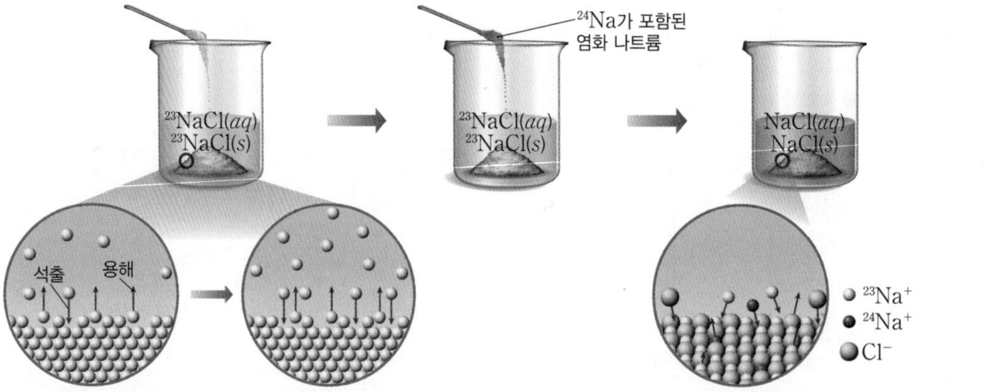

용매에 용질을 넣어 주면 초기에는 용해 속도가 석출 속도보다 빨라 넣어 주는 대로 녹는다. 용질을 계속 넣으면 용질이 바닥에 가라앉아 더 이상 녹아 들어가는 용질이 없는 것처럼 보이는 용해 평형에 도달한다.

용해 평형에 도달한 NaCl 수용액에 ^{24}Na가 포함된 NaCl을 넣어 주면 바닥에 가라앉은 고체와 수용액의 NaCl에서 모두 ^{24}Na가 발견된다. → 반응이 멈춘 것이 아니라 용해와 석출이 계속 일어나고 있음을 알 수 있다.

한·줄·핵심 상평형과 용해 평형에서 반응은 멈춘 것이 아니라 정반응과 역반응이 같은 속도로 일어나고 있다.

확인 문제

정답과 해설 078쪽

[01~03] 그림은 일정한 온도에서 용기에 일정량의 물을 넣고 밀폐시켰을 때 증발과 응축을 모형으로 나타낸 것이다.

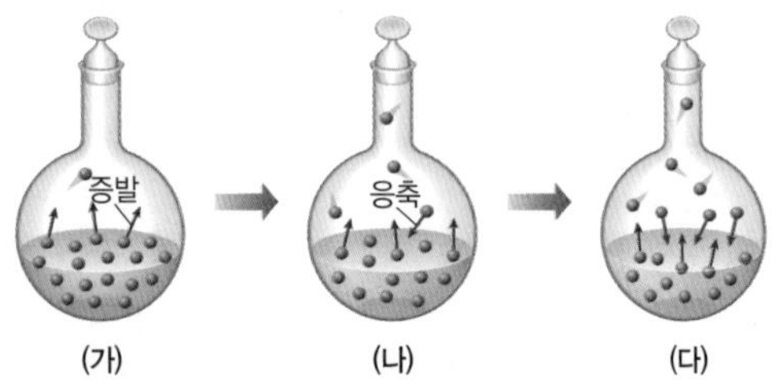

01 (가)~(다)의 증발 속도를 등호 또는 부등호로 비교하시오.

02 (가)~(다) 중 동적 평형에 도달한 것을 고르시오.

03 다음 설명 중 옳은 것은 ○, 옳지 않은 것은 ×로 표시하시오.

(1) 물의 증발과 응축은 가역 반응이다. ( )

(2) (나)에서 증발 속도는 응축 속도보다 빠르다. ( )

(3) (다)에서 증발은 일어나지 않는다. ( )

(4) (다)에서 시간이 지나면 수증기의 양은 증가한다. ( )

콕콕! 개념 확인하기

정답과 해설 078쪽

✔ 잠깐 확인!

1. □□ □□
반응 조건에 따라 정반응과 역반응이 모두 일어날 수 있는 반응

2. □□ □□
가역 반응에서 정반응 속도와 역반응 속도가 같아서 겉으로 보기에 변화가 없는 것처럼 보이는 상태

3. □□□
액체의 증발 속도와 기체의 응축 속도가 같아 겉으로 보기에 변화가 일어나지 않는 것처럼 보이는 상태

4. 용질의 용해 속도와 □□ 속도가 같아 겉으로 보기에 용해가 일어나지 않는 것처럼 보이는 상태를 □□ □□이라고 하며, 이러한 상태의 용액을 □□ 용액이라고 한다.

5. □□ □□
화학 반응에서 정반응 속도와 역반응 속도가 같아서 반응물의 농도와 생성물의 농도가 일정하게 유지되어 겉으로 보기에 반응이 정지된 것처럼 보이는 상태

A 가역 반응과 비가역 반응

01 가역 반응과 비가역 반응에 대한 설명으로 옳은 것은 ○, 옳지 않은 것은 ×로 표시하시오.

(1) 가역 반응에서는 정반응만 일어난다. ( )

(2) 비가역 반응은 반응 조건에 따라 정반응과 역반응이 모두 일어날 수 있다. ( )

(3) 가역 반응을 화학 반응식으로 나타낼 때는 '$\rightleftarrows$'를 이용하여 나타낸다. ( )

02 다음 반응이 가역 반응이면 '가역', 비가역 반응이면 '비가역'이라고 쓰시오.

(1) 메테인의 연소 반응 ( )

(2) 염산과 마그네슘의 반응 ( )

(3) 석회 동굴, 종유석, 석순의 생성 반응 ( )

B 동적 평형

03 그림은 일정한 온도에서 플라스크에 일정량의 물을 넣고 밀폐시킨 다음, 용기 속에서 일어나는 증발과 응축을 순서 없이 모형으로 나타낸 것이다.

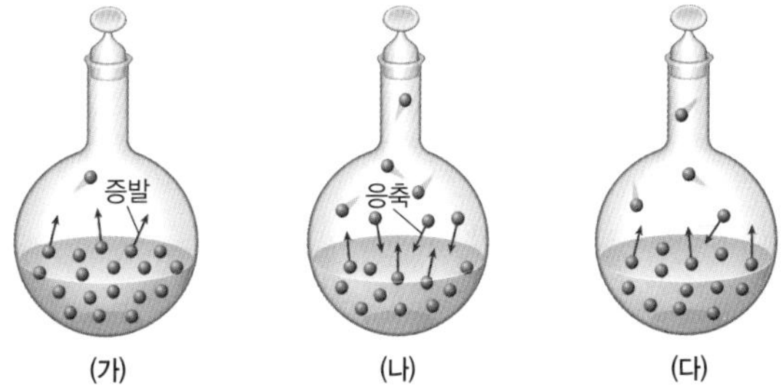

(가) (나) (다)

(가)~(다)를 시간 순서대로 나열하시오.

04 그림은 일정한 온도에서 일정량의 물에 설탕을 녹였을 때 시간에 따른 용질의 용해와 석출을 모형으로 나타낸 것이다. 이에 대한 설명으로 옳은 것은 ○, 옳지 않은 것은 ×로 표시하시오.

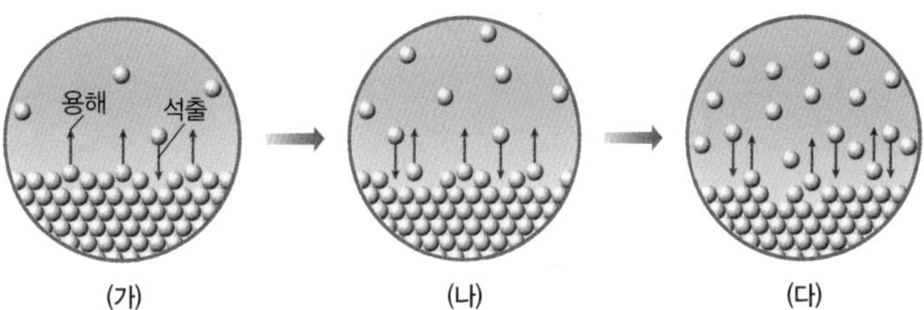

(가) (나) (다)

(1) (가)는 불포화 용액이다. ( )

(2) 용액의 몰 농도는 (나)<(가)이다. ( )

(3) (다)는 용해 평형 상태이다. ( )

탄탄! 내신 다지기

A 가역 반응과 비가역 반응

01 다음 중 가역 반응과 비가역 반응에 대한 설명으로 옳지 않은 것은?

① 가역 반응은 동적 평형에 도달할 수 있다.
② 물의 증발과 응축은 가역적으로 일어난다.
③ 가역 반응은 정반응과 역반응이 모두 일어날 수 있다.
④ 염산과 수산화 나트륨 수용액의 반응은 비가역 반응이다.
⑤ 비가역 반응은 온도, 압력 조건에 따라 역반응도 일어날 수 있다.

02 다음 반응 중 비가역 반응이 아닌 것은?

① 프로페인의 연소 반응
② 염산과 마그네슘의 반응
③ 사산화 이질소의 생성과 분해 반응
④ 질산과 수산화 나트륨 수용액의 반응
⑤ 질산 은 수용액과 염화 나트륨 수용액의 반응

단답형

03 그림은 파란색의 염화 코발트($CoCl_2$) 종이에 물을 떨어뜨려 붉게 변한 모습($CoCl_2 \cdot 6H_2O$)과 붉게 변한 종이를 가열하여 다시 파란색으로 변한 모습을 나타낸 것이다.

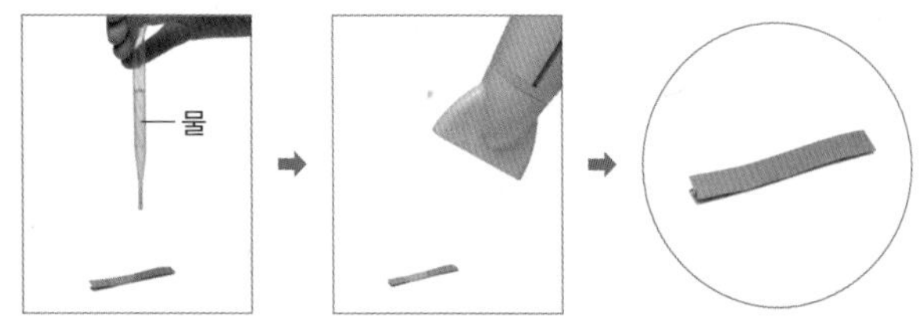

위의 현상에서 일어나는 반응을 화학 반응식으로 나타내시오.

04 다음은 3가지 화학 반응식이다.

(가) $HCl(aq) + NaOH(aq) \longrightarrow H_2O(l) + NaCl(aq)$
(나) $CH_4(g) + 2O_2(g) \longrightarrow CO_2(g) + 2H_2O(l)$
(다) $N_2(g) + 3H_2(g) \rightleftarrows 2NH_3(g)$

(가)~(다)를 가역 반응과 비가역 반응으로 옳게 구분한 것은?

	가역 반응	비가역 반응
①	(가)	(나), (다)
②	(가), (나)	(다)
③	(나)	(가), (다)
④	(나), (다)	(가)
⑤	(다)	(가), (나)

B 동적 평형

05 다음 설명 중 옳은 것만을 〈보기〉에서 있는 대로 고른 것은?

보기
ㄱ. 정반응은 반응물이 생성물로 되는 반응이다.
ㄴ. 가역 반응이 동적 평형에 도달하면 정반응은 일어나지 않는다.
ㄷ. 비가역 반응은 충분한 시간이 지나면 동적 평형에 도달한다.

① ㄱ ② ㄴ ③ ㄱ, ㄷ
④ ㄴ, ㄷ ⑤ ㄱ, ㄴ, ㄷ

06 동적 평형에 대한 설명으로 옳은 것만을 〈보기〉에서 있는 대로 고른 것은?

보기
ㄱ. 가역 반응은 충분한 시간이 지나면 동적 평형에 도달한다.
ㄴ. 정반응과 역반응이 같은 속도로 일어난다.
ㄷ. 반응물과 생성물이 함께 존재한다.

① ㄱ ② ㄴ ③ ㄱ, ㄷ
④ ㄴ, ㄷ ⑤ ㄱ, ㄴ, ㄷ

07 그림은 일정한 온도의 밀폐된 용기에서 일어나는 물의 증발과 응축을 모형으로 나타낸 것이다.

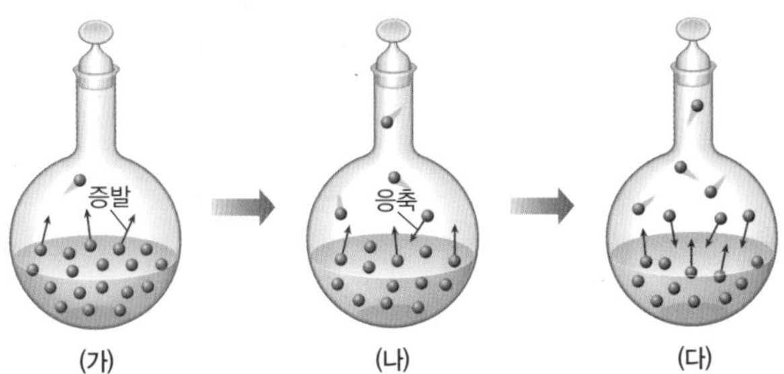

이에 대한 설명으로 옳은 것만을 〈보기〉에서 있는 대로 고른 것은?

보기
ㄱ. 증발 속도는 (가)가 가장 빠르다.
ㄴ. 응축 속도는 (나)가 가장 빠르다.
ㄷ. (다)는 동적 평형 상태이다.

① ㄱ ② ㄷ ③ ㄱ, ㄴ
④ ㄴ, ㄷ ⑤ ㄱ, ㄴ, ㄷ

08 그림은 일정량의 물에 설탕을 넣고 충분히 저어 주었을 때 설탕의 일부는 녹고 일부는 바닥에 가라앉은 모습이다.

이에 대한 설명으로 옳은 것만을 〈보기〉에서 있는 대로 고른 것은?

보기
ㄱ. 물에 녹아 들어가는 설탕 분자는 없다.
ㄴ. 용해 평형에 도달한 상태이다.
ㄷ. 이 용액은 포화 용액이다.

① ㄱ ② ㄴ ③ ㄱ, ㄷ
④ ㄴ, ㄷ ⑤ ㄱ, ㄴ, ㄷ

09 그림은 밀폐된 플라스크에 액체 상태의 브로민(Br_2)을 넣은 초기 상태 (가)와 어느 정도 시간이 지난 (나)와 충분한 시간이 지나 색이 일정하게 유지되는 상태 (다)를 나타낸 것이다.

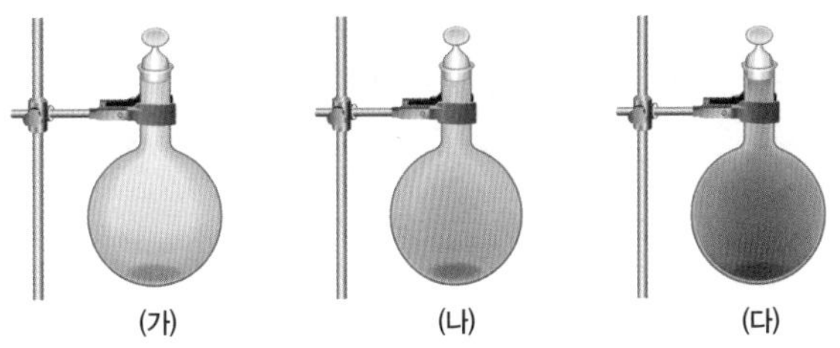

이에 대한 설명으로 옳은 것만을 〈보기〉에서 있는 대로 고른 것은?

보기
ㄱ. (가)에서는 Br_2의 증발 속도가 응축 속도보다 빠르다.
ㄴ. (나)는 동적 평형 상태이다.
ㄷ. (다)에서 응축되는 $Br_2(g)$ 분자 수는 0이다.

① ㄱ ② ㄴ ③ ㄱ, ㄷ
④ ㄴ, ㄷ ⑤ ㄱ, ㄴ, ㄷ

단답형

10 $A_2(g)$와 $AB(g)$가 반응하여 $A_2B(g)$를 생성하는 반응은 가역적으로 일어난다. 그림은 밀폐된 용기에 $A_2(g)$와 $AB(g)$를 일정량 넣었을 때의 반응 초기 상태를 모형으로 나타낸 것이다.

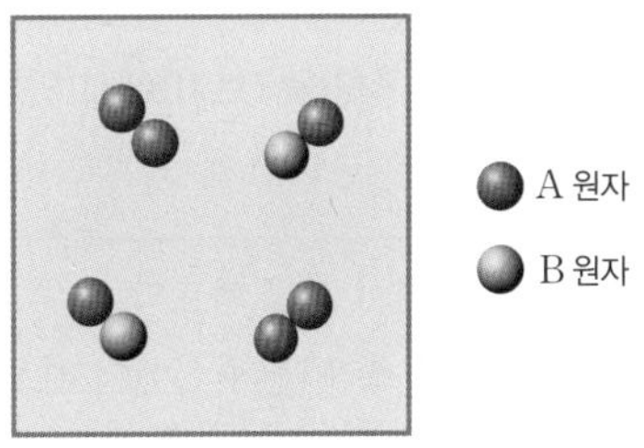

(1) 이 반응의 화학 반응식을 쓰시오.

(2) 이 반응이 화학 평형 상태에 도달했을 때 용기 속에 들어 있는 물질의 화학식을 있는 대로 쓰시오.

01 다음은 3가지 화학 반응식이다.

(가) $CH_4(g)+2O_2(g) \longrightarrow CO_2(g)+2H_2O(l)$
(나) $CaCO_3(s)+CO_2(g)+H_2O(l) \rightleftarrows Ca(HCO_3)_2(aq)$
(다) $2NO_2(g) \rightleftarrows N_2O_4(g)$

이에 대한 설명으로 옳은 것만을 <보기>에서 있는 대로 고른 것은?

보기
ㄱ. (가)는 정반응과 역반응이 모두 일어날 수 있다.
ㄴ. (나)는 정반응만 일어날 수 있다.
ㄷ. (다)는 동적 평형에 도달할 수 있다.

① ㄱ ② ㄷ ③ ㄱ, ㄴ
④ ㄴ, ㄷ ⑤ ㄱ, ㄴ, ㄷ

출제예감

02 그림은 일정한 온도에서 밀폐된 용기에 일정량의 물을 넣었을 때 시간에 따른 증발과 응축을 모형으로 나타낸 것이다.

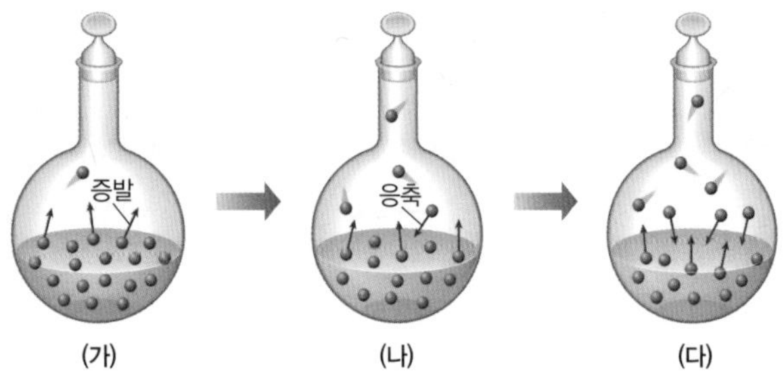

이에 대한 설명으로 옳은 것만을 <보기>에서 있는 대로 고른 것은?

보기
ㄱ. 증발 속도는 (가)에서 가장 빠르다.
ㄴ. |응축 속도−증발 속도|는 (나)에서 가장 크다.
ㄷ. 수증기의 양(mol)은 (다)에서 가장 많다.

① ㄱ ② ㄷ ③ ㄱ, ㄴ
④ ㄴ, ㄷ ⑤ ㄱ, ㄴ, ㄷ

03 그림은 일정한 온도에서 밀폐된 용기에 일정량의 물을 넣었을 때 시간에 따른 물의 증발 속도와 응축 속도를 나타낸 것이다.

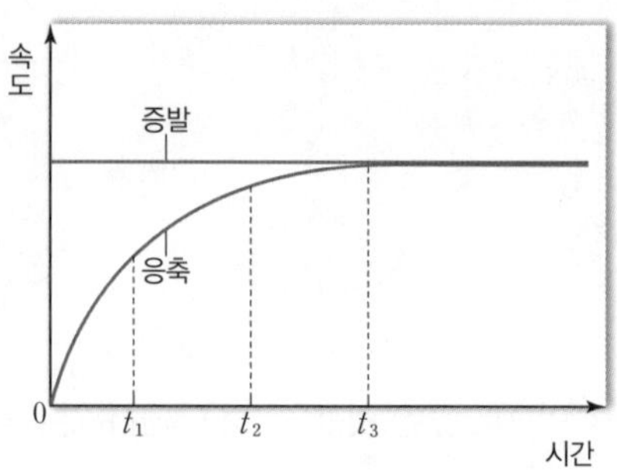

이에 대한 설명으로 옳은 것만을 <보기>에서 있는 대로 고른 것은?

보기
ㄱ. 용기 속 $H_2O(l)$의 양은 t_1일 때가 t_2일 때보다 많다.
ㄴ. 용기 속 $H_2O(g)$의 양은 t_2일 때가 t_3일 때보다 많다.
ㄷ. t_3일 때는 더 이상 증발이 일어나지 않는다.

① ㄱ ② ㄷ ③ ㄱ, ㄴ
④ ㄴ, ㄷ ⑤ ㄱ, ㄴ, ㄷ

출제예감

04 그림은 일정한 온도에서 일정량의 물에 설탕을 녹였을 때 시간에 따른 용질의 용해와 석출을 모형으로 나타낸 것이다.

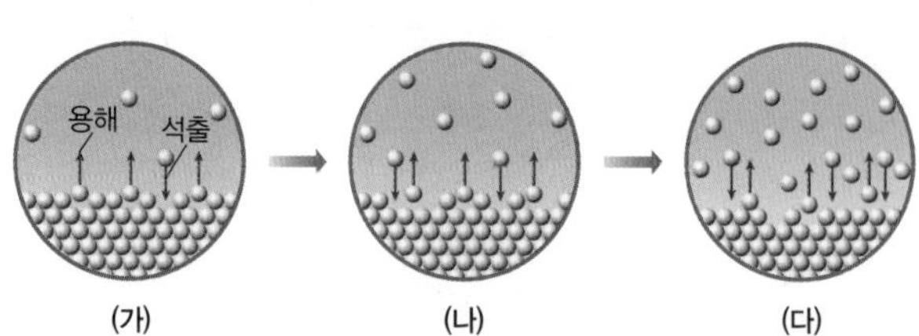

이에 대한 설명으로 옳은 것만을 <보기>에서 있는 대로 고른 것은?

보기
ㄱ. 설탕의 용해와 석출은 가역적으로 일어난다.
ㄴ. (다)는 포화 용액이다.
ㄷ. 용액의 몰 농도는 (다)>(나)이다.

① ㄱ ② ㄴ ③ ㄱ, ㄷ
④ ㄴ, ㄷ ⑤ ㄱ, ㄴ, ㄷ

정답과 해설 080쪽

05 그림은 용기에 일정량의 물을 넣고 밀폐한 후 충분한 시간이 지나 수면의 높이가 일정하게 유지되고 있는 상태를 나타낸 것이다.

이에 대한 설명으로 옳은 것만을 〈보기〉에서 있는 대로 고른 것은? (단, 온도는 일정하다.)

보기
ㄱ. 동적 평형 상태이다.
ㄴ. 더 이상 증발이 일어나지 않는다.
ㄷ. 용기 속 $H_2O(g)$의 양(mol)은 일정하다.

① ㄱ ② ㄴ ③ ㄱ, ㄷ
④ ㄴ, ㄷ ⑤ ㄱ, ㄴ, ㄷ

06 다음은 적갈색의 이산화 질소(NO_2) 기체가 무색의 사산화 이질소(N_2O_4) 기체를 생성하는 반응의 화학 반응식이다.

$$2NO_2(g) \rightleftharpoons N_2O_4(g)$$

그림은 밀폐 용기에 일정량의 $NO_2(g)$를 넣어 두었을 때 시간에 따른 변화를 나타낸 것이다. (다) 이후 적갈색이 더 이상 옅어지지 않았다.

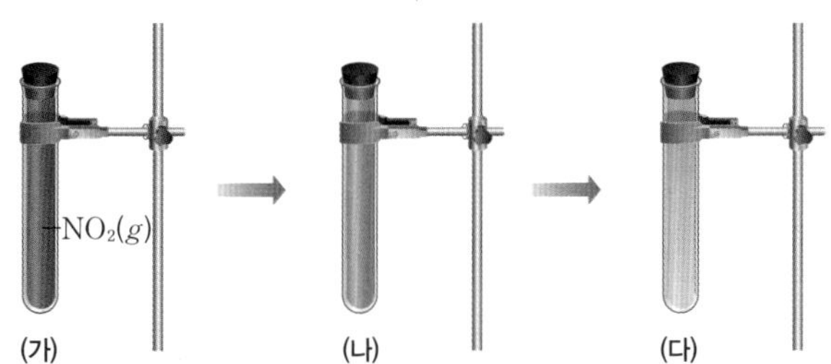

이에 대한 설명으로 옳은 것만을 〈보기〉에서 있는 대로 고른 것은? (단, 온도는 일정하다.)

보기
ㄱ. (가)에서는 정반응 속도가 역반응 속도보다 빠르다.
ㄴ. (나)에서는 역반응 속도와 정반응 속도가 같다.
ㄷ. (다)에서 N_2O_4의 몰 농도는 일정하다.

① ㄱ ② ㄴ ③ ㄱ, ㄷ
④ ㄴ, ㄷ ⑤ ㄱ, ㄴ, ㄷ

07 다음은 가역 반응에서 일어나는 어떤 현상에 대한 설명이다. ㉠~㉢에 들어갈 알맞은 말을 쓰시오.

밀폐 용기에서 액체의 증발 속도와 기체의 응축 속도가 같아서 겉으로 보기에 변화가 일어나지 않는 것처럼 보이는 상태를 (㉠), 용질의 용해 속도와 석출 속도가 같아서 겉으로 보기에 용해가 일어나지 않는 것처럼 보이는 상태를 (㉡)이라고 하며, 이 두 가지 현상은 (㉢)의 예이다.

서술형

08 그림은 일정량의 물에 설탕을 넣고 충분히 저어 주었을 때 설탕의 일부는 녹고 일부는 바닥에 가라앉은 모습이다. 이 상태에서 비커에 설탕을 더 넣어 줄 때, 용액의 몰 농도의 변화를 서술하시오. (단, 온도는 일정하다.)

서술형

09 다음은 질소(N_2) 기체와 수소(H_2) 기체가 반응하여 암모니아(NH_3)를 생성하는 반응의 화학 반응식이다.

$$N_2(g) + 3H_2(g) \rightleftharpoons 2NH_3(g)$$

밀폐 용기에 $NH_3(g)$를 넣고 충분한 시간이 지났을 때 용기 속에 존재하는 물질의 화학식을 모두 쓰고, 그 까닭을 서술하시오.

02 물의 자동 이온화와 pH

핵심 키워드로 흐름잡기

- A 물의 자동 이온화 반응, 물의 이온화 상수
- B 수소 이온 농도 지수, pH 측정

A 물의 자동 이온화와 수용액의 액성

|출·제·단·서| 물이 자동 이온화하는 반응의 의미를 파악하는 문제가 시험에 나와.

1. 물의 자동 이온화

(1) 물의 자동 이온화 반응

① 순수한 물에서 매우 적은 양의 물 분자끼리 수소 이온(H^+)을 주고받아 •이온화하는 반응

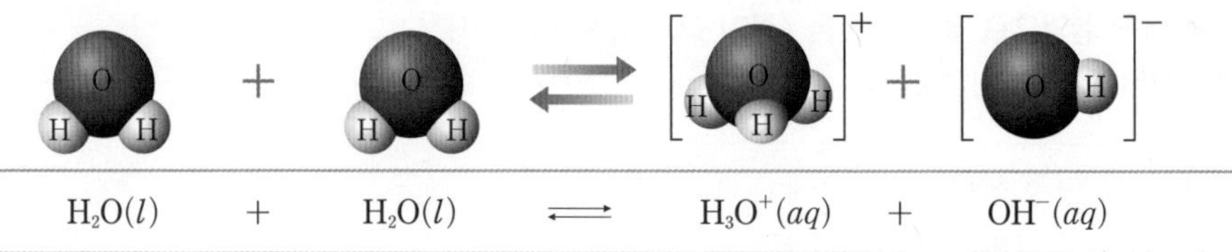

$$H_2O(l) + H_2O(l) \rightleftharpoons H_3O^+(aq) + OH^-(aq)$$

② 물의 자동 이온화 반응은 가역 반응으로, 동적 평형에 도달하면 물이 하이드로늄 이온(H_3O^+)과 수산화 이온(OH^-)으로 이온화하는 정반응과 H_3O^+과 OH^-이 다시 물로 되는 역반응이 같은 속도로 일어난다. → 물속에 들어 있는 H_3O^+의 몰 농도와 OH^-의 몰 농도가 일정하게 유지된다.

(2) 물의 이온화 상수(K_w) 암기TIP 물의 이온화 상수(K_w)$=[H_3O^+][OH^-]=1\times10^{-14}$(25 ℃)

① 물의 자동 이온화 반응이 동적 평형에 도달하면 하이드로늄 이온(H_3O^+)의 몰 농도와 수산화 이온(OH^-)의 몰 농도가 일정하게 유지되므로 이들 물질의 몰 농도 곱이 일정한 값을 갖게 되며, 이를 물의 이온화 상수❶라고 한다.

$$K_w=[H_3O^+][OH^-]=\text{일정}$$

$[H_3O^+]$는 H_3O^+의 몰 농도를, $[OH^-]$는 OH^-의 몰 농도를 뜻한다.

② 25 ℃에서 순수한 물의 자동 이온화 반응이 동적 평형에 도달했을 때 $[H_3O^+]$와 $[OH^-]$는 1×10^{-7} M로 같으며❷, 이때 K_w는 1×10^{-14}이다.

$$K_w=[H_3O^+][OH^-]=1.0\times10^{-14}\ (25\ ℃)$$

2. 수용액의 •액성과 $[H_3O^+]$, $[OH^-]$

(1) 수용액의 액성 일정한 온도에서 수용액 속의 $[H_3O^+]$와 $[OH^-]$를 비교하면 수용액의 액성을 구별할 수 있다.

수용액의 액성	산성	중성	염기성
농도 비교	$[H_3O^+]>[OH^-]$	$[H_3O^+]=[OH^-]$	$[H_3O^+]<[OH^-]$

(2) 25 ℃에서 수용액의 액성에 따른 $[H_3O^+]$, $[OH^-]$

농도(M)	1.0×10^{-14} ～ 1.0×10^{-7} ～ 1.0×10^{0}	
산성 용액	$[H_3O^+]$ / $[OH^-]$	$[H_3O^+]>1\times10^{-7}$ M$>[OH^-]$
중성 용액	$[H_3O^+]$ / $[OH^-]$	$[H_3O^+]=1\times10^{-7}$ M$=[OH^-]$
염기성 용액	$[H_3O^+]$ / $[OH^-]$	$[H_3O^+]<1\times10^{-7}$ M$<[OH^-]$

❶ 이온화 상수

이온화 상수(K)는 이온화 반응이 평형을 이룰 때 반응물의 농도 곱에 대한 생성물의 농도 곱의 비이다. 물의 자동 이온화 반응에서 물의 농도는 거의 일정하므로 물의 이온화 상수(K_w)는 다음과 같이 나타낼 수 있다.

$$K=\frac{[H_3O^+][OH^-]}{[H_2O]^2}$$

$$\Rightarrow K_w=[H_3O^+][OH^-]$$

❷ 일정한 온도에서 H_3O^+, OH^-의 몰 농도

물의 자동 이온화 반응에서 어느 물 분자 하나가 H^+을 잃고 OH^-이 되면 다른 물 분자는 H^+을 받아 H_3O^+이 되므로, 순수한 물속에 존재하는 H_3O^+과 OH^-의 몰 농도는 같다.

이온화 상수의 온도 의존성

물의 이온화 상수는 온도에만 영향을 받으므로 같은 온도에서는 물의 이온화 상수가 일정하다. 따라서 일정한 온도에서 $[H_3O^+]$를 알면 $[OH^-]$를 구할 수 있다.

용어 알기

- 이온화(ionization) 물질이 양이온과 음이온으로 나누어지는 현상
- 액성(용액 液, 성질 性) 산성, 중성, 염기성으로 구분하는 용액의 성질

B 수소 이온의 농도 지수(pH)와 pH 측정

|출·제·단·서| 용액의 액성과 pH를 비교하는 문제가 시험에 나와.

1. 수소 이온 농도 지수(pH) 개념 POOL

(1) 수소 이온 농도 지수(pH) 수용액 속 $[H_3O^+]$의 역수의 ●상용로그 값으로, pH라는 기호로 나타낸다. $[H_3O^+]$를 간단히 나타내기 위해 사용한다.

$$pH = \log\frac{1}{[H_3O^+]} = -\log[H_3O^+]$$

① 수용액 속 $[H_3O^+]$가 클수록 pH가 작아진다. → pH가 작을수록 산성이 강하다.

② pH가 1만큼 작아지면 수소 이온 농도는 10배 커진다.

③ 수용액의 $[OH^-]$는 pOH로 나타낼 수 있다. $pOH = -\log[OH^-]$

(2) pH와 pOH의 관계 25 ℃에서 물의 이온화 상수$(K_w) = [H_3O^+][OH^-] = 1\times10^{-14}$으로 일정하게 유지되므로 pH와 pOH 사이에는 다음과 같은 관계가 성립한다.

$$pH + pOH = 14\ (25\ ℃)$$

(3) 25 ℃에서 수용액의 액성에 따른 pH, pOH

① **산성 용액:** $[H_3O^+]$가 1×10^{-7} M보다 크므로 pH는 7보다 작다. $pH < 7 < pOH$

② **중성 용액:** $[H_3O^+]$가 1×10^{-7} M이므로 pH는 7이다. $pH = 7 = pOH$

③ **염기성 용액:** $[H_3O^+]$가 1×10^{-7} M보다 작으므로 pH는 7보다 크다. $pH > 7 > pOH$

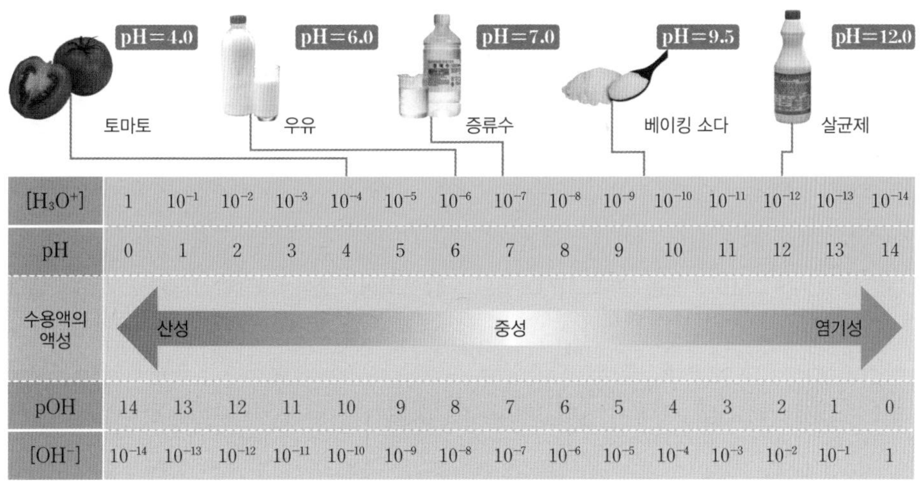

$[H_3O^+]$	1	10^{-1}	10^{-2}	10^{-3}	10^{-4}	10^{-5}	10^{-6}	10^{-7}	10^{-8}	10^{-9}	10^{-10}	10^{-11}	10^{-12}	10^{-13}	10^{-14}
pH	0	1	2	3	4	5	6	7	8	9	10	11	12	13	14
수용액의 액성	산성							중성							염기성
pOH	14	13	12	11	10	9	8	7	6	5	4	3	2	1	0
$[OH^-]$	10^{-14}	10^{-13}	10^{-12}	10^{-11}	10^{-10}	10^{-9}	10^{-8}	10^{-7}	10^{-6}	10^{-5}	10^{-4}	10^{-3}	10^{-2}	10^{-1}	1

▲ 수용액의 액성과 pH, pOH의 관계(25 ℃)

2. 용액의 pH 측정

수용액의 pH 측정은 ●지시약, pH 시험지, pH 미터❸ 등을 이용한다.

(1) 지시약 pH에 따라 색이 변하는 물질로, 색 변화를 통해 용액의 액성을 판단할 수 있다.

지시약	리트머스 종이	페놀프탈레인 용액	메틸 오렌지 용액	BTB 용액
산성	푸른색 → 붉은색	무색	붉은색	노란색
중성	변화 없음	무색	노란색	초록색
염기성	붉은색 → 푸른색	붉은색	노란색	파란색

(2) pH 시험지 여러 가지 지시약을 섞어서 만든 만능 지시약을 종이에 적셔 만든 것으로, 시험지의 색 변화를 통해 대략적인 pH를 판단할 수 있다.

(3) pH 미터 수소 이온 농도에 따른 전기 전도도 차이를 이용한 기계로, pH를 정밀하게 측정할 수 있다.

수소 이온(H^+)과 하이드로늄 이온(H_3O^+)

수소 이온(H^+)은 수소 원자가 전자를 잃어 양성자가 된 것과 같은데, 물에서는 물 분자와 결합하여 하이드로늄 이온(H_3O^+)으로 존재한다.

? 중성 용액의 pH는 항상 7일까?

중성 용액의 pH가 7인 것은 25 ℃에서 물의 이온화 상수(K_w)가 1×10^{-14}이기 때문이다. K_w는 온도에 따라 달라지는데, 온도가 높을수록 K_w가 커지므로 중성이더라도 pH는 7보다 작아진다.

❸ pH 미터와 pH 시험지

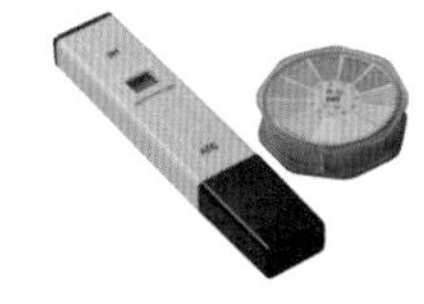

용어 알기

●상용로그(항상 常, 용도 用, log) 10을 밑으로 하는 로그

●지시약(손가락 指, 보이다 示, 약 藥) 용액의 액성을 구별할 때 사용하는 시약

물의 자동 이온화와 pH

목표 물의 자동 이온화 반응을 이해하고, 순수한 물에 산이나 염기를 가했을 때 용액 속 이온의 농도 변화와 용액의 액성을 판단할 수 있다.

1 물의 자동 이온화

물에서 매우 적은 양의 물 분자가 수소 이온(H^+)을 주고받아 H_3O^+과 OH^-을 내놓는다.

└ 어느 물 분자 하나가 H^+을 잃고 OH^-이 되면 다른 물 분자는 H^+을 받아 H_3O^+이 된다.

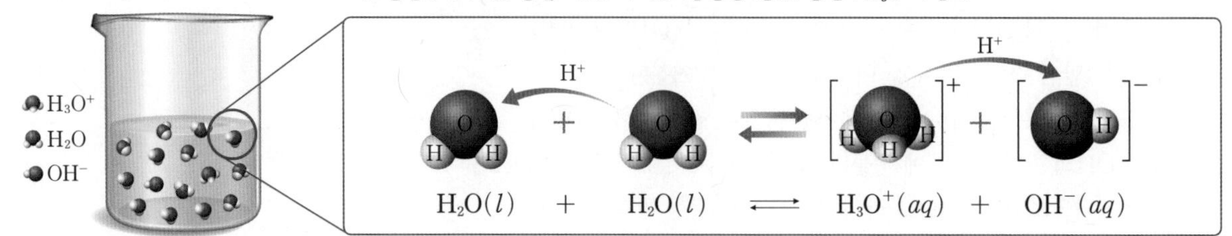

2 용액 속 이온의 농도와 pH, pOH(25 ℃)

구분	순수한 물에 산을 넣을 때	순수한 물	순수한 물에 염기를 넣을 때
이온의 농도 비교	넣어 준 산에 의해 $[H_3O^+]$가 증가하지만 K_w가 일정하므로 $[OH^-]$가 감소하여 $[H_3O^+]>[OH^-]$가 된다. → 산성 용액 $[H_3O^+]$ $[OH^-]$ 산성 용액 $[H_3O^+]>10^{-7}$ M $>[OH^-]$	순수한 물에서는 H_3O^+의 양(mol)과 OH^-의 양(mol)이 같으므로 물속 $[H_3O^+]$와 $[OH^-]$가 같다. → 중성 용액 $[H_3O^+]$ $[OH^-]$ 중성 용액 $[H_3O^+]=10^{-7}$ M $=[OH^-]$	넣어 준 염기에 의해 $[OH^-]$가 증가하지만 K_w가 일정하므로 $[H_3O^+]$가 감소하여 $[H_3O^+]<[OH^-]$가 된다. → 염기성 용액 $[H_3O^+]$ $[OH^-]$ 염기성 용액 $[H_3O^+]<10^{-7}$ M $<[OH^-]$
pH와 pOH 비교	산성 용액의 $[H_3O^+]$는 1×10^{-7} M보다 크므로 pH는 7보다 작다. pH<7<pOH	중성 용액의 $[H_3O^+]$는 1×10^{-7} M이므로 pH는 7이다. pH=7=pOH	염기성 용액의 $[H_3O^+]$는 1×10^{-7} M보다 작으므로 pH는 7보다 크다. pH>7>pOH

한·줄·핵심 순수한 물은 중성을 나타내고, 순수한 물에 산을 넣으면 $[H_3O^+]>[OH^-]$가 되고, 염기를 넣으면 $[OH^-]>[H_3O^+]$가 된다.

확인 문제

정답과 해설 081쪽

01 그림은 25 ℃에서 3가지 용액 속에 들어 있는 H_3O^+과 OH^-의 몰 농도를 비교한 것이다.

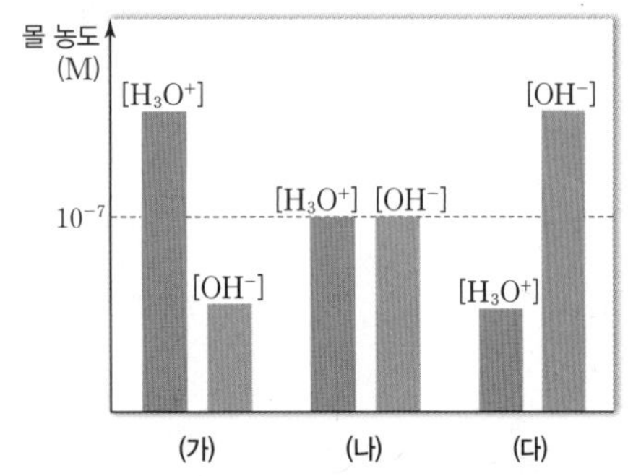

(가)~(다)의 액성을 각각 쓰시오.

02 다음 설명 중 옳은 것은 ○, 옳지 않은 것은 ×로 표시하시오.

(1) 순수한 물에 염산(HCl(aq))을 소량 넣으면 물 속 $[H_3O^+]$와 $[OH^-]$를 곱한 값이 증가한다. ( )

(2) 순수한 물에서 $[H_3O^+]$와 $[OH^-]$는 항상 같다. ( )

(3) 25 ℃에서 0.1 M 수산화 나트륨(NaOH) 수용액의 pH는 13이다. ( )

(4) 순수한 물에 염기를 소량 넣으면 순수한 물에서보다 pH가 감소한다. ( )

콕콕! 개념 확인하기

정답과 해설 081쪽

✔ 잠깐 확인!

1. 물의 ☐☐ ☐☐☐
순수한 물에서 매우 적은 양의 물 분자끼리 H^+을 주고받아 H_3O^+과 OH^-으로 이온화하는 반응

2. 물의 ☐☐☐ ☐☐
물이 자동 이온화하여 동적 평형을 이룰 때 $[H_3O^+]$와 $[OH^-]$를 곱한 값으로, 25 ℃에서 그 값은 ☐ 으로 일정하다.

3. 수용액에서
$[H_3O^+]$ ☐ $[OH^-]$ 이면 산성,
$[H_3O^+]$ ☐ $[OH^-]$ 이면 중성,
$[H_3O^+]$ ☐ $[OH^-]$ 이면 염기성이다.

4. ☐☐ ☐☐ ☐☐ ☐☐
수용액 속 $[H_3O^+]$를 간단하게 나타내기 위해 사용하는 값으로, ☐☐라는 기호로 나타낸다.

5. 25 ℃에서 산성 용액의 pH는 7보다 ☐고, 염기성 용액의 pH는 7보다 ☐다.

A 물의 자동 이온화와 수용액의 액성

01 물의 자동 이온화에 대한 설명으로 옳은 것은 ○, 옳지 않은 것은 ×로 표시하시오.

(1) 물 분자들끼리 H^+을 주고받는 반응이다. ( )

(2) 순수한 물에서 대부분의 분자들이 이온화한다. ( )

(3) 순수한 물속에 존재하는 H_3O^+의 농도와 OH^-의 농도는 항상 같다. ( )

(4) 25 ℃의 순수한 물에서 물속 $[H_3O^+][OH^-]=1\times10^{-14}$이다. ( )

02 25 ℃에서 다음 수용액의 액성을 각각 쓰시오.

(1) $[H_3O^+]$가 1×10^{-9} M인 용액 ( )

(2) $[H_3O^+]$가 1×10^{-4} M인 용액 ( )

(3) $[OH^-]$가 1×10^{-6} M인 용액 ( )

(4) $[OH^-]$가 1×10^{-10} M인 용액 ( )

B 수소 이온 농도 지수(pH)와 pH 측정

03 수소 이온 농도 지수(pH)에 대한 설명으로 옳은 것은 ○, 옳지 않은 것은 ×로 표시하시오.

(1) 수용액 속 수소 이온 농도가 클수록 pH는 커진다. ( )

(2) 수용액 속 $[H_3O^+]$가 10배 증가하면 pH는 1 감소한다. ( )

(3) 25 ℃에서 중성인 수용액의 pH는 7이다. ( )

(4) 25 ℃에서 산성인 수용액의 pH는 7보다 크고, 염기성인 용액의 pH는 7보다 작다. ( )

(5) 25 ℃에서 수용액의 pH+pOH는 14이다. ( )

04 그림은 25 ℃인 4가지 수용액 (가)~(라)에 들어 있는 H_3O^+ 또는 OH^-의 몰 농도를 나타낸 것이다. (가)~(라)의 pH를 각각 구하시오.

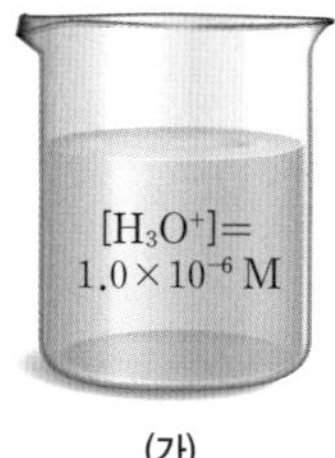

(가)

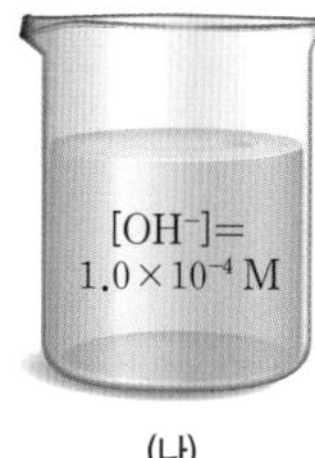

(나)

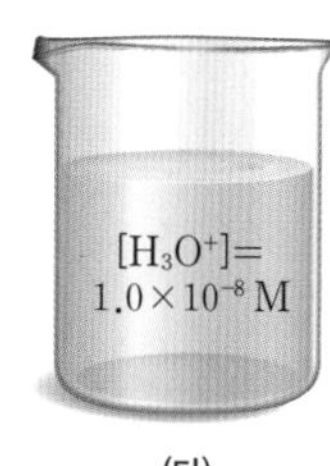

(다)

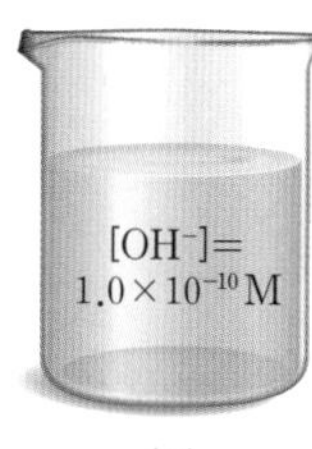

(라)

탄탄! 내신 다지기

A 물의 자동 이온화와 수용액의 액성

01 그림은 물의 자동 이온화를 모형으로 나타낸 것이다.

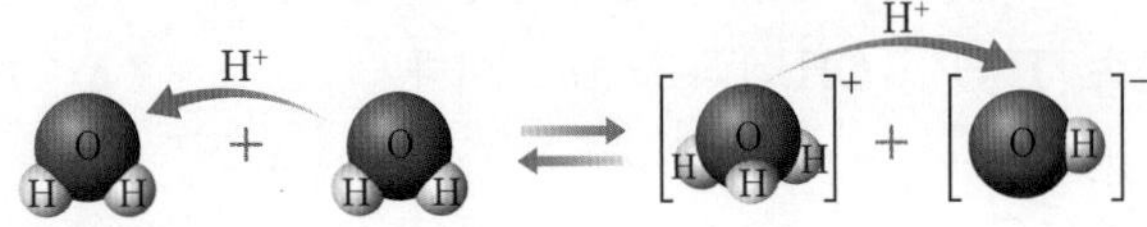

이에 대한 설명으로 옳은 것은?

① 물의 자동 이온화는 비가역 반응이다.
② 순수한 물에서 $[H_3O^+]$와 $[OH^-]$는 같다.
③ 25 ℃의 수용액에서 $[H_3O^+]$와 $[OH^-]$의 합은 항상 일정한 값을 갖는다.
④ 순수한 물에서 $[H_3O^+]$와 $[OH^-]$의 곱은 온도에 관계없이 항상 일정한 값을 갖는다.
⑤ 순수한 물에서는 분자 상태로 존재하는 물의 양(mol)보다 H_3O^+의 양(mol)이 더 많다.

02 물의 이온화 상수(K_w)에 대한 설명으로 옳은 것만을 <보기>에서 있는 대로 고른 것은?

보기
ㄱ. 물의 자동 이온화 반응이 동적 평형에 도달했을 때 물속 $[H_3O^+]$와 $[OH^-]$의 곱으로 나타낸다.
ㄴ. 온도에 관계없이 항상 1×10^{-14}으로 일정하다.
ㄷ. 25 ℃ 산성 용액에서 그 값은 1×10^{-14}보다 크다.

① ㄱ ② ㄴ ③ ㄱ, ㄷ
④ ㄴ, ㄷ ⑤ ㄱ, ㄴ, ㄷ

단답형

03 25 ℃에서 0.01 M 수산화 나트륨(NaOH) 수용액의 $[H_3O^+]$와 $[OH^-]$를 각각 구하시오.

04 표는 25 ℃에서 수용액 (가)~(다)에 들어 있는 이온의 몰 농도 중 일부를 나타낸 것이다.

수용액	(가)	(나)	(다)
$[H_3O^+]$	1×10^{-7}		1×10^{-11}
$[OH^-]$		1×10^{-4}	

이에 대한 설명으로 옳은 것만을 <보기>에서 있는 대로 고른 것은?

보기
ㄱ. (가)는 중성 용액이다.
ㄴ. (나)에서 $[H_3O^+]>[OH^-]$이다.
ㄷ. (다)에서 $[OH^-]$는 1×10^{-3} M이다.

① ㄱ ② ㄴ ③ ㄱ, ㄷ
④ ㄴ, ㄷ ⑤ ㄱ, ㄴ, ㄷ

05 다음은 일정한 온도에서 수용액 (가)~(다)에 들어 있는 하이드로늄 이온(H_3O^+)의 몰 농도와 수산화 이온(OH^-)의 몰 농도를 비교한 것이다.

(가) $[H_3O^+]>[OH^-]$
(나) $[H_3O^+]<[OH^-]$
(다) $[H_3O^+]=[OH^-]$

이에 대한 설명으로 옳은 것만을 <보기>에서 있는 대로 고른 것은?

보기
ㄱ. (가)에 마그네슘(Mg)을 넣으면 수소 기체가 발생한다.
ㄴ. (나)에 BTB 용액을 떨어뜨리면 파란색을 나타낸다.
ㄷ. 물의 이온화 상수(K_w)는 모두 같다.

① ㄱ ② ㄷ ③ ㄱ, ㄴ
④ ㄴ, ㄷ ⑤ ㄱ, ㄴ, ㄷ

B 수소 이온 농도 지수(pH)와 pH 측정

06 pH에 대한 설명으로 옳은 것만을 <보기>에서 있는 대로 고른 것은?

보기
ㄱ. $[H_3O^+]$가 클수록 pH가 크다.
ㄴ. pH가 1만큼 작아지면 수소 이온 농도는 10배 커진다.
ㄷ. 25 ℃에서 pH가 6인 수용액 속 $[H_3O^+]$는 $[OH^-]$보다 크다.

① ㄱ ② ㄴ ③ ㄱ, ㄷ
④ ㄴ, ㄷ ⑤ ㄱ, ㄴ, ㄷ

07 25 ℃에서 0.001 M 염산(HCl(aq))의 $\frac{[H_3O^+]}{[OH^-]}$는?

① 1 ② 10 ③ 1×10^3
④ 1×10^8 ⑤ 1×10^{14}

08 그림은 25 ℃에서 수용액 (가)~(다)에 녹아 있는 이온을 모형으로 나타낸 것이다. (단, 물이 자동 이온화하여 생성된 이온은 나타내지 않았다.)

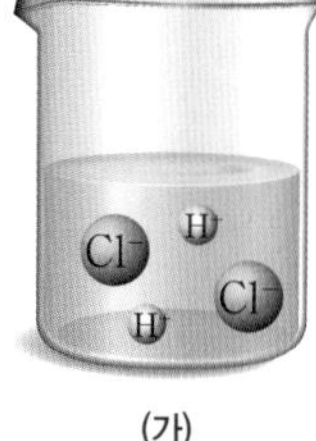

(가)

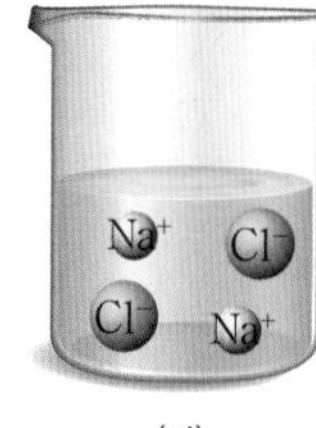

(나)

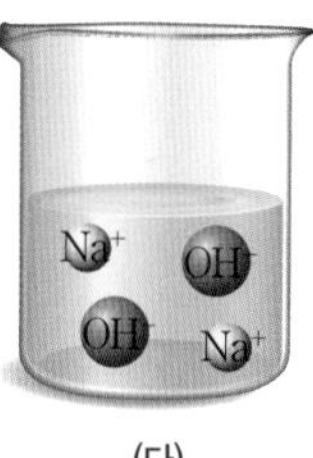

(다)

이에 대한 설명으로 옳은 것만을 <보기>에서 있는 대로 고른 것은?

보기
ㄱ. (가)에서 $[H_3O^+]>[OH^-]$이다.
ㄴ. (나)에서 $[H_3O^+]=1\times10^{-7}$ M이다.
ㄷ. (다)의 pH는 7보다 크다.

① ㄱ ② ㄴ ③ ㄱ, ㄷ
④ ㄴ, ㄷ ⑤ ㄱ, ㄴ, ㄷ

09 다음은 25 ℃에서 3가지 용액에 대한 자료이다.

(가) 0.001 M HCl(aq)
(나) pH가 4인 식초
(다) $[OH^-]=1\times10^{-5}$ M인 암모니아수

이에 대한 설명으로 옳은 것만을 <보기>에서 있는 대로 고른 것은?

보기
ㄱ. (가)의 pH는 3이다.
ㄴ. $[H_3O^+]$는 (가)가 (나)의 2배이다.
ㄷ. (다)의 pH는 5이다.

① ㄱ ② ㄴ ③ ㄱ, ㄷ
④ ㄴ, ㄷ ⑤ ㄱ, ㄴ, ㄷ

10 그림은 우리 주변의 몇 가지 물질의 pH를 나타낸 것이다.

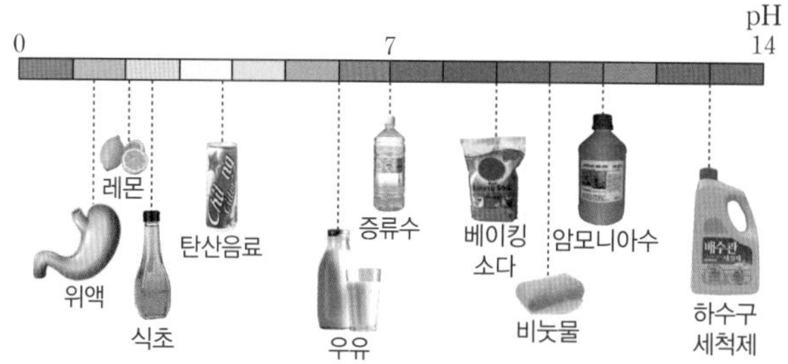

제시된 물질에 대한 설명으로 옳은 것만을 <보기>에서 있는 대로 고른 것은?

보기
ㄱ. 우유는 산성을 띤다.
ㄴ. 염기성이 가장 강한 물질은 하수구 세척액이다.
ㄷ. 물질 속 $[H_3O^+]$는 식초가 탄산음료보다 크다.

① ㄱ ② ㄴ ③ ㄱ, ㄷ
④ ㄴ, ㄷ ⑤ ㄱ, ㄴ, ㄷ

도전! 실력 올리기

01 그림은 25 ℃에서 물의 자동 이온화를 모형으로 나타낸 것이다.

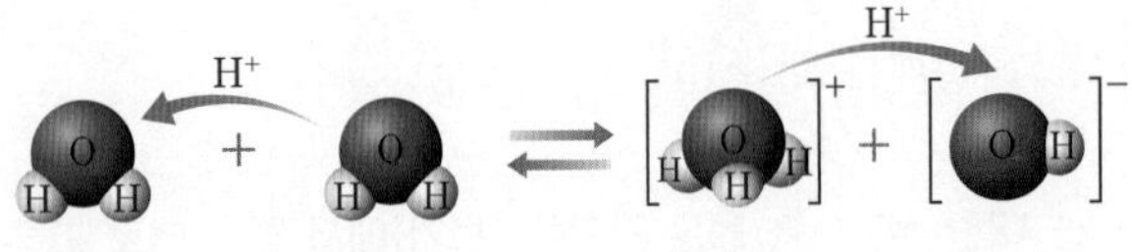

이에 대한 설명으로 옳은 것만을 〈보기〉에서 있는 대로 고른 것은?

보기
ㄱ. 순수한 물에 들어 있는 H_3O^+의 양(mol)과 OH^-의 양(mol)은 같다.
ㄴ. 순수한 물에서 $[OH^-]$는 1×10^{-7} M이다.
ㄷ. 순수한 물에 염산을 소량 넣으면 물의 이온화 상수(K_w)는 커진다.

① ㄱ ② ㄷ ③ ㄱ, ㄴ
④ ㄴ, ㄷ ⑤ ㄱ, ㄴ, ㄷ

출제예감

02 다음은 25 ℃에서 어떤 수용액에 대한 자료이다.

• 수용액 속 OH^-의 몰 농도가 1×10^{-9} M이다.

이 수용액에 대한 설명으로 옳은 것만을 〈보기〉에서 있는 대로 고른 것은?

보기
ㄱ. 산성 용액이다.
ㄴ. pH는 5이다.
ㄷ. 수용액의 $[H_3O^+]$와 $[OH^-]$의 곱은 1×10^{-14}보다 크다.

① ㄱ ② ㄷ ③ ㄱ, ㄴ
④ ㄴ, ㄷ ⑤ ㄱ, ㄴ, ㄷ

03 표는 같은 온도의 수용액 (가)~(다)에 BTB 용액을 떨어뜨렸을 때의 색을 나타낸 것이다.

수용액	(가)	(나)	(다)
색	초록색	노란색	파란색

이에 대한 설명으로 옳은 것만을 〈보기〉에서 있는 대로 고른 것은?

보기
ㄱ. (가)는 중성 용액이다.
ㄴ. 수용액 속 $[H_3O^+]$는 (나)가 (가)보다 크다.
ㄷ. pH는 (다)가 (나)보다 크다.

① ㄱ ② ㄷ ③ ㄱ, ㄴ
④ ㄴ, ㄷ ⑤ ㄱ, ㄴ, ㄷ

출제예감

04 그림 (가)는 X 수용액에 BTB 용액을 떨어뜨렸을 때를, (나)는 (가)의 수용액에 기체 Y를 통과시켰을 때 색이 변한 모습을 나타낸 것이다.

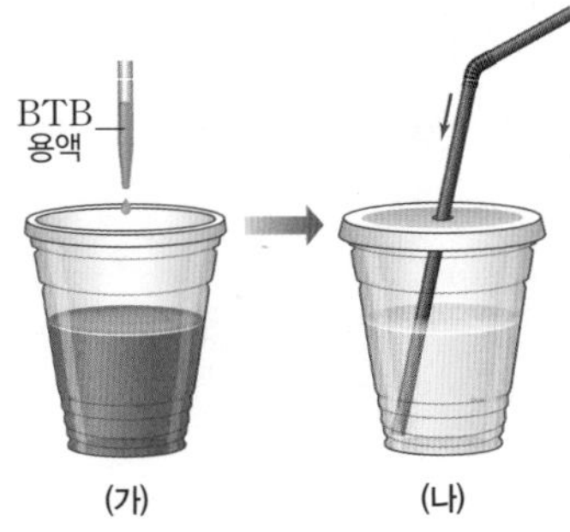

(가) (나)

이에 대한 설명으로 옳은 것만을 〈보기〉에서 있는 대로 고른 것은? (단, 온도는 25 ℃로 일정하다.)

보기
ㄱ. (가)에서 $[H_3O^+]<[OH^-]$이다.
ㄴ. Y는 물에 녹아 H^+을 내놓는다.
ㄷ. $[H_3O^+]$와 $[OH^-]$의 곱은 (가)와 (나)에서 같다.

① ㄱ ② ㄴ ③ ㄱ, ㄷ
④ ㄴ, ㄷ ⑤ ㄱ, ㄴ, ㄷ

정답과 해설 082쪽

05 그림은 3가지 산성 수용액에 들어 있는 단위 부피당 입자를 모형으로 나타낸 것이다. 각 수용액에서 물 분자는 나타내지 않았다.

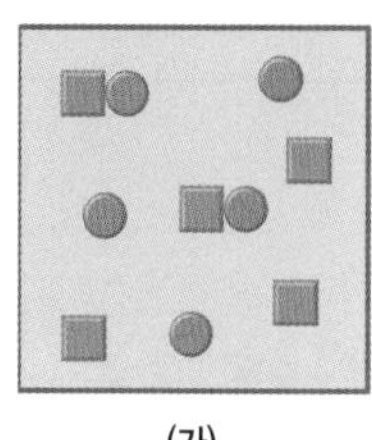
(가)

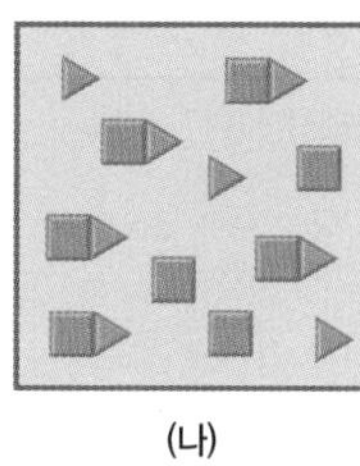
(나)

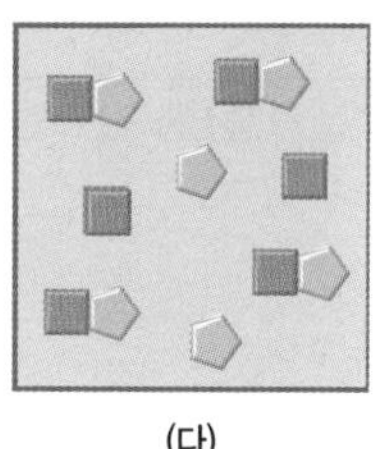
(다)

이에 대한 설명으로 옳은 것만을 〈보기〉에서 있는 대로 고른 것은? (단, 온도는 25 ℃로 일정하다.)

보기
ㄱ. ■은 H^+이다.
ㄴ. 수용액의 pH는 (가)가 (다)보다 크다.
ㄷ. 수용액 속 $[OH^-]$는 (나)가 (다)보다 크다.

① ㄱ ② ㄴ ③ ㄱ, ㄷ
④ ㄴ, ㄷ ⑤ ㄱ, ㄴ, ㄷ

출제예감

06 그림은 25 ℃에서 3가지 수용액의 pH를 나타낸 것이다.

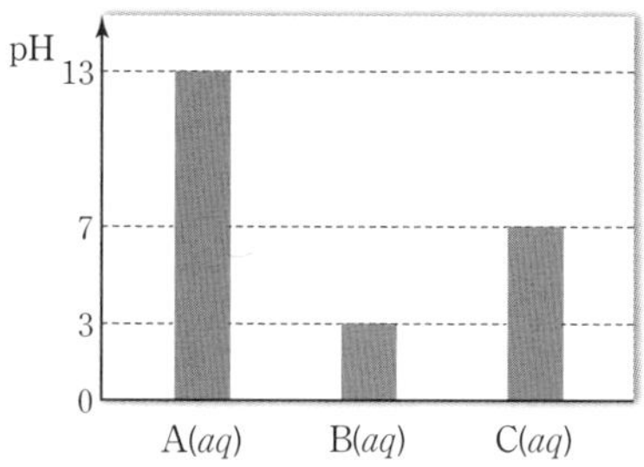

이에 대한 설명으로 옳은 것만을 〈보기〉에서 있는 대로 고른 것은?

보기
ㄱ. $A(aq)$에 BTB 용액을 떨어뜨리면 노란색을 나타낸다.
ㄴ. $B(aq)$에서 $[H_3O^+]<[OH^-]$이다.
ㄷ. 수용액의 $[OH^-]$는 $C(aq)$에서가 $B(aq)$에서보다 크다.

① ㄱ ② ㄷ ③ ㄱ, ㄴ
④ ㄴ, ㄷ ⑤ ㄱ, ㄴ, ㄷ

서술형

07 그림은 물의 자동 이온화를 모형으로 나타낸 것이다.

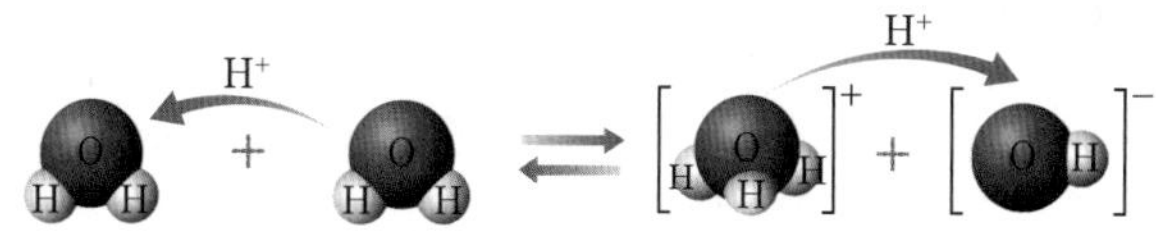

순수한 물에서 $[H_3O^+]$와 $[OH^-]$의 크기를 비교하고, 그 까닭을 서술하시오.

08 그림은 25 ℃에서 수용액의 액성과 pH, pOH의 관계를 나타낸 것이다.

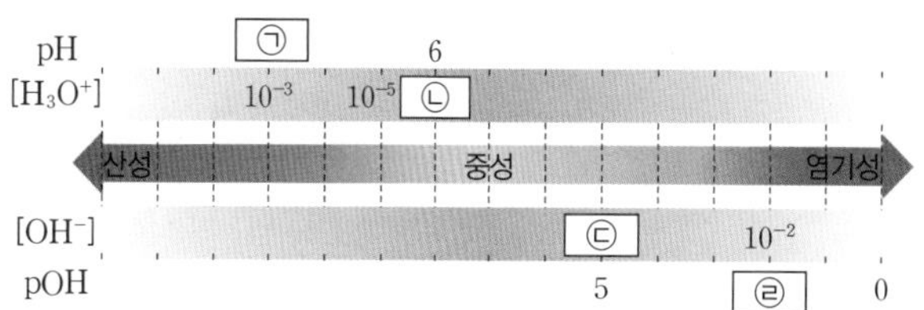

㉠~㉣에 해당하는 값을 각각 구하시오.

서술형

09 표는 수용액 (가)~(다)에서 $[H_3O^+]$와 $[OH^-]$를 나타낸 것이다.

(가)	$[H_3O^+]$ / $[OH^-]$
(나)	$[H_3O^+]$ / $[OH^-]$
(다)	$[H_3O^+]$ / $[OH^-]$

(가)~(다)에서 마그네슘 조각을 넣었을 때 기체가 발생하는 것과 페놀프탈레인 용액을 떨어뜨렸을 때 붉게 변하는 것을 각각 쓰고, 그 까닭을 서술하시오.

03 산 염기의 성질 및 정의

핵심 키워드로 흐름잡기

A 산성, 염기성

B 아레니우스 산 염기 정의, 브뢴스테드 · 로리 산 염기 정의, 짝산 – 짝염기

A 산과 염기의 성질

|출·제·단·서| 산이나 염기의 성질을 이용하여 각 물질을 구분하는 문제가 시험에 나와.

1. 산성과 염기성

산성(산의 공통적인 성질)	염기성(염기의 공통적인 성질)
• 신맛이 난다. • 금속과 반응하여 수소 기체를 발생시킨다. • 탄산 칼슘과 반응하여 이산화 탄소 기체를 발생시킨다. • 수용액에서 전류가 흐른다. ➡ 산성 용액에는 이온이 존재한다.	• 쓴맛이 난다. • 단백질을 녹이는 성질이 있어 손으로 만지면 미끈거린다. • 페놀프탈레인 용액을 붉게 변화시킨다. • 수용액에서 전류가 흐른다. ➡ 염기성 용액에는 이온이 존재한다.

2. 산성과 염기성이 나타나는 까닭

(1) **산성** 모든 산의 수용액에는 산이 내놓은 수소 이온(H^+)이 공통적으로 존재하기 때문에 산의 종류가 다르더라도 공통적인 성질을 가진다.

(2) **염기성** 모든 염기의 수용액에는 염기가 내놓은 수산화 이온(OH^-)이 공통적으로 존재하기 때문에 염기의 종류가 다르더라도 공통적인 성질을 가진다.

빈출 탐구 산과 염기의 성질 구별하기

산과 염기의 성질을 구분할 수 있다.

과정

① 홈판에 레몬즙, 식초, ●제산제, 하수구 세척액을 각각 한 줄씩 넣고 홈판의 첫 번째 줄에 전기 전도도 측정 장치의 전극을 넣어 전류가 흐르는지 관찰한다.

② 홈판의 두 번째 줄에 붉은색과 푸른색의 리트머스 종이를 각각 대어 보고 색 변화를 관찰한다.

③ 홈판의 세 번째 줄에 마그네슘(Mg) 조각을 넣고 변화를 관찰한다.

④ 홈판의 네 번째 줄에 탄산 칼슘($CaCO_3$) 조각을 넣고 변화를 관찰한다.

결과

물질	레몬즙	식초	제산제	하수구 세척액
전기 ●전도성 확인	전류가 흐름			
리트머스 종이의 색 변화	푸른색 리트머스 종이가 붉게 변함		붉은색 리트머스 종이가 푸르게 변함	
마그네슘과의 반응	수소 기체가 발생함❶		변화 없음	
탄산 칼슘과의 반응	이산화 탄소 기체가 발생함❷		변화 없음	

정리

❶ 산성 물질과 염기성 물질

• 산성 물질: 레몬즙, 식초 푸른색 리트머스 종이를 붉게 변화시키기 때문이다.

• 염기성 물질: 제산제, 하수구 세척액 붉은색 리트머스 종이를 푸르게 변화시키기 때문이다.

❷ 산성과 염기성

• 산성: 전류가 흐르며, 푸른색 리트머스 종이를 붉게 변화시키고, 마그네슘과 반응하여 수소 기체를 발생시키며, 탄산 칼슘과 반응하여 이산화 탄소 기체를 발생시킨다.

• 염기성: 전류가 흐르며, 붉은색 리트머스 종이를 푸르게 변화시키고, 마그네슘이나 탄산 칼슘과 반응하지 않는다.

❶ 산과 마그네슘의 반응

$2HCl(aq) + Mg(s) \longrightarrow MgCl_2(aq) + H_2(g)$

❷ 산과 탄산 칼슘의 반응

$2HCl(aq) + CaCO_3(s) \longrightarrow CaCl_2(aq) + H_2O(l) + CO_2(g)$

용어 알기

●제산제(억제하다 制, 산 酸, 약 劑) 위산의 작용을 억제하여 위산으로 인한 속 쓰림 등의 증상을 완화시키는 약제

●전도성(전하다 傳, 통하게 하다 導, 성질 性) 열이나 전기가 물체 속을 이동하는 성질

B 산과 염기의 정의

|출·제·단·서| 브뢴스테드·로리 정의로 산과 염기를 구분하는 문제가 시험에 나와.

1. 아레니우스 정의

(암기TiP) 산 → H^+을 내놓는 물질, 염기 → OH^-을 내놓는 물질

(1) 산 수용액에서 수소 이온(H^+)을 내놓는 물질❸

• **산의 이온화:** 물에 녹아 수소 이온(H^+)과 음이온으로 이온화한다.

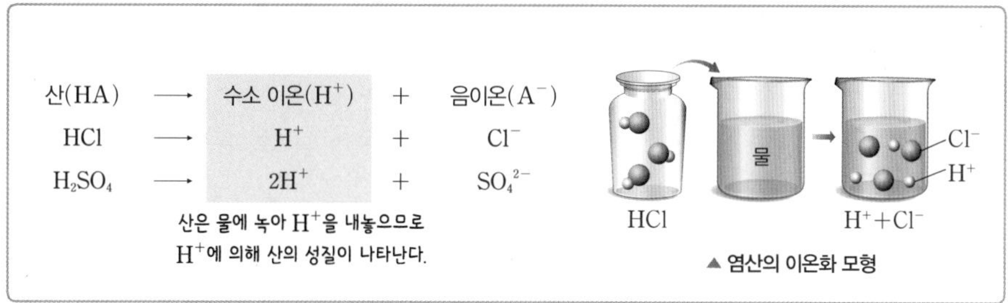

산(HA) → 수소 이온(H^+) + 음이온(A^-)
HCl → H^+ + Cl^-
H_2SO_4 → $2H^+$ + SO_4^{2-}
산은 물에 녹아 H^+을 내놓으므로 H^+에 의해 산의 성질이 나타난다.
물
Cl^-
H^+
HCl
$H^+ + Cl^-$

▲ 염산의 이온화 모형

(2) 염기 수용액에서 수산화 이온(OH^-)을 내놓는 물질❹

• **염기의 이온화:** 물에 녹아 양이온과 수산화 이온(OH^-)으로 이온화한다.

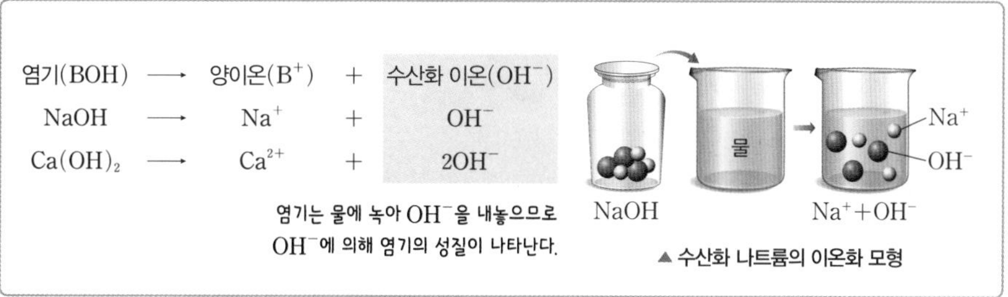

▲ 수산화 나트륨의 이온화 모형

(3) 산성과 염기성을 나타내는 이온의 확인

산성을 나타내는 이온의 확인	구분	염기성을 나타내는 이온의 확인
무색의 질산 칼륨 수용액을 적신 거름종이에 푸른색 •리트머스 종이를 놓고, 종이의 가운데에 염산을 적신 실을 올린 후 전류를 흘려준다. ➡ 리트머스 종이가 실 주변부터 점차 (－)극 쪽으로 붉게 변해 간다. $KNO_3(aq)$을 적신 푸른색 리트머스 종이 (－)극 (＋)극 $HCl(aq)$을 적신 실	실험 과정	무색의 질산 칼륨 수용액을 적신 거름종이에 붉은색 리트머스 종이를 놓고, 종이의 가운데에 수산화 나트륨을 적신 실을 올린 후 전류를 흘려준다. ➡ 리트머스 종이가 실 주변부터 점차 (＋)극 쪽으로 푸르게 변해 간다. $KNO_3(aq)$을 적신 붉은색 리트머스 종이 (－)극 (＋)극 $NaOH(aq)$을 적신 실
염산은 이온화하여 H^+과 Cl^-을 생성한다. 전류를 흘려주었을 때 리트머스 종이가 (－)극 쪽으로 붉게 변하므로 양이온인 H^+이 (－)극 쪽으로 이동하면서 푸른색 리트머스 종이를 붉게 변화시킨다는 것을 알 수 있다.	결론	수산화 나트륨은 이온화하여 Na^+과 OH^-을 생성한다. 전류를 흘려주었을 때 리트머스 종이가 (＋)극 쪽으로 푸르게 변하므로 음이온인 OH^-이 (＋)극 쪽으로 이동하면서 붉은색 리트머스 종이를 푸르게 변화시킨다는 것을 알 수 있다.

(4) 아레니우스 정의의 한계

① 수소 이온(H^+)이나 수산화 이온(OH^-)을 내놓지 않는 산 염기 반응을 설명할 수 없다.

② 수용액 상태가 아닐 때의 산 염기 반응을 설명할 수 없다.

③ 아레니우스 산은 물에 녹아 수소 이온(H^+)을 내놓는 물질로 정의하지만, 실제로 수소 이온(H^+)은 수용액에서 물 분자와 결합한 형태로 존재한다.
└ 하이드로늄 이온(H_3O^+)

❸ 아레니우스 산
아레니우스 산은 수용액에서 이온화하여 H^+을 내놓을 수 있어야 하므로 분자 내에 H가 있더라도 이온화할 수 없는 CH_4, NH_3 등은 아레니우스 산이 아니다.

❹ 아레니우스 염기
아레니우스 염기는 수용액에서 이온화하여 OH^-을 내놓을 수 있어야 하므로 분자 내에 OH가 있더라도 이온화할 수 없는 CH_3OH 등은 아레니우스 염기가 아니다.

? 암모니아가 염기성을 나타내는 것을 아레니우스 정의로 설명할 수 있을까?
아레니우스 정의에 의하면 염기는 수용액에서 이온화하여 OH^-을 내놓는 물질이므로 아레니우스 염기에는 반드시 이온화할 수 있는 OH가 포함되어야 한다. 따라서 아레니우스 정의로는 NH_3가 염기성을 나타내는 것을 설명할 수 없다.

용어 알기
• 리트머스(litmus) 리트머스이끼 종류의 식물에서 짜낸 자줏빛 색소

❺ **브뢴스테드·로리 정의**

브뢴스테드와 로리는 아레니우스 정의의 한계점을 해결하기 위해 새로운 산 염기의 정의를 H^+의 이동으로 각자 독립적으로 제안하였다.

❻ **양쪽성 물질**

브뢴스테드·로리 산 염기에서는 H^+을 내놓거나 받는 능력이 물질마다 달라 반응에 따라 산으로 작용하거나 염기로 작용할 수 있는 양쪽성 물질이 존재한다.

기체 상태의 산 염기 반응

브뢴스테드·로리 정의를 이용하면 수용액 상태뿐만 아니라 기체 상태에서 일어나는 산 염기 반응도 설명할 수 있다. 염화 수소 기체와 암모니아 기체가 반응하여 염화 암모늄을 생성할 때 염화 수소는 브뢴스테드·로리 산으로, 암모니아는 브뢴스테드·로리 염기로 작용한다.

$$\underset{\text{산}}{HCl(g)} + \underset{\text{염기}}{NH_3(g)} \xrightarrow{} NH_4Cl(s) \quad (H^+: HCl \to NH_3)$$

2. 브뢴스테드·로리 정의❺ — 아레니우스 정의로 설명할 수 없었던 산과 염기를 설명할 수 있다.

(1) 산 다른 물질에게 수소 이온(H^+)을 내놓는 물질

(2) 염기 다른 물질로부터 수소 이온(H^+)을 받는 물질

암기TiP 산 → H^+을 내놓는 물질 / 염기 → H^+을 받는 물질

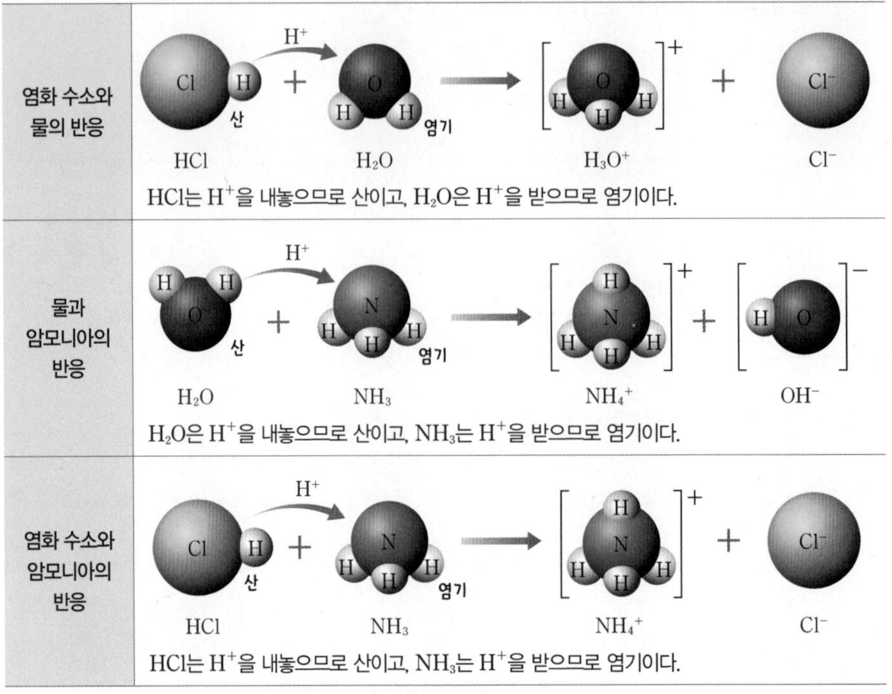

(3) 양쪽성 물질❻ 반응에 따라 산으로도 작용할 수 있고 염기로도 작용할 수 있는 물질로, 수소 이온(H^+)을 내놓을 수도 있고 받을 수도 있는 물질

예 H_2O, HCO_3^-, HSO_4^- 등

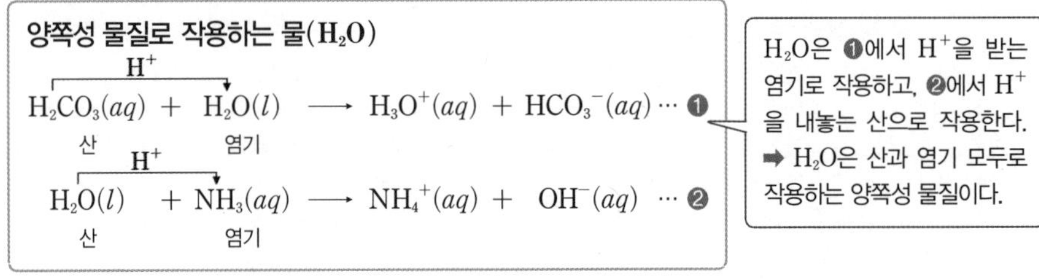

양쪽성 물질로 작용하는 물(H_2O)

$$\underset{\text{산}}{H_2CO_3(aq)} + \underset{\text{염기}}{H_2O(l)} \longrightarrow H_3O^+(aq) + HCO_3^-(aq) \cdots ❶$$

$$\underset{\text{산}}{H_2O(l)} + \underset{\text{염기}}{NH_3(aq)} \longrightarrow NH_4^+(aq) + OH^-(aq) \cdots ❷$$

H_2O은 ❶에서 H^+을 받는 염기로 작용하고, ❷에서 H^+을 내놓는 산으로 작용한다.
➡ H_2O은 산과 염기 모두로 작용하는 양쪽성 물질이다.

(4) 짝산–짝염기 수소 이온(H^+)의 이동으로 산과 염기가 되는 한 쌍의 산과 염기

① 가역적으로 일어나는 산이나 염기의 이온화 반응에서 정반응에서의 산과 역반응에서의 염기, 정반응에서의 염기와 역반응에서의 산의 관계

② **암모니아(NH_3)와 물(H_2O)의 반응**

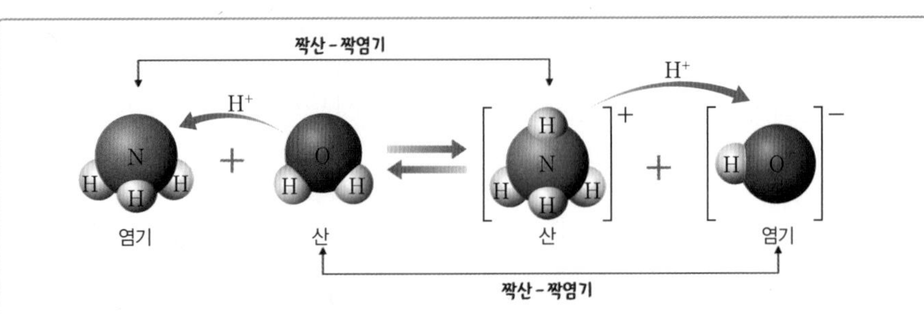

정반응에서는 물(H_2O)이 암모니아(NH_3)에게 수소 이온(H^+)을 주므로 산이고, NH_3가 H_2O로부터 H^+을 받으므로 염기이다. 역반응에서는 암모늄 이온(NH_4^+)이 수산화 이온(OH^-)에게 H^+을 주므로 산이고, OH^-이 NH_4^+으로부터 H^+을 받으므로 염기이다.

콕콕!
개념 확인하기

정답과 해설 084쪽

✔ 잠깐 확인!

1. ☐☐
산이 나타내는 공통적인 성질로, 수소 이온(H^+)에 의해 나타난다.

2. ☐☐☐
염기가 나타내는 공통적인 성질로, 수산화 이온(OH^-)에 의해 나타난다.

3. 수용액에서 ☐☐ 이온(☐)을 내놓는 물질을 아레니우스 산이라고 한다.

4. 수용액에서 ☐☐☐ 이온(☐)을 내놓는 물질을 아레니우스 염기라고 한다.

5. 다른 물질에게 수소 이온(H^+)을 내놓는 물질을 브뢴스테드·로리 ☐이라고 한다.

6. 다른 물질로부터 수소 이온(H^+)을 받는 물질을 브뢴스테드·로리 ☐☐라고 한다.

7. 반응에 따라 산이 되기도 하고, 염기가 되기도 하는 물질을 ☐☐☐ 물질이라고 한다.

8. 수소 이온(H^+)의 이동에 따라 산과 염기가 되는 한 쌍의 산과 염기를 ☐☐－☐☐라고 한다.

A 산과 염기의 성질

01 다음 설명이 산의 성질에 해당하면 '산', 염기의 성질에 해당하면 '염기', 산과 염기의 성질 모두에 해당하면 '공통'이라고 쓰시오.

(1) 푸른색 리트머스 종이를 붉게 변화시킨다. (　　　)
(2) 페놀프탈레인 용액을 붉게 변화시킨다. (　　　)
(3) 마그네슘과 반응하여 수소 기체를 발생시킨다. (　　　)
(4) 단백질을 녹이는 성질이 있어 손으로 만지면 미끈거린다. (　　　)
(5) 수용액에서 전류가 흐른다. (　　　)

02 그림과 같이 질산 칼륨(KNO_3) 수용액을 적신 리트머스 종이에 $X(aq)$과 $Y(aq)$을 적신 실을 각각 올려놓은 후 전류를 흘려주었더니, 그림과 같이 색이 변하였다.

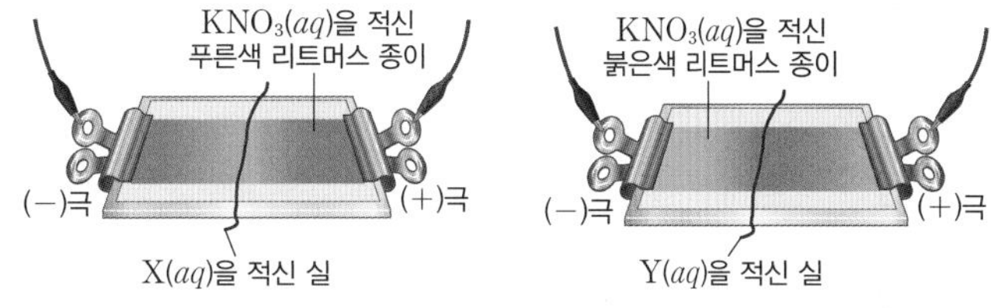

(1) $X(aq)$에 포함된 양이온을 쓰시오.
(2) $Y(aq)$에 포함된 음이온을 쓰시오.

B 산과 염기의 정의

03 ㉠~㉣에 들어갈 알맞은 말을 쓰시오.

- 염화 수소(HCl)는 수용액에서 (㉠)을 내놓으므로 아레니우스 (㉡)이다.
- 수산화 나트륨(NaOH)은 수용액에서 (㉢)을 내놓으므로 아레니우스 (㉣)이다.

04 다음 반응에서 브뢴스테드·로리 산과 염기를 각각 쓰시오.

(1) $HF(aq) + H_2O(l) \longrightarrow H_3O^+(aq) + F^-(aq)$
(2) $HCO_3^-(aq) + H_2O(l) \longrightarrow H_2CO_3(aq) + OH^-(aq)$

05 다음은 2가지 산 염기 반응식이다.

- $NH_3(aq) + H_2O(l) \longrightarrow NH_4^+(aq) + OH^-(aq)$
- $H_2CO_3(aq) + H_2O(l) \longrightarrow HCO_3^-(aq) + H_3O^+(aq)$

위 반응에서 양쪽성 물질로 작용한 물질을 쓰시오.

탄탄! 내신 다지기

A 산과 염기의 성질

01 그림은 수용액 (가)와 (나)에 들어 있는 이온을 모형으로 나타낸 것이다.

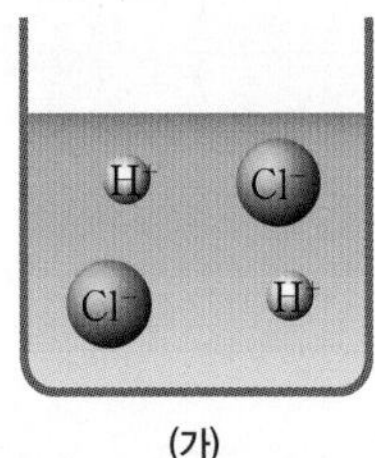

(가)

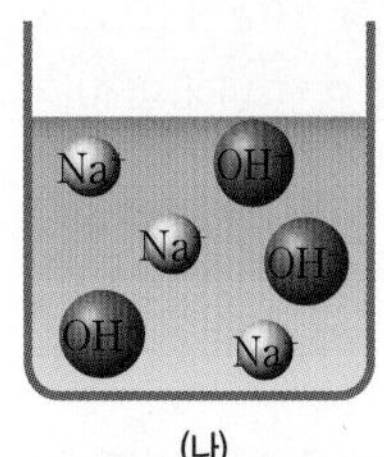

(나)

(가)와 (나)의 공통점으로 옳은 것만을 <보기>에서 있는 대로 고른 것은?

보기
ㄱ. 마그네슘 조각을 넣으면 수소 기체가 발생한다.
ㄴ. 페놀프탈레인 용액을 넣으면 붉게 변한다.
ㄷ. 전기 전도성이 있다.

① ㄱ ② ㄷ ③ ㄱ, ㄴ
④ ㄴ, ㄷ ⑤ ㄱ, ㄴ, ㄷ

02 그림과 같이 질산 칼륨(KNO_3) 수용액을 적신 푸른색 리트머스 종이 위에 X 수용액을 적신 실을 올려놓고 전류를 흘려주었더니 (−)극 쪽으로 붉은색이 이동하였다.

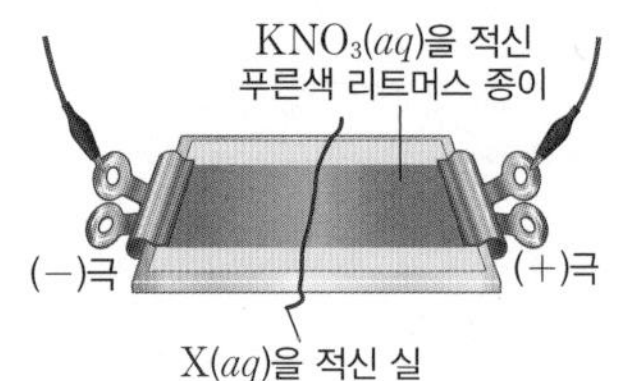

이에 대한 설명으로 옳은 것은?

① NO_3^-은 이동하지 않는다.
② $X(aq)$에는 H^+이 들어 있다.
③ 푸른색 리트머스 종이를 붉게 변화시키는 것은 K^+이다.
④ $KNO_3(aq)$을 리트머스 종이에 적시지 않으면 리트머스 종이의 색이 변하지 않는다.
⑤ $X(aq)$ 대신 $HCl(aq)$을 사용하면 리트머스 종이의 색이 변하지 않는다.

B 산과 염기의 정의

03 다음은 3가지 물질 X~Z에 대한 자료이다.

• X와 Y는 아레니우스 산이다.
• Z는 아레니우스 염기이다.

이에 대한 설명으로 옳은 것만을 <보기>에서 있는 대로 고른 것은? (단, 수용액의 온도는 모두 같다.)

보기
ㄱ. $X(aq)$과 $Y(aq)$에 들어 있는 음이온의 종류는 같다.
ㄴ. 수용액의 pH는 $Z(aq)$이 $Y(aq)$보다 크다.
ㄷ. X~Z 수용액은 모두 전기 전도성이 있다.

① ㄱ ② ㄴ ③ ㄱ, ㄷ
④ ㄴ, ㄷ ⑤ ㄱ, ㄴ, ㄷ

04 그림은 25 ℃에서 물질 A~C 수용액의 pH를 나타낸 것이다. A~C는 각각 NaCl, NaOH, HCl 중 하나이다.

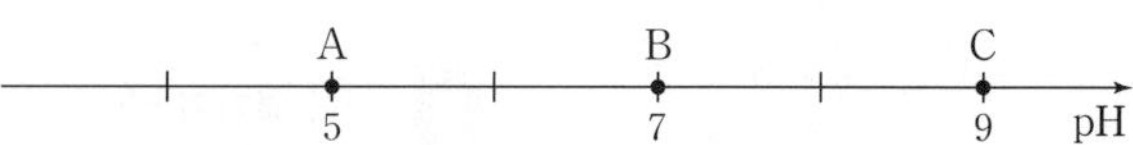

이에 대한 설명으로 옳은 것만을 <보기>에서 있는 대로 고른 것은?

보기
ㄱ. A는 아레니우스 산이다.
ㄴ. B 수용액은 전기 전도성이 없다.
ㄷ. C 수용액은 탄산 칼슘과 반응하여 이산화 탄소 기체를 발생시킨다.

① ㄱ ② ㄷ ③ ㄱ, ㄴ
④ ㄴ, ㄷ ⑤ ㄱ, ㄴ, ㄷ

단답형

05 다음은 3가지 산 염기 반응식이다. ㉠~㉢에 들어갈 알맞은 화학식을 쓰시오.

(가) $KOH(s) \longrightarrow K^+(aq) +$ ㉠ (aq)
(나) $HCl(g) + H_2O(l) \longrightarrow$ ㉡ $(aq) + Cl^-(aq)$
(다) $NH_3(g) + H_2O(l) \longrightarrow NH_4^+(aq) +$ ㉢ (aq)

06 다음 산 염기 반응에서 브뢴스테드·로리 염기로 작용한 물질을 있는 대로 고른 것은?

$$NH_3 + HCO_3^- \rightleftharpoons NH_4^+ + CO_3^{2-}$$

① NH_3, NH_4^+　② NH_3, CO_3^{2-}
③ NH_3, HCO_3^-　④ HCO_3^-, NH_4^+
⑤ HCO_3^-, CO_3^{2-}

07 다음 산 염기 반응에서 짝산－짝염기 관계에 있는 물질을 옳게 짝 지은 것은?

$$H_2CO_3 + H_2O \rightleftharpoons H_3O^+ + HCO_3^-$$

① H_2CO_3, H_2O　② H_2CO_3, H_3O^+
③ H_2O, HCO_3^-　④ H_2O, H_3O^+
⑤ H_3O^+, HCO_3^-

08 그림은 암모니아(NH_3)와 물(H_2O)의 산 염기 반응을 모형으로 나타낸 것이다.

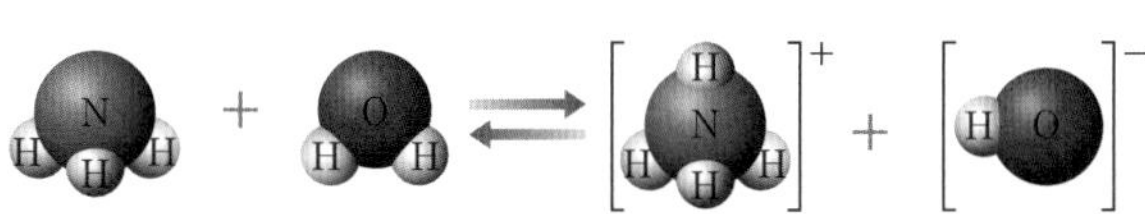

이에 대한 설명으로 옳은 것만을 〈보기〉에서 있는 대로 고른 것은?

보기
ㄱ. H_2O은 브뢴스테드·로리 산이다.
ㄴ. NH_3는 브뢴스테드·로리 염기이다.
ㄷ. NH_3의 짝산은 NH_4^+이다.

① ㄱ　② ㄴ　③ ㄱ, ㄷ
④ ㄴ, ㄷ　⑤ ㄱ, ㄴ, ㄷ

09 다음은 2가지 산 염기 반응식이다.

(가) $HCl(aq) + H_2O(l) \longrightarrow Cl^-(aq) + H_3O^+(aq)$
(나) $NH_3(aq) + H_2O(l) \longrightarrow NH_4^+(aq) + OH^-(aq)$

이에 대한 설명으로 옳은 것만을 〈보기〉에서 있는 대로 고른 것은?

보기
ㄱ. (가)의 HCl은 아레니우스 산이다.
ㄴ. (나)의 NH_3는 브뢴스테드·로리 염기이다.
ㄷ. H_2O은 양쪽성 물질이다.

① ㄱ　② ㄴ　③ ㄱ, ㄷ
④ ㄴ, ㄷ　⑤ ㄱ, ㄴ, ㄷ

단답형

10 다음 반응에서 브뢴스테드·로리 산과 염기를 찾아 각각 쓰시오.

$$CO_3^{2-} + H_2O \longrightarrow HCO_3^- + OH^-$$

11 다음은 3가지 산 염기 반응식이다.

(가) $HCN(aq) + H_2O(l) \rightleftharpoons CN^-(aq) + H_3O^+(aq)$
(나) $(CH_3)_3N(aq) + HF(aq) \rightleftharpoons (CH_3)_3NH^+(aq) + F^-(aq)$
(다) $HCl(g) + NH_3(g) \rightleftharpoons NH_4Cl(s)$

(가)~(다)에서 브뢴스테드·로리 산으로 작용한 물질을 옳게 짝 지은 것은?

	(가)	(나)	(다)
①	H_2O	HF	HCl
②	H_2O	$(CH_3)_3NH^+$	NH_3
③	H_3O^+	$(CH_3)_3N$	HCl
④	HCN	HF	NH_3
⑤	HCN	$(CH_3)_3NH^+$	HCl

도전! 실력 올리기

01 그림은 물질 AOH가 물에 녹아 이온화한 것을 모형으로 나타낸 것이다.
이에 대한 설명으로 옳은 것만을 〈보기〉에서 있는 대로 고른 것은?

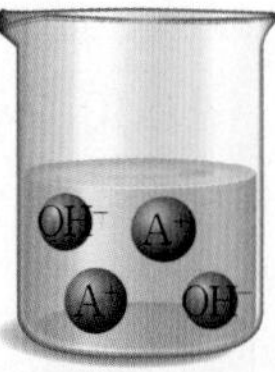

보기
ㄱ. AOH는 아레니우스 염기이다.
ㄴ. 25 ℃에서 이 수용액의 pH는 7보다 크다.
ㄷ. 이 수용액에 페놀프탈레인 용액을 떨어뜨리면 붉게 변한다.

① ㄱ ② ㄷ ③ ㄱ, ㄴ
④ ㄴ, ㄷ ⑤ ㄱ, ㄴ, ㄷ

02 다음은 X 수용액의 성질을 알아보기 위한 실험이다.

실험 과정
(가) 무색의 질산 칼륨(KNO_3) 수용액을 적신 거름종이 위에 푸른색 리트머스 종이를 놓는다.
(나) 그림과 같이 X(aq)을 적신 실을 가운데에 올려놓고 전류를 흘려준다.

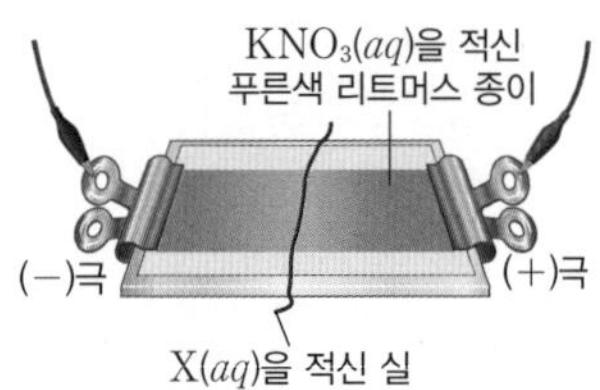

실험 결과
• (−)극 쪽으로 푸른색 리트머스 종이가 붉게 변하였다.

이에 대한 설명으로 옳은 것만을 〈보기〉에서 있는 대로 고른 것은?

보기
ㄱ. X는 아레니우스 염기이다.
ㄴ. 푸른색 리트머스 종이를 붉게 변화시키는 물질은 X 수용액에 있는 양이온이다.
ㄷ. 질산 칼륨 수용액 대신 설탕물을 적시면 푸른색 리트머스 종이의 색이 변하지 않는다.

① ㄴ ② ㄷ ③ ㄱ, ㄴ
④ ㄱ, ㄷ ⑤ ㄱ, ㄴ, ㄷ

03 그림 (가)와 (나)는 각각 25 ℃에서 같은 부피의 산 HA(aq)과 염기 BOH(aq)에 들어 있는 이온을 모형으로 나타낸 것이다. ●과 ■은 각각 양이온이다.

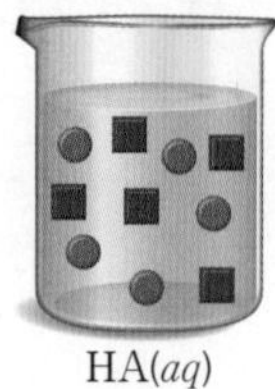

HA(aq) BOH(aq)
(가) (나)

이에 대한 설명으로 옳은 것만을 〈보기〉에서 있는 대로 고른 것은?

보기
ㄱ. (가)에 Mg 조각을 넣어 주면 ■의 수가 감소한다.
ㄴ. (나)에서 페놀프탈레인 용액을 붉게 변화시키는 물질은 ▲이다.
ㄷ. pH는 (나)가 (가)보다 크다.

① ㄱ ② ㄴ ③ ㄱ, ㄷ
④ ㄴ, ㄷ ⑤ ㄱ, ㄴ, ㄷ

04 다음은 물질 X와 관련된 3가지 반응식이다.

(가) $H_2(g) + Cl_2(g) \longrightarrow 2X(g)$
(나) $X(aq) + H_2O(l) \rightleftarrows$ ㉠ $(aq) + H_3O^+(aq)$
(다) $2X(aq) + CaCO_3(s) \longrightarrow CaCl_2(aq) + H_2O(l) +$ ㉡ (g)

이에 대한 설명으로 옳은 것만을 〈보기〉에서 있는 대로 고른 것은?

보기
ㄱ. X는 아레니우스 산이다.
ㄴ. (나)에서 X와 ㉠은 짝산−짝염기이다.
ㄷ. ㉡은 CO_2이다.

① ㄱ ② ㄴ ③ ㄱ, ㄷ
④ ㄴ, ㄷ ⑤ ㄱ, ㄴ, ㄷ

정답과 해설 085쪽

05 다음은 3가지 산 염기 반응식이다.

(가) [㉠]$(aq)+H_2O(l) \longrightarrow HCl(aq)+OH^-(aq)$
(나) $HF(aq)+H_2O(l) \rightleftarrows$ [㉡]$(aq)+H_3O^+(aq)$
(다) $HCl(g)+$[㉢]$(g) \longrightarrow NH_4Cl(s)$

이에 대한 설명으로 옳은 것만을 <보기>에서 있는 대로 고른 것은?

보기
ㄱ. (가)에서 ㉠은 아레니우스 염기이다.
ㄴ. (나)에서 ㉡은 H_2O의 짝산이다.
ㄷ. (다)에서 ㉢은 브뢴스테드·로리 염기이다.

① ㄱ ② ㄷ ③ ㄱ, ㄴ
④ ㄴ, ㄷ ⑤ ㄱ, ㄴ, ㄷ

출제예감

06 그림은 25 ℃에서 수용액 (가)~(다)에 들어 있는 이온을 모형으로 나타낸 것이다. (가)~(다)는 각각 $HCl(aq)$, $NaOH(aq)$, $NaCl(aq)$ 중 하나이며, pH는 (다)가 (나)보다 크다.

(가)

(나)

(다)

이에 대한 설명으로 옳은 것만을 <보기>에서 있는 대로 고른 것은?

보기
ㄱ. ●은 페놀프탈레인 용액을 붉게 변화시키는 물질이다.
ㄴ. (나)에 마그네슘을 넣으면 수소 기체가 발생한다.
ㄷ. pH는 (다)가 (가)보다 크다.

① ㄱ ② ㄴ ③ ㄱ, ㄷ
④ ㄴ, ㄷ ⑤ ㄱ, ㄴ, ㄷ

서술형

07 그림은 3가지 수용액을 기준 (가)와 (나)에 따라 분류하는 과정을 나타낸 것이다. 기준 (가)와 (나)로 적절한 것을 각각 한 가지씩 쓰고, 그 까닭을 서술하시오.

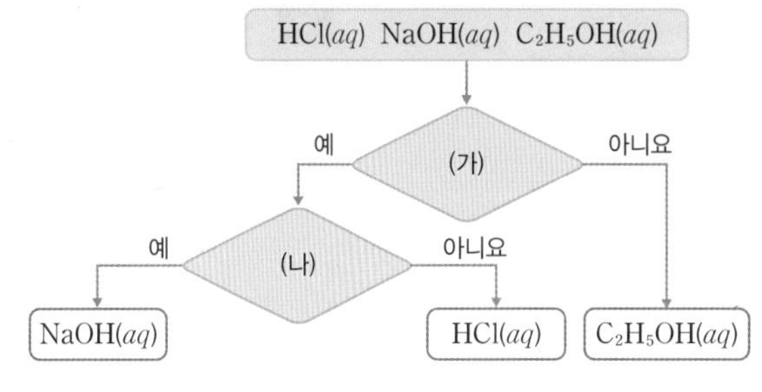

08 다음은 암모니아(NH_3)와 염화 수소(HCl)가 반응하여 염화 암모늄(NH_4Cl)을 생성하는 반응이다.

$$H-\underset{H}{\overset{H}{N}} + H-Cl \longrightarrow \left[H-\underset{H}{\overset{H}{N}}-H \right]^+ Cl^-$$

이 반응에서 브뢴스테드·로리 산과 염기를 각각 쓰시오.

서술형

09 다음은 2가지 산 염기 반응이다. 이 반응에 제시된 물질 중 양쪽성 물질인 것을 고르고, 브뢴스테드·로리 정의를 이용하여 그 까닭을 서술하시오.

• $HCO_3^- + NH_3 \longrightarrow CO_3^{2-} + NH_4^+$
• $HCO_3^- + H_3O^+ \longrightarrow H_2CO_3 + H_2O$

04 산 염기의 중화 반응

핵심 키워드로 흐름잡기
- A 중화 반응, 염, 알짜 이온 반응식
- B 중화 적정, 중화점

A 산 염기 중화 반응

|출·제·단·서| 중화 반응에서 이온 수 변화를 파악하는 문제가 시험에 나와.

1. 산 염기의 ●중화 반응

암기TIP 중화 반응: 산+염기 → 물+염

(1) 중화 반응❶ 산과 염기가 반응하여 물과 염을 생성하는 반응

$$산 + 염기 \longrightarrow 물 + 염$$

예 $H^+(aq)$❷$+Cl^-(aq)+Na^+(aq)+OH^-(aq) \longrightarrow H_2O(l)+Na^+(aq)+Cl^-(aq)$

(2) 염 중화 반응에서 산의 음이온과 염기의 양이온이 만나 생성되는 물질로 산과 염기의 종류에 따라 달라진다.

산		염기		물		염
$HCl(aq)$	+	$NaOH(aq)$	⟶	$H_2O(l)$	+	$NaCl(aq)$
$HNO_3(aq)$	+	$KOH(aq)$	⟶	$H_2O(l)$	+	$KNO_3(aq)$

물에 녹는 염은 수용액에서 이온으로 존재한다.

(3) 중화 반응의 모형과 반응식

빈출 자료 염산(HCl)과 수산화 나트륨(NaOH) 수용액의 중화 반응 모형과 반응식

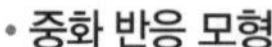

• 중화 반응 모형

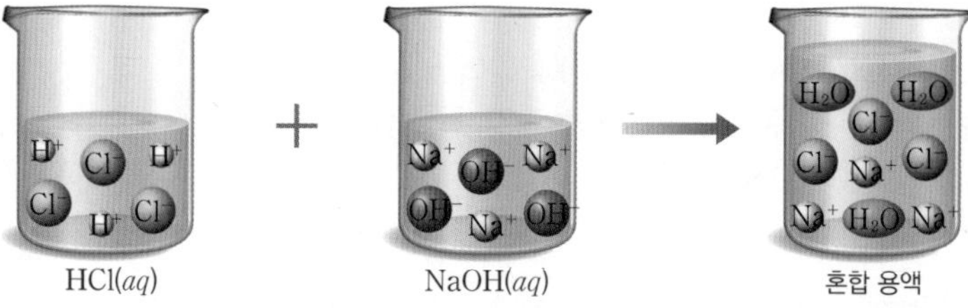

❶ 염산의 수소 이온(H^+)과 수산화 나트륨의 수산화 이온(OH^-)이 반응하여 물(H_2O)을 생성한다.

❷ 완전히 중화된 용액에는 H^+이나 OH^-이 존재하지 않으므로 중성 용액이다.

• 화학 반응식

$$HCl(aq) \longrightarrow H^+(aq) + Cl^-(aq)$$
$$NaOH(aq) \longrightarrow Na^+(aq) + OH^-(aq)$$
$$\underset{산}{HCl(aq)} + \underset{염기}{NaOH(aq)} \longrightarrow \underset{물}{H_2O(l)} + \underset{염}{NaCl(aq)}$$

— NaCl은 반응에 참여하지 않고 이온 상태로 존재한다.

(4) 알짜 이온 반응식 실제로 반응에 참여한 이온만으로 나타낸 화학 반응식

① **중화 반응의 알짜 이온 반응식:** 중화 반응에서는 산이 내놓은 수소 이온(H^+)과 염기가 내놓은 수산화 이온(OH^-)이 반응하여 물(H_2O)을 생성하므로 중화 반응의 알짜 이온 반응식은 다음과 같다. 일반적으로 산과 염기의 종류가 달라지더라도 중화 반응의 알짜 이온 반응식은 같다.

$$H^+(aq) + OH^-(aq) \longrightarrow H_2O(l)$$

---

❶ **중화 반응**
중화 반응이 일어날 때 산성을 나타내는 H^+과 염기성을 나타내는 OH^-이 반응하여 물을 생성하면 산과 염기의 성질이 사라지게 되므로 중화 반응이라고 한다.

❷ 수용액에서 일어나는 중화 반응을 나타낼 때 H_3O^+을 간단히 H^+으로 나타낸다.

용어 알기

●중화(가운데 中, 되다 化) 산성이나 염기성을 띠지 않는 성질로 되는 것

② **구경꾼 이온:** 반응에 참여하지 않고 그대로 남아 있는 이온 — 반응 전후의 상태와 수가 일정하다.

예 염산(HCl)과 수산화 나트륨(NaOH) 수용액의 반응에서 구경꾼 이온: Cl^-, Na^+

(5) 중화 반응의 이용 산과 염기를 혼합하면 산과 염기의 성질이 사라지므로 산(염기)에 염기(산)를 혼합하여 중화시킨다.

① 생선의 비린내를 없애기 위해 레몬즙을 뿌린다.

② 김치찌개에 소다를 넣어 신맛을 줄인다.

③ 위산이 지나치게 분비되어 속이 쓰릴 때 제산제❸를 복용한다.

④ 벌레(벌레의 독: 산)에 물렸을 때 염기성 물질을 바른다.

❸ 제산제의 성분

제산제에는 수산화 마그네슘($Mg(OH)_2$), 수산화 알루미늄($Al(OH)_3$), 탄산수소 나트륨($NaHCO_3$) 등의 염기성 물질이 들어 있다.

2. 산 염기 중화 반응의 양적 관계 탐구 POOL

암기TiP 중화 반응의 양적 관계: $n_1M_1V_1 = n_2M_2V_2$

(1) 산의 수소 이온(H^+)과 염기의 수산화 이온(OH^-)은 1 : 1의 몰비로 반응한다.

(2) 산과 염기의 중화 반응이 완결되려면 산이 내놓은 H^+의 양(mol)과 염기가 내놓은 OH^-의 양(mol)이 같아야 한다.

산이 내놓은 H^+의 양(mol)❹		염기가 내놓은 OH^-의 양(mol)
$n_1M_1V_1$ (산의 가수❺: n_1, 산 수용액의 몰 농도: M_1, 산 수용액의 부피: V_1)	=	$n_2M_2V_2$ (염기의 가수: n_2, 염기 수용액의 몰 농도: M_2, 염기 수용액의 부피: V_2)

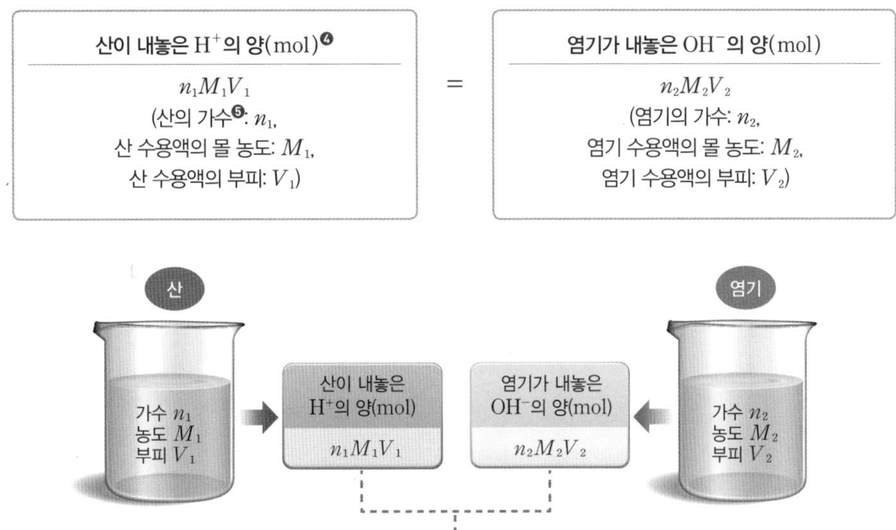

❹ 용액 속 용질의 양(mol)

용액의 몰 농도(mol/L)와 용액의 부피(L)의 곱으로 구한다.

❺ 가수

산이나 염기 1몰이 내놓을 수 있는 H^+이나 OH^-의 양(mol)

산	1가: HCl, CH_3COOH 2가: H_2SO_4, H_2CO_3 3가: H_3PO_4
염기	1가: NaOH, KOH 2가: $Ca(OH)_2$, $Ba(OH)_2$ 3가: $Al(OH)_3$

빈출 계산연습 중화 반응에서 양적 관계 계산하기

0.2 M 염산(HCl(*aq*)) 10 mL를 완전히 중화하는 데 필요한 0.1 M 수산화 바륨($Ba(OH)_2$) 수용액의 부피(mL)를 구해 보자.

1단계 산과 염기의 화학식으로부터 가수를 구한다.

➡ HCl 1몰이 내놓을 수 있는 H^+의 양(mol)은 1몰이다.

$Ba(OH)_2$ 1몰이 내놓을 수 있는 OH^-의 양(mol)은 2몰이다.

2단계 중화 반응의 양적 관계를 이용하여 필요한 $Ba(OH)_2$ 수용액의 부피를 구한다.

➡ 산이 내놓은 H^+의 양(mol) = 염기가 내놓은 OH^-의 양(mol)

$n_1M_1V_1 = n_2M_2V_2$

$1 \times 0.2\ mol/L \times 0.01\ L = 2 \times 0.1\ mol/L \times V_2(L)$

$2 \times 10^{-3}\ mol = 2 \times 10^{-1} \times V_2\ mol$

$V_2 = 0.01(L)$

따라서 0.2 M 염산(HCl(*aq*)) 10 mL를 완전히 중화하는 데 필요한 0.1 M 수산화 바륨($Ba(OH)_2$) 수용액의 부피는 10 mL이다.

B 중화 적정

|출·제·단·서| 중화 적정의 실험 과정이나, 중화 적정을 이용하여 산 또는 염기의 농도를 구하는 문제가 시험에 나와.

1. 중화 °적정 탐구 POOL

중화 반응의 양적 관계를 이용하여 농도를 모르는 산이나 염기의 농도를 알아내는 방법

(1) 표준 용액 농도를 정확히 알고 있는 산 수용액이나 염기 수용액

(2) 중화점❻ 산과 염기가 완전히 중화되는 지점 $-H^+$의 양(mol)과 OH^-의 양(mol)이 같아지는 지점

① **중화점 확인 방법:** 적절한 지시약을 사용하여 중화점을 찾을 수 있다.

② **지시약의 변색 범위:** 지시약의 종류에 따라 색이 변하는 pH 범위가 다르다.

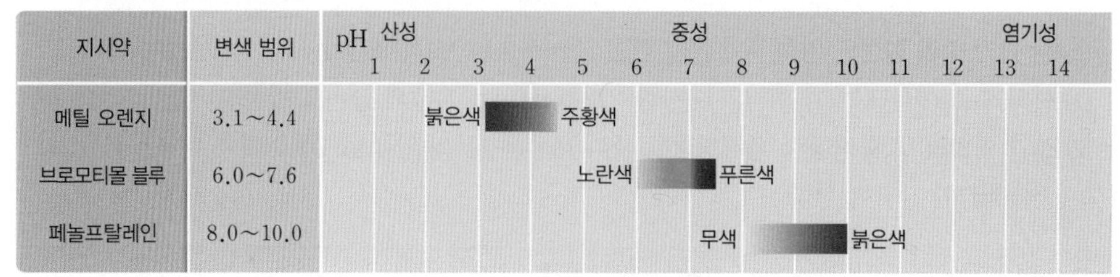

지시약	변색 범위	pH (산성 1 ~ 중성 7 ~ 염기성 14)
메틸 오렌지	3.1~4.4	붉은색 ~ 주황색
브로모티몰 블루	6.0~7.6	노란색 ~ 푸른색
페놀프탈레인	8.0~10.0	무색 ~ 붉은색

▲ 몇 가지 지시약의 색이 변하는 범위

❻ 중화점과 종말점
종말점은 실험에서 중화점에 도달하였다고 판단하는 지점으로, 주로 지시약의 색 변화로 찾아낸다. 따라서 실제 중화점과 종말점은 차이가 있으며, 이 차이가 실험의 오차가 된다.

? 중화점에서 용액의 pH는 항상 7일까?
중화 반응이 완결된 중화점에서는 물과 중화 반응으로 생성된 염이 존재한다. 이때 염의 종류에 따라 용액의 액성이 결정되는데, 일반적으로 강산과 강염기가 반응한 경우 중화점의 pH가 7이지만 강산과 약염기가 반응한 경우에는 pH가 7보다 작고, 약산과 강염기가 반응한 경우에는 pH가 7보다 크다.

2. 중화 적정 방법

빈출 자료 수산화 나트륨(NaOH) 표준 용액으로 농도를 모르는 염산($HCl(aq)$) 중화 적정하기

❶ 농도를 모르는 $HCl(aq)$을 피펫으로 일정량 취하여 삼각 플라스크에 넣는다.

❷ $HCl(aq)$에 페놀프탈레인 지시약을 2방울가량 떨어뜨린다.

❸ 뷰렛에 NaOH 표준 용액을 넣고 조금 흘려 뷰렛의 꼭지 아랫부분에도 용액이 채워지도록 한 후, 뷰렛의 눈금을 읽어 NaOH 수용액의 처음 부피를 정확하게 측정한다. 뷰렛에 용액을 넣을 때는 깔때기를 이용한다.

❹ ❶의 삼각 플라스크를 뷰렛 아래에 놓고 NaOH 수용액을 조금씩 떨어뜨린다. 이때 삼각 플라스크를 천천히 흔들어 준다.

❺ 용액 전체가 붉은색으로 변하는 순간 뷰렛의 꼭지를 잠그고 NaOH 수용액의 나중 부피를 측정하여 중화 적정에 사용된 표준 용액의 부피를 구한다.

❻ 중화 적정의 양적 관계를 이용하여 염산의 농도를 구한다.
└ $n_1M_1V_1=n_2M_2V_2$

중화 적정에 사용되는 실험 기구

기구	용도
부피 플라스크	정확한 농도의 표준 용액을 만들 때 사용한다.
피펫	액체의 부피를 정확히 측정하여 옮길 때 사용한다.
뷰렛	중화 적정에 사용된 표준 용액의 부피를 측정할 때 사용한다.

빈출 계산연습 중화 적정으로 산 또는 염기의 몰 농도 구하기

농도를 모르는 염산($HCl(aq)$) 50 mL를 중화 적정하는 데 0.3 M 수산화 바륨($Ba(OH)_2$) 수용액 25 mL가 사용되었다. $HCl(aq)$의 몰 농도를 구해 보자.

1단계 산과 염기의 가수를 구한다.
➡ HCl 1몰은 H^+ 1몰을 내놓을 수 있고, $Ba(OH)_2$ 1몰은 OH^- 2몰을 내놓을 수 있다.

2단계 중화 반응의 양적 관계 $n_1M_1V_1=n_2M_2V_2$를 이용하여 $HCl(aq)$의 농도를 구한다.
➡ $1\times M_1(\mathrm{M})\times\frac{50\ \mathrm{mL}}{1000\ \mathrm{mL/L}}=2\times0.3\ \mathrm{M}\times\frac{25\ \mathrm{mL}}{1000\ \mathrm{mL/L}}\quad\therefore M_1=0.3\ \mathrm{M}$

용어 알기
● 적정(물방울 滴, 정하다 定) 농도를 정확히 알고 있는 용액을 이용하여 농도를 모르는 용액의 농도를 알아내는 실험적 방법

산 염기 반응의 이온 모형

목표 산과 염기가 반응할 때 이온 수의 변화를 설명할 수 있다.

과정

넣어 준 수산화 나트륨(NaOH) 수용액의 부피에 따른 입자 수 변화를 통해 중화 반응의 양적 관계를 찾아낸다.

그림은 BTB 용액을 2방울가량 넣은 0.1 M 염산(HCl(*aq*)) 20 mL에 0.1 M 수산화 나트륨(NaOH) 수용액을 10 mL씩 차례대로 넣을 때, 혼합 용액 속의 입자를 모형으로 나타낸 것이다.

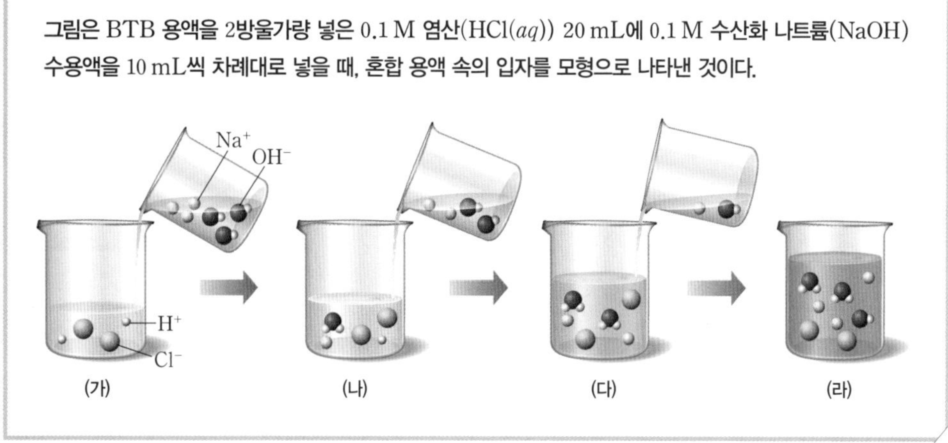

정리 및 해석

❶ 수용액 (가)~(라)에 들어 있는 각 이온 모형의 개수와 수용액의 액성

(다)에서 중화 반응이 완결된다.

수용액	H^+의 수	Cl^-의 수	Na^+의 수	OH^-의 수	수용액의 액성
(가)	2	2	0	0	산성
(나)	1	2	1	0	산성
(다)	0	2	2	0	중성
(라)	0	2	3	1	염기성

❷ 0.1 M 염산 20 mL를 완전히 중화시키는 데 필요한 0.1 M 수산화 나트륨 수용액은 20 mL이다.
➡ 산의 H^+과 염기의 OH^-은 1 : 1의 입자 수비로 반응하여 H_2O을 생성한다.

❸ 중화 반응에서 이온 수 변화

H^+	넣어 준 염기의 OH^-과 반응하여 중화 반응이 완결될 때까지 계속 감소
Cl^-	반응에 참여하지 않으므로 일정
Na^+	반응에 참여하지 않으므로 넣어 주는 대로 증가
OH^-	넣어 주는 대로 용액 속 H^+과 반응하다가, 중화 반응이 완결된 이후부터 존재

중화 반응에서 이온 수 변화

이온 수 / Na^+ / Cl^- / OH^- / H^+ / 넣어 준 NaOH(*aq*) 부피

한·줄·핵심 산의 H^+과 염기의 OH^-은 1 : 1의 입자 수비로 반응하여 H_2O을 생성한다.

확인 문제

정답과 해설 086쪽

01 그림은 묽은 염산(HCl(*aq*)) 10 mL에 수산화 나트륨(NaOH) 수용액을 5 mL씩 차례로 가할 때 일어나는 반응을 모형으로 나타낸 것이다.

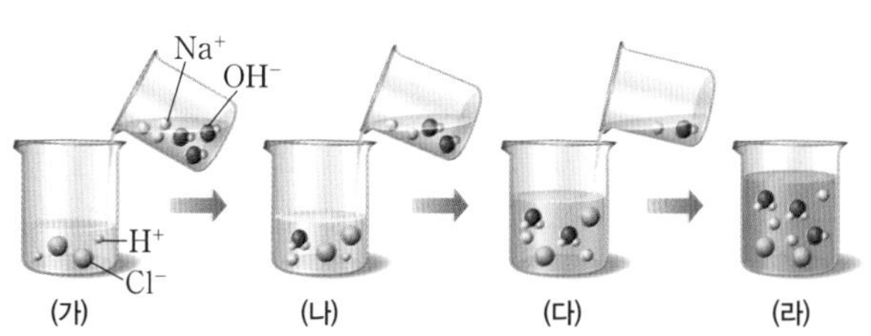

이에 대한 설명으로 옳은 것은 ○, 옳지 않은 것은 ×로 표시하시오. (단, 온도는 일정하다.)

(1) (나)에서 용액의 액성은 산성이다. ( )
(2) 혼합 용액의 pH는 (나)가 (가)보다 크다. ( )
(3) Cl^-의 수는 (다)가 (나)보다 크다. ( )
(4) H^+의 수는 (나)가 (다)보다 크다. ( )
(5) 완전히 중화가 일어난 지점은 (라)이다. ( )

식초 속의 아세트산 농도 측정

목표 중화 적정으로 식초 속 아세트산의 몰 농도를 알아낼 수 있다.

$\frac{1}{10}$로 묽힌 식초는 식초 10 mL를 100 mL 부피 플라스크에 넣고 표선까지 증류수를 채워서 만들 수 있다.

유의점
- 삼각 플라스크 아래에 흰 종이를 깔면 색 변화를 관찰하기 쉽다.
- 실험할 때 삼각 플라스크를 너무 세게 흔들면 용액이 넘칠 수 있으므로 조심스럽게 흔들어 준다. 이때 교반기를 사용할 수도 있다.

과정

❶ 일정량의 식초 취하기

$\frac{1}{10}$로 묽힌 식초 20 mL를 피펫으로 측정하여 삼각 플라스크에 넣고, 페놀프탈레인 용액을 2방울가량 떨어뜨린다.

❷ 뷰렛에 표준 용액 넣기

0.1 M NaOH 수용액을 뷰렛에 넣고, 수용액을 약간 흘린 뒤 처음 부피를 읽는다.

❸ 적정하기

삼각 플라스크를 가볍게 흔들어 주면서 NaOH 수용액을 천천히 떨어뜨린다.

용액이 부분적으로 붉게 변하기 시작하면 NaOH 수용액을 1방울씩만 떨어뜨린다.

❹ 중화점 찾기

삼각 플라스크 속 용액의 색이 전체적으로 붉은색으로 변하는 순간 뷰렛의 꼭지를 잠그고, NaOH 수용액의 나중 부피를 측정한다.

❺ 아세트산의 농도 구하기

과정 ❶~❹를 2번 더 반복하여 중화 적정에 사용한 NaOH 수용액 부피의 평균값을 측정한 후, 중화 적정의 양적 관계를 이용하여 아세트산의 몰 농도를 구한다.

결과

처음 부피 − 나중 부피

실험	처음 부피(mL)	나중 부피(mL)	사용한 NaOH 수용액의 부피(mL)
Ⅰ	48	31	17
Ⅱ	47	31	16
Ⅲ	45	30	15
평균			16

정리 및 해석

식초 속 아세트산의 몰 농도(x):

$n_1M_1V_1=n_2M_2V_2$에서 $1\times x\times 20$ mL$=1\times 0.1$ M$\times 16$ mL, $x=0.08$ M

식초를 $\frac{1}{10}$로 묽혔으므로 식초 속 아세트산의 몰 농도는 0.8 M이다.

한·줄·핵심 중화 적정에서 농도를 모르는 산 또는 염기 수용액은 삼각 플라스크에 넣고, 표준 용액은 뷰렛에 넣어 적정하여 산 또는 염기의 몰 농도를 구할 수 있다.

확인 문제

정답과 해설 086쪽

01 이 탐구에 대한 설명으로 옳은 것은 ○, 옳지 않은 것은 ×로 표시하시오.

(1) 식초의 부피를 측정하여 삼각 플라스크에 넣을 때는 뷰렛을 사용한다. ( )

(2) 용액이 전체적으로 붉은색으로 변할 때 용액의 액성은 산성이다. ( )

(3) 식초를 희석하지 않고 실험하면 중화 적정에 사용하는 NaOH 수용액의 부피는 커진다. ( )

콕콕! 개념 확인하기

정답과 해설 087쪽

✔ 잠깐 확인!

1. ☐☐ ☐☐
산과 염기가 반응하여 물과 염을 생성하는 반응

2. 중화 반응의 ☐☐ ☐☐ ☐☐☐
$H^+ + OH^- \longrightarrow H_2O$

3. ☐☐☐ ☐☐
반응에 참여하지 않는 이온으로, 반응 전후 그 상태와 수가 같다.

4. 중화점에서 산이 내놓은 H^+의 양(mol)과 염기가 내놓은 OH^-의 양(mol)은 ☐☐.

5. ☐☐ ☐☐
중화 반응의 양적 관계를 이용하여 농도를 모르는 산이나 염기의 농도를 알아내는 방법

6. ☐☐☐
중화 적정에서 산의 H^+의 양(mol)과 염기의 OH^-의 양(mol)이 같아져 중화 반응이 완결되는 지점

A 산 염기 중화 반응

01 중화 반응에 대한 설명으로 옳은 것은 ○, 옳지 않은 것은 ×로 표시하시오.

(1) 산의 H^+과 염기의 OH^-이 1 : 1의 몰비로 반응한다. (　　)

(2) 반응하는 산이나 염기의 종류에 관계없이 생성되는 염의 종류는 같다. (　　)

(3) 중화점에서 혼합 용액은 전기 전도성이 없다. (　　)

02 다음은 중화 반응에 대한 설명이다. ㉠~㉣에 들어갈 알맞은 말을 쓰시오.

> 중화 반응은 산의 (㉠)과 염기의 (㉡)이 반응하여 물을 생성하고, 산의 음이온과 염기의 양이온이 반응하여 (㉢)을 생성한다. 이때 반응에 참여한 이온만으로 나타낸 반응식을 (㉣) 반응식이라고 하는데, 대체로 반응한 산이나 염기의 종류에 관계없이 같다.

B 중화 적정

03 중화 적정에 대한 설명으로 옳은 것은 ○, 옳지 않은 것은 ×로 표시하시오.

(1) 농도를 모르는 용액을 표준 용액이라고 한다. (　　)

(2) 중화점을 알아내기 위해 지시약을 사용할 수 있다. (　　)

(3) 표준 용액은 뷰렛에 넣어 사용한다. (　　)

04 다음은 염산($HCl(aq)$)과 수산화 칼슘($Ca(OH)_2$) 수용액의 화학 반응식이다.

$$2HCl(aq) + Ca(OH)_2(aq) \longrightarrow CaCl_2(aq) + 2H_2O(l)$$

이 반응에 대한 설명으로 옳은 것은 ○, 옳지 않은 것은 ×로 표시하시오.

(1) Ca^{2+}, Cl^-은 구경꾼 이온이다. (　　)

(2) H^+과 OH^-은 2 : 1의 몰비로 반응한다. (　　)

(3) 중화 반응이 완결된 용액은 전기 전도성이 없다. (　　)

05 염산($HCl(aq)$) 50 mL를 완전히 중화시키는 데 0.2 M 수산화 칼슘($Ca(OH)_2$) 수용액 20 mL가 사용되었다. $HCl(aq)$의 몰 농도를 구하시오.

06 농도를 모르는 수산화 바륨($Ba(OH)_2$) 수용액 20 mL를 완전히 중화시키는 데 0.2 M 황산($H_2SO_4(aq)$) 5 mL가 사용되었다. $Ba(OH)_2$ 수용액의 몰 농도를 구하시오.

탄탄! 내신 다지기

A 산 염기 중화 반응

01 다음은 산 HA 수용액과 염기 BOH 수용액이 반응하여 물과 염을 생성하는 반응의 화학 반응식이다.

$$HA(aq)+BOH(aq) \longrightarrow H_2O(l)+BA(aq)$$

이에 대한 설명으로 옳은 것만을 <보기>에서 있는 대로 고른 것은? (단, A, B는 임의의 원소 기호이다.)

보기
ㄱ. H^+과 OH^-이 1 : 1의 몰비로 반응한다.
ㄴ. B^+과 A^-은 구경꾼 이온이다.
ㄷ. 혼합 용액은 전기 전도성이 있다.

① ㄱ ② ㄴ ③ ㄱ, ㄷ
④ ㄴ, ㄷ ⑤ ㄱ, ㄴ, ㄷ

02 그림은 BTB 용액을 떨어뜨려 파란색을 나타내는 수산화 칼슘($Ca(OH)_2$) 수용액에 유리관을 꽂고 날숨을 불어넣은 모습을 나타낸 것이다.

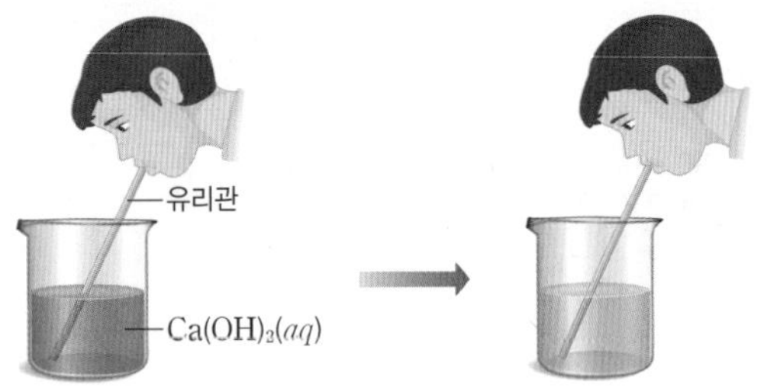

이에 대한 설명으로 옳은 것만을 <보기>에서 있는 대로 고른 것은?

보기
ㄱ. 수용액 속 OH^-의 수는 감소한다.
ㄴ. 용액의 pH는 증가한다.
ㄷ. 날숨을 더 불어넣어 주면 용액의 색은 노란색으로 변한다.

① ㄱ ② ㄴ ③ ㄱ, ㄷ
④ ㄴ, ㄷ ⑤ ㄱ, ㄴ, ㄷ

03 그림은 같은 부피의 염산($HCl(aq)$)과 수산화 나트륨($NaOH$) 수용액의 반응을 모형으로 나타낸 것이다.

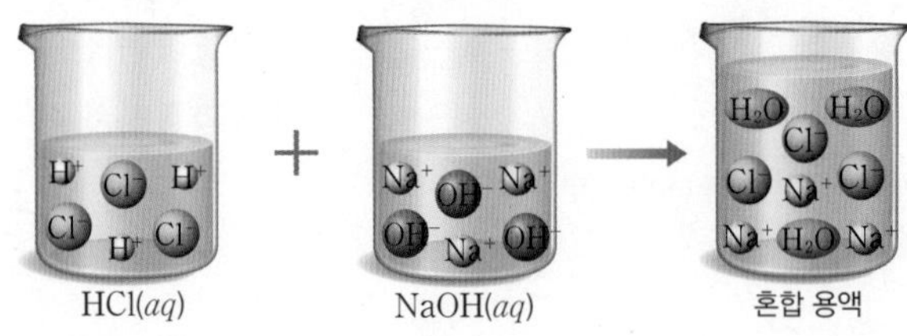

이에 대한 설명으로 옳은 것만을 <보기>에서 있는 대로 고른 것은?

보기
ㄱ. 알짜 이온 반응식은 $H^+ + OH^- \longrightarrow H_2O$이다.
ㄴ. $HCl(aq)$과 NaOH 수용액의 몰 농도는 같다.
ㄷ. 혼합 용액을 가열하여 물을 증발시키면 $NaCl(s)$을 얻는다.

① ㄱ ② ㄴ ③ ㄱ, ㄷ
④ ㄴ, ㄷ ⑤ ㄱ, ㄴ, ㄷ

04 다음은 일상생활에서 이용되는 어떤 반응의 예이다.

㉠ 생선의 비린내를 없애기 위해 ㉡ 레몬즙을 뿌린다.

이에 대한 설명으로 옳은 것만을 <보기>에서 있는 대로 고른 것은?

보기
ㄱ. ㉠에는 염기성 물질이 들어 있다.
ㄴ. ㉡에는 H^+이 들어 있다.
ㄷ. ㉡ 대신 식초를 사용해도 된다.

① ㄱ ② ㄷ ③ ㄱ, ㄴ
④ ㄴ, ㄷ ⑤ ㄱ, ㄴ, ㄷ

단답형

05 다음과 같이 두 수용액을 혼합한 용액에 BTB 용액을 떨어뜨렸을 때의 색을 쓰시오.

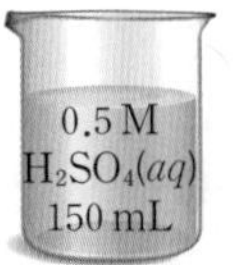

+
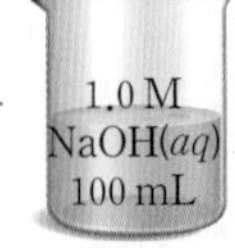

B 중화 적정

06 표는 염산(HCl(aq))과 수산화 나트륨(NaOH) 수용액의 부피를 달리하여 혼합한 용액에 BTB 용액을 떨어뜨렸을 때의 색을 나타낸 것이다.

혼합 용액		(가)	(나)	(다)	(라)
혼합 전 용액의 부피(mL)	HCl(aq)	5	10	20	25
	NaOH(aq)	25	20	10	5
혼합 용액의 색		파란색	초록색	노란색	노란색

이에 대한 설명으로 옳은 것만을 〈보기〉에서 있는 대로 고른 것은?

보기
ㄱ. pH는 (가)가 (나)보다 크다.
ㄴ. (다)에서 $[H^+]>[OH^-]$이다.
ㄷ. (가)와 (라)를 혼합한 용액은 중성이다.

① ㄱ ② ㄷ ③ ㄱ, ㄴ
④ ㄴ, ㄷ ⑤ ㄱ, ㄴ, ㄷ

07 그림은 같은 부피의 수용액 (가)와 (나)를 혼합하여 용액 (다)가 되는 과정을 모형으로 나타낸 것이다.

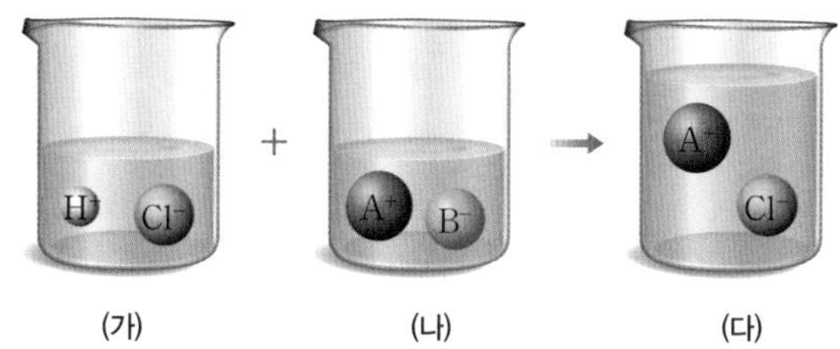

(가) (나) (다)

이에 대한 설명으로 옳은 것만을 〈보기〉에서 있는 대로 고른 것은? (단, A와 B는 임의의 원소 기호이다.)

보기
ㄱ. 이 반응은 중화 반응이다.
ㄴ. 수용액의 pH는 (나)>(다)이다.
ㄷ. ACl은 염이다.

① ㄱ ② ㄴ ③ ㄱ, ㄷ
④ ㄴ, ㄷ ⑤ ㄱ, ㄴ, ㄷ

08 그림은 25 ℃에서 0.01 M 염산(HCl(aq)) 10 mL가 비커에 들어 있는 모습을 나타낸 것이다.

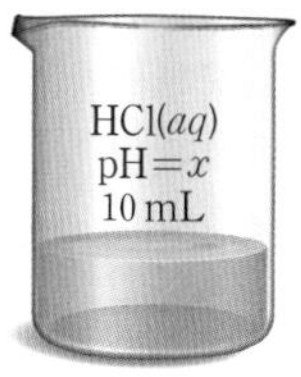

이에 대한 설명으로 옳은 것만을 〈보기〉에서 있는 대로 고른 것은?

보기
ㄱ. x는 4이다.
ㄴ. 수용액 속 H^+의 양(mol)은 1×10^{-4}몰이다.
ㄷ. 0.02 M NaOH(aq) 5 mL를 넣어 주면 완전히 중화된다.

① ㄱ ② ㄴ ③ ㄱ, ㄷ
④ ㄴ, ㄷ ⑤ ㄱ, ㄴ, ㄷ

09 표는 25 ℃에서 염산(HCl(aq))과 수산화 나트륨(NaOH) 수용액에 대한 자료이다.

수용액	부피(mL)	pH
HCl(aq)	10	3
NaOH(aq)	100	11

이에 대한 설명으로 옳은 것만을 〈보기〉에서 있는 대로 고른 것은?

보기
ㄱ. HCl(aq)에 들어 있는 H^+의 양(mol)은 1×10^{-5}몰이다.
ㄴ. NaOH(aq)에 들어 있는 OH^-의 양(mol)은 1×10^{-3}몰이다.
ㄷ. 두 수용액을 혼합한 용액에 들어 있는 OH^-의 양(mol)은 1×10^{-2}몰이다.

① ㄱ ② ㄴ ③ ㄱ, ㄷ
④ ㄴ, ㄷ ⑤ ㄱ, ㄴ, ㄷ

도전! 실력 올리기

01 그림은 25 ℃에서 x M 염산(HCl(aq)) 15 mL와 y M 수산화 나트륨(NaOH) 수용액 5 mL를 혼합한 용액에 들어 있는 이온을 모형으로 나타낸 것이다.

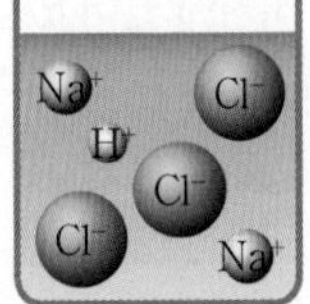

이에 대한 설명으로 옳은 것만을 〈보기〉에서 있는 대로 고른 것은?

보기
ㄱ. $\frac{x}{y}=1$이다.
ㄴ. 중화 반응으로 생성된 물 분자 수는 2개이다.
ㄷ. 혼합 용액에 NaOH(aq) 5 mL를 더 넣어 주면 중성이 된다.

① ㄱ ② ㄴ ③ ㄱ, ㄷ
④ ㄴ, ㄷ ⑤ ㄱ, ㄴ, ㄷ

02 다음은 염산(HCl(aq))의 농도를 알아내기 위한 실험을 순서없이 나타낸 것이다.

(가) HCl(aq) 10 mL를 피펫을 이용하여 취한 후 삼각 플라스크에 넣고 페놀프탈레인 용액을 2방울가량 떨어뜨린다.
(나) 용액 전체가 붉은색으로 변한 순간 뷰렛의 꼭지를 잠근다.
(다) 넣어 준 NaOH(aq)의 부피를 계산한다.
(라) $n_1M_1V_1=n_2M_2V_2$를 이용하여 염산의 몰 농도를 구한다.
(마) 0.1 M NaOH(aq) 표준 용액을 뷰렛을 통해 넣으면서 삼각 플라스크를 흔들어 준다.

실험 순서로 옳은 것은?

① (가)−(나)−(다)−(라)−(마)
② (가)−(다)−(마)−(나)−(라)
③ (가)−(마)−(나)−(다)−(라)
④ (다)−(가)−(마)−(나)−(라)
⑤ (마)−(가)−(나)−(다)−(라)

03 표는 10 mL의 염산(HCl(aq))과 황산(H_2SO_4(aq))을 각각 0.1 M 수산화 나트륨(NaOH) 수용액으로 적정할 때 사용한 NaOH(aq)의 부피를 나타낸 것이다.

수용액	사용한 NaOH(aq)의 부피(mL)
HCl(aq)	10
H_2SO_4(aq)	15

$\frac{\text{HCl}(aq)\text{의 몰 농도}}{\text{H}_2\text{SO}_4(aq)\text{의 몰 농도}}$는?

① $\frac{2}{3}$ ② $\frac{3}{4}$ ③ 1
④ $\frac{4}{3}$ ⑤ $\frac{3}{2}$

출제예감

04 그림은 0.1 M 수산화 나트륨(NaOH) 수용액 10 mL에 x M 염산(HCl(aq))을 5 mL씩 차례대로 넣을 때 각 용액 속 이온 수를 모형으로 나타낸 것이다.

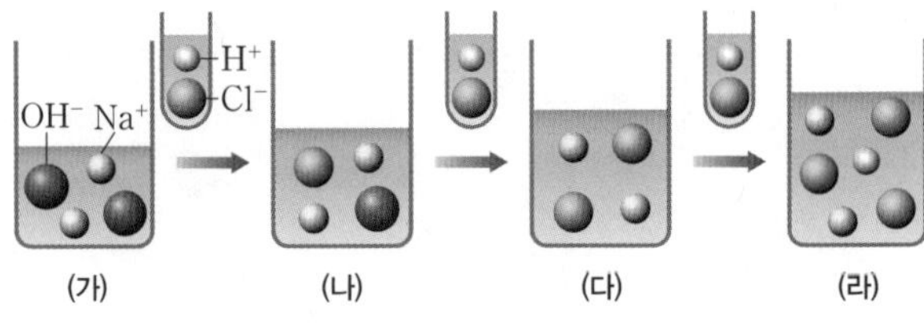

이에 대한 설명으로 옳은 것만을 〈보기〉에서 있는 대로 고른 것은? (단, 온도는 25 ℃로 일정하다.)

보기
ㄱ. 중화 반응으로 생성된 H_2O의 양은 (라)에서가 (다)에서보다 많다.
ㄴ. 단위 부피당 이온 수는 (다)가 가장 작다.
ㄷ. $x=0.2$이다.

① ㄴ ② ㄷ ③ ㄱ, ㄴ
④ ㄱ, ㄷ ⑤ ㄱ, ㄴ, ㄷ

05 다음은 식초 속 아세트산(CH_3COOH)의 함량을 알아보기 위한 실험이다.

> 실험 과정
> (가) 식초 10 mL를 피펫을 이용하여 취한 후 삼각 플라스크에 넣고 페놀프탈레인 용액을 2방울가량 떨어뜨린다.
> (나) 1.0 M NaOH(aq)을 삼각 플라스크에 조금씩 넣으면서 흔들어 준다.
> (다) 용액이 전체적으로 붉은색으로 변하면 사용한 NaOH(aq)의 부피를 구한다.
> 실험 결과
> • 사용한 NaOH(aq)의 부피: 10 mL

이 실험으로 구한 식초 속 CH_3COOH(aq)의 몰 농도(M)는? (단, 식초에 산은 CH_3COOH만 있다.)

① 0.1 ② 0.2 ③ 1.0
④ 1.5 ⑤ 2.0

출제예감

06 그림은 x M 염산(HCl(aq)) 20 mL에 0.1 M 수산화 나트륨(NaOH) 수용액을 넣어 줄 때 NaOH(aq)의 부피에 따라 생성된 물의 양을 상댓값으로 나타낸 것이다.

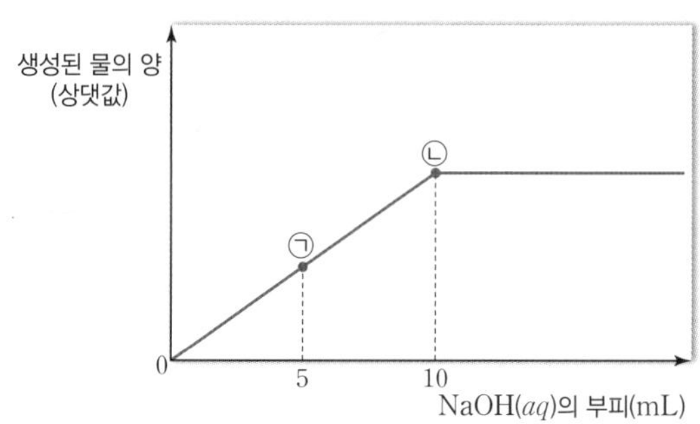

이에 대한 설명으로 옳은 것만을 <보기>에서 있는 대로 고른 것은?

> 보기
> ㄱ. x=0.1이다.
> ㄴ. ㉠에서 가장 많이 존재하는 이온은 Cl^-이다.
> ㄷ. ㉡에서 Na^+의 수와 Cl^-의 수는 같다.

① ㄱ ② ㄷ ③ ㄱ, ㄴ
④ ㄴ, ㄷ ⑤ ㄱ, ㄴ, ㄷ

서술형

07 그림은 0.1 M 묽은 질산(HNO_3(aq)) 10 mL에 0.2 M 수산화 나트륨(NaOH) 수용액을 넣어 줄 때, NaOH(aq)의 부피에 따른 이온 (가)~(라)의 이온 수 변화를 나타낸 것이다.

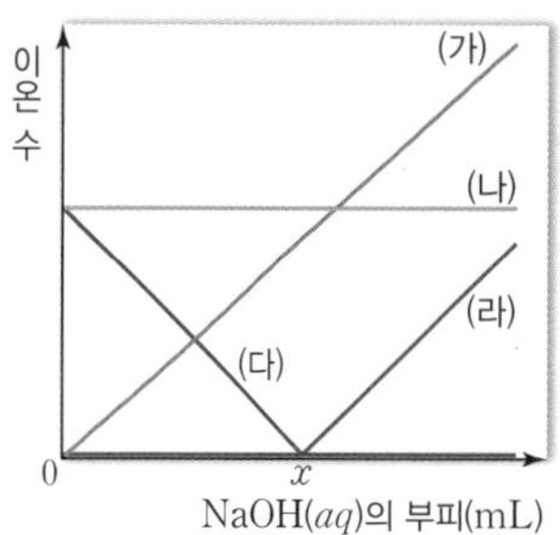

(1) (가)~(라)에 해당하는 이온의 화학식을 각각 쓰시오.

(2) x를 구하고, 풀이 과정을 서술하시오.

서술형

08 0.5 M 황산(H_2SO_4(aq)) 10 mL를 완전히 중화하기 위해 필요한 0.1 M 수산화 나트륨(NaOH) 수용액의 부피를 구하고, 풀이 과정을 서술하시오.

서술형

09 식초 15 mL를 완전히 중화시키는 데 0.5 M 수산화 나트륨(NaOH) 수용액 30 mL가 사용되었다. 식초 속 아세트산(CH_3COOH)의 몰 농도를 구하고, 풀이 과정을 서술하시오. (단, 식초에 산은 CH_3COOH만 있다.)

산 염기 중화 반응의 양적 관계

대표 유형

출제 의도

중화 반응의 양적 관계를 추론하는 문제이다.

표는 HCl(aq), NaOH(aq), KOH(aq)의 부피를 달리하여 혼합한 용액 (가)~(다)에 대한 자료이다.

① 단위 부피를 1 mL로 하여 혼합 용액 전체에서 생성된 물 분자 수를 구한다.

혼합 용액	혼합 전 용액의 부피(mL)			단위 부피당 생성된 물 분자 수
	HCl(aq)	NaOH(aq)	KOH(aq)	
(가)	10	5	0	$2N$
(나)	5	0	5	$6N$
(다)	15	10	5	$5N$

② 용액 전체에서 생성된 물 분자 수 =반응한 H^+의 수 또는 OH^-의 수
$2N$/mL × 15 mL = $30N$
$6N$/mL × 10 mL = $60N$
$5N$/mL × 30 mL = $150N$

③ HCl(aq) 10 mL에 들어 있는 H^+의 수가 $30N$이라고 하면 (나)의 조건에 부합하지 않는다. → NaOH(aq) 5 mL에 들어 있는 OH^-의 수가 $30N$

④ (다)에서 NaOH(aq) 10 mL에 들어 있는 OH^-의 수가 $60N$이므로 KOH(aq) 5 mL에 들어 있는 OH^-의 수는 $90N$ 이상이어야 한다. 따라서 (나)에서 생성된 물 분자 $60N$은 반응한 H^+의 수와 같다는 것을 알 수 있다. → HCl(aq) 5 mL에 포함된 H^+의 수가 $60N$, KOH(aq) 5 mL에 포함된 OH^-의 수가 $90N$

⑤ 총 이온 수는 구경꾼 이온을 포함하여 구한다.
- (가): H^+ $90N$ + Cl^- $120N$ + Na^+ $30N$ = $240N$
- (나): Cl^- $60N$ + K^+ $90N$ + OH^- $30N$ = $180N$
- (다): H^+ $30N$ + Cl^- $180N$ + Na^+ $60N$ + K^+ $90N$ = $360N$

이에 대한 설명으로 옳은 것만을 〈보기〉에서 있는 대로 고른 것은? (단, 혼합 용액의 부피는 혼합 전 각 용액의 부피의 합과 같다.)

보기

ㄱ. (가)는 산성이다.
HCl(aq) 10 mL에는 H^+이 $120N$ 들어 있고, NaOH(aq) 5 mL에는 OH^-이 $30N$ 들어 있으므로 (가)에는 반응하지 않은 H^+이 $90N$ 들어 있다. → 산성 용액

ㄴ. 총 이온 수는 (다)가 (나)의 2.5배이다. → (다)가 (나)의 2배이다.
(다) $360N$, (나) $180N$

ㄷ. HCl(aq) 10 mL, NaOH(aq) 5 mL, KOH(aq) 5 mL를 혼합한 용액은 염기성이다.
(H^+ $120N$, OH^- $30N$, OH^- $90N$) → 혼합하면 중성 용액이 된다.

① ㄱ ② ㄷ ③ ㄱ, ㄴ ④ ㄴ, ㄷ ⑤ ㄱ, ㄴ, ㄷ

이것이 함정
- 단위 부피당 생성된 물 분자 수로부터 용액에서 생성된 전체 물 분자 수를 구해야 한다는 것을 주의한다.
- 총 이온 수는 구경꾼 이온을 포함해서 구해야 한다는 것을 주의한다.

자료에서 단서 찾기

(가), (나), (다)의 혼합 용액에서 생성된 물 분자 수를 각각 구한다. ⋙ 중화 반응의 양적 관계를 이용하여 생성된 물 분자 수는 반응한 산의 H^+, 염기의 OH^-과 같음을 적용한다. ⋙ (가)와 (나)에서 생성된 물 분자 수로부터 NaOH(aq) 5 mL에 들어 있는 OH^- 수를 구한다. ⋙ (나)와 (다)에서 생성된 물 분자 수로부터 HCl(aq) 5 mL와 KOH(aq) 5 mL에 들어 있는 이온 수를 구한다.

추가 선택지

- 생성된 물의 양은 (나)가 (가)의 2배이다. (○)
  ⋯→ (가)에서 생성된 물 분자 수는 $30N$이고, (나)에서 생성된 물 분자는 $60N$이다.
- 25 ℃에서 (나)의 pH는 7보다 작다. (×)
  ⋯→ HCl(aq) 5 mL에 포함된 H^+의 수는 $60N$이고, KOH(aq) 5 mL에 포함된 OH^-의 수가 $90N$이므로 혼합 용액 (나)는 $30N$만큼의 OH^-을 포함하고 있는 염기성 용액이다. 따라서 25 ℃에서 (나)의 pH는 7보다 크다.

실전! 수능 도전하기

정답과 해설 089쪽

01 다음은 가역 반응에 대한 학생들의 대화이다.

정반응만 일어날 수 있어.
조건에 따라 역반응도 일어날 수 있어.
동적 평형에 도달할 수 있지.
학생 A
학생 B
학생 C

제시한 의견이 옳은 학생만을 있는 대로 고른 것은?

① A ② B ③ A, C
④ B, C ⑤ A, B, C

02 다음은 용해 평형에 대해 학생 A가 세운 가설과 이를 검증하기 위한 실험이다.

> 가설
>
> [㉠]
>
> 실험 과정
>
> (가) ^{23}Na이 포함된 염화 나트륨(NaCl)을 충분히 넣고 물에 녹여 용해 평형에 도달시킨다.
>
> (나) (가)의 용액에 ^{24}Na가 포함된 염화 나트륨을 넣고 잘 흔들어 준 다음 충분한 시간 놓아둔다.
>
> (다) (나)의 용액과 고체 상태의 용질에 포함된 Na^+의 질량수를 측정한다.
>
> 실험 결과
>
> • 용액에 용해된 NaCl(aq)과 바닥에 가라앉은 NaCl(s)에서 질량수 23과 24인 Na^+이 검출되었다.
>
> 결론
>
> • 가설은 옳다.

학생 A의 결론이 타당할 때, ㉠으로 가장 적절한 것은?

① 시간이 지날수록 용해 속도가 점점 느려진다.
② 용해 평형에서 용해와 석출은 계속 일어난다.
③ NaCl의 석출 속도는 화학식량에 따라 다르다.
④ 자연계에서 화학식량이 다른 NaCl이 두 종류 존재한다.
⑤ ^{23}Na을 포함한 NaCl의 용해 속도는 ^{24}Na를 포함한 NaCl의 용해 속도보다 빠르다.

03 그림 (가)는 진공인 용기에 물을 넣은 모습을, (나)는 (가)의 장치에 물 50 g을 넣고 일정한 온도에서 수은 기둥의 높이 차(h)를 시간에 따라 나타낸 것이다.

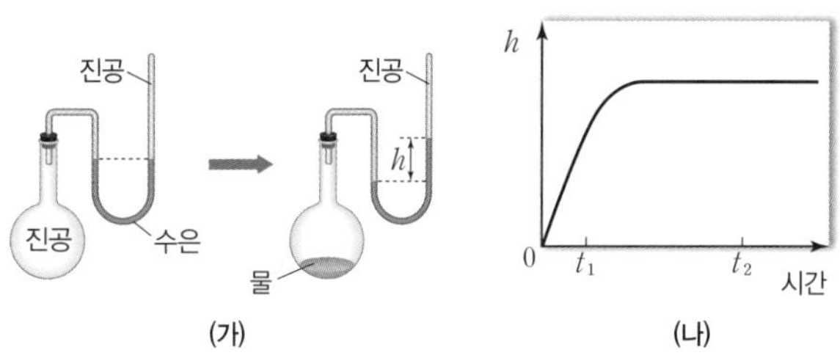

(가) (나)

이에 대한 설명으로 옳은 것만을 〈보기〉에서 있는 대로 고른 것은?

> 보기
>
> ㄱ. t_1일 때는 물의 증발 속도가 수증기의 응축 속도보다 빠르다.
>
> ㄴ. t_2일 때는 물의 증발 속도와 수증기의 응축 속도가 같다.
>
> ㄷ. 용기 속 수증기 분자 수는 t_2일 때가 t_1일 때보다 크다.

① ㄱ ② ㄷ ③ ㄱ, ㄴ
④ ㄴ, ㄷ ⑤ ㄱ, ㄴ, ㄷ

04 다음은 이산화 질소(NO_2)가 반응하여 사산화 이질소(N_2O_4)를 생성하는 반응의 화학 반응식이다.

$$2NO_2(g) \rightleftharpoons N_2O_4(g)$$

그림은 일정 온도에서 강철 용기에 일정량의 $NO_2(g)$를 넣고 반응시켰을 때 시간에 따른 각 물질의 몰 농도를 나타낸 것이다.

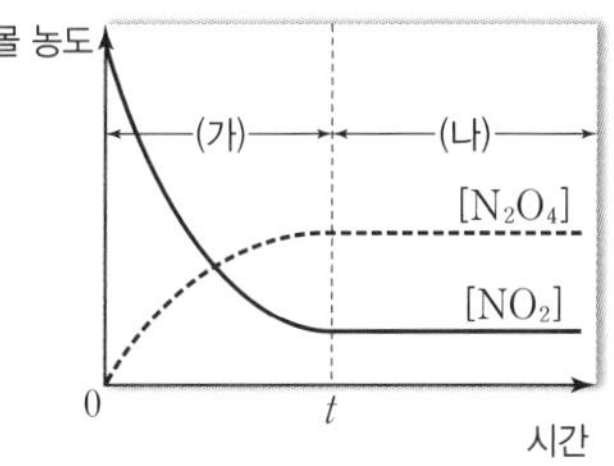

이에 대한 설명으로 옳은 것만을 〈보기〉에서 있는 대로 고른 것은?

> 보기
>
> ㄱ. (가)는 화학 평형 상태이다.
>
> ㄴ. (나)에서 NO_2와 N_2O_4의 몰 농도 비는 2 : 1이다.
>
> ㄷ. (나)에서 $[NO_2]$는 일정하다.

① ㄱ ② ㄷ ③ ㄱ, ㄴ
④ ㄴ, ㄷ ⑤ ㄱ, ㄴ, ㄷ

실전! 수능 도전하기

05 다음은 물의 자동 이온화 반응식이다.

$$2H_2O(l) \rightleftharpoons H_3O^+(aq) + OH^-(aq)$$

표는 온도에 따른 물의 이온화 상수(K_w)에 대한 자료이다.

온도(℃)	10	25	40
K_w	0.295×10^{-14}	1.00×10^{-14}	2.87×10^{-14}

이에 대한 설명으로 옳은 것만을 <보기>에서 있는 대로 고른 것은?

보기
ㄱ. 10 ℃에서 순수한 물은 염기성이다.
ㄴ. 40 ℃에서 순수한 물의 pH는 7보다 크다.
ㄷ. 물은 온도가 높을수록 이온화가 잘 된다.

① ㄱ ② ㄷ ③ ㄱ, ㄴ ④ ㄱ, ㄷ ⑤ ㄴ, ㄷ

06 그림 (가)와 (나)는 25 ℃에서 서로 다른 산의 수용액에 들어 있는 입자를 모형으로 나타낸 것이다.

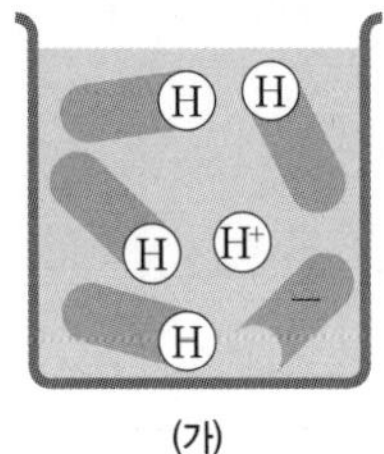

(가)

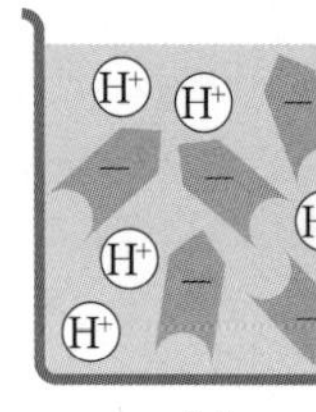

(나)

이에 대한 설명으로 옳은 것만을 <보기>에서 있는 대로 고른 것은? (단, (가)와 (나)의 부피는 같다.)

보기
ㄱ. (가)에서 $\frac{[H_3O^+]}{[OH^-]} > 1$이다.
ㄴ. (나)에서 $[OH^-]$는 1×10^{-7} M보다 크다.
ㄷ. pH는 (가)가 (나)보다 크다.

① ㄱ ② ㄴ ③ ㄱ, ㄷ ④ ㄴ, ㄷ ⑤ ㄱ, ㄴ, ㄷ

07 그림은 25 ℃에서 수용액 (가)~(다)의 pH를 나타낸 것이다.

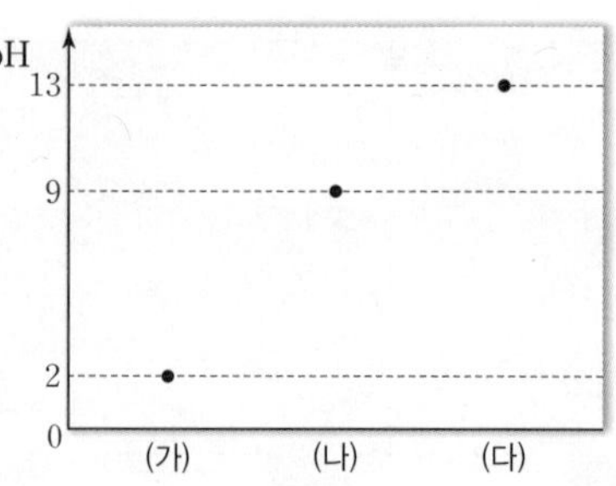

이에 대한 설명으로 옳은 것만을 <보기>에서 있는 대로 고른 것은? (단, 25 ℃에서 물의 이온화 상수 $K_w = 1 \times 10^{-14}$이다.)

보기
ㄱ. (가)에서 $\frac{[H_3O^+]}{[OH^-]} = 1.0 \times 10^{10}$이다.
ㄴ. (나)에 페놀프탈레인 용액을 넣으면 붉은색을 나타낸다.
ㄷ. (다)에서 $[OH^-]$는 0.1 M이다.

① ㄱ ② ㄴ ③ ㄱ, ㄷ ④ ㄴ, ㄷ ⑤ ㄱ, ㄴ, ㄷ

08 그림은 3가지 물질을 분류하는 과정이다.

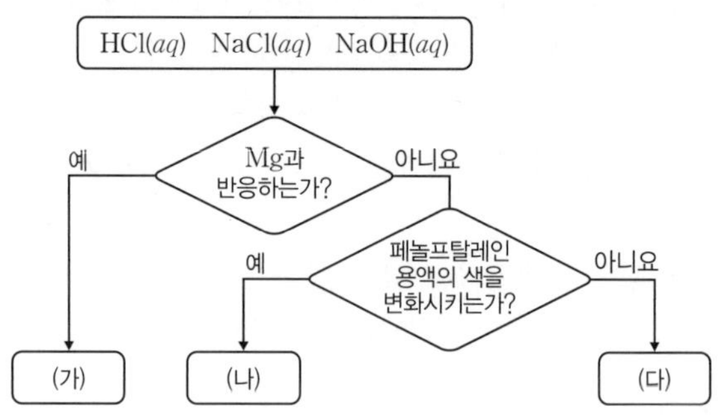

이에 대한 설명으로 옳은 것만을 <보기>에서 있는 대로 고른 것은?

보기
ㄱ. (가)에 탄산 칼슘을 넣어 주면 이산화 탄소 기체가 발생한다.
ㄴ. 수용액의 pH는 (가) > (나)이다.
ㄷ. (가)~(다) 중 수용액이 전기 전도성을 가지는 것은 2가지이다.

① ㄱ ② ㄴ ③ ㄱ, ㄷ ④ ㄴ, ㄷ ⑤ ㄱ, ㄴ, ㄷ

수능 기출

09 다음은 산 염기와 관련된 반응 (가)~(다)에 대한 설명이다.

(가) 수산화 칼륨(KOH)을 물에 녹이면 칼륨 이온(K^+)과 수산화 이온(OH^-)이 생성된다.
(나) 아세트산(CH_3COOH)을 물에 녹이면 아세트산 이온(CH_3COO^-)과 하이드로늄 이온(H_3O^+)이 생성된다.
(다) 암모니아(NH_3)를 염화 수소(HCl)와 반응시키면 염화 암모늄(NH_4Cl)이 생성된다.

(가)~(다) 중 아레니우스 염기를 포함하는 반응(A)과 브뢴스테드·로리 염기를 포함하는 반응(B)으로 옳은 것은?

	A	B
①	(가)	(나), (다)
②	(나)	(가), (다)
③	(다)	(가), (나)
④	(가), (나)	(다)
⑤	(나), (다)	(가), (다)

10 다음은 3가지 산 염기 반응의 화학 반응식이다.

(가) $HCN(aq)+H_2O(l) \rightleftharpoons H_3O^+(aq)+CN^-(aq)$
(나) $H_3O^+(aq)+OH^-(aq) \rightleftharpoons 2H_2O(l)$
(다) $(CH_3)_3N(aq)+HF(aq) \rightleftharpoons (CH_3)_3NH^+(aq)+F^-(aq)$

이에 대한 설명으로 옳은 것만을 〈보기〉에서 있는 대로 고른 것은?

보기
ㄱ. (가)에서 산으로 작용한 물질은 HCN과 H_3O^+이다.
ㄴ. (나)에서 OH^-은 브뢴스테드·로리 염기이다.
ㄷ. (다)에서 HF의 짝염기는 F^-이다.

① ㄱ ② ㄷ ③ ㄱ, ㄴ ④ ㄴ, ㄷ ⑤ ㄱ, ㄴ, ㄷ

11 다음은 3가지 산 염기 반응의 화학 반응식이다.

(가) $CH_3COOH(aq)+H_2O(l) \longrightarrow CH_3COO^-(aq)+H_3O^+(aq)$
(나) $H_3PO_4(s)+H_2O(l) \longrightarrow H_2PO_4^-(aq)+H_3O^+(aq)$
(다) $H_3O^+(aq)+OH^-(aq) \longrightarrow 2H_2O(l)$

이에 대한 설명으로 옳은 것만을 〈보기〉에서 있는 대로 고른 것은?

보기
ㄱ. (가)에서 H_2O은 아레니우스 염기이다.
ㄴ. (나)에서 H_3PO_4은 아레니우스 산이다.
ㄷ. (다)에서 H_3O^+은 브뢴스테드·로리 산이다.

① ㄱ ② ㄴ ③ ㄱ, ㄷ ④ ㄴ, ㄷ ⑤ ㄱ, ㄴ, ㄷ

12 그림은 x M KOH(aq) 50 mL에 0.1 M HCl(aq)을 조금씩 넣어 줄 때 혼합 용액에 들어 있는 이온 A~D의 이온 수를 나타낸 것이다.

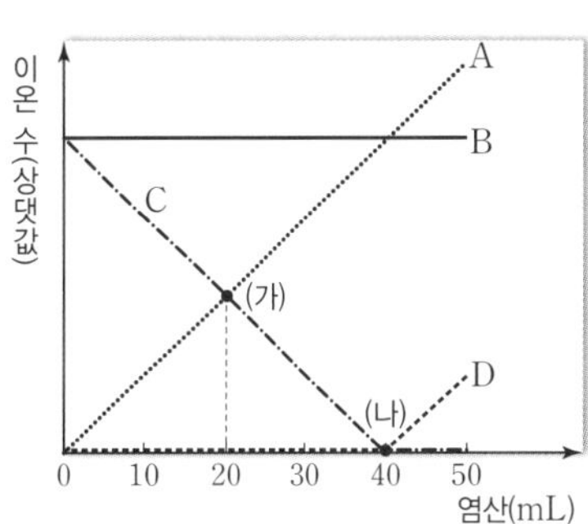

이에 대한 설명으로 옳은 것만을 〈보기〉에서 있는 대로 고른 것은?

보기
ㄱ. A와 B는 구경꾼 이온이다.
ㄴ. $\frac{Cl^-의\ 수}{K^+의\ 수}$는 (나)에서가 (가)에서의 2배이다.
ㄷ. $x=0.08$ M이다.

① ㄱ ② ㄷ ③ ㄱ, ㄴ ④ ㄴ, ㄷ ⑤ ㄱ, ㄴ, ㄷ

실전! 수능 도전하기

정답과 해설 089쪽

수능 기출

13 표는 염산($HCl(aq)$)과 수산화 나트륨 수용액($NaOH(aq)$)을 혼합한 용액 (가)와 (나)에 대한 자료이다.

혼합 용액		(가)	(나)
혼합 전 용액의 부피(mL)	$HCl(aq)$	30	10
	$NaOH(aq)$	x	y
단위 부피당 이온 모형 (▲ : Na^+, ● : Cl^-)		●▲●▲▲	●▲▲●●●

이에 대한 설명으로 옳은 것만을 〈보기〉에서 있는 대로 고른 것은? (단, 혼합 용액의 부피는 혼합 전 각 용액의 부피의 합과 같다.)

보기
ㄱ. $x+y=20$이다.
ㄴ. 같은 부피의 $HCl(aq)$과 $NaOH(aq)$을 혼합한 용액은 산성이다.
ㄷ. 중화 반응에서 생성된 물의 분자 수는 (가)가 (나)의 6배이다.

① ㄱ ② ㄴ ③ ㄱ, ㄷ
④ ㄴ, ㄷ ⑤ ㄱ, ㄴ, ㄷ

14 그림 (가)는 $HCl(aq)$ 10 mL에 $NaOH(aq)$ 10 mL를 혼합한 용액에 들어 있는 양이온의 비율을 나타낸 것이고, (나)는 이 용액에 $KOH(aq)$ 10 mL를 더 넣은 용액에 들어 있는 양이온의 비율을 나타낸 것이다.

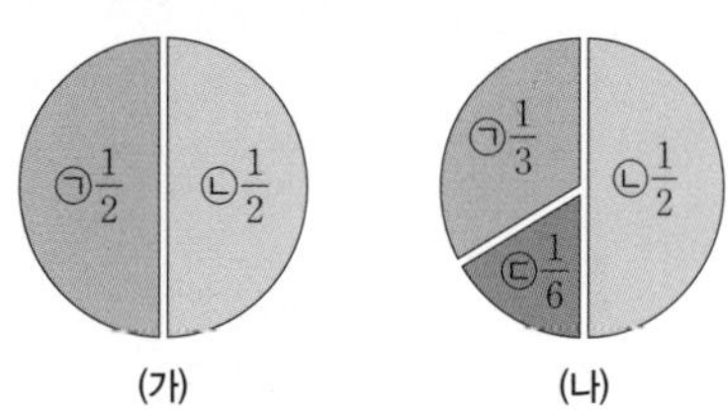

(가) (나)

이에 대한 설명으로 옳은 것만을 〈보기〉에서 있는 대로 고른 것은?

보기
ㄱ. ㉠은 H^+이다.
ㄴ. 단위 부피당 이온 수는 $HCl(aq)$과 $NaOH(aq)$이 같다.
ㄷ. (나)에 $KOH(aq)$ 10 mL를 더 넣으면 중성이 된다.

① ㄱ ② ㄷ ③ ㄱ, ㄴ
④ ㄴ, ㄷ ⑤ ㄱ, ㄴ, ㄷ

15 다음은 0.1 M $NaOH(aq)$을 이용하여 농도를 모르는 $H_2SO_4(aq)$을 적정하는 실험이다.

실험 과정
(가) $H_2SO_4(aq)$ 10 mL를 삼각 플라스크에 넣고 페놀프탈레인 용액을 2방울가량 넣는다.
(나) $NaOH(aq)$을 뷰렛에 넣고 눈금을 읽은 후, 뷰렛 꼭지를 열어 삼각 플라스크에 조금씩 넣는다.
(다) 용액이 전체적으로 붉게 변하면 꼭지를 잠그고 최종 부피를 읽는다.

실험 결과

	처음	나중
뷰렛의 눈금(mL)	42.00	2.00

이 실험으로 구한 $H_2SO_4(aq)$의 몰 농도(M)는?

① 0.1 ② 0.2 ③ 0.4
④ 0.8 ⑤ 1.0

16 그림은 $HCl(aq)$ 20 mL에 $NaOH(aq)$을 넣을 때, $NaOH(aq)$의 부피에 따른 혼합 용액의 단위 부피당 A, B 이온의 이온 수를 나타낸 것이다.

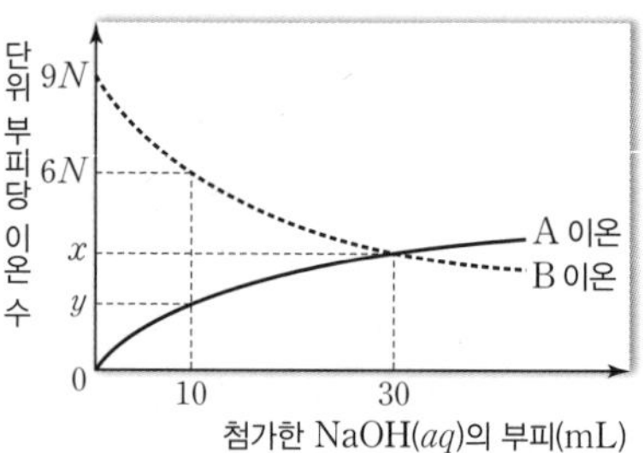

이에 대한 설명으로 옳은 것만을 〈보기〉에서 있는 대로 고른 것은? (단, 혼합 용액의 부피는 혼합 전 각 용액의 부피의 합과 같다.)

보기
ㄱ. B 이온은 Cl^-이다.
ㄴ. $\frac{x}{y}$는 1.8이다.
ㄷ. 단위 부피당 이온 수는 $HCl(aq)$이 $NaOH(aq)$의 1.5배이다.

① ㄱ ② ㄷ ③ ㄱ, ㄴ
④ ㄴ, ㄷ ⑤ ㄱ, ㄴ, ㄷ

2 화학 반응과 열의 출입

배울 내용 살펴보기

01 산화 환원 반응

- A 산소의 이동에 의한 산화 환원
- B 전자의 이동에 의한 산화 환원
- C 산화수 변화에 의한 산화 환원
- D 산화 환원 반응식

산화 환원 반응식을 완성하면 각 원자들의 산화수가 얼마나 변했는지 알 수 있어. 또, 산화제와 환원제의 양적 관계도 알 수 있지.

02 화학 반응에서 열의 출입

- A 화학 반응에서 열의 출입과 이용
- B 화학 반응에서 출입하는 열의 측정

화학 반응이 일어날 때는 열을 방출하거나 흡수해. 이때 출입하는 열량은 열량계를 이용해서 측정할 수 있어.

01 산화 환원 반응

핵심 키워드로 흐름잡기

- A 산소의 이동에 의한 산화 환원
- B 전자의 이동에 의한 산화 환원
- C 산화수, 산화수 변화에 의한 산화 환원, 산화제, 환원제
- D 산화 환원 반응식, 산화수법

A 산소의 이동에 의한 산화 환원

|출·제·단·서| 산소의 이동에 의한 산화 환원 반응을 파악하는 문제가 시험에 나와.

1. 산소의 이동과 산화 환원 반응❶

암기TiP 산화: 산소 얻음, 환원: 산소 잃음

산화	어떤 물질이 산소를 얻는 반응	예 $2CuO(s)+C(s) \longrightarrow 2Cu(s)+CO_2(g)$ (C: 산소 얻음(산화), CuO: 산소 잃음(환원))
환원	어떤 물질이 산소를 잃는 반응	

철의 •제련

용광로에 산화 철(Ⅲ)(Fe_2O_3)이 주성분인 철광석과 코크스(C)를 함께 넣고 가열하면, 코크스가 불완전 연소하여 생성된 일산화 탄소(CO)가 산화 철과 다음과 같이 반응하여 순수한 철을 얻을 수 있다.

$$Fe_2O_3(s)+3CO(g) \longrightarrow 2Fe(s)+3CO_2(g)$$

산화 철(Ⅲ), 일산화 탄소, 철, 이산화 탄소 (CO: 산소 얻음(산화), Fe_2O_3: 산소 잃음(환원))

➡ Fe_2O_3은 산소를 잃고 Fe로 환원되고, CO는 산소를 얻어 CO_2로 산화된다.

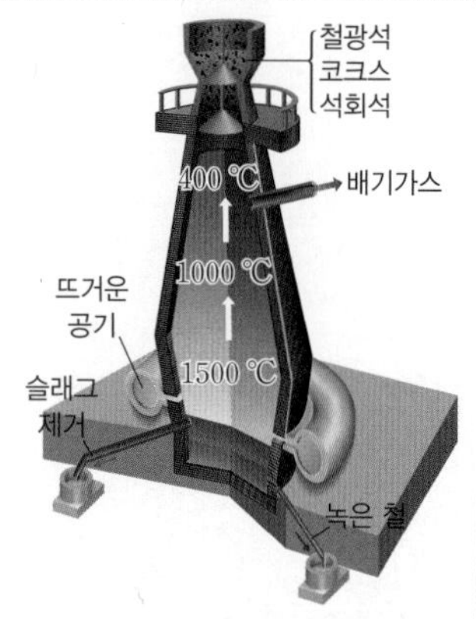

2. 산화 환원 반응의 동시성

산화 환원 반응에서 산소를 얻어 산화되는 물질이 있으면 산소를 잃고 환원되는 물질이 있다. 즉 산화와 환원은 항상 동시에 일어난다.

└ 산화되는 물질이 얻은 산소 원자 수 = 환원되는 물질이 잃은 산소 원자 수

B 전자의 이동에 의한 산화 환원

|출·제·단·서| 전자의 이동에 의한 산화 환원 반응을 파악하는 문제가 시험에 나와.

1. 전자의 이동과 산화 환원 반응

암기TiP 산화: 전자 잃음, 환원: 전자 얻음

산화	어떤 물질이 전자를 잃는 반응	예 $2Na(s)+Cl_2(g) \longrightarrow 2Na^+(aq)+2Cl^-(aq)$ (Na: 전자 잃음(산화), Cl_2: 전자 얻음(환원))
환원	어떤 물질이 전자를 얻는 반응	

2. 산소의 이동에 의한 산화 환원 반응에서 전자의 이동

산소는 전기 음성도가 두 번째로 큰 원소이므로 산소와 결합하여 산화된 원소의 원자는 산소에게 전자를 잃고 산화된 것이고, 산소는 전자를 얻어 환원된 것이다.

마그네슘 연소 반응에서의 산화 환원

- 마그네슘(Mg)이 공기 중에서 연소하면 산화 마그네슘(MgO)이 형성된다.
- MgO은 Mg이 전자를 잃어 형성된 Mg^{2+}과 O가 전자를 얻어 형성된 O^{2-}이 결합한 이온 결합 물질이다.

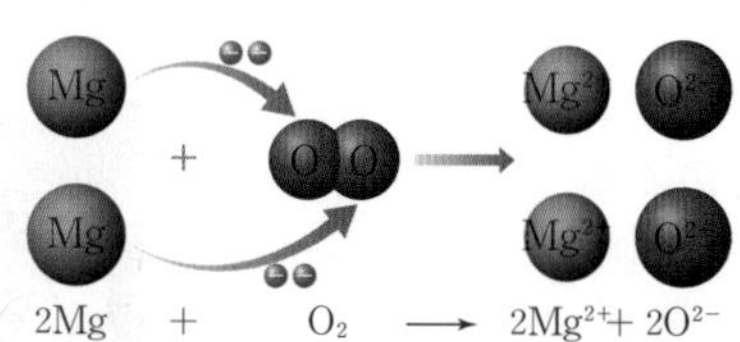

---

❶ 산소 이동과 산화 환원 반응

공기 중에서 붉은색의 구리(Cu)를 가열하면 구리와 산소가 반응하여 검은색의 산화 구리(CuO)를 생성한다. 또한, 산화 구리를 탄소와 함께 가열하면 환원되어 구리를 생성한다.

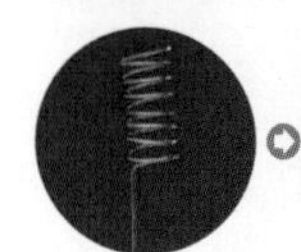
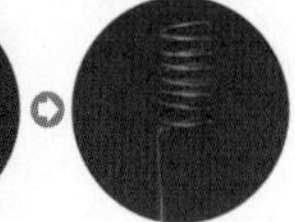

이온 결합 물질의 형성과 산화 환원

금속 원소의 원자는 비금속 원소의 원자보다 전자를 잃기 쉬우므로 이온 결합 물질이 형성되는 과정에서는 물질 사이에 전자의 이동이 일어난다. 즉 금속은 전자를 잃고 산화되고, 비금속은 전자를 얻어 환원된다.

용어 알기

•제련(만들다 製, 단련하다 鍊) 광석을 용광로에 넣고 녹여 함유한 금속을 추출하여 정제하는 일

3. 전자의 이동에 의한 여러 가지 산화 환원 반응 탐구 POOL

구분	금속과 비금속의 반응	금속과 금속염의 반응❷
전자의 이동	금속 원소의 원자에서 비금속 원소의 원자로 전자가 이동한다. ➡ 금속 원자는 산화되고, 비금속 원자는 환원된다.	금속 이온이 녹아 있는 수용액에 금속을 넣어 주면 반응성이 큰 금속은 전자를 잃고 산화되고, 반응성이 작은 금속의 이온은 전자를 얻어 환원된다.
예	나트륨과 염소를 반응시키면 나트륨은 전자를 잃고 산화되고, 염소는 전자를 얻어 환원된다. 산화: Na → Na^+ $2Na(s)+Cl_2(g) \longrightarrow 2Na^+(aq)+2Cl^-(aq)$ 환원: Cl_2 → Cl^-	질산 은 수용액에 구리를 넣으면 구리가 전자를 잃고 산화되고, 은 이온이 전자를 얻어 환원된다. 산화: Cu → Cu^{2+} $2Ag^+(aq)+Cu(s) \longrightarrow 2Ag(s)+Cu^{2+}(aq)$ 환원: Ag^+ → Ag

❷ **금속의 반응성**

- $A+B^{2+} \longrightarrow A^{2+}+B$
  A가 전자를 잃고 산화되면서 B^{2+}이 환원되므로 반응성은 A>B이다.
- $A+C^+ \longrightarrow$ 반응이 일어나지 않음
  A가 전자를 잃고 산화되면서 C^+이 환원되지 못하므로 반응성은 A<C이다.

4. 산화 환원 반응의 동시성

4. 산화 환원 반응의 동시성 산화 환원 반응에서 전자를 잃고 산화되는 물질이 있으면 전자를 얻어 환원되는 물질이 있다. 즉 산화 환원 반응은 항상 동시에 일어난다.

└ 산화되는 물질이 잃은 전자 수 = 환원되는 물질이 얻은 전자 수

C 산화수 변화에 의한 산화 환원

|출·제·단·서| 산화 환원 반응에서 각 원자의 산화수 변화를 구하는 문제가 시험에 나와.

1. 산화수❸ 어떤 물질을 구성하는 원자가 어느 정도 산화되었는지를 나타내는 가상적인 •전하

(1) 이온 결합 물질의 산화수 이온 결합 물질을 구성하고 있는 각 이온의 전하와 같다.

이온 결합 물질에서 각 원자의 산화수

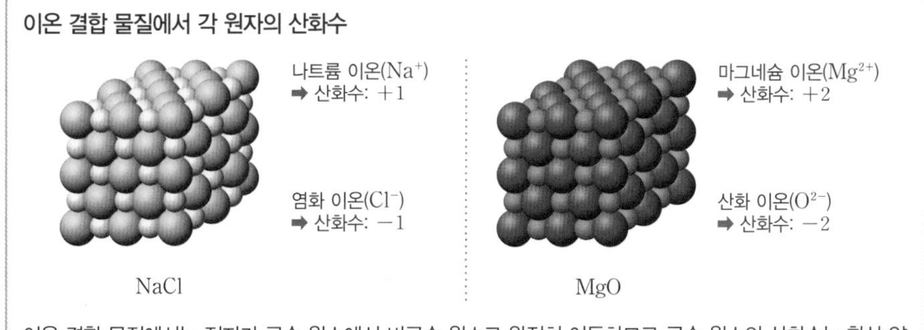

이온 결합 물질에서는 전자가 금속 원소에서 비금속 원소로 완전히 이동하므로 금속 원소의 산화수는 항상 양의 값이고, 비금속 원소의 산화수는 항상 음의 값이다.

❸ **산화수의 주기성**

원자의 산화수는 전자 배치와 관련이 있어 주기성을 나타낸다. 1족과 2족 원자들은 각각 +1과 +2의 산화수를 가지며 F을 제외한 15족, 16족, 17족 원자들은 다양한 산화수를 가질 수 있다.

? 이온의 전하와 산화수는 같은 것일까?

산화수는 가상적인 전하이므로 이온의 전하와 같은 실제 전하와 구별하여 +1, −1과 같이 다르게 표시한다.

- 산화수: $\overset{+1}{Na}\overset{-1}{Cl}$, $\overset{+2}{Mg}\overset{-2}{O}$
- 실제 전하: Na^+, Cl^-, Mg^{2+}, O^{2-}

(2) 공유 결합 물질의 산화수 공유 결합 물질을 구성하고 있는 원자 중 전기 음성도가 더 큰 원자로 공유 전자쌍이 모두 이동한다고 가정할 때 각 원자가 가지는 전하이며, 전자를 잃은 상태를 '+', 전자를 얻은 상태를 '−'로 나타낸다.

공유 결합 물질에서 각 원자의 산화수

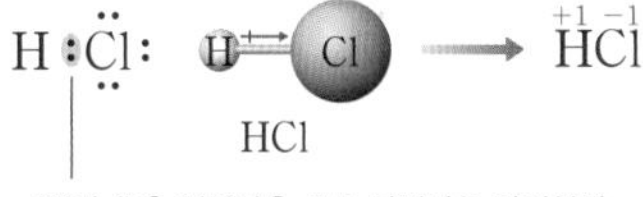

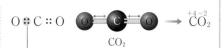

Cl가 공유 전자쌍을 모두 가진다고 가정한다.

O::C::O → $\overset{+4}{C}\overset{-2}{O_2}$

CO_2

O가 공유 전자쌍을 모두 가진다고 가정한다.

- 전기 음성도: Cl>H ➡ 공유 전자쌍이 모두 Cl 쪽으로 이동한다고 가정한다.
- Cl의 산화수: −1 ➡ 1개의 H로부터 전자 1개를 얻은 것과 같다.
- H의 산화수: +1 ➡ 전자 1개를 잃은 것과 같다.

- 전기 음성도: O>C ➡ 공유 전자쌍이 모두 O 쪽으로 이동한다고 가정한다.
- O의 산화수: −2 ➡ C로부터 각각 전자를 2개씩 얻은 것과 같다.
- C의 산화수: +4 ➡ 전자 4개를 잃은 것과 같다.

용어 알기

•전하(번개 電, 연 荷) 물체가 띠고 있는 정전기의 양

❹ 과산화물
산화물에서 산소 원자(O)가 더 해진 화합물로, O_2^{2-}을 포함한 물질이다.

산화 환원의 정의
산화수 변화는 산화 환원을 가장 넓게 정의하는 방법이다.

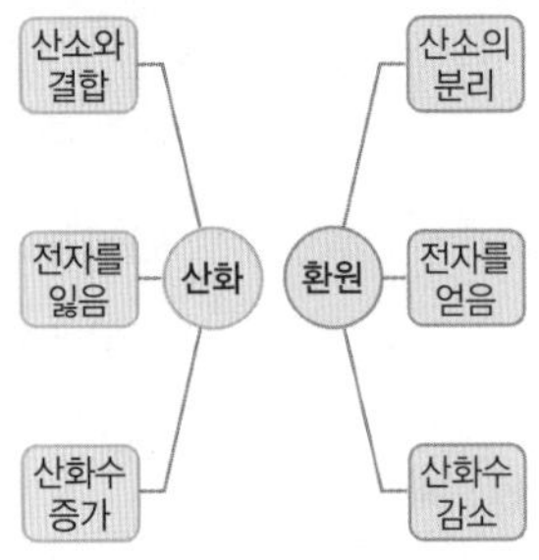

산화제와 환원제의 상대적 세기 비유

어느 한 반응에서 산화제로 작용하더라도 산화력이 더 큰 물질과 반응하면 환원제가 된다.

산화력은 다른 물질을 산화시키는 능력을 의미한다. 자신이 환원이 잘 되는 물질은 산화력이 대체로 크다.

2. 산화수를 정하는 규칙

규칙	예
❶ 원소에서 각 원자의 산화수는 0이다.	예) H_2, O_2, Na 등에서 각 원자의 산화수는 0
❷ 일원자 이온의 산화수는 그 이온의 전하와 같다.	예) Cu^{2+}의 산화수는 +2, Cl^-의 산화수는 −1
❸ 1족 금속 원소의 산화수는 +1, 2족 금속 원소의 산화수는 +2이다.	예) NaCl과 NaH에서 Na의 산화수는 +1
❹ 플루오린의 산화수는 −1이다.	예) HF와 OF_2에서 F의 산화수는 −1
❺ 화합물에서 수소의 산화수는 일반적으로 +1이다. 단, 금속과 결합한 수소의 산화수는 −1이다.	예) H_2O에서 H의 산화수는 +1, LiH에서 H의 산화수는 −1
❻ 화합물에서 산소의 산화수는 일반적으로 −2이다. 단, 플루오린 화합물에서는 +2, 과산화물❹에서는 −1이다.	예) H_2O, CO_2에서 O의 산화수는 −2, OF_2에서 O의 산화수는 +2, H_2O_2에서 O의 산화수는 −1
❼ 화합물에서 각 원자의 산화수의 합은 0이다.	예) H_2O: $\underset{H}{\underline{(+1)}}\times2+\underset{O}{\underline{(-2)}}=0$
❽ 다원자 이온은 각 원자의 산화수 합이 그 이온의 전하와 같다.	예) SO_4^{2-}: $\underset{S}{\underline{(+6)}}+\underset{O}{\underline{(-2)}}\times4=-2$

3. 산화수 변화와 산화 환원 반응

암기TIP 산화: 산화수 증가, 환원: 산화수 감소

구분	정의	예
산화	산화수가 증가하는 반응	예) $\overset{+3}{Fe_2O_3}(s)+3\overset{+2}{C}O(g)\longrightarrow2\overset{0}{Fe}(s)+3\overset{+4}{C}O_2(g)$ C: 산화수 증가(산화), Fe: 산화수 감소(환원)
환원	산화수가 감소하는 반응	

4. 산화 환원 반응의 동시성 산화 환원은 항상 동시에 일어나므로 한 반응에서 산화되는 물질이 있으면 반드시 환원되는 물질이 있다. ➡ 한 원자의 산화수가 증가하면 다른 원자의 산화수는 감소한다.

5. 산화제와 환원제

(1) 산화제와 환원제

구분	산화제	환원제
정의	자신은 환원되면서 다른 물질을 산화시키는 물질	자신은 산화되면서 다른 물질을 환원시키는 물질
예	$\overset{0}{Mg}(s)+\overset{0}{S}(s)\longrightarrow\overset{+2\ -2}{MgS}(s)$ Mg: 환원제, 산화수 증가(산화) / S: 산화제, 산화수 감소(환원)	
주로 작용하는 물질	• 전자를 얻기 쉬운 물질 – **비금속 원소** 예) F_2, O_2 등 • 산화수가 큰 원자를 포함한 물질 예) $KMnO_4$, HNO_3 등	• 전자를 잃기 쉬운 물질 – **금속 원소** 예) Na, K 등 • 산화수가 작은 원자를 포함한 물질 예) $FeCl_2$, H_2S 등

(2) 산화제와 환원제의 상대적 세기 같은 물질이라도 반응에 따라 산화제로 작용할 수도 있고, 환원제로 작용할 수도 있다.

이산화 황(SO_2)이 환원제로 작용	이산화 황(SO_2)이 산화제로 작용
$\overset{+4}{S}O_2(g)+2H_2O(l)+\overset{0}{Cl_2}(g)\longrightarrow H_2\overset{+6}{S}O_4(aq)+2H\overset{-1}{Cl}(aq)$ SO_2: 환원제 S: 산화수 증가(산화), Cl: 산화수 감소(환원)	$\overset{+4}{S}O_2(g)+2H_2\overset{-2}{S}(g)\longrightarrow2H_2O(l)+3\overset{0}{S}(s)$ SO_2: 산화제 H_2S의 S: 산화수 증가(산화), SO_2의 S: 산화수 감소(환원)

→ SO_2이 Cl_2와 반응할 때는 환원제로 작용한다. 그러나 자신보다 환원시키는 능력이 더 큰 H_2S와 반응할 때는 산화제로 작용한다.

D 산화 환원 반응식

|출·제·단·서| 산화 환원 반응식을 완성하여 산화 환원 반응의 양적 관계를 파악하는 문제가 시험에 나와.

1. 산화 환원 반응식 완성하기(산화수법) 산화 환원에서 증가한 산화수와 감소한 산화수가 같으므로 이를 이용하여 산화 환원 반응식을 완성할 수 있다. 증가한 산화수 = 감소한 산화수

빈출 계산연습 산화 환원 반응식 완성하기

산성 용액에서 과망가니즈산 이온(MnO_4^-)과 주석 이온(Sn^{2+})이 반응하여 망가니즈 이온(Mn^{2+}), 주석 이온(Sn^{4+}), 물(H_2O)이 생성되는 반응의 산화 환원 반응식을 완성해 보자.

1단계 반응물은 화살표의 왼쪽에, 생성물은 화살표의 오른쪽에 쓰고, 각 원자의 산화수를 조사한다.

$$\overset{+7\ -2}{MnO_4^-}(aq)+\overset{+1}{H^+}(aq)+\overset{+2}{Sn^{2+}}(aq) \longrightarrow \overset{+2}{Mn^{2+}}(aq)+\overset{+1\ -2}{H_2O}(l)+\overset{+4}{Sn^{4+}}(aq)$$

2단계 산화수 변화를 계산한다.

$$\overset{+7\ -2}{MnO_4^-}(aq)+\overset{+1}{H^+}(aq)+\overset{+2}{Sn^{2+}}(aq) \longrightarrow \overset{+2}{Mn^{2+}}(aq)+\overset{+1\ -2}{H_2O}(l)+\overset{+4}{Sn^{4+}}(aq)$$

산화수 2 증가 (Sn: +2 → +4)

산화수 5 감소 (Mn: +7 → +2)

3단계 증가한 산화수와 감소한 산화수가 같아지도록 반응물과 생성물의 계수를 조정한다. Mn 앞에 2를 쓰고, Sn 앞에 5를 쓴다.

$$\boxed{2}MnO_4^-(aq)+H^+(aq)+\boxed{5}Sn^{2+}(aq) \longrightarrow \boxed{2}Mn^{2+}(aq)+H_2O(l)+\boxed{5}Sn^{4+}(aq)$$

4단계 반응 전후 산화수 변화가 없는 원자들의 계수를 맞춘다.

① O 원자 수가 같아지도록 계수를 맞춘다. 반응물에서 산소 원자 수가 8이므로 산소를 포함한 H_2O 앞에 8을 쓴다.

$$2MnO_4^-(aq)+H^+(aq)+5Sn^{2+}(aq) \longrightarrow 2Mn^{2+}(aq)+\boxed{8}H_2O(l)+5Sn^{4+}(aq)$$

② H 원자 수가 같아지도록 계수를 맞춘다. 생성물에서 수소 원자 수가 16이므로 반응물에서 H^+ 앞에 16을 쓴다.

$$2MnO_4^-(aq)+\boxed{16}H^+(aq)+5Sn^{2+}(aq) \longrightarrow 2Mn^{2+}(aq)+8H_2O(l)+5Sn^{4+}(aq)$$

2. 산화 환원 반응식의 양적 관계 완성된 산화 환원 반응식으로부터 산화제와 환원제의 양적 관계를 알 수 있다.

빈출 계산연습 산화 환원 반응식 완성하여 양적 관계 파악하기

다음은 완성되지 않은 산화 환원 반응식이다. 1몰의 MnO_4^-을 완전히 환원시키기 위해 필요한 Fe^{2+}의 양(mol)을 구해 보자.

$$Fe^{2+}+MnO_4^-+H^+ \longrightarrow Fe^{3+}+Mn^{2+}+H_2O$$

산화 환원 반응식의 계수비는 산화나 환원에 필요한 산화제나 환원제의 몰비와 같다.

1단계 각 원자의 산화수 변화를 조사하여 산화수 변화를 구한다.

- Fe의 산화수는 +2에서 +3으로 1만큼 증가한다.
- Mn의 산화수는 +7에서 +2로 5만큼 감소한다.

2단계 증가한 산화수와 감소한 산화수가 같아지도록 계수를 조정한다. Fe^{2+}와 Fe^{3+}앞에 계수 5를 쓴다.

$$5Fe^{2+}+MnO_4^-+H^+ \longrightarrow 5Fe^{3+}+Mn^{2+}+H_2O$$

3단계 O 원자 수와 H 원자 수가 같아지도록 계수를 조정한다.

$$5Fe^{2+}+MnO_4^-+8H^+ \longrightarrow 5Fe^{3+}+Mn^{2+}+4H_2O$$

4단계 화학 반응식의 계수비로부터 산화제와 환원제의 양적 관계를 구한다.

환원제 Fe^{2+}과 산화제 MnO_4^-은 5 : 1의 몰비로 반응한다.

➡ 1몰의 MnO_4^-을 완전히 환원시키기 위해 필요한 Fe^{2+}의 양은 5몰이다.

? 화학 반응은 모두 산화 환원 반응일까?

화학 반응에서 원자의 산화수 변화가 있는 반응만 산화 환원 반응이다. 중화 반응이나 앙금 생성 반응은 구성 원자의 산화수가 변하지 않으므로 산화 환원 반응이 아니다.

금속과 금속 이온의 산화 환원

목표 금속과 금속 이온의 산화 환원 반응을 해석하여 금속의 반응성을 파악할 수 있다.

❶ 실험 Ⅰ | 아연과 황산 구리(Ⅱ) 수용액의 반응

과정 및 결과

황산 구리(Ⅱ)($CuSO_4$) 수용액에 아연(Zn)판을 넣고 변화를 관찰하였더니 수용액의 푸른색은 점점 옅어지고, 아연판의 표면은 붉은색 물질로 덮였다.

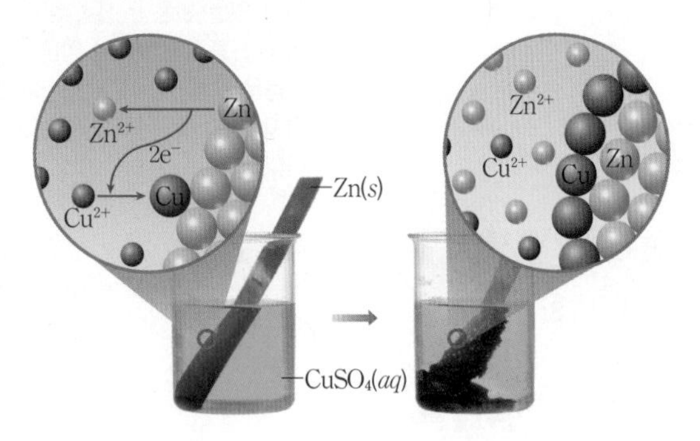

정리 및 해석

❶ Zn의 산화: Zn은 전자를 잃고 Zn^{2+}으로 산화되어 수용액으로 녹아 들어간다.

➡ $Zn(s) \longrightarrow Zn^{2+}(aq)+2e^-$(산화)

❷ Cu^{2+}의 환원: 수용액 속 Cu^{2+}은 전자를 얻어 Cu로 환원되어 석출된다.

➡ $Cu^{2+}(aq)+2e^- \longrightarrow Cu(s)$(환원)

❸ 산화 환원 반응식

산화 반응: $Zn(s) \longrightarrow Zn^{2+}(aq)+2e^-$

환원 반응: $Cu^{2+}(aq)+2e^- \longrightarrow Cu(s)$

전체 반응: $Zn(s)+Cu^{2+}(aq) \longrightarrow Zn^{2+}(aq)+Cu(s)$

- Cu^{2+} 1개가 환원되어 소모될 때, Zn 1개가 산화되어 Zn^{2+} 1개를 생성하므로 수용액 속 양이온 수는 일정하다.
- 원자량은 Zn>Cu이므로 아연판의 질량은 작아진다.

❷ 실험 Ⅱ | 구리와 질산 은 수용액의 반응

과정 및 결과

무색의 질산 은($AgNO_3$) 수용액에 구리(Cu)줄을 넣고 변화를 관찰하였더니 수용액은 점점 푸른색으로 변하고, 구리줄은 은회색 물질로 덮였다.

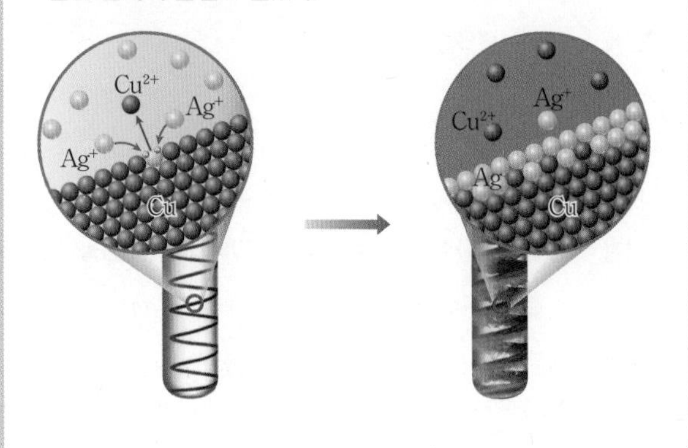

정리 및 해석

❶ Cu의 산화: Cu는 전자를 잃고 Cu^{2+}으로 산화되어 수용액으로 녹아 들어간다.

➡ $Cu(s) \longrightarrow Cu^{2+}(aq)+2e^-$(산화)

❷ Ag^+의 환원: 수용액 속 Ag^+은 전자를 얻어 Ag으로 환원되어 석출된다.

➡ $Ag^+(aq)+e^- \longrightarrow Ag(s)$(환원)

❸ 산화 환원 반응식

산화 반응: $Cu(s) \longrightarrow Cu^{2+}(aq)+2e^-$

환원 반응: $Ag^+(aq)+e^- \longrightarrow Ag(s)$

전체 반응: $Cu(s)+2Ag^+(aq) \longrightarrow Cu^{2+}(aq)+2Ag(s)$

산화된 물질이 잃은 전자 수와 환원된 물질이 얻은 전자 수가 같아야 하므로 Ag^+과 Ag 앞에 계수 2를 쓴다.

- Ag^+ 2개가 환원되어 소모될 때, Cu 1개가 산화되어 Cu^{2+} 1개를 생성하므로 수용액 속 양이온 수는 감소한다.
- 원자량은 Ag>Cu이므로 구리줄의 질량은 커진다.

한·줄·핵심 반응성이 큰 금속은 산화되어 양이온이 되어 수용액에 녹아 들어가고, 반응성이 작은 금속 이온은 환원되어 금속으로 석출된다.

확인 문제

정답과 해설 093쪽

01 이 실험에 대한 설명으로 옳은 것은 ○, 옳지 않은 것은 ×로 표시하시오.

(1) Zn은 Ag보다 산화되기 쉽다. ( )

(2) 환원력은 Ag>Cu>Zn이다. ( )

(3) $AgNO_3$ 수용액에 아연(Zn)판을 넣으면 수용액 속 양이온 수는 증가한다. ( )

(4) 황산 구리 수용액에 아연판을 넣을 때, 아연은 환원제로 작용한다. ( )

콕콕! 개념 확인하기

정답과 해설 093쪽

✔ 잠깐 확인!

1. 어떤 물질이 산소를 얻으면 ☐☐, 산소를 잃으면 ☐☐이라고 한다.

A 산소의 이동에 의한 산화 환원

01 산화 환원 반응에 대한 설명으로 옳은 것은 ○, 옳지 않은 것은 ×로 표시하시오.

(1) 어떤 물질이 산소를 얻는 반응은 산화 반응이다. ( )

(2) 산화 철(Ⅲ)(Fe_2O_3)이 철(Fe)로 제련되는 과정에서 산화 철은 환원된다. ( )

(3) 산화되는 물질이 얻은 산소의 수와 환원되는 물질이 잃은 산소의 수가 항상 같은 것은 아니다. ( )

2. 어떤 물질이 전자를 ☐으면 산화, 전자를 ☐으면 환원이라고 한다.

B 전자의 이동에 의한 산화 환원

02 다음은 황산 구리(Ⅱ)($CuSO_4$) 수용액에 철(Fe) 조각을 넣었을 때 일어나는 반응의 알짜 이온 반응식이다. 이에 대한 설명으로 옳은 것은 ○, 옳지 않은 것은 ×로 표시하시오.

$$Cu^{2+}(aq) + Fe(s) \longrightarrow Cu(s) + Fe^{2+}(aq)$$

(1) 전자는 Fe에서 Cu^{2+}으로 이동한다. ( )

(2) Fe은 전자를 잃고 Fe^{2+}으로 산화된다. ( )

(3) Cu^{2+}은 전자를 잃고 Cu로 환원된다. ( )

3. ☐☐☐
어떤 물질에서 원자가 산화되거나 환원되는 정도를 나타낸 가상적인 전하

C 산화수 변화에 의한 산화 환원

03 다음 각 화합물에서 밑줄 친 원자의 산화수를 구하시오.

(1) $\underline{N}_2O_4$　(2) Na$\underline{H}$　(3) $\underline{C}O_2$　(4) $\underline{O}_2F_2$　(5) HC$\underline{l}$O

4. 산화수가 ☐☐하면 산화, 산화수가 ☐☐하면 환원이라고 한다.

04 다음은 철광석의 제련 과정에서 일어나는 반응의 화학 반응식이다. 이 반응에서 산화제와 환원제를 각각 쓰시오.

$$Fe_2O_3(s) + 3CO(g) \longrightarrow 2Fe(s) + 3CO_2(g)$$

5. 자신이 환원되면서 다른 물질을 산화시키는 물질을 ☐☐☐라 하고, 자신이 산화되면서 다른 물질을 환원시키는 물질을 ☐☐☐라고 한다.

D 산화 환원 반응식

05 산화수 변화를 이용하여 다음 산화 환원 반응식을 완성하고, 염산(HCl(*aq*)) 1몰이 완전히 산화되는 데 필요한 이산화 망가니즈(MnO_2)의 양(mol)을 구하시오.

$$MnO_2(s) + HCl(aq) \longrightarrow MnCl_2(aq) + Cl_2(g) + H_2O(l)$$

탄탄! 내신 다지기

A B 산소 · 전자의 이동에 의한 산화 환원

01 그림의 (가)는 붉은색의 구리(Cu)에 산소(O_2)를 공급하면서 가열할 때 검은색의 산화 구리(Ⅱ)(CuO)가 생성되는 과정을, (나)는 검은색의 산화 구리(Ⅱ)에 수소(H_2)를 공급하면서 가열할 때 구리가 생성되는 과정을 나타낸 것이다.

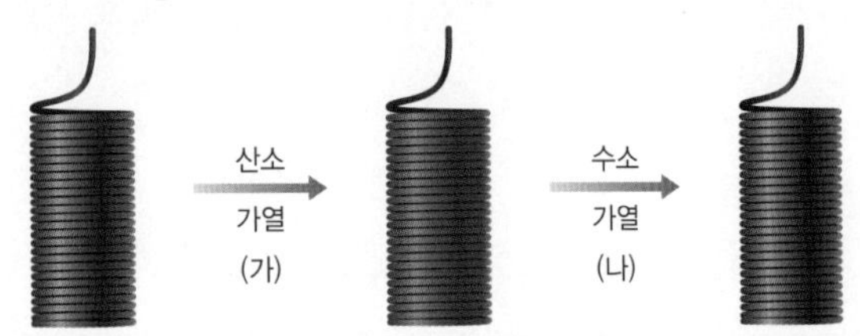

이에 대한 설명으로 옳은 것만을 〈보기〉에서 있는 대로 고른 것은?

보기
ㄱ. (가)에서 산소는 환원된다.
ㄴ. (나)에서 수소는 산화된다.
ㄷ. 구리는 (가)에서는 산화되고, (나)에서는 환원된다.

① ㄱ ② ㄴ ③ ㄱ, ㄷ
④ ㄴ, ㄷ ⑤ ㄱ, ㄴ, ㄷ

02 그림은 묽은 염산(HCl(*aq*))에 아연(Zn) 조각을 넣었을 때 일어나는 반응을 모형으로 나타낸 것이다.

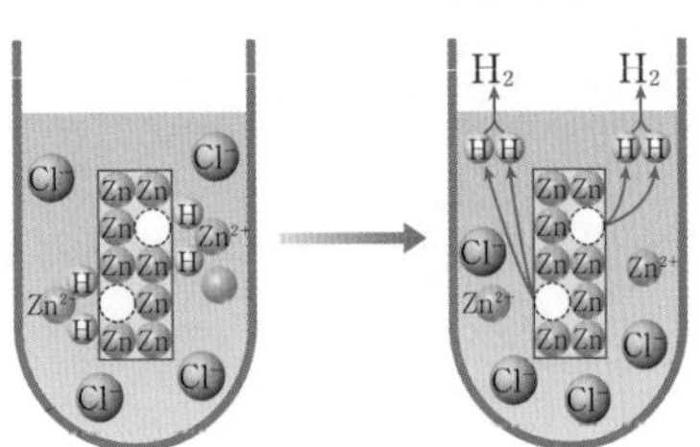

이에 대한 설명으로 옳은 것만을 〈보기〉에서 있는 대로 고른 것은?

보기
ㄱ. Zn은 산화된다.
ㄴ. 기체가 발생하는 동안 수용액 속 양이온 수는 감소한다.
ㄷ. 수소 기체 1몰이 발생할 때 이동한 전자의 양(mol)은 2몰이다.

① ㄱ ② ㄴ ③ ㄱ, ㄷ
④ ㄴ, ㄷ ⑤ ㄱ, ㄴ, ㄷ

단답형

03 다음은 금속 A~C를 이용한 실험이다.

실험 Ⅰ: A^{2+}이 들어 있는 수용액에 금속 B를 넣었더니 금속 B 표면에 A가 석출되었다.
실험 Ⅱ: A^{2+}이 들어 있는 수용액에 금속 C를 넣었더니 아무 변화가 없었다.

금속 A~C의 산화되기 쉬운 정도를 비교하시오.

C 산화수 변화에 의한 산화 환원

04 산화 환원 반응만을 〈보기〉에서 있는 대로 고른 것은?

보기
ㄱ. $2KI(aq)+Cl_2(g) \longrightarrow 2KCl(aq)+I_2(aq)$
ㄴ. $CH_3COOH(aq)+NaOH(aq) \longrightarrow CH_3COONa(aq)+H_2O(l)$
ㄷ. $2KClO_3(s) \longrightarrow 2KCl(s)+3O_2(g)$
ㄹ. $AgNO_3(aq)+NaCl(aq) \longrightarrow AgCl(s)+NaNO_3(aq)$

① ㄱ, ㄴ ② ㄱ, ㄷ ③ ㄴ, ㄷ
④ ㄴ, ㄹ ⑤ ㄷ, ㄹ

05 다음은 질소와 관련된 물질의 화학식이다.

NO N_2O NH_3 HNO_3 Mg_3N_2

각 물질에서 질소(N)의 산화수를 모두 합한 값은?

① −1 ② 0 ③ 1 ④ 2 ⑤ 4

06 다음은 2가지 산화 환원 반응식이다.

(가) $2H_2O_2 \longrightarrow 2H_2O + X_2$
(나) $2Li + 2H_2O \longrightarrow 2LiOH + Y_2$

이에 대한 설명으로 옳은 것만을 〈보기〉에서 있는 대로 고른 것은? (단, X, Y는 임의의 원소 기호이다.)

보기
ㄱ. H의 산화수는 (가)에서 증가하고 (나)에서 감소한다.
ㄴ. (나)에서 Li은 환원제로 작용한다.
ㄷ. X_2와 Y_2가 반응하여 Y_2X를 생성할 때 X_2는 산화제로 작용한다.

① ㄱ ② ㄷ ③ ㄱ, ㄴ
④ ㄴ, ㄷ ⑤ ㄱ, ㄴ, ㄷ

07 다음은 2가지 산화 환원 반응식이다.

(가) $2NO(g) + F_2(g) \longrightarrow 2NOF(g)$
(나) $2NO(g) + 2H_2(g) \longrightarrow N_2(g) + 2H_2O(l)$

이에 대한 설명으로 옳은 것만을 〈보기〉에서 있는 대로 고른 것은?

보기
ㄱ. (가)에서 N의 산화수는 1만큼 감소한다.
ㄴ. NO는 (가)에서는 산화제로, (나)에서는 환원제로 작용한다.
ㄷ. 산화력은 $F_2 > H_2$이다.

① ㄱ ② ㄷ ③ ㄱ, ㄴ
④ ㄴ, ㄷ ⑤ ㄱ, ㄴ, ㄷ

단답형

08 다음은 2가지 화학 반응식이다.

(가) $N_2(g) + 3H_2(g) \longrightarrow 2NH_3(g)$
(나) $Cu^{2+}(aq) + Zn(s) \longrightarrow Cu(s) + Zn^{2+}(aq)$

(가)와 (나)에서 산화제와 환원제를 각각 쓰시오.

D 산화 환원 반응식

09 다음은 이산화 망가니즈(MnO_2)와 염산(HCl)의 산화 환원 반응식이다.

$$MnO_2 + aHCl \longrightarrow MnCl_2 + 2H_2O + bCl_2$$
(a, b는 반응 계수)

이에 대한 설명으로 옳은 것만을 〈보기〉에서 있는 대로 고른 것은?

보기
ㄱ. Mn의 산화수는 2만큼 감소한다.
ㄴ. $a+b=5$이다.
ㄷ. HCl 1몰이 완전히 산화될 때 생성되는 H_2O의 양(mol)은 2몰이다.

① ㄱ ② ㄷ ③ ㄱ, ㄴ
④ ㄴ, ㄷ ⑤ ㄱ, ㄴ, ㄷ

10 다음은 산화 환원 반응식을 완성하는 과정을 나타낸 것이다. (단, a~d는 반응 계수이다.)

$aMnO_4^- + bH_2S + cH^+ \longrightarrow aMn^{2+} + dS + 8H_2O$
(가) 각 원자의 산화수 변화를 구한다.
(나) 증가한 산화수와 감소한 산화수가 같도록 계수를 맞춘다.
(다) 산화수 변화가 없는 원소들의 원자 수가 같도록 계수를 맞춘다.

이에 대한 설명으로 옳은 것만을 〈보기〉에서 있는 대로 고른 것은?

보기
ㄱ. (가)에서 S의 산화수는 2만큼 증가한다.
ㄴ. (나)에서 구한 a와 b는 각각 2, 5이다.
ㄷ. $c+d=10$이다.

① ㄱ ② ㄷ ③ ㄱ, ㄴ
④ ㄴ, ㄷ ⑤ ㄱ, ㄴ, ㄷ

도전! 실력 올리기

01 다음은 3가지 산화 환원 반응이다.

(가) 마그네슘을 산소(O_2)와 반응시켰더니 마그네슘이 ㉠ 되었다.
(나) 질소를 ㉡ 시켜 암모니아를 합성한다.
(다) 이산화 탄소와 물이 반응하여 포도당을 생성할 때 이산화 탄소는 ㉢ 된다.

㉠~㉢에 들어갈 말을 옳게 짝 지은 것은?

	㉠	㉡	㉢
①	산화	산화	산화
②	산화	산화	환원
③	산화	환원	환원
④	환원	산화	환원
⑤	환원	환원	산화

출제예감

02 다음은 3가지 산화 환원 반응식이다.

(가) $H_2 + O_2 \longrightarrow$ X
(나) $C_2H_2 + H_2 \longrightarrow C_2H_4$
(다) $Mg + H_2 \longrightarrow MgH_2$

이에 대한 설명으로 옳은 것만을 〈보기〉에서 있는 대로 고른 것은?

보기
ㄱ. X에서 O의 산화수는 -2이다.
ㄴ. (나)에서 C의 산화수는 1만큼 감소한다.
ㄷ. (나)와 (다)의 생성물에서 H의 산화수는 $+1$로 같다.

① ㄱ ② ㄴ ③ ㄱ, ㄷ
④ ㄴ, ㄷ ⑤ ㄱ, ㄴ, ㄷ

03 다음은 기체 X와 관련된 실험이다.

실험 과정 및 결과
(가) 암모니아와 산소를 반응시켰더니 기체 X와 수증기가 생성되었다.
$4NH_3(g) + 7O_2(g) \longrightarrow 4X(g) + 6H_2O(g)$
(나) (가)의 기체 X와 물을 반응시켰더니 질산과 일산화 질소가 생성되었다.
$3X(g) + H_2O(l) \longrightarrow 2HNO_3(aq) + NO(g)$

이에 대한 설명으로 옳은 것만을 〈보기〉에서 있는 대로 고른 것은?

보기
ㄱ. X는 NO_2이다.
ㄴ. (가)에서 NH_3는 환원제로 작용한다.
ㄷ. (나)의 질소 화합물에서 N의 산화수의 합은 10이다.

① ㄱ ② ㄷ ③ ㄱ, ㄴ
④ ㄴ, ㄷ ⑤ ㄱ, ㄴ, ㄷ

출제예감

04 다음은 2가지 산화 환원 반응식이다.

(가) $2MnO_4^- + 5H_2O_2 + 6H^+ \longrightarrow 2Mn^{2+} + 5O_2 + 8H_2O$
(나) $aH_2O_2 + bI^- + 2H^+ \longrightarrow cI_2 + dH_2O$
(a~d는 반응 계수)

이에 대한 설명으로 옳은 것만을 〈보기〉에서 있는 대로 고른 것은?

보기
ㄱ. 산화력의 세기는 $MnO_4^- > H_2O_2 > I^-$이다.
ㄴ. H_2O_2는 (가)에서는 환원제로, (나)에서는 산화제로 작용한다.
ㄷ. (나)에서 $\frac{a+b}{c+d}=1$이다.

① ㄱ ② ㄷ ③ ㄱ, ㄴ
④ ㄴ, ㄷ ⑤ ㄱ, ㄴ, ㄷ

05 다음은 알루미늄(Al)과 산의 반응을 화학 반응식으로 나타낸 것이다.

$$a\text{Al}+b\text{H}^{+} \longrightarrow a\text{Al}^{3+}+c\text{H}_2$$ (a~c는 반응 계수)

이에 대한 설명으로 옳은 것만을 〈보기〉에서 있는 대로 고른 것은? (단, Al의 원자량은 27이다.)

보기
ㄱ. $\frac{c}{a}=\frac{3}{2}$이다.
ㄴ. Al 9 g이 모두 반응할 때 이동한 전자의 양(mol)은 1몰이다.
ㄷ. H_2 1몰이 생성될 때 반응한 Al의 양(mol)은 0.5몰이다.

① ㄱ ② ㄷ ③ ㄱ, ㄴ
④ ㄴ, ㄷ ⑤ ㄱ, ㄴ, ㄷ

06 다음은 금속의 산화 환원 반응 실험이다.

실험 과정
(가) $A^{+}(aq)$에 금속 B를 넣는다.
(나) $D^{2+}(aq)$에 금속 B와 C를 넣는다.

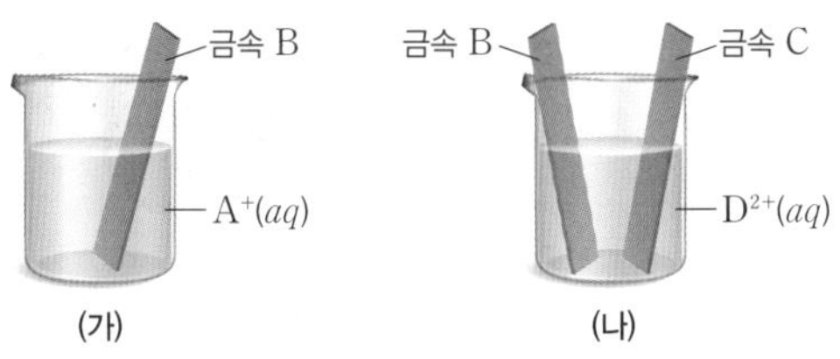

실험 결과
- (가)의 수용액에서 양이온 수가 감소하였다.
- (나)에서 어느 한 금속에서만 금속 D가 석출되었고, 수용액에서 양이온 수가 증가하였다.

이에 대한 설명으로 옳은 것만을 〈보기〉에서 있는 대로 고른 것은? (단, A~D는 임의의 원소 기호이고, 음이온은 반응하지 않는다.)

보기
ㄱ. (가)에서 B의 산화수는 증가한다.
ㄴ. 금속 이온의 산화수는 B 이온이 C 이온보다 크다.
ㄷ. A~D에서 C가 가장 산화되기 쉽다.

① ㄱ ② ㄴ ③ ㄱ, ㄷ
④ ㄴ, ㄷ ⑤ ㄱ, ㄴ, ㄷ

서술형

07 그림은 $A(NO_3)_2$ 수용액에 각각 철(Fe)선과 구리(Cu)줄을 넣은 후 변화를 나타낸 것이다.

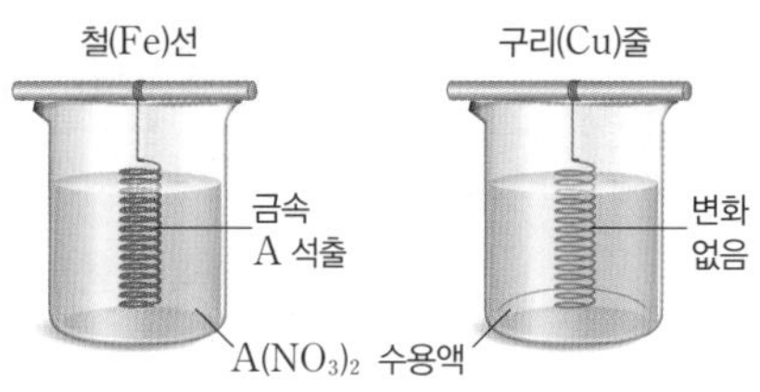

A, Fe, Cu의 산화되기 쉬운 정도를 비교하고 그 까닭을 서술하시오. (단, A는 임의의 원소 기호이다.)

08 표는 2주기 원소 X~Z로 구성된 화합물 XY_2, Y_2Z_2에 대한 자료이다.

화합물	Y의 산화수
XY_2	-2
Y_2Z_2	$+1$

X~Z의 전기 음성도의 크기를 비교하시오. (단, X~Z는 임의의 원소 기호이다.)

서술형

09 표는 임의의 2주기 원소 X와 Y의 수소 화합물과 Y의 플루오린 화합물에서 중심 원자의 산화수를 나타낸 것이다. 각 화합물에서 2주기 원자는 옥텟 규칙을 만족한다.

화합물	H_2X	YH_3	YF_3
중심 원자의 산화수	-2	a	b

(1) a와 b를 각각 구하고 과정을 서술하시오.

(2) Y_2X_3에서 Y의 산화수를 구하시오.

02 화학 반응에서 열의 출입

핵심 키워드로 흐름잡기

A 화학 반응에서 열의 출입, 발열 반응, 흡열 반응

B 화학 반응에서 출입하는 열의 측정, 비열, 열용량, 열량계

A 화학 반응에서 열의 출입과 이용

|출·제·단·서| 발열 반응과 흡열 반응을 구분하는 문제가 시험에 나와.

1. 화학 반응과 열의 출입 화학 반응이 일어날 때 열을 방출하거나 흡수한다.

(1) •**발열 반응** 화학 반응이 일어날 때 열을 방출하는 반응

① 생성물이 가진 에너지의 총합[1]이 반응물이 가진 에너지의 총합보다 작다. ➡ 에너지 차이만큼 주위로 열을 방출한다.

② 주위의 온도가 높아진다.

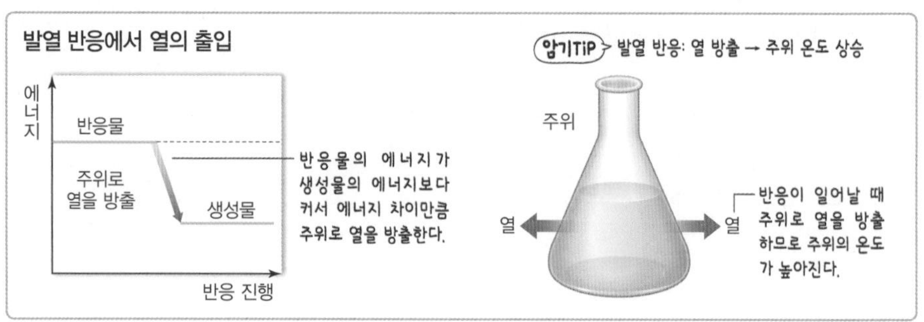
발열 반응에서 열의 출입
에너지
반응물
주위로 열을 방출
생성물
반응 진행
반응물의 에너지가 생성물의 에너지보다 커서 에너지 차이만큼 주위로 열을 방출한다.
암기TIP 발열 반응: 열 방출 → 주위 온도 상승
주위
열
열
반응이 일어날 때 주위로 열을 방출하므로 주위의 온도가 높아진다.

③ **발열 반응의 예:** 연료의 연소 반응, 금속과 산의 반응, 금속의 산화 반응, 산 염기 중화 반응[2], 산의 용해 반응, 수산화 나트륨의 용해 반응 등

메테인의 연소 반응	염산과 마그네슘의 반응	철의 부식 반응
$CH_4(g)+2O_2(g) \longrightarrow CO_2(g)+2H_2O(l)+$열	$2HCl(aq)+Mg(s) \longrightarrow MgCl_2(aq)+H_2(g)+$열	$4Fe(s)+3O_2(g) \longrightarrow 2Fe_2O_3(s)+$열

(2) •**흡열 반응** 화학 반응이 일어날 때 열을 흡수하는 반응

① 생성물이 가진 에너지의 총합이 반응물이 가진 에너지의 총합보다 크다. ➡ 에너지 차이만큼 주위로부터 열을 흡수한다.

② 주위의 온도가 낮아진다.

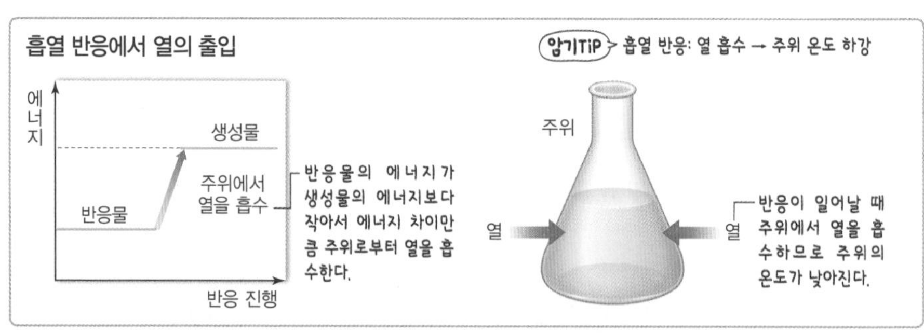
흡열 반응에서 열의 출입
에너지
생성물
주위에서 열을 흡수
반응물
반응 진행
반응물의 에너지가 생성물의 에너지보다 작아서 에너지 차이만큼 주위로부터 열을 흡수한다.
암기TIP 흡열 반응: 열 흡수 → 주위 온도 하강
주위
열
열
반응이 일어날 때 주위에서 열을 흡수하므로 주위의 온도가 낮아진다.

❶ 물질이 가진 에너지 함량
물질이 가진 에너지는 분자 사이의 위치에 따른 에너지, 분자의 운동에 의한 에너지 등 다양하다. 물질 자체의 에너지 함량은 구할 수 없고, 화학 반응에서 출입하는 열을 측정하여 반응물과 생성물의 에너지 차이만을 구할 수 있다.

❷ 중화 반응과 중화열
중화 반응이 일어날 때는 열이 방출되는데, 이 열을 중화열이라고 한다. 중화 반응에서 방출한 열은 용액이 흡수하므로 용액의 온도 변화를 측정하면 중화 반응한 양을 구할 수 있다.

용어 알기

•발열(보내다 發, 더운 기운 熱) 열이 남, 또는 열을 냄

•흡열(마시다 吸, 더운 기운 熱) 열을 흡수함

③ **흡열 반응의 예:** 광합성❸, 질산 암모늄의 용해 반응, ●열분해 반응, 수산화 바륨 팔수화물과 질산 암모늄(또는 염화 암모늄)의 반응, 물의 전기 분해❹ 등

광합성	질산 암모늄의 용해 반응	탄산수소 나트륨 열분해 반응
$6CO_2(g)+6H_2O(g) \xrightarrow{\text{빛에너지}} C_6H_{12}O_6(s)+6O_2(g)$	$NH_4NO_3(s)+\text{열} \xrightarrow{\text{물}} NH_4NO_3(aq)$	$2NaHCO_3(s)+\text{열} \longrightarrow Na_2CO_3(s)+CO_2(g)+H_2O(l)$

❸, ❹ 에너지를 소모하는 반응과 흡열 반응

에너지를 소모하는 반응이 일어날 때는 주위에서 열, 빛, 전기 등의 에너지를 흡수한다. 이와 같이 열에너지뿐만 아니라 빛에너지, 전기 에너지를 흡수하는 반응도 흡열 반응으로 분류하므로 광합성과 물의 전기 분해는 흡열 반응에 해당한다.

빈출 탐구 화학 반응과 열의 출입

화학 반응이 일어날 때 열의 출입을 확인할 수 있다.

과정

실험 Ⅰ

아연과 묽은 염산의 반응

① 비커에 묽은 염산($HCl(aq)$) 25 mL를 넣고 온도계로 온도를 측정한다.

② ①의 비커에 아연(Zn) 조각을 넣고 유리 막대로 저으면서 온도 변화를 관찰한다.

실험 Ⅱ

수산화 바륨 팔수화물과 염화 암모늄의 반응

① 삼각 플라스크에 수산화 바륨($Ba(OH)_2$) 팔수화물 25 g과 염화 암모늄(NH_4Cl) 10 g을 넣고 온도를 측정한다.

② 유리 막대로 두 물질을 잘 섞으면서 온도 변화를 관찰한다.

결과

❶ 실험 Ⅰ: 온도가 높아진다. ➡ 열을 방출하는 발열 반응이다.

❷ 실험 Ⅱ: 온도가 낮아진다. ➡ 열을 흡수하는 흡열 반응이다.

정리

- 발열 반응에서는 반응이 일어날 때 온도가 높아진다.
- 흡열 반응에서는 반응이 일어날 때 온도가 낮아진다.

→ 화학 반응이 일어날 때는 열의 출입이 따른다.

❓ 열의 출입은 화학 반응에서만 일어날까?

화학 반응뿐만 아니라 상태 변화와 같은 물리 변화에서도 열의 출입이 따른다. 같은 물질이더라도 상태에 따라 물질이 가진 에너지가 다른데, 대체로 기체>액체>고체 순으로 에너지 함량이 크다. 따라서 액체가 기체로 되는 기화가 일어날 때는 열을 흡수하고, 기체가 액체로 되는 액화가 일어날 때는 열을 방출한다.

2. 화학 반응에서 출입하는 열의 이용

(1) 발열 반응의 이용

① **조리용 발열 팩:** 발열 도시락에는 음식을 데울 수 있는 조리용 발열 팩이 들어있다. 발열 팩에 들어 있는 산화 칼슘과 물은 반응할 때 많은 열을 방출하는데, 이때 방출되는 열로 음식물이 데워진다.

➡ $CaO(s)+H_2O(l) \longrightarrow Ca(OH)_2(aq)+\text{열}$

용어 알기

●열분해(더운 기운 熱, 나누다 分, 흩뜨리다 解) 열에 의하여 생기는 분해 반응

② 휴대용 손난로

▲ 휴대용 손난로

- **철가루가 들어 있는 손난로:** 손난로에 들어 있는 철가루는 산화될 때 열을 방출한다. 이때 방출하는 열에 의해 주위의 온도가 높아진다.
  ➡ $4Fe(s)+3O_2(g) \longrightarrow 2Fe_2O_3(s)+$ 열
- **똑딱이 손난로:** 내부의 버튼을 눌러 주면 아세트산 나트륨 용액이 결정을 형성하는 과정에서 열을 방출하여 주위의 온도가 높아진다.

▲ 염화 칼슘을 이용한 제설 작업

③ **제설제:** 눈이 내린 도로에 염화 칼슘을 뿌리면 염화 칼슘이 용해되면서 열을 방출하는데, 이 열에 의해 눈이 녹는다.
➡ $CaCl_2(s) \xrightarrow{\text{물}} CaCl_2(aq)+$ 열

(2) 흡열 반응의 이용

냉각 팩은 음식을
차게 보관하거나
팔 다리가 부었을 때
사용한다.

▲ 냉각 팩

① **냉각 팩:** 냉각 팩에는 질산 암모늄과 물이 분리되어 들어 있다. 냉각 팩을 힘주어 누르면 내부에서 물이 든 비닐봉지가 터지면서 질산 암모늄이 물에 용해되는데, 이때 주위로부터 열을 흡수하므로 온도가 낮아진다.
➡ $NH_4NO_3(s)+$ 열 $\xrightarrow{\text{물}} NH_4NO_3(aq)$

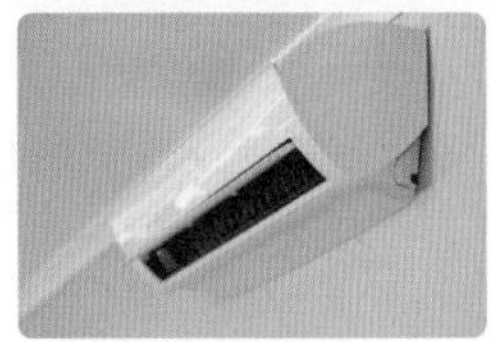
▲ 에어컨

② **냉장고, 에어컨:** 냉장고, 에어컨 등은 •냉매가 기화하는 과정에서 흡수하는 열을 이용하는 장치이다. 액체 상태인 냉매가 기화할 때 열을 흡수하므로 주위의 온도가 낮아진다.

B 화학 반응에서 출입하는 열의 측정

|출·제·단·서| 열량계를 통해 화학 반응에서 출입하는 열량을 계산하는 문제가 나와.

1. 비열과 •열량

(1) 비열(c) 어떤 물질 1 g의 온도를 1 ℃ 높이는 데 필요한 열량

① 단위 질량 1 ℃를 높이는 데 필요한 열량이므로 물질의 종류가 같으면 비열은 같다.
예 물 10 g과 물 100 g의 비열은 4.2 J/(g·℃)로 같다.

② 단위는 J/(g·℃)를 사용한다.

(2) 열용량(C) 어떤 물질의 온도를 1 ℃ 높이는 데 필요한 열량

① 물질의 종류가 같더라도 질량이 큰 물질은 열용량이 크다.
예 물 100 g의 열용량은 물 10 g의 열용량보다 크다. 즉, 물 100 g의 온도를 1 ℃ 높이는 데 필요한 열량은 물 10 g의 온도를 1 ℃ 높이는 데 필요한 열량보다 크다.

② 단위는 J/℃를 사용한다.

> 열용량(C)=비열(c)×질량(m) (단위: J/℃)

(3) 화학 반응에서 출입하는 열량(Q) 어떤 화학 반응이 일어날 때 출입하는 열은 물질의 온도를 변화시키므로 물질의 비열(c)에 질량(m)과 온도 변화(Δt)를 곱하여 구한다.

> 열량(Q)=비열(c)×질량(m)×온도 변화(Δt) (단위: J)

용어 알기

- **냉매(차다 冷, 매개 媒)** 냉동기 등에서 저온 물체에서 고온 물체로 열을 끌어가는 것
- **열량(더운 기운 熱, 분량 量)** 열에너지의 양

2. 열량계 화학 반응에서 출입하는 열량을 측정하는 장치이다. 기본적으로 열량계는 단열 반응 용기, 온도계, 젓개로 구성된다.

└ 용액의 온도를 측정할 때 젓개로 충분히 저어주어야 용액 전체의 온도가 균일하다.

구분	간이 열량계	통열량계
구조	온도계, 젓개, 물, 스타이로폼 컵	점화선, 온도계, 젓개, 단열 용기, 강철 용기, 물, 강철 통, 시료 접시
특징	• 구조가 간단하여 쉽게 사용할 수 있으나, 열 손실이 있어 정밀한 실험에서는 사용할 수 없다. • 뚜껑이 느슨하게 되어 있어 기체가 발생하는 실험에는 적합하지 않다. • 주로 중화 반응이나 용해 반응에서 출입하는 열량을 측정할 때 사용한다.	• 열 손실이 거의 없으므로 화학 반응에서 출입하는 열량을 정밀하게 측정할 수 있다. • 매우 단단한 강철 용기로 되어 있어 생성물이 외부로 빠져나가지 못한다. • 주로 연소 반응에서 출입하는 열량을 측정할 때 사용한다.

❓ 음식물의 열량은 어떻게 측정할까?

음식물의 열량은 음식물이 완전히 연소할 때 발생하는 열량을 측정하여 구할 수 있다. 과거에는 통열량계를 사용하여 음식물의 열량을 직접 측정하였으며, 현재는 지금까지 측정한 자료를 데이터베이스화하여 열량을 검색하여 확인할 수 있다.

3. 화학 반응에서 출입하는 열의 측정

(1) 간이 열량계를 이용한 열량 측정 탐구 POOL

① 화학 반응에서 출입하는 열이 모두 열량계 내 용액의 온도 변화에 이용된다고 가정한다.

② 용액의 비열, 질량, 온도 변화를 알아야 한다.

> 용액이 얻거나 잃은 열량=용액의 비열×용액의 질량×용액의 온도 변화
>
> $$Q=c\times m\times \Delta t$$

간이 열량계를 이용한 열량 측정

간이 열량계를 이용하여 열량을 측정할 때, 화학 반응에서 출입하는 열이 모두 열량계 내 용액의 온도 변화에 이용된다고 가정한다. 그러나 실제로는 용액의 온도를 높이는 것뿐만 아니라 실험 기구의 온도를 높이기도 하고, 외부로 빠져나가기도 하므로 간이 열량계로 실험하여 구한 값은 이론값과 차이가 있다.

(2) 통열량계를 이용한 열량 측정

① 화학 반응에서 출입하는 열이 모두 열량계와 열량계 내 물의 온도 변화에 이용된다고 가정한다.

② 물의 비열, 물의 질량, 통열량계의 열용량과 각각의 온도 변화를 알아야 한다.

> 발생한 열량=물이 흡수한 열량+통열량계가 흡수한 열량
>
> $$Q=(c_{물}\times m_{물}\times \Delta t)+(C_{통열량계}\times \Delta t)$$
>
> ($c_{물}$: 물의 비열, $m_{물}$: 물의 질량, Δt: 물의 온도 변화, $C_{통열량계}$: 통열량계의 열용량)

빈출 계산연습 통열량계를 이용한 열량 측정

20 ℃의 물 300 g을 채운 통열량계에 탄소(C) 3.0 g을 넣고 뚜껑을 닫은 후 충분한 양의 산소를 공급하여 완전 연소시켰더니 온도가 52 ℃가 되었다. 탄소(C) 1몰이 완전 연소할 때 방출하는 열량을 구해 보자. (단, 물의 비열은 4.2 J/(g·℃)이고, 통열량계의 열용량은 1.8 kJ/℃이며, C의 원자량은 12이다.)

1단계 온도 변화를 이용하여 탄소 3.0 g이 완전 연소할 때 방출한 열량을 구한다.

➡ 탄소 3.0 g이 완전 연소할 때 방출한 열량은 열량계 속 물이 흡수한 열량과 통열량계가 흡수한 열량을 합한 값이다. 즉

$$Q=\underbrace{4.2\,J/g\cdot℃\times 300\,g\times(52-20)℃}_{물이\ 흡수한\ 열량}+\overbrace{1800\,J/℃\times(52-20)℃}^{통열량계가\ 흡수한\ 열량}=40320\,J+57600\,J$$

$$=97920\,J=97.92\,kJ$$

2단계 탄소의 원자량을 이용하여 탄소 1몰이 완전 연소할 때 방출하는 열량을 구한다.

➡ 이 값은 탄소 3 g, 즉 0.25몰이 연소할 때 방출한 열량이므로 1몰이 연소할 때 방출한 열량은 391.68 kJ/mol이다.

염화 칼슘이 용해할 때 출입하는 열량 측정하기

목표 간이 열량계를 이용하여 화학 반응에서 출입하는 열을 구할 수 있다.

유의점

- 염화 칼슘은 공기 중의 수분을 흡수하는 성질이 있으므로 건조하여 사용한다.
- 실험에 사용한 용액은 반드시 폐수통에 버린다.

이런 실험도 있어요!

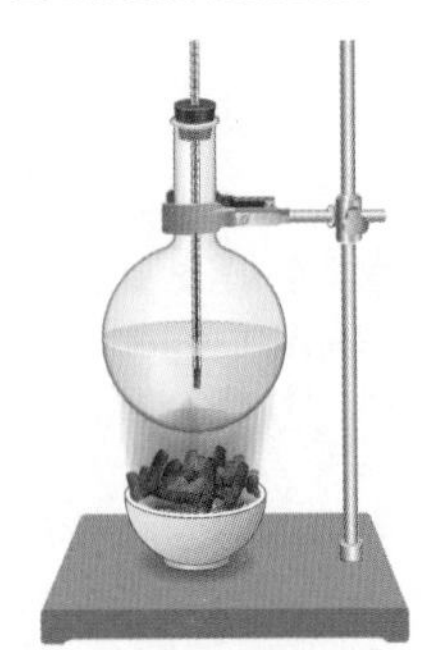

① 과자의 질량을 측정하여 증발 접시에 담은 후, 둥근바닥 플라스크에 물을 넣고 처음 온도를 측정한다.
② 과자에 불을 붙여 물을 가열한 후 물의 온도를 측정한다.
③ 남은 과자의 질량을 측정하여 과자가 연소할 때 방출되는 열량을 계산한다.

과정

❶ 처음 온도 측정하기

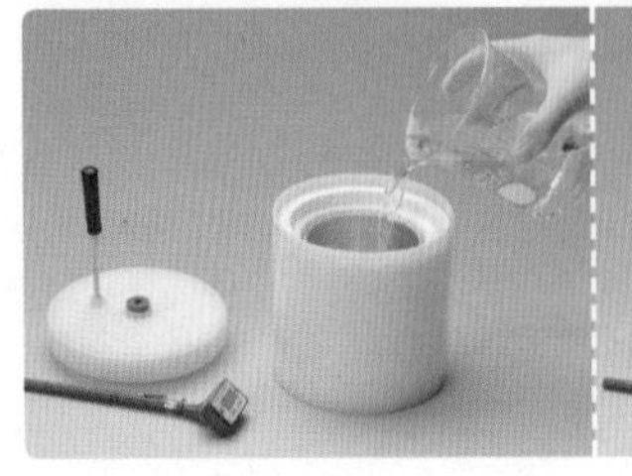

간이 열량계에 증류수 200 g을 넣고 온도(t_1)를 측정한다.

❷ 염화 칼슘을 넣어 반응시키기

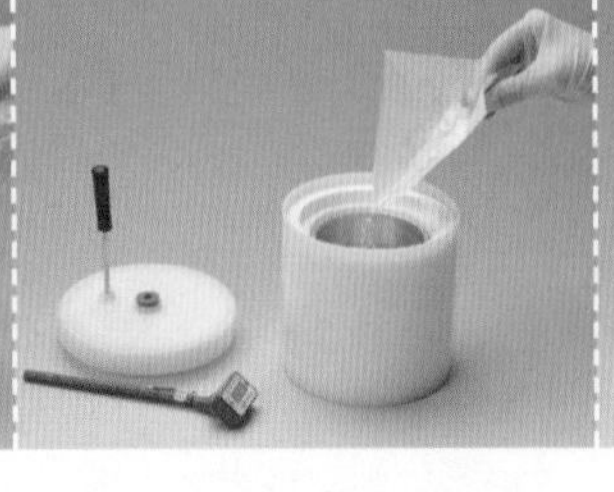

열량계에 염화 칼슘($CaCl_2$) 10 g을 넣고 젓개로 계속 저어 완전히 녹인다.

❸ 반응 후 온도 측정하기

용액의 최고 온도(t_2)를 측정한다.

결과

구분	처음 온도(t_1)	최고 온도(t_2)
온도(℃)	24	32

정리 및 해석

❶ 용액의 온도 변화(Δt): $t_2 - t_1 = (32-24)$℃$=8$ ℃
➡ 온도가 높아졌으므로 발열 반응이다.

❷ $CaCl_2$ 10 g이 물에 용해할 때 방출한 열량(J) (단, 용액의 비열은 4.2/(g·℃)이다.)
➡ $Q = c \times m \times \Delta t = 4.2$ J/(g·℃) $\times 210$ g $\times 8$ ℃ $= 7056$ J

❸ $CaCl_2$ 1 g이 물에 용해할 때 방출한 열량(J)
➡ $\dfrac{7056\text{ J}}{10\text{ g}} = 705.6$ J/g

❹ $CaCl_2$ 1 g이 물에 용해할 때 방출하는 열량의 이론값은 732.4 J/g으로, 실험 결과와 차이가 있다.
➡ $CaCl_2$이 용해할 때 방출한 열의 일부가 공기 중으로 빠져나가거나 온도계, 젓개 등의 실험 기구의 온도를 높이는 데 사용되었기 때문이다.

한·줄·핵심 화학 반응에서 출입하는 열은 열량계를 이용하여 측정할 수 있다.

확인 문제

정답과 해설 096쪽

01 이 실험에서 측정한 값이 이론값보다 작게 나왔을 때, 오차의 원인으로 적절한 것은 ○, 적절하지 않은 것은 ×로 표시하시오.

(1) $CaCl_2$이 모두 용해하지 않았다. ( )

(2) 단열 처리가 잘 되었다. ( )

(3) 온도계, 젓개의 온도가 실험 전보다 높아졌다. ( )

(4) 용해 전 물의 온도가 실제보다 낮게 측정되었다. ( )

(5) 발생한 열의 일부가 공기 중으로 빠져나갔다. ( )

02 이 실험에서 측정한 값을 이용하여 염화 칼슘($CaCl_2$) 1몰이 용해할 때 방출되는 열량(kJ)을 구하시오. (단, 염화 칼슘의 화학식량은 111이다.)

콕콕! 개념 확인하기

정답과 해설 097쪽

✔ 잠깐 확인!

1. □□ 반응
화학 반응이 일어날 때 열을 방출하는 반응으로, 주위의 온도가 □아 진다.

2. □□ 반응
화학 반응이 일어날 때 열을 흡수하는 반응으로, 주위의 온도가 □아 진다.

3. □□□
화학 반응에서 출입하는 열량을 측정하는 장치

4. □□
어떤 물질 1 g의 온도를 1 ℃ 높이는 데 필요한 열량

5. □□□
어떤 물질의 온도를 1 ℃ 높이는 데 필요한 열량

6. □□ □□□
구조가 간단하여 쉽게 사용할 수 있으나 단열이 잘 되지 않아 열 손실이 발생하는 열량계

7. □□□□
단열이 잘 되도록 만들어져 열 손실이 거의 없으므로 정밀한 측정이 가능한 열량계

A 화학 반응에서 열의 출입과 이용

01 화학 반응에서 출입하는 열에 대한 설명으로 옳은 것은 ○, 옳지 않은 것은 ×로 표시하시오.

(1) 모든 화학 반응에서는 열의 출입이 따른다. ( )

(2) 반응물이 가진 에너지가 생성물이 가진 에너지보다 크면 반응이 일어날 때 열을 흡수한다. ( )

(3) 반응물이 가진 에너지가 생성물이 가진 에너지보다 작으면 반응이 일어날 때 주위의 온도가 높아진다. ( )

02 다음 반응이 발열 반응이면 '발열', 흡열 반응이면 '흡열'이라고 쓰시오.

(1) 석탄을 공기 중에서 연소시킨다. ( )

(2) 묽은 염산에 아연 조각을 넣어 반응시킨다. ( )

(3) 탄산수소 나트륨에 열을 가하여 분해시킨다. ( )

(4) 황산 나트륨을 소량 넣은 물에 전류를 흘려 분해시킨다. ( )

B 화학 반응에서 출입하는 열의 측정

03 열량계에 대한 설명으로 옳은 것은 ○, 옳지 않은 것은 ×로 표시하시오.

(1) 열량계는 화학 반응에서 출입하는 열량을 측정하는 장치이다. ( )

(2) 간이 열량계는 단열이 잘 되어 있어 열 손실이 거의 없다. ( )

(3) 통열량계를 이용하여 화학 반응에서 출입한 열량을 측정할 때는 열량계의 열용량을 알아야 한다. ( )

04 그림과 같은 열량계를 이용하여 염화 칼슘($CaCl_2$)이 용해할 때 출입하는 열량을 구하려고 한다.
이때 반드시 측정하거나 조사해야 하는 자료만을 〈보기〉에서 있는 대로 고르시오.

〈보기〉
ㄱ. 용액의 질량　　ㄴ. 용액의 비열
ㄷ. 용액의 온도 변화　　ㄹ. 물의 밀도

05 표는 t_1 ℃ 물 100 g에 염화 칼슘($CaCl_2$)과 질산 암모늄(NH_4NO_3)을 각각 1 g씩 넣어 모두 용해시킨 후 측정한 온도를 나타낸 것이다. 염화 칼슘과 질산 암모늄이 용해할 때 열의 출입을 각각 쓰시오. (단, $t_2>t_1>t_3$이다.)

구분	염화 칼슘	질산 암모늄
용해 후 온도(℃)	t_2	t_3

탄탄! 내신 다지기

A 화학 반응에서 열의 출입과 이용

01 다음 중 발열 반응인 것은?

① 질산 암모늄을 물에 용해한다.
② 메테인을 연소시켜 난방을 한다.
③ 베이킹파우더를 이용해 과자를 부풀린다.
④ 물을 전기 분해 하여 수소와 산소를 얻는다.
⑤ 식물이 빛에너지를 이용하여 광합성을 한다.

02 흡열 반응에 대한 설명으로 옳은 것만을 〈보기〉에서 있는 대로 고른 것은?

〈보기〉
ㄱ. 반응이 일어날 때 반응 용기의 온도가 낮아진다.
ㄴ. 생성물의 에너지가 반응물의 에너지보다 크다.
ㄷ. 주위에서 열을 흡수한다.

① ㄱ ② ㄴ ③ ㄱ, ㄷ
④ ㄴ, ㄷ ⑤ ㄱ, ㄴ, ㄷ

03 그림과 같이 물을 적신 나무판 위에 수산화 바륨($Ba(OH)_2$) 팔수화물과 질산 암모늄(NH_4NO_3)을 넣은 삼각 플라스크를 올려놓고, 유리 막대로 잘 저어 준 후 삼각 플라스크를 들어 올렸더니 나무판이 삼각 플라스크와 함께 들어 올려졌다.

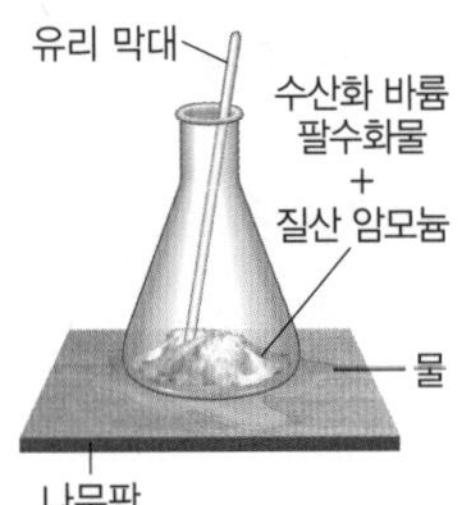

플라스크 안에서 일어나는 반응에 대한 설명으로 옳은 것만을 〈보기〉에서 있는 대로 고른 것은?

〈보기〉
ㄱ. 반응이 일어날 때 주위의 온도가 낮아진다.
ㄴ. 생성물의 에너지가 반응물의 에너지보다 작다.
ㄷ. 물의 증발 과정과 열의 출입 방향이 같다.

① ㄱ ② ㄴ ③ ㄱ, ㄷ
④ ㄴ, ㄷ ⑤ ㄱ, ㄴ, ㄷ

04 화학 반응에서 열의 출입에 대한 설명으로 옳은 것만을 〈보기〉에서 있는 대로 고른 것은?

〈보기〉
ㄱ. 화학 반응이 일어날 때는 항상 열을 방출한다.
ㄴ. 발열 반응이 일어나면 주위의 온도가 높아진다.
ㄷ. 중화 반응은 흡열 반응이다.

① ㄱ ② ㄴ ③ ㄱ, ㄷ
④ ㄴ, ㄷ ⑤ ㄱ, ㄴ, ㄷ

05 다음은 실생활에서 관찰할 수 있는 3가지 현상이다.

- 냉각 주머니 속 ㉠질산 암모늄이 물에 녹으면 냉각 주머니가 차가워진다.
- ㉡도시가스가 연소하여 국이 끓는다.
- 마당에 뿌리면 ㉢물이 증발하면서 시원하게 느껴진다.

㉠~㉢을 발열 반응과 흡열 반응으로 옳게 구분한 것은?

	㉠	㉡	㉢
①	발열	발열	발열
②	발열	흡열	흡열
③	흡열	발열	흡열
④	흡열	발열	발열
⑤	흡열	흡열	발열

06 다음은 물의 응고와 관련된 설명이다.

얼음으로 만든 집 안쪽 벽에 물을 뿌리면 공기가 훈훈하게 데워진다. 이는 물이 응고하면서 주위로 열을 (㉠)하는 (㉡) 반응이 일어나기 때문이다.

㉠, ㉡에 들어갈 말을 옳게 짝 지은 것은?

	㉠	㉡		㉠	㉡
①	방출	발열	②	방출	흡열
③	방출	중화	④	흡수	발열
⑤	흡수	흡열			

07 그림은 질소(N_2) 기체와 수소(H_2) 기체가 반응하여 암모니아(NH_3)를 생성하는 반응에서 반응물과 생성물의 에너지를 상댓값으로 나타낸 것이다.

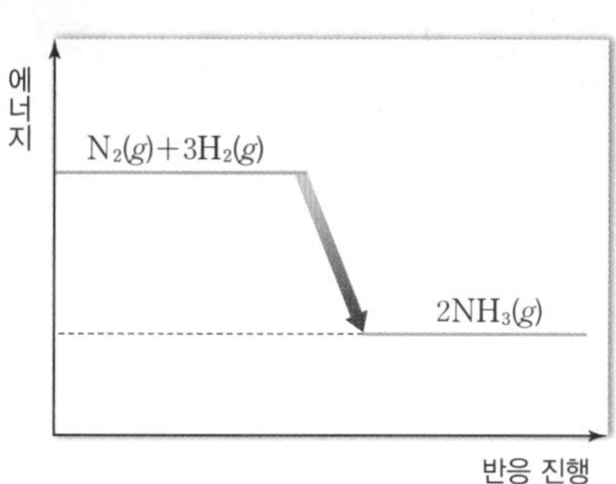

이 반응에 대한 설명으로 옳은 것만을 〈보기〉에서 있는 대로 고른 것은?

보기
ㄱ. 발열 반응이다.
ㄴ. 반응이 일어날 때 주위의 온도가 높아진다.
ㄷ. 반응물의 에너지 합이 생성물의 에너지 합보다 크다.

① ㄱ ② ㄴ ③ ㄱ, ㄷ
④ ㄴ, ㄷ ⑤ ㄱ, ㄴ, ㄷ

B 화학 반응에서 출입하는 열의 측정

08 그림은 2가지 열량계의 구조를 나타낸 것이다.

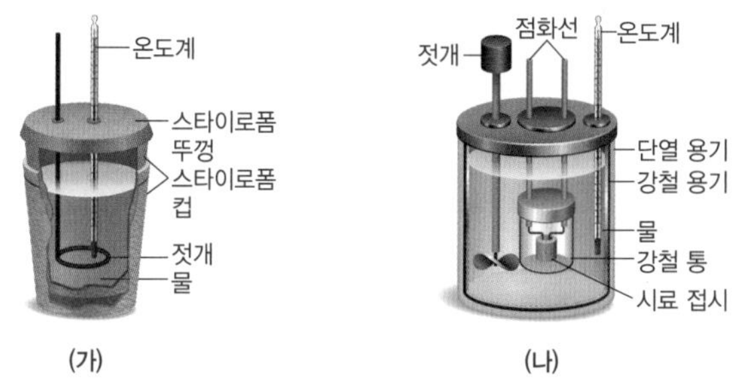

이에 대한 설명으로 옳은 것만을 〈보기〉에서 있는 대로 고른 것은?

보기
ㄱ. (가)는 열 손실이 거의 없다.
ㄴ. (가)는 용해 반응이나 중화 반응에서 출입하는 열을 측정할 때 사용하기 적합하다.
ㄷ. (나)는 기체가 발생하는 반응에서 출입하는 열을 측정할 때 사용하기 적합하지 않다.

① ㄱ ② ㄴ ③ ㄱ, ㄷ
④ ㄴ, ㄷ ⑤ ㄱ, ㄴ, ㄷ

단답형

09 다음은 열량계에 대한 설명이다. ㉠, ㉡에 들어갈 알맞은 용어를 각각 쓰시오.

화학 반응에서 출입하는 열량을 측정하는 기구를 (㉠)라고 하는데, (㉠)는 대체로 단열 용기, (㉡), 젓개로 구성된다.

10 그림은 간이 열량계를 이용하여 염화 칼슘($CaCl_2$)이 용해할 때 방출하는 열량을 구하기 위한 실험이다.

실험 과정
(가) 열량계에 물 100 g을 넣고 처음 온도를 측정하였더니 20 ℃이었다.
(나) 열량계에 $CaCl_2$ 10 g을 넣어 완전히 녹인 다음 용액의 최고 온도를 측정하였더니 25 ℃이었다.

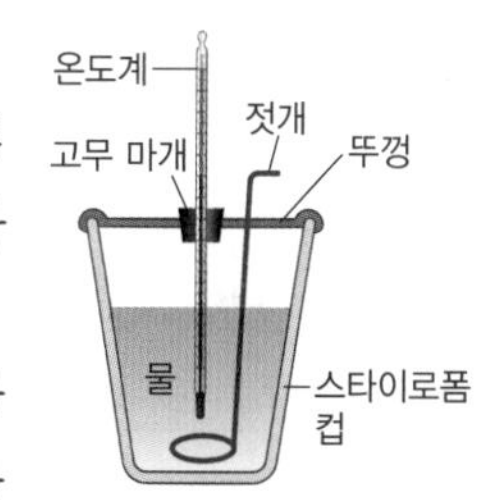

이에 대한 설명으로 옳은 것만을 〈보기〉에서 있는 대로 고른 것은?

보기
ㄱ. $CaCl_2$은 물에 용해할 때 열을 방출한다.
ㄴ. $CaCl_2$이 용해할 때 방출한 열은 용액이 모두 흡수한다고 가정하여 열량을 구한다.
ㄷ. $CaCl_2$ 1몰이 용해할 때 방출하는 열을 구하려면 $CaCl_2$의 밀도를 알아야 한다.

① ㄱ ② ㄷ ③ ㄱ, ㄴ
④ ㄴ, ㄷ ⑤ ㄱ, ㄴ, ㄷ

11 간이 열량계에 20 ℃ 물 100 g을 넣고 물질 X 4 g을 완전히 녹였더니 온도가 30 ℃가 되었다. 물질 X 1 g이 물에 용해할 때 출입하는 열량은? (단, 용액의 비열은 4 J/(g·℃)이다.)

① 1.04 kJ 방출 ② 1.04 kJ 흡수
③ 4.0 kJ 방출 ④ 4.16 kJ 방출
⑤ 4.16 kJ 흡수

도전! 실력 올리기

01 다음은 실생활과 관련된 3가지 현상이다.

컵 속 ㉠ 얼음이 물로 녹으면서 음료수가 시원해진다.

㉡ 가스가 연소하여 찌개가 끓는다.

손난로 주머니를 흔들면 ㉢ 철가루가 산화되면서 따뜻해진다.

㉠~㉢ 중 흡열 반응만을 있는 대로 고른 것은?

① ㉠　② ㉢　③ ㉠, ㉡　④ ㉡, ㉢　⑤ ㉠, ㉡, ㉢

02 그림은 흑연(C)이 산소(O_2)와 반응하여 일산화 탄소(CO)를 생성하는 반응에서 반응물과 생성물의 에너지를 나타낸 것이다.

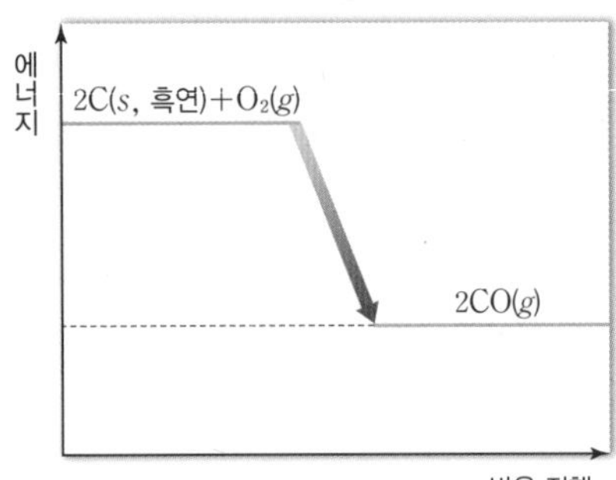

이 반응이 일어날 때의 설명으로 옳은 것만을 <보기>에서 있는 대로 고른 것은?

보기
ㄱ. 열을 흡수한다.
ㄴ. 주위의 온도가 높아진다.
ㄷ. 물질 전체의 에너지는 점점 커진다.

① ㄱ　② ㄴ　③ ㄱ, ㄷ　④ ㄴ, ㄷ　⑤ ㄱ, ㄴ, ㄷ

출제예감

03 그림은 3가지 화학 반응을 나타낸 것이다.

(가) 알코올의 연소	(나) 광합성	(다) 물의 전기 분해

(가)~(다) 중 반응이 일어날 때 에너지를 흡수하는 반응만을 있는 대로 고른 것은?

① (가)　② (다)　③ (가), (나)　④ (나), (다)　⑤ (가), (나), (다)

출제예감

04 그림과 같이 25 ℃ 물 100 g이 들어 있는 2개의 비커에 각각 수산화 칼륨(KOH)과 염화 칼륨(KCl)을 5 g씩 넣어 완전히 녹인 후 용액의 온도를 측정하였더니 (가)에서는 25 ℃보다 높았고, (나)에서는 25 ℃보다 낮았다.

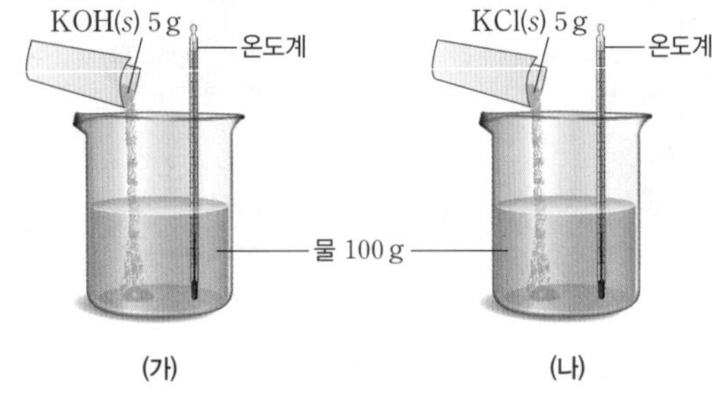

이에 대한 설명으로 옳은 것만을 <보기>에서 있는 대로 고른 것은?

보기
ㄱ. KOH(s)은 물에 용해할 때 열을 방출한다.
ㄴ. KCl(s)의 용해 과정은 흡열 반응이다.
ㄷ. (가)와 (나)에서 모두 생성물의 에너지가 반응물의 에너지보다 크다.

① ㄱ　② ㄷ　③ ㄱ, ㄴ　④ ㄴ, ㄷ　⑤ ㄱ, ㄴ, ㄷ

05 다음은 통열량계를 이용하여 나프탈렌이 연소할 때 발생하는 열을 구하기 위한 실험과 관련 자료이다.

> 실험 과정
>
> (가) 열용량이 1.8 kJ/℃인 열량계 속 시료 접시에 나프탈렌 12.8 g을 넣고 열량계에 물 2000 g을 채운다.
>
> (나) 물의 온도가 일정해지면 온도(t_1)를 측정한다.
>
> (다) 나프탈렌을 완전 연소시킨 후 물의 최고 온도(t_2)를 측정한다.
>
> 실험 결과
>
> • t_1: 20 ℃ t_2: 30 ℃
>
> 자료
>
> • 물의 비열: 4.2 J/(g·℃)
>
> • 나프탈렌의 분자량: 128

나프탈렌 1몰이 완전 연소할 때 방출하는 열(kJ)은?

① 7.9 kJ ② 51 kJ ③ 102 kJ
④ 204 kJ ⑤ 1020 kJ

출제예감

06 그림은 과자가 연소할 때 발생하는 열량을 측정하는 실험 장치이다. 과자 1 g이 연소할 때 방출하는 열량을 구하는 데 필요한 자료나 측정값만을 <보기>에서 있는 대로 고른 것은?

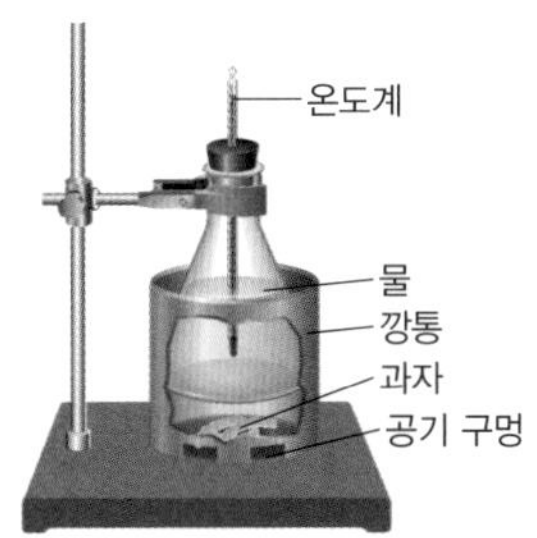

> 보기
>
> ㄱ. 물의 비열 ㄴ. 물의 질량
>
> ㄷ. 물의 온도 변화 ㄹ. 연소 전후 과자의 질량

① ㄱ, ㄹ ② ㄴ, ㄷ ③ ㄱ, ㄴ, ㄷ
④ ㄴ, ㄷ, ㄹ ⑤ ㄱ, ㄴ, ㄷ, ㄹ

서술형

07 다음은 간이 열량계를 이용하여 고체 X와 Y가 물에 용해할 때 출입하는 열량을 구하는 실험이다.

> 실험 과정
>
> (가) 열량계에 물 100 g을 넣고 온도(t_1)를 측정한다.
>
> (나) 열량계에 X 1 g을 넣어 물에 완전히 녹인 다음 용액의 온도(t_2)를 측정한다.
>
> (다) Y 1 g으로 (가)와 (나)를 반복한다.
>
> 실험 결과

물질	t_1(℃)	t_2(℃)
X	20	16
Y	20	22

X와 Y 각 1몰이 물에 용해할 때 출입하는 열량의 크기를 비교하고, 그 까닭을 서술하시오. (단, 화학식량은 X가 Y보다 크고, 두 수용액의 비열은 같다.)

서술형

08 다음은 간이 열량계로 수산화 나트륨(NaOH)이 물에 용해할 때 방출하는 열량을 구하는 실험이다.

> (가) 열량계에 물 100 g을 넣고 온도를 측정한다.
>
> (나) 열량계에 수산화 나트륨 1 g을 넣어 물에 완전히 녹인 다음 용액의 온도를 측정한다.

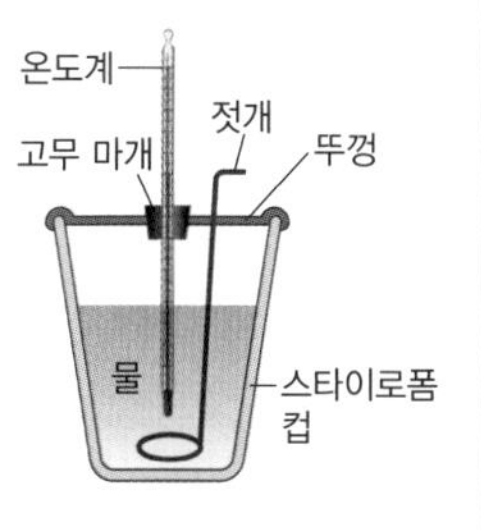

NaOH 1몰이 물에 용해할 때 방출하는 열량을 구하기 위해 위 실험 과정에서 측정한 값 이외에 추가로 필요한 자료를 모두 쓰고, 필요한 까닭을 서술하시오.

수능을 알기 쉽게 풀어주는
수능 POOL

금속과 금속 이온의 산화 환원 반응

대표 유형

출제 의도

금속과 금속 이온의 산화 환원 반응에서 금속 양이온 수 변화를 추론하여 반응성과 금속 양이온의 산화수를 추론하는 문제이다.

그림은 금속 X 이온이 들어 있는 수용액에 금속 Y와 Z를 순서대로 넣었을 때 수용액 속에 존재하는 금속 양이온만을 모형으로 나타낸 것이다.

③ 금속 Z를 넣은 후: ■ 2개
- ▲ 3개 환원, Z 금속 2개 산화 → 반응성은 Y<Z
- ▲ 3개가 얻은 전자 수=Z 금속 2개가 잃은 전자 수
  → ▲와 ■의 산화수 비는 2 : 3

① ● 6개

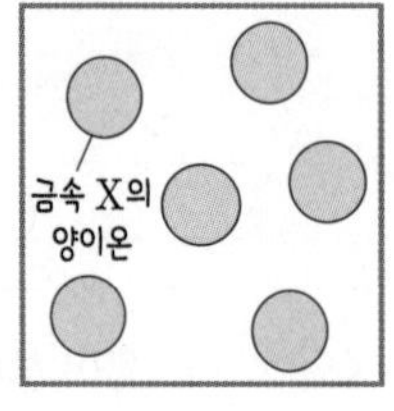

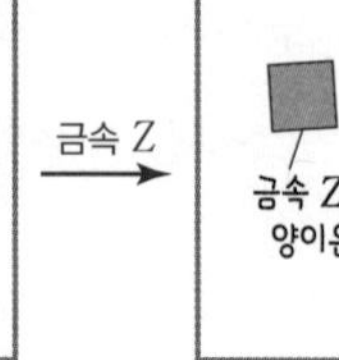

② 금속 Y를 넣은 후: ▲ 3개
- ● 6개 환원, Y 금속 3개 산화 → 반응성은 X<Y
- ● 6개가 얻은 전자 수=금속 Y 3개가 잃은 전자 수
  → ●와 ▲의 산화수 비는 1 : 2

이에 대한 설명으로 옳은 것만을 〈보기〉에서 있는 대로 고른 것은? (단, 음이온은 반응에 참여하지 않는다.)

보기

ㄱ. 금속 Y를 넣었을 때 ●은 산화제로 작용한다.
→ ●은 금속 Y를 넣었을 때 자신은 환원되면서 Y를 산화시키는 산화제로 작용한다.

ㄴ. ▲과 ■의 산화수의 비는 3 : 2이다.
→ 산화 환원 반응에서 이동한 전자 수가 같으므로 ▲이 얻은 전자 수와 Z가 잃은 전자 수가 같다. 이로부터 수용액 속 양이온의 전하량의 총합은 같으므로 ▲의 산화수를 $+a$, ■의 산화수를 $+b$라고 하면 다음과 관계가 성립한다. $3\times(+a)=2\times(+b)$ → ▲와 ■의 산화수의 비는 2 : 3이다.

ㄷ. 금속 X를 ■이 들어 있는 수용액에 넣으면 ■은 환원된다.
→ 반응성은 Z>Y>X이므로 ■이 들어 있는 수용액에 금속 X를 넣어도 반응은 일어나지 않는다.

① ㄱ ② ㄴ ③ ㄱ, ㄷ ④ ㄴ, ㄷ ⑤ ㄱ, ㄴ, ㄷ

이것이 함정

수용액 속 양이온의 전하량의 총합은 반응 전후 같다는 성질을 이용하여 금속 양이온의 산화수 비를 구해야 한다.

자료에서 단서 찾기

X 이온의 수용액에 들어 있는 이온 수를 파악한다. ⋙ X 이온이 모두 전자를 얻어 석출되고 금속 Y의 이온이 생성된 것으로부터 반응성을 파악한다. ⋙ 금속 Y의 이온 수와 금속 Z의 이온 수를 비교하여 각 이온의 전하 비(=산화수 비)를 파악한다. ⋙ 순차적인 반응으로 금속 X~Z의 반응성을 비교한다.

추가 선택지

- ▲이 들어 있는 수용액에 금속 X를 넣었을 때 X의 산화수는 증가한다. (×)
  ⋯→ 반응성은 Y>X이므로 ▲이 들어 있는 수용액에 금속 X를 넣어도 아무 변화가 일어나지 않는다. 따라서 X의 산화수는 변화가 없다.
- ●과 ■의 산화수 비는 1 : 3이다. (○)
  ⋯→ ●과 ▲의 산화수 비는 1 : 2이고, ▲과 ■의 산화수 비는 2 : 3이므로 ●과 ■의 산화수 비는 1 : 3이다.

실전! 수능 도전하기

정답과 해설 099쪽

01 다음은 구리(Cu)와 관련된 산화 환원 반응 실험이다.

> 실험 과정 및 결과
> (가) Cu를 가열하였더니 산화 구리(CuO)가 생성되었다.
> (나) CuO를 일산화 탄소(CO) 기체와 반응시켰더니 Cu로 변하였고 기체 X가 생성되었다.

이에 대한 설명으로 옳은 것만을 <보기>에서 있는 대로 고른 것은?

> 보기
> ㄱ. (가)에서 Cu의 산화수는 2만큼 증가한다.
> ㄴ. (나)에서 CO는 환원제로 작용한다.
> ㄷ. X에서 C의 산화수는 +4이다.

① ㄱ ② ㄷ ③ ㄱ, ㄴ
④ ㄴ, ㄷ ⑤ ㄱ, ㄴ, ㄷ

02 그림은 산성비의 원인 물질인 질산(HNO_3)이 생성되는 과정 중 하나를 나타낸 것이다.

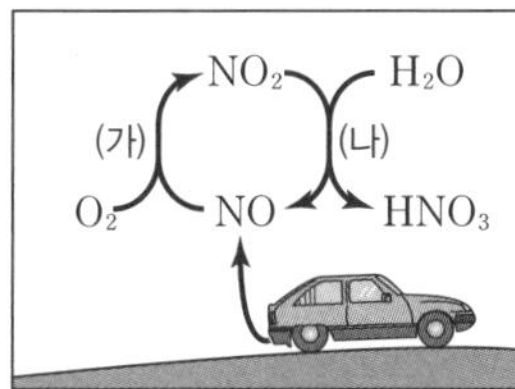

이에 대한 설명으로 옳은 것만을 <보기>에서 있는 대로 고른 것은?

> 보기
> ㄱ. (가)에서 N의 산화수는 2만큼 증가한다.
> ㄴ. (나)의 화학 반응식은
> $3NO_2 + H_2O \longrightarrow 2HNO_3 + NO$이다.
> ㄷ. (나)에서 H_2O은 산화제이다.

① ㄱ ② ㄷ ③ ㄱ, ㄴ
④ ㄴ, ㄷ ⑤ ㄱ, ㄴ, ㄷ

수능 기출

03 다음은 과망가니즈산 칼륨($KMnO_4$)과 진한 염산($HCl(aq)$)이 반응하는 산화 환원 반응의 화학 반응식이다.

$$aKMnO_4(aq) + bHCl(aq) \longrightarrow cKCl(aq) + dMnCl_2(aq) + 8H_2O(l) + 5Cl_2(g)$$

(a~d는 반응 계수)

이 반응에 대한 설명으로 옳은 것만을 <보기>에서 있는 대로 고른 것은?

> 보기
> ㄱ. $HCl(aq)$은 산화제이다.
> ㄴ. Mn의 산화수는 +7에서 +2로 감소한다.
> ㄷ. $\frac{b}{a}=8$이다.

① ㄱ ② ㄴ ③ ㄷ
④ ㄱ, ㄷ ⑤ ㄴ, ㄷ

04 그림은 이산화 질소(NO_2)와 관련된 반응 (가)~(다)를 나타낸 것이다.

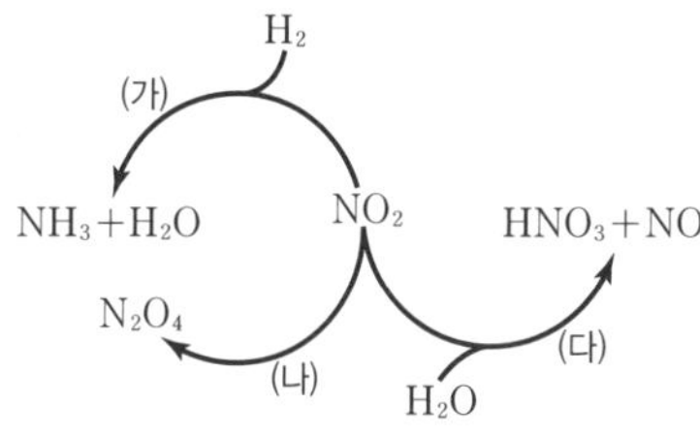

이에 대한 설명으로 옳은 것만을 <보기>에서 있는 대로 고른 것은?

> 보기
> ㄱ. (가)에서 H_2는 환원제이다.
> ㄴ. 반응 (가)~(다)는 모두 산화 환원 반응이다.
> ㄷ. N의 산화수가 가장 작은 물질은 NH_3이다.

① ㄱ ② ㄴ ③ ㄱ, ㄷ
④ ㄴ, ㄷ ⑤ ㄱ, ㄴ, ㄷ

실전! 수능 도전하기

05 다음은 다이크로뮴산 나트륨($Na_2Cr_2O_7$)과 탄소(C)가 반응하는 산화 환원 반응의 화학 반응식이다.

$$Na_2Cr_2O_7 + 2\underset{㉠}{\underline{C}} \longrightarrow Cr_2O_3 + Na_2\underset{㉡}{\underline{C}}O_3 + \underset{㉢}{\underline{C}}O$$

이에 대한 설명으로 옳은 것만을 〈보기〉에서 있는 대로 고른 것은?

보기
ㄱ. ㉠은 산화된다.
ㄴ. Cr의 산화수는 3만큼 감소한다.
ㄷ. ㉡의 산화수는 ㉢의 산화수보다 2만큼 크다.

① ㄱ ② ㄷ ③ ㄱ, ㄴ
④ ㄴ, ㄷ ⑤ ㄱ, ㄴ, ㄷ

06 그림은 A^+이 들어 있는 수용액에 금속 B를 넣을 때, 반응한 B 원자 수에 따른 수용액 속 전체 양이온 수를 나타낸 것이다.

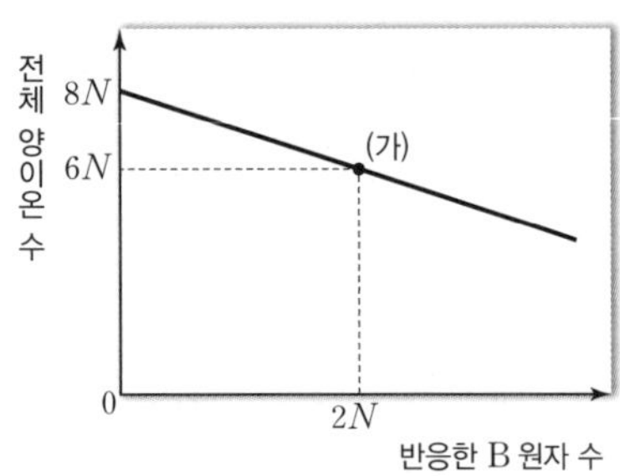

이에 대한 설명으로 옳은 것만을 〈보기〉에서 있는 대로 고른 것은? (단, 금속 A와 B는 물과 반응하지 않고, 음이온은 반응에 참여하지 않는다.)

보기
ㄱ. B는 A보다 산화되기 쉽다.
ㄴ. 금속 B 이온의 산화수는 +2이다.
ㄷ. (가)에서 $\frac{A^+\text{의 수}}{B\text{ 이온의 수}} = 2$이다.

① ㄱ ② ㄴ ③ ㄱ, ㄷ
④ ㄴ, ㄷ ⑤ ㄱ, ㄴ, ㄷ

07 다음은 3가지 반응의 화학 반응식이다.

(가) $HNO_3 + NaOH \longrightarrow NaNO_3 +$ ㉠
(나) $3NO_2 +$ ㉠ $\longrightarrow 2HNO_3 + NO$
(다) $2NaOH + Cl_2 \longrightarrow NaCl +$ ㉠ $+$ ㉡

이에 대한 설명으로 옳은 것만을 〈보기〉에서 있는 대로 고른 것은?

보기
ㄱ. (가)는 산화 환원 반응이다.
ㄴ. (나)에서 ㉠은 산화제이다.
ㄷ. ㉡에서 Cl의 산화수는 +1이다.

① ㄱ ② ㄷ ③ ㄱ, ㄴ
④ ㄴ, ㄷ ⑤ ㄱ, ㄴ, ㄷ

수능 기출

08 다음은 금속 A와 B가 들어 있는 비커에 $C^{2+}(aq)$의 부피를 달리하여 넣은 실험 Ⅰ~Ⅲ에 대한 자료이다.

- 실험 Ⅰ~Ⅲ 각각에서 비커에 넣어 준 금속의 질량은 A w_1 g, B w_2 g이다.
- A가 모두 산화된 후 B가 산화되었다.
- A^{m+}의 m은 3 이하이다.
- 실험 Ⅲ에서 반응 후 B^+ 수는 C^{2+} 수의 5배이다.

실험	$C^{2+}(aq)$의 부피(L)	반응 후 용액 속의 금속 양이온	
		종류	수
Ⅰ	1	A^{m+}, B^+	$6N$
Ⅱ	1.5	A^{m+}, B^+	$12N$
Ⅲ	2.5	A^{m+}, B^+, C^{2+}	xN

$\frac{x}{m}$는? (단, 음이온은 반응하지 않는다.)

① 6 ② 7 ③ 7.5
④ 9 ⑤ 10.5

정답과 해설 099쪽

09 다음은 열량계를 이용하여 탄소 가루를 연소시킬 때 발생하는 열량을 구하는 실험이다.

실험 과정

(가) 0.6 g의 탄소 가루와 0.1몰의 산소 기체를 강철 용기에 넣는다.

(나) 열량계의 온도(t_1)를 측정한다.

(다) 점화 장치로 0.6 g의 탄소 가루를 완전 연소시킨 후 열량계의 온도(t_2)를 측정한다.

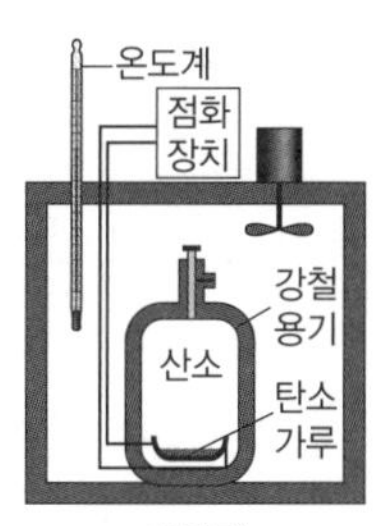

실험 결과 및 자료

t_1	t_2	열량계의 열용량
23.2 ℃	23.7 ℃	40 kJ/℃

이 실험에 대한 설명으로 옳은 것만을 〈보기〉에서 있는 대로 고른 것은?

보기

ㄱ. 강철 용기 내부 기체의 전체 양(mol)은 반응 전이 반응 후보다 크다.

ㄴ. 탄소 가루가 완전 연소될 때 20 kJ의 열이 발생한다.

ㄷ. (다)에서 탄소 가루가 모두 연소하지 않으면, t_2는 23.7 ℃보다 낮게 측정된다.

① ㄱ ② ㄷ ③ ㄱ, ㄴ ④ ㄴ, ㄷ ⑤ ㄱ, ㄴ, ㄷ

10 다음은 실생활과 관련 있는 2가지 현상이다.

㉠ 뷰테인이 연소하면서 찌개가 끓는다.

㉡ 얼음이 녹으면서 음료수가 시원해진다.

㉠과 ㉡에 대한 설명으로 옳은 것만을 〈보기〉에서 있는 대로 고른 것은?

보기

ㄱ. ㉠은 화학 변화이다.

ㄴ. ㉡은 흡열 반응이다.

ㄷ. ㉠과 ㉡에서 열의 출입 방향은 같다.

① ㄱ ② ㄷ ③ ㄱ, ㄴ ④ ㄴ, ㄷ ⑤ ㄱ, ㄴ, ㄷ

11 다음은 냉각 팩의 원리를 알아보기 위한 실험이다.

(가) 물이 든 밀봉된 비닐봉지와 질산 암모늄(NH_4NO_3)을 지퍼 백에 넣는다.

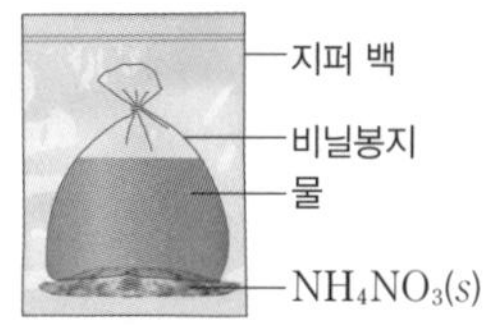

(나) 지퍼 백을 닫고 손으로 눌러 물이 든 비닐봉지를 터뜨리면, NH_4NO_3이 녹으면서 차가워진다.

이 실험에 대한 설명으로 옳은 것만을 〈보기〉에서 있는 대로 고른 것은?

보기

ㄱ. (나)에서 지퍼 백 내부에는 기체가 발생한다.

ㄴ. (나)에서 일어나는 반응은 흡열 반응이다.

ㄷ. NH_4NO_3이 물에 녹을 때 열을 방출한다.

① ㄱ ② ㄴ ③ ㄱ, ㄷ ④ ㄴ, ㄷ ⑤ ㄱ, ㄴ, ㄷ

12 표는 2가지 고체 물질 1몰이 물에 녹을 때 출입하는 열량과 화학식량에 대한 자료이다.

물질	염화 칼륨(KCl)	수산화 나트륨(NaOH)
열량	17.2 kJ/mol 흡수	44.5 kJ/mol 방출
화학식량	74.5	40

이에 대한 설명으로 옳은 것만을 〈보기〉에서 있는 대로 고른 것은?

보기

ㄱ. KCl이 물에 녹을 때 용액의 온도는 높아진다.

ㄴ. 같은 질량의 물에 각 물질 1몰을 녹일 때, 온도 변화는 NaOH이 KCl보다 크다.

ㄷ. 각 물질 1 g이 물에 녹을 때 출입하는 열량의 크기는 KCl이 NaOH보다 크다.

① ㄱ ② ㄴ ③ ㄱ, ㄷ ④ ㄴ, ㄷ ⑤ ㄱ, ㄴ, ㄷ

1 화학 반응에서 동적 평형

01 가역 반응과 동적 평형

1. 가역 반응과 비가역 반응

구분	가역 반응	비가역 반응
정의	반응 조건에 따라 정반응과 역반응이 모두 일어날 수 있는 반응	정반응만 일어나거나 역반응이 거의 일어나지 않는 반응
예	물의 증발과 응축, 염화 코발트 육수화물의 생성과 분해, 황산 구리(Ⅱ) 오수화물의 생성과 분해 등	연소 반응, 앙금 생성 반응, 기체 발생 반응, 중화 반응 등

2. 동적 평형

상평형	액체의 증발 속도와 기체의 응축 속도가 같아서 겉으로 보기에 변화가 일어나지 않는 상태
용해 평형	용질의 용해 속도와 석출 속도가 같아서 겉으로 보기에 용해가 일어나지 않는 것처럼 보이는 상태
화학 평형	가역 반응에서 정반응 속도와 역반응 속도가 같아서 반응물의 농도와 생성물의 농도가 일정하게 유지되어 겉으로 보기에 반응이 정지된 것처럼 보이는 상태

02 물의 자동 이온화와 pH

1. 물의 자동 이온화: 순수한 물에서 매우 적은 양의 물 분자끼리 H^+을 주고 받아 이온화하는 현상

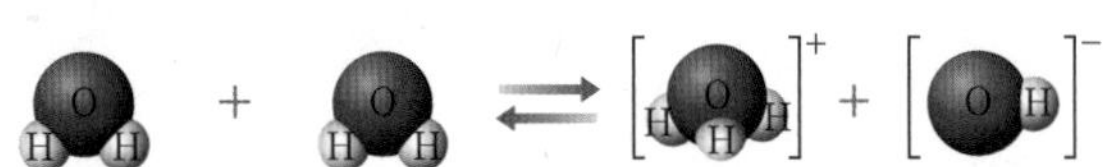

2. 물의 이온화 상수(K_W): 물이 자동 이온화하여 동적 평형에 도달했을 때 $[H_3O^+]$와 $[OH^-]$의 곱으로, 25 ℃에서 그 값은 1×10^{-14}이다.

3. 수소 이온 농도 지수(pH)

① **pH:** 수용액의 $[H_3O^+]$를 간단하게 나타내기 위해 사용하는 값

② **pH와 pOH의 관계:** pH+pOH=14(25 ℃)

③ **수용액의 액성과 pH, pOH**(25 ℃)

산성	$[H_3O^+]>1\times10^{-7}>[OH^-]$ ➡ pH<7
중성	$[H_3O^+]=1\times10^{-7}=[OH^-]$ ➡ pH=7
염기성	$[H_3O^+]<1\times10^{-7}<[OH^-]$ ➡ pH>7

03 산 염기의 성질 및 정의

1. 아레니우스 산 염기

산	물에 녹아 H^+을 내놓는 물질
염기	물에 녹아 OH^-을 내놓는 물질

2. 브뢴스테드·로리 산 염기

산	다른 물질에게 H^+을 내놓는 물질
염기	다른 물질로부터 H^+을 받는 물질
양쪽성 물질	조건에 따라 산으로도 작용할 수 있고, 염기로도 작용할 수 있는 물질
짝산-짝염기	H^+의 이동에 따라 산과 염기가 되는 한 쌍의 산과 염기 예 $NH_3+H_2O \rightleftarrows NH_4^++OH^-$ (짝산-짝염기: NH_3-NH_4^+, H_2O-OH^-)

04 산 염기의 중화 반응

1. 중화 반응: 산과 염기가 반응하여 물과 염을 생성하는 반응

① **염:** 산의 음이온과 염기의 양이온이 결합하여 생성된 물질

② **알짜 이온 반응식**

$$H^+(aq)+OH^-(aq) \longrightarrow H_2O(l)$$

③ **구경꾼 이온:** 반응에 참여하지 않고 반응 후에도 그대로 남아 있는 이온

2. 중화 반응의 양적 관계

① H^+과 OH^-은 1 : 1의 몰비로 반응한다.

② 산과 염기가 완전히 중화되려면 산이 내놓은 H^+의 양(mol)과 염기가 내놓은 OH^-의 양(mol)이 같아야 한다.

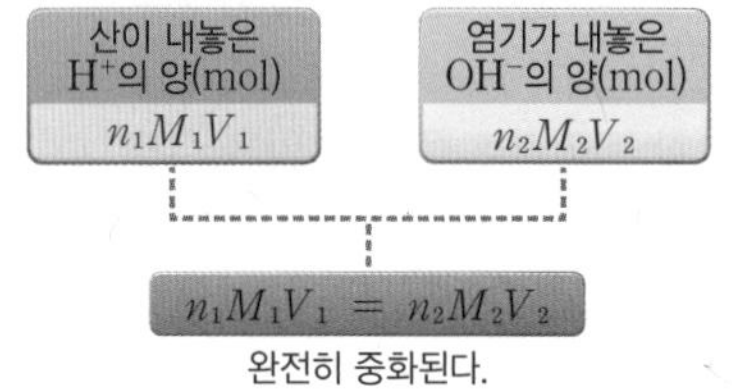

3. 중화 적정

① **중화 적정:** 중화 반응의 양적 관계를 이용하여 농도를 모르는 산이나 염기의 농도를 알아내는 방법

② **중화점:** 산의 H^+의 양(mol)과 염기의 OH^-의 양(mol)이 같아져 완전히 중화된 지점

2 화학 반응과 열의 출입

01 산화 환원 반응

1. 산화 환원 반응

① 정의

구분	산화	환원
산소의 이동	산소를 얻는 반응	산소를 잃는 반응
	예 $Fe_2O_3(s) + 3CO(g) \longrightarrow 2Fe(s) + 3CO_2(g)$ (산화 철(Ⅲ), 일산화 탄소, 철, 이산화 탄소; CO → CO_2: 산소 얻음(산화), Fe_2O_3 → Fe: 산소 잃음(환원))	
전자의 이동	전자를 잃는 반응	전자를 얻는 반응
	예 $2Ag^+(aq) + Cu(s) \longrightarrow 2Ag(s) + Cu^{2+}(aq)$ (Cu → Cu^{2+}: 전자 잃음(산화), Ag^+ → Ag: 전자 얻음(환원))	
산화수의 변화	산화수가 증가하는 반응	산화수가 감소하는 반응
	예 $\overset{+3}{Fe_2}O_3(s) + 3\overset{+2}{C}O(g) \longrightarrow 2\overset{0}{Fe}(s) + 3\overset{+4}{C}O_2(g)$ (C: 산화수 증가(산화), Fe: 산화수 감소(환원))	

② 산화 환원은 항상 동시에 일어난다.

2. 산화수: 어떤 물질에서 각 원자가 어느 정도 산화되었는지를 나타내는 가상적인 전하

이온 결합 물질	물질을 구성하는 이온의 전하 예 NaCl: Na의 산화수는 +1, Cl의 산화수는 −1
공유 결합 물질	전기 음성도가 큰 원자가 공유 전자쌍을 모두 가진다고 가정할 때 그 원자의 전하 예 NH_3: 전기 음성도가 N>H 이므로 N의 산화수는 −3, H의 산화수는 +1

3. 산화수를 정하는 규칙

❶ 원소에서 각 원자의 산화수는 0이다.
❷ 일원자 이온의 산화수는 그 이온의 전하와 같다.
❸ 1족 금속 원소의 산화수는 +1, 2족 금속 원소의 산화수는 +2이다.
❹ 플루오린의 산화수는 −1이다.
❺ 화합물에서 수소의 산화수는 일반적으로 +1이다. 단, 금속과 결합한 수소의 산화수는 −1이다.
❻ 화합물에서 산소의 산화수는 일반적으로 −2이다. 단, 플루오린 화합물에서는 +2, 과산화물에서는 −1이다.
❼ 화합물에서 각 원자의 산화수의 합은 0이다.
❽ 다원자 이온은 각 원자의 산화수 합이 그 이온의 전하와 같다.

4. 산화제와 환원제

구분	산화제	환원제
정의	자신은 환원되면서 다른 물질을 산화시키는 물질	자신은 산화되면서 다른 물질을 환원시키는 물질
예	$\overset{0}{Mg}(s) + \overset{0}{S}(s) \longrightarrow \overset{+2}{Mg}\overset{-2}{S}(s)$ (Mg: 환원제, 산화; S: 산화제, 환원)	
상대적 세기	같은 물질이라도 어떤 물질과 반응하는지에 따라 산화제로 작용할 수도 있고 환원제로 작용할 수도 있다.	

5. 산화 환원 반응식: 산화된 물질의 증가한 산화수와 환원된 물질의 감소한 산화수가 같다는 성질을 이용하여 산화 환원 반응식을 완성할 수 있으며, 이를 통해 산화나 환원에 필요한 환원제나 산화제의 양(mol)을 구할 수 있다.

02 화학 반응에서 열의 출입

1. 발열 반응과 흡열 반응

구분	발열 반응	흡열 반응
정의	화학 반응이 일어날 때 열을 방출하는 반응	화학 반응이 일어날 때 열을 흡수하는 반응
에너지 관계	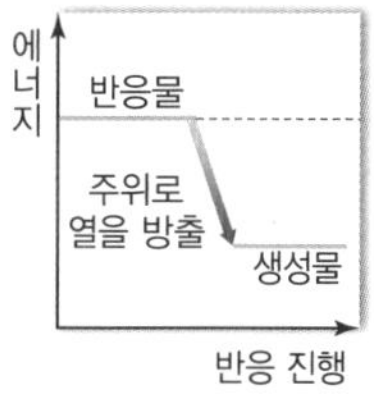 (그래프: 에너지 / 반응 진행; 반응물 → 생성물, 주위로 열을 방출)	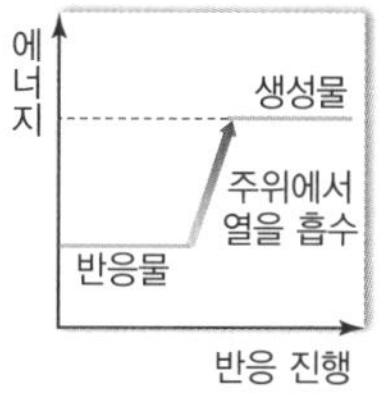 (그래프: 에너지 / 반응 진행; 반응물 → 생성물, 주위에서 열을 흡수)
온도 변화	주위의 온도가 높아짐	주위의 온도가 낮아짐

2. 화학 반응에서 출입하는 열의 측정

구분	간이 열량계	통열량계
구조	 (그림: 온도계, 젓개, 물, 스타이로폼 컵)	 (그림: 점화선, 온도계, 젓개, 단열 용기, 강철 용기, 물, 강철 통, 시료 접시)
특징	구조가 간단하여 사용하기 쉬우나 열손실이 있다.	단열이 잘 되어 열 손실이 거의 없다.
열량	$Q = cm\Delta t$	$Q = cm\Delta t + C\Delta t$

한번에 끝내는 대단원 문제

정답과 해설 101쪽

01 다음은 아이오딘(I_2)의 승화 과정을 화학 반응식으로 나타낸 것이다.

$$I_2(s) \rightleftharpoons I_2(g)$$

그림은 동위 원소 ^{127}I과 ^{131}I로 이루어진 I_2이 각각 용기 Ⅰ과 용기 Ⅱ에 들어 있는 상태를 나타낸 것이다.

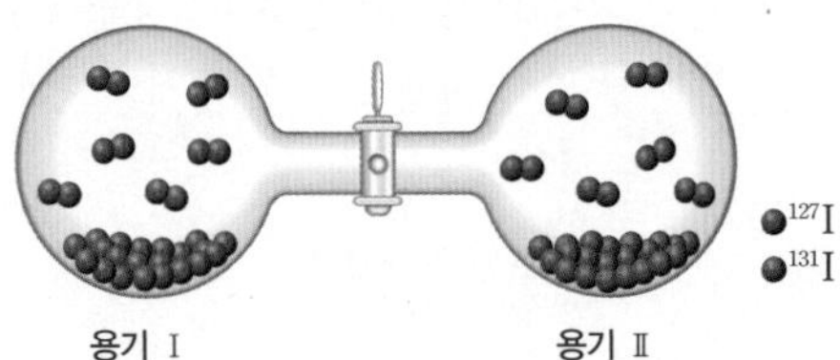

꼭지를 열고 충분한 시간이 지난 후, 용기 Ⅰ에 존재하는 입자로 옳은 것만을 〈보기〉에서 있는 대로 고른 것은?

보기
ㄱ. $^{127}I_2(s)$　　ㄴ. $^{127}I_2(g)$
ㄷ. $^{131}I_2(s)$　　ㄹ. $^{131}I_2(g)$

① ㄱ, ㄷ　② ㄴ, ㄹ　③ ㄱ, ㄴ, ㄹ
④ ㄴ, ㄷ, ㄹ　⑤ ㄱ, ㄴ, ㄷ, ㄹ

고난도

02 다음은 기체 X와 기체 Y가 반응하여 기체 Z를 생성하는 반응의 화학 반응식이다.

$$X(g)+3Y(g) \rightleftharpoons 2Z(g)$$

그림은 일정한 온도에서 1 L의 강철 용기에 X와 Y를 각각 1몰씩 넣고 반응시켰을 때 시간에 따른 Z의 몰 농도를 나타낸 것이다.

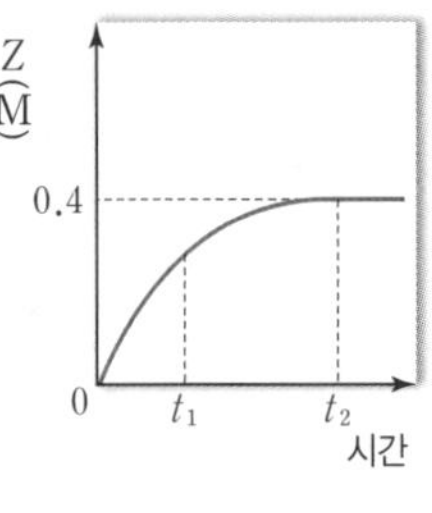

이에 대한 설명으로 옳은 것만을 〈보기〉에서 있는 대로 고른 것은? (단, 온도는 일정하다.)

보기
ㄱ. 역반응의 속도는 t_1일 때가 t_2일 때보다 빠르다.
ㄴ. t_2일 때는 정반응 속도와 역반응 속도가 같다.
ㄷ. t_2일 때 $\frac{[X]}{[Y]}=2$이다.

① ㄱ　② ㄷ　③ ㄱ, ㄴ
④ ㄴ, ㄷ　⑤ ㄱ, ㄴ, ㄷ

03 그림은 묽은 염산($HCl(aq)$)에 아연(Zn)판을 넣었을 때 금속 표면에서 일어나는 변화를 모형으로 나타낸 것이다.

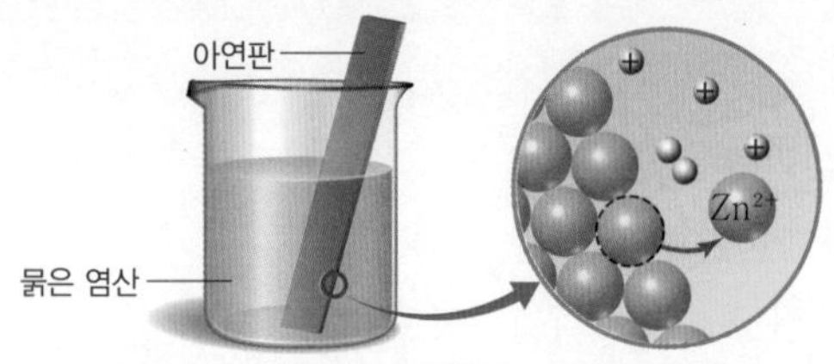

이 반응이 일어날 때에 대한 설명으로 옳은 것만을 〈보기〉에서 있는 대로 고른 것은? (단, 온도는 25 ℃로 일정하다.)

보기
ㄱ. 수용액의 pH는 증가한다.
ㄴ. 수용액의 $\frac{[OH^-]}{[H_3O^+]}$는 증가한다.
ㄷ. $\frac{\text{양이온의 수}}{Cl^-\text{의 수}}$는 감소한다.

① ㄱ　② ㄷ　③ ㄱ, ㄴ
④ ㄴ, ㄷ　⑤ ㄱ, ㄴ, ㄷ

04 표는 25 ℃에서 수용액 (가)~(다)의 pH를 나타낸 것이다.

수용액	(가)	(나)	(다)
pH	5	7	9

이에 대한 설명으로 옳은 것만을 〈보기〉에서 있는 대로 고른 것은?

보기
ㄱ. $[H_3O^+]$는 (가)가 (나)의 100배이다.
ㄴ. (나)에서 $[H_3O^+]$는 $[OH^-]$와 같다.
ㄷ. (다)에서 $\frac{[OH^-]}{[H_3O^+]}=1000$이다.

① ㄱ　② ㄷ　③ ㄱ, ㄴ
④ ㄴ, ㄷ　⑤ ㄱ, ㄴ, ㄷ

05 표는 25 ℃에서 2가지 수용액에 대한 자료이다.

수용액	(가)	(나)
용질의 종류	HCl	NaOH
용질의 양(mol)	0.1	y
부피(L)	1	0.1
pH	x	12

$\frac{x}{y}$는? (단, HCl과 NaOH은 수용액에서 완전히 이온화하며, 25 ℃에서 물의 이온화 상수 $K_w = 1\times10^{-14}$이다.)

① $\frac{1}{10}$ ② 1 ③ 10
④ 100 ⑤ 1000

06 다음은 3가지 산 염기 반응의 화학 반응식이다.

(가) $HCN(g) + H_2O(l) \longrightarrow H_3O^+(aq) + CN^-(aq)$
(나) $(CH_3)_3N(g) + HF(aq) \longrightarrow (CH_3)_3NH^+(aq) + F^-(aq)$
(다) $H_3O^+(aq) + OH^-(aq) \longrightarrow 2H_2O(l)$

(가)~(다)에서 브뢴스테드·로리 염기로 작용한 물질을 옳게 짝 지은 것은?

	(가)	(나)	(다)
①	HCN	$(CH_3)_3N$	H_3O^+
②	HCN	HF	OH^-
③	H_2O	$(CH_3)_3N$	H_3O^+
④	H_2O	$(CH_3)_3N$	OH^-
⑤	H_2O	HF	H_3O^+

07 그림은 일정한 온도에서 수용액 (가)와 (나)가 반응하여 수용액 (다)로 되는 과정을 모형으로 나타낸 것이다.

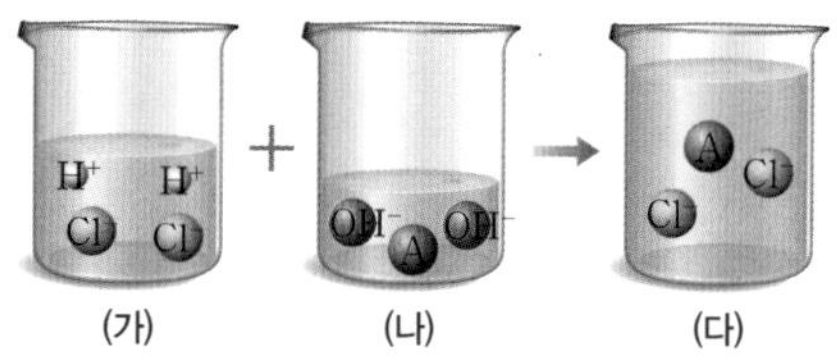

이에 대한 설명으로 옳은 것만을 〈보기〉에서 있는 대로 고른 것은?

보기
ㄱ. 알짜 이온 반응식은 $H^+ + OH^- \longrightarrow H_2O$이다.
ㄴ. 단위 부피당 Cl^-의 수는 (가)가 (다)보다 크다.
ㄷ. $\frac{[OH^-]}{[H_3O^+]}$는 (나)가 (다)보다 크다.

① ㄱ ② ㄴ ③ ㄱ, ㄷ
④ ㄴ, ㄷ ⑤ ㄱ, ㄴ, ㄷ

08 그림은 분자 (가)와 관련된 반응 ㉠과 ㉡을 나타낸 것이다.

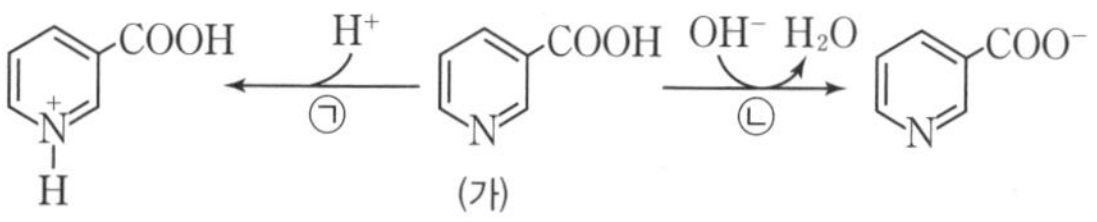

COOH ← H^+ ㉠ — COOH (가) — OH^- H_2O ㉡ → COO^-
(N, H)

이에 대한 설명으로 옳은 것만을 〈보기〉에서 있는 대로 고른 것은?

보기
ㄱ. ㉠에서 (가)는 브뢴스테드·로리 산으로 작용한다.
ㄴ. ㉡에서 (가)는 브뢴스테드·로리 염기로 작용한다.
ㄷ. (가)는 양쪽성 물질이다.

① ㄱ ② ㄷ ③ ㄱ, ㄴ
④ ㄴ, ㄷ ⑤ ㄱ, ㄴ, ㄷ

고난도

09 그림은 x M 염산(HCl(aq)) 10.0 mL에 0.1 M 수산화 나트륨(NaOH) 수용액을 넣을 때, 넣어 준 NaOH(aq)의 부피에 따른 2가지 이온 ㉠, ㉡의 양(mol)을 나타낸 것이다.

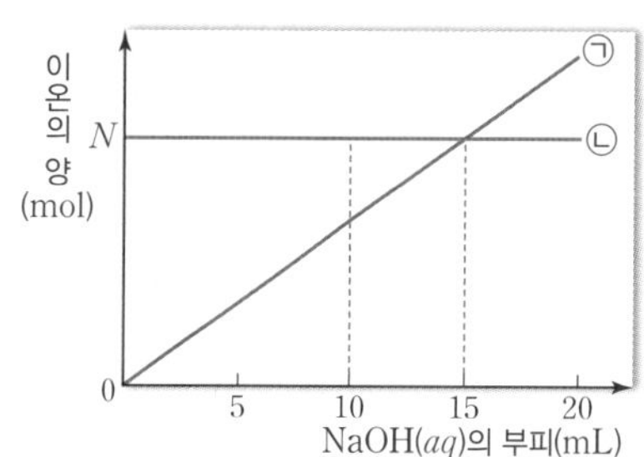

이에 대한 설명으로 옳은 것만을 〈보기〉에서 있는 대로 고른 것은?

보기
ㄱ. ㉡은 구경꾼 이온이다.
ㄴ. NaOH(aq) 10 mL를 넣은 혼합 용액에서 ㉠의 수는 H^+ 수의 2배이다.
ㄷ. $N = 1.5\times10^{-3}$이다.

① ㄱ ② ㄷ ③ ㄱ, ㄴ
④ ㄴ, ㄷ ⑤ ㄱ, ㄴ, ㄷ

10 다음은 철과 관련된 반응의 화학 반응식이다.

(가) $Fe + Cu^{2+} \longrightarrow Fe^{2+} + Cu$
(나) $Fe_2O_3 + 3CO \longrightarrow 2Fe + 3CO_2$
(다) $4Fe(OH)_2 + O_2 + 2H_2O \longrightarrow 4Fe(OH)_3$

이에 대한 설명으로 옳은 것만을 〈보기〉에서 있는 대로 고른 것은?

〈보기〉
ㄱ. (가)에서 Fe은 산화제이다.
ㄴ. (나)에서 C의 산화수는 2만큼 증가한다.
ㄷ. (다)에서 H_2O은 환원된다.

① ㄱ ② ㄴ ③ ㄱ, ㄷ
④ ㄴ, ㄷ ⑤ ㄱ, ㄴ, ㄷ

고난도

11 그림은 $A(NO_3)_2(aq)$에 같은 질량의 금속 B, C를 차례대로 넣어 모두 반응시켰을 때, 수용액 속 음이온 수와 양이온 수의 비율을 나타낸 것이다. (가)~(다)에서 양이온의 종류는 각각 1가지이다.

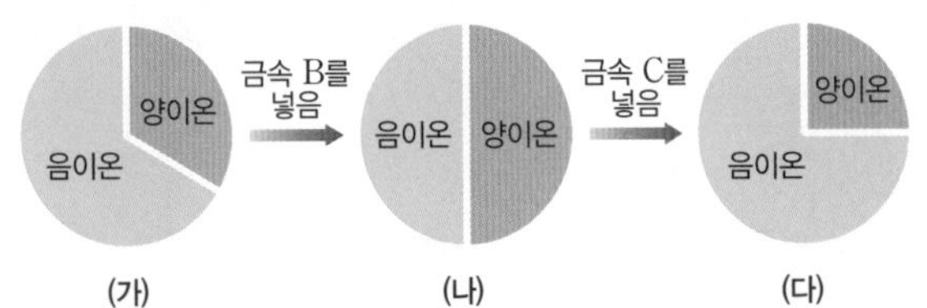

이에 대한 설명으로 옳은 것만을 〈보기〉에서 있는 대로 고른 것은? (단, 음이온은 반응에 참여하지 않는다.)

〈보기〉
ㄱ. 양이온 수는 (가)에서가 (다)에서의 1.5배이다.
ㄴ. $\frac{\text{C 이온의 산화수}}{\text{A 이온의 산화수}}=2$이다.
ㄷ. $\frac{\text{C의 원자량}}{\text{B의 원자량}}=3$이다.

① ㄱ ② ㄴ ③ ㄱ, ㄷ
④ ㄴ, ㄷ ⑤ ㄱ, ㄴ, ㄷ

12 다음은 탄산수소 나트륨($NaHCO_3$)의 분해 반응의 화학 반응식이다.

$$2NaHCO_3 \xrightarrow{\text{열에너지}} Na_2CO_3 + H_2O + \boxed{X}$$

이 반응에 대한 설명으로 옳은 것만을 〈보기〉에서 있는 대로 고른 것은?

〈보기〉
ㄱ. X는 CO_2이다.
ㄴ. 흡열 반응이다.
ㄷ. 에너지 총합은 생성물이 반응물보다 크다.

① ㄱ ② ㄴ ③ ㄱ, ㄷ
④ ㄴ, ㄷ ⑤ ㄱ, ㄴ, ㄷ

13 그림은 20 ℃의 물 100 g이 들어 있는 간이 열량계를 나타낸 것이고, 표는 열량계에 20 ℃의 A(s)와 B(s)를 각각 녹였을 때의 자료이다.

수용액	용질의 질량(g)		최종 온도 (℃)
	A(s)	B(s)	
(가)	1	0	22
(나)	0	1	19

이에 대한 설명으로 옳은 것만을 〈보기〉에서 있는 대로 고른 것은?

〈보기〉
ㄱ. A(s)가 물에 녹는 반응은 발열 반응이다.
ㄴ. B(s)가 물에 녹는 동안 주위의 온도는 낮아진다.
ㄷ. B(s)의 용해 반응은 휴대용 손난로에 이용할 수 있다.

① ㄱ ② ㄷ ③ ㄱ, ㄴ
④ ㄴ, ㄷ ⑤ ㄱ, ㄴ, ㄷ

서술형

14 다음은 물의 상평형에 대한 실험이다.

실험 과정

(가) 밀폐된 용기에 일정량의 물을 넣고 수면의 높이를 관찰한다.

(나) 수면의 높이가 일정하게 유지되면 용기에 동위 원소 ^{18}O가 포함된 수증기를 조금 넣는다.

(다) 어느 정도 시간이 지난 다음 용기 속 물, 수증기에 ^{18}O가 포함되어 있는지 조사한다.

실험 결과

㉠

㉠을 예측하고, 그 까닭을 서술하시오.

서술형

15 그림은 x M 묽은 염산(HCl(aq)) 20 mL에 0.2 M 수산화 나트륨(NaOH) 수용액을 넣을 때, 넣어 준 NaOH(aq)의 부피에 따라 생성된 물 분자 수를 상댓값으로 나타낸 것이다.

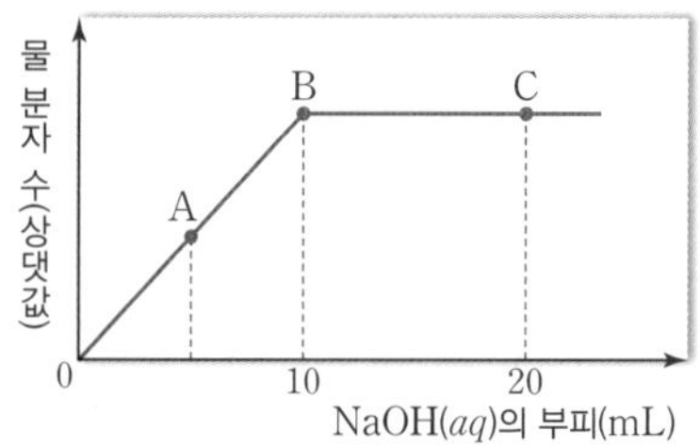

(1) 혼합 용액 A~C에 BTB 용액을 떨어뜨렸을 때 혼합 용액의 색을 쓰고, 그 까닭을 서술하시오.

(2) 묽은 염산의 몰 농도(x)를 구하시오.

서술형

16 다음은 과망가니즈산 이온(MnO_4^-)과 옥살산($H_2C_2O_4$)의 완성되지 않은 산화 환원 반응식이다.

$$H_2C_2O_4(aq) + MnO_4^-(aq) + H^+(aq) \longrightarrow Mn^{2+}(aq) + H_2O(l) + CO_2(g)$$

(1) 위의 산화 환원 반응식을 완성하고, 과정과 함께 서술하시오.

(2) MnO_4^- 1몰이 모두 반응했을 때 생성되는 이산화 탄소의 양(mol)을 구하시오.

17 다음은 통열량계를 사용하여 나프탈렌 1몰이 연소할 때 발생하는 열량을 구하는 실험 과정이다.

실험 과정

(가) 열용량이 2 kJ/℃인 열량계 속 시료 용기에 나프탈렌 1 g을 넣고, 물 1000 g을 채운다.

(나) 물의 처음 온도를 측정한 다음, 점화 장치로 나프탈렌을 완전 연소시킨다.

(다) 반응이 끝난 후 물의 최고 온도를 측정한다.

나프탈렌 1몰이 연소할 때 방출하는 열을 구하기 위해 위 실험에서 측정한 값 이외에 필요한 자료를 모두 쓰시오.

주기＼족	1	2	3	4	5	6	7	8	9	10	11	12	13	14	15	16	17	18
1	1 H 수소 1.008																	2 He 헬륨 4.0026
2	3 Li 리튬 6.94	4 Be 베릴륨 9.0122											5 B 붕소 10.81	6 C 탄소 12.011	7 N 질소 14.007	8 O 산소 15.999	9 F 플루오린 18.998	10 Ne 네온 20.180
3	11 Na 나트륨 22.990	12 Mg 마그네슘 24.305											13 Al 알루미늄 26.982	14 Si 규소 28.085	15 P 인 30.974	16 S 황 32.06	17 Cl 염소 35.45	18 Ar 아르곤 39.948
4	19 K 칼륨 39.098	20 Ca 칼슘 40.078(4)	21 Sc 스칸듐 44.956	22 Ti 타이타늄 47.867	23 V 바나듐 50.942	24 Cr 크로뮴 51.996	25 Mn 망가니즈 54.938	26 Fe 철 55.845(2)	27 Co 코발트 58.933	28 Ni 니켈 58.693	29 Cu 구리 63.546(3)	30 Zn 아연 65.38(2)	31 Ga 갈륨 69.723	32 Ge 저마늄 72.630(8)	33 As 비소 74.922	34 Se 셀레늄 78.971(8)	35 Br 브로민 79.904	36 Kr 크립톤 83.798(2)
5	37 Rb 루비듐 85.468	38 Sr 스트론튬 87.62	39 Y 이트륨 88.906	40 Zr 지르코늄 91.224(2)	41 Nb 나이오븀 92.906	42 Mo 몰리브데넘 95.95	43 Tc 테크네튬	44 Ru 루테늄 101.07(2)	45 Rh 로듐 102.91	46 Pd 팔라듐 106.42	47 Ag 은 107.87	48 Cd 카드뮴 112.41	49 In 인듐 114.82	50 Sn 주석 118.71	51 Sb 안티모니 121.76	52 Te 텔루륨 127.60(3)	53 I 아이오딘 126.90	54 Xe 제논 131.29
6	55 Cs 세슘 132.91	56 Ba 바륨 137.33	57~71 란타넘족	72 Hf 하프늄 178.49(2)	73 Ta 탄탈럼 180.95	74 W 텅스텐 183.84	75 Re 레늄 186.21	76 Os 오스뮴 190.23(3)	77 Ir 이리듐 192.22	78 Pt 백금 195.08	79 Au 금 196.97	80 Hg 수은 200.59	81 Tl 탈륨 204.38	82 Pb 납 207.2	83 Bi 비스무트 208.98	84 Po 폴로늄	85 At 아스타틴	86 Rn 라돈
7	87 Fr 프랑슘	88 Ra 라듐	89~103 악티늄족	104 Rf 러더포듐	105 Db 더브늄	106 Sg 시보귬	107 Bh 보륨	108 Hs 하슘	109 Mt 마이트너륨	110 Ds 다름슈타튬	111 Rg 뢴트게늄	112 Cn 코페르니슘	113 Nh 니호늄	114 Fl 플레로븀	115 Mc 모스코븀	116 Lv 리버모륨	117 Ts 테네신	118 Og 오가네손

57 La 란타넘 138.91	58 Ce 세륨 140.12	59 Pr 프라세오디뮴 140.91	60 Nd 네오디뮴 144.24	61 Pm 프로메튬	62 Sm 사마륨 150.36(2)	63 Eu 유로퓸 151.96	64 Gd 가돌리늄 157.25(3)	65 Tb 터븀 158.93	66 Dy 디스프로슘 162.50	67 Ho 홀뮴 164.93	68 Er 어븀 167.26	69 Tm 툴륨 168.93	70 Yb 이터븀 173.05	71 Lu 루테튬 174.97
89 Ac 악티늄	90 Th 토륨 232.04	91 Pa 프로트악티늄 231.04	92 U 우라늄 238.03	93 Np 넵투늄	94 Pu 플루토늄	95 Am 아메리슘	96 Cm 퀴륨	97 Bk 버클륨	98 Cf 캘리포늄	99 Es 아인슈타이늄	100 Fm 페르뮴	101 Md 멘델레븀	102 No 노벨륨	103 Lr 로렌슘

금속

준금속

비금속

11 — 원자 번호

Na — 원소 기호

나트륨 — 원소 이름

22.990 — 표준 원자량

실온(25 ℃)에서 검은색 글씨의 원소는 고체, 빨간색 글씨의 원소는 액체,
파란색 글씨의 원소는 기체 상태이다.

지학사

개념 학습과 정리가 한번에 끝나는 기본서

개념풀

화학 I

정답과 해설

개념 학습과 정리가 한번에 끝나는 기본서

화학 I

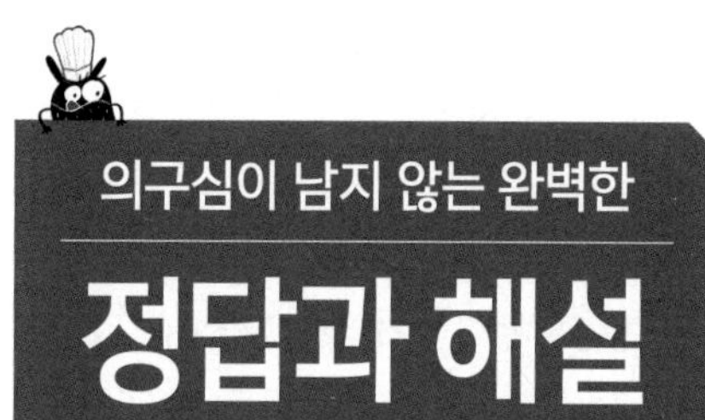

1 »» 화학과 우리 생활

01 ~ 화학의 유용성

콕콕! 개념 확인하기 013쪽

✓ 잠깐 확인!

1 암모니아 2 살충제 3 합성 섬유 4 나일론 5 합성염료 6 철 7 시멘트

01 (1) × (2) ○ (3) ○ 02 ㄴ, ㄷ 03 합성 섬유 04 (1) ㉢ (2) ㉠ (3) ㉡ 05 ㉠ 철근, ㉡ 알루미늄

02 ㄱ. 화학 비료가 개발되기 전에는 식물의 퇴비나 동물의 분뇨와 같은 천연 비료가 사용되었다.

05 콘크리트 속에 철근을 넣어 콘크리트의 강도를 높인 건축 재료는 철근 콘크리트이고, 산화 알루미늄 광석인 보크사이트를 가열하여 액체 상태로 녹인 후 전기 분해하여 얻은 금속은 알루미늄이다.

탄탄! 내신 다지기 014쪽~015쪽

01 ② 02 ④ 03 암모니아 04 ⑤ 05 ③ 06 ②
07 ㉠ 나일론 ㉡ 폴리에스터 08 ② 09 콘크리트 10 ③
11 ㉠ 코크스, ㉡ 철근 콘크리트 12 ④

01 | 선택지 분석 |

① 살충제 개발
➡ 잡초나 해충의 피해가 줄어 농산물의 질이 향상되었다.

②✓ 제초제 ~~과다~~ 적당량 투여
➡ 제초제를 과다 투여할 경우 토양 생태계를 파괴하고 지하수나 강을 오염시킨다.

③ 철제 농기구 이용
➡ 철제 농기구를 사용함으로써 농업 생산성이 향상되었다.

④ 질소 비료의 합성
➡ 식물 생장에 꼭 필요한 원소를 포함한 인공 비료를 개발함으로써 농업 생산량이 증대되었다.

⑤ 비료의 대량 생산 공정 기술
➡ 질소 비료의 대량 합성이 가능해짐으로써 식량 문제를 해결할 수 있게 되었다.

02 | 선택지 분석 |

① 질소이다.
➡ 암모니아를 구성하는 원소는 질소와 수소이다. 따라서 ㉠은 질소(N_2)이다.

② 공기 성분 중 하나이다.
➡ 질소는 공기 중 78%를 차지하는 기체이다.

③ 식물 생장에 꼭 필요한 원소이다.
➡ 식물의 단백질의 구성 원소로 질소는 꼭 필요한 원소이다.

④✓ ~~생명체의 호흡~~에 의해 발생되는 기체이다.
➡ 생명체의 호흡에 의해 발생되는 기체는 이산화 탄소이다.

⑤ 식물의 퇴비나 동물의 분뇨에 포함된 원소이다.
➡ 식물의 퇴비나 동물의 분뇨에는 질소(N) 원소가 포함되어 있다.

03 1906년 하버는 공기 중의 질소를 수소와 반응시켜 암모니아를 대량으로 합성하는 제조 공정을 개발함으로써 화학 비료를 대량 생산하게 되어 농업 생산량이 증대되었다.

04 | 선택지 분석 |

㉠ 하버에 의해 합성 방법이 개발되었다.
➡ 암모니아는 1906년 하버에 의해 제조 공정이 개발되었다.

㉡ 공기 중의 질소를 수소와 반응시켜 합성한다.
➡ 하버는 공기 중의 질소를 수소와 반응시켜 암모니아를 합성하였다.

㉢ 인공 합성으로 식량 생산 증대에 큰 공헌을 하였다.
➡ 질소 비료의 인공 합성으로 화학 비료를 대량으로 생산하게 되어 농업 생산량이 증대되었다.

05 | 선택지 분석 |

① 슈퍼 섬유 개발
➡ 고강도, 고탄성의 특성을 지닌 섬유가 개발되었다.

② 화석 연료로 합성 섬유 개발
➡ 화석 연료를 원료로 하여 질기고 값이 싸며 대량 생산이 쉬운 합성 섬유를 개발하였다.

③✓ 식물에서 얻은 ~~천연 섬유~~ 의복 제작
➡ 식물에서 얻은 면이나 마, 동물에서 얻은 비단과 같은 천연 섬유는 과거부터 사용되었으며 의류 문제를 해결한 화학의 역할에 해당하지 않는다.

④ 기능성 섬유를 이용한 기능성 의복 개발
➡ 기능성 섬유나 첨단 소재의 섬유를 이용한 다양한 기능성 의복이 개발되었다.

⑤ 합성염료 개발로 다양한 색깔의 섬유 제작
➡ 합성염료 개발로 원하는 색깔의 섬유와 옷감을 만들게 되었다.

06 | 선택지 분석 |

① 나일론은 최초의 합성 섬유이다.
➡ 나일론은 1937년 미국의 캐러더스가 개발한 최초의 합성 섬유이다.

②✓ ~~나일론~~ 폴리아크릴은 소방복에 적합한 합성 섬유이다.
➡ 나일론은 질기고 유연하며 신축성이 좋지만 열에 약하므로 소방복에 적합하지 않다.

③ 합성 섬유는 값이 싸고 대량 생산이 쉽다.
➡ 합성 섬유는 공정 개발을 통해 값이 싸고 대량 생산이 쉽다.

④ 폴리에스터는 가장 널리 사용되는 합성 섬유이다.
➡ 폴리에스터는 강하고 탄성과 신축성이 좋아 잘 구겨지지 않으므로 가장 널리 사용되는 합성 섬유이다.

⑤ 합성 섬유가 개발되면서 천연 섬유의 문제점을 보완하게 되었다.

➡ 합성 섬유는 천연 섬유의 문제점을 보완하고 값이 싸고 질 좋은 섬유의 대량 생산이 가능하게 되었다.

07 1937년 미국의 캐러더스는 최초의 합성 섬유인 나일론을 합성하였고, 폴리에스터는 강하고 탄성과 신축성이 좋아 가장 널리 사용되는 합성 섬유이다.

08 | **선택지 분석** |

✕ (가)는 대량 생산이 ~~가능~~(불가능)하다.

➡ (가)는 천연 섬유로서 대량 생산이 불가능하다.

✕ (나)는 ~~쉽게 닳고~~(질기고) 가격이 ~~비싸다~~(싸다).

➡ (나)는 합성 섬유로서 질기고 값이 싸다.

㉢ (나)는 (가)에 비해 질기고 신축성이 좋다.

➡ 합성 섬유인 나일론은 천연 섬유인 면에 비해 질기고 값이 싸며 신축성이 좋다.

09 콘크리트는 모래와 자갈 등에 시멘트를 섞어 반죽한 건축 재료이며, 이러한 콘크리트 속에 철근을 넣어 콘크리트의 강도를 높인 건축 재료는 철근 콘크리트로 대규모 건축물에 이용된다.

10 | **선택지 분석** |

㉠ 화석 연료는 가정에서 난방과 조리 등의 연료로 이용된다.

➡ 화석 연료는 가정에서 난방과 조리 등의 연료로 이용되며 인류 문명의 편리성을 가져왔다.

㉡ 단열재, 바닥재, 창틀 등 새로운 소재의 건축 재료가 개발되었다.

➡ 건축 재료의 성능이 점차 개량되고 단열재, 바닥재, 창틀, 외장재 등도 새로운 소재로 변화되고 있다.

✕ 나무, 흙, 돌과 같은 천연 재료 활용으로 대규모 건설이 가능해졌다.

➡ 나무, 흙, 돌과 같은 천연 재료를 이용하면 건축에 시간이 오래 걸리고 대규모 건축도 어렵다.

11 철은 산화 철이 주성분인 철광석을 코크스와 함께 용광로에서 높은 온도로 가열하여 얻는다. 이때 콘크리트 속에 철근을 넣어 강도를 높인 건축 재료는 철근 콘크리트로서 대규모 건축물에 이용된다.

12 | **선택지 분석** |

① 철

➡ 철광석을 코크스와 함께 용광로에서 높은 온도로 가열하여 얻으며, 단단하고 내구성이 뛰어나 현재 가장 많이 사용되는 금속이다.

② 시멘트

➡ 석회석을 가열해 생석회로 만든 후 점토를 섞은 건축 재료이다.

③ 콘크리트

➡ 모래와 자갈 등에 시멘트를 섞어 반죽한 건축 재료이다.

✓④ 알루미늄

➡ 산화 알루미늄 광석인 보크사이트를 가열하여 액체 상태로 녹인 후 전기 분해하여 얻으며, 가볍고 단단하여 창틀, 건물 외벽 등에 이용한다.

⑤ 스타이로폼

➡ 단열재로 이용하여 건물 내부의 열이 밖으로 빠져 나가는 것을 막아준다.

도전! 실력 올리기

016쪽~017쪽

01 ② **02** ② **03** ④ **04** ③ **05** ② **06** ②

07 ㉠ 염료, ㉡ 화석 연료

08 | **모범 답안** | 스타이로폼은 단열재로 건물 내부의 열이 빠져나가지 않게 하며, 철근 콘크리트는 철근에 콘크리트를 넣어 강도를 높인 것으로 튼튼하고 높은 건물을 지을 수 있다.

09 | **모범 답안** | 암모니아 합성을 통해 화학 비료를 대량 생산할 수 있었고, 살충제와 제초제가 개발되어 잡초와 해충으로부터 농작물을 보호할 수 있게 되었다. 또한, 비닐의 등장으로 계절과 관계없이 작물 재배가 가능해지면서 인류의 식량 문제를 해결할 수 있게 되었다.

01 | **선택지 분석** |

✕ ~~수소~~(질소)는 공기에서 무한정 얻을 수 있다.

➡ 공기에서 얻는 성분 기체는 질소이다.

㉡ 질소 비료를 대량 생산하는 공정 기술이다.

➡ 암모니아 합성법에 의해 질소 비료의 대량 생산이 가능하게 되었다.

✕ 수소 대신 ~~산소를~~ 넣어도 같은 질소 비료인 암모니아를 얻을 수 있다.

➡ 수소 대신 산소를 넣어 질소와 반응시키면 암모니아가 얻어지지 않고 질소 산화물이 얻어진다.

02 | **선택지 분석** |

✕ 맬서스의 인구론 주장이 ~~현실로~~ 드러났다.

➡ 맬서스의 인구론 주장은 틀린 것으로 드러났다.

㉡ 암모니아의 대량 합성으로 식량 부족이 해결되었다.

➡ 암모니아의 합성으로 화학 비료를 대량 생산하게 되어 농업 생산량이 증대되었다.

✕ 식량 부족 문제를 해결한 것은 가축의 분뇨와 식물의 퇴비이다.

➡ 가축의 분뇨나 식물의 퇴비에 의한 질소 비료의 한계점을 암모니아의 대량 합성을 통해 식량 부족 문제를 해결할 수 있었다.

03 | **선택지 분석** |

✕ 최초의 합성 섬유는 ~~폴리에스터~~(나일론)이다.

➡ 최초의 합성 섬유는 1937년 미국의 캐러더스가 개발한 나일론이다.

㉡ 천연 섬유에 비해 대량 생산이 가능하다.

➡ 천연 섬유에 비해 합성 섬유는 대량 생산이 쉽다.

㉢ 화학의 발달과 함께 다양한 기능의 의복 제작이 가능하게 되었다.
➡ 화학의 발달로 다양한 소재와 기능이 첨부된 섬유 제작이 가능하게 되었다.

04 | 선택지 분석 |

㉠ 최초의 합성염료이다.
➡ 모브는 영국의 퍼킨이 말라리아 치료제를 연구하던 중 발견한 최초의 합성염료이다.

㉡ 말라리아 치료제를 연구하던 중 발견되었다.
➡ 모브는 말라리아 치료제를 연구하던 중 영국의 퍼킨이 발견하였다.

✕ ~~일부 계층의 사람들만~~ 많은 사람들이 다양한 색깔의 옷을 입게 되었다.
➡ 합성염료의 개발로 많은 사람들이 다양한 색깔의 옷을 입을 수 있는 계기가 되었다.

05 | 선택지 분석 |

✕ 오래 유지될 정도로 튼튼하다.
➡ 천연 재료로 얻은 집은 오래 유지될 정도로 튼튼하지 못하다.

✕ 철근 콘크리트를 이용하여 지은 집에 비해 내구성이 ~~뛰어나다~~ 약하다.
➡ 철근 콘크리트를 이용하면 콘크리트의 강도를 높여 내구성이 뛰어나지만 움집은 그에 비해 내구성이 약한 천연 재료로 구성된 주택이다.

㉢ 인류는 화학 반응을 통해 천연 재료로, 얻은 집보다 쾌적한 주거 생활을 할 수 있는 건축 재료를 개발하였다.
➡ 인류는 화학 반응을 통해 얻게 된 새로운 건축 재료로, 천연 재료로 얻은 집보다 쾌적한 주거 생활을 할 수 있게 되었다.

06 폴리에스터는 가장 널리 사용되는 합성 섬유로서 잘 구겨지지 않는 특징이 있고 본격적인 합성 섬유의 시대를 열게 되었다. 한편 철은 철기 시대부터 농기구로 만들어 이용하면서 식량 생산량 증대에 영향을 주었고, 현재에는 건축물의 골조나 배관 등 건축 자재로 이용된다.

07 합성염료에 의해 다양한 색깔의 의류를 많은 사람들이 입을 수 있었고, 화석 연료를 가정에서 이용하게 되면서 안락한 주거생활을 누릴 수 있게 되었다.

08 스타이로폼은 단열재이고, 철근 콘크리트는 튼튼하고 높은 건물을 지을 수 있는 특징이 있다.

채점 기준	배점
인류의 주거 문제를 해결한 두 재료의 특징을 모두 옳게 서술한 경우	100 %
인류의 주거 문제를 해결한 두 재료의 특징 중 한 가지만을 옳게 서술한 경우	50 %

09 비닐의 등장으로 계절에 관계없이 작물 재배가 가능해지면서 인류의 식량 문제를 해결할 수 있게 되었다.

채점 기준	배점
인류의 식량 생산 문제를 해결한 근거를 3가지 모두 언급하여 옳게 서술한 경우	100 %
인류의 식량 생산 문제를 해결한 근거를 2가지 언급하여 옳게 서술한 경우	60 %
인류의 식량 생산 문제를 해결한 근거를 1가지 언급하여 옳게 서술한 경우	30 %

02 탄소 화합물의 유용성

개념POOL 022쪽

01 ① 메테인 ② 가정용 연료 등 ③ CH_3COOH ④ 에탄올 ⑤ CH_3COCH_3 ⑥ 매니큐어 제거제, 용매 등 **02** (1) ○ (2) ○ (3) × (4) ○

콕콕! 개념 확인하기 023쪽

✔ 잠깐 확인!
1 탄소 화합물 **2** 탄화수소 **3** 알코올 **4** 카복실산 **5** 아세톤 **6** 플라스틱 **7** 아스피린

01 (1) × (2) ○ (3) ○ **02** ㉠ 4 ㉡ 공유 ㉢ 사슬 **03** (1) ㉢ (2) ㉠ (3) ㉡ **04** C_2H_5OH, 하이드록시기 **05** ㉠ 폼알데하이드 ㉡ 아세트산 ㉢ 카복실

02 탄소 원자는 원자가 전자가 4개이므로 최대 4개의 다른 원자와 공유 결합을 할 수 있고, 같은 탄소 원자끼리도 다양하게 결합할 수 있다.

04 에탄올은 에테인의 구조에서 수소 원자 1개 대신 하이드록시기($-OH$)가 결합한 구조이다.

05 폼알데하이드의 화학식은 $HCHO$로 메탄올을 산화하여 얻게 되고, 식초의 성분 물질은 아세트산으로 카복실기($-COOH$)를 가진 카복실산에 해당한다.

탄탄! 내신 다지기 024쪽~025쪽

01 ② **02** ㉠ 탄소, ㉡ 수소, ㉢ 분별 증류 **03** ③ **04** ③ **05** ④ **06** ③ **07** ㉠ 탄소, ㉡ 수소, ㉢ 산소, ㉣ 수소 이온 **08** ① **09** ④ **10** ② **11** 플라스틱 **12** ㉠ 아스피린, ㉡ 살리실산

01 | 선택지 분석 |

✕ 탄소와 수소, 산소 원자~~로만~~ 이루어진 물질이다.
➡ 탄소는 수소, 산소, 질소, 인, 할로젠 원소 등 다양한 비금속 원소와 공유 결합을 형성한다.

ㄴ 탄소 원자는 다른 원자들과 최대 4개의 결합을 형성한다.

➡ 탄소는 원자가 전자가 4개로 다른 원자들과 최대 4개의 결합을 형성한다.

✕ 탄소 원자들은 사슬처럼 길게 연결된 구조로만 결합을 형성할 수 있다.

➡ 탄소 원자들은 사슬처럼 길게 연결되기도 하고, 고리 모양으로 연결되기도 하며 2중 또는 3중 결합을 형성하는 등 다양한 결합의 형태를 이룬다.

02 원유는 탄소와 수소로 이루어진 탄화수소의 혼합물이며, 분별 증류로 각 성분 물질을 분리해 내어 자동차나 가정에서 사용되는 다양한 연료를 얻는다.

03 | 선택지 분석 |

ㄱ 탄소 원자는 최대 다른 원자 4개와 결합한다.

➡ 탄소는 원자가 전자가 4개이므로 다른 원자와 최대 4개의 결합을 형성한다.

✕ 탄소의 원자가 전자 수가 ~~6개~~(4개)이므로 다양한 결합이 가능하다.

➡ 탄소의 원자 번호는 6번이고, 원자가 전자 수는 4개이다.

ㄷ 탄소 원자는 다른 탄소 원자와 전자쌍을 공유하며 결합한다.

➡ 탄소는 다른 탄소 원자와 전자쌍을 공유하며 결합을 형성한다.

04 | 선택지 분석 |

ㄱ 탄소의 원자가 전자 수가 4이다.

➡ 탄소의 원자가 전자 수는 4개로서 다른 비금속 원자와 최대 4개의 결합을 형성한다.

✕ 탄소는 ~~금속~~(비금속) 원자들과 안정한 ~~이온~~(공유) 결합을 형성한다.

➡ 탄소는 다른 비금속 원자들과 안정한 공유 결합을 형성하며 다양한 화합물을 이룬다.

ㄷ 탄소는 다른 탄소 원자와 결합하여 다양한 구조의 화합물을 형성할 수 있다.

➡ 탄소의 원자가 전자 수가 4개이므로 다른 탄소 원자와 결합하여 다양한 구조의 화합물을 만든다.

05 | 선택지 분석 |

① 프로페인(C_3H_8)

➡ 탄소 3개로 구성된 사슬 모양의 탄화수소이다.

② 포도당($C_6H_{12}O_6$)

➡ 식물의 광합성에 의해 생성된 물질로서 탄소 화합물이다.

③ 아세트산(CH_3COOH)

➡ 에탄올의 발효 과정에 의해 생성되는 카복실산으로서 탄소 화합물이다.

④ 염화 나트륨(NaCl)

➡ 염화 이온(Cl^-)과 나트륨 이온(Na^+)으로 이루어진 이온 결합 물질로서 탄소 화합물이 아니다.

⑤ 폼알데하이드(HCHO)

➡ 플라스틱이나 가구용 접착제의 원료인 탄소 화합물이다.

06 | 자료 분석 |

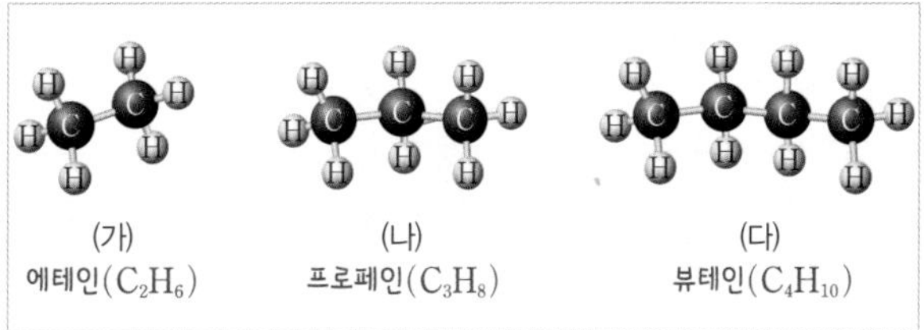

| 선택지 분석 |

ㄱ 화합물을 이루는 원소의 종류

➡ (가)는 에테인(C_2H_6), (나)는 프로페인(C_3H_8), (다)는 뷰테인(C_4H_{10})이다.

ㄴ 완전 연소 시 발생하는 기체

➡ (가)~(다)는 탄소와 수소로만 이루어진 화합물이므로 완전 연소 시 발생하는 기체의 종류는 이산화 탄소와 물이다.

✕ 완전 연소 시 방출되는 열량의 크기

➡ (가)~(다)는 서로 다른 화합물이므로 완전 연소 시 방출되는 열량의 크기는 서로 다르다.

07 아세트산의 분자식은 CH_3COOH으로 탄소, 수소, 산소로 이루어진 탄소 화합물이다. 아세트산은 일반적으로 에탄올을 발효시켜 얻게 되는데, 물에 녹아 수소 이온을 내놓는 약한 산성을 나타낸다.

08 | 선택지 분석 |

ㄱ 액화 천연가스의 주성분이다.

➡ 메테인은 액화 천연가스(LNG)의 주성분이다.

✕ 매니큐어를 지우는 데 이용된다.

➡ 매니큐어를 지우는 데 이용되는 탄소 화합물은 아세톤이다.

✕ 연소할 때 많은 에너지를 ~~흡수~~(방출)한다.

➡ 메테인은 연소 시 많은 에너지를 방출하므로 연료로 이용된다.

09 | 선택지 분석 |

① 메테인: 탄소와 수소로만 이루어진 가장 간단한 분자이다.

➡ 메테인의 분자식은 CH_4로 탄소와 수소로만 이루어진 가장 간단한 분자이다.

② 에탄올: 술의 원료로 과일이나 곡물을 발효시켜 얻을 수 있다.

➡ 에탄올은 술의 원료로 과일이나 곡물 속 녹말이나 당이 효소에 의해 발효되어 생성된다.

③ 아세트산: 17 ℃ 이하의 온도에서 고체 상태이다.

➡ 아세트산은 실온에서 액체 상태로 존재하지만 17 ℃보다 낮은 온도에서는 고체 상태로 존재하여 빙초산이라고도 한다.

④ 폼알데하이드: ~~3중 결합~~(2중 결합)이 포함되어 있다.

➡ 폼알데하이드는 탄소 원자와 산소 원자 사이에 2중 결합이 존재한다.

⑤ 아세톤: 탄소 화합물을 녹이는 용매로 이용된다.

➡ 아세톤은 물에 잘 녹을 뿐만 아니라 여러 탄소 화합물을 잘 녹이므로 용매로 이용된다.

10 | 선택지 분석 |

✕ (가)는 ~~에탄올~~(아세트산)이다.

➡ (가)는 아세트산이고, (나)는 에탄올이다.

✕ (가)와 ~~(나)의~~ 액성은 산성이다.

➡ (가)는 물에 녹아 수소 이온을 내므로 산성을 나타내지만, (나)는 물에 녹아 중성을 나타낸다.

㉢ (가)는 (나)의 발효에 의해 생성된 물질이다.

➡ 아세트산은 에탄올의 발효에 의해 생성된 물질이다.

11 플라스틱은 분자 수 천개가 결합한 고분자 물질로 다양한 형태와 특성이 있는 플라스틱들이 개발되어 실생활 용품으로 많이 이용된다.

12 최초의 합성 의약품은 버드나무 껍질에서 분리한 살리실산으로부터 합성한 아세틸살리실산인 아스피린이다. 이 약품은 진통 및 해열제로 널리 이용된다.

도전! 실력 올리기 026쪽~027쪽

01 ① 02 ① 03 ③ 04 ② 05 ③ 06 ②

07 ㉠ OH, ㉡ 카복실산

08 | 모범 답안 | 탄소 수가 증가함에 따라 분자 사이의 인력이 증가하여 대체로 녹는점과 끓는점이 높아진다.

09 | 모범 답안 | 탄소의 원자가 전자 수는 4개로, 다른 원자와 최대 4개까지 공유 결합을 할 수 있어서, 탄소 원자끼리 다양한 길이와 구조로 결합을 할 수 있기 때문이다.

01 | 선택지 분석 |

✓① 탄소는 지구에서 존재량이 가장 많은 원소이다.

➡ 탄소는 지구에서 존재량이 가장 많지는 않다. 지구 전체를 구성하는 원소의 중량 비율로 볼 때 철이 가장 많이 있는 원소이다.

② 많은 수의 탄소 원자가 연속하여 결합할 수 있다.

➡ 많은 수의 탄소 원자가 연속적으로 결합을 형성할 수 있다.

③ 분자식이 같지만 구조식이 다른 화합물이 존재한다.

➡ 탄소는 결합하는 방식에 따라 분자식이 같지만 구조식이 다른 화합물이 존재할 수 있다.

④ 탄소는 여러 종류의 원자와 결합할 수 있다.

➡ 탄소는 원자가 전자가 4개로서 수소, 산소, 질소, 황, 할로젠 등 여러 종류의 원자와 결합할 수 있어 다양한 형태의 탄소 화합물이 존재할 수 있다.

⑤ 탄소 원자들끼리 여러 가지 형태의 결합을 형성할 수 있다.

➡ 탄소 원자들끼리 사슬 모양 또는 고리 모양의 결합을 형성하기도 하고, 단일 결합뿐만 아니라 2중 결합, 3중 결합이 가능하다.

02 | 선택지 분석 |

㉠ A의 주성분은 석유 가스이다.

➡ 석유 가스는 프로페인과 뷰테인의 혼합물로 이루어졌으며 원유의 분별 증류 시 가장 먼저 얻어진다.

✕ 탄소 수는 B가 C보다 ~~많다~~(적다).

➡ 분별 증류탑에서 각 연료는 위로 갈수록 탄소 수가 적고 혼합물의 끓는점도 낮아 먼저 얻어진다.

✕ 혼합물의 끓는점은 D가 C보다 ~~작다~~(높다).

➡ 혼합물의 끓는점은 아래로 갈수록 높으므로 D의 끓는점은 C보다 높다.

03 | 선택지 분석 |

㉠ (가)와 (나)를 이루는 원소의 종류는 같다.

➡ (가)의 분자식은 $C_6H_{12}O_6$이고, (나)의 분자식은 C_2H_5OH로서 탄소, 수소, 산소로 이루어진 화합물이다.

✕ (가)와 (나)를 이루는 탄소의 개수는 ~~같다~~(다르다).

➡ (가)를 이루는 탄소의 개수는 6개이고, (나)를 이루는 탄소의 개수는 2개이다.

㉢ (나)는 (가)를 발효시켜 얻을 수 있다.

➡ 에탄올은 포도당을 발효시켜 얻을 수 있다.

04 | 선택지 분석 |

✕ (가)와 (나)는 ~~같은~~(다른) 물질이다.

➡ (가)와 (나)는 같은 수의 탄소와 수소로 이루어진 화합물이지만 구조가 다르므로 서로 다른 성질을 가진 물질이다.

㉡ (가)와 (나)는 분자식이 같다.

➡ (가)와 (나)의 분자식은 C_4H_{10}으로 같다.

✕ (가)와 (나)는 끓는점이 ~~같다~~(다르다).

➡ (가)와 (나)는 분자식은 같지만 서로 다른 구조를 나타내므로 분자 사이의 인력이 다르게 작용한다. 따라서 두 화합물의 끓는점은 다르다.

05 | 선택지 분석 |

㉠ (가)는 종이의 재료로 이용된다.

➡ 셀룰로스는 섬유질로서 종이의 재료로 이용된다.

㉡ (다)는 최초의 합성 섬유이다.

➡ 나일론은 미국의 캐러더스에 의해 합성된 최초의 합성 섬유이다.

✕ (가)~(다)는 탄소, 수소, 산소로만 이루어진 화합물이다.

➡ (가)는 탄소, 수소, 산소로 이루어진 화합물이고, (나)는 탄소와 수소, (다)는 탄소, 수소, 산소, 질소로 이루어진 화합물이다.

06 | 선택지 분석 |

✕ 용매로 작용한다.

➡ (가)는 아세톤, (나)는 폼알데하이드, (다)는 아세트산으로 용매로 작용하는 화합물은 아세톤이다.

✕ 수용액의 액성은 산성이다.

➡ 수용액의 액성이 산성인 물질은 (다)로서 물에 녹아 수소 이온을 내놓는다.

㉢ 탄소와 산소 사이의 2중 결합이 있다.

➡ 탄소와 산소 사이의 2중 결합이 모두 존재한다.

07 알코올은 1개 이상의 하이드록시기(−OH)가 결합된 화합물이고, 카복실산은 1개 이상의 카복실기(−COOH)가 결합된 화합물이다.

08 탄소 수가 증가함에 따라 분자 사이의 인력이 증가하여 대체로 녹는점과 끓는점이 높아진다.

채점 기준	배점
탄소 수에 따른 녹는점과 끓는점 경향성변화와 그 까닭을 모두 옳게 서술한 경우	100 %
탄소 수에 따른 녹는점과 끓는점의 경향성만 옳게 서술한 경우	50 %

09 탄소의 원자가 전자 수가 4개이고, 다른 원자와 최대 4개까지 공유 결합을 할 수 있다.

채점 기준	배점
까닭 2가지를 탄소의 특성을 언급하여 모두 옳게 서술한 경우	100 %
까닭 1가지를 탄소의 특성을 언급하여 옳게 서술한 경우	50 %

실전! 수능 도전하기

029쪽~030쪽

01 ③ **02** ① **03** ② **04** ① **05** ① **06** ③ **07** ④ **08** ④
09 ② **10** ⑤ **11** ① **12** ③ **13** ① **14** ③ **15** ④ **16** ③

01 | 선택지 분석 |

㉠ ㉠에서는 화학적 변화가 일어난다.
➡ (가)는 철의 제련 과정을 의미하며 화학 반응에 의해 철을 대량으로 얻을 수 있다.

㉡ ㉡은 인류의 식량 부족 문제를 해결하는 데 기여하였다.
➡ (나)는 암모니아의 합성 과정으로 질소 비료의 대량 생산을 통해 인류의 식량 부족 문제를 해결하게 되었다.

✕ (가)와 (나)를 통해 인류 문명의 발전 속도가 ~~감소~~(증가)하였다.
➡ (가)와 (나)를 통해 인류 문명의 발전 속도가 크게 증가하였다.

02 | 선택지 분석 |

㉠ (가)는 최초의 합성 섬유이다.
➡ (가)는 나일론으로 캐러더스에 의해 개발된 최초의 합성 섬유이다.

✕ (나)는 매우 질기고 신축성이 좋다.
➡ (나)는 천연 섬유인 실크로 질기거나 신축성이 좋지 않다. 매우 질기고 신축성이 좋은 섬유는 합성 섬유인 나일론에 해당한다.

✕ (가)와 (나)는 대량 생산이 가능하다.
➡ (가)는 합성 섬유이므로 대량 생산이 가능하지만, (나)는 천연 섬유로 대량 생산이 불가능하다.

03 | 선택지 분석 |

✕ 암모니아와 철은 교통 발달에 기여하였다.
➡ 암모니아는 식량 생산 증대에 기여하였지만 교통 발달에 기여하지는 않았다.

✕ 석유 가스와 철은 식량 생산 증대에 크게 기여하였다.
➡ 화석 연료는 가정에서 난방과 조리 등의 연료로 이용되고, 철제 농기구의 발달로 식량 생산 증대에 기여하였다.

㉢ 암모니아 합성과 철의 제련 과정은 화학 반응이다.
➡ 질소와 수소로 암모니아를 합성하는 과정과 산화 철에서 철을 얻는 제련 과정은 모두 화학 반응이다.

04 석유는 탄소 화합물의 혼합물로 연료나 산업 에너지원으로 사용되고 플라스틱, 합성 고무, 합성 섬유의 원료로 이용된다.

05 | 선택지 분석 |

㉠ 원유는 혼합물이다.
➡ 원유는 탄소와 수소로 이루어진 탄소 화합물이다.

✕ 화합물을 구성하는 탄소 원자의 수는 A가 B보다 ~~크다~~(작다).
➡ 분별 증류탑에서 위로 올라갈수록 탄소 원자의 수가 작으므로 탄소 원자의 수는 A가 B보다 작다.

✕ 분별 증류는 물질의 ~~녹는점~~(끓는점) 차이를 이용한 것이다.
➡ 분별 증류는 물질의 끓는점 차이를 이용하여 성분 물질로 분류하여 얻어내는 방법이다.

06 | 자료 분석 |

C_3H_6	C_4H_8	H_2C–CH_2 고리 $>CH-CH_3$
(가)	(나)	(다) C_4H_8

(가): 탄소 3개로 이루어진 고리 구조 (각 C에 H 2개)

(나): H–C–C–H / H–C–C–H 사각형 고리 구조 (각 C에 H 2개)

| 선택지 분석 |

㉠ (가)~(다)는 모두 단일 결합으로 이루어져 있다.
➡ (가)~(다)에서 탄소와 탄소 원자 사이에는 단일 결합으로 이루어져 있다.

✕ 분자식이 같은 화합물은 ~~(가)와 (다)~~((나)와 (다))이다.
➡ 분자식이 같은 화합물은 (나)와 (다)이다.

㉢ $-CH_2$의 수는 (나)가 (다)의 2배이다.
➡ $-CH_2$의 수는 (가)의 경우 3개, (나)의 경우 4개, (다)의 경우 2개이다.

07 | 선택지 분석 |

✕ (가)는 화합물이다.
➡ (가)는 탄소로만 이루어진 원소이므로 화합물이 아니다.

㉡ 액화 천연가스의 주성분은 (나)이다.
➡ 액화 천연가스의 주성분은 메테인(CH_4)이다.

㉢ 탄소 원자는 4개의 다른 원자와 결합한다.
➡ 탄소는 원자가 전자가 4개이므로 주위의 인접한 원자 4개와 결합한다.

08 | 선택지 분석 |

✕ 단위 부피당 연소열은 ~~A가~~(C가) 가장 크다.
➡ 단위 부피당 연소열은 연소열(kJ/g)에 밀도(g/mL)를 곱한 값에 해당하므로 C가 가장 크다.

ㄴ 한 분자의 탄소의 수는 C가 가장 많다.

➡ 한 분자를 이루는 탄소의 수가 많을수록 밀도가 크고, 분자 사이의 인력이 증가하여 끓는점이 높으므로 C가 가장 많다.

ㄷ 밀도가 증가할수록 분자 간 인력이 증가한다.

➡ 밀도가 증가할수록 분자 간 인력이 증가하여 끓는점이 높아진다.

09 | 선택지 분석 |

✕ 물에 녹아 산성을 나타내는 화합물은 (가)이다.

➡ (가)는 물에 녹아 산성을 나타내는 수소 이온을 갖지 않으므로 중성을 나타낸다.

✕ 알코올에 해당하는 화합물은 ~~(다)~~(나)이다.

➡ 알코올에 해당하는 화합물은 하이드록시기($-OH$)를 갖는 (나)이다.

ㄷ 세 화합물의 분자식은 같다.

➡ 세 화합물의 분자식은 C_4H_8O로 같다.

10 물에 녹아 수소 이온을 내놓아 산성을 띠는 물질은 CH_3COOH(아세트산)이고, HCHO는 물에 녹아 수소 이온을 내놓지 않는다.

11 | 선택지 분석 |

ㄱ A의 화학식은 C_3H_8이다.

➡ 탄소 수와 수소 수의 비로부터 화학식의 경우 A는 C_3H_8, B는 C_3H_6, C는 C_3H_4이다.

✕ 한 분자를 구성하는 원자 수가 가장 많은 분자는 ~~B~~A이다.

➡ 한 분자를 구성하는 원자 수가 가장 많은 분자는 A이다.

✕ 완전 연소시킬 때 한 분자 당 생성되는 H_2O의 양은 ~~C~~A가 가장 많다.

➡ 완전 연소시킬 때 한 분자당 생성되는 H_2O의 양이 가장 많은 분자는 수소 원자 수가 가장 많은 A이다.

12 | 선택지 분석 |

ㄱ (가)와 (다)는 알코올에 해당한다.

➡ (가)와 (다)는 분자의 구조에서 하이드록시기($-OH$)를 포함하므로 알코올이다.

✕ (나)는 카복실산이다.

➡ (나)는 카복실기($-COOH$)를 갖지 않으므로 카복실산에 해당하지 않는다.

ㄷ (가)~(다)의 분자식은 모두 같다.

➡ (가)~(다)의 분자식은 $C_4H_{10}O$로 모두 같다.

13 | 선택지 분석 |

ㄱ 카복실산에 해당한다.

➡ (가)와 (나)는 카복실기($-COOH$)를 가진 카복실산이다.

✕ 곡물을 발효시켜 얻을 수 있다.

➡ 곡물을 발효시켜 얻는 물질은 아세트산으로 (가)에 해당한다.

✕ 물에 녹으면 수산화 이온(OH^-)을 내놓는다.

➡ (가)와 (나)는 물에 녹아 수소 이온(H^+)을 내놓으며 산성을 나타낸다.

14 | 선택지 분석 |

ㄱ 알케인과 알코올에서 분자간의 인력이 증가한다.

➡ 알케인과 알코올에서 탄소 수가 증가함에 따라 끓는점이 증가하므로 분자 간의 인력이 증가함을 알 수 있다.

ㄴ 알케인 1 g이 완전 연소하는데 필요한 산소량은 감소한다.

➡ (나)에서 알케인 1 g이 완전 연소하는 데 필요한 산소의 양은 탄소 원자 수가 증가함에 따라 감소한다.

✕ 연소 시 알코올 분자에서 산소가 차지하는 질량비는 증가한다.

➡ 알코올 1 g당 완전 연소하는 데 필요한 산소의 질량이 증가하므로 알코올 분자 자체에서 산소가 차지하는 질량비가 감소함을 알 수 있다.

15 | 자료 분석 |

(가) 수소를 연소시키면 물이 생성된다.

$$2H_2+O_2 \longrightarrow 2H_2O$$

→ 물(H_2O)은 수소(H)와 산소(O)의 2가지 원소로 이루어진 화합물이다.

(나) 프로페인(C_3H_8)을 완전 연소시키면 이산화 탄소와 물이 생성된다.

$$C_3H_8+5O_2 \longrightarrow 3CO_2+4H_2O$$

→ 프로페인(C_3H_8)은 탄소(C)와 수소(H)의 2가지 원소로로 이루어진 화합물이다.

물(H_2O)은 수소(H)와 산소(O)의 2가지 원소로 이루어진 화합물이며, H_2O과 C_3H_8은 모두 분자로 이루어진 화합물이다. 프로페인(C_3H_8)은 탄소(C)와 수소(H)의 2가지 원소로로 이루어진 화합물이다.

16 | 선택지 분석 |

ㄱ 자일리톨은 알코올에 해당한다.

➡ 자일리톨은 하이드록시기($-OH$)를 포함하고 있으므로 알코올에 해당한다.

✕ 자일로스는 카복실산에 해당한다.

➡ 자일로스는 카복실기($-COOH$)를 갖고 있지 않으므로 카복실산에 해당하지 않는다.

ㄷ 자일로스와 자일리톨은 모두 물에 잘 녹는다.

➡ 두 화합물은 모두 하이드록시기($-OH$)를 갖고 있으므로 물에 잘 녹는다.

2 »» 화학 반응에서의 양적 관계

01 화학식량과 몰

개념POOL 038쪽

01 ㉠ 44, ㉡ 8, ㉢ 5.6 **02** (1) × (2) ○ (3) ○

02 (3) 밀도는 $\frac{질량}{부피}$이므로 부피가 가장 작고 질량이 가장 큰 A의 밀도가 가장 크다.

콕콕! 개념 확인하기 039쪽

✔ 잠깐 확인!

1 원자량 **2** 분자량 **3** 화학식량 **4** 몰 **5** 아보가드로수 **6** 아보가드로 **7** 22.4

01 (1) × (2) ○ (3) × **02** ㉠ Z, ㉡ XY_4, ㉢ 44 **03** (1) ㉢, (2) ㉠, (3) ㉡ **04** (1) 56 g (2) 16 g (3) 11 g (4) 17 g

02 X 원자 1개와 Y 원자 12개의 질량이 같고, X 원자 4개와 Z 원자 3개의 질량이 같으므로, 원자 1개의 질량비는 X : Y : Z=12 : 1 : 16이다.

04 N_2, O_2, CO_2, NH_3, 1몰의 질량은 각각 28 g, 32 g, 44 g, 17 g이다.

탄탄! 내신 다지기 040쪽~041쪽

01 ② **02** ㉠ 황(S), ㉡ 산소(O), ㉢ 2, ㉣ 64 **03** ⑤ **04** ③ **05** ② **06** ③ **07** ㉠ 1.204×10^{24}, ㉡ $\frac{1}{3}$, ㉢ 6 **08** ③ **09** ④ **10** ② **11** 2 : 1 : 4
12 (가) 물의 밀도, (나) 물 분자의 몰 질량, (다) 아보가드로수

01 | 선택지 분석 |

㉠ 분자량은 분자를 구성하는 모든 원자의 원자량을 ~~곱한~~ 더한 값이다.
➡ 분자량은 분자를 구성하는 모든 원자의 원자량을 더한 값이다.

㉡ 이온 결합 물질과 금속 결합 물질의 화학식량은 구할 수 ~~없다~~ 있다.
➡ 이온 결합 물질은 화합물을 이루는 모든 원자의 원자량을 더한 값이, 금속 결합 물질은 그 물질을 구성하는 원소의 원자량이 화학식량에 해당한다.

㉢ 원자의 질량이 매우 작아서 실제 값을 그대로 사용하는 것이 불편하므로 원자량을 사용한다.
➡ 원자 1개의 실제 질량은 매우 작아서 그대로 사용하는 것이 불편하므로 특정 원자와 비교한 상대적인 질량을 원자량으로 사용한다.

02 이산화 황(SO_2)의 분자량은 황(S)의 원자량인 32와 산소(O)의 원자량인 16을 2배로 한 32를 더하여 구할 수 있으며, 그 값은 64이다.

03 | 선택지 분석 |

㉠ Z의 원자량은 40이다.
➡ X의 원자량이 12일 때, Y와 Z의 원자량은 각각 24, 40이다.

㉡ XH_4의 분자량은 16이다.
➡ XH_4의 분자량은 X의 원자량 12와 H의 원자량 1을 4배 한 값의 합에 해당하므로 16이다.

㉢ YO의 화학식량은 Z의 원자량과 같다.
➡ YO의 화학식량은 Y와 O의 원자량의 합인 40이며, 이는 Z의 원자량과 같다.

04 | 선택지 분석 |

① H_2O-18
➡ H의 원자량(1)×2+O의 원자량(16)=18

② NH_3-17
➡ N의 원자량(14)+H의 원자량(1)×3=17

③ CO_2-~~28~~ 44
➡ C의 원자량(12)+O의 원자량(16)×2=44

④ HNO_3-63
➡ H의 원자량(1)+N의 원자량(14)+O의 원자량(16)×3=63

⑤ $C_6H_{12}O_6-180$
➡ C의 원자량(12)×6+H의 원자량(1)×12+O의 원자량(16)×6=180

05 | 선택지 분석 |

㉠ 질량은 ~~16 g~~ 8 g이다.
➡ 메테인 1몰의 질량은 16 g이므로 0.5몰의 질량은 8 g에 해당한다.

㉡ 수소 원자의 수는 1.204×10^{24}이다.
➡ 메테인 1몰을 구성하는 수소 원자의 양(mol)은 4몰이므로 0.5몰 메테인에 포함된 수소 원자의 양(mol)은 2몰이며, 이는 수소 원자 1.204×10^{24}개이다.

㉢ 0℃, 1기압에서 부피는 ~~22.4 L~~ 11.2 L이다.
➡ 0 ℃, 1기압에서 기체 1몰이 차지하는 부피는 22.4 L이므로 같은 온도와 압력에서 0.5몰이 차지하는 부피는 11.2 L이다.

06 | 선택지 분석 |

㉠ (가)와 (나)의 질량은 같다.
➡ (가)는 0 ℃, 1기압에서 22.4 L의 부피를 가지므로 1몰에 해당하고, (나)는 3.01×10^{23}개이므로 0.5몰에 해당한다. 이때 각 화합물을 구성하는 탄소와 수소의 원자 수가 (나)가 (가)의 2배이므로 1몰의 질량은 (나)가 (가)의 2배이다. 따라서 (가) 1몰의 질량과 (나) 0.5몰의 질량은 같다.

ㄴ (나)의 부피는 11.2 L이다.

➡ 0 ℃, 1기압에서 기체 1몰이 차지하는 부피는 22.4 L이므로 0.5몰의 (나)가 차지하는 부피는 11.2 L이다.

✕ 완전 연소 시 발생하는 CO_2의 양(mol)은 (가)가 (나)~~의 2배이다~~. 와 같다

➡ 한 분자에 포함된 탄소 원자의 수는 (나)가 (가)의 2배이고, 기체의 양(mol)은 (가)가 (나)의 2배이므로 탄소 원자의 수는 (가)와 (나)가 같다. 따라서 완전 연소 시 발생하는 CO_2의 양(mol)은 같다.

07 | 선택지 분석 |

(가) H_2O 18 g은 1몰의 질량이다. H_2O 1몰에 포함된 수소 원자의 양(mol)은 2몰이므로 원자 수는 1.204×10^{24}이다.

(나) NH_3 1몰에 포함된 수소 원자의 양(mol)은 3몰이므로 수소 원자 6.02×10^{23}개, 즉 1몰을 포함하는 NH_3의 양(mol)은 $\frac{1}{3}$몰이다.

(다) 0℃, 1기압에서 기체 1몰이 차지하는 부피는 22.4 L이므로 CH_4 11.2 L의 양(mol)은 0.5몰이며, 탄소 원자 0.5몰의 질량은 6 g이다.

08 | 선택지 분석 |

ㄱ C의 분자량은 (가)의 2배이다.

➡ 0℃, 1기압에서 기체 1몰의 부피는 22.4 L이므로 A는 0.75몰, B는 0.5몰이다. 이때 A 0.75몰의 질량이 12 g이므로 분자량 (가)는 16이다. 따라서 C의 분자량인 32는 (가)의 2배이다.

ㄴ (나)는 14이다.

➡ B는 0.5몰 존재하므로 질량 (나)는 분자량의 $\frac{1}{2}$인 14 g이다.

✕ (다)는 B의 부피와 ~~같다~~. 같지 않다

➡ C는 0.25몰 존재하므로 0℃, 1기압에서 차지하는 부피는 5.6 L로, B의 부피와 같지 않다.

09 | 선택지 분석 |

① H_2O 11.2 L

➡ 0 ℃, 1기압에서 기체 1몰이 차지하는 부피는 22.4 L이므로 H_2O 11.2 L의 양(mol)은 0.5몰이다.

② NH_3 17 g

➡ NH_3의 분자량은 17이므로 17 g은 1몰의 질량에 해당한다. 따라서 NH_3 17 g의 양(mol)은 1몰이다.

③ CH_4 16.8 L

➡ 0℃, 1기압에서 기체 1몰이 차지하는 부피는 22.4 L이므로 CH_4 16.8 L의 양(mol)은 0.75몰이다.

④ N_2 1.204×10^{24}개

➡ 기체 1몰에 포함된 분자의 개수는 6.02×10^{23}개이므로 N_2 1.204×10^{24}개의 양(mol)은 2몰이다.

⑤ CO_2 66 g

➡ CO_2의 분자량은 44이므로 1몰의 질량은 44 g이다. 따라서 CO_2 66 g의 양(mol)은 1.5몰이다.

10 | 선택지 분석 |

✕ 기체의 질량

➡ O_2의 분자량은 32이므로 16 g은 0.5몰에 해당한다. CO_2의 분자량은 44이므로 0.5몰의 질량은 22 g이다. 따라서 두 기체의 질량은 같지 않다.

✕ 전체 원자의 양(mol)

➡ A는 O_2 0.5몰이므로 전체 원자의 양(mol)은 1몰이고, B는 CO_2 0.5몰이므로 전체 원자의 양(mol)은 1.5몰이다.

ㄷ 산소 원자의 수

➡ A와 B에서 기체의 양(mol)이 같고, 각 분자를 구성하는 산소 원자의 수가 같으므로 A와 B의 산소 원자 수는 같다.

11 분자량 비는 1 g 중의 분자 수비의 역수에 해당하므로 $A_2:BA_3:CB_4=4:7:8$이다. 따라서 A, B, C의 원자량을 각각 a, b, c라고 두면 $2a:3a+b:c+4b=4:7:8$이 성립한다.
따라서 원자량비는 $a:b:c=2:1:4$이다.

12 (가): 물의 부피를 이용하여 물의 질량을 알기 위해서는 물의 밀도를 알아야 한다.

(나): 물의 질량을 물의 몰 질량으로 나누면 물의 양(mol) 구할 수 있다.

(다): 물의 양(mol)에 1몰의 분자 수인 아보가드로수를 곱하면 물 분자 수를 구할 수 있다.

도전! 실력 올리기 042쪽~043쪽

01 ① **02** ③ **03** ① **04** ⑤ **05** ⑤ **06** ②

07 | **모범 답안** | 32, 같은 질량일 때 기체의 양(mol)은 분자량에 반비례하고 부피에는 비례하므로 A의 분자량을 M이라고 했을 때, H_2O의 양(mol) : A의 양(mol) $=\frac{1}{18}:\frac{1}{M}=16:9$가 성립한다. 따라서 $M=32$가 된다.

08 (1) X : A_2B, Y : AB_2, Z : A_2B_3

(2) | **모범 답안** | 화합물 X 1몰에 포함된 A 원자의 양(mol)과 화합물 Y 1몰에 포함된 B 원자의 양(mol)이 각각 2몰로 같으므로 각 물질 1 g에 포함된 A 원자와 B 원자의 몰비는 분자량에 반비례한다. A와 B의 원자량 비가 7 : 8이므로 X와 Y의 분자량 비가 22 : 23이다. 따라서 1 g에 포함된 A 원자의 양(mol) : B 원자의 양(mol) $=23:22$이다.

01 | 선택지 분석 |

ㄱ X_2Y의 분자량은 18이다.

➡ (가)에서 탄소(C) 원자 1개의 질량은 X 원자 12개의 질량과 같고, (나)에서 탄소(C) 원자 4개의 질량은 Y 원자 3개의 질량과 같으므로 X의 원자량은 1, Y의 원자량은 16이다. 따라서 X_2Y의 분자량은 18이다.

✕ 0℃, 1기압에서 X_2 1 g이 차지하는 부피는 ~~22.4 L~~이다. 11.2 L

➡ X_2 1 g은 0.5몰에 해당하므로 0 ℃, 1기압에서 차지하는 부피는 11.2 L이다.

ㄷ. Y_2 2몰의 질량은 32 g이다.
➡ Y_2의 분자량이 32이므로 Y_2 2몰의 질량은 64 g이다.

02 | 선택지 분석 |

ㄱ. 기체의 밀도는 (가)가 (나)보다 크다.
➡ 온도와 압력이 같을 때 같은 양(mol)의 기체가 차지하는 부피는 같으므로 기체의 밀도는 분자량에 비례한다. 따라서 밀도는 (가)가 (나)보다 크다.

ㄴ. 1 g에 포함된 원자 수는 (나)가 (가)보다 크다.
➡ 1 g에 있는 원자의 양(mol)은 (가)의 경우 $\frac{1}{17}\times4$(mol)이고, (나)의 경우 $\frac{1}{16}\times5$(mol)이므로 1 g에 있는 원자의 수는 (나)가 (가)보다 크다.

ㄷ. (가) 16 g이 차지하는 부피는 22.4 L이다.
➡ (가) 16 g에 포함된 분자의 양(mol)은 1몰보다 작으므로 0 ℃, 1기압에서 차지하는 부피는 22.4 L보다 작다.

03 | 선택지 분석 |

ㄱ. 흑연(C) 6 g에 포함된 탄소 원자(C) 수는 $\frac{N_A}{2}$개이다.
➡ 흑연(C) 1몰의 질량은 12 g이므로 6 g의 양(mol)은 0.5몰이다. 흑연(C) 0.5몰에 포함된 탄소 원자(C)의 수는 $\frac{N_A}{2}$개이다.

ㄴ. 질소(N_2) 2몰에 포함된 질소 원자(N) 수는 $2N_A$개이다.
➡ 질소(N_2) 1몰에 있는 질소 원자(N) 수는 $2N_A$개이므로 질소 2몰에 포함된 질소 원자(N) 수는 $4N_A$개이다.

ㄷ. 암모니아(NH_3) N_A개에 포함된 원자 수는 4개이다.
➡ 암모니아(NH_3) N_A개는 1몰의 개수이며, 암모니아 1몰에는 암모니아를 구성하는 원자 $4N_A$개가 포함되어 있다.

04 25 ℃, 1기압에서 $2V$ L에 포함된 H_2의 양(mol)이 0.5몰이므로 V L에 포함된 O_2의 양(mol)은 0.25몰, $2V$ L에 들어 있는 XO_3의 양(mol)은 0.5몰이 된다.

| 선택지 분석 |

ㄱ. (가)에서 H_2는 0.5몰이다.
➡ H_2의 질량은 1 g이므로 수소의 양(mol)은 0.5몰이다.

ㄴ. (나)에서 w는 8이다.
➡ 25 ℃, 1기압에서 $2V$ L에 포함된 수소의 양(mol)이 0.5몰이며, 아보가드로 법칙에 의해 25 ℃, 1기압, V L에 포함된 O_2의 양(mol)은 0.25몰이 된다. w는 O_2 0.25몰의 질량인 8 g이다.

ㄷ. X의 원자량은 O의 2배이다.
➡ 25 ℃, 1기압에서 $2V$ L에 들어 있는 XO_3의 양(mol)은 0.5몰이고, 질량은 40 g이므로 XO_3 1몰의 질량은 80 g이다. 따라서 X의 원자량은 32이고, 이는 O의 원자량의 2배이다.

05 | 선택지 분석 |

ㄱ. A는 O_2이다.
➡ 같은 질량의 O_2와 O_3의 몰비는 3 : 2이므로 기체가 차지하는 부피비도 3 : 2이다. 따라서 A는 O_2, B는 O_3이다.

ㄴ. 기체 A와 B의 밀도비는 2 : 3이다.
➡ A와 B의 질량이 같고 부피비가 3 : 2이므로 밀도비는 2 : 3이다.

ㄷ. 단위 부피당 산소 원자(O)의 수는 기체 B가 A보다 크다.
➡ A와 B에서 압력과 온도가 같으므로 단위 부피당 들어 있는 기체의 양(mol)은 같지만, 기체 분자를 구성하는 원자 수는 B가 A보다 크다.

06 | 선택지 분석 |

ㄱ. (가)의 분자식은 CH_2이다.
➡ (가)에서 C와 H의 몰비는 1 : 2이므로 (가)의 실험식량은 14이다. 이때 분자량이 42이므로 분자식은 C_3H_6이다.

ㄴ. (나)의 $\frac{\text{C 원자 수}}{\text{H 원자 수}}=1$이다.
➡ (나)에서 분자량은 54이고 H 원자 수가 6이므로 C 원자 수는 4임을 알 수 있다. 따라서 (나)의 분자식은 C_4H_6이다.

ㄷ. $x : y=8 : 1$이다.
➡ $x : y$는 탄소와 수소의 질량비이므로 48 : 6=8 : 1이다.

07 서로 다른 기체가 같은 질량만큼 있을 때 기체의 양(mol)은 분자량에 반비례하고 부피에는 비례한다.

채점 기준	배점
분자량을 옳게 구하고 풀이 과정을 옳게 서술한 경우	100 %
풀이 과정만 옳게 서술한 경우	60 %

08 | 자료 분석 |

화합물	분자당 구성 원자 수	성분 원소의 질량비 (A : B)
X A_2B	3	7 : 4
Y AB_2	3	7 : 16
Z A_2B_3	5	7 : 12

- X와 Y의 분자당 구성 원자 수가 3이므로 X와 Y는 A_2B 또는 AB_2이다. 이때 성분 원소의 질량비(A : B)에서 X보다 Y에서 B의 질량비가 더 크므로 X보다 Y에 포함된 B 원자의 수가 더 많다. ➡ X: A_2B, Y: AB_2
- A의 원자량을 a, B의 원자량을 b라 하면 X는 A_2B이므로 성분 원소의 질량비는 A : B=$2a$: b=7 : 4이다. 그러므로 $8a=7b$이다. ➡ A와 B의 원자량 비=7 : 8

(1) X와 Y의 분자당 구성 원자 수가 3이므로 X와 Y는 A_2B 또는 AB_2이다. 이때 성분 원소의 질량비(A : B)에서 X보다 Y에서 B의 질량비가 더 크므로 X보다 Y에 포함된 B 원자의 수가 더 많다. 따라서 X는 A_2B, Y는 AB_2이다. 또한, Z의 분자당 구성 원자 수는 5이고, 성분 원소의 질량비(A : B)=7 : 12이다. 이때 A와 B의 원자량 비는 7 : 8이므로 Z는 A_2B_3이다.

(2) 서로 다른 물질이 같은 질량만큼 있을 때 물질의 양(mol)은 분자량에 반비례한다.

채점 기준	배점
분자량 비를 언급하여 몰비를 옳게 서술한 경우	100 %
분자량 비를 언급하지 않고 몰비만 옳게 서술한 경우	30 %

02 화학 반응식과 양적 관계

개념POOL 047쪽

01 (1) × (2) ○ (3) ×

01 주어진 화학 반응식을 완성하면
$2CH_3OH(l)+3O_2(g) \longrightarrow 2CO_2(g)+4H_2O(l)$이 된다.
(3) H_2O 36 g은 2몰이므로 이를 생성하는 데 필요한 O_2의 양(mol)은 1.5몰이다.

탐구POOL 048쪽

01 1 L **02** 0.02몰

01 탄산 칼슘 4.0g은 0.04몰이며, 반응한 탄산 칼슘과 생성된 이산화 탄소의 몰비는 1 : 1이므로 생성된 이산화 탄소의 양(mol)도 0.04몰이다. 따라서 이산화 탄소 0.04몰의 부피는 0.04 mol×25 L/mol=1 L이다.

콕콕! 개념 확인하기 049쪽

✔ 잠깐 확인!!
1 화학 반응식 **2** 계수비 **3** 화학식량 **4** 22.4 **5** g
6 l **7** aq

01 (1) × (2) ○ (3) ×
02 ㉠ 0.5, ㉡ 0.4, ㉢ 13.2, ㉣ 2.24, ㉤ 6.72
03 ㉠ ㄷ, ㉡ ㄱ, ㉢ ㄴ **04** ㉠ 1.5, ㉡ 22.4, ㉢ 27

02 화학 반응식의 계수비는 몰비와 같으므로 ㉠은 0.5, ㉡은 0.4이다. 이산화 탄소의 분자량은 44인데, 0.3몰이 생성되었으므로 ㉢은 13.2이다. 0 ℃, 1기압에서 기체 1몰의 부피는 22.4 L이므로 각 물질의 양(mol)에 해당하는 기체의 부피를 계산하면 ㉣은 2.24, ㉤은 6.72이다.

04 화학 반응식을 완성하면 다음과 같다.
$C_2H_5OH(g)+3O_2(g) \longrightarrow 2CO_2(g)+3H_2O(l)$
에탄올 23 g은 0.5몰이므로 이때 필요한 O_2의 양(mol)은 1.5몰이고, 생성된 CO_2와 H_2O의 양(mol)은 각각 1몰과 1.5몰이다.

탄탄! 내신 다지기 050쪽~051쪽

01 ① **02** ㉠ 2, ㉡ 7, ㉢ 4, ㉣ 6, ㉤ 4, ㉥ 3, ㉦ 2
03 ⑤ **04** ③ **05** (1) 반응물: AB와 B_2, 생성물: AB_2
(2) $2AB(g)+B_2(g) \longrightarrow 2AB_2(g)$ **06** ③ **07** ④ **08** ②
09 $CaCO_3(s)+2HCl(aq) \longrightarrow CaCl_2(aq)+H_2O(l)+CO_2(g)$
10 ① **11** ⑤

01 | 선택지 분석 |
㉠ 화학 반응 전후 원자의 종류와 수가 같다.
➡ 화학 반응 전후 원자의 종류와 수가 같으며, 이를 이용하여 화학 반응식을 완성할 수 있다.
✕ 반응물과 생성물이 기체인 경우 화학 반응식의 계수비는 ~~밀도비~~ 부피비와 같다.
➡ 화학 반응식의 계수비는 몰비, 분자 수비와 같으며 기체의 부피비와도 같다.
✕ 화학 반응식에서 반응물의 상태와 생성물의 상태는 항상 ~~같다~~ 같은 것은 아니다.

02 화학 반응식에서 반응물과 생성물에 있는 원자의 종류와 수가 같도록 화학 반응식의 계수를 맞춘다.
(가) $2C_2H_6(g)+7O_2(g) \longrightarrow 4CO_2(g)+6H_2O(l)$
(나) $4Fe(s)+3O_2(g) \longrightarrow 2Fe_2O_3(s)$

03 | 선택지 분석 |
㉠ 반응물은 모두 이원자 분자이다.
➡ 반응물은 N_2와 H_2로서 원자 2개로 이루어진 분자이다.
㉡ 반응하는 N_2와 H_2의 질량의 합은 생성된 NH_3의 질량의 합과 같다.
➡ 화학 반응에서 반응물과 생성물 사이에는 질량 보존 법칙이 성립하므로 반응물의 질량의 합은 생성물의 질량의 합과 같다.
㉢ 온도와 압력이 일정할 때 반응하는 N_2와 H_2의 부피비는 1 : 3이다.
➡ 화학 반응식의 계수비는 반응하는 기체의 부피비와 같다.

04 | 선택지 분석 |
㉠ 반응물 전체의 양(mol)과 생성물 전체의 양(mol)은 같다.
➡ 화학 반응식을 완성하면 $CH_4+2O_2 \longrightarrow CO_2+2H_2O$이다. 반응물 CH_4과 O_2의 계수는 각각 1, 2이고, 생성물 CO_2와 H_2O의 계수는 각각 1, 2이므로 반응물 전체의 양(mol)과 생성물 전체의 양(mol)은 같다.
㉡ 반응하는 CH_4과 O_2의 질량비는 1 : 4이다.
➡ 반응하는 O_2의 양(mol)이 2몰일 때 CH_4은 1몰 반응하므로 O_2 64 g이 반응할 때 CH_4은 16 g이 반응한다. 따라서 반응하는 CH_4과 O_2의 질량비는 1 : 4이다.
✕ 생성물의 종류는 ~~3가지~~ 2가지이다.
➡ 생성물은 CO_2와 H_2O의 2가지이다.

05 (1) 반응한 물질은 AB와 B_2이고, 반응 후에 생성된 물질은 AB_2이다.
(2) 화학 반응식에서 반응물과 생성물의 원자의 종류와 수는 같아야 하고, 계수비는 가장 간단한 정수비로 나타낸다.

06 | 선택지 분석 |
① 반응하는 Al_2O_3의 양(mol)은 ~~0.01몰~~ 0.1몰이다.
➡ Al_2O_3의 화학식량은 102이므로 Al_2O_3 10.2 g은 0.1몰이다.

② 반응하는 C의 질량(g)은 ~~18 g~~ 1.8 g이다.

➡ 화학 반응식의 계수를 맞춘 완성된 반응식은 다음과 같다.

$2Al_2O_3(s)+3C(s) \rightarrow 4Al(s)+3CO_2(g)$

따라서 0.1몰의 Al_2O_3과 반응하는 C의 양(mol)은 0.15몰이다.

③ Al은 0.2몰이 생성된다.

➡ 0.1몰의 Al_2O_3이 반응할 때 0.2몰의 Al이 생성된다.

④ 0 ℃, 1기압에서 생성된 CO_2의 부피는 ~~33.6 L~~ 3.36 L이다.

➡ 0.1몰의 Al_2O_3이 반응할 때 생성되는 CO_2의 양(mol)은 0.15몰이며, 0 ℃, 1기압에서 기체 0.15몰의 부피는 3.36 L이다.

⑤ 반응물의 계수의 합과 생성물의 계수의 합은 ~~같다~~ 같지 않다.

➡ 반응물의 계수의 합은 5이고, 생성물의 계수의 합은 7로, 같지 않다.

07 | 선택지 분석 |

ㄱ. 화학 반응식은 ~~A(g)+B(g) ⟶ C(g)~~ $2A(g)+B(g) \longrightarrow 2C(g)$이다.

➡ (가)와 (나)에서 A는 4개에서 2개가 되고, B는 4개에서 3개가 되며, C는 0개에서 2개가 생성되므로 화학 반응에서 반응하는 A와 B, 생성되는 C의 계수비는 2 : 1 : 2임을 알 수 있다. 따라서 화학 반응식은 $2A(g)+B \longrightarrow 2C(g)$이다.

ㄴ. (다)에서 기체 A는 모두 반응하였다.

➡ 화학 반응식은 $2A(g)+B(g) \longrightarrow 2C(g)$이다. (가)에서 A는 4개, B는 4개가 존재하고, A와 B는 반응식의 계수비인 2 : 1의 비로 반응하므로 (다)에서 A는 모두 반응한다.

ㄷ. 전체 기체의 분자 수비는 (가) : (다) = 4 : 3이다.

➡ (가)에는 A 4개, B 4개가 존재한다. (다)에는 C 4개와 반응하지 않고 남은 B 2개가 존재하므로 전체 기체의 분자 수비는 (가) : (다)=4 : 3이다.

08 | 선택지 분석 |

ㄱ. 생성물의 화학식은 ~~X_2Y~~ XY_2이다.

➡ 생성물은 X 원자 1개와 Y 원자 2개로 이루어져 있으므로 화학식은 XY_2이다.

ㄴ. 화학 반응식은 ~~$2X_2+Y_2 \longrightarrow 2XY_2$~~ $X_2+2Y_2 \rightarrow 2XY_2$이다.

➡ 반응 전과 후 X_2는 4개에서 2개가 되고, Y_2는 4개에서 0개가 되며, XY_2가 4개가 생성되므로 반응물과 생성물의 입자 수비는 $X_2 : Y_2 : XY_2$= 1 : 2 : 2이다. 따라서 화학 반응식은 $X_2+2Y_2 \longrightarrow 2XY_2$이다.

ㄷ. 온도와 압력이 일정할 때, 반응하는 Y_2의 부피와 생성물의 부피는 같다.

➡ 반응물 Y_2와 생성물 XY_2의 계수가 서로 같으므로 온도와 압력이 일정할 때 부피가 서로 같다.

09 탄산 칼슘과 묽은 염산이 반응하면 염화 칼슘과 물, 이산화 탄소가 생성된다.

10 | 선택지 분석 |

ㄱ. 반응 후 전체 질량은 2.2 g 감소한다.

➡ 반응한 $CaCO_3$ 5.0 g은 0.05몰이므로 발생한 CO_2의 양(mol)도 0.05몰이다. 따라서 반응 후 빠져나간 CO_2로 인해 감소한 질량은 CO_2 0.05몰의 질량인 2.2 g이다.

ㄴ. 발생한 CO_2의 부피는 0 ℃, 1기압에서 ~~11.2 L~~ 1.12 L이다.

➡ 0 ℃, 1기압에서 CO_2 0.05몰의 부피는 1.12 L이다.

ㄷ. 생성된 H_2O의 질량은 ~~0.09 g~~ 0.9 g이다.

➡ 생성된 물의 양(mol)은 0.05몰이므로 질량은 0.9 g이다.

11 | 선택지 분석 |

ㄱ. 반응 전 기체의 분자 수는 반응 후의 2배이다.

➡ 반응하는 기체의 분자 수비는 A : B : C=1 : 3 : 2이므로 반응 전 기체의 분자 수는 반응 후의 2배이다.

ㄴ. A 1몰과 반응하는 B의 양(mol)은 3몰이다.

➡ A 1몰이 반응할 때 B 3몰이 반응한다.

ㄷ. C 분자 1개를 구성하는 원자 수는 4개이다.

➡ C 분자는 A를 구성하는 원자 1개와 B를 구성하는 원자 3개가 결합하여 2몰만큼 생성되어야 하므로 C 분자 1개를 구성하는 원자 수는 4개이다.

도전! 실력 올리기

052쪽~053쪽

01 ⑤ **02** ③ **03** ① **04** ④ **05** ④ **06** ⑤

07 (1) $2H_2(g)+O_2(g) \longrightarrow 2H_2O(l)$

(2) | **모범 답안** | H_2 1몰, O_2 0.25몰, 반응 후 남은 기체의 양(mol)은 0.5몰인데, O_2 0.5몰은 16 g이므로 남은 기체가 O_2라면 처음 혼합 기체의 질량과 맞지 않게 된다. 따라서 남은 기체는 H_2 0.5몰, 즉 1 g이다. 따라서 반응한 혼합 기체의 질량은 총 9 g이고 반응하는 H_2와 O_2의 질량비는 1 : 8이므로 반응 전 H_2 2 g, 즉 1몰과 O_2 8 g, 즉 0.25몰이 있었음을 알 수 있다.

08 | **모범 답안** | $(\frac{x}{22.4}\times 44+32y)-z$, 반응 전 반응물의 질량은 $\frac{x}{22.4}\times 44+32y$이고, 이는 질량 보존 법칙에 의해 반응 후 생성물의 질량과 같다. 이때 생성된 CO_2의 질량이 z이므로 X의 질량은 $(\frac{x}{22.4}\times 44+32y)-z$이다.

01 | 선택지 분석 |

ㄱ. CO_2는 0.08몰이 생성된다.

➡ C_4H_{10}의 연소 반응에 대한 화학 반응식은 다음과 같다.

$2C_4H_{10}(g)+13O_2(g) \longrightarrow 8CO_2(g)+10H_2O(g)$

0.02몰의 C_4H_{10}이 모두 반응하면 CO_2는 0.08몰이 생성된다.

ㄴ. 반응 후 남은 O_2의 양(mol)은 0.07몰이다.

➡ 반응 전 O_2의 의 양(mol)은 0.20몰이고, 반응하는 양(mol)은 0.13몰이므로 반응 후 남은 양(mol)은 0.07몰이다.

ㄷ. 실린더 내부의 부피비는 반응 전 : 반응 후=22 : 25이다.

➡ 반응 전 실린더 속 기체의 양(mol)은 0.22몰이고, 반응 후 기체의 양(mol)은 O_2 0.07몰, CO_2 0.08몰, H_2O 0.10몰로, 총 0.25몰이다. 실린더 내부의 부피는 기체의 양(mol) 비례하므로 실린더 내부의 부피비는 22 : 25이다.

02 | 선택지 분석 |

ㄱ. $a+c=b$이다.

➡ 화학 반응 전과 후 원자의 종류와 수는 같아야 하므로 a=1, b=3, c=2이다.

ㄴ. 반응 후 남은 기체는 Y_2이다.

➡ 반응 전 X_2는 1몰, Y_2는 4몰이고, 화학 반응식의 계수비만큼 반응하게 되므로 반응 후 남은 기체는 Y_2 1몰이다.

X 전체 기체의 밀도비는 반응 전 : 반응 후=~~5 : 3~~이다. 3 : 5

➡ 반응 전 기체의 양(mol)은 5몰이고, 반응 후 기체의 양(mol)은 Y_2 1몰과 XY_3 2몰로 총 3몰이다. 기체의 부피는 기체의 양(mol)에 비례하여 5 : 3이고, 반응 전후의 질량은 일정하므로 밀도비는 3 : 5이다.

03 | 선택지 분석 |

ㄱ. O_2 기체 0.1몰을 얻기 위해 필요한 H_2O_2의 질량은 6.8 g이다.

➡ 화학 반응식에서 H_2O_2와 O_2의 계수비는 2 : 1이므로 O_2 0.1몰을 얻기 위해 필요한 H_2O_2의 양(mol)은 0.2몰로, 6.8 g이다.

X 1몰의 H_2O_2가 완전히 분해되었을 때 발생하는 O_2의 부피는 0 ℃, 1기압에서 ~~1.12 L~~이다. 11.2 L

➡ 1몰의 H_2O_2가 완전히 분해되었을 때 생성되는 O_2의 양(mol)은 0.5몰로, 이는 0 ℃, 1기압에서 11.2 L이다.

X 0.2몰의 H_2O_2가 반응할 때 생성되는 H_2O의 질량은 ~~0.36 g~~이다. 3.6 g

➡ 0.2몰의 H_2O_2가 반응할 때 생성되는 H_2O의 양(mol)은 0.2몰로, 3.6 g이다.

04 | 선택지 분석 |

X 반응 전 H_2의 양(mol)은 N_2의 ~~2배~~이다. 6배

➡ 반응 전 N_2의 양(mol)은 0.5몰이고, H_2의 양(mol)은 3몰로, H_2의 양은 N_2의 6배이다.

ㄴ. 반응하지 않고 남은 H_2의 질량은 3 g이다.

➡ N_2와 H_2는 1 : 3으로 반응하므로 N_2 0.5몰과 반응하는 H_2의 양(mol)은 1.5몰이다. 따라서 반응하지 않고 남은 H_2의 양(mol)은 1.5몰이므로 3 g에 해당한다.

ㄷ. 생성된 NH_3의 질량은 17 g이다.

➡ 생성된 NH_3의 양(mol)은 1몰이므로 질량은 17 g이다.

05 | 선택지 분석 |

X 발생한 CO_2의 질량은 ~~(w_1-w_2) g~~이다. $(w_1+1.0-w_2)$ g

➡ 발생한 CO_2의 질량은 반응 전 총질량에서 반응 후 총질량을 뺀 값에 해당한다. 반응 전 총질량은 $(w_1+1.0)$ g이고, 반응 후 총질량은 w_2 g이다. 따라서 발생한 CO_2의 질량은 $(w_1+1.0-w_2)$ g이다.

ㄴ. 반응한 $HCl(aq)$의 양(mol)은 0.02몰이다.

➡ $CaCO_3$의 화학식량이 100이므로 반응한 $CaCO_3$ 1.0 g은 0.01몰에 해당한다. 화학 반응식에서 $CaCO_3$과 $HCl(aq)$의 계수비가 1 : 2이므로 0.01몰의 $CaCO_3$은 0.02몰의 $HCl(aq)$과 반응한다.

ㄷ. 0 ℃, 1기압에서 생성된 CO_2의 부피는 0.224 L이다.

➡ 0.01몰의 $CaCO_3$이 반응하면 CO_2는 0.01몰이 생성된다. 0 ℃, 1기압에서 CO_2 0.01몰이 차지하는 부피는 0.224 L이다.

06 | 선택지 분석 |

ㄱ. $a=b+c$이다.

➡ (가)와 (나)에서 화학 반응식의 계수를 맞추면 다음과 같다.

(가) $N_2(g)+3H_2(g) \longrightarrow 2NH_3(g)$

(나) $2NH_3(g)+CO_2(g) \longrightarrow CO(NH_2)_2(s)+H_2O(l)$

따라서 $a=3$, $b=2$, $c=1$이다.

ㄴ. (가)에서 생성된 NH_3의 질량은 17 g이다.

➡ (나)에서 생성된 $CO(NH_2)_2$ 30 g은 0.5몰에 해당하므로 반응한 NH_3는 1몰이어야 한다. 따라서 (가)에서 생성된 NH_3의 질량은 1몰 질량에 해당하므로 17 g이다.

ㄷ. (나)에서 반응한 CO_2의 양(mol)은 0.5몰이다.

➡ (나)에서 생성된 $CO(NH_2)_2$는 0.5몰이고, $CO(NH_2)$와 CO_2의 계수비는 1 : 1이므로 반응한 CO_2의 양(mol)도 0.5몰이다.

07 | 선택지 분석 |

(1) 반응 전후 원자의 종류와 개수가 같도록 화학 반응식을 완성한다.

(2) 반응 후 남은 기체의 양(mol) 0.5몰인데, O_2 0.5몰은 16 g이므로 남은 기체가 O_2라면 처음 혼합 기체의 질량과 맞지 않게 된다. 따라서 남은 기체는 H_2 0.5몰, 즉 1 g이다. 따라서 반응한 혼합 기체의 질량은 총 9 g이다. 이때 반응하는 H_2와 O_2의 질량비는 1 : 8이므로 반응한 H_2는 1 g, 반응한 O_2는 8 g이다.

채점 기준	배점
반응 전 각 기체의 양(mol)을 옳게 구하고, 그 까닭을 옳게 서술한 경우	100 %
반응 전 각 기체의 양(mol)만을 옳게 구한 경우	30 %

08 질량 보존 법칙에 의해 반응한 물질의 질량의 합과 생성된 물질의 질량의 합은 같다.

채점 기준	배점
질량 보존 법칙을 언급하여 까닭을 옳게 서술하고 X의 질량을 x, y, z를 모두 사용하여 옳게 나타낸 경우	100 %
X의 질량만 x, y, z를 모두 사용하여 옳게 나타낸 경우	50 %

03 몰 농도

개념POOL 057쪽

01 10 mL **02** 0.6 M

01 0.05 M 염화 나트륨 수용액 200 mL를 만드는 데 필요한 염화 나트륨의 양(mol)은 0.01몰이므로 1 M 염화 나트륨 수용액 0.01 L=10 mL가 필요합니다.

02 10 % 포도당 수용액 90 g에 포함된 포도당의 질량은 9 g이며, 이는 0.05몰이다. 1 M 포도당 수용액 10 mL에 포함

된 포도당의 양(mol)은 0.01몰이다. 따라서 혼합 용액에 포함된 용질의 양(mol)은 0.05+0.01=0.06 mol이 된다. 이때 용액의 밀도가 1.0 g/mL이므로 혼합 용액의 부피는 0.1 L이다. 따라서 혼합 용액의 몰 농도는 $\frac{0.06\text{ mol}}{0.1\text{ L}}$ =0.6 M이 된다.

탐구POOL 058쪽

01 1.8 g **02** 0.02 M

01 0.2 M 포도당 수용액 50 mL에 포함된 포도당의 양(mol)은 0.01몰이므로 질량은 1.8 g이다.

02 0.1 M 포도당 수용액 100 mL에 녹아 있는 포도당의 양(mol)은 0.01몰이고, 포도당 수용액의 부피는 0.5 L이므로 이 수용액의 몰 농도는 0.02 M이다.

콕콕! 개념 확인하기 059쪽

✔ 잠깐 확인!

1 용해 **2** 용액 **3** 용매 **4** 용질 **5** 농도 **6** 퍼센트 농도 **7** 몰 농도

01 (1) × (2) ○ (3) × **02** ㉠ 100, ㉡ 40, ㉢ 0.5 **03** (1) ㉢ (2) ㉠, (3) ㉡ **04** ㉠ 부피 플라스크, ㉡ 0.2, ㉢ 작아

02 (나)에서는 $\frac{20/㉠}{0.2}$=1 M이므로 ㉠은 100이다. (가)에서는 $\frac{4}{㉡}\times100$=10 %이므로 ㉡은 40이다. (다)에서는 $\frac{45/180}{0.5}$=㉢ M이므로 ㉢은 0.5이다.

04 NaOH 4 g은 0.1몰이고, 수용액의 부피가 0.5 L이므로 용액의 몰 농도는 0.2 M이다. 용액의 온도를 높이면 용액의 부피가 증가하므로 몰 농도는 감소한다.

탄탄! 내신 다지기 060쪽~061쪽

01 ① **02** ㉠ 18 %, ㉡ 1 M **03** ③ **04** ② **05** ㉠ 500, ㉡ $\frac{1}{d}$ % **06** ⑤ **07** ② **08** ③ **09** a=1, b=2 **10** ① **11** 0.5 M

01 | 선택지 분석 |

㉠ x는 96이다.

➡ 용액의 질량이 100 g이고, 퍼센트 농도가 4 %이므로 용질의 질량이 4 g이다. 따라서 용매의 질량은 96 g이다.

✕ 용액의 퍼센트 농도는 ~~(가)와 (나)가 같다~~. (가)가 (나)보다 크다

➡ (가)와 (나)에서 용질의 질량은 같지만, 용매의 질량이 (가)가 (나)보다 작으므로 퍼센트 농도는 (가)가 (나)보다 크다.

✕ (나)의 온도를 50 ℃로 높이면 퍼센트 농도는 ~~감소한다~~. 변하지 않는다

➡ 퍼센트 농도는 질량을 기준으로 한 농도이므로 (나)의 온도를 50 ℃로 높여도 퍼센트 농도는 변하지 않는다.

02 수용액의 퍼센트 농도는 $\frac{18\text{ g}}{(18+82)\text{ g}}\times100$=18 %이고, 몰 농도는 $\frac{18\text{ g}}{180\text{ g/mol}}\times\frac{1}{0.1\text{ L}}$=1 M이다.

03 | 선택지 분석 |

㉠ 용액의 퍼센트 농도는 용질의 질량과 용매의 질량을 알면 구할 수 있다.

➡ 용액의 퍼센트 농도는 용액의 질량과 용질의 질량을 알면 구할 수 있고, 용액의 질량은 용질의 질량과 용매의 질량의 합과 같다.

㉡ 용액의 몰 농도는 용질의 양(mol)과 용액의 부피를 알면 구할 수 있다.

➡ 용질의 양(mol)과 용액의 부피를 알면 용액의 몰 농도 $\left(\frac{\text{용질의 양(mol)}}{\text{용액의 부피(L)}}\right)$를 구할 수 있다.

✕ 서로 다른 두 수용액의 퍼센트 농도가 같으면 몰 농도는 같다.

➡ 서로 다른 두 수용액의 경우 퍼센트 농도가 같을지라도 용질의 화학식량이 다르면 용질의 양(mol)이 서로 다르므로 몰 농도는 같지 않다.

04 | 선택지 분석 |

✕ 몰 농도가 ~~같다~~. (가) > (나)이다

➡ (나)의 온도가 (가)보다 높으므로 수용액의 부피가 커져 몰 농도는 (가)가 (나)보다 크다.

㉡ 퍼센트 농도가 같다.

➡ (가)와 (나)는 용질과 용액의 질량비가 같으므로 퍼센트 농도는 같다.

✕ 용질의 양(mol)이 ~~같다~~. (가) > (나)이다

➡ 포도당의 질량이 (가)가 (나)보다 크므로 용질의 양(mol)은 (가)가 (나)보다 많다.

05 ㉠: 0.1 M=$\frac{5/100}{x/1000}$ M이므로 x=500이다.

㉡: 500 mL 수용액의 질량이 500d(g)이므로 퍼센트 농도는 $\frac{5}{500d}\times100=\frac{1}{d}$ %이다.

06 | 자료 분석 |

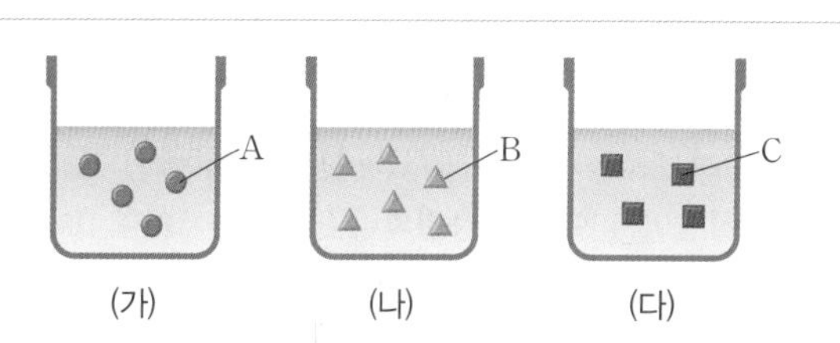

• (가)~(다)에 용해된 용질의 질량이 같다.

➡ 용액의 퍼센트 농도는 (가)=(나)=(다)

• 같은 질량을 용해했을 때 용질의 입자 수가 B>A>C

➡ 분자량의 크기는 C>A>B

➡ 몰 농도는 (나)>(가)>(다)

| 선택지 분석 |

㉠ 퍼센트 농도는 (가)~(다)에서 모두 같다.

➡ (가)~(다)는 모두 용액의 질량과 용질의 질량이 같으므로 퍼센트 농도는 모두 같다.

㉡ 분자량이 가장 큰 용질은 C이다.

➡ 용질의 질량이 같으므로 분자량이 클수록 용질의 양(mol)이 적어진다. 따라서 용질의 모형 수가 가장 작은 C의 분자량이 가장 크다.

㉢ 몰 농도가 가장 큰 수용액은 (나)이다.

➡ 수용액의 밀도가 모두 같으므로 용질의 양(mol)이 가장 많은 (나)의 몰 농도가 가장 크다.

07 | 선택지 분석 |

✕ (가)의 몰 농도는 ~~0.04 M~~이다.
1 M

➡ (가)의 용액은 1 M 포도당 수용액을 묽히기 전의 용액이므로 농도는 1 M이다.

✕ (나)의 퍼센트 농도는 45 %이다.

➡ (가)에서 1 M 포도당 수용액 20 mL에는 3.6 g의 포도당이 용해되어 있고, (나)에서 포도당 5.4 g이 추가되었으므로 포도당의 질량은 9 g이다. 따라서 (나)의 퍼센트 농도는 $\frac{9}{25.4}\times100$이므로 45 %가 아니다.

㉢ (다) 수용액의 온도를 높이면 농도는 0.1 M보다 작아진다.

➡ (다)에서는 용질인 포도당 9 g, 즉 0.05몰이 용해되어 있으며 용액의 부피가 500 mL이므로 용액의 몰 농도는 0.1 M이다. 이때 (다) 수용액의 온도를 높이면 용액의 부피가 증가하므로 몰 농도는 0.1 M보다 작아진다.

08 | 선택지 분석 |

㉠ (가)의 퍼센트 농도는 4 %이다.

➡ (가)에는 0.1몰의 NaOH이 용해되어 있으며, 이는 NaOH 4 g에 해당한다. 또한 용액의 밀도가 1.0 g/mL이므로 용액의 질량은 100 g이다. 따라서 퍼센트 농도는 $\frac{4}{100}\times100=4$ %이다.

㉡ 용질의 질량은 (가)가 (나)의 2배이다.

➡ NaOH의 질량은 (가)의 경우 0.1몰인 4 g, (나)의 경우 2 g이므로 용질의 질량은 (가)가 (나)의 2배이다.

✕ 물의 질량은 ~~(가)와 (나)가 같다~~.
(나)가 (가)보다 크다

➡ (가)와 (나)의 용액의 질량이 모두 100 g인 반면, 용질의 질량은 (가)가 4 g, (나)가 2 g이므로 용매인 물의 질량은 (나)가 (가)보다 크다.

09 (가)에서 용액의 몰 농도(M)와 부피(L)의 곱은 용질의 양(mol)이므로 용질의 양(mol)은 0.025몰이다. 용질의 화학식량이 40이므로 용질의 질량인 a는 1이다. (나)에서 용액의 퍼센트 농도는 4 %이고, 용액의 질량이 50 g이므로 용질의 질량인 b는 2이다.

10 | 선택지 분석 |

㉠ x는 2.5이다.

➡ 0.1 M의 $KHCO_3$ 수용액 250 mL에 들어 있는 $KHCO_3$의 양(mol)은 0.025몰이므로 2.5 g이다. 따라서 x는 2.5이다.

✕ ㉠은 ~~둥근바닥 플라스크~~이다.
부피 플라스크

➡ 특정 몰 농도의 용액을 제조할 때는 부피 플라스크를 사용한다.

✕ 증류수 250 mL에 $KHCO_3$ 2.5 g을 용해하면 수용액의 몰 농도는 0.1 M~~이다~~.
보다 작다

➡ 증류수 250 mL에 $KHCO_3$ 2.5 g을 녹이면 수용액의 부피가 250 mL보다 커지므로 몰 농도는 0.1 M보다 작다.

11 (다)에서 물이 증발하면 삼각 플라스크에는 NaCl만 남게 되므로 수용액 속 NaCl의 질량은 w_1-w_2이다. 따라서 수용액 속 NaCl의 질량은 5.85 g이며, 이는 NaCl 0.1몰이다. 따라서 용액의 몰 농도(M)$=\frac{0.1\text{ mol}}{0.2\text{ L}}=0.5$ M이다.

도전! 실력 올리기

062쪽~063쪽

01 ② **02** ⑤ **03** ① **04** ④ **05** ③ **06** ⑤

07 | **모범 답안** | (가) 수용액에서 NaOH의 양(mol)은 10^{-3}몰이므로 용액의 몰 농도는 10^{-2} M이고, (나) 수용액에서 NaOH의 양(mol)은 10^{-5}몰이므로 용액의 몰 농도는 10^{-4} M이다.

08 | **모범 답안** | (가)에서 0.1 M 수용액 1 L에 용해된 NaOH의 양(mol)은 0.1(M)×1(L)=0.1 mol이다. 이는 질량 4 g에 해당하므로 $x=4$이다. (나)에서 0.005 M 수용액 200 mL에 포함된 NaOH의 양(mol)은 0.005(M)×0.2(L)=0.001 mol이다. 0.001몰에 해당하는 용질을 얻기 위해 필요한 (가) 수용액의 부피는 10 mL이므로 $y=10$이다.

01 | 선택지 분석 |

✕ ㉠은 ~~비커~~이다.
부피 플라스크

㉡ 실험 과정을 순서대로 배열하면 (다)－(나)－(가)이다.

➡ 일정한 몰 농도의 수용액을 만들기 위해서는 일정량의 용질을 비커에 담긴 물에 넣고 녹여 부피 플라스크에 넣고, 비커에 남은 용액도 증류수로 씻어 부피 플라스크에 넣은 다음 표선까지 증류수를 넣어 준다.

✕ x는 ~~58.5~~이다.
5.85

➡ 0.1 M NaCl 수용액 1000 mL를 만들기 위해 필요한 NaCl은 0.1몰이므로 5.85 g에 해당한다.

02 | 선택지 분석 |

㉠ 용질의 질량은 (가)가 (나)의 10배이다.

➡ 퍼센트 농도가 (가)가 (나)의 10배이므로 용질의 질량도 (가)가 (나)의 10배이다.

㉡ 용액의 부피는 (나)가 (가)의 1.2배이다.

➡ 용액의 부피는 밀도에 반비례하고, 밀도는 (가)가 (나)의 1.2배에 해당하므로 부피는 (나)가 (가)의 1.2배이다.

ㄷ 용액의 몰 농도는 (가)가 (나)의 12배이다.

➡ 용액 (가)와 (나)의 질량이 같으므로 이를 M으로 놓고, (가) 용액에 포함된 용질의 질량을 x g이라고 하면 (가)의 퍼센트 농도는 $\frac{x}{M}\times100=34$ %로 나타낼 수 있다. 따라서 $x=0.34M$(g)이다. 용질의 분자량이 340이므로 (가)에 포함된 용질의 양(mol)은 $M\times0.01$몰이다. 이때 (가)의 부피는 $\frac{M}{1200}$ L이므로 (가)의 몰 농도는 $\frac{M\times0.01}{M/1200}=12$ M이다. (나)에 포함된 용질의 질량은 (가)의 $\frac{1}{10}$배이고, (나)의 부피는 $\frac{M}{1000}$ L이므로 (나)의 몰 농도는 1 M이다.

03 | 자료 분석 |

X 수용액	(가)	(나)
농도	10 %	1 M
용액의 질량(g)	100	100
X의 질량(g)	x	y

- (가)의 질량이 100 g이고, 농도가 10 %이므로 용해된 용질은 10 g이다. ➡ $x=10$(g)
- (나)의 질량이 100 g이고, 밀도가 1.1 g/mL이므로 (나)의 부피는 $\frac{100}{1.1}\times10^{-3}$(L)이다. 또한, 용질 X의 화학식량이 100이므로 (나)에 용해된 용질의 양(mol)은 $\frac{y}{100}$몰이다. 이때 (나)의 몰 농도가 1 M이므로 $1\ \text{M}=\frac{y/100(\text{mol})}{(100/1.1)\times10^{-3}(\text{L})}$이다. ➡ $y=\frac{100}{11}$(g)

| 선택지 분석 |

ㄱ x는 y보다 크다.

➡ X의 질량인 x는 10 g이고, (나)에서 용질의 양(mol)은 $\frac{1}{11}$몰이므로 y는 $\frac{100}{11}$이다.

✕ 용액의 몰 농도는 ~~(가)와 (나)가 같다~~. (가)가 (나)보다 크다

➡ (가)와 (나)의 용액의 질량은 같지만, 용질의 질량이 (가)가 (나)보다 크므로 몰 농도는 (가)가 (나)보다 크다.

✕ 수용액 속 용질의 양(mol)은 ~~(가)와 (나)가 같다~~. (가)가 (나)보다 많다

➡ 용질의 질량이 (가)가 (나)보다 크므로 수용액 속 용질의 양(mol)은 (가)가 (나)보다 많다.

04 | 선택지 분석 |

✕ 용액의 질량은 (가)가 (나)~~보다 크다~~. 와 같다

➡ 온도가 변해도 용액의 질량은 일정하므로 용액의 질량은 (가)와 (나)가 같다.

ㄴ 용액의 몰 농도는 (나)가 (가)보다 크다.

➡ (가)에 비해 (나)는 온도가 감소하여 용액의 부피가 작아졌으므로 몰 농도는 커진다.

ㄷ 용액의 퍼센트 농도는 (가)와 (나)가 같다.

➡ 온도가 변해도 용액의 질량과 용질의 질량이 일정하므로 퍼센트 농도는 (가)와 (나)가 같다.

05 | 선택지 분석 |

ㄱ x는 200이다.

➡ (나)에 녹아 있는 NaOH의 양(mol)은 0.5몰이므로 NaOH의 질량은 20 g이 녹아 있다. NaOH 20 g이 녹아 있는 (가)의 농도가 10 %이므로 용액의 질량(x)은 200 g이다.

ㄴ 추가된 증류수의 질량은 $(500d-x)$ g이다.

➡ (가)와 (나)에서 수용액의 질량은 각각 x g과 $500d$ g이므로 추가된 증류수의 질량은 그 차이에 해당하는 $(500d-x)$ g이다.

✕ (나)의 퍼센트 농도는 ~~$\frac{2}{5d}$ %~~이다. $\frac{4}{d}$ %

➡ (나)에서 용액의 질량은 $500d$이고, 용질의 질량은 20 g이므로 퍼센트 농도는 $\frac{20}{500d}\times100=\frac{4}{d}$ %이다.

06 | 선택지 분석 |

ㄱ (가)의 퍼센트 농도는 20 %이다.

➡ (가)에서 용액의 질량은 100 g이고, 용질 X의 질량은 20 g이므로 퍼센트 농도는 20 %이다.

ㄴ (나)의 몰 농도는 0.04 M이다.

➡ (가) 10 g에 녹아 있는 용질 X의 질량은 2 g이므로 (나)의 몰 농도는 $\frac{0.02\ \text{mol}}{0.5\ \text{L}}=0.04$ M이다.

ㄷ (다)에 녹아 있는 X의 양(mol)은 0.11몰이다.

➡ (가) 50 g에 녹아 있는 X의 양은 10 g이고, (나) 250 mL에 녹아 있는 X의 양은 1 g이므로 (다)에 녹아 있는 X의 질량은 11 g이다. 따라서 (다)에 녹아 있는 X의 양(mol)은 0.11몰이다.

07 용액의 몰 농도(M)는 $\frac{\text{용질의 양(mol)}}{\text{용질의 부피(L)}}$이다.

채점 기준	배점
각 수용액 속 용질의 양(mol)을 언급하여 (가)와 (나) 수용액의 몰 농도를 옳게 서술한 경우	100 %
각 수용액 속 용질의 양(mol)을 언급하지 않고 (가)와 (나) 수용액의 몰 농도만 옳게 서술한 경우	50 %

08 용액을 혼합하거나 희석할 때 용액에 포함된 용질의 총량은 변하지 않는다는 것을 이용하여 농도를 계산할 수 있다.

채점 기준	배점
각 수용액 속 용질의 양(mol)을 언급하여 x, y를 옳게 서술한 경우	100 %
각 수용액 속 용질의 양(mol)을 언급하지 않고 x, y의 값만 옳게 서술한 경우	50 %

실전! 수능 도전하기 065쪽~067쪽

01 ④ 02 ⑤ 03 ③ 04 ① 05 ① 06 ④ 07 ③ 08 ②
09 ⑤ 10 ① 11 ① 12 ⑤

01 | 자료 분석 |

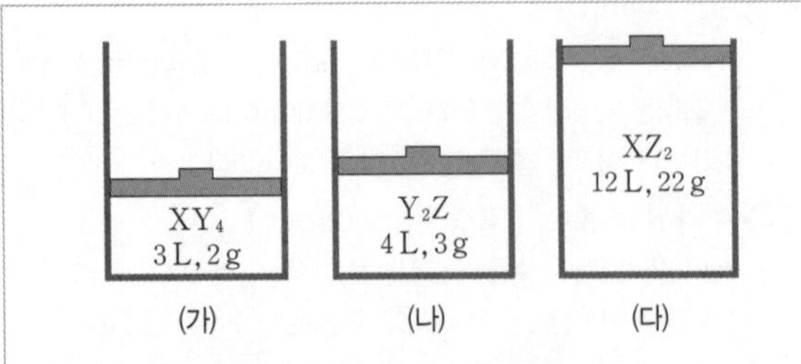

• $XY_4 : Y_2Z : XZ_2$의 밀도비는 $\frac{2}{3} : \frac{3}{4} : \frac{22}{12} = 8 : 9 : 22$

➡ 분자량 비와 같다.

| 선택지 분석 |

ㄱ (나)와 (다)의 밀도비는 9 : 22이다.

➡ 밀도는 $\frac{질량}{부피}$이므로 (나)와 (다)의 밀도비는 $\frac{3}{4} : \frac{22}{12} = 9 : 22$이다.

✕ Z의 원자량은 Y의 ~~8배~~이다. (16배)

➡ 일정한 온도와 압력에서 기체의 밀도는 분자량에 비례하므로 XY_4, Y_2Z, XZ_2의 분자량 비는 8 : 9 : 22이다. X의 원자량을 x, Y의 원자량을 y, Z의 원자량을 z라고 하면 $x+4y : 2y+z : x+2z = 8 : 9 : 22$이다. 이를 계산하면 X, Y, Z의 원자량 비는 12 : 1 : 16이다.

ㄷ XY_4와 Z_2의 분자량 비는 1 : 2이다.

➡ X, Y, Z의 원자량 비는 12 : 1 : 16이므로 XY_4와 Z_2의 분자량 비는 16 : 32 = 1 : 2이다.

02 | 선택지 분석 |

ㄱ ㉠과 ㉡은 같은 화합물이다.

➡ ㉠과 ㉡은 CO_2로, 같은 화합물이다.

ㄴ $a+b+c=8$이다.

➡ 화학 반응식에서 반응 전과 후 원자의 종류와 수는 같으므로 $a=3$, $b=2$, $c=3$이다.

ㄷ 반응 후 전체 기체의 양(mol)이 증가하는 반응은 (가)이다.

➡ (가)의 경우 반응물에는 기체가 존재하지 않지만 반응 후 기체가 생성되므로 전체 기체의 양(mol)이 증가하게 된다. (나)의 경우 반응물의 기체와 생성물의 기체의 계수가 동일하므로 전체 기체의 양(mol)이 일정하게 유지된다.

03 | 자료 분석 |

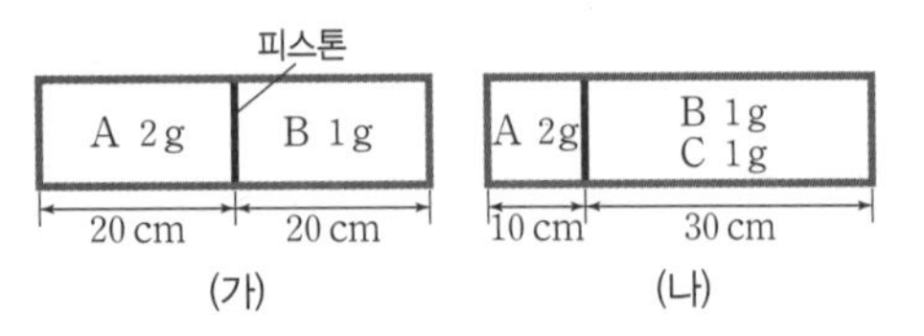

• (가)에서 A와 B가 차지하는 부피가 같으므로 A와 B의 양(mol)이 같다.

• (나)에서 A와 B, C의 혼합 기체가 차지하는 부피의 비가 1 : 3이다. 이때 A와 B의 양(mol)은 같으므로 C의 양(mol)은 A, B의 2배이다. ➡ A, B, C의 몰비 = 1 : 1 : 2

• 각 물질의 분자량 비는 같은 양(mol)에 해당하는 질량을 비교해야 하므로 2 : 1 : 0.5이다. ➡ A, B, C의 분자량 비 = 4 : 2 : 1

| 선택지 분석 |

ㄱ (가)에서 A와 B의 양(mol)은 같다.

➡ (가)에서 기체 A와 B가 차지하는 부피가 같고, 기체의 부피는 양(mol)에 비례하므로 (가)에서 A와 B의 양(mol)은 같다.

✕ (나)에서 B와 C의 양(mol)은 ~~같다~~. (다르다)

➡ (가)와 (나)에서 A, B, C의 양(mol)은 1 : 1 : 2이다. 따라서 C의 양(mol)은 B의 2배이다.

ㄷ 기체의 분자량 비는 A : B : C = 4 : 2 : 1이다.

➡ 기체 A, B, C의 분자량을 각각 M_A, M_B, M_C라 두면 $1 : 1 : 2 = \frac{2}{M_A} : \frac{1}{M_B} : \frac{1}{M_C}$이어야 한다. 따라서 $M_A = 2M_B = 4M_C$이므로 분자량 비는 $M_A : M_B : M_C = 4 : 2 : 1$이다.

04 | 선택지 분석 |

ㄱ 원자량은 B > A이다.

➡ (가)는 실험식도 AB_2C이고, (나)의 실험식은 CB이다. 따라서 (가)와 (나)의 실험식량인 65와 35의 차이는 A와 B의 원자량의 합과 같다. 따라서 A+B=30이다. 이때 (다)의 분자식이 실험식과 같다면 (다)의 분자식은 AB_2이므로 A의 원자량은 14, B의 원자량은 16이 된다.

반면에 화합물 (다)의 분자식이 실험식×2로 A_2B_4라면 분자량은 2A+4B=46이므로 A+2B=23이다. 이것을 A+B=30과 함께 풀었을 때 B의 값이 음수가 되므로 옳지 않으며, 따라서 (다)의 실험식은 분자식과 같다는 것을 알 수 있다.

✕ 실험식량은 ~~(다)~~가 가장 크다. ((가))

➡ (가)의 실험식은 AB_2C, (나)의 실험식은 CB, (다)의 실험식은 AB_2이므로 실험식량이 가장 큰 화합물은 (가)이다.

✕ 1몰에 들어 있는 B의 원자 수는 ~~(다) > (가)이다~~. (모두 같다)

➡ (가)~(다)의 분자식에서 B의 입자 수가 모두 같으므로 각 물질 1몰에 들어 있는 B의 원자 수도 모두 같다.

05 | 선택지 분석 |

ㄱ x는 2.20이다.

➡ 실험 I에서 반응한 $CaCO_3$의 양(mol)이 0.01몰일 때, 생성된 기체 A의 양이 0.44 g, 즉 0.01몰인 것을 통해 반응한 $CaCO_3$과 생성된 기체 A의 몰비가 1 : 1임을 알 수 있다. 실험 V에서 반응한 $CaCO_3$의 양(mol)이 0.05몰이므로 생성된 기체 A의 양도 0.05몰이다. 따라서 x는 2.20이다.

✕ 생성된 A의 질량은 ~~(w_1-w_3)~~이다. ($(w_1+w_2-w_3)$)

➡ 반응한 A의 질량은 HCl(aq)이 들어 있는 삼각 플라스크의 질량과 $CaCO_3$의 질량을 합한 값에서 반응 후 삼각 플라스크의 질량을 빼서 구할 수 있다.

✕ 반응한 $CaCO_3$과 생성된 A의 몰비는 ~~1 : 2~~이다. (1 : 1)

➡ 화학 반응식의 계수비로부터 반응한 $CaCO_3$과 생성된 A의 몰비는 1 : 1이다.

06 반응이 완결되었다는 것은 반응물 A와 B가 둘 다 모두 반응하였거나, 둘 중 한 가지의 반응물이 모두 반응하였음을 뜻한다. A의 양은 x L로 Ⅰ과 Ⅱ에서 같은데, Ⅰ보다 Ⅱ에서 B의 부피가 더 많았으므로 Ⅰ에서는 B가, Ⅱ에서는 A가 모두 반응했다고 가정하여 양적 관계를 계산하면

[실험 Ⅰ]

	2A	$+b$B	⟶	C	$+2$D
반응 전	x	4		0	0
반응	$-\frac{4\times2}{b}$	-4		$+\frac{4}{b}$	$+\frac{8}{b}$
반응 후	$x-\frac{4\times2}{b}$	0		$\frac{4}{b}$	$\frac{8}{b}$

[실험 Ⅱ]

	2A	$+b$B	⟶	C	$+2$D
반응 전	x	9		0	0
반응	$-x$	$-\frac{x}{2}b$		$+\frac{x}{2}$	$+x$
반응 후	0	$9-\frac{x}{2}b$		$\frac{x}{2}$	x

으로, 온도와 압력이 일정한 조건에서 기체의 양(mol)은 기체의 부피에 비례하므로 Ⅰ에서 $\frac{\text{전체 기체의 양(mol)}}{\text{C의 양(mol)}}=\frac{\left(x-\frac{8}{b}\right)+\frac{4}{b}+\frac{8}{b}}{\frac{4}{b}}=4$로 $xb=12$이고,

Ⅱ에서 $\frac{\text{전체 기체의 양(mol)}}{\text{C의 양(mol)}}=\frac{\left(9-\frac{x}{2}b\right)+\frac{x}{2}+x}{\frac{x}{2}}=4$로 $18-xb=x$이다. 따라서 $x=6$, $b=2$이므로 $\frac{x}{b}=3$이다.

07 | 선택지 분석 |

ㄱ X는 H_2이다.

➡ 마그네슘이 묽은 염산과 반응하면 수소 기체가 발생한다.

✕ X 24 mL가 발생했을 때 반응하는 Mg의 양(mol)은 ~~1~~몰이다. (0.001몰)

➡ X 24 mL는 0.001몰이므로 이때 반응하는 Mg의 양(mol)도 0.001몰이다.

ㄷ Mg을 넣기 전 HCl(aq) 0.1 L에 들어 있는 H^+의 양(mol)은 0.006몰이다.

➡ X가 최대로 발생했을 때의 부피가 72 mL이므로 0.003몰에 해당한다. 따라서 반응하기 전 HCl(aq)에 들어 있는 H^+의 양(mol)은 0.006몰이다.

08 | 선택지 분석 |

✕ ㉠은 ~~10~~이다. (1)

➡ X와 Y의 질량이 같으므로 (나) 수용액에는 10 g의 Y가 녹아 있고, 용액의 밀도가 1.0 g/mL이므로 퍼센트 농도는 $\frac{10\text{ g}}{1000\text{ g}}\times100=1$ %이다.

ㄴ ㉡은 50이다.

➡ 0.2 M 1 L의 (나) 수용액에 들어 있는 Y의 양(mol)은 0.2몰이고, 이는 Y 10 g에 해당하므로 Y의 몰 질량은 $\frac{10\text{ g}}{0.2\text{ mol}}=50$ g/mol로, Y의 분자량은 50이다.

✕ 온도를 40 ℃로 높이면 (가)와 (나)의 퍼센트 농도는 모두 ~~감소한다~~. (변하지 않는다)

➡ 온도를 40 ℃로 높여도 질량을 기준으로 한 (가)와 (나)의 퍼센트 농도는 변하지 않는다.

09 | 선택지 분석 |

ㄱ (가)의 수용액의 몰 농도는 0.1 M이다.

➡ (가)에서 $KHCO_3$의 양(mol)은 0.01몰이므로 몰 농도는 0.1 M이다.

✕ x=~~10~~이다. (5)

➡ 500 mL 부피 플라스크에 1×10^{-3} M 수용액을 만들기 위해서는 $KHCO_3$ 5×10^{-4}몰이 필요하다. 이때, (가) 수용액은 0.1 M이므로 x는 5 mL에 해당한다.

ㄷ (나)에서 만든 수용액의 퍼센트 농도는 $\frac{1}{100\,d}$ %이다.

➡ (나)에서 만든 수용액에 포함된 용질의 양(mol)은 5×10^{-4}몰이다. $KHCO_3$의 화학식량이 100이므로 용질의 질량은 5×10^{-2} g이다. 따라서 이 용액의 퍼센트 농도는 $\frac{5\times10^{-2}\text{ g}}{500\,d}\times100=\frac{1}{100\,d}$ %이다.

10 | 자료 분석 |

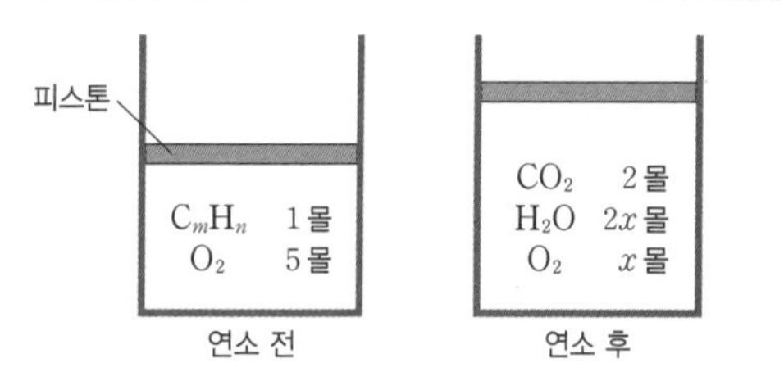

반응 전후 원자의 종류와 수가 일정해야 하므로 이 반응의 화학 반응식은 $C_mH_n+\left(m+\frac{n}{4}\right)O_2 \longrightarrow mCO_2+\frac{n}{2}H_2O$으로 나타낼 수 있다.

이 반응의 양적 관계를 살펴보면

	C_mH_n +	$\left(m+\frac{n}{4}\right)O_2$	⟶ mCO_2 +	$\frac{n}{2}H_2O$
연소 전	1몰	5몰	0몰	0몰
연소	−1몰	$-\left(m+\frac{n}{4}\right)$몰	$+m$몰	$+\frac{n}{2}$몰
연소 후	0몰	$5-\left(m+\frac{n}{4}\right)$몰 $=x$몰	m몰 $=2$몰	$\frac{n}{2}$몰 $=2x$몰

이다. 이로부터

O_2: $5-\left(m+\frac{n}{4}\right)$몰$=x$몰

CO_2: m몰$=2$몰 ⟶ $m=2$

H_2O: $\frac{n}{2}$몰$=2x$몰

이므로, 이를 계산하면 $m=2$, $n=6$, $x=1.5$이다.

| 선택지 분석 |

ㄱ $m+n=8$이다.

➡ C_mH_n의 연소 반응에서 C_mH_n 1몰이 연소할 때 CO_2 m몰이 생성된다. 주어진 자료에서 C_mH_n 1몰이 연소하여 생성된 CO_2가 2몰이므로 $m=2$이다. C_mH_n 1몰이 연소할 때 필요한 산소의 양(mol)은 $\left(m+\frac{n}{4}\right)$몰이며, 반응 후 남은 산소의 양(mol)은 $5-\left(m+\frac{n}{4}\right)$몰로, 이는 자료에 x로 제시되었다. C_mH_n 1몰이 연소할 때 생성된 H_2O의 양(mol)은 $\frac{n}{2}$몰이며, 이는 자료에 $2x$로 제시되었다. 이를 계산하면 $n=6$, $x=1.5$이다.

✗ $x=$ ~~3~~ 1.5 이다.

✗ 기체의 밀도비는 연소 전 : 연소 후 $=$ ~~12 : 13~~ 13 : 12 이다.

➡ 반응 전 기체의 양(mol)은 6몰이고, 반응 후 기체의 양(mol)은 6.5몰이다. 기체의 부피는 기체의 입자 수에 비례하므로, 연소 전과 연소 후 기체의 부피비는 12 : 13이다. 이때 반응 전후 질량이 일정하므로 기체의 밀도는 부피에 반비례하여 기체의 밀도비는 연소 전 : 연소 후 $=13:12$이다.

11 | 선택지 분석 |

ㄱ $b=2a$이다.

➡ B_2의 양(mol)은 6몰로 일정하고, A_2의 양(mol)이 3몰 이상일 때부터 생성물 X의 양(mol)이 일정해지므로 이때 A_2와 B_2의 반응이 완결되었다는 것을 알 수 있다. 반응이 완결된 지점에서 A_2, B_2, X의 몰비가 3 : 6 : 6이므로 반응식에서 A_2의 계수$(a)=1$, B_2의 계수$(b)=2$라는 것을 알 수 있다.

✗ X의 화학식은 ~~A_2B~~ AB_2 이다.

➡ 화학 반응식은 $A_2+2B_2 \rightarrow 2X$이므로 X는 AB_2이다.

✗ 반응하고 남은 B_2의 양(mol)은 (가)가 (나)의 ~~3배~~ 2배 이다.

➡ 반응하고 남은 B_2의 양(mol)은 (가)는 4몰, (나)는 2몰이므로 (가)가 (나)의 2배이다.

12 | 선택지 분석 |

ㄱ $a\times b=c\times d$이다.

➡ 반응 전후 원자의 종류와 수가 같도록 화학 반응식을 완성하면 $a=3$, $b=2$, $c=6$, $d=1$이다. 따라서 $a\times b=c\times d$이다.

ㄴ 0.3몰의 Ag_2S과 반응하는 Al의 질량은 5.4 g이다.

➡ 0.3몰의 Ag_2S과 반응하는 Al의 양(mol)은 0.2몰이므로 질량은 5.4 g이다.

ㄷ 0.02몰의 Al이 반응할 때 생성되는 Ag의 양(mol)은 0.06몰이다.

➡ 화학 반응식의 계수비는 반응하는 물질의 몰비와 같으므로 0.02몰의 Al이 반응할 때 생성되는 Ag의 양(mol)은 0.06몰이다.

한번에 끝내는 대단원 문제 070쪽~073쪽

01 ⑤ **02** ③ **03** ⑤ **04** ③ **05** ⑤ **06** ① **07** ① **08** ⑤ **09** ④ **10** ② **11** ③ **12** ③

13 (1) A: C_2H_6, B: C_2H_4, C: C_3H_6, D: C_4H_6

(2) | **모범 답안** | B와 C, 탄소의 원자가 전자 수는 4이므로 다른 원자와 4개의 결합을 가지게 되므로 2중 결합을 가진 화합물은 B와 C에 해당한다.

14 (1) $a=1$, $b=3$, $c=2$

(2) | **모범 답안** | 화학 반응식의 계수비는 반응하는 입자의 몰비와 같으므로 X_2는 1몰, Y_2는 3몰이 반응하게 되어 (나)에서 1몰의 Y_2가 남고, 2몰의 XY_3가 생성된다. 따라서 (가)에서는 총 5몰의 기체가 존재하고, (나)에서는 총 3몰의 기체가 존재하므로 (가)와 (나)에서 전체 기체의 몰비는 5 : 3이 된다.

15 (1) 80 g (2) 11.2 L

16 (1) $\frac{w_1}{M}$ (2) $(w_1+w_2-w_3)$ g

(3) | **모범 답안** | 화학 반응식에서 계수비는 반응하는 입자의 몰비와 같다. 따라서 반응한 $CaCO_3$과 생성된 CO_2의 몰비는 1 : 1이다. CO_2의 분자량을 X라 하면 생성된 CO_2의 양(mol)은 $\frac{w_1+w_2-w_3}{X}$몰이므로 $\frac{w_1}{M}=\frac{w_1+w_2-w_3}{X}$의 식이 성립한다. 따라서 $X=\frac{w_1+w_2-w_3}{w_1}\times M$이다.

01 | 선택지 분석 |

ㄱ A에는 탄소와 수소를 포함하고 있다.

➡ 화석 연료는 탄소와 수소로 이루어져 있다.

ㄴ B는 이산화 탄소이다.

➡ 화석 연료의 연소 생성물인 B는 이산화 탄소이다.

ㄷ (가)와 (나)는 주거 문제를 개선하는 데 영향을 준 화학 반응이다.

➡ 화석 연료를 이용함에 따라 주거 시설의 난방이 가능해졌고 철은 건축물의 골조나 배관 등에 사용되었다.

02 | 선택지 분석 |

ㄱ 화학 물질은 혼합물이다.

➡ 화학 물질은 탄소와 수소로 이루어진 혼합물이다.

ㄴ 끓는점 차이를 이용하여 화학 물질을 분리한다.

➡ 끓는점 차이를 이용하여 끓는점이 낮은 물질부터 분별 증류탑 위에서 차례대로 얻어진다.

✗ 증류탑의 위쪽으로 갈수록 탄소 수가 ~~많은~~ 적은 탄화수소가 분리되어 나온다.

➡ 원유의 분별 증류탑 아래로 갈수록 탄소 수가 많은 탄화수소가 분리되어 나오고, 아래쪽으로 갈수록 분리되어 나오는 물질의 끓는점이 높다.

03 | 선택지 분석 |

ㄱ 저장과 운반이 상대적으로 가장 어려운 성분은 A이다.

➡ A는 끓는점이 가장 작고 밀도가 낮아 액화시키기 어렵고 저장 및 운반이 어렵다.

ㄴ. 25 ℃에서 액체 상태로 존재하는 연료는 D이다.

➡ 25 ℃에서 A, B, C는 기체 상태로 존재하고, D는 액체 상태로 존재한다.

ㄷ. B와 C로 이루어진 연료는 가스 경보기를 바닥 쪽에 설치해야 한다.

➡ B와 C는 공기보다 밀도가 크므로 노출되었을 때 바닥상태에 가라앉게 되므로 가스 경보기를 바닥 쪽에 설치하는 것이 좋다.

04 | 선택지 분석 |

ㄱ. 1몰의 질량

➡ (가)~(라)는 분자식이 모두 C_6H_{12}로서 1몰의 질량이 같다.

✕ 1기압에서의 끓는점

➡ (가)~(라)는 분자식은 모두 같지만 구조식이 다른 물질로 1기압에서의 끓는점이 모두 다르다.

ㄷ. 완전 연소 시 CO_2와 H_2O이 생성된다.

➡ (가)~(라)가 완전 연소되면 CO_2와 H_2O이 생성된다.

05 | 선택지 분석 |

ㄱ. (가)에 의해 철제 농기구를 사용하게 되면서 식량 생산량이 증가하였다.

➡ (가)는 철의 제련 과정에 대한 화학 반응식으로 철을 사용하게 되면서 식량 생산량이 증가하였다.

ㄴ. (나)에 의해 농업 생산력이 증대되면서 인류의 식량 문제를 해결하였다.

➡ (나)는 암모니아 합성과 관련된 화학 반응식으로 질소 비료의 합성이 가능함에 따라 인류의 식량 문제를 해결할 수 있었다.

ㄷ. Fe 558 g을 얻기 위해 필요한 CO의 질량은 420 g이다.

➡ Fe 558 g은 10몰에 해당하므로 이를 얻기 위해 필요한 CO는 15몰이다. 따라서 CO 1몰의 질량이 28이므로 15몰에 해당하는 질량은 420 g이다.

06 | 선택지 분석 |

ㄱ. 전체 원자 수는 (가)가 (나)의 $\frac{4}{3}$배이다.

➡ (가)~(다)는 같은 온도, 같은 압력, 같은 부피 속에 같은 양(mol)의 기체가 들어 있으므로 (나)를 통해 모두 2몰씩 들어 있음을 알 수 있다. 이때 한 분자를 구성하는 원자 수는 (가)는 8개, (나)는 6개이므로 전체 원자 수는 (가)가 (나)의 $\frac{4}{3}$배이다.

✕ 기체의 질량은 (가)가 (다)의 ~~2배~~ $\frac{15}{8}$배이다.

➡ (가)에서 C_2H_6 2몰의 질량은 60 g이고, (다)에서 CH_4 2몰의 질량은 32 g이다.

✕ (가)~(다)에 들어 있는 기체의 분자 수는 각각 ~~6.02×10^{23}개~~ 1.204×10^{24}개이다.

➡ (가)~(다)에서 기체는 2몰씩 존재하므로 각 용기에 1.204×10^{24}개의 분자가 존재한다

07 | 선택지 분석 |

ㄱ. (가)에서 반응 후 실린더 내부의 밀도는 반응 전 실린더 내부의 밀도와 같다.

➡ (가)에서 반응 전과 후 기체의 양(mol)은 변화가 없으므로 기체가 차지하는 실린더 내부의 부피는 일정하다.

✕ (나)에서 반응하고 남은 O_2의 양(mol)은 ~~0.25몰~~ 0.75몰이다.

➡ (나)에서 Mg 12 g은 0.5몰이며 Mg과 O_2의 반응 몰비는 2 : 1이므로 반응한 O_2의 양(mol)이 0.25몰이다. 따라서 반응 후 남은 O_2의 양(mol)은 0.75몰이다.

✕ 반응 후 실린더 내부의 부피비는 (가) : (나)=~~4 : 5~~ 4 : 3이다.

➡ 실린더 내부의 부피비는 기체의 몰비와 같다. (가)의 경우 생성된 CO_2 1몰이 있고, (나)의 경우 반응 후 생성된 O_2 0.75몰이 있으므로 부피비는 4 : 3이 된다.

08 | 선택지 분석 |

ㄱ. $x>y+z$이다.

➡ 기체의 양(mol)은 온도와 압력이 같을 때 부피에 비례하므로 $A_2B : AC_3 : C_2B = 2 : 2 : 3$이다. 따라서 분자량 비는 $x : y : z = 44 : 17 : 18$이다. 따라서 $x>y+z$이다.

ㄴ. 원자량이 가장 큰 원소는 B이다.

➡ 분자량 비는 $A_2B : AC_3 : C_2B = 44 : 17 : 18$이므로 각 분자를 구성하는 원자량 비는 A : B : C = 14 : 16 : 1이다.

ㄷ. 원자의 양(mol)이 가장 많은 분자는 C_2B이다.

➡ 기체의 몰비가 $A_2B : AC_3 : C_2B = 2 : 2 : 3$이므로 원자의 양(mol)의 비는 6 : 8 : 9이다. 따라서 C_2B의 원자의 양(mol)이 가장 많다.

09 | 선택지 분석 |

✕ $a+b$는 c~~보다 크다~~와 같다.

➡ $a=2$, $b=8$, $c=10$이므로 $a+b$는 c와 같다.

ㄴ. 반응 후 남은 O_2의 양(mol)은 0.12몰이다.

➡ 반응한 C_4H_{10}이 0.02몰이므로 반응한 O_2의 양(mol)은 0.13몰이다. 질량이 일정할 때 밀도는 부피에 반비례하므로 반응 후 남은 O_2의 양(mol)은 0.12몰이다.

ㄷ. 실린더 내부의 밀도비는 반응 전 : 반응 후=10 : 9이다.

➡ 반응 전과 후 기체의 몰비는 0.27 : 0.30=9 : 10이고, 기체의 부피는 양(mol)에 비례하므로 부피비는 반응 전 : 반응 후=9 : 10이다. 질량이 일정할 때 밀도는 부피에 반비례하므로 밀도비는 반응 전 : 반응 후=10 : 9이다.

10 | 선택지 분석 |

✕ 퍼센트 농도는 ~~$2x$ %~~ $\frac{100x}{(50+x)}$%이다.

➡ 용액의 질량이 $(50+x)$ g이고, 용질의 질량이 x g이므로 퍼센트 농도는 $\frac{x}{(50+x)}\times100=\frac{100x}{(50+x)}$%이다.

ㄴ. 몰 농도는 $\frac{1000xd}{M(50+x)}$ M이다.

➡ 용액의 밀도가 d g/mL이므로 용액의 부피는 $\frac{(50+x)}{1000d}$ L이고, 용질의 양(mol)은 $\frac{x}{M}$몰이므로 몰 농도는 $\frac{1000xd}{M(50+x)}$ M이다.

✕ 물 50 g을 추가하면 퍼센트 농도는 $\frac{1}{2}$배가 된다.

➡ 물 50 g을 추가하여도 용액 전체의 질량이 2배가 되는 것이 아니므로 퍼센트 농도는 절반이 되지 않는다.

11 | 자료 분석 |

실험	반응 전		반응 후		
	X_2의 부피(L)	Y_2의 부피(L)	X_2의 질량(g)	Y_2의 질량(g)	전체 기체의 부피(L)
Ⅰ	11.2	V_1	0	0.5	16.8
Ⅱ	V_2	11.2	21	0	22.4

[실험 Ⅰ] $X_2(g)$ + $2Y_2(g)$ ⟶ $X_2Y_4(g)$

반응 전 0.5몰 m몰 0몰

−0.5몰 −1몰 +0.5몰

반응 후 0몰 $(m-1)$몰 0.5몰

⇨ $(m-1)+0.5 = 0.75$ ← 반응 후 전체 기체의 양(mol)

$m=1.25$ ← 반응 전 Y_2 양(mol)

[실험 Ⅱ] $X_2(g)$ + $2Y_2(g)$ ⟶ $X_2Y_4(g)$

반응 전 n몰 0.5몰

−0.25몰 −0.5몰 +0.25몰

반응 후 $(n-0.25)$몰 0몰 0.25몰

⇨ $(n-0.25)+0.25 = 1$ ← 반응 후 전체 기체의 양(mol)

$m=1$ ← 반응 전 X_2의 양(mol)

| 선택지 분석 |

ㄱ. $a+b$는 3이다.

➡ 화학 반응 전과 후 원자의 종류와 수가 같아야 하므로 $a=2$, $b=1$이다.

✕ V_1과 V_2는 각각 ~~22.4 L로 같다~~. (28 L, 22.4 L이다)

➡ V_1은 1.25몰의 부피에 해당하므로 28 L이고, V_2는 1몰의 부피에 해당하므로 22.4 L이다.

ㄷ. 원자량은 X가 Y의 14배이다.

➡ Ⅰ에서 반응 후 남은 Y_2의 질량인 0.5 g에 해당하는 Y_2의 양(mol)이 0.25몰이므로 Y_2의 분자량은 2이고, Ⅱ에서 반응 후 남은 X_2의 질량인 21 g에 해당하는 X_2의 양(mol)이 0.75몰이므로 X_2의 분자량은 28이다. 따라서 X의 원자량은 14, Y의 원자량은 1이다.

12 | 선택지 분석 |

ㄱ. 수용액에 녹아 있는 A의 질량은 (가)가 (나)의 4배이다.

➡ (가)에 녹아 있는 A의 양(mol)은 2 mol/L × 0.1 L = 0.2 mol이다. A의 화학식량이 40이므로 (가)에 녹아 있는 A의 질량은 8 g으로, (나)에 녹아 있는 A의 질량인 2 g의 4배이다.

ㄴ. 퍼센트 농도는 (가)가 (나)의 4배보다 작다.

➡ 용질의 질량은 (가)가 (나)의 4배인데, 용액의 질량은 (가)가 102 g, (나)가 100 g이므로 퍼센트 농도는 (가)가 (나)의 4배보다 작다.

✕ (가)와 (나)를 혼합한 용액의 밀도가 1.0 g/mL라면 혼합 용액의 몰 농도는 1.25 M보다 ~~크다~~. (작다)

➡ (가)와 (나)를 혼합한 용액의 밀도가 1.0 g/mL인 경우 혼합 용액의 부피가 202 mL이므로 몰 농도는 $\frac{10/40\text{ mol}}{202/1000\text{ L}} ≒ 1.24$ M로 1.25 M보다 작다.

13

(1) A : C_2H_6, B : C_2H_4, C : C_3H_6, D : C_4H_6

(2) 탄소의 원자가 전자 수는 4개이므로 다른 원자와 4개의 결합을 가지게 된다.

채점 기준	배점
탄소의 원자가 전자 수를 언급하여 2중 결합을 포함한 화합물을 옳게 고른 경우	100 %
탄소의 원자가 전자 수를 언급하고 까닭을 옳게 서술하였으나, 2중 결합을 포함한 화합물을 옳게 고르지 못한 경우	50 %
2중 결합을 포함한 화합물만을 옳게 고른 경우	40 %

14

(1) 반응 전과 후 원자의 종류와 수가 같도록 계수를 맞춘다.

(2) 화학 반응식의 계수비는 반응하는 입자의 몰비와 같다.

채점 기준	배점
각 기체의 양(mol)을 언급하여 몰비를 옳게 서술한 경우	100 %
몰비만 옳게 구한 경우	50 %

15

(1) C_3H_8 22 g의 양(mol)은 0.5몰이므로 이를 완전 연소시키기 위해 필요한 O_2의 양(mol)은 2.5몰이다. O_2 1몰의 질량은 32 g이므로 2.5몰의 질량은 80 g이다.

(2) 화학 반응식에서 계수비는 반응하는 입자의 몰비와 같으므로 CO_2 1.5몰을 생성하기 위해 필요한 C_3H_8의 양(mol)은 0.5몰이다. 아보가드로 법칙에 의해 0 ℃, 1기압에서 C_3H_8의 0.5몰 부피는 11.2 L이다.

16

(1) 탄산 칼슘의 양(mol)은 질량을 화학식량으로 나눈 값에 해당한다.

(2) 탄산 칼슘의 질량과 묽은 염산이 든 비커의 질량을 합한 값에서 이산화 탄소 기체가 빠져 나간 후의 플라스크 질량을 뺀 값이 이산화 탄소의 질량에 해당한다.

(3) 화학 반응식에서 계수비는 반응하는 입자의 몰비, 입자 수비와 같으며 기체의 경우 부피비와도 같다.

채점 기준	배점
화학 반응식에서 계수비=몰비임을 언급하여 분자량을 옳게 서술한 경우	100 %
분자량만 옳게 구한 경우	40 %
화학 반응식에서 계수비=몰비임을 옳게 서술하였으나 분자량을 옳게 구하지 못한 경우	30 %

1 》원자의 구조

01 원자의 구조

콕콕! 개념 확인하기 080쪽

✔ 잠깐 확인!

1 원자핵 **2** 전자 **3** 양성자 **4** 중성자 **5** 질량수 **6** 2, 2
7 동위 원소 **8** 평균 원자량

01 (1) 질량을 가진 입자 (2) 직진성 (3) 음전하를 가진 입자
02 (1) ○ (2) × (3) ○ (4) × (5) ○ (6) × (7) ○
03 양성자, 전자 **04** ㉠ 6, ㉡ 6, ㉢ 10, ㉣ 9
05 (1) ○ (2) × (3) ○ **06** ^{35}Cl

02 톰슨은 음극선 실험으로 전자를 발견하였고, 러더퍼드는 알파(α) 입자 산란 실험으로 원자핵을 발견하였다.

04 $^{12}_{6}C$의 질량수는 12이므로 양성자수, 중성자수, 전자 수 모두 6이고, $^{19}_{9}F$의 질량수는 19이므로 중성자수는 10, 전자 수는 9이다.

06 평균 원자량이 35.453이므로 ^{37}Cl보다 ^{35}Cl의 질량수에 가깝다. 따라서 자연 존재 비는 ^{35}Cl가 ^{37}Cl보다 크다.

탄탄! 내신 다지기 081쪽~083쪽

01 ② **02** ④ **03** ④ **04** ① **05** ③ **06** (가) 음극선 실험, 전자 (나) 알파(α) 입자 산란 실험, 원자핵 **07** ④ **08** ⑤
09 (가) 양성자, (나) 중성자, (다) 전자, 0, −1 **10** $^{2}_{1}X$, $^{3}_{1}Y$, $^{3}_{2}Z$
11 ③ **12** ⑤ **13** ④ **14** (가), (나) **15** 80
16 (가)와 (나)의 자연계 존재 비율 **17** ①

01 | 선택지 분석 |

① 전자
➡ 전자는 톰슨의 음극선 실험으로 발견되었다.

② 원자핵
➡ 러더퍼드의 알파(α) 입자 산란 실험 결과 원자핵의 존재가 밝혀지게 되었다.

③ 양성자
➡ 러더퍼드가 수소 기체를 넣은 방전관에서 발견되는 양극선이 수소 원자핵(H^+)인 양성자의 흐름이라는 것을 밝혀냈다.

④ 중성자
➡ 중성자는 채드윅이 Be에 알파(α) 입자를 통과시키는 실험으로 발견하게 되었다.

⑤ 쿼크
➡ 쿼크는 원자핵의 양성자와 중성자를 이루는 입자이다.

02 | 선택지 분석 |

① 중성자는 전하를 띠지 않는다.
➡ 원자핵의 구성 입자 중 중성자는 전기적으로 중성이다.

② (+)전하를 띤 입자는 양성자이다.
➡ 원자핵의 구성 입자 중 (+)전하를 띤 입자는 양성자이다.

③ 음극선 실험으로 발견된 입자는 전자이다.
➡ 톰슨은 음극선 실험으로 전자를 발견하였다.

④ ~~원자를 이루는 입자~~(양성자와 중성자의)들의 질량은 거의 비슷하다.
➡ 원자의 질량은 양성자=중성자≫전자이다.

⑤ 원자핵은 양성자와 중성자로 이루어져 있다.
➡ 원자핵은 원자의 중심에 위치하면서 원자 질량의 대부분을 차지하고 있으며, 양성자와 중성자로 이루어져 있다.

03 | 선택지 분석 |

㉠ 음극선은 (−)전하를 띠는 입자의 흐름이다.
➡ 전압을 걸었을 때 음극선이 (+)극 쪽으로 휘는 것으로 보아 (−)전하를 띠는 입자의 흐름이다.

✕ 음극선을 이루는 입자는 원자핵보다 질량이 ~~크다~~(작다).
➡ 음극선을 이루는 입자는 전자이므로 원자핵의 질량보다 훨씬 작다.

㉢ 음극선은 (−)극에서 나와 (+)극 쪽으로 이동한다.
➡ 음극선은 (−)극에서 튀어나오는 (−)전하를 띠는 입자로 (+)극 쪽으로 이동한다.

04 | 선택지 분석 |

㉠ 전자는 음극선 실험으로 발견되었다.
➡ 음극선 실험으로 (−)전하를 띠는 입자의 흐름을 알게 되었고, 이 입자를 전자라고 하였다.

㉡ 음극선 실험으로 돌턴의 원자설이 수정되게 되었다.
➡ 돌턴의 원자설은 원자는 더 이상 쪼깨지지 않는 입자라고 하였지만 음극선 실험으로부터 전자가 발견되면서 돌턴의 원자설이 수정되게 되었다.

✕ 알파(α) 입자 산란 실험으로 ~~양성자~~(원자핵)가 발견되었다.
➡ 알파(α) 입자 산란 실험은 원자핵을 발견한 실험이다.

✕ 양성자와 중성자로 이루어진 입자가 원자 ~~부피~~(질량)의 대부분을 차지한다.
➡ 양성자와 중성자로 이루어진 원자는 질량의 대부분을 원자핵이 차지한다.

05 | 선택지 분석 |

㉠ 대부분의 알파(α) 입자는 통과하였다.
➡ 러더퍼드의 알파(α) 입자 산란 실험에서 대부분의 알파(α) 입자는 통과하여 원자의 대부분은 비어 있음을 알게 되었다.

㉡ 극소수의 알파(α) 입자가 튕겨나왔다.
➡ 극소수의 알파(α) 입자가 튕겨나오거나 휘는 것을 통해 원자의 중심에 부피가 아주 작고 밀도가 큰 입자가 있음을 알게 되었고, 이를 원자핵이라고 하였다.

✕ 휘는 입자는 존재하지 않았다.
➡ 튕겨져 나오는 알파(α) 입자를 통해 밀도가 큰 입자임을 알게 되었고, (+)전하를 띠는 알파(α) 입자가 휘어지는 것을 통해 (+)전하를 띠고 있음을 알게 되었다.

06 (가)는 전자를 발견한 톰슨이 제안한 모형이고, (나)는 원자핵을 발견한 러더퍼드가 제안한 모형이다. (가)는 전자를 발견하여 제안한 모형이므로 음극선 실험을 통해 제안되었음을 알 수 있다. (나)는 원자핵이 존재하므로 알파(α) 입자 산란 실험을 통해 원자핵이 발견된 이후 제안된 모형임을 알 수 있다.

07 | 선택지 분석 |

× 이 실험 결과 발견된 입자는 원자핵이다. (양성자)

➡ 이 실험은 골트슈타인의 양극선 실험으로, 발견된 입자는 양성자이다.

ㄴ 실험에서 음극선이 빠져나온다.

➡ 실험에서 연결된 금속 판에 고전압을 걸어주므로 음극선이 빠져나온다. 빠져나온 음극선이 수소 기체를 양성자(H^+)로 만들고, 이 입자들이 구멍을 빠져나와 반대쪽 형광 스크린에 빛을 나타내게 된다.

ㄷ 모든 원자는 이 실험 결과에서 발견된 입자를 포함하고 있다.

➡ 이 실험 결과 발견된 입자는 양성자이므로 이 실험 결과에서 발견된 입자는 모든 원자에 존재한다.

08 | 선택지 분석 |

ㄱ A는 전자이다.

➡ A를 발견하게 된 실험 장치는 음극선 실험 장치로 이 과정에서 발견된 입자는 전자이다. 따라서 A는 전자이다.

ㄴ 원자에 비하여 B의 크기는 매우 작다.

➡ (나)에서 소수의 알파(α) 입자가 튕겨나오므로 원자에 비하여 원자핵은 매우 작다.

ㄷ 질량은 B가 A보다 크다.

➡ 원자핵은 원자 질량의 대부분을 차지하므로 질량은 B가 A보다 크다.

09 원자에서 (+)전하를 띠는 입자는 양성자이고, 양성자와 질량이 비슷한 입자는 중성자로 전하를 띠지 않는다. 양성자보다 질량이 매우 작은 전자는 (−)전하를 띤다.

10 중성 원자는 양성자수와 전자 수가 같아야 한다. 또한, 질량수=양성자수+중성자수이다. 이로부터 X~Z의 양성자수, 중성자수, 전자 수는 다음과 같다.

중성 원자	X	Y	Z
양성자수	1	1	2
중성자수	1	2	1
전자 수	1	1	2

11 | 선택지 분석 |

ㄱ X와 Y는 원자 번호가 같다.

➡ X와 Y는 양성자수가 1로 같으므로 원자 번호가 같다.

ㄴ Y와 Z는 질량수가 같다.

➡ 질량수는 양성자수와 중성자수의 합이다. 따라서 질량수는 Y와 Z가 3으로 같다.

× Z는 ^{4}He과 중성자수가 같다.

➡ Z의 중성자수는 1이므로 원자 번호 2번인 ^{4}He의 중성자수인 2보다 작다.

12 | 선택지 분석 |

ㄱ $^{11}_{5}B$의 전자수는 5이다.

➡ $^{11}_{5}B$의 원자 번호는 5이므로 양성자수는 5이다. 중성 원자에서는 양성자수와 전자 수가 같으므로 $^{11}_{5}B$의 전자 수는 5이다.

ㄴ $^{23}_{11}Na$의 양성자수는 $^{11}_{5}B$의 질량수와 같다.

➡ $^{23}_{11}Na$의 양성자수는 11이고, $^{11}_{5}B$의 질량수는 11이므로 서로 같다.

ㄷ 중성자수는 $^{23}_{11}Na$이 $^{11}_{5}B$의 2배이다.

➡ 중성자수는 $^{23}_{11}Na$, $^{11}_{5}B$가 각각 12, 6이다. 따라서 중성자수는 $^{23}_{11}Na$이 $^{11}_{5}B$의 2배이다.

13 (가)와 (나)의 양성자수는 각각 6, 18이고, 중성자수는 6, 22이므로, 질량수는 각각 12, 40이다. 원자 표시 방법에 따라 (가)는 $^{12}_{6}C$, (나)는 $^{40}_{18}Ar$이다.

14 동위 원소는 양성자수는 같은데 중성자수가 달라서 질량수가 다른 원소이다. (가)는 질량수가 1인데 중성자수가 0이므로 양성자수가 1이고, (나)는 중성자수가 1이고 질량수가 2이므로 양성자수가 1이다. (다)는 중성자수가 2이고 질량수가 4이므로 양성자수가 2이다. 따라서 (가)와 (나)는 동위 원소이다.

15 Br_2의 분자량의 종류가 3가지인 것으로부터 Br의 원자량은 2가지 종류가 있음을 알 수 있다. 이중 158은 원자량이 작은 2개의 원소가 결합한 것이고, 162는 원자량이 큰 2개의 원소가 결합한 것이다. 따라서 Br은 원자량이 79, 81인 동위 원소가 1 : 1의 존재 비율로 존재함을 알 수 있다. 따라서 Br의 평균 원자량은 80이다.

16 평균 원자량은 동위 원소의 원자량과 자연계 존재 비율로부터 구할 수 있다. 따라서 주어진 동위 원소 (가)와 (나)의 원자량에 각각의 존재 비율을 곱한 값을 모두 더한 다음 100으로 나누어 평균 원자량을 구할 수 있다.

17 | 선택지 분석 |

ㄱ (가)의 질량수는 35이다.

➡ 질량수는 양성자수와 중성자수의 합이므로 (가)의 질량수는 17+18=35이다.

× X의 평균 원자량은 36보다 크다. (작다)

➡ 질량수는 원자량과 거의 같은 값을 나타내는데 X의 질량수는 35, 37의 2종류이다. 이 중 질량수 35의 존재 비율이 더 많으므로 평균 원자량은 35와 37의 중간값인 36보다 작다.

× 분자량이 다른 X_2의 개수는 4가지이다. (3)

➡ X_2는 X 원자 2개가 결합하여 생성되는 분자이므로 X_2의 분자량으로 가능한 것은 질량수 35와 37의 X가 결합하여 생성되는 70, 72, 74의 3가지 종류이다.

도전! 실력 올리기

084쪽~085쪽

01 ③ 02 ③ 03 ② 04 ③ 05 ③ 06 ④ 07 ④

08 | **모범 답안** | 동위 원소는 양성자수는 같지만 중성자수가 달라 질량수가 다르다. 따라서 녹는점, 끓는점, 밀도 등과 같은 물리적 성질이 달라진다. 하지만 화학적 성질을 결정하는 전자 수(=양성자수)가 같으므로 화학적 성질은 같다.

09 $\frac{(x\times 98.9)+(y\times 1.1)}{100}$

10 | **모범 답안** | 시료 속 H, O의 원자량과 존재 비율로부터 평균 원자량을 구하면 H, O는 각각 1.4, 16.4이다. 따라서 H_2O의 평균 분자량은 (1.4×2)+16.4=19.2이다.

01 톰슨 모형에서 러더퍼드 모형으로의 변화는 러더퍼드의 알파(α) 입자 산란 실험으로 원자핵이라는 입자가 발견되어 모형에 원자핵이 생성된 것이다.

| **선택지 분석** |

ㄱ (+)전하를 띤다.
➡ 원자핵은 원자의 중심에 (+)전하를 띤 입자이다.

✕ 음극선 실험으로 발견되었다.
➡ 원자핵은 러더퍼드의 알파(α) 입자 산란 실험으로부터 발견되었다.

ㄷ 원자 질량의 대부분을 차지한다.
➡ 원자핵은 양성자와 중성자로 이루어진 원자 질량의 대부분을 차지하는 입자이다.

02 | **선택지 분석** |

알파(α) 입자 산란 실험을 통해 발견된 입자는 원자핵이다.

ㄱ 알파(α) 입자와 같은 전하를 띤다.
➡ 알파(α) 입자는 $_2He^{2+}$으로 (+)전하를 띠는 입자이다. 원자핵도 알파(α) 입자와 같은 전하를 띠기 때문에 실험 결과 휘어지는 알파(α) 입자들을 발견할 수 있다. 따라서 알파(α) 입자와 원자핵은 두 입자 모두 (+)전하를 띤다.

ㄴ 원자 질량의 대부분을 차지한다.
➡ 원자핵은 양성자와 중성자로 이루어진 입자로 부피는 매우 작지만 원자 질량의 대부분을 차지하고 있다.

✕ ~~전자와 같은 입자 수로~~ 원자에 존재한다.
원자의 중심에 위치하여
➡ 원자핵이라는 입자는 원자의 중심에 존재하고, 전자는 원자 번호에 따라 다양하게 존재하므로 전자와 같은 입자 수로 존재하지는 않는다.

03 | **선택지 분석** |

✕ 모든 원자는 A와 B의 개수가 같다.
➡ 원자에서 양성자수와 중성자수는 같을 수도 있고, 다를 수도 있다.

ㄴ A~C의 전하를 모두 합하면 0이다.
➡ 원자핵은 양전하를 나타내고, 전자는 음전하를 나타내므로 A~C의 전하를 모두 합하면 0이다.

✕ 모든 원자에서 A의 질량은 C보다 작다.
➡ 원자에서 양성자와 중성자의 질량은 거의 같고, 전자의 질량은 양성자나 중성자에 비해 무시할 수 있을 정도로 작다. 따라서 모든 원자에서 A의 질량은 C보다 크다.

04 | **자료 분석** |

(+)전하를 띠는 양이온 → Z

원자 또는 이온	X	Y	Z
양성자수	6	(나)14−8=6	7
중성자수	(가)12−6=6	8	8
전자 수	6	6	6
질량수	12	14	(다)7+8=15

| **선택지 분석** |

ㄱ X~Z 중 이온은 1가지이다.
➡ X와 Y는 양성자수가 각각 6이고, 전자 수도 각각 6이므로 중성 원자이다. Z는 양성자수가 7이고, 전자 수가 6이므로 (+)의 전하를 띠는 양이온이다. 따라서 X~Z 중 이온은 1가지이다.

✕ (가)와 (나)의 합은 (다)보다 ~~크다~~.
작다
➡ 질량수는 양성자수와 중성자수의 합이다. 따라서 (가)는 6, (나)는 6이므로 (가)와 (나)의 합은 (다)인 15보다 작다.

ㄷ X와 Y의 화학적 성질은 같다.
➡ X와 Y는 양성자수가 같고 중성자수가 다른 동위 원소이므로 화학적 성질이 같다.

05 | **자료 분석** |

원자	X	Y	Z
원소 기호	Li	C	($^{14}_{6}C$)
$\frac{중성자수}{양성자수}$	$\frac{4}{3}$	$1(=\frac{6}{6})$	$\frac{4}{3}(=\frac{8}{6})$
전자 수	3	6	6

X~Z는 중성 원자이므로 양성자수와 전자 수가 같다. (가)~(다)를 표시하기 위해서 원자 번호, 질량수가 필요하므로 이를 나타내면 다음과 같다.

원자	X	Y	Z
원소 기호	Li	C	C
원자 번호	3	6	6
질량수	7	12	14

따라서 (가)는 $^{7}_{3}Li$, (나)는 $^{12}_{6}C$, (다)는 $^{14}_{6}C$이다.

06 a는 원자 번호(=전자 수=양성자수), b는 질량수(=양성자수+중성자수)이다.
중성자수=질량수−원자 번호=$b-a$

07 | **선택지 분석** |

ㄱ ㉠으로는 동위 원소가 적절하다.
➡ ㉠에 있는 자료는 원자 번호는 같고, 질량수가 다른 동위 원소에 대한 자료이므로 ㉠으로는 동위 원소가 적절하다.

ㄴ. 전자 수는 ^{13}C가 ^{12}C~~보다 크다~~. (와 같다)

➡ 원자 번호는 같고 질량수가 다른 동위 원소 관계이므로, 전자 수는 6개로 같다.

ㄷ. 중성자수는 ^{13}C와 ^{14}N가 같다.

➡ ^{13}C는 양성자수가 6, 중성자수가 7이고, ^{14}N은 양성자수가 7, 중성자수가 7이다. 따라서 두 원소는 중성자수가 7로 같다.

08 원소의 화학적 성질은 전자 수와 관련이 높다. 동위 원소는 중성자수가 달라서 물리적 성질은 다르지만 전자 수가 같아 화학적 성질은 같다.

채점 기준	배점
중성자수와 전자 수를 토대로 물리적, 화학적 성질을 모두 옳게 서술한 경우	100 %
중성자수나 전자 수 중 1가지만을 이용하여 성질을 옳게 서술한 경우	50 %

09 평균 원자량은 질량수가 아닌 원자량을 이용하여 구한다. 평균 원자량은 각 동위 원소의 원자량과 존재 비율(%)을 곱한 값을 모두 더한 다음 100으로 나누어 구하므로 $\frac{(x\times98.9)+(y\times1.1)}{100}$이다.

10 평균 원자량은 동위 원소의 원자량에 존재 비율을 곱하여 구할 수 있다. 물 분자에는 H 원자 2개와 O 원자 1개가 들어 있으므로 각 원자의 평균 원자량을 구하여 물의 평균 분자량을 구하면 된다. 시료 속 H, O의 원자량과 존재 비율로부터 평균 원자량을 구하면 H, O는 각각 1.4, 16.4이다. 따라서 H_2O의 평균 분자량은 $(1.4\times2)+16.4=19.2$이다.

채점 기준	배점
평균 분자량을 구하는 과정에 오류가 없고 정확하게 서술한 경우	100 %
과정이 표현되지 않고 평균 분자량만 나타낸 경우	50 %

02 현대의 원자 모형

콕콕! 개념 확인하기 092쪽

✔ 잠깐 확인!

1 전자 껍질 **2** 바닥상태 **3** 전자 구름 모형 **4** s 오비탈 **5** 주 양자수 **6** 방위 양자수 **7** 자기 양자수

01 (1) × (2) ○ (3) ○ (4) ○ **02** 주 양자수(n)가 클수록 에너지 준위가 크다. 에너지 준위가 불연속적이다. **03** (1) ○ (2) ○ (3) × (4) ○ (5) × (6) ○ (7) × **04** (1) $n=1$, $l=0$ (2) $n=3$, $l=1$ (3) $n=3$, $l=0$ **05** $1s<2s<2p$

02 보어의 원자 모형에 따르면 수소의 선 스펙트럼으로부터 수소 원자의 에너지 준위가 불연속적임을 알 수 있고, 에너지 준위는 주 양자수가 증가할수록 커진다.

03 (3) s 오비탈은 공 모양으로 핵으로부터 거리만 같으면 방향에 관계없이 전자가 발견될 확률이 같다.

(7) 주 양자수는 오비탈의 크기를 결정하는 양자수로 $n=1, 2, 3\cdots$으로 나타낸다.

05 주 양자수 $n=1$인 오비탈에는 $1s$ 오비탈이 존재하고, $n=2$인 오비탈에는 $2s$, $2p$ 오비탈이 존재한다. 오비탈의 에너지 준위는 $n+l$이 클수록 크다.

탄탄! 내신 다지기 093쪽~095쪽

01 ④ **02** K<L<M<N··· **03** ② **04** ④ **05** ① **06** ④ **07** 양자수, 4가지 **08** ② **09** ㉠ 3, ㉡ 1, ㉢ $1s$, ㉣ $3p$ **10** p 오비탈 **11** ③ **12** (가) −1, 0, +1 (나) $+\frac{1}{2}$, $-\frac{1}{2}$ **13** ③ **14** ② **15** ④ **16** $n=2$ 이상 **17** ⑤ **18** ··· $3p<4s<3d\cdots$ **19** (가)<(다)<(나)

01 | 선택지 분석 |

① 수소의 선 스펙트럼을 설명할 수 있다.

➡ 보어의 수소 원자 모형은 수소의 선 스펙트럼을 설명하기 위해 제안된 모형이다.

② 수소 원자의 전자가 갖는 에너지는 불연속적이다.

➡ 보어의 수소 원자 모형은 선 스펙트럼으로 수소 원자의 전자가 갖는 에너지가 불연속적임을 통해 제안되었다.

③ 원자핵 주위의 전자는 전자 껍질을 돌고 있다.

➡ 보어의 수소 원자 모형은 전자가 특정한 에너지 준위인 전자 껍질에서 원자핵 주위를 돌고 있다고 설명한다.

④ 각 궤도의 중간 부분에 전자가 존재한다.

➡ 각 궤도의 중간 부분에는 전자가 존재하지 않는다.

⑤ 전자 껍질의 에너지 준위는 원자핵으로부터 멀어질수록 커진다.

➡ 보어의 수소 원자 모형에서 핵에 가까울수록 에너지가 낮고, 핵에서 멀어질수록 에너지가 높다고 설명한다.

02 원자핵에 가장 가까운 순서대로 K, L, M, N···이고, 이 순서대로 에너지 준위가 높아진다.

03 원자핵에 가장 가까운 전자 껍질은 K이고, 주 양자수 $n=1$이다. 이곳에 전자가 있을 때 에너지가 가장 낮고 안정한 상태인 바닥상태이다.

04 전자 전이 중 에너지를 방출하는 것은 에너지 준위가 높은 전자 껍질에서 에너지 준위가 낮은 전자 껍질로 이동하는 것이다. 에너지 준위는 M>K이다.

05 보어의 원자 모형으로는 수소의 선 스펙트럼은 설명할 수 있었으나, 다전자 원자의 선 스펙트럼은 설명할 수 없었다. 또한, 전자의 위치와 속도는 확률 분포로 현대 원자 모형에서 설명하고 있다.

06 | 선택지 분석 |

① s 오비탈은 공 모양이다.

➡ s 오비탈은 방향성이 없는 공 모양을 나타낸다. 따라서 거리에 따라 전자가 발견될 확률이 같다.

② 전자의 존재 확률이 90 %인 공간을 나타낸다.

➡ 오비탈은 전자의 존재 확률이 90 %인 점들을 모아서 나타낸 공간이다.

③ 전자가 발견될 확률을 점으로 찍어 표현할 수 있다.

➡ 오비탈은 전자가 발견될 확률이 90 %인 지점들을 모아서 나타낸 현대 원자 모형이다.

④ s 오비탈은 방향성이 있으나 p 오비탈은 방향성이 없다.

➡ s 오비탈은 공 모양으로 방향성이 없고, 핵으로부터의 거리만 같으면 전자가 발견될 확률이 같다.

⑤ K 껍질에 존재하는 오비탈은 1s 오비탈이다.

➡ K 전자 껍질은 주 양자수가 1이므로 1s 오비탈이 존재한다.

⑥ 현대 원자 모형에서 전자를 설명하기 위해 도입된 것은 전자가 위치하는 공간의 모양이다.

➡ 오비탈은 전자의 위치와 속도를 한꺼번에 나타낼 수 없는 불확정성의 원리에 따라 현대 원자 모형에서 전자가 존재할 확률을 나타낸 것이다.

07 양자수는 양자의 세계에 존재하는 전자를 나타내기 위해 도입한 숫자 체계로 주 양자수(n), 방위 양자수(부 양자수)(l), 자기 양자수(m_l), 스핀 자기 양자수(m_s)의 4가지가 있다.

08 (가)는 방향성이 없는 s 오비탈이고, (나)는 x축 아령 모양을 나타내는 p_x 오비탈이다.

09 방위 양자수가 0, 1, 2가 있는 주 양자수는 3이다. 주 양자수가 2이면 방위 양자수는 0과 1을 갖는다. 주 양자수가 1이고, 방위 양자수가 0인 오비탈은 1s이다. 주 양자수가 3이고 방위 양자수가 1인 오비탈은 3p이다.

10 방위 양자수가 1이고, 자기 양자수가 −1, 0, 1로 3가지가 가능하므로 이 오비탈은 p_x, p_y, p_z의 3가지 종류를 갖는 p 오비탈이다.

11 | 선택지 분석 |

ㄱ. 방향성이 있다

➡ p 오비탈은 특정한 방향에서만 전자가 발견될 수 있어서 방향성이 있다. 한편 s 오비탈은 방향에 관계없이 거리에 따라 전자가 발견될 확률이 같으므로 방향성이 없다.

ㄴ. 주 양자수(n)와 방위 양자수(l)가 같다.

➡ 2p_z 오비탈의 주 양자수는 n=2이고, 방위 양자수는 1이다. 따라서 주 양자수와 방위 양자수는 다르다.

ㄷ. 에너지 준위가 같은 오비탈이 2개 더 있다.

➡ 2p_z 오비탈 외에 에너지가 같고 방향이 다른 2p_x, 2p_y 오비탈이 존재한다.

12 (가)는 오비탈의 방향을 결정하는 양자수이므로 자기 양자수(m_l)이고, (나)는 전자의 운동 방향에 따라 결정되는 양자수로 스핀 자기 양자수(m_s)이다. 3p_x 오비탈은 주 양자수 n=3이고, 오비탈의 종류를 결정하는 방위 양자수 l=1이다. 자기 양자수(m_l)는 오비탈의 방향성을 결정하므로 −1, 0, +1이 가능하고, 스핀 자기 양자수(m_s)는 $+\frac{1}{2}$, $-\frac{1}{2}$이 가능하다.

13 | 선택지 분석 |

ㄱ. (가)는 3s 오비탈이다.

➡ (가)는 주 양자수가 n=3이면서 방향성이 없는 오비탈이므로 3s 오비탈이다.

ㄴ. (나)의 방위 양자수는 2이다.

➡ (나)는 3p_x 오비탈로 방위 양자수가 1인 오비탈이다.

ㄷ. 에너지 준위는 (나)=(다)=(라)이다.

➡ 3p_x, 3p_y, 3p_z 오비탈은 방위 양자수 l=1로 같은 오비탈로 에너지 준위가 서로 같다.

14 | 선택지 분석 |

ㄱ. M 전자 껍질이다.

➡ s, p, d의 오비탈을 모두 갖는 전자 껍질은 M 전자 껍질이다.

ㄴ. 주 양자수(n)는 3이다.

➡ M 전자 껍질의 주 양자수 n=3이다.

ㄷ. 오비탈의 총수는 18이다.

➡ M 전자 껍질의 오비탈은 3s 1개, 3p 3개, 3d 5개로 총 9개이다.

15 | 선택지 분석 |

① 주 양자수(n)가 같다.

➡ 오비탈의 종류 앞에 붙은 숫자가 주 양자수를 나타낸다. 따라서 주 양자수는 각각 1, 2, 3이다.

② 에너지 준위가 같다.

➡ 주 양자수가 다르면 에너지 준위가 다르다. 에너지의 크기는 3s>2s>1s이다.

③ 방위 양자수(부 양자수)(l)가 +1이다.

➡ s 오비탈의 방위 양자수(l)는 0이다. 방위 양자수가 1인 오비탈은 p 오비탈이다.

④ 핵으로부터의 거리가 같으면 전자가 발견될 확률이 같다.

➡ s 오비탈은 방향성이 없으므로 거리가 같으면 전자가 발견될 확률이 같다.

⑤ 전자가 발견될 확률이 ~~100 %~~ 90 %인 공간을 나타낸 것이다.

➡ 오비탈은 전자를 발견할 확률이 90 %인 공간을 나타내는 경계면의 그림을 그려 나타낸다.

16 p 오비탈은 방위 양자수(l)가 1인 오비탈이다. 주 양자수 $n=2$ 이상이어야 방위 양자수를 1로 가질 수 있다.

17 | 선택지 분석 |

ㄱ X의 전자 수는 1이다.

➡ 주 양자수가 같은 오비탈의 에너지 준위가 모두 같으므로 원자 X는 수소 원자이다. 따라서 수소 원자의 전자 수는 1이다.

ㄴ 주 양자수(n)가 같으면 에너지 준위가 같다.

➡ $2s=2p$ 등의 에너지 크기로 보아 주 양자수가 같으면 에너지 준위가 같다.

ㄷ 보어의 원자 모형에서 전자 껍질의 순서와 에너지 준위 순서가 같다.

➡ 보어의 원자 모형에서 전자 껍질의 순서는 주 양자수의 순서와 같으므로 에너지 준위의 순서와 같다.

18 다전자 원자 오비탈의 에너지 준위는 $1s<2s<2p<3s<3p<4s<3d<4p<5s<4d\cdots$로 $3d$ 오비탈과 $4s$ 오비탈의 에너지 준위가 역전되어 있다. 참고로 $4d$ 오비탈과 $5s$ 오비탈도 에너지 준위가 역전되어 있다.

19 (가)는 $n=2$, $l=1$이므로 $2p$ 오비탈을 나타낸다.
(나)는 $n=3$, $l=2$이므로 $3d$ 오비탈을 나타낸다.
(다)는 $n=4$, $l=0$이므로 $4s$ 오비탈을 나타낸다.
다전자 원자 오비탈의 에너지 준위는 $1s<2s<2p<3s<3p<4s<3d<4p$ …이다. 따라서 에너지 준위의 크기는 (가)<(다)<(나)이다.

도전! 실력 올리기

096쪽~097쪽

01 ② **02** ⑤ **03** ② **04** ④ **05** ① **06** ③

07 오비탈 **08** $n=2$, $l=0$, $m_l=0$, $m_s=+\frac{1}{2}$ 또는 $n=2$, $l=0$, $m_l=0$, $m_s=-\frac{1}{2}$

09 | **모범 답안** | 오비탈은 크기와 방향에 따라서 다양하게 존재하기 때문에 오비탈의 공간적 성질과 전자의 운동을 나타내기 위해서이다.

10 | **모범 답안** | $4s$ 오비탈은 $n=4$, $l=0$이고, $3d$ 오비탈은 $n=3$, $l=2$이다. 오비탈의 에너지 준위는 $n+l$의 값이 클수록 크므로 $3d$ 오비탈보다 $4s$ 오비탈의 에너지 준위가 낮다.

01 | 선택지 분석 |

ㄱ 에너지를 흡수해야 한다.

➡ 바닥상태의 전자가 에너지를 흡수하여 다른 전자 껍질로 이동하게 된 것이다.

ㄴ 바닥상태에서 들뜬상태가 된 것이다.

➡ 전자의 이동 전에 핵에서 가장 가까운 상태에 있었으므로 바닥상태에 있던 전자가 들뜬상태가 된 것이다.

✕ ~~L~~ K 전자 껍질에서 ~~M~~ L 전자 껍질로 전자가 이동하였다.

➡ 전자 껍질은 원자핵에서 가까운 상태부터 K, L, M, N …으로 나타내므로 K → L로의 전자 전이이다.

02 | 선택지 분석 |

ㄱ (가)는 주 양자수의 변화라고 할 수 있다.

➡ 전자 껍질 L의 주 양자수 $n=2$이고, K는 주 양자수 $n=1$이다.

ㄴ (가)에서 전자는 바닥상태로 전이한다.

➡ (가)에서 전이 후 전자 껍질이 K이고, 주 양자수 $n=1$이므로 바닥상태로의 전자 전이이다.

ㄷ (나)에서 에너지 변화는 흡수이다.

➡ 전자 껍질 K의 주 양자수 $n=1$이고, N의 주 양자수 $n=4$이므로 에너지를 흡수하는 전자 전이이다.

03 | 선택지 분석 |

ㄱ 수소 원자의 선 스펙트럼을 설명할 수 있다.

➡ 현대 원자 모형은 보어의 원자 모형으로 설명 가능한 수소의 선 스펙트럼 외에도 다전자 원자의 선 스펙트럼을 설명하기 위해 도입된 것이다.

ㄴ 전자가 존재할 수 있는 공간을 확률 분포로 나타낸 것이다.

➡ 전자의 위치와 속도를 동시에 알 수 없으므로 전자가 존재할 수 있는 공간을 확률 분포로 나타낸 것이다.

✕ 전자가 발견될 확률은 표시된 ~~공간 안에서 모두 같다.~~ 점이 많으면 높다.

➡ 전자가 발견될 확률은 점이 많으면 높고 점이 적으면 낮다.

04 | 자료 분석 |

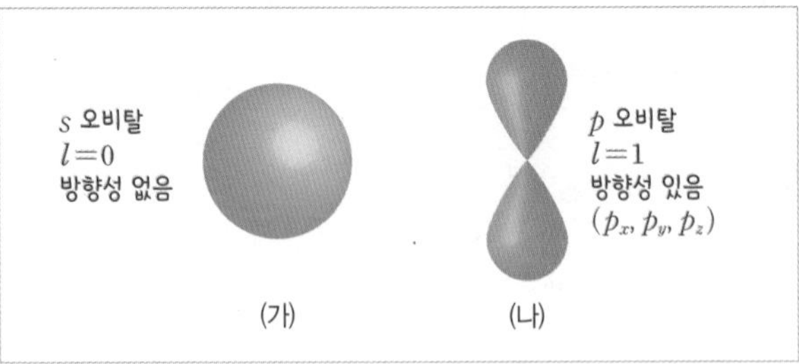

| 선택지 분석 |

✕ ~~(가)와 (나)는 모두~~ (가)는 방향성이 없고, (나)는 방향성이 있다.

➡ (가)는 방향성이 없는 s 오비탈이고, (나)는 방향성이 있는 p 오비탈이다.

ㄴ 수소 원자에서 (가)와 (나) 오비탈의 주 양자수가 같으면 에너지 준위가 같다.

➡ 수소 원자에서는 전자 껍질이 같으면 에너지 준위가 같으므로 주 양자수(n)가 같으면 에너지 준위가 같다.

ㄷ 방위 양자수(부 양자수)는 (나)가 (가)보다 크다.

➡ 방위 양자수(l)는 (가)가 0, (나)가 1이다.

05 | 선택지 분석 |

ㄱ: 전자 껍질 M의 d 오비탈의 전자가 최대로 가질 수 있는 자기 양자수(m_l)는 5가지 종류야.

➡ 전자 껍질 M은 주 양자수(n)가 3으로 방위 양자수의 최댓값은 2이다. 따라서 자기 양자수는 -2, -1, 0, $+1$, $+2$를 가질 수 있다.

ㄴ: 주 양자수(n)가 2인 오비탈의 종류는 총 8가지가 있어.

➡ 주 양자수 $n=2$인 오비탈은 $2s$, $2p_x$, $2p_y$, $2p_z$로 총수는 4이다

ㄷ: 주 양자수(n)가 3이고, 방위 양자수(l)가 2인 오비탈에는 $3p_x$, $3p_y$, $3p_z$가 있어.

➡ $n=3$, $l=1$인 오비탈은 $3p$ 오비탈로 $3p_x$, $3p_y$, $3p_z$가 있고, $n=3$, $l=2$인 오비탈은 $3d$ 오비탈로 5가지 종류가 있다.

06 | 선택지 분석 |

ㄱ (가)와 (나)의 방위 양자수(l)는 같다.

➡ (가)와 (나)는 s 오비탈이므로 방위 양자수가 0으로 같다.

ㄴ (가)와 (라)의 주 양자수(n)는 같다.

➡ (가)의 주 양자수는 $n=4$이고, (라)의 주 양자수는 $n=3$이다.

ㄷ (다)의 자기 양자수(m_l)는 -1, 0, $+1$이다.

➡ (다)는 $4p$ 오비탈이므로 방위 양자수(l)가 1이므로 자기 양자수(m_l)로는 -1, 0, $+1$을 가질 수 있다.

07 오비탈은 원자핵 주위에서 전자가 존재할 수 있는 공간을 확률 분포로 나타낸 것이다. 또한, 오비탈은 전자를 발견할 확률이 높은 공간의 모양을 의미하기도 한다.

09 전자가 발견될 확률이 높은 점들을 모아서 나타내면 일정한 모양의 공간이 생겨나게 된다. 오비탈은 크기와 방향에 따라서 다양하게 존재하기 때문에 오비탈의 공간적 성질과 전자의 운동을 나타내기 위해서 양자수를 사용할 수 있다.

채점 기준	배점
오비탈의 종류가 다양함을 나타내고, 오비탈의 공간적 성질이나 전자의 운동을 모두 옳게 서술한 경우	100 %
3가지 중 2가지만 옳게 서술한 경우	60 %
3가지 중 1가지만 옳게 서술한 경우	30 %

10 오비탈의 에너지 준위는 주 양자수(n)와 방위 양자수(l)의 합이 클수록 높다. $4s$ 오비탈은 $n=4$, $l=0$이므로 $n+l=4$이고, $3d$ 오비탈은 $n=3$, $l=2$이므로 $n+l=5$이다. 따라서 $3d$ 오비탈이 $4s$ 오비탈보다 에너지 준위가 높다.

채점 기준	배점
n과 l의 합을 이용하여 에너지 준위의 크기 비교를 설명하고, 이를 $3d$와 $4s$에 적용하여 옳게 서술한 경우	100 %
n과 l의 합을 이용하여 에너지 준위의 크기 비교만 옳게 서술한 경우	50 %

03 원자의 전자 배치

콕콕! 개념 확인하기 — 101쪽

✔ 잠깐 확인!

1 쌓음 원리 **2** 파울리 배타 원리 **3** 홀전자 **4** 훈트 규칙 **5** 바닥상태 **6** 원자가 전자 **7** 원자가 전자

01 (1) ○ (2) × (3) × (4) ○ **02** (1) ○ (2) ○ (3) ×
03 파울리 배타 원리 **04** ㉠ 홀전자, ㉡ 최대
05 ㉠ $1s^2 2s^2 2p^2$, ㉡ 2 **06** ㉠ 높은, ㉡ 원자가 전자, ㉢ 낮은

01 (1), (2) (가)는 오비탈의 종류, (나)는 오비탈에 들어있는 전자 수, (다)는 주 양자수, (라)는 오비탈의 방향에 해당한다.
(3) d 오비탈은 주 양자수가 3 이상인 경우부터 존재한다.

03 파울리 배타 원리에 따르면 한 오비탈에 들어있는 전자는 스핀 방향이 반대이어야 한다.

05 쌓음 원리, 훈트 규칙에 따른 전자 배치는 바닥상태 전자 배치이며, C 원자의 바닥상태 전자 배치에서 홀전자 수는 $2p$에 각각 1개씩 2개이다.

06 양이온은 원자가 전자를 잃고, 음이온은 전자를 얻어 18족 원소와 같은 전자 배치가 된다.

탄탄! 내신 다지기 — 102쪽~103쪽

01 ①, ② **02** ③ **03** 쌓음 원리 **04** ②, ③ **05** ② **06** ⑤
07 산소(O) **08** ③ **09** ④ **10** 2배 **11** ③ **12** ③
13 $1s^2 2s^2 2p^6$

01 전자 수가 3인 Li의 바닥상태 전자 배치는 쌓음 원리와 파울리 배타 원리에 따라 $1s^2 2s^1$이다. 따라서 전자가 배치된 오비탈은 $1s$, $2s$ 오비탈이다.

02 | 선택지 분석 |

① 1개 오비탈에는 전자가 최대 2개 채워진다.

➡ 파울리 배타 원리에 따르면 1개 오비탈에 배치될 수 있는 전자 수는 2개로 이 전자들은 서로 스핀 방향이 반대이다.

② p 오비탈에는 전자를 최대 6개 채울 수 있다.

➡ p 오비탈에는 p_x, p_y, p_z의 3가지 종류의 오비탈이 있으므로 각 오비탈에 전자 2개를 채울 수 있으므로 최대 6개의 전자를 채울 수 있다.

③ 파울리 배타 원리에 어긋난 전자 배치는 들뜬상태이다.

➡ 파울리 배타 원리에 어긋난 전자 배치는 불가능한 전자 배치이다.

④ 1개의 오비탈에 같은 방향의 스핀을 갖는 전자가 배치될 수 없다.

➡ 스핀 방향은 서로 반대이어야 한다.

⑤ 1개의 오비탈에 배치된 2개의 전자는 스핀 방향이 반대이어야 한다.

➡ 파울리 배타 원리에서 한 오비탈의 전자는 스핀 방향이 반대이다.

03 쌓음 원리는 바닥상태에 있는 원자의 전자는 에너지가 작은 오비탈부터 채워야 한다. 따라서 이 전자 배치는 $2s$ 오비탈부터 채워야 하는 원리를 위배하였으므로 쌓음 원리를 위배한 것이다.

04 C의 바닥상태 전자 배치는 6개의 전자를 전자 배치 원리에 따라 배치하면 된다. $1s^2 2s^2 2p^2$이므로 $1s$와 $2s$ 오비탈에는 전자가 모두 채워지고, $2p$ 오비탈에는 훈트 규칙에 따라 2개의 오비탈에 전자가 각각 1개씩 채워진 바닥상태 전자 배치가 된다. 따라서 $1s^2 2s^2 2p_x^1 2p_y^1$ 또는 $1s^2 2s^2 2p_x^1 2p_z^1$ 또는 $1s^2 2s^2 2p_y^1 2p_z^1$이 해당한다.

05 | 선택지 분석 |

ㄱ. 원자 번호가 5번이다.
➡ 오비탈에 배치된 전자의 총수가 5이므로 이는 양성자수와 같아서 원자 번호가 5번인 원자이다.

ㄴ. 쌓음 원리를 만족한다.
➡ 전자 배치는 바닥상태 전자 배치이므로 에너지 준위가 낮은 오비탈부터 채우는 쌓음 원리를 만족한다.

ㄷ. 파울리 배타 원리를 위배한 것이다.
➡ 파울리 배타 원리는 한 오비탈에 전자가 최대 2개씩 반대 스핀 방향으로 채워지는 것이므로 $1s$, $2s$ 오비탈에 전자가 옳게 채워진 전자 배치이다.

06 학생이 나타낸 질소 원자의 전자 배치는 $2p$ 오비탈에 홀전자가 1개로 배치된 것이므로, 같은 에너지 준위를 갖는 오비탈에 전자가 배치될 때 홀전자 수가 최대가 되도록 하는 훈트 규칙을 위배한 들뜬상태의 전자 배치이다. 학생이 나타낸 전자 배치를 바닥상태로 나타내려면 $2p$ 오비탈 3개에 전자가 각각 1개씩 채워지면 된다. 따라서 바닥상태 질소 원자의 홀전자 수는 3이다.

07 바닥상태에서 전자가 배치된 오비탈 수가 5이고, 홀전자 수가 2인 원소는 $1s^2 2s^2 2p_x^2 2p_y^1 2p_z^1$의 전자 배치를 만족하면 된다. 따라서 이 원소는 전자를 8개 갖는 원소이므로 원자 번호 8번인 산소(O)이다.

08 | 자료 분석 |

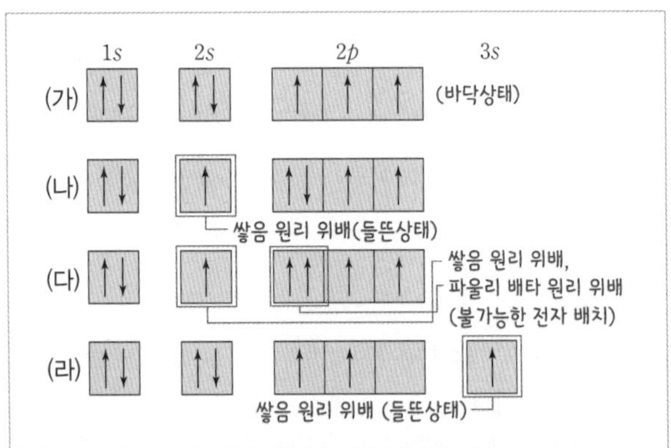

(가)는 전자 배치 원리에 의해 옳게 배치된 것이므로 바닥상태이고, (다)는 쌓음 원리, 파울리 배타 원리에 위배된 전자 배치이므로 불가능한 전자 배치이다. (나)와 (라)는 쌓음 원리에 위배된 들뜬상태의 전자 배치이다.

09 | 선택지 분석 |

① (가)는 훈트 규칙에 위배되는 전자 배치이다.
➡ $2p_x^2$의 전자 배치로 보아 홀전자 수가 최대로 배치되는 훈트 규칙에 위배된 전자 배치이다. 바닥상태가 되려면 $1s^2 2s^2 2p_x^1 2p_y^1 2p_z^1$의 전자 배치가 되어야 한다.

② (나)는 바닥상태 전자 배치이다.
➡ (나)는 3가지 전자 배치의 원리에 따라서 옳게 배치된 전자 배치이므로 바닥상태 전자 배치이다.

③ $2p$ 오비탈의 전자 사이의 반발력은 (가)가 (나)보다 크다.
➡ (가)는 $2p_x$ 오비탈에 전자가 2개 채워져 있으므로 전자 사이의 반발력이 크다. 따라서 바닥상태인 (나)보다 에너지가 높은 (가)는 들뜬상태이다.

④ (나)가 에너지를 방출하면 (가)의 전자 배치가 될 수 있다.
➡ (가)는 들뜬상태의 전자 배치이므로 에너지를 방출하면 바닥상태인 (나)의 전자 배치가 될 수 있다.

⑤ (나)의 $2p$ 오비탈의 전자는 모두 홀전자이다.
➡ (나)의 $2p$ 오비탈에는 전자가 각각 1개씩 들어있다.

10 $_8O$와 $_5B$의 바닥 상태 전자 배치는 각각 $1s^2 2s^2 2p^4$, $1s^2 2s^2 2p^1$이다. 따라서 원자가 전자 수는 $_8O$가 6이고, $_5B$가 3이므로 원자가 전자 수는 $_8O$가 $_5B$의 2배이다.

11 바닥상태 $_6C$, $_9F$, $_{12}Mg$의 전자 배치는 각각 $1s^2 2s^2 2p^2$, $1s^2 2s^2 2p^5$, $1s^2 2s^2 2p^6 3s^2$이다. 따라서 바닥상태 $_6C$ 원자의 p 오비탈의 전자 수는 2이고, 바닥상태 $_9F$ 원자의 원자가 전자 수는 7이며, 바닥상태 $_{12}Mg$ 원자의 s 오비탈의 전자 수는 6이다. 따라서 $x+y+z=2+7+6=15$이다.

12 | 선택지 분석 |

① A의 바닥상태 전자 배치는 $_{10}Ne$과 같다.
➡ A의 바닥상태 전자 배치는 $1s^2 2s^2 2p^6 3s^1$이므로 Ne보다 전자가 1개 더 많은 전자 배치이다.

② 원자 A의 전자 수는 12이다.
➡ A^+은 전자를 1개 잃은 상태이고, 전자를 1개 잃은 상태의 전자 수가 10이므로 A의 전자 수는 11이고, 원자 번호는 11이다.

③ A의 원자가 전자 수는 1이다.
➡ A는 주 양자수가 가장 큰 $3s$ 오비탈에 전자가 1개 들어 있으므로 원자가 전자 수는 1이다.

④ 바닥상태 원자 A의 홀전자 수는 2이다.
➡ 바닥상태 원자 A는 $3s$ 오비탈에 홀전자가 1개 있다.

⑤ $2s$ 오비탈의 전자의 방위 양자수(l)는 1이다.
➡ $2s$ 오비탈은 주 양자수 $n=2$, 방위 양자수가 $l=0$이다.

13 A는 바닥상태 전자 배치에서 $3s$ 오비탈에 2개, $3p$ 오비탈에 1개의 전자가 있으므로 원자가 전자 수가 3이다. 따라서 이온이 되면 원자가 전자 3개를 잃고 양이온이 되므로 A^{3+}이 된다.

도전! 실력 올리기 104쪽~105쪽

01 ④ **02** ③ **03** ① **04** ⑤ **05** ① **06** ④ **07** ①

08 ㉠ 2, ㉡ 6, ㉢ $3p$

09 | 모범 답안 | 학생 A가 나타낸 전자 배치는 $3s$ 오비탈에 전자가 배치되므로 쌓음 원리에 위배되는 전자 배치이다. 따라서 바닥상태 전자 배치는 $2p$ 오비탈에 3개의 전자가 각각 들어있는 $1s^2 2s^2 2p_x^1 2p_y^1 2p_z^1$의 형태로 고쳐야 한다.

10 | 모범 답안 | 바닥상태 원자에서 오비탈의 스핀 자기 양자수의 합이 0이려면, 오비탈에 전자가 모두 2개씩 채워진 상태이어야 한다. 따라서 He, Be, Ne, Mg, Ar, Ca의 6가지 종류이다.

01 | 선택지 분석 |

✕ (가)의 원자가 전자 수는 2개이다.

➡ (가)의 원자가 전자 수는 가장 바깥 전자 껍질인 L 전자 껍질($n=2$)에 존재하는 전자 수에 해당하므로 $2s$ 오비탈과 $2p$ 오비탈에 있는 4개이다.

㉡ (다)의 전자 배치는 훈트 규칙에 위배된다.

➡ 훈트 규칙에 따르면 에너지 준위가 같은 여러 개의 오비탈에 전자가 채워질 때, 쌍을 이루지 않은 홀전자 수가 많은 배치가 더 안정하다. 그런데 (다)의 전자 배치는 $2p$ 오비탈의 각 오비탈에 전자가 1개씩 고르게 배치되지 않아 훈트 규칙에 위배된다.

㉢ 바닥상태의 전자 배치는 2가지이다.

➡ 바닥상태의 전자 배치는 (가)와 (나)의 2가지이다.

02 | 자료 분석 |

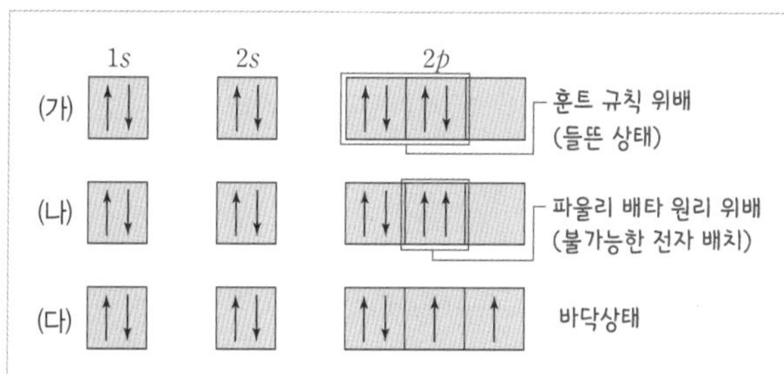

| 선택지 분석 |

㉠ 산소 원자의 에너지는 (가)가 (다)보다 크다.

➡ (가)는 들뜬상태의 전자 배치이고, (다)는 바닥상태 전자 배치이므로 에너지는 (가)가 (다)보다 크다.

✕ (나)는 쌓음 원리에 위배되는 전자 배치이다.

➡ (나)는 파울리 배타 원리에 위배되는 전자 배치이다.

㉢ (다)의 모든 전자의 방위 양자수 합은 4이다.

➡ 전자들의 방위 양자수는 $1s$에서 0, $2s$에서 0, $2p$에서 +1이므로 (다)는 4개의 전자가 $2p$에 있으므로 합은 4이다.

03 바닥상태 $_{15}P$과 $_{8}O$의 전자 배치는 각각 $1s^2 2s^2 2p^6 3s^2 3p^3$, $1s^2 2s^2 2p^4$이다.

| 선택지 분석 |

㉠ 홀전자 수

➡ 홀전자 수는 $_{15}P$과 $_{8}O$가 각각 3, 2이다.

✕ 원자가 전자 수

➡ 원자가 전자 수는 $_{15}P$과 $_{8}O$가 각각 5, 6이다.

✕ s 오비탈의 전자의 스핀 자기 양자수 합

➡ 바닥상태 $_{15}P$과 $_{8}O$는 s 오비탈의 전자가 모두 채워져 있으므로 스핀 자기 양자수의 합은 0이다.

04 M의 전자 배치는 바닥상태에서 $3p$ 오비탈에 전자가 4개 배치되어야 하므로 $1s^2 2s^2 2p^6 3s^2 3p^4$이며, $3p^4$는 $3p_x^2 3p_y^1 3p_z^1$이다.

① 총 전자 수는 16개이므로 양성자수는 16개이고, 원자 번호는 16이다.

②, ③ 홀전자 수는 2개이며, 원자가 전자 수는 주 양자수가 3인 M 전자 껍질에 있는 6개이다.

④ 전자를 2개 얻으면 Ar의 전자 배치를 이루며 음이온이 된다.

⑤ 전자가 채워진 오비탈은 $1s$, $2s$, $2p_x$, $2p_y$, $2p_z$, $3s$, $3p_x$, $3p_y$, $3p_z$으로 9개이다.

05 | 자료 분석 |

A~C는 원자 번호 1~10번 원소 중 하나이므로 주어진 자료에 따라 바닥상태 전자 배치를 하면 다음과 같다.

원자	전자가 들어있는 오비탈 수	홀전자 수	바닥상태 전자 배치
A	3	1	$1s^2 2s^2 2p^1$
B	5	2	$1s^2 2s^2 2p_x^2 2p_y^1 2p_z^1$
C	5	3	$1s^2 2s^2 2p_x^1 2p_y^1 2p_z^1$

| 선택지 분석 |

㉠ A의 원자가 전자 수는 3이다.

➡ A의 전자 배치는 $1s^2 2s^2 2p^1$이므로, 원자가 전자 수는 3이다.

✕ 원자 번호는 C>B>A이다

➡ B의 전자 배치는 $1s^2 2s^2 2p^4$이고, C의 전자 배치는 $1s^2 2s^2 2p^3$이므로 원자 번호는 B>C>A이다.

✕ B는 p 오비탈의 모든 전자의 스핀 자기 양자수가 같다.

➡ B는 $2p$ 오비탈의 전자가 4개로 쌍을 이룬 전자가 있어서 스핀 자기 양자수가 다르다.

06 | 선택지 분석 |

✕ 원자 번호는 ~~A>B>C>D~~이다. B>A>C>D

➡ 이온의 전하로 보아 원자가 전자의 전자 배치는 A~D가 각각 $3s^1$, $3s^2$, $2s^2 2p^5$, $2s^2 2p^4$임을 알 수 있다. 따라서 원자 번호는 B>A>C>D이다.

ㄴ. 바닥상태 전자 배치에서 A와 C는 홀전자 수가 같다.
➡ 바닥상태 전자 배치에서 홀전자 수는 A와 C가 모두 1이다.

ㄷ. 원자가 전자 수는 D가 B의 3배이다.
➡ 원자가 전자 수는 D가 6, B가 2이다.

07 | 선택지 분석 |

ㄱ. 원자가 전자의 주 양자수(n)는 B가 A보다 크다. (X)
➡ 원자가 전자의 주 양자수는 A와 B가 모두 $n=3$이다.

ㄴ. B의 홀전자의 방위 양자수(l)는 모두 같다.
➡ B에는 홀전자가 2개 존재하는데 모두 $3p$ 오비탈에 존재하므로 방위 양자수는 $l=1$로 같다.

ㄷ. 안정한 이온의 전자 배치는 A와 B가 같다. (X)
➡ 안정한 이온의 전자 배치는 18족 원소와 같은 전자 배치를 하게 되므로 A는 전자를 1개 잃고 양이온이 되어 $1s^2 2s^2 2p^6$, B는 2개의 전자를 얻어 $1s^2 2s^2 2p^6 3s^2 3p^6$이다.

08 바닥상태 $_{16}$S의 전자 배치는 $1s^2 2s^2 2p^6 3s^2 3p^4$이다. 따라서 바닥상태 $_{16}$S의 홀전자 수는 2이고, 원자가 전자 수는 6이다. 이온이 되면 18족 원소와 같은 전자 배치를 해야 하므로 2개의 전자를 얻어 $3p$ 오비탈에 전자가 2개 채워지게 된다.

09 바닥상태 전자 배치는 쌓음 원리에 따라 $2p$ 오비탈에 3개의 전자가 각각 들어 있는 $1s^2 2s^2 2p_x^1 2p_y^1 2p_z^1$의 형태로 고쳐야 한다.

채점 기준	배점
쌓음 원리의 위배됨을 나타내고 옳게 고친 경우	100 %
위배된 원리 또는 고친 것 중 1가지만 옳게 서술한 경우	50 %

10 바닥상태 원자에서 오비탈의 스핀 자기 양자수의 합이 0이려면, 오비탈에 전자가 모두 2개씩 채워진 상태이어야 한다.
He $1s^2$
Be $1s^2 2s^2$
Ne $1s^2 2s^2 2p^6$
Mg $1s^2 2s^2 2p^6 3s^2$
Ar $1s^2 2s^2 2p^6 3s^2 3p^6$
Ca $1s^2 2s^2 2p^6 3s^2 3p^6 4s^2$
따라서 He, Be, Ne, Mg, Ar, Ca의 6가지 종류이다.

채점 기준	배점
6가지임을 구하고, 그 까닭을 옳게 서술한 경우	100 %
조건에 맞는 원자의 종류나 그 까닭 중 1가지만 옳게 서술한 경우	50 %

실전! 수능 도전하기 107쪽~110쪽

01 ④ 02 ⑤ 03 ① 04 ③ 05 ④ 06 ⑤ 07 ④ 08 ③
09 ④ 10 ② 11 ⑤ 12 ① 13 ③ 14 ④ 15 ② 16 ①

01 | 선택지 분석 |

ㄱ. (−)전하를 띤다.
➡ (−)극에서 입자의 흐름이 생겨나고, 전압을 걸었을 때 (+)극 쪽으로 휘므로 (−)전하를 띤다.

ㄴ. ~~원자의 중심~~(원자핵 주위)에 위치한다. (X)
➡ 전자는 원자핵 주위에서 발견된다. 원자의 중심에 위치하는 것은 원자핵이다.

ㄷ. 중성 원자에서 (+)전하를 띠는 입자와 같은 개수로 존재한다.
➡ 중성 원자에서 (+)전하를 띠는 입자는 양성자이다. (−)전하를 띠는 전자는 양성자와 같은 수로 존재하여 원자는 전기적으로 중성을 띤다.

02 | 자료 분석 |

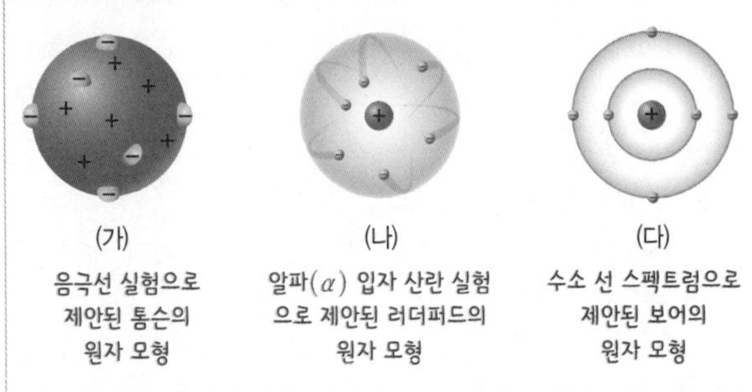
(가) 음극선 실험으로 제안된 톰슨의 원자 모형
(나) 알파(α) 입자 산란 실험으로 제안된 러더퍼드의 원자 모형
(다) 수소 선 스펙트럼으로 제안된 보어의 원자 모형

| 선택지 분석 |

ㄱ. (가)의 원자 모형은 음극선 실험으로 제안되었다.
➡ (가)는 톰슨의 원자 모형으로, 음극선 실험으로 발견된 전자를 포함하는 모형이다.

ㄴ. (나)와 (다)의 모형에서는 원자핵이 존재한다.
➡ (나)와 (다)에는 원자의 중심에 (+)전하를 띠는 원자핵이 존재한다.

ㄷ. (가)~(다) 중 수소 선 스펙트럼을 설명할 수 있는 모형은 (다)이다.
➡ 보어의 원자 모형은 전자 껍질로 원자 모형을 설명하는데, 이는 수소 선 스펙트럼을 설명하기 위해 제안된 모형이다.

03 | 선택지 분석 |

ㄱ. (+)전하를 띤다.
➡ 러더퍼드의 알파(α) 입자 산란 실험으로 발견된 입자는 원자핵이다. 원자핵에는 양성자가 있어서 (+)전하를 띤다.

ㄴ. 원자 번호를 결정하는 입자이다. (X)
➡ 원자 번호를 결정하는 입자는 양성자이므로 양성자와 중성자가 함께 존재하는 원자핵이 원자 번호를 결정하는 입자는 아니다.

ㄷ. 원자 ~~부피~~(질량)의 대부분을 차지한다. (X)
➡ 원자핵은 원자를 구성하는 입자 중 가장 질량이 큰 양성자와 중성자로 이루어져 있으므로 원자 질량의 대부분을 차지한다. 부피는 매우 작아서 원자핵은 밀도가 매우 크다.

04 | 자료 분석 |

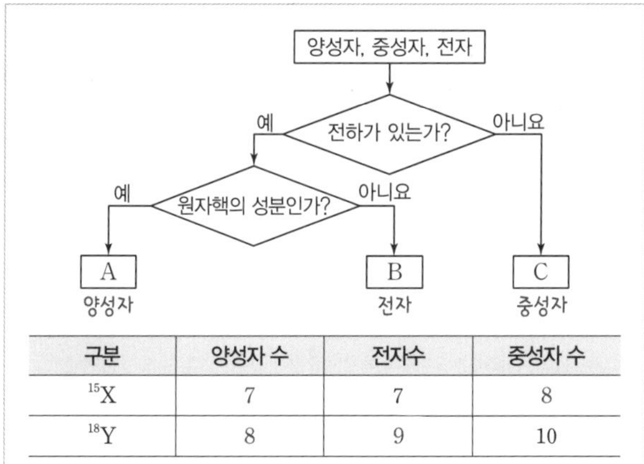

구분	양성자 수	전자수	중성자 수
^{15}X	7	7	8
^{18}Y	8	9	10

| 선택지 분석 |

ㄱ. A는 양성자이다.

➡ A는 원자핵의 성분이면서 전하가 있으므로 양성자이다.

✕ ㄴ. X의 원자 번호는 ~~8~~(7)이다.

➡ X는 중성 원자이므로 전자 수인 B와 양성자수인 A가 같다. 따라서 양성자수는 7이 되어 원자 번호는 7이다.

ㄷ. $a+d=b+c$이다.

➡ X의 질량수는 15이고, 전자인 B의 수가 7이므로 양성자 A의 수인 $a=7$이고, 중성자 C의 수 $b=8$이다. $^{18}Y^-$은 중성자인 C의 수가 10이므로 양성자 A의 수인 $c=8$이고, 전자 수 $d=9$이다.

05 | 선택지 분석 |

ㄱ. X와 Y는 동위 원소이다.

➡ X와 Y는 양성자인 ◉의 수가 1개로 같고, 중성자인 ●의 수가 다르므로 동위 원소이다.

✕ ㄴ. Y를 원자 표시 방법으로 나타내면 ~~$^{3}_{2}Y$~~($^{3}_{1}Y$)이다.

➡ Y는 양성자수가 1, 중성자수가 2이므로 질량수가 3이다.

ㄷ. 질량수는 Y=Z>X이다.

➡ 질량수는 원자핵을 구성하는 입자인 양성자와 중성자수의 합이므로 X~Z는 각각 2, 3, 3이다.

06 | 선택지 분석 |

✕ ㄱ. (가)의 평균 원자량은 25~~이다~~(보다 작다).

➡ (가)의 동위 원소 중 A의 질량수는 24이고 존재 비율이 79 %이므로 평균 원자량은 25보다 작다.

ㄴ. D와 E의 전자 수는 같다.

➡ D와 E는 동위 원소이므로 전자 수는 같다.

ㄷ. A와 D로 이루어진 화합물과 C와 E로 이루어진 화합물의 화학적 성질은 같다.

➡ 화학적 성질은 원자가 전자 수에 의해 결정되므로 A와 D로 이루어진 화합물과 C와 E로 이루어진 화합물은 화학적 성질이 같다.

07 | 선택지 분석 |

① 원자 번호는 ~~A가 B보다 크다~~(A와 B가 같다).

➡ 원자 번호는 양성자수와 같으므로 A는 1, B는 1이다.

② $x=$~~1~~(0)이다.

➡ C는 질량수가 1이므로 양성자만 1개 존재하고, 중성자가 존재하지 않는다.

③ C는 ~~중성 원자~~(양이온)이다.

➡ C는 양성자수가 1이고, 전자 수가 0이므로 +1의 전하를 띠는 양이온이다.

✓④ D와 E는 동위 원소이다.

➡ 질량수에서 중성자수를 빼면 양성자수를 알 수 있다. 따라서 D와 E는 양성자수가 6으로 서로 같은 동위 원소이다.

⑤ E를 원자 표시 방법으로 나타내면 ~~$^{13}_{7}E$~~($^{13}_{6}E$)이다.

➡ E는 양성자수가 6이고 질량수가 13이며, 전자 수가 6이므로 중성 원자이다. 따라서 원자 표시 방법으로 나타내면 $^{13}_{6}E$이다.

08 | 선택지 분석 |

ㄱ. Cl의 평균 원자량은 35.5이다.

➡ Cl의 평균 원자량은 $(35\times0.75)+(37\times0.25)=35.5$이다.

ㄴ. 동위 원소의 중성자수 차이는 Cl와 Br이 같다.

➡ 동위 원소는 중성자수 차이가 질량수 차이와 같으므로 Cl와 Br의 동위 원소는 모두 질량수 차가 2이다.

✕ ㄷ. 분자량이 다른 BrCl 분자의 수는 ~~4~~(3)가지이다.

➡ BrCl 분자가 가질 수 있는 분자량은 114, 116, 118의 3가지이다.

09 | 선택지 분석 |

ㄱ. 전자가 핵에서 멀어지면 에너지 준위가 증가한다.

➡ 수소 원자의 에너지 준위는 $E_n \propto -\frac{1}{n^2}$이므로 주 양자수가 증가하면서 핵에서 멀어지면 에너지 준위가 증가한다.

✕ ㄴ. a는 전자 껍질 ~~M~~(L)에서 K로의 전자 전이이다.

➡ $n=2$는 L 전자 껍질이고, $n=1$은 K 전자 껍질이다.

ㄷ. a~c 중 에너지를 방출하는 것은 2가지이다.

➡ 에너지를 방출하는 전자 전이는 높은 에너지 준위에서 낮은 에너지 준위로 일어난다. 따라서 에너지를 방출하는 전자 전이는 a, b이다.

10 | 자료 분석 |

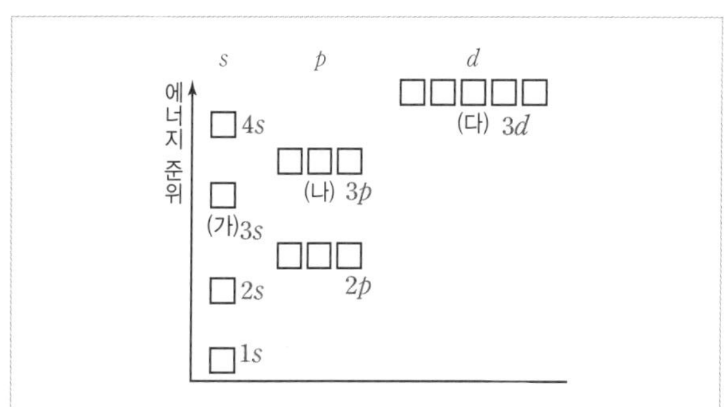

| 선택지 분석 |

✕ (가)~(다) 오비탈의 주 양자수(n) 합은 ~~10~~(9)이다.

➡ (가)~(다)의 오비탈의 주 양자수는 모두 3이므로 합은 9이다.

ㄴ. 방위 양자수는 (다)가 (나)보다 크다.

➡ $3d$ 오비탈의 방위 양자수는 $+2$, $3p$ 오비탈의 방위 양자수는 $+1$이다.

✕ (나)의 오비탈은 방향성이 ~~없다~~ 있다.

➡ (나)의 오비탈은 $3p$ 오비탈이다. $3p$ 오비탈은 방향성이 있는 오비탈이다. 방향성이 없는 오비탈은 s 오비탈이다.

11 | 선택지 분석 |

ㄱ. (가)의 A에 해당하는 에너지는 수소 원자의 이온화 에너지와 같다.

➡ A에 해당하는 전자 전이는 바닥상태의 전자에서 $n=\infty$로의 전자 전이이므로 이온화시키는 데 필요한 에너지와 같다. 따라서 이 때 필요한 에너지는 수소 원자의 이온화 에너지와 같다.

ㄴ. (가)의 B에서 빛이 방출된다.

➡ B는 높은 에너지 준위에서 낮은 에너지 준위로의 전자 전이이므로 에너지를 방출하게 된다.

ㄷ. (나)의 $2s$와 $2p_x$ 오비탈의 에너지 준위는 (가)에서 $n=2$의 에너지 준위와 같다.

➡ 수소 원자는 주 양자수가 같으면 에너지 준위가 같다. 따라서 $2s$, $2p$ 오비탈의 에너지는 서로 같고, 이는 전자 껍질 모형에서 $n=2$의 주 양자수를 갖는 에너지 준위와 에너지가 같다.

12 | 선택지 분석 |

✕ ~~원자가~~ $2p$ 오비탈 전자들의 에너지 준위는 모두 같다.

ㄴ. $2s$에 있는 전자들의 자기 양자수(m_l)는 0이다.

➡ s 오비탈의 방위 양자수와 자기 양자수는 모두 0이다.

✕ $2p$에 있는 전자들의 스핀 자기 양자수의 합은 ~~0이다~~ 0이 아니다.

➡ $2p$에 있는 전자는 총 4개인데 이 중 3개는 스핀 자기 양자수가 같고, 1개는 부호가 다르므로 그 합은 $+1$ 또는 -1이다.

13 | 선택지 분석 |

① (가)는 쌓음 원리를 만족한다.

➡ 오비탈의 에너지 준위는 $1s<2s<2p$이고, 낮은 에너지 준위의 오비탈부터 전자가 채워졌으므로 (가)는 쌓음 원리를 만족한다.

② (나)는 들뜬상태의 전자 배치이다.

➡ (나)는 $2s$ 오비탈에 전자가 쌍을 이루지 않고 $2p$에 전자가 배치되었으므로 쌓음 원리에 위배되어 들뜬상태의 전자 배치이다.

③ (다)는 훈트 규칙을 만족한다.

➡ (다)는 $2p$ 오비탈에 쌍을 이룬 전자가 들어있는 오비탈에도 홀전자가 존재해야 하므로 훈트 규칙을 위배한 들뜬상태의 전자 배치이다.

④ (라)는 파울리 배타 원리에 어긋난다.

➡ (라)의 $2p$ 오비탈에 스핀 방향이 서로 같은 전자가 배치되어 있으므로 이는 파울리 배타 원리에 어긋난 것이다.

⑤ 바닥상태의 전자 배치는 1가지이다.

➡ 바닥상태 전자 배치는 (가) 1가지이다.

14 | 선택지 분석 |

✕ B의 전자 배치는 훈트 규칙을 위배한 것이다.

➡ B의 전자 배치는 에너지 준위가 낮은 $2s$ 오비탈에 전자를 먼저 채우지 않고, $2p$ 오비탈에 전자를 채운 것이므로 쌓음 원리를 위배한 것이다.

ㄴ. 바닥상태 C^-과 D^+은 전자 배치가 같다.

➡ C^-은 전자를 1개 얻어 $2p$ 오비탈의 전자가 모두 채워진 것이므로 D^+과 전자 배치가 같다.

ㄷ. 바닥상태 홀전자 수는 A가 D의 3배이다.

➡ D는 바닥상태에서 $3s$에 전자가 1개 더 배치되어야 하므로, 바닥상태 홀전자 수는 A가 3, D가 1이다.

15 | 자료 분석 |

- X에서 $2s$ 오비탈과 $2p$ 오비탈의 에너지 준위는 같다.
  → $2s$ 오비탈과 $2p$ 오비탈의 에너지 준위가 같은 원소는 수소(H)이다.
- X와 Y는 같은 주기 원소이다.
  → X가 수소이므로 같은 주기 원소인 Y는 헬륨(He)이다.
- ${}^{a}X$, ${}^{b}Y$, ${}^{c}Z$ 각각에서 $\frac{\text{중성자수}}{\text{양성자수}}=1$이다.
- $a+b=c$이다.
  → $a=2$, $b=4$이므로 $c=6$이고, Z는 원자 번호가 3인 Li이다.

| 선택지 분석 |

✕ X는 ~~2~~ 1주기 원소이다.

➡ X는 수소이므로 1주기 원소이다.

✕ Y와 Z는 ~~같은~~ 다른 족 원소이다.

➡ Y는 18족, Z는 1족 원소이다.

ㄷ. ${}^{a}X$와 ${}^{c}Z$의 중성자수의 합은 ${}^{b}Y$의 전자 수의 2배이다.

➡ 중성자수는 ${}^{a}X$와 ${}^{c}Z$가 각각 1, 3이므로 그 합은 4이다. ${}^{b}Y$의 양성자수는 2이므로 전자 수는 2이다.

16 | 자료 분석 |

- 홀전자 수는 X와 Y가 같다.
  → 2주기 원소의 홀전자 수를 원자 번호 순서대로 나타내면 다음과 같다.
  1, 0, 1, 2, 3, 2, 1, 0
- 전자가 들어있는 오비탈 수 비는 X : Y = 2 : 5이다.
  → 2주기 원소의 전자가 들어있는 오비탈 수를 원자 번호 순서대로 나타내면 다음과 같다.
  2, 2, 3, 4, 5, 5, 5, 5
  따라서 X는 Li, Y는 F이다.

| 선택지 분석 |

ㄱ. 원자 번호는 Y가 X의 3배이다.

➡ 원자 번호는 X, Y가 각각 3, 9이다.

✕ s 오비탈의 전자 수는 ~~X와 Y가 같다~~ X가 Y보다 작다.

➡ 바닥상태 전자 배치는 X가 $1s^2 2s^1$이고, Y가 $1s^2 2s^2 2p^5$이므로 s 오비탈의 전자 수는 X가 Y보다 작다.

✕ Y가 안정한 이온이 될 때 방위 양자수가 $+1$인 오비탈 ~~수가 증가한다~~ 수는 변화 없다.

➡ Y가 안정한 이온이 되면 Y^-이 된다. 따라서 전자 1개가 $2p$ 오비탈에 채워지는 것이므로 방위 양자수가 $+1$인 $2p$ 오비탈의 수는 변화없다.

2 »» 원소의 주기적 성질

01 주기율표

개념POOL 116쪽

01 (1) $1s^2$, 1주기, 18족 (2) $2s^22p^6$, 2주기, 18족
(3) $2s^1$, 2주기, 1족 (4) $3s^1$, 3주기, 1족
(5) $2s^22p^5$, 2주기, 17족 (6) $3s^23p^5$, 3주기, 17족
02 (1) ○ (2) ○ (3) × (4) ×

콕콕! 개념 확인하기 117쪽

✔ 잠깐 확인!
1 멘델레예프 **2** 모즐리 **3** 주기 **4** 족 **5** 비금속
6 알칼리 금속 **7** 비활성 기체

01 ㉠ 세 쌍 원소 ㉡ 옥타브 ㉢ 원자량 ㉣ 원자 번호
02 주기율 **03** (1) × (2) ○ (3) ○ (4) × **04** ㉠ 금속성
㉡ 비금속성 ㉢ 준금속 **05** (1) ㉡ (2) ㉠ (3) ㉢

01 되베라이너의 세 쌍 원소설, 뉴랜즈의 옥타브 법칙, 멘델레예프와 모즐리 등의 주기율표는 현대 주기율표를 완성하는 데 기여하였다.

04 전자를 잃고 양이온이 되기 쉬운 원소들을 금속 원소라 하고, 전자를 얻어 음이온이 되기 쉬운 원소를 비금속 원소라고 한다.

탄탄! 내신 다지기 118쪽~119쪽

01 ③ **02** ④ **03** ③ **04** ⑤ **05** (C, H), (D, G)
06 금속 원소: B, C, D / 비금속 원소: A, F, G, H **07** ⑤
08 알칼리 금속: Li, Na, K / 할로젠 원소: F, Cl **09** ②
10 ③ **11** ㉠ 비활성 기체(또는 18족 원소), ㉡ 0 **12** ②

01 | 선택지 분석 |

① 빛, 열, 산소, 질소, 수소를 기체로 분류할 수 있다.
➡ 이와 같은 분류는 라부아지에가 하였다.

② 원소들을 원자량 순서대로 배열하면 8번째마다 화학적 성질이 비슷한 원소가 나타난다.
➡ 이는 옥타브설로 뉴랜즈가 제안한 것이다.

③ 화학적 성질이 비슷하면서 중간 원소의 원자량이 두 원소의 원자량의 평균값과 비슷한 세 원소가 있다.
➡ 되베라이너의 세 쌍 원소설이다. 되베라이너의 세 쌍 원소설에 해당하는 원소로는 Ca, Sr, Ba 또는 Cl, Br, I 등이 있었다.

④ 원소들을 원자량 순서대로 나열하면 비슷한 원소가 주기적으로 나타난다.
➡ 원자량 순서대로 나타낸 것은 멘델레예프이다.

⑤ 원소들을 원자 번호 순서대로 나열하면 비슷한 원소가 주기적으로 나타난다.
➡ 원자 번호 순서대로 나타낸 것은 모즐리이다.

02 멘델레예프는 원소를 원자량 순서대로 나열한 다음, 당시 발견되지 않은 원소가 존재할 것임을 예측하기도 하였다.

03 멘델레예프가 제안한 주기율표에서는 원자량 순서대로 원소들을 나타내었으나, 일부 원소가 원자량 순서와 주기적 성질이 맞지 않았다. 이를 보완하기 위해 모즐리는 원자 번호 순서대로 원소들을 나열하였다.

04 같은 족 원소는 원자가 전자 수가 같아서 화학적 성질이 비슷하다. 같은 족에서는 원자 번호가 커짐에 따라 물리적 성질이 규칙적으로 증가한다. 예를 들어 1족 원소인 알칼리 금속들은 화학적 성질이 비슷하고 원자 번호가 증가할수록 녹는점이 낮아지는 규칙성이 나타난다.

05 | 자료 분석 |

주기\족	1	2	3~12	13	14	15	16	17	18
1	A수소(H)								헬륨(He) B
2	C리튬(Li)							플루오린(F) D	
3		E마그네슘(Mg)				F인(P)		G염소(Cl)	
4	H칼륨(K)								

화학적 성질이 비슷한 원소들은 원자가 전자 수가 같아서 같은 족에 나타낼 수 있다. A는 비금속이라서 C, H와 같은 족이지만 같은 성질을 나타내지는 않는다.

06 금속 원소는 주기율표의 왼쪽 아래에 위치하고, 비금속 원소는 주기율표의 오른쪽 위에 주로 위치한다. E 부분은 준금속 원소이다.

07 | 선택지 분석 |

㉠ B, Si, Ge 등이 있다.
➡ 준금속 원소이다.

㉡ 금속과 비금속의 중간적인 성질을 가진다.
➡ 준금속 원소들은 붕소(B), 규소(Si), 저마늄(Ge), 비소(As) 등이 있는데, 이들은 금속과 비금속의 중간적인 성질을 가진다.

㉢ 반도체나 태양 전지의 주재료로 사용된다.
➡ 반도체의 주재료로 Si, Ge 등이 사용된다.

08 알칼리 금속은 1족 원소, 할로젠 원소는 17족 원소이다. 따라서 1~20번 원소 중 알칼리 금속들은 Li, Na, K이 있고, 할로젠 원소로는 F, Cl가 있다.

09 | 선택지 분석 |

ㄱ 18족 원소를 제외하면 원자가 전자 수는 족 번호의 일의 자릿수와 같다.

➡ 18족 원소는 원자가 전자 수가 0이고, 나머지 원소들은 족 번호의 일의 자리가 원자가 전자 수이다.

ㄴ 같은 족 원소는 원자가 전자 수가 같아서 화학적 성질이 비슷하다.

➡ 원소의 화학적 성질은 원자가 전자 수가 결정하는데 같은 족 원소는 원자가 전자 수가 같으므로 화학적 성질이 비슷하다.

✗ 같은 주기 원소는 원자 번호가 커질수록 원자가 전자 수가 ~~증가한다~~. 증가하다가 18족 원소가 되면 0이다

➡ 같은 주기에서는 18족 원소를 제외하고 원자 번호가 커질수록 원자가 전자 수가 증가한다.

10 | 선택지 분석 |

ㄱ B와 D는 원자가 전자 수가 1이다.

➡ B와 D는 1족 원소인 알칼리 금속이므로 원자가 전자 수가 1이다.

✗ A, C, E는 전자를 얻어 ~~양~~(음)이온이 되기 쉽다.

➡ A, C, E는 17족 원소로 전자 1개를 얻어 18족 원소와 같은 전자 배치를 갖는 음이온이 된다.

ㄷ A와 B의 안정된 이온의 전자 배치는 같다.

➡ A는 2주기 17족 원소이고, B는 3주기 1족 원소이므로 안정된 이온이 되면 2주기 18족 원소와 같은 전자 배치를 하게 된다.

11 18족 원소인 비활성 기체는 가장 큰 주 양자수를 갖는 오비탈에 전자가 모두 채워진 상태이므로 원자가 전자 수가 0이다.

12 | 자료 분석 |

중성 원자	전자 배치	주기와 족
A	$1s^2 2s^2$	2주기 2족
B	$1s^2 2s^2 2p^6 3s^2$	3주기 2족
C	$1s^2 2s^2 2p^6 3s^2 3p^6 4s^2$	4주기 2족

| 선택지 분석 |

ㄱ 2족 원소이다.

➡ A~C는 모두 원자가 전자 수가 2이므로 2족 원소이다.

ㄴ 원자가 전자 수가 2이다.

➡ A~C는 모두 가장 큰 주 양자수의 전자 수가 2이므로 원자가 전자 수가 2이다.

✗ 산화물을 형성할 때, 원자 1몰당 결합하는 산소 원자 수가 2몰이다.

➡ A~C는 2족 원소이므로 산화물을 형성할 때 산소 원자에게 전자 2개를 주어 +2의 전하를 갖는 양이온이 된다. 따라서 산화물을 형성할 때 1 : 1의 몰비로 결합하게 된다.

도전! 실력 올리기 120쪽~121쪽

01 ③ **02** ⑤ **03** ⑤ **04** ③ **05** ① **06** ①

07 3

08 | 모범 답안 | 금속성이 가장 큰 원소는 19번 K이고, 비금속성이 가장 큰 원소는 9번 F이다. 그 까닭은 금속성은 주기율표에서 왼쪽 아래로 갈수록 증가하고, 비금속성은 18족 원소를 제외하고 오른쪽 위로 갈수록 증가하기 때문이다.

09 | 모범 답안 | A~D는 순서대로 I, Br, Cl, F이다. 그 까닭은 A~D는 모두 −1의 전하를 띠는 음이온이 되므로 금속이 양이온이 되면 서로 결합하여 화합물을 이룰 수 있는 17족 원소이기 때문이다.

01 원소들을 분류한 과학자들을 시대 순서대로 나타내면 라부아지에의 원소 분류(18세기 말) → 되베라이너의 세 쌍 원소설(19세기 초) → 뉴랜즈의 옥타브 법칙(19세기 말) → 멘델레예프의 주기율표(19세기 말) → 모즐리의 주기율표(1913년)이다.

02 | 선택지 분석 |

✗ 원소를 ~~원자 번호~~(원자량) 순서대로 나열하였다.

➡ 멘델레예프는 원소를 원자량 순서대로 나열하였다.

ㄴ 에카알루미늄은 이후 발견된 갈륨(Ga)과 성질이 비슷하였다.

➡ 멘델레예프는 당시 발견되지 않은 원소의 성질을 예측하였는데 그 중 에카알루미늄이라 불리운 원소는 이후 발견된 갈륨과 성질이 비슷하였다.

ㄷ 일부 원소가 원자량 순서와 주기적 성질이 맞지않았다.

03 | 선택지 분석 |

ㄱ 금속 원소는 4가지이다.

➡ 금속 원소는 주기율표의 왼쪽 아래에 위치하므로 A, B, E, F의 4가지이다.

ㄴ A는 2주기 1족 원소이다.

➡ A는 주기율표에서 2주기 1족에 속하는 원소인 Li이다.

ㄷ 바닥상태에서 전자 껍질 수가 3개인 원소는 3가지이다.

➡ 바닥상태에서 전자 껍질 수가 3개인 원소는 3주기 원소인 B, C, D이다.

04 | 선택지 분석 |

ㄱ E는 B보다 반응성이 크다.

➡ B와 E는 1족 원소인 알칼리 금속이다. 알칼리 금속은 원자 번호가 클수록 반응성이 크므로 반응성은 E > B이다.

✗ A는 비금속성이 가장 크다.

➡ A는 비활성 기체이므로 화학 반응을 하지 않아서 비금속성은 판단하지 않는다.

ㄷ D와 F는 원자가 전자 수가 같다.

➡ D와 F는 17족 원소로 원자가 전자 수가 7로 같다.

05 | 자료 분석 |

중성 원자	전자 배치	원소	주기와 족
A	$1s^1$	H	1주기 1족
B	$1s^2 2s^1$	Li	2주기 1족
C	$1s^2 2s^2 2p^5$	F	2주기 17족
D	$1s^2 2s^2 2p^6 3s^2 3p^5$	Cl	3주기 17족

| 선택지 분석 |

ㄱ 원자가 전자 수는 D가 B보다 많다.
➡ 원자가 전자 수는 D가 7, B가 1이다.

✕ A~D 중 금속 원소는 2가지이다. (→ 1)
➡ A, C, D는 비금속 원소이고, B는 금속 원소이다.

✕ 2주기 17족 원소는 D이다. (→ C)
➡ 전자가 들어 있는 가장 바깥 전자 껍질의 주 양자수는 주기와 같으므로 D는 3주기 17족 원소이고, C가 2주기 17족 원소이다.

06 | 선택지 분석 |

✕ A, C, H는 알칼리 금속이다.
➡ A는 수소이므로 비금속 원소이고, C와 H는 알칼리 금속이다.

ㄴ D와 E는 안정한 이온의 전자 배치가 같다.
➡ D와 E는 안정한 이온이 되면 각각 D^-, E^{2+}이 되므로 전자 배치가 Ne과 같다.

✕ A~H 중 원자가 전자 수가 가장 큰 것은 B이다. (→ D, G)
➡ 18족 원소인 B는 원자가 전자 수가 0이다. 원자가 전자 수가 가장 큰 것은 D, G로 7이다.

07 알칼리 금속은 1족 원소이고, 원자가 전자 수가 1개이다. 또한 이온이 되면 +1의 전하를 갖는 양이온이 되는 화학적 성질이 비슷하다.

08 금속성은 전자를 잃고 양이온이 되려는 성질이고, 비금속성은 전자를 얻어 음이온이 되려는 성질이다. 금속성은 전자를 잃기 쉬어야 하므로 원자가 전자의 수가 작고 핵으로부터 전자가 멀리 떨어져 있는 원소가 유리하다. 반대로 비금속성은 전자를 얻어야 하므로 전자 껍질이 작으면서 전자를 잘 받아들일 수 있는 원소이어야 한다. 따라서 금속성이 가장 큰 원소는 19번 K이고, 비금속성이 가장 큰 원소는 9번 F이다. 그 까닭은 금속성은 주기율표에서 왼쪽 아래로 갈수록 증가하고, 비금속성은 18족 원소를 제외하고 오른쪽 위로 갈수록 증가하기 때문이다.

채점 기준	배점
주기율표를 이용하여 금속성과 비금속성의 가장 큰 원소를 옳게 쓰고, 그 까닭도 옳게 서술한 경우	100 %
2가지 중 1가지만 옳게 서술한 경우	50 %

09 A~D는 음이온이 되면 −1의 전하를 띠므로 전자를 1개 얻어 18족 원소와 같은 전자 배치를 하는 17족 할로젠 원소이다. 할로젠 원소는 F, Cl, Br, I이 있으며, 이는 각각 2~5주기에 속한다. 따라서 A~D는 각각 I, Br, Cl, F이 된다.

채점 기준	배점
원소를 모두 옳게 쓰고, 그 까닭을 옳게 서술한 경우	100 %
원소만 모두 옳게 쓴 경우	50 %

02 원소의 주기적 성질(1)

콕콕! 개념 확인하기 125쪽

✔ 잠깐 확인!

1 가려막기 **2** 유효 핵전하 **3** 원자 반지름 **4** 유효 핵전하, 감소 **5** 전자 껍질 수, 증가 **6** 등전자 이온 **7** 양이온

01 (1) ○ (2) × (3) × (4) × (5) ○ **02** ㉠ 가려막기, ㉡ 유효 핵전하 **03** (1) > (2) < (3) < (4) > **04** Na>Mg>Li **05** C, B, A **06** (1) ○ (2) ○ (3) × (4) ○

02 유효 핵전하는 전자가 실질적으로 원자핵의 양성자로부터 느낄 수 있는 인력이다.

03 같은 주기에서는 원자 번호가 커질수록 원자 반지름은 감소하고, 같은 족에서는 원자 번호가 커질수록 원자 반지름은 증가한다.

06 (4) 같은 족에서는 원자 번호가 커질수록 이온 반지름은 증가하고, 같은 주기에서는 원자 번호가 커질수록 이온 반지름은 감소한다.

탄탄! 내신 다지기 126쪽~127쪽

01 ④ **02** ④ **03** (가) 원자가 전자가 느끼는 유효 핵전하 (나) 원자 반지름 **04** ④ **05** A: F, B: Cl, C: Na, D: K **06** ⑤ **07** ⑤ **08** ①
09 $O^{2-} > F^- > Na^+ > Mg^{2+} > Al^{3+}$ **10** ⑤ **11** ㉠ 증가, ㉡ 전자 껍질 **12** ②

01 | 선택지 분석 |

① 수소 원자의 전자는 가려막기 효과~~로 유효 핵전하가 1보다 작다~~. (→ 가 없다)
➡ 수소 원자는 전자가 1개이고 양성자가 1개이므로 가려막기 효과가 존재하지 않고, 핵전하가 그대로 전자를 끌어당기는 인력으로 작용한다.

② 가려막기 효과는 안쪽 전자 껍질에 있는 전자에게서만 나타난다.

➡ 가려막기 효과는 같은 전자 껍질에 있는 전자에게서도 나타난다.

③ 유효 핵전하는 전자 껍질이 서로 다른 전자에게 서로 같은 크기로 나타난다.

➡ 유효 핵전하는 안쪽 전자 껍질의 전자가 바깥쪽 전자 껍질의 전자보다 가려막기 효과가 작아서 더 크게 나타나게 된다.

④ 같은 주기에서 원자 번호가 커질수록 원자가 전자가 느끼는 유효 핵전하는 증가한다.

➡ 같은 주기에서는 원자 번호가 커질수록 원자핵의 양성자수가 증가하므로 유효 핵전하가 증가한다.

⑤ 같은 족에서 원자 번호가 커질수록 원자가 전자가 느끼는 유효 핵전하는 감소한다.

➡ 같은 족에서는 원자 번호가 커질수록 전자 껍질 수가 증가하지만, 핵전하의 증가가 더 큰 영향을 주므로 원자가 전자가 느끼는 유효 핵전하는 증가한다.

02 같은 주기에서는 원자 번호가 커질수록 원자핵의 양성자 수 증가가 가려막기 효과보다 더 크게 기여하게 되어 유효 핵전하가 증가한다.

03 같은 주기에서 원자 번호가 커질수록 원자가 전자가 느끼는 유효 핵전하는 증가하고, 유효 핵전하가 증가하므로 원자가 전자가 더 강한 인력으로 핵 쪽으로 끌어당겨지므로 원자 반지름은 작아진다.

04 | **선택지 분석** |

ㄱ. 1족~18족 원소들이 주기성을 나타낸다.

➡ 18족 원소는 원자 반지름을 측정하는 방법이 다르므로, 주로 1~17족 원소만으로 원자 반지름의 주기성을 판단한다.

ㄴ. 같은 종류의 두 원자가 결합한 상태에서 두 원자핵 사이의 거리의 반이다.

➡ 같은 종류의 두 원자가 결합했을 때 그 두 원자의 원자핵 사이의 거리를 측정하고, 그 거리의 절반을 원자 반지름으로 정의한다.

ㄷ. 같은 족 원소들은 원자 번호가 커질수록 원자 반지름이 증가한다.

➡ 같은 족에서는 원자 번호가 커짐에 따라 전자 껍질 수가 증가하므로 원자 반지름이 커진다.

05 원자 반지름은 같은 주기에서는 원자 번호가 커질수록 유효 핵전하가 증가하여 원자 반지름이 작아지고, 같은 족에서는 원자 번호가 커질수록 전자 껍질 수가 증가하여 원자 반지름이 커진다. 따라서 2주기 원소인 F의 원자 반지름이 가장 작고, 3주기 원소 중에서 원자 반지름은 Na>Cl이며, 4주기 K의 원자 반지름이 가장 크다.

06 | **선택지 분석** |

ㄱ. 원자 반지름은 $_{11}Na > {}_{17}Cl$이다.

➡ Na과 $_{17}Cl$는 3주기 원소이다. 같은 주기에서 원자 번호가 커질수록 원자 반지름이 감소한다.

ㄴ. 같은 족에서는 원자 번호가 커질수록 원자 반지름이 증가한다.

➡ 같은 족에서는 원자 번호가 커질수록 전자 껍질 수가 증가하여 원자 반지름이 커진다.

ㄷ. 같은 주기에서는 원자 번호가 커질수록 원자 반지름이 감소한다.

➡ 같은 주기에서는 원자 번호가 커질수록 유효 핵전하가 증가하여 원자 반지름이 작아진다.

07 원자 반지름은 3주기 1족 원소인 Na이 2주기 17족 원소인 F보다 크고, 두 원자가 이온이 되면 같은 전자 수를 갖게 되므로 원자가 전자가 느끼는 유효 핵전하가 작은 F^-이 Na^+보다 이온 반지름이 크다.

08 | **자료 분석** |

주기가 바뀌면 전자 껍질 수가 증가하여 원자 반지름이 갑자기 커진다. 따라서 A~C는 2주기, D~F는 3주기 원소이다.

같은 주기에서 원자 번호가 커질수록 원자 반지름은 감소한다.

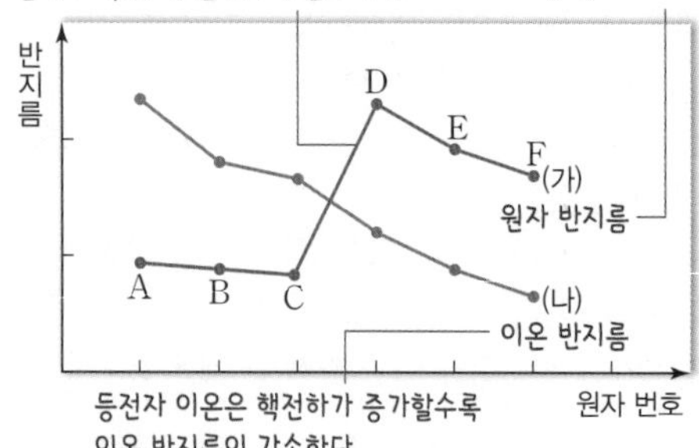

등전자 이온은 핵전하가 증가할수록 이온 반지름이 감소한다.

A는 질소(N), B는 산소(O), C는 플루오린(F), D는 나트륨(Na), E는 마그네슘(Mg), F는 알루미늄(Al)이다.

| **선택지 분석** |

ㄱ. (나)는 이온 반지름이다.

➡ 원자 번호가 연속인 원소들이 원자 번호가 커지면서 감소하는 것은 등전자 이온의 이온 반지름이다. 따라서 (나)는 2주기 음이온들과 3주기 양이온들의 이온 반지름을 나타낸 것이다.

ㄴ. $\frac{\text{이온 반지름}}{\text{원자 반지름}}$은 D가 C보다 크다.

➡ D는 양이온이 되는 원소로 이온 반지름이 원자 반지름보다 작고, C는 음이온이 되는 원소로 이온 반지름이 원자 반지름보다 크다. 따라서 $\frac{\text{이온 반지름}}{\text{원자 반지름}}$은 C가 D보다 크다.

ㄷ. 원자가 전자가 느끼는 유효 핵전하는 A가 C보다 크다.

➡ A와 C는 같은 주기 원소이고, 원자가 전자가 느끼는 유효 핵전하는 같은 주기에서 원자 번호가 커질수록 증가하므로 C가 A보다 크다.

09 주어진 원소들은 이온이 되면 Ne과 같은 전자 배치를 갖는다. 따라서 이온식은 O^{2-}, F^-, Na^+, Mg^{2+}, Al^{3+}이다. 등전자 이온은 원자 번호가 커질수록 핵전하가 증가하게 되므로 이온 반지름의 크기는 작아진다.

10 원자 반지름은 같은 주기에서는 원자 번호가 커질수록 유효 핵전하가 증가하여 원자 반지름이 작아지고, 같은 족에서는 원자 번호가 커질수록 전자 껍질 수가 증가하여 원자 반지름이 커진다.

ㄱ. $Mg>Mg^{2+}$ ㄴ. $O^{2-}>S^{2-}$ (<)

ㄷ. $F^{-}>Na^{+}$ ㄹ. $K>Cl$

11 같은 족에서는 원자 번호가 커질수록 전자 껍질 수가 증가하여 이온 반지름이 증가한다.

12 | **선택지 분석** |

ㄱ. A는 F이다.

➡ 이온 반지름이 원자 반지름보다 크므로 A와 C는 음이온이다. 원자 반지름은 Cl>F이므로 A는 F이다.

ㄴ. 원자 번호는 C>B이다.

➡ B는 $_4Be$, C는 $_{17}Cl$이므로 원자 번호는 C>B이다.

✕ D와 A는 18족 원소와 같은 전자 배치를 갖는 안정한 이온의 전자 수가 같다.

➡ D는 Li, A는 F이며, D와 A의 이온은 등전자 이온이 아니다.

도전! 실력 올리기 128쪽~129쪽

01 ④ **02** ⑤ **03** ③ **04** ④ **05** ③ **06** ④

07 | **모범 답안** | A>B>C, 3주기 금속 원소는 Na, Mg, Al이다. 이 원소들은 안정한 이온이 되었을 때 전자 수가 같으므로 원자 번호가 커질수록 원자가 전자가 느끼는 유효 핵전하가 증가하게 되어 이온 반지름이 작아진다. 따라서 원자 번호는 A>B>C이므로 유효 핵전하도 이에 따라 A>B>C이다.

08 | **모범 답안** | C>B>A, 같은 주기의 원소들은 원자 번호가 커질수록 원자 반지름이 감소한다. 따라서 원자 번호가 A>B>C이므로 원자 반지름은 C>B>A이다.

09 (1) 등전자 이온

(2) | **모범 답안** | 제시된 이온들은 전자 수가 같은 등전자 이온이므로 유효 핵전하(원자핵의 전하량)가 클수록 이온 반지름의 크기가 작아진다.

01 | **선택지 분석** |

✕ 원자가 전자가 느끼는 유효 핵전하는 ~~A>B>C~~ C>B>A이다.

➡ A는 2주기 1족, B는 2주기 13족, C는 2주기 17족 원소이다. 따라서 원자 번호는 C>B>A이고, 원자가 전자가 느끼는 유효 핵전하는 같은 주기에서 원자 번호가 커질수록 증가하므로 C>B>A이다.

ㄴ. 원자 반지름은 A>B>C이다.

➡ 같은 주기에서는 원자 번호가 커질수록 원자 반지름이 감소하므로 원자 반지름은 A>B>C이다.

ㄷ. 이온 반지름은 C>A이다.

➡ A는 이온이 되면 원자가 전자 1개를 잃고, $1s^2$의 전자 배치를 갖게 되고, C는 이온이 되면 전자 1개를 얻어 $1s^22s^22p^6$의 전자 배치를 갖게 되므로 이온 반지름은 C>A이다.

02 | **자료 분석** |

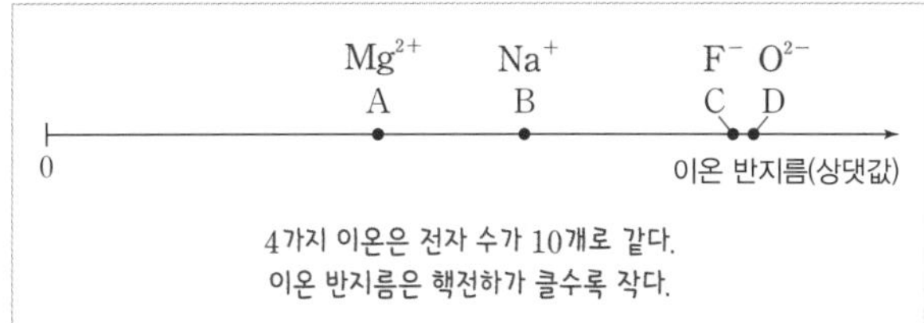

| **선택지 분석** |

ㄱ. 원자 번호는 A>B이다.

➡ A는 Mg이고, B는 Na이므로 원자 번호는 A>B이다.

ㄴ. 원자가 전자가 느끼는 유효 핵전하는 C>D이다.

➡ 원자가 전자가 느끼는 유효 핵전하는 원자 번호가 커질수록 증가하므로 C>D이다.

ㄷ. 원자 번호 17번의 이온 반지름은 C보다 크다.

➡ Cl는 원자 번호 17번으로 원소 C와 같은 17족 원소이므로 이온이 되면 전자 껍질 수가 1개 더 존재하여 원소 C의 이온보다 이온 반지름이 크다.

03 | **자료 분석** |

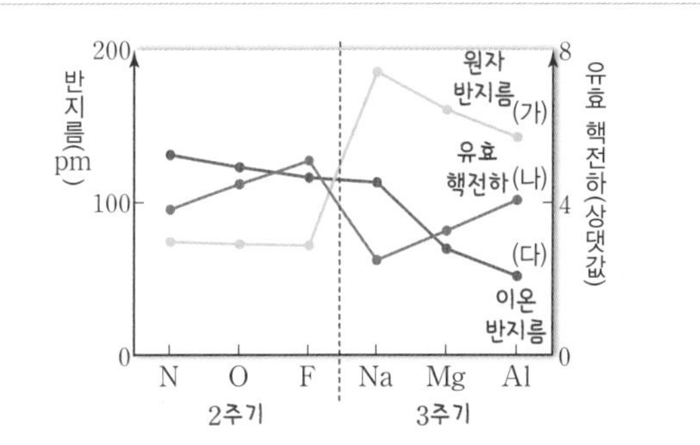

• (가): 같은 주기에서 원자 번호가 커질수록 감소하므로 원자 반지름이다.

• (나): 같은 주기에서 원자 번호가 커질수록 증가하므로 유효 핵전하이다.

• (다): 원자 번호가 커질수록 감소하므로 이온 반지름이다.

| **선택지 분석** |

ㄱ. (다)는 이온 반지름이다.

➡ (가)는 원자 반지름, (나)는 원자가 전자가 느끼는 유효 핵전하, (다)는 이온 반지름이다.

ㄴ. 금속 원소는 $\frac{(다)}{(가)}<1$이다.

➡ 금속 원소는 양이온이 되므로 이온 반지름이 원자 반지름보다 작다.

✕ Na보다 Mg의 (나)가 큰 까닭은 ~~전자 껍질 수~~ 핵전하 때문이다.

➡ Na보다 Mg의 원자가 전자가 느끼는 유효 핵전하가 큰 까닭은 원자핵의 양성자수 증가에 의한 핵전하 증가가 가려막기 효과보다 크기 때문이다.

04 | 자료 분석 |

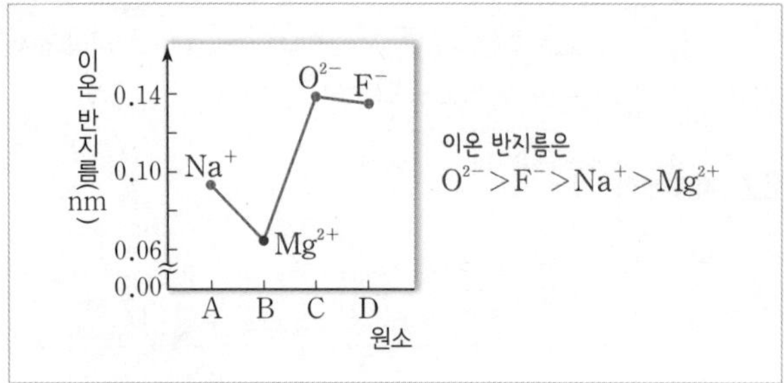

| 선택지 분석 |

✕ A~D 중 원자 반지름은 ~~C~~(A)가 가장 크다.

➡ A는 Na, B는 Mg, C는 O, D는 F이다. 따라서 원자 반지름은 3주기 1족 원소인 A가 가장 크다.

ㄴ 바닥상태 원자에서 홀전자 수는 A와 D가 같다.

➡ 바닥상태 전자 배치는 A가 $1s^22s^22p^63s^1$이고, D가 $1s^22s^22p^5$이다. 따라서 A와 D는 홀전자 수가 1개로 같다.

ㄷ 원자가 전자가 느끼는 유효 핵전하는 D가 C보다 크다.

➡ 유효 핵전하는 같은 주기에서 원자 번호가 커질수록 증가하므로 D(F)가 C(O)보다 크다.

05 | 선택지 분석 |

A는 2주기 17족 원소에 해당하는 플루오린(F)이고, B^{2-}과 C^+이 네온(Ne)의 전자 배치를 이루므로 B는 산소(O), C는 나트륨(Na)이다.

ㄱ 원자가 전자가 느끼는 유효 핵전하는 A>B이다.

➡ 유효 핵전하는 같은 주기에서 원자 번호가 커질수록 증가하므로 A>B이다.

✕ 이온 반지름은 ~~C>A~~(C<A)이다.

➡ C^+과 A의 이온(A^-)은 같은 전자 수를 갖는데 핵전하는 원자 번호가 큰 C가 크므로 이온 반지름은 C<A이다.

ㄷ $\frac{\text{이온 반지름}}{\text{원자 반지름}}$은 B>C이다.

➡ B는 이온이 되면 반지름이 커지고, C는 이온이 되면 반지름이 작아진다.

06 | 자료 분석 |

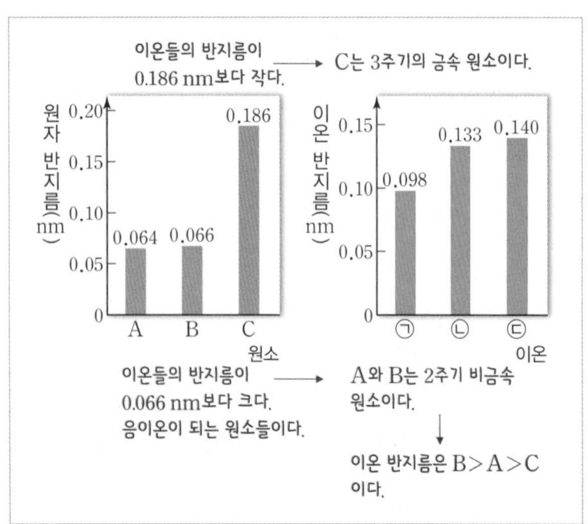

C의 원자 반지름 크기보다 이온 반지름의 크기가 작으므로 C는 3주기의 금속 원소이다. A와 B는 이온이 되면서 반지름이 커지는데 원자 반지름의 크기가 B>A이므로 원자 번호는 A>B이고, 같은 전자 수를 갖는 음이온의 반지름은 B>A이다. 따라서 등전자 이온들의 이온 반지름은 B>A>C가 되어 ㉠은 C, ㉡은 A, ㉢은 B이다.

07~08 | 자료 분석 |

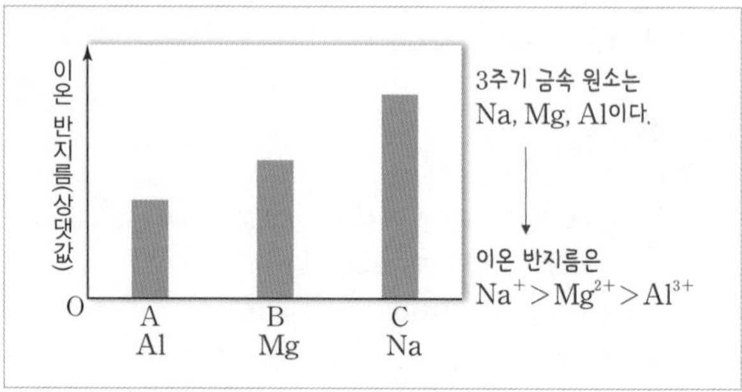

07 유효 핵전하는 같은 주기에서 원자 번호가 커질수록 증가한다. 따라서 원자 번호가 C<B<A이므로 유효 핵전하는 A>B>C이다

채점 기준	배점
유효 핵전하의 크기 비교와 그 까닭을 옳게 서술한 경우	100 %
유효 핵전하의 크기만 비교하고, 그 까닭을 옳게 서술하지 못한 경우	50 %

08 같은 주기에서 원자 반지름은 원자 번호가 커질수록 감소한다. 따라서 원자 번호가 A>B>C이므로 원자 반지름은 C>B>A이다.

채점 기준	배점
원자 반지름의 크기 비교와 그 까닭을 옳게 서술한 경우	100 %
원자 반지름의 크기만 비교하고, 그 까닭을 옳게 서술하지 못한 경우	50 %

09 O^{2-}, F^-, Na^+, Mg^{2+}은 전자 수가 10개로 같고, S^{2-}, Cl^-, K^+, Ca^{2+}은 전자 수가 18개인 등전자 이온이므로 이온 반지름의 크기는 유효 핵전하가 증가할수록 작아진다.

채점 기준	배점
등전자 이온이면서, 이온 반지름 차이가 유효 핵전하(원자핵의 전하량) 때문임을 옳게 서술한 경우	100 %
전자 수가 같음만 나타내고 그 까닭을 옳게 서술하지 못한 경우	50 %

03 원소의 주기적 성질(2)

개념POOL 132쪽

01 (1) F > O > N, Al > Mg > Na
(2) Na > Mg > Al > N > O > F
(3) $N^{3-} > O^{2-} > F^{-} > Na^{+} > Mg^{2+} > Al^{3+}$
(4) F > N > O > Mg > Al > Na
02 (1) × (2) ○ (3) ○ (4) ○ (5) ○

02 (1) 유효 핵전하는 같은 주기에서 원자 번호가 커질수록 증가한다.
(5) $\frac{E_2}{E_1}$는 1족 원소가 안쪽 전자 껍질의 전자를 떼어 내야 하므로 2족 원소보다 크다.

콕콕! 개념 확인하기 133쪽

✔ 잠깐 확인!
1 이온화 에너지 **2** 유효 핵전하, 증가 **3** 전자 껍질, 감소 **4** 순차적 이온화 에너지 **5** 원자가 전자

01 ㉠ 증가, ㉡ 감소, ㉢ 양, ㉣ 1, ㉤ 18 **02** (1) > (2) > (3) < (4) > **03** K **04** ㉠ M^{+} ㉡ M^{2+} ㉢ M^{3+} **05** (1) × (2) ○ (3) × (4) ○

01 같은 주기에서 원자 번호가 커질수록 원자가 전자가 느끼는 유효 핵전하가 증가하여 이온화 에너지가 증가한다.

03 이온화 에너지가 작으면 전자를 잃기 쉽고, 양이온이 되기 쉬우며, 금속성이 크다. 따라서 금속성이 가장 큰 원소는 양이온이 되기 가장 쉬워야 하므로 K(칼륨)이다.

04 기체 상태의 중성 원자에서 전자를 1개씩 순차적으로 떼어 낼 때 각 단계에서 필요한 에너지를 순차적 이온화 에너지라고 한다.

05 X는 $E_3 \ll E_4$이므로 원자가 전자 수가 3인 13족 원소이다.

탄탄! 내신 다지기 134쪽~135쪽

01 ③ **02** ④ **03** Li, Be, B 또는 C, N, O **04** ⑤ **05** ② **06** ③ **07** X: Mg, Y: Si, Z: Cl **08** A: N, B: O **09** ② **10** ①

01 | 선택지 분석 |
① 이온화 에너지가 ~~클수록~~ 작을수록 전자를 잃기 쉽다.
② 이온화 에너지가 작을수록 양이온이 되기 ~~어렵다~~ 쉽다.
③ 같은 주기 원소에서 1족 원소가 가장 이온화 에너지가 작다.
➡ 같은 주기의 1족 원소는 원자 반지름이 가장 크면서 원자가 전자가 1개이므로 이온화 에너지가 가장 작다.
④ 18족 원소는 원자 번호가 커질수록 이온화 에너지가 ~~증가한다~~ 감소한다.
⑤ ~~고체~~ 기체 상태 원자에서 전자 1개를 떼어 내어 기체 상태 양이온으로 만드는 데 필요한 에너지이다.

02 원자 모형으로 보아 전자 수는 A~D가 각각 3, 8, 10, 11이다. 따라서 A~D는 각각 Li, O, Ne, Na이다. A~D 중 3주기 1족 원소인 D의 이온화 에너지가 가장 작고, 안정한 전자 배치를 갖는 2주기 18족 원소인 C의 이온화 에너지가 가장 크다. 같은 주기에서 일반적으로 이온화 에너지는 16족 원소가 1족 원소보다 크므로 B > A이다. 따라서 이온화 에너지의 크기는 C(Ne) > B(O) > A(Li) > D(Na)이다.

03 이온화 에너지는 원자 번호가 커질수록 대체로 증가하는데, 2, 13족 또는 15, 16족 원소들에서 이온화 에너지 크기의 예외가 존재한다. 따라서 Y와 Z가 2, 13족 또는 15, 16족이면 되므로 X~Z는 각각 Li, Be, B 또는 C, N, O이다.

04 | 선택지 분석 |
㉠ 같은 족에서 원자 번호가 커질수록 이온화 에너지는 감소한다.
➡ 이온화 에너지는 같은 족에서는 원자 번호가 커질수록 전자 껍질 수가 증가하므로 감소한다.
㉡ B의 이온화 에너지가 A보다 작은 까닭은 $2p$ 오비탈에 전자가 배치되기 때문이다.
➡ B는 2주기 13족 원소로 $2p$ 오비탈에 홀전자가 존재하여 2족 원소보다 이온화 에너지가 작다.
㉢ C는 18족 원소이다.
➡ C는 원자 번호 10번으로 2주기 원소 중에서 이온화 에너지가 가장 크므로 18족 원소이다.

05 | 선택지 분석 |
㉠ 제1 이온화 에너지는 이온화 에너지와 같다.
➡ 이온화 에너지는 기체 상태의 원자 1몰에서 전자 1몰을 떼어 내어 기체 상태의 +1가 양이온으로 만드는 데 필요한 에너지이므로 순차적 이온화 에너지 중 제1 이온화 에너지와 같다.

ㄴ 순차적 이온화 에너지가 급격하게 증가한 것을 통해 원자가 전자의 수를 알 수 있다.

➡ 순차적 이온화 에너지가 급격하게 증가하기 전까지 떼어 낸 전자의 수가 원자가 전자의 수이다

✗ $_3$Li은 $\frac{E_3}{E_2}$가 $\frac{E_2}{E_1}$보다 ~~크다~~. 작다

➡ Li은 원자가 전자 수가 1이므로 1개의 전자를 떼어 낸 후에 2번째의 전자를 떼어 낼 때 안쪽 전자 껍질의 전자를 떼어 내야 하므로 이온화 에너지가 급격하게 증가하게 된다. 따라서 $\frac{E_3}{E_2}$가 $\frac{E_2}{E_1}$보다 작다.

06 제1 이온화 에너지는 기체 상태의 중성 원자 1개로부터 원자가 전자 1개를 떼어 내는 데 필요한 에너지이다.

07 X는 $E_2 \ll E_3$이고, Y는 $E_4 \ll E_5$이며, Z는 $E_7 \ll E_8$이므로 원자가 전자 수는 X~Z가 각각 2, 4, 7임을 알 수 있다. X~Z가 모두 3주기 원소이므로 X~Z는 각각 Mg, Si, Cl이다.

08 | 자료 분석 |

원소	순차적 이온화 에너지(E_n, 10^3 kJ/mol)							
	E_1	E_2	E_3	E_4	E_5	E_6	E_7	
A	1.4	2.9	4.6	7.5	9.4	53.3	64.4	A: 15족
B	1.3	3.4	5.3	7.5	11.0	13.3	71.3	B: 16족

순차적 이온화 에너지가 급격하게 증가하기 전까지 떼어 낸 전자의 수가 원자가 전자의 수이다. A는 15족, B는 16족 원소이므로 A는 N(질소), B는 O(산소)이다.

09 | 선택지 분석 |

A는 금속 원소이고, B는 비금속 원소인데 주어진 자료에 따르면 A는 $E_2 \ll E_3$이고, B는 $E_7 \ll E_8$이므로 A는 2족, B는 17족 원소임을 알 수 있다. 또한, A와 B의 안정한 이온의 전자 배치가 같다고 하였으므로 A는 2주기 금속 원소가 될 수 없고, B도 3주기 비금속 원소가 될 수 없다. 따라서 A는 3주기 2족 원소이고, B는 2주기 17족 원소이다.

ㄱ A는 3주기 원소이다.

➡ A와 B는 안정한 이온의 전자 배치가 Ne과 같을 것이므로 A는 3주기 2족 원소이다.

ㄴ B의 원자가 전자 수는 7이다.

➡ B는 $E_7 \ll E_8$이므로 원자가 전자 수가 7이다.

✗ 안정한 화합물의 화학식은 AB이다.

➡ A는 양이온이 되면 원자가 전자 2개를 잃고 A^{2+}이 되고, B는 음이온이 되면 전자 1개를 얻어 B^-이 되므로 안정한 화합물의 화학식은 AB_2이다.

10 | 선택지 분석 |

ㄱ Be의 원자가 전자 수는 2이다.

➡ Be은 $E_2 \ll E_3$이므로 원자가 전자 수가 2이다.

✗ ~~$z>y>x$~~이다. $y>z>x$

➡ 2주기 1, 2, 13족 원소의 이온화 에너지는 2족>13족>1족이므로 이온화 에너지는 $y>z>x$이다.

✗ $_{11}$Na의 E_1는 x보다 ~~크다~~. 작다

➡ Na은 3주기 1족 원소이므로 2주기 1족 원소인 Li보다 전자 껍질이 1개 더 있어서 이온화 에너지가 작다. 따라서 Na의 E_1는 x보다 작다.

도전! 실력 올리기

136쪽~137쪽

01 ③ **02** ③ **03** ⑤ **04** ④ **05** ⑤ **06** ①

07 A: $1s^22s^22p^63s^23p^3$, B: $1s^22s^22p^4$, C: $1s^22s^22p^5$

08 | **모범 답안** | A는 1, B는 2이다. 순차적 이온화 에너지가 급격하게 증가하는 것이 A는 $E_1 \ll E_2$이고, B는 $E_2 \ll E_3$이다. 순차적 이온화 에너지가 급격하게 증가하기 전까지 떼어 낸 전자의 수가 원자가 전자의 수이다.

09 | **모범 답안** | 2189 kJ/mol, 기체 상태의 원자 B가 안정한 이온이 되려면 전자 2개를 떼어 내야 하므로 E_1+E_2에 해당하는 에너지가 필요하므로 738+1451=2189 kJ/mol의 에너지가 필요하다.

01 | 선택지 분석 |

ㄱ 같은 족 원소는 3가지이다.

➡ A, B, C는 원자가 전자 수가 모두 1이므로 1족 원소이고, D는 원자가 전자 수가 6이므로 16족 원소이다.

✗ 이온화 에너지는 ~~C>D~~이다. D>C

➡ 이온화 에너지는 같은 주기에서 원자 번호가 커질수록 증가하므로 이온화 에너지는 D>C이다.

ㄷ $\frac{\text{이온화 에너지}}{\text{전자 수}}$는 B>C이다.

➡ B와 C는 각각 전자 수가 3, 11이므로 B는 C보다 전자 수가 적고, 이온화 에너지는 크다.

02 같은 주기에서 이온화 에너지는 원자 번호가 커질수록 증가하지만 2, 13족과 15, 16족 사이에는 그 값의 역전이 존재하므로 ㉠에는 이와 관련된 예가 나타나면 된다. Be>B 또는 N>O 또는 Mg>Al 또는 P>S가 이에 해당한다.

03 | 선택지 분석 |

ㄱ C는 2주기 15족 원소이다.

➡ 이온화 에너지가 가장 큰 F은 2주기 18족 원소이므로 C는 2주기 15족 원소이다.

ㄴ F의 이온화 에너지는 He보다 작다.

➡ F는 Ne이므로 2주기 18족 원소이다. F는 He보다 전자 껍질 수가 많으므로 이온화 에너지가 작다.

ㄷ 제2 이온화 에너지는 D가 E보다 크다.

➡ D와 E의 제2 이온화 에너지는 각각 C와 D의 제1 이온화 에너지의 경향과 비슷한 모습을 나타내므로 제2 이온화 에너지는 D가 E보다 크다.

04 | 선택지 분석 |

✕ A는 ~~3~~족 원소이다.
13

➡ A는 E_3에서 E_4로 갈 때 값이 크게 증가하므로 원자가 전자 수가 3인 13족 원소이다.

ㄴ 원자 번호는 C>B이다.

➡ B는 1족, C는 2족 원소이므로 원자 번호는 C>B이다.

ㄷ 제1 이온화 에너지는 C>A이다.

➡ 제1 이온화 에너지는 13족 원소가 2족 원소보다 작다. 따라서 C>A이다.

05 | 자료 분석 |

	F	O	Na
원자	A	B	C
제2 이온화 에너지 / 제1 이온화 에너지	2.0	2.6	9.2

제2 이온화 에너지: O>F
제1 이온화 에너지: O<F

제2 이온화 에너지가 크게 증가하는 것이므로 1족 원소인 Na이다.

| 선택지 분석 |

ㄱ A는 F이다.

➡ $\frac{E_2}{E_1}$가 가장 큰 것은 Na으로 C이다. 따라서 A와 B는 O와 F 중 하나인 것을 알 수 있다. F는 O보다 제1 이온화 에너지가 크고, 제2 이온화 에너지가 작으므로 A는 F이고, B는 O이다.

ㄴ C의 원자가 전자 수는 1이다.

➡ C는 Na이므로 원자가 전자 수가 1이다.

ㄷ B와 C의 안정한 화합물의 화학식은 C_2B이다.

➡ B의 이온은 B^{2-}이고, C의 이온은 C^{+}이므로 안정한 화합물의 화학식은 C_2B이다.

06 | 자료 분석 |

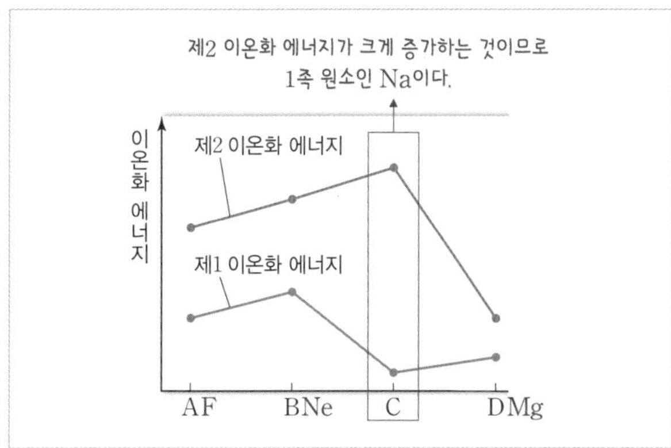

ㄱ A~D 중 금속 원소는 2가지이다.

➡ 원자 번호가 연속이면서 C는 제1 이온화 에너지와 제2 이온화 에너지의 차이가 크므로 C는 1족 원소인 Na이다. 따라서 금속 원소는 C와 D 2가지이다.

✕ 원자가 전자의 수는 A가 D의 ~~6~~배이다.
3.5

➡ A는 17족 원소이므로 원자가 전자 수가 7이고, D는 2족 원소이므로 원자가 전자 수가 2이다. 따라서 원자가 전자의 수는 A가 D의 3.5배이다.

✕ 이온 반지름의 크기는 ~~D>A~~이다.
D<A

➡ D와 A는 이온이 되면 Ne의 전자 배치를 갖는데 핵전하의 크기가 D>A이므로 이온 반지름은 D<A이다.

07 A는 15족 원소이므로 같은 주기 원소라면 B는 A보다 이온화 에너지가 작아야 한다. B의 이온화 에너지가 A보다 크므로 B는 2주기 16족 원소이고, A는 3주기 15족 원소이며, C는 2주기 17족 원소이다.

08 A는 $E_1 \ll E_2$이고, B는 $E_2 \ll E_3$이다. 따라서 A는 1족, B는 2족 원소이다. 원자가 전자 수는 1족 원소가 1, 2족 원소가 2이다.

채점 기준	배점
원자가 전자 수와 그렇게 구한 까닭을 옳게 서술한 경우	100 %
원자가 전자 수와 그 까닭 중 1가지만 옳게 서술한 경우	50 %

09 B는 2족 원소이므로 안정한 이온이 되기 위해서는 전자 2개를 떼어 내어 B^{2+}이 되어야 한다. 따라서 E_1+E_2에 해당하는 에너지를 가해야 안정한 이온이 될 수 있다.

채점 기준	배점
필요한 에너지와 그 까닭을 옳게 서술한 경우	100 %
필요한 에너지와 그 까닭 중 1가지만 옳게 서술한 경우	50 %

실전! 수능 도전하기

139쪽~141쪽

01 ④ **02** ④ **03** ④ **04** ⑤ **05** ④ **06** ⑤ **07** ③ **08** ③
09 ③ **10** ② **11** ④ **12** ④

01 | 선택지 분석 |

✕ B는 ~~Mg~~이다.
Na

➡ 같은 주기 원소에서 원자 반지름은 원자 번호가 커질수록 작아지므로 A~D는 각각 Mg, Na, F, O이다.

ㄴ 원자가 전자가 느끼는 유효 핵전하는 A가 B보다 크다.

➡ 원자가 전자가 느끼는 유효 핵전하는 같은 주기 원소에서 원자 번호가 커질수록 증가하므로 A>B이다.

ㄷ 이온화 에너지는 C가 D보다 크다.

➡ 이온화 에너지는 F가 O보다 크므로 C>D이다.

02 | 선택지 분석 |

✕ A는 ~~Cl~~이다.
S

➡ O, F, S, Cl 중 S과 Cl는 3주기 원소인데 같은 주기에서 원자 번호가 작을수록 원자 반지름이 크므로 A는 S이고, B는 Cl이다.

ㄴ 이온 반지름의 크기는 C가 D보다 크다.

➡ C와 D는 O와 F 중 하나인데, C의 원자 반지름이 크므로 원자 번호가 작은 O가 이에 해당한다. C와 D는 이온의 전자 배치가 Ne과 같으므로 핵전하가 작은 C의 이온 반지름이 D보다 크다.

ㄷ. 제1 이온화 에너지의 크기는 B가 A보다 크다.

➡ A는 16족, B는 17족 원소이므로 제1 이온화 에너지의 크기는 B>A이다.

03 원자 번호 8, 9, 11, 12인 O, F, Na, Mg의 이온 반지름은 $O^{2-}>F^{-}>Na^{+}>Mg^{2+}$이다. 따라서 A~D는 각각 Mg, Na, F, O이다.

| 선택지 분석 |

✗ 원자 반지름의 크기는 ~~A>B~~ (B>A)이다.

➡ A는 Mg, B는 Na이므로 원자 반지름의 크기는 B>A이다.

ㄴ. 원자가 전자가 느끼는 유효 핵전하는 C>D이다.

➡ 같은 주기에서 원자가 전자가 느끼는 유효 핵전하는 원자 번호가 커질수록 증가하므로 유효 핵전하는 C(F)>D(O)이다.

ㄷ. A~D 중 제1 이온화 에너지 크기는 B가 가장 작다.

➡ Mg, Na, F, O 중에서 제1 이온화 에너지의 크기가 가장 작은 것은 3주기 1족 원소인 Na이다. 따라서 B가 가장 작다.

04 | 선택지 분석 |

✗ C는 ~~Na~~ (O)이다.

➡ O, F, Na, Mg의 이온 반지름은 $O^{2-}>F^{-}>Na^{+}>Mg^{2+}$이다. 따라서 A~D는 각각 Na, Mg, O, F이다.

ㄴ. 원자가 전자가 느끼는 유효 핵전하는 B>A이다.

➡ 같은 주기에서 원자가 전자가 느끼는 유효 핵전하는 원자 번호가 커질수록 증가하므로 유효 핵전하는 B(Mg)>A(Na)이다.

ㄷ. C와 D는 같은 주기 원소이다.

➡ C는 O, D는 F이므로 2주기의 원소이다.

05 | 자료 분석 | 7

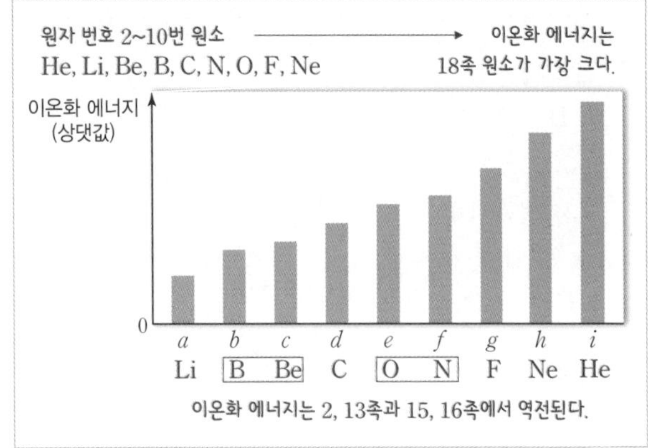

원자 번호 2~10번 원소
He, Li, Be, B, C, N, O, F, Ne
이온화 에너지는 18족 원소가 가장 크다.
이온화 에너지 (상댓값)
0
a b c d e f g h i
Li B Be C O N F Ne He
이온화 에너지는 2, 13족과 15, 16족에서 역전된다.

| 선택지 분석 |

✗ c는 ~~B~~ (Be)이다.

➡ c는 b보다 이온화 에너지가 크므로 2족 원소인 Be이다.

ㄴ. a~g 중 원자 반지름이 가장 큰 것은 a이다.

➡ a~g는 같은 주기의 원소이므로 원자 반지름은 Li인 a가 가장 크다.

ㄷ. h와 i는 같은 족 원소이다.

➡ h는 Ne, i는 He이므로 18족 원소이다.

06 | 자료 분석 |

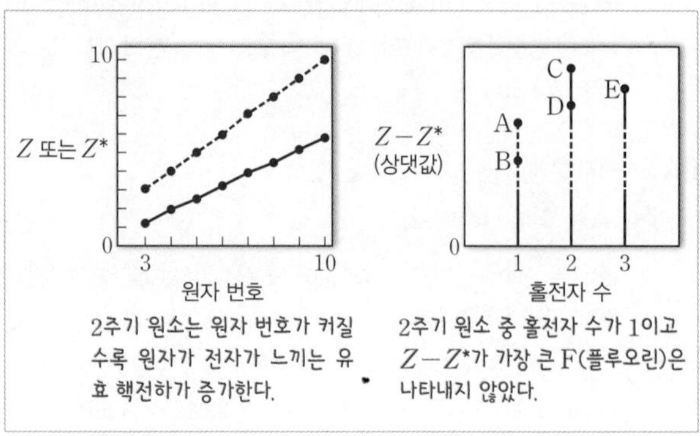

10
Z 또는 Z*
0
3 10
원자 번호
2주기 원소는 원자 번호가 커질수록 원자가 전자가 느끼는 유효 핵전하가 증가한다.
Z−Z* (상댓값)
A B C D E
0
1 2 3
홀전자 수
2주기 원소 중 홀전자 수가 1이고 Z−Z*가 가장 큰 F(플루오린)은 나타내지 않았다.

| 선택지 분석 |

✗ A는 ~~플루오린(F)~~ (붕소(B))이다.

➡ A는 홀전자 수가 1이고, $Z-Z^{*}$의 값이 가장 큰 것이 아니므로 플루오린(F)은 아니고, 붕소(B)이다.

ㄴ. 제1 이온화 에너지는 E>C이다.

➡ E는 질소(N)이고, C는 산소(O)이다. E는 15족, C는 16족 원소이므로 이온화 에너지는 E>C이다.

ㄷ. 바닥상태 원자에서 전자가 들어있는 오비탈의 수는 D가 B의 2배이다.

➡ 바닥상태 전자 배치는 D(C)가 $1s^{2}2s^{2}2p^{2}$이고, B(Li)가 $1s^{2}2s^{1}$이다. 따라서 전자가 들어있는 오비탈 수는 D가 4이고, B가 2이므로 D가 B의 2배이다.

07 | 선택지 분석 |

ㄱ. ㉡은 B 이온의 반지름이다.

➡ A는 2주기 원소, B는 3주기 원소인데 원자 반지름의 크기가 $R_{A}>R_{B}$이므로 A는 2주기 금속 원소이고, B는 3주기 비금속 원소이다. 따라서 이온 반지름은 B>A가 되어 ㉡은 B의 이온 반지름이고, ㉠은 A의 이온 반지름이다.

ㄴ. 금속성은 A>B이다.

➡ A는 2주기 금속 원소이고, B는 3주기 비금속 원소이다.

✗ A 이온과 B 이온의 전자 배치는 ~~같다~~ (다르다).

➡ A는 2주기 금속 원소이므로 A 이온은 He의 전자 배치를 갖고, B는 3주기 비금4속 원소이므로 B 이온은 Ar의 전자 배치를 갖는다.

08 Li, Be, B, C의 제1 이온화 에너지 크기는 C>Be>B>Li이므로 a~d는 각각 Li, B, Be, C이다.

ㄱ. 원자 반지름은 $c>b$이다.

➡ 같은 주기의 원소는 원자 번호가 커질수록 원자 반지름이 작아지므로 원자 반지름은 c(Be)>b(B)이다.

✗ 이온 반지름은 ~~$c>a$~~ ($a>c$)이다.

➡ c와 a의 이온은 He의 전자 배치를 나타내므로 이온 반지름은 핵전하가 작은 a가 c보다 크다.

ㄷ. a~d 중 원자가 전자가 느끼는 유효 핵전하는 d가 가장 크다.

➡ 원자가 전자가 느끼는 유효 핵전하는 같은 주기에서 원자 번호가 커질수록 증가하므로 a~d 중 원자 번호가 가장 큰 d가 유효 핵전하가 가장 크다.

09 | 선택지 분석 |

ㄱ. C는 Na이다.

➡ O, F, Na 중 Na은 제1 이온화 에너지를 가해 양이온이 되면 18족 원소인 Ne과 같은 전자 배치를 갖게 되므로 제2 이온화 에너지가 큰 폭으로 증가하게 된다. 따라서 C는 Na이다.

ㄴ. 원자가 전자가 느끼는 유효 핵전하는 A>B이다.

➡ 제1 이온화 에너지는 F>O이고, 제2 이온화 에너지는 O>F이므로 $\frac{\text{제2 이온화 에너지}}{\text{제1 이온화 에너지}}$는 O>F이다. 따라서 A는 플루오린(F)이고, B는 산소(O)이다. 원자 번호는 A>B이므로 원자가 전자가 느끼는 유효 핵전하는 A>B이다.

✕ Ne의 전자 배치를 갖는 이온의 반지름은 ~~A~~ B 이온이 가장 크다.

➡ A~C는 모두 이온이 되면 Ne의 전자 배치를 갖게 되므로 핵전하량이 클수록 이온 반지름의 크기가 작아진다. 따라서 이온 반지름의 크기는 $B^{2-}>A^{-}>C^{+}$이다.

10 • (가) 제1 이온화 에너지가 가장 작은 원소는 전자 껍질 수가 가장 많고, 원자가 전자 수가 가장 적어야 하므로 4주기 1족 원소인 K이다. K의 원자 번호는 19이다.

• (나) 원자 반지름은 같은 족에서는 전자 껍질 수가 많을수록 크고, 같은 주기에서는 원자 번호가 작을수록 크므로 4주기 1족 원소인 K이 가장 크며, 원자 번호는 19이다.

• (다) 유효 핵전하는 원자 번호가 커질수록 증가하므로 3주기 원소 중에서 유효 핵전하가 가장 큰 원소는 3주기 18족 원소인 Ar이다. Ar의 원자 번호는 18이다.

11 | 선택지 분석 |

ㄱ. 제2 이온화 에너지는 D가 가장 크다.

➡ A~E는 각각 N, O, F, Na, Al이다. D는 1개의 전자를 떼어 내면 He과 같은 전자 배치가 되므로 제2 이온화 에너지가 가장 크다.

✕ 원자 반지름은 ~~E~~ D가 가장 크다.

➡ 원자 반지름은 3주기 원소 중 원자 번호가 가장 작은 것이 클 것이므로 D가 가장 크다.

ㄷ. 안정한 이온의 반지름은 A가 가장 크다.

➡ A~E는 안정한 이온이 되었을 때 전자 배치가 Ne과 같으므로 등전자 이온이다. 핵전하가 가장 작은 A의 이온 반지름이 가장 크다.

12 | 자료 분석 |

홀전자 수가 2인 원소가 1인 원소보다 E_1이 크다.

원자	W	X	Y	Z
바닥상태 원자의 홀전자 수	0	1	2	a
제1 이온화 에너지 (상댓값)	b	1	2.1	1.5

→ X는 리튬(Li), Y는 탄소(C)이다.
→ Z는 붕소(B), W는 베릴륨(Be)이다.

2주기 원소의 홀전자 수

Li	Be	B	C	N	O	F	Ne
1	0	1	2	3	2	1	0
X	W	Z	Y				

| 선택지 분석 |

✕ ~~a=3~~ a=1이다.

➡ a는 Z(B)의 홀전자 수이므로 1이다.

ㄴ. $b>1.5$이다.

➡ b는 W(Be)의 제1 이온화 에너지이므로 Z(B)보다 크고 Y(C)보다 작아야 한다. 따라서 $b>1.5$이다.

ㄷ. 원자가 전자의 유효 핵전하는 Y가 가장 크다.

➡ 유효 핵전하는 같은 주기에서 원자 번호가 커질수록 증가하므로 원자 번호가 가장 큰 Y(C)의 유효 핵전하가 가장 크다.

한번에 끝내는 대단원 문제 144쪽~147쪽

01 ⑤ **02** ② **03** ⑤ **04** ⑤ **05** ⑤ **06** ⑤ **07** ③ **08** ③
09 ⑤ **10** ④ **11** ② **12** ③ **13** ⑤

14 | 모범 답안 | 원자의 구조는 원자핵이 원자의 중심에 작은 크기로 존재하고, 주위에 전자가 돌고 있다.

15 | 모범 답안 | 바닥상태는 쌓음 원리, 훈트 규칙, 파울리 배타 원리를 모두 만족하는 전자 배치이어야 하므로 (다)이다. (나)는 $2s$ 오비탈에 전자가 먼저 채워지지 않고 $2p$ 오비탈부터 채워졌으므로 쌓음 원리를 위배한 들뜬상태의 전자 배치이고, (라)는 $2p$ 오비탈에 전자가 채워지지 않고 $3s$ 오비탈부터 채워졌으므로 쌓음 원리를 위배한 들뜬상태의 전자 배치이다. (가)는 $2s$ 오비탈에 전자가 3개 배치되었으므로 파울리 배타 원리를 위배한 불가능한 전자 배치이다.

16 A는 Na, B는 Mg, C는 O, D는 F이다.

17 | 모범 답안 | A>B>C>D, 같은 주기에서 원자 번호가 커질수록 원자 반지름은 감소하므로 A>B, C>D이다. A와 B는 3주기 금속 원소이므로 2주기 비금속 원소인 C, D보다 원자 반지름이 크다. 따라서 원자 반지름은 A>B>C>D이다.

18 | 모범 답안 | (가) O, (나) C, (다) F, (라) Li, (마) N이다.

Li, C, N, O, F의 바닥상태 홀전자 수는 1, 2, 3, 2, 1 이다. (가)와 (나)는 홀전자 수가 같으므로 각각 Li, F 또는 C, O가 가능하다. 원자가 전자 수로부터 원자 번호는 (다)>(가)>(나)이므로 (가)는 O, (나)는 C, (다)는 F임을 알 수 있다. 제1 이온화 에너지는 (마)>(가)이므로 (마)는 N가 되고, (라)는 Li이 된다.

01 | 선택지 분석 |

ㄱ. (가)는 양이온이다.

➡ (가)는 양성자수가 3, 전자 수가 2이므로 양이온이다.

ㄴ. 질량수는 (가)와 (나)가 같다.

➡ 질량수는 (가)와 (나)가 7로 같다.

ㄷ. (나)는 $^{7}_{4}Be^{+}$이다.

➡ (나)는 원자 번호 4번, 질량수 7, 전자 수 3이므로 +1의 전하를 갖는 양이온이다.

02 | 선택지 분석 |

ㄱ. A와 B는 동위 원소이다.

➡ 질량수−중성자수=양성자수이므로 양성자수는 A가 16−8=8이고, B가 15−8=7이다. 따라서 A와 B는 양성자수가 다른 서로 다른 원소이다. 양성자수는 C가 18−10=8이므로 A와 C가 동위 원소이다.

ㄴ. 양성자수는 C>B이다.

➡ A~C의 양성자수는 각각 8, 7, 8이므로 양성자수는 C>B이다.

ㄷ. C의 전자 수는 9이다.

➡ C의 양성자수가 8이므로 C의 전자 수는 8이고 C^-의 전자 수가 9이다.

03 | 자료 분석 |

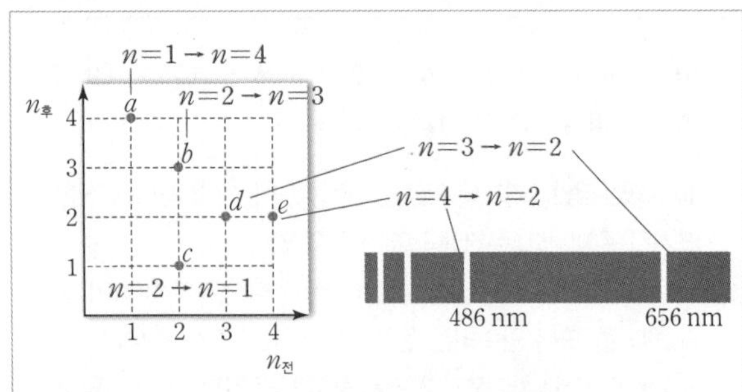

주 양자수가 증가하는 전자 전이는 에너지를 흡수하는 전자 전이이므로 a, b는 에너지를 흡수하는 전자 전이이고, c, d, e는 에너지를 방출하는 전자 전이이다.

| 선택지 분석 |

ㄱ. 486 nm의 선은 e에 해당한다.

➡ 486 nm의 선은 가시광선 영역의 선 스펙트럼 중에서 에너지가 두 번째로 가장 작은 것이므로 $n=4 \rightarrow n=2$의 전자 전이에서 방출하는 선 스펙트럼이다. 따라서 이는 e에 해당한다.

ㄴ. a~e 중 에너지를 흡수하는 전자 전이는 2가지이다.

➡ 에너지를 흡수하는 전자 전이는 전이 전보다 전이 후의 주 양자수가 커야 하므로 a, b의 2가지이다.

ㄷ. c와 d에서 흡수하거나 방출하는 에너지 크기의 비는 27 : 5이다.

➡ c와 d에서 흡수하거나 방출하는 에너지의 크기는 $\frac{3}{4} : \frac{5}{36} = 27 : 5$이다.

04 A~D에서 방출하는 전자 전이의 에너지는 다음과 같다.

	전자 전이	에너지(kJ/mol)
A	$n=2 \rightarrow n=1$	$E=-1312\left(\frac{1}{2^2}-1^2\right)=1312\frac{3}{4}$
B	$n=3 \rightarrow n=1$	$E=-1312\left(\frac{1}{3^2}-1^2\right)=1312\frac{8}{9}$
C	$n=3 \rightarrow n=2$	$E=-1312\left(\frac{1}{3^2}-\frac{1}{2^2}\right)=1312\frac{5}{36}$
D	$n=\infty \rightarrow n=1$	$E=-1312\left(\frac{1}{\infty^2}-\frac{1}{1^2}\right)=1312$

따라서 방출하는 에너지의 크기는 D>B>A>C이다.

05 | 선택지 분석 |

ㄱ. Ⅰ~Ⅳ 중 발머 계열은 2가지이다.

➡ 발머 계열은 $n=2$로 전자 전이가 일어나는 경우이므로 Ⅱ와 Ⅲ이 이에 해당한다

ㄴ. $x>y+z$이다.

➡ $y+z$의 에너지를 방출하는 전자 전이는 $n=3 \rightarrow n=1$이므로 $n=4 \rightarrow n=1$로 방출하는 에너지인 x보다 에너지가 작다.

ㄷ. 방출하는 빛의 파장은 Ⅳ가 Ⅱ보다 짧다.

➡ 빛의 파장은 에너지에 반비례한다. Ⅳ는 $n=2 \rightarrow n=1$의 전자 전이에서 나오는 선 스펙트럼이므로 ㉠이 어떤 주 양자수가 오더라도 자외선 영역에 속하여 Ⅱ보다 에너지가 크므로 파장은 짧다.

06 [선택지 분석]

ㄱ. (가)의 모양을 띠는 오비탈의 방위 양자수는 0이다.

➡ (가)는 s 오비탈로 방위 양자수(l)는 0이다.

ㄴ. (나)의 주 양자수는 방위 양자수보다 크다.

➡ (나)는 p_x 오비탈로 방위 양자수가 1이다. 방위 양자수는 0, 1, … $n-1$의 수를 가지므로 주 양자수(n)는 방위 양자수보다 항상 크다.

ㄷ. 주 양자수가 같은 (다)와 (라)는 에너지 준위가 같다.

➡ (다)와 (라)는 각각 p_y, p_z인데 주 양자수가 같으면 두 오비탈의 에너지 준위는 같다.

07 N의 바닥상태 전자 배치는 $1s^22s^22p^3$이다.

ㄱ. 주 양자수가 2이고, 방위 양자수가 0인 오비탈에 전자를 2개 배치해야 한다.

➡ 주 양자수가 2이고, 방위 양자수가 0인 오비탈은 $2s$ 오비탈이다. $2s$ 오비탈에는 전자 2개가 배치되어야 한다.

ㄴ. 주 양자수가 2이고, 방위 양자수가 1인 오비탈 2개에 전자를 3개 배치해야 한다.

➡ 주 양자수가 2이고, 방위 양자수가 1인 오비탈은 $2p$ 오비탈이다. 훈트 규칙에 따라 N는 바닥상태 전자 배치에서 $2p_x$, $2p_y$, $2p_z$ 오비탈에 각각 1개의 전자가 배치되어야 한다.

ㄷ. 주 양자수가 2이고, 방위 양자수가 1인 오비탈 3개에 전자를 하나씩 배치해야 한다.

➡ 훈트 규칙에 따라 N는 바닥상태 전자 배치에서 $2p_x$, $2p_y$, $2p_z$ 오비탈에 각각 1개의 전자가 배치되어야 한다.

08 원자 번호 10번 Ne의 바닥상태 전자 배치는 $1s^22s^22p^6$이다. 각 이온의 전하를 통해 각 원소의 전자 수를 나타내고 바닥상태 전자 배치를 나타내면 다음과 같다.

원자	전자 수	바닥상태 전자 배치
A	11	$1s^22s^22p^63s^1$
B	12	$1s^22s^22p^63s^2$
C	13	$1s^22s^22p^63s^23p^1$
D	9	$1s^22s^22p^5$
E	8	$1s^22s^22p^4$

09 A~E의 전자 수는 각각 11, 12, 13, 9, 8이므로 원자 번호는 E<D<A<B<C이다.

10 | 선택지 분석 |

① 비금속성이 가장 큰 원소는 ~~A~~ D이다.

② B는 1족 ~~비금속~~ 금속 원소이다.

③ C는 원자가 전자 수가 ~~16~~ 6이다.

④ D는 안정한 이온이 될 때 전자 1개를 얻는다.

➡ D는 2주기 17족 원소로 전자 1개를 얻어 안정한 이온인 D^-이 된다.

⑤ E는 B보다 전자 껍질 수가 ~~작다~~ 크다.

➡ E는 3주기 원소이므로 2주기 원소인 B보다 전자 껍질 수가 크다.

11 | 선택지 분석 |

ㄱ. A는 ~~K~~ Ca이다.

➡ S, Cl, K, Ca은 안정한 이온이 되었을 때 전자 배치가 Ar과 같다. 따라서 핵전하가 작을수록 이온 반지름이 작으므로 A~D는 각각 Ca, K, Cl, S이다.

ㄴ. 원자가 전자 수는 D가 A의 3배이다.

➡ D는 S이므로 원자가 전자 수가 6이고, A는 Ca이므로 원자가 전자 수가 2이다. 따라서 원자가 전자 수는 D가 A의 3배이다.

ㄷ. 제1 이온화 에너지는 ~~D>C~~ C>D이다.

➡ 제1 이온화 에너지는 17족 원소인 Cl가 16족 원소인 S보다 크므로 C>D이다.

12 | 선택지 분석 |

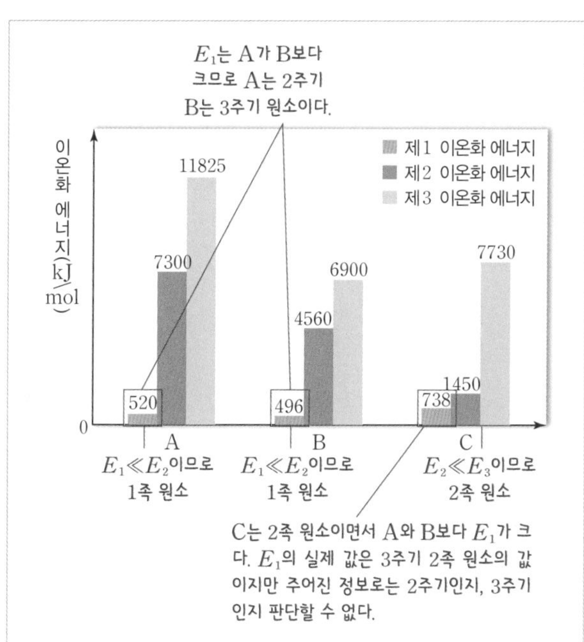
E_1는 A가 B보다 크므로 A는 2주기 B는 3주기 원소이다.
이온화 에너지(kJ/mol)
제1 이온화 에너지
제2 이온화 에너지
제3 이온화 에너지
11825
7300
6900
4560
7730
1450
520
496
738
0
A
B
C
$E_1 \ll E_2$이므로 1족 원소
$E_1 \ll E_2$이므로 1족 원소
$E_2 \ll E_3$이므로 2족 원소
C는 2족 원소이면서 A와 B보다 E_1가 크다. E_1의 실제 값은 3주기 2족 원소의 값이지만 주어진 정보로는 2주기인지, 3주기인지 판단할 수 없다.

| 선택지 분석 |

ㄱ. A와 B는 원자가 전자 수가 같다.

➡ A와 B는 $E_1 \ll E_2$이므로 1족 원소이다. 따라서 원자가 전자 수는 1로 같다.

ㄴ. B는 3주기 원소이다.

➡ 제1 이온화 에너지의 크기가 B가 A보다 작으므로 같은 족 원소인 A와 B 중 전자 껍질 수가 큰 B가 3주기 원소임을 알 수 있다.

ㄷ. C가 안정한 이온이 되는 데 필요한 에너지는 ~~1450~~ 738+1450=2188 kJ/mol이다.

➡ C는 안정한 이온이 될 때 원자가 전자 2개를 잃으므로 738+1450=2188 kJ/mol의 에너지가 필요하다.

13 | 자료 분석 |

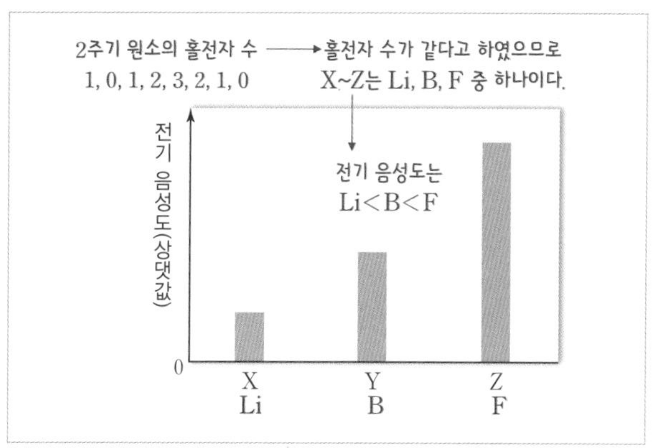
2주기 원소의 홀전자 수
1, 0, 1, 2, 3, 2, 1, 0
홀전자 수가 같다고 하였으므로 X~Z는 Li, B, F 중 하나이다.
전기 음성도(상댓값)
전기 음성도는 Li<B<F
0
X Li
Y B
Z F

| 선택지 분석 |

ㄱ. Y는 13족 원소이다.

➡ 전기 음성도는 같은 주기에서 원자 번호가 커질수록 증가하므로 X는 두 번째 원자 번호 순서인 B이다. 따라서 Y는 13족 원소이다.

ㄴ. 원자가 전자가 느끼는 유효 핵전하는 Z>Y>X이다.

➡ 유효 핵전하는 같은 주기에서 원자 번호가 커질수록 증가므로 Z>Y>X이다.

ㄷ. 제2 이온화 에너지는 X>Z>Y이다.

➡ X는 1족 원소이므로 X^+이 18족 원소와 같은 전자 배치를 갖는다. 따라서 E_2가 가장 크고, E_2의 경향성을 E_1와 비교해 보면 E_2는 Z>Y이다.

14 러더퍼드의 알파(α) 입자 산란 실험에서는 극히 일부의 알파(α) 입자들이 휘거나 튕겨나오게 된다. 이를 토대로 러더퍼드는 원자의 중심에 밀도가 크고 단단한 (+)전하를 띠는 원자핵이 있는 원자 모형을 제안하였다. 러더퍼드의 원자 모형에서 전자들은 태양계 행성들과 같이 나타내진다.

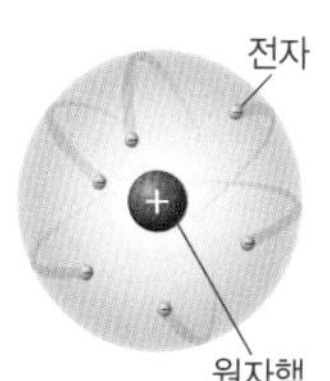
전자
원자핵

▲ 러더퍼드의 원자 모형

채점 기준	배점
발견된 입자와 원자 구조를 핵과 전자로 나누어 구체적으로 옳게 서술한 경우	100 %
발견된 입자를 쓰지 못하고, 원자 구조를 옳게 서술한 경우	50 %

15 바닥상태 전자 배치는 쌓음 원리, 파울리 배타 원리, 훈트 규칙을 모두 만족해야 한다. 이 중 파울리 배타 원리를 위배하면 불가능한 전자 배치이고, 쌓음 원리와 훈트 규칙을 위배하면 들뜬상태의 전자 배치이다.

(가): $2s$ 오비탈의 전자 3개가 배치되어 파울리 배타 원리를 위배한 불가능한 전자 배치이다.

(나): $2s$ 오비탈에 전자가 먼저 채워지지 않고 $2p$ 오비탈부터 채워졌으므로 쌓음 원리를 위배한 들뜬상태의 전자 배치이다.

(다): 바닥상태 전자 배치이다.

(라): $2p$ 오비탈에 전자가 채워지지 않고 $3s$ 오비탈부터 채워졌으므로 쌓음 원리를 위배한 들뜬상태의 전자 배치이다.

채점 기준	배점
(가)~(라)의 전자 배치 상태와 까닭을 모두 옳게 서술한 경우	100 %
(가)~(라)의 전자 배치 상태만 모두 옳게 쓴 경우	50 %

16~17 | 자료 분석 |

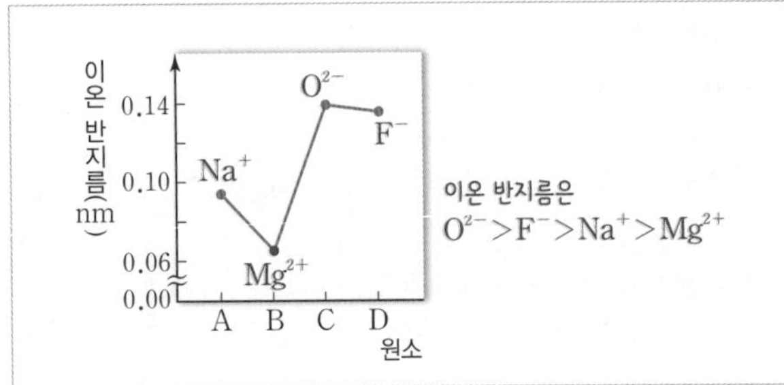

16 주어진 원소의 안정한 이온은 전자 배치가 Ne과 같다. 이온의 핵전하가 클수록 이온 반지름은 작으므로 이온 반지름이 가장 작은 B가 Mg이고, A가 Na, C가 O, D가 F이다.

17 원자 반지름은 같은 주기에서 원자 번호가 커질수록 감소한다. 3주기 금속 원소들은 2주기 비금속 원소들보다 원자 반지름이 크다. 또한 3주기 금속 원소들은 2주기 비금속 원소들보다 전자 껍질 수가 1개 더 있으므로 원자 반지름이 크다. 따라서 3주기 금속 원소들이 2주기 비금속 원소들보다 원자 반지름이 더 크다.

채점 기준	배점
원자 반지름의 주기적 성질과 전자 껍질 수를 이용하여 옳게 서술한 경우	100 %
원자 반지름의 크기가 전자 껍질 수 때문이라는 것만 옳게 설명한 경우	50 %

18 | 자료 분석 |

- 바닥상태 전자 배치의 홀전자 수: Li, C, N, O, F이 각각 1, 2, 3, 2, 1이다.
- 원자가 전자 수: Li, C, N, O, F가 각각 1, 4, 5, 6, 7이다.
- 제1 이온화 에너지: 15족, 16족이 역전되므로 Li<C<O<N<F이다.

(가)와 (나)는 바닥상태 전자 배치의 홀전자 수가 같으므로 Li, F 또는 C, N가 가능하다. 원자가 전자 수는 (가)>(나)이므로 (가)는 O, (나)는 C이다. (다)는 (가)보다 원자가 전자 수가 많으므로 (다)는 F이다. 제1 이온화 에너지가 (마)>(가)이므로 (마)는 N가 되고 (라)는 Li이다.

채점 기준	배점
세 가지 조건에 맞추어 (가)~(마)를 옳게 정하고, 그 까닭도 옳게 서술한 경우	100 %
(가)~(마)의 원소를 1가지만 옳게 정한 경우	각 20 %

1 ›› 화학 결합

01 ~ 화학 결합의 전기적 성질

탐구POOL 152쪽

01 $H_2:O_2=2:1$ **02** 꺼져 가는 향불을 대어본다.

01 온도와 압력이 일정할 때 기체의 양(mol)은 기체의 부피에 비례한다. 생성되는 기체의 부피비가 $H_2:O_2=2:1$이므로, 몰비도 $H_2:O_2=2:1$이다.

02 산소는 조연성 기체이므로 꺼져 가는 향불을 대면 향불이 다시 활발히 타오른다.

콕콕! 개념 확인하기 153쪽

✔ 잠깐 확인!

1 전기 분해 **2** 수용액 **3** 용융액 **4** 전해질 **5** 비활성 **6** 2, 8

01 (1) × (2) ○ (3) ○ (4) ○ **02** (1) ○ (2) × (3) ○ **03** ㉠ 산화 ㉡ 환원 **04** 옥텟 규칙 **05** (1) ○ (2) ○ (3) ×

01 (1), (2) 물은 공유 결합 물질로 전기 전도성이 없으므로 물에 전류가 흐르게 하기 위해 황산 나트륨(Na_2SO_4)과 같은 전해질을 소량 넣어 준다.

03 전기 분해가 일어날 때 (+)극에서는 전자를 잃는 반응인 산화 반응이 일어나고, (−)극에서는 전자를 얻는 반응인 환원 반응이 일어난다.

05 (3) 마그네슘은 3주기 2족 원소이므로 전자를 2개 잃어 안정한 이온이 되면 2주기의 네온(Ne)과 같은 전자 배치를 이룬다.

탄탄! 내신 다지기 154쪽~155쪽

01 ⑤ **02** ④ **03** 물에 전류가 흐르게 하기 위해서이다. **04** ④ **05** ⑤ **06** ③ **07** ㉠ ns^2np^6 ㉡ 8 **08** ① **09** ③, ⑤ **10** 전자를 얻거나 다른 원자와 전자를 공유한다. **11** ④ **12** ④

01 물은 공유 결합 물질로 이온이나 자유롭게 움직일 수 있는 전자가 없으므로 전기 전도성이 없다. 물을 전기 분해할 때 전류가 흐르는 것은 함께 넣어 준 전해질 때문이다.

02 | 선택지 분석 |

㉠ 화합물이다.

➡ X, Y를 각각 전기 분해했을 때 2가지 원소가 생성되었으므로 X, Y는 모두 화합물이다.

✕ 화학식을 구성하는 원자 수는 ~~2이다~~ 알 수 없다.

➡ 화학식을 구성하는 원자 수는 전기 분해 생성물만으로는 알 수 없다.

㉢ 구성 원소의 가짓수는 2가지이다.

➡ X는 수소와 산소로, Y는 나트륨과 염소로 분해되므로 2가지 원소로 구성되어 있다.

03 물은 공유 결합 물질로 자유롭게 움직일 수 있는 전자나 이온이 없으므로 전류가 흐르지 않는다. 따라서 전기 분해할 때에는 물에 전류를 흐르게 하기 위해 황산 나트륨과 같은 전해질을 소량 넣어야 한다.

04 이온 결합 물질의 용융액에는 양이온과 음이온이 있는데, 전기 분해할 때 음이온이 (+)극으로 이동하여 전자를 잃고 기체가 되어 발생한다. 따라서 화합물에 포함된 음이온의 종류가 같은 물질은 용융 전기 분해시 (+)극에서 생성되는 물질의 종류가 같다.

05 | 선택지 분석 |

① 물은 이온으로 구성된 ~~물질이다~~ 물질이 아니다.

➡ 물은 공유 결합 물질이다.

② (−)극에서 발생한 기체는 ~~산소~~ 수소이다.

➡ (−)극에서 물이 전자를 얻는 반응이 일어나므로 수소 기체가 발생한다.

③ (+)극에서 ~~가연성~~ 조연성 기체가 발생한다.

➡ (+)극에서 물이 전자를 잃는 반응이 일어나므로 산소 기체가 발생하며, 산소 기체는 조연성 기체이다.

④ 발생한 기체의 몰비는 (+)극 : (−)극 = ~~2 : 1~~ 1 : 2이다.

➡ 물을 구성하는 수소와 산소의 원자 수비가 2 : 1이므로 생성되는 기체의 몰비도 2 : 1이다. 따라서 발생한 기체의 몰비는 (+)극 : (−)극 = 1 : 2이다.

⑤✔ 전기 분해할 때, 물에 소량의 전해질을 넣어야 한다.

➡ 물은 자유롭게 움직일 수 있는 전자나 이온이 없으므로 전기 전도성이 없다. 따라서 물을 전기 분해할 때에는 소량의 전해질을 넣어 주어야 한다.

06 | 자료 분석 |

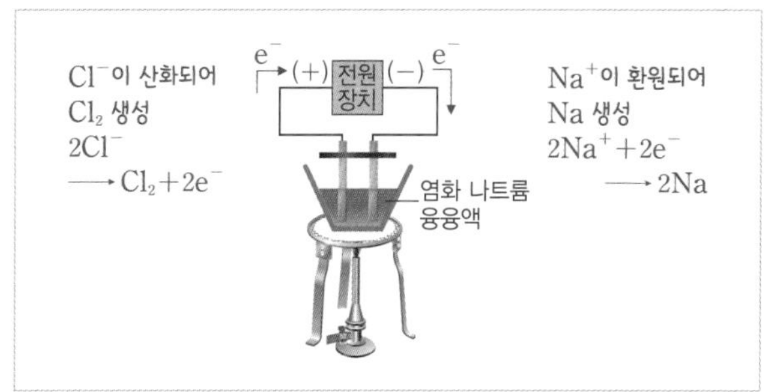

| 선택지 분석 |

① (+)극에서 염소 기체가 발생한다.

➡ (+)극에서 Cl^-이 전자를 잃고 Cl_2가 생성된다.

② (−)극에서 전자를 얻는 반응이 일어난다.

➡ 전기 분해가 일어날 때 (+)극에서 전자를 잃는 반응이 일어나고 (−)극에서 전자를 얻는 반응이 일어난다.

③ 염화 나트륨 용융액에서 전자가 이동한다.

➡ 용융액 내에서 직접 전자가 이동하는 것이 아니라 전자는 (+)극→전지→(−)극으로 이동하며, 용융액 내에서 이온이 반대 전하를 띤 전극으로 이동한다.

④ 액체 상태에서 염화 나트륨은 전기 전도성이 있다.

➡ 액체 상태에서 전류가 흐르므로 전기 전도성이 있다.

⑤ 이 실험을 통해 염화 나트륨의 생성에 전자가 관여함을 알 수 있다.

➡ 전기 분해가 일어날 때 전자가 이동하였으므로 결합이 형성될 때에도 전자가 이동한다. 따라서 이 실험을 통해 염화 나트륨 생성에 전자가 관여함을 알 수 있다.

07 18족 원소들은 가장 바깥 전자 껍질에 있는 s 오비탈과 p 오비탈에 전자가 모두 채워져 있어 ns^2np^6의 전자 배치를 가지며, 반응성이 작아 결합을 거의 형성하지 않고 일원자 분자로 존재한다.

08 금속 원소는 원자가 전자 수만큼 전자를 잃으면 18족 원소와 전자 배치가 같아지고, 비금속 원소는 (8−원자가 전자 수)만큼 전자를 얻으면 18족 원소와 전자 배치가 같아진다. Al은 13족 원소이므로 18족 원소와 같은 전자 배치가 되기 위해 3개의 전자를 잃으므로, 네온(Ne)과 같은 전자 배치가 되기 위해 가장 많은 수의 전자를 잃는다.

Mg은 전자 2개를, Na은 전자 1개를 잃으면 Ne과 전자 배치가 같아지며, O는 전자 2개를, F은 전자 1개를 얻으면 Ne과 전자 배치가 같아진다.

09 | 선택지 분석 |

① A는 전자 1개를 잃는 것보다 7개를 얻는 것이 쉽다.

➡ A는 원자가 전자 수가 1이므로 전자 7개를 얻는 것보다 1개를 잃는 것이 더 쉽다.

② B는 전자 1개를 얻으면 Ar과 전자 배치가 같아진다.

➡ 2주기 17족 원소인 B는 원자가 전자 수가 7이므로 전자 1개를 얻어 네온(Ne)과 같은 전자 배치를 갖는 이온이 된다.

③ C는 전자 2개를 얻으면 안정한 전자 배치를 이룬다.

➡ 2주기 16족 원소인 C는 원자가 전자 수가 6이므로 전자 2개를 얻어 네온(Ne)과 같은 전자 배치를 갖는 이온이 된다.

④ B와 C가 결합할 때 B는 전자를 잃고 옥텟 규칙을 만족하는 전자 배치를 이룬다.

➡ B와 C는 모두 비금속 원소이므로 전자를 공유하여 결합을 형성한다.

⑤ A~C가 옥텟 규칙을 만족하는 이온이 될 때 전자 배치는 모두 같다.

➡ A는 금속 원소의 원자, B와 C는 비금속 원소의 원자이다. A는 전자 1개를 잃고, B와 C는 각각 전자 1개, 2개를 얻어 네온(Ne)과 같은 전자 배치가 된다.

10 염소는 원자가 전자가 7개이므로 부족한 전자 1개를 얻어 −1가의 음이온이 되거나 다른 원자와 전자쌍 1개를 공유하여 비활성 기체인 아르곤과 같은 전자 배치를 이룬다.

11 | 선택지 분석 |

ㄱ. 원소들은 18족 원소의 전자 배치를 이루어 안정해지려는 경향이 있다.

➡ 18족 원소 이외의 원소는 18족 원소와 같이 가장 바깥 전자 껍질에 전자를 모두 채워 18족 원소의 전자 배치를 이루려는 경향이 있다.

ㄴ. 원소들은 안정한 전자 배치를 이루기 위해 항상 전자를 공유하여 화학 결합을 형성한다.

➡ 18족 원소 이외의 원소는 전자를 잃거나 얻어서 또는 전자를 공유하여 화학 결합을 형성함으로써 18족 원소와 같은 전자 배치를 이룬다.

ㄷ. 3주기 1족, 2족 원소는 원자가 전자를 모두 잃어 Ne과 같은 전자 배치가 된다.

➡ 3주기 1족, 2족 원소는 금속 원소로 전자를 잃고 양이온이 되면 네온과 같은 전자 배치를 갖는다.

12 | 자료 분석 |

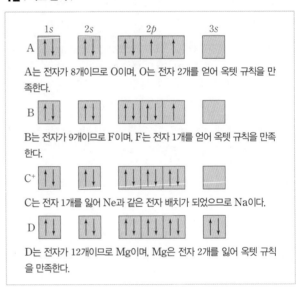

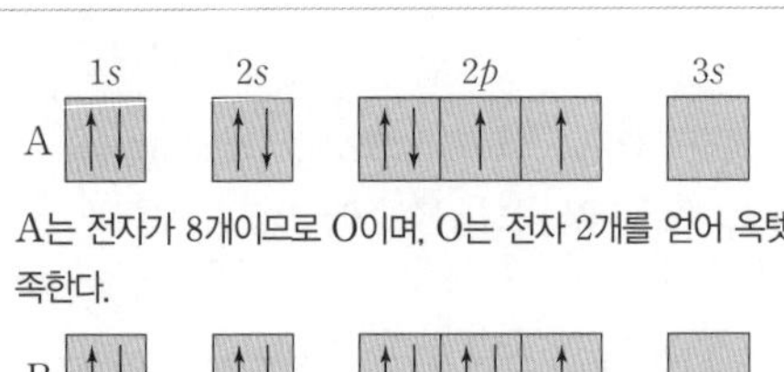

A는 전자가 8개이므로 O이며, O는 전자 2개를 얻어 옥텟 규칙을 만족한다.

B는 전자가 9개이므로 F이며, F는 전자 1개를 얻어 옥텟 규칙을 만족한다.

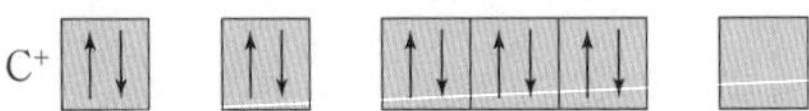

C는 전자 1개를 잃어 Ne과 같은 전자 배치가 되었으므로 Na이다.

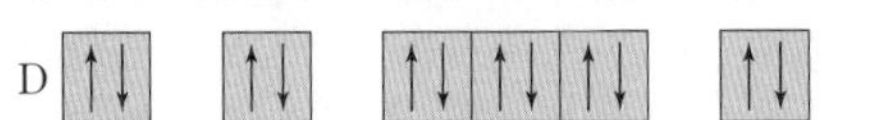

D는 전자가 12개이므로 Mg이며, Mg은 전자 2개를 잃어 옥텟 규칙을 만족한다.

| 선택지 분석 |

ㄱ. B는 전자 1개를 얻으면 옥텟 규칙을 만족한다.

➡ B는 전자 1개를 얻어 18족 원소인 Ne과 같은 안정한 전자 배치를 가진다.

ㄴ. C의 원자가 전자는 7개이다.

➡ C는 전자 1개를 잃고 안정한 이온이 되었으므로 원자가 전자가 1개이다.

ㄷ. A와 D가 결합하여 안정한 화합물을 형성할 때 전자 배치는 모두 Ne과 같다.

➡ A는 전자 2개를 얻어 옥텟 규칙을 만족하며, D는 전자 2개를 잃어 옥텟 규칙을 만족한다. 이때 전자 배치는 모두 18족 원소인 Ne과 같다.

도전! 실력 올리기 156쪽~157쪽

01 ③ **02** ③ **03** ⑤ **04** ① **05** ③ **06** ③

07 ㉠ 수소 ㉡ 산소 ㉢ 2:1

08 | **모범 답안** | (나)에서 산소 기체가 생성되며, 산소 기체는 향불을 대었을 때 활발하게 타오르는 것을 통해 확인할 수 있다.

09 | **모범 답안** | 알루미늄은 원자가 전자 수가 3이므로 전자 3개를 잃고 Al^{3+}이 되고, 산소는 원자가 전자 수가 6이므로 전자 2개를 얻어 O^{2-}이 된다.

01 | 선택지 분석 |

㉠ X의 화학식은 AB이다.

➡ A는 금속 원소의 원자로 안정한 이온은 A^+, B는 비금속 원소의 원자로 안정한 이온은 B^-이므로 A와 B는 이온 결합으로 화합물 AB를 형성한다.

㉡ X의 용융액을 전기 분해하면 (−)극에서 금속 A가 생성된다.

➡ X는 이온 결합 물질이므로, X의 용융액을 전기 분해하면 A^+이 (−)극으로 끌려가 전자를 얻어 금속 A가 생성된다.

✗ X에서 구성 입자의 전자 배치는 서로 ~~같다~~.

➡ A^+의 전자 배치는 Ne과 같고, B^-의 전자 배치는 Ar과 같다.

02 | 선택지 분석 |

㉠ 화합물 D_2B에서 구성 입자의 전자 배치는 모두 네온과 같다.

➡ B와 D가 결합을 형성할 때 D는 전자를 잃고, B는 전자를 얻어 네온과 같은 전자 배치가 된다.

✗ $A_2B(l)$와 $DC(l)$를 전기 분해하면 (−)극에서 모두 기체가 생성된다.

➡ $A_2B(l)$는 공유 결합 물질이므로 전기 분해할 때 생성되는 물질은 모두 기체이고, $DC(l)$는 이온 결합 물질의 용융액이므로 전기 분해할 때 (−)극에서 금속 D가 생성된다.

㉢ $A_2B(l)$와 $DC(l)$를 전기 분해할 때 (+)극에서 생성되는 물질은 모두 2주기 원소이다.

➡ $A_2B(l)$와 $DC(l)$를 전기 분해하면 각각 (+)극에서 B_2와 C_2가 생성되며, B와 C는 전자가 들어 있는 전자 껍질 수가 2인 2주기 원소이다.

03 | 자료 분석 |

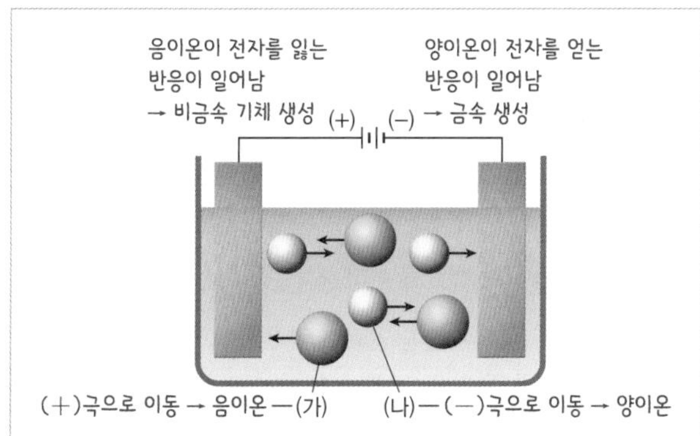

| 선택지 분석 |

㉠ (가)는 Ar과 전자 배치가 같다.

➡ 용융액에서 (가)는 (+)극으로 이동하고 (나)는 (−)극으로 이동하므로 (가)는 음이온, (나)는 양이온이다. 비금속 원소가 안정한 음이온으로 될 때는 같은 주기의 비활성 기체의 전자 배치와 같아지므로 (가)는 3주기 18족 원소인 Ar과 전자 배치가 같다.

㉡ (나)는 (−)극에서 전자를 얻는다.

➡ (나)는 양이온이므로 (−)극에서 전자를 얻어 환원된다.

㉢ (가)와 (나)의 전하량의 절댓값은 같다.

➡ (가)와 (나)는 수용액에서 1:1의 개수비로 존재하므로 (가)와 (나)의 전하량의 절댓값은 같다.

04 | 자료 분석 |

원소	A Na	B O	C Ca
전자 배치	$1s^22s^22p^63s^1$	$1s^22s^22p^4$	$1s^22s^22p^63s^23p^64s^2$
원자가 전자 수	$x=1$	6	2
s 오비탈의 전자 수	5	4	$y=8$
전자가 들어 있는 전자 껍질 수	3	2	4

| 선택지 분석 |

㉠ $x+y=9$이다.

➡ A는 s 오비탈의 전자 수가 5이므로 3주기 1족 원소이고, B는 2주기 16족 원소, C는 4주기 2족 원소이다. $x=1$, $y=8$이므로 $x+y=9$이다.

✗ B 와 C의 안정한 이온의 전자 배치는 네온과 같다.

➡ B의 안정한 이온은 B^{2-}로 전자 배치가 네온과 같고, C의 안정한 이온은 C^{2+}로 전자 배치가 아르곤과 같다.

✗ A와 B는 전자를 ~~공유하여~~(주고받아) 안정한 화합물을 형성한다.

➡ A는 금속 원소, B는 비금속 원소이므로 A와 B는 전자를 주고받아 안정한 화합물을 형성한다.

05 | 선택지 분석 |

㉠ (+)극에서 발생한 기체는 광합성에서도 생성된다.

➡ 물을 전기 분해하면 (+)극에서 산소 기체가 발생하며, 산소 기체는 광합성에서도 생성된다.

㉡ (−)극과 (+)에서 발생한 기체는 물에 녹지 않는다.

➡ 수소와 산소 기체는 물에 녹지 않으므로 물에서 빠져나와 플라스틱 관 위쪽에 모인다.

✗ 생성된 기체의 몰비는 (+)극:(−)극$=$~~2:1~~(1:2)이다.

➡ 발생한 기체의 부피비는 (+)극:(−)극$=1:2$이다. 온도와 압력이 일정할 때 기체의 몰비는 기체의 부피비에 비례한다.

06 | 선택지 분석 |

㉠ X를 물에 녹이면 이온화한다.

➡ X를 물에 녹였을 때 전류가 흘렀으므로 X를 물에 녹이면 이

온화한다.

ㄴ. X의 구성 원소는 2가지이다.

➡ X의 용융액을 전기 분해할 때 2가지 원소가 생성되었으므로 X는 A와 B 두 가지 원소로 구성된 화합물이다.

✕ 생성되는 C_2와 D_2의 부피비는 ~~2 : 1~~(1 : 2)이다.

➡ 물을 전기 분해하면 (+)극에서 $O_2(g)$가 생성되고 (−)극에서 $H_2(g)$가 생성되므로 $C_2(g)$는 $O_2(g)$, $D_2(g)$는 $H_2(g)$이다. 따라서 생성되는 C_2와 D_2의 부피비는 1 : 2이다.

07 물을 전기 분해하면 (−)극과 (+)극에서 수소 기체와 산소 기체가 2 : 1의 부피비로 발생한다. 온도와 압력이 일정할 때 기체의 몰비는 부피비와 같다.

08 물을 전기 분해하면 (−)극에서 수소 기체가, (+)극에서 산소 기체가 발생한다. 제시된 자료에서 (가)에서가 (나)에서보다 발생하는 기체의 양이 더 많으므로 (가)에서 수소 기체가, (나)에서 산소 기체가 발생한다. 수소는 가연성 기체이고, 산소는 조연성 기체이다.

채점 기준	배점
(나)에서 발생하는 기체를 확인할 수 있는 방법을 옳게 서술한 경우	100 %
(나)에서 발생하는 기체만 옳게 쓴 경우	30 %

09 18족 원소 이외의 원소가 전자를 얻거나 잃어서 또는 전자를 공유하여 18족 원소의 전자 배치를 이루려는 경향을 옥텟 규칙이라고 한다.

금속 원소의 원자는 원자가 전자를 잃고 옥텟 규칙을 만족하는 안정한 전자 배치를 이루고, 비금속 원소의 원자는 (8−원자가 전자 수)만큼 전자를 얻어 옥텟 규칙을 만족하는 안정한 전자 배치를 이룬다.

채점 기준	배점
Al과 O가 안정한 이온이 되는 과정을 모두 옳게 서술한 경우	100 %
Al과 O가 안정한 이온이 되는 과정을 1가지만 옳게 서술한 경우	50 %

02 이온 결합

개념POOL 162쪽

01 (1) ○ (2) ○ (3) ○ **02** ㉠ 인력 ㉡ 반발력
03 (1) < (2) > (3) >

01 (1) 양이온과 음이온이 결합할 때 반발력과 인력이 균형을 이루는 지점인 r_0에서 이온 결합이 형성된다.

(2) r_0는 이온 간 거리이므로 이온 반지름이 클수록 커진다.

(3) E_0의 크기는 이온 결합력이 클수록 커지고, 이온 결합력은 이온의 전하의 곱에 비례한다. MgO가 NaCl보다 이온의 전하의 곱이 크므로 이온 결합력이 크다. 따라서 E_0의 크기는 MgO이 NaCl보다 크다.

02 이온 간 거리가 r_0보다 작으면 전자 사이의 반발력과 원자핵 사이의 반발력이 크게 작용하므로 에너지가 급격히 증가한다.

03 (1) F과 Cl는 17족 원소로 원자 번호가 Cl가 F보다 크다. 따라서 이온 반지름은 $Cl^- > F^-$이므로 이온 간 거리는 NaCl이 NaF보다 크다.

(2) 이온 결합력은 이온 간 거리가 짧을수록 커지므로 이온 결합력은 NaF이 NaCl보다 강하다. 따라서 이온 결합이 형성될 때 방출하는 에너지의 크기(E_0)는 NaF이 NaCl보다 크다.

(3) 이온 결합력이 NaF(s)이 NaCl(s)보다 크므로 녹는점은 NaF(s)이 NaCl(s)보다 높다.

콕콕! 개념 확인하기 163쪽

✔ 잠깐 확인!

1 양이온 **2** 이온 결합 **3** 인력, 반발력 **4** 0 **5** 반발력
6 액체 **7** 짧을, 클

01 (1) ○ (2) × (3) ○ **02** (1) A^{2+}, B^- (2) Ne, Ne (3) AB_2
03 (1) A (2) B (3) 커진다. **04** (1) ○ (2) × (3) × (4) ○

01 (2) 금속 원소는 가장 바깥 전자 껍질에 들어 있는 원자가 전자를 잃고 양이온으로 되므로 전 주기의 18족 원소와 전자 배치가 같아진다.

02 (3) 이온 결합 물질은 양이온의 총 전하량과 음이온의 총 전하량이 같아지는 이온 수비로 결합한다. 따라서 A^{2+}과 B^-은 1 : 2의 이온 수비로 결합한다.

03 (1) 이온 간 거리가 B보다 가까워지면 반발력이 인력보다 우세하게 작용하므로 에너지가 높아져 불안정해진다.

(2) B에서 인력과 반발력이 균형을 이루어 이온 결합이 형성된다.

(3) 이온 간 거리는 NaF < NaCl이므로 이온 결합력은 NaF > NaCl이다. 따라서 NaF가 형성될 때에는 E_0의 크기가 커진다.

04 (2) 이온 결합 물질에 힘을 가하면 이온 층이 밀려 같은 전하를 띤 이온 사이에 반발력이 작용하므로 쉽게 부서진다.

(3) 이온 결합 물질은 고체 상태에서는 이온들이 자유롭게 움직일 수 없으므로 전기 전도성이 없다.

탄탄! 내신 다지기

164쪽~165쪽

01 ④ **02** (1) X^{n-} (2) Y^{3+} **03** ② **04** ④ **05** ㄴ, ㄹ, ㅂ
06 ① **07** ④ **08** ⑤ **09** ④ **10** ①, ③
11 ㉠ 인력 ㉡ 짧을 **12** ⑤

01 2, 3주기 1, 2족 원소는 원자가 전자 수만큼 전자를 잃어 옥텟 규칙을 만족하는 이온이 되며, 이온이 될 때 전자가 들어 있는 전자 껍질 수가 감소하므로 주기가 1 감소한다. 또한 2, 3주기 16족, 17족 원소는 (8－원자가 전자 수)만큼 전자를 얻어 옥텟 규칙을 만족하는 이온이 되며, 이온이 될 때 전자 껍질 수는 변하지 않으므로 주기도 변하지 않는다.

02 (1) 원자 X가 n개의 전자를 얻으면 전자 수가 양성자수보다 n만큼 많으므로 $n-$의 전하를 띤다.
(2) 3주기 13족 원소는 원자가 전자 수만큼 전자를 잃으면 옥텟 규칙을 만족하는 이온이 된다.

03 | 자료 분석 |

- A는 3주기 1족 원소이다.
  ➡ 원자가 전자 수 1
  ➡ 전자 1개를 잃고 +1가의 양이온 형성
  ➡ Ne과 전자 배치가 같다.
- B는 원자가 전자 수가 7이다.
  ➡ 17족 원소
- A 이온과 B 이온의 전자 배치는 서로 같다.
  ➡ B 이온의 전자 배치는 Ne과 같다.
  ➡ B는 2주기 17족 원소이다.

| 선택지 분석 |

① A의 안정한 이온의 전하는 +1이다.
➡ A는 3주기 1족 원소이므로 A 이온은 +1의 전하를 갖고 전자 배치는 네온과 같다.

② B는 3주기 원소이다.
➡ B는 2주기 17족 원소이다.

③ A와 B는 이온 결합을 형성한다.
➡ A 이온은 양이온, B 이온은 음이온이므로 A와 B는 이온 결합을 형성한다.

④ A와 B가 결합할 때 전자는 A에서 B로 이동한다.
➡ A가 전자를 잃고 B가 전자를 얻으므로 전자는 A에서 B로 이동한다.

⑤ A와 B의 안정한 이온의 전자 배치에서 전자가 들어 있는 전자 껍질 수는 같다.
➡ A 이온과 B 이온의 전자 배치가 같으므로 전자가 들어 있는 전자 껍질 수는 같다.

04 금속 원소는 전자를 잃으면 전자 껍질 수가 감소하므로 양이온은 전 주기 18족 원소와 전자 배치가 같아지고, 비금속 원소는 전자를 얻어도 전자 껍질 수는 변하지 않으므로 음이온은 같은 주기 18족 원소와 전자 배치가 같아진다. 각 화합물에서 Li^+은 He, O^{2-}, F^-, Na^+, Mg^{2+}은 Ne, Cl^-, K^+, Ca^{2+}은 Ar과 전자 배치가 같다.

05 이온 결합은 금속 원소와 비금속 원소 사이에 이루어지는 결합이다. A, C, E는 비금속 원소이고, B, D, F는 금속 원소이다. A, C, E와 B, D, F가 서로 만나면 이온 결합을 형성한다.

06 | 선택지 분석 |

ㄱ. B가 B 이온이 될 때 전자 1개를 얻는다.
➡ A와 B가 이온 결합을 형성할 때 A는 전자 1개를 잃고 B는 전자 1개를 얻는다.

ㄴ. 전자가 들어 있는 전자 껍질 수는 A 이온이 A보다 크다.
➡ A가 A 이온이 될 때 전자를 잃으면서 전자 껍질 수가 감소하므로 전자가 들어 있는 전자 껍질 수는 A가 A 이온보다 크다.

ㄷ. 화합물에서 A 이온과 B 이온의 전자 배치는 서로 같다.
➡ A 이온의 전자 배치는 네온과 같고, B 이온의 전자 배치는 아르곤과 같다.

07 X의 안정한 이온은 −2가의 음이온으로 전자 배치가 3주기 18족 원소인 Ar과 같으므로 X는 3주기 16족 원소이다. Y의 안정한 이온은 +1가의 양이온으로 전자 배치가 2주기 18족 원소인 Ne과 같으므로 Y는 3주기 1족 원소인 Na이다.

ㄱ. 원자가 전자 수는 X가 Y보다 6 크다.
➡ X의 원자가 전자 수는 1, Y의 원자가 전자 수는 6이다.

ㄴ. X, Y는 전자가 들어 있는 전자 껍질 수가 같다.
➡ X, Y는 3주기 원소이므로 전자가 들어 있는 전자 껍질 수가 같다.

ㄷ. XY_2는 액체 상태에서 전기 전도성이 있다.
➡ XY_2는 이온 결합 물질이므로 액체 상태에서 전기 전도성이 있다.

08 이온 결합 물질은 고체 상태에서는 이온들이 강하게 결합하여 이온들이 자유롭게 움직일 수 없으므로 전기 전도성이 없지만, 가열하여 액체 상태가 되면 이온 사이의 거리가 멀어져 자유롭게 움직일 수 있으므로 전기 전도성을 나타낸다. 이온 결합 물질은 NaCl이다. Cu는 금속 결합 물질로 고체 상태에서 전기 전도성이 있다. S_8, I_2, SiO_2는 공유 결합 물질로 상태에 관계없이 전기 전도성이 없다.

09 | 선택지 분석 |

① A는 금속 원소이다.
➡ A는 전자를 잃고 양이온이 되었으므로 금속 원소이다.

② AB는 물에 잘 녹는다.
➡ A와 B는 3주기 원소이므로 AB는 NaCl이다. 따라서 물에 잘 용해된다.

③ AB에 힘을 가하면 잘 부서진다.

➡ AB에 힘을 가하면 이온 층이 밀리면서 같은 전하를 띤 이온 층이 맞닿아 반발력이 작용하므로 잘 부서진다.

✓ AB에서 A와 B의 전자 배치는 같다.

➡ A와 B는 3주기 원소이므로 A는 전자를 잃고 양이온이 될 때 전자 껍질 수가 감소하므로 Ne과 전자 배치가 같고, B는 전자를 얻어 음이온이 될 때 전자 껍질 수가 변하지 않으므로 Ar과 전자 배치가 같다.

⑤ AB는 액체 상태에서 전기 전도성이 있다.

➡ AB는 액체 상태에서 이온 사이의 거리가 멀어져 자유롭게 움직일 수 있으므로 전기 전도성이 있다.

10 염화 나트륨과 염화 구리(Ⅱ)를 물에 녹이면 이온들이 결정에서 떨어져 나와 자유롭게 움직일 수 있으므로 수용액에서 전기 전도성이 있다. 그러나 설탕과 포도당은 물에 용해되지만 분자 상태로 존재하므로 전기 전도성이 없으며, 식용유는 물에 용해되지 않는 물질이므로 수용액이 될 수 없다.

11 정전기적 인력은 두 이온의 전하량의 곱에 비례하고 이온 사이의 거리의 제곱에 반비례한다. 또한 이온 결합 물질은 정전기적 인력이 클수록 녹는점이 높다.

12 | **자료 분석** |

물질	이온 |전하의 곱|	이온 사이의 거리 (pm)	녹는점 (℃)
LiF	1	207	870
LiCl	1	255	614
MgO	4	212	2800
SrO	4	256	2430

• 이온 사이의 거리가 녹는점에 미치는 영향

➡ 이온 |전하의 곱|이 같은 LiF과 LiCl 또는 MgO과 SrO을 비교한다.

➡ 이온 사이의 거리가 짧을수록 녹는점이 높다.

• 이온 |전하의 곱|이 녹는점에 미치는 영향

➡ 이온 사이의 거리가 비슷한 LiF과 MgO 또는 LiCl과 SrO을 비교한다.

➡ 이온 |전하의 곱|이 클수록 녹는점이 높다.

| **선택지 분석** |

① 음이온의 반지름은 $Cl^- > F^-$이다.

➡ LiF과 LiCl을 비교해 보면 이온 사이의 거리가 LiCl이 더 크므로 음이온의 반지름은 $Cl^- > F^-$이다.

② 양이온의 반지름은 $Sr^{2+} > Mg^{2+}$이다.

➡ MgO과 SrO을 비교해 보면 이온 사이의 거리가 SrO가 더 크므로 양이온의 반지름은 $Sr^{2+} > Mg^{2+}$이다.

③ 이온 |전하의 곱|이 같을 때, 이온 사이의 거리가 멀수록 녹는점이 낮다.

➡ LiF과 LiCl을 비교해 보면 이온 |전하의 곱|은 같지만 이온 사이의 거리가 짧은 LiF의 녹는점이 더 높다는 것을 알 수 있다. 따라서 이온 |전하의 곱|이 같을 때, 이온 사이의 거리가 짧을수록 녹는점이 높다.

④ 이온 사이의 거리가 비슷할 때, 이온 |전하의 곱|이 클수록 녹는점이 높다.

➡ LiF과 MgO를 비교해 보면 이온 사이의 거리는 비슷하지만 이온 |전하의 곱|이 큰 MgO의 녹는점이 더 높음을 알 수 있다.

✓ LiBr(s)의 녹는점은 614 ℃보다 ~~높고 870 ℃보다 낮~~ 낮을 을 것이다.

➡ LiBr의 이온 간 거리는 LiCl보다 크므로 LiBr(s)의 녹는점은 614 ℃보다 낮을 것이다.

도전! 실력 올리기 166쪽~167쪽

01 ③ **02** ③ **03** ④ **04** ③ **05** ③ **06** ④

07 ㉠ 나트륨 ㉡ 염소 ㉢ 정전기적 인력

08 | **모범 답안** | NaX(s)>NaY(s), 전하량이 같을 때 이온 결합력은 이온 간 거리가 짧을수록 커지는데, NaX가 NaY보다 이온 간 거리가 짧아 이온 결합력이 더 크므로 녹는점은 NaX(s)>NaY(s)이다.

09 | **모범 답안** | 이온 결합 화합물은 전기적으로 중성이므로 양이온의 총 전하량과 음이온의 총 전하량이 같아지는 이온 수비로 결합한다. 따라서 Al^{3+}과 O^{2-}이 2:3의 개수비로 결합하여 Al_2O_3의 산화 알루미늄을 생성한다.

01 | **선택지 분석** |

㉠ B 이온의 전하는 −2이다.

➡ B는 전자 2개를 얻었으므로 −2가의 음이온이 된다.

✗ A 이온과 B 이온의 전자 배치는 같다.

➡ A와 B는 모두 3주기 원자이므로 A 원자는 원자가 전자 수만큼 전자를 잃어 전자 껍질 수가 감소하므로 Ne과 같은 전자 배치가 되고, B 원자는 (8−원자가 전자 수)만큼 전자를 얻어 Ar과 같은 전자 배치가 된다.

㉢ A 이온과 B 이온으로 이루어진 안정한 화합물의 화학식은 A_2B이다.

➡ 이온 결합 물질은 양이온과 음이온의 총 전하량의 합이 0이 되는 이온 수비로 결합한다. A 이온은 +1가의 양이온이고 B 이온은 −2가의 음이온이므로 2:1의 개수비로 결합하여 A_2B를 형성한다.

02 A는 금속 원소의 원자로 A의 안정한 이온은 +1가의 양이온이고, B와 C는 모두 비금속 원소의 원자로 B의 안정한 이온은 −1가의 음이온, C의 안정한 이온은 −2가의 음이온이다.

| **선택지 분석** |

㉠ 녹는점은 Y(s)가 X(s)보다 높다.

➡ 녹는점은 음이온의 전하량이 큰 Y(s)가 X(s)보다 높다.

✗ 전기 전도성은 Y(s)가 X(s)보다 크다.

➡ 이온 결합 물질은 고체 상태에서 전기 전도성이 없다.

ㄷ 화학식을 구성하는 원자 수는 Y가 X보다 크다.

➡ 이온 결합 물질은 전기적으로 중성이므로 양이온과 음이온의 총 전하량이 같아지는 이온 수비로 결합한다. 따라서 X의 화학식은 AB, Y의 화학식은 A_2C이므로 화학식을 구성하는 원자 수는 Y가 X보다 크다.

03 | 자료 분석 |

구분	A	B	C	D
양성자수	8	9	11	12
전자 수	10	10	10	10
전하	−2	−1	+1	+2

• A~D의 이온은 Ne과 전자 배치가 같다.

➡ 전자 수가 같은 이온의 경우 양성자수가 많을수록 이온 반지름이 작다.

➡ 이온 반지름: A>B>C>D

| 선택지 분석 |

✕ 이온 반지름은 B(→A)의 이온이 가장 크다.

➡ 등전자 이온에서 이온 반지름은 원자 번호가 작을수록 크므로 A의 이온이 가장 크다.

ㄴ B와 D의 안정한 화합물의 화학식은 DB_2이다.

➡ B는 −1가 음이온, D는 +2가의 양이온이므로 안정한 화합물의 화학식은 DB_2이다.

ㄷ 녹는점은 DA(s)가 CB(s)보다 높다.

➡ 전하량의 곱이 DA(s)가 CB(s)보다 크므로 정전기적 인력도 DA(s)가 CB(s)보다 크다. 따라서 녹는점은 DA(s)가 CB(s)보다 높다.

04 | 자료 분석 |

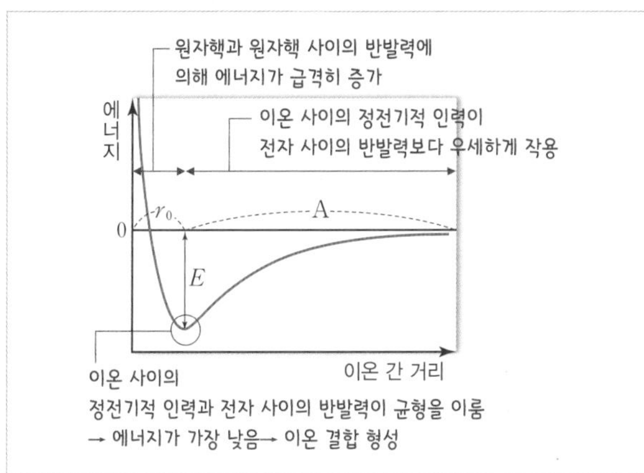

| 선택지 분석 |

ㄱ M의 원자 번호가 클수록 r_0가 커진다.

➡ M의 원자 번호가 커질수록 양이온 반지름이 증가하므로 r_0가 커진다.

✕ M의 원자 번호가 클수록 E가 커진다(→작아진다).

➡ E는 이온의 전하량이 클수록, 이온 간 거리가 짧을수록 커진다. M의 원자 번호가 클수록 양이온 반지름이 증가하여 r_0가 커지므로 E는 작아진다.

ㄷ A 구간에서는 정전기적 인력이 반발력보다 우세하게 작용한다.

➡ A 구간에서는 양이온과 음이온이 결합을 하기 위해 서로 접근하는 구간이므로 정전기적 인력이 반발력보다 우세하게 작용한다.

05 | 선택지 분석 |

ㄱ 성분 원소는 2종류 이상이다.

➡ X는 고체 상태에서는 전류가 흐르지 않지만 액체 상태에서는 전류가 흐르므로 이온 결합 물질이다. 이온 결합 물질은 금속 원소와 비금속 원소로 이루어지므로 성분 원소는 최소 2종류 이상이다.

ㄴ X 수용액은 전류가 흐른다.

➡ X를 물에 녹이면 양이온과 음이온이 떨어져 나와 물 분자에 둘러싸여 자유롭게 이동할 수 있으므로 X 수용액은 전류가 흐른다.

✕ 고체 X를 가열하여 녹이면 이온이 생성된다.

➡ 이온 결합 물질을 가열하여 녹일 때 이온이 생성되는 것이 아니라 이온 사이의 거리가 멀어져 자유롭게 이동할 수 있으므로 전류가 흐른다.

06 | 자료 분석 |

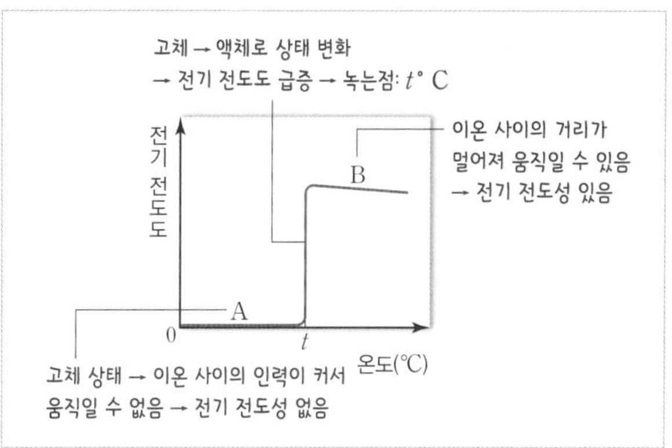

| 선택지 분석 |

ㄱ MX(s)의 녹는점은 t°C이다.

➡ MX(s)를 가열할 때 t °C에서 전기 전도도가 갑자기 증가한 것은 상태가 변하여 이온이 움직일 수 있는 상태가 되었기 때문이다. A에서는 MX가 고체 상태이고 B에서는 MX가 액체 상태이므로 t °C에서 상태가 변한 것이다. 따라서 MX(s)의 녹는점은 t °C이다.

✕ MX(s)에 힘을 가하면 넓게 펴진다(→쉽게 부스러진다).

➡ 이온 결합 물질에 힘을 가하면 같은 전하를 띤 이온 층이 맞닿게 되어 반발력이 작용하므로 쉽게 부스러진다.

ㄷ 이온 사이의 평균 거리는 B에서가 A에서보다 멀다.

➡ B에서 전기 전도성이 있는 까닭은 이온 사이의 거리가 멀어져 이온들이 자유롭게 움직일 수 있기 때문이다.

07 양이온과 음이온 사이에는 정전기적 인력이 작용하므로 이 힘에 의해 이온 결합이 형성된다.

08 이온 결합 물질의 녹는점은 이온 결합력과 관련이 있고, 이온 결합력은 두 이온의 전하의 곱에 비례하고 이온 간 거리의 제곱에 반비례한다.

따라서 이온 결합력은 전하량이 같을 때는 이온 간 거리가 짧을수록 커지고, 이온 간 거리가 비슷할 때는 이온의 전하량이 클수록 커진다.

채점 기준	배점
녹는점을 옳게 비교하고 그 까닭을 옳게 서술한 경우	100 %
녹는점만 옳게 비교한 경우	30 %

09 이온 결합 화합물은 전기적으로 중성이므로 양이온의 총 전하량과 음이온의 총 전하량이 같아지는 이온 수비로 결합한다. 알루미늄은 원자가 전자 3개를 잃어 +3가의 양이온이 되고, 산소는 전자 2개를 얻어 −2가의 음이온이 된다.

채점 기준	배점
산화 알루미늄의 화학식과 생성 과정을 모두 옳게 서술한 경우	100 %
산화 알루미늄의 화학식만 옳게 쓴 경우	30 %

03 공유 결합과 금속 결합

개념POOL 172쪽

01 ① 공유 결합 ② 정전기적 인력 ③ 자유 전자 ④ 없다. ⑤ 있다. ⑥ 없다. ⑦ 있다. **02** (1) × (2) ○ (3) ○

02 (1) 분자 결정은 공유 결합으로 형성되므로 비금속 원소의 원자로 구성된다.
(3) 금속은 자유 전자가 있어 외부에서 힘을 가해도 자유 전자가 빠르게 재배열되어 금속 결합을 유지시켜 준다. 따라서 금속은 뽑힘성과 펴짐성이 있다.

탐구POOL 173쪽

01 (1) × (2) ○ (3) ○ **02** 수용액의 전기 전도성 측정하기

01 (1) 이온 결정은 이온으로 구성되어 있으나 고체 상태에서는 이온이 단단하게 결합하여 이동할 수 없으므로 전류가 흐르지 않는다. 즉, 염화 나트륨이 물에 녹을 때 이온이 생성되는 것은 아니다.
(3) 설탕은 물에 용해되어도 전하를 띤 입자로 나누어지지 않고 분자 상태로 존재하므로 전기 전도성이 없다.

02 이온 결합 물질인 소금은 수용액에서 전기 전도성이 있고, 공유 결합 물질인 설탕은 수용액에서 전기 전도성이 없으므로, 수용액의 전기 전도성 실험으로 두 물질을 구별할 수 있다.

콕콕! 개념 확인하기 174쪽

✔ 잠깐 확인!

1 공유 **2** 2중 **3** 3, 3중 **4** 분자 **5** 금속
6 자유 전자 **7** 펴짐성

01 (1) × (2) ○ (3) ○ (4) × **02** (1) C (2) D (3) 74 pm
03 (1) ○ (2) ○ (3) × **04** ㉠ 자유 전자 ㉡ 금속 결합
05 (1) ○ (2) × (3) ○

01 (1) 공유 결합은 비금속 원소의 원자들이 전자를 공유하여 형성하는 결합이다.
(4) NH_3에서 N 원자 1개는 H 원자 3개와 각각 전자쌍 1개씩을 공유하여 결합하므로 NH_3에는 단일 결합이 3개 있다.

02 (2) 수소 원자가 공유 결합을 할 때 전자 사이의 반발력과 전자쌍과 원자핵 사이의 인력이 서로 균형을 이루어 에너지가 가장 낮은 지점에서 공유 결합이 형성된다.

03 (3) 공유 결합 물질 중 원자들이 분자를 이루지 않고 공유 결합으로 연결되어 결정을 이룬 것은 공유 결정이다. 공유 결합 물질 중 승화성이 있는 것은 분자 결정이다.

05 (2) 금속은 자유 전자와 금속 양이온 사이의 정전기적 인력에 의해 결합되어 있으므로, 외부에서 힘을 가해도 자유 전자의 빠른 재배열에 의해 금속 결합이 유지되므로 부서지지 않고 모양만 변형된다.

탄탄! 내신 다지기 175쪽~177쪽

01 ㉠ 1 ㉡ 공유 결합 **02** A, D, E, F **03** D **04** ③
05 ④ **06** ④ **07** ④ **08** ㉠ 분자 ㉡ 공유 **09** ⑤ **10** ③
11 ③ **12** ① **13** ⑤ **14** ③ **15** 펴짐성(또는 전성)
16 (1) ㄷ (2) ㄱ (3) ㄹ **17** (1) (가), (라) (2) (나), (다) **18** ⑤

01 수소 원자 2개와 산소 원자 1개가 각각 단일 결합을 하여 물 분자를 생성하며, 물 분자에서 산소 원자는 네온과 전자 배치가 같아 옥텟 규칙을 만족한다.

02 B는 비활성 기체인 헬륨으로 안정한 전자 배치를 가지고 있어 결합을 거의 하지 않으며, C는 금속 원소이므로 전자를 얻는 것보다 잃어서 안정한 전자 배치를 하기 때문에 공유 결합을 하지 않는다.

03 D는 원자가 전자 수가 5이므로 옥텟 규칙을 만족하기 위해서는 3개의 전자를 공유해야 한다. 따라서 D와 결합하는 A의 수가 3으로 가장 크다. E와 결합하는 A의 수는 2이고, F와 결합하는 A의 수는 1이다.

04 A_2, F_2, A_2E는 모두 단일 결합으로만 이루어진 분자이고, D_2는 3중 결합으로 이루어진 분자이다. E는 원자가 전자 수가 6이므로 E가 이원자 분자 E_2를 형성할 때는 전자쌍 2개를 공유하여 2중 결합을 형성한다.

05 H와 Cl는 전자쌍 1개를 공유하여 공유 결합을 형성하므로 HCl에는 공유 전자쌍이 1개 있다.

06 | **선택지 분석** |

① A는 2주기 원소이다.
➡ A의 전자 껍질 수는 2이므로 2주기 원소이다.

② B는 원자가 전자 수가 7이다.
➡ B는 공유하지 않은 전자 6개와 공유한 전자쌍 1개가 있으므로 원자가 전자 수가 7이다.

③ AB_2에서 A와 B는 모두 옥텟 규칙을 만족한다.
➡ AB_2에서 A와 B는 모두 가장 바깥 전자 껍질에 8개의 전자가 있으므로 옥텟 규칙을 만족한다.

④ AB_2에는 2중 결합이 있다.
➡ AB_2는 단일 결합이 2개 있으며 2중 결합은 없다.

⑤ AB_2는 공유 전자쌍 수가 2이다.
➡ A 원자 1개는 B 원자 2개와 각각 전자쌍 1개를 공유하여 결합하므로 AB_2는 공유 전자쌍 수가 2이다.

07 | **선택지 분석** |

① 공유 결합 반지름은 ~~74~~ 37 pm이다.
➡ 수소 분자에서 공유 결합 반지름은 원자핵 간 거리의 $\frac{1}{2}$이므로 37 pm이다.

② 수소 원자가 수소 분자를 형성할 때 에너지를 ~~흡수~~ 방출한다.
➡ 원자들이 공유 결합을 형성할 때 에너지가 낮아지므로 에너지를 방출한다.

③ A에서는 원자핵과 전자 사이의 인력만 작용한다.
➡ A에서 인력과 반발력이 모두 작용하나 원자가 서로 가까워지면서 원자핵과 전자 사이의 인력이 우세하게 작용하여 에너지가 낮아지는 과정이다.

④ B에서 공유 결합을 형성한다.
➡ 수소 원자는 인력과 반발력이 균형을 이루어 에너지가 가장 낮은 B에서 공유 결합을 형성한다.

⑤ C에서 반발력과 인력이 균형을 이룬다.
➡ C에서는 원자 사이의 거리가 너무 가까워져 반발력이 인력보다 우세하게 작용하여 에너지가 높아진다.

08 공유 결합 물질은 분자가 규칙적으로 배열되어 이루어진 분자 결정과 원자들이 연속적으로 공유 결합하여 그물처럼 연결되어 이루어진 공유(원자) 결정으로 나눌 수 있다.

09 | **선택지 분석** |

① 녹는점과 끓는점이 낮다.
➡ 분자로 구성된 공유 결합 물질은 분자 사이의 힘에 의해 물질이 형성되므로 다른 물질에 비해 녹는점과 끓는점이 낮다.

② 힘을 가하면 잘 부스러진다.
➡ 약한 분자 사이의 힘에 의해 형성된 물질이므로 외부에서 힘을 가하면 잘 부스러진다.

③ 고체와 액체 상태에서 전기 전도성이 없다.
➡ 자유롭게 움직일 수 있는 이온이나 자유 전자가 없으므로 고체와 액체 상태에서 전기 전도성이 없다.

④ 분자 사이의 인력이 약해 승화성을 나타내기도 한다.
➡ 분자 결정은 분자 사이의 인력은 약한 편이므로 드라이아이스, 얼음, 아이오딘과 같이 승화성을 나타내기도 한다.

⑤ 원자 사이의 공유 결합으로 그물 구조를 이루어 물질을 형성한다.
➡ 원자 사이의 공유 결합으로 그물 구조로 이루어진 물질은 분자를 형성하지 않고 원자 상태로 존재하는데, 이를 공유 결정이라고 한다.

10 (가) A는 원자가 전자가 1개, B는 원자가 전자가 4개이므로 B 원자 1개는 A 원자 4개와 각각 단일 결합을 이루어 화합물 BA_4을 형성한다.
(나) A는 원자가 전자가 1개, C는 원자가 전자가 7개이므로 각각 전자 1개씩을 내놓아 단일 결합을 이루어 AC 분자를 생성한다.

| **선택지 분석** |

ㄱ. 모두 단일 결합으로만 이루어져 있다.
➡ BA_4와 AC에서 원자 사이의 결합은 모두 단일 결합이다.

ㄴ. 공유 전자쌍 수는 (가)가 (나)보다 많다.
➡ 공유 전자쌍 수는 BA_4가 4, AC가 1이다.

ㄷ. 액체 상태에서 전기 전도성은 (나)가 (가)보다 크다.
➡ (가)와 (나)는 모두 공유 결합 물질이므로 액체 상태에서 전기 전도성이 없다.

11 (가)는 이산화 탄소 분자 사이에 작용하는 인력에 의해 고체 결정을 이룬 드라이아이스로 분자 결정이고, (나)는 규소와 산소가 정사면체 구조를 이루어 그물처럼 연결된 석영으로 공유 결정이다.

| **선택지 분석** |

ㄱ. 모두 공유 결합 물질이다.
➡ (가)와 (나)는 모두 비금속 원소로 구성된 공유 결합 물질이다.

ㄴ. 외부 힘에 의해 잘 부스러진다.
➡ 분자 결정인 (가)는 외부 힘에 의해 잘 부스러지지만, 공유 결정인 (나)는 매우 단단하여 쉽게 부스러지지 않는다.

ㄷ. 녹는점은 (나)가 (가)보다 높다.
➡ (가)는 분자 사이의 힘으로 고체가 형성되고, (나)는 원자 사이의 공유 결합으로 그물 구조를 이루어 형성된다. 따라서 녹는점은 (나)가 (가)보다 높다.

더 알아보기 **분자 결정과 공유 결정의 녹는점**
분자 결정은 약한 분자 간 힘에 의해 결합하고 있어 이 인력만 끊어지면 녹으므로 녹는점이 낮다. 그러나 공유 결정은 강한 원자 간 결합으로 그물처럼 연결되어 있어 이 결합을 끊기 위해서는 큰 에너지를 가해야 하므로 녹는점이 매우 높다.

12 | 자료 분석 |

물질		(가)	(나)	(다)
		포도당	NaBr	NaCl
전기 전도성	고체	없다.	없다.	없다.
	수용액	없다.	있다.	있다.
녹는점(℃)		747 ° C보다 낮음	747	801

• 수용액의 전기 전도성을 이용하여 공유 결합 물질인 (가)와 이온 결합 물질인 (나), (다)로 구분
➡ (가) 포도당
• 이온 결합 물질은 이온 간 거리가 멀수록 녹는점이 낮다.
➡ 이온 간 거리: NaBr > NaCl, 녹는점: NaBr < NaCl
➡ (나) NaBr, (다) NaCl

| 선택지 분석 |

ㄱ. (나)는 브로민화 나트륨이다.
➡ NaCl과 NaBr의 전하량의 곱은 서로 같지만 이온 사이의 거리는 NaCl이 NaBr보다 짧으므로 녹는점은 NaCl이 NaBr보다 높다. 따라서 (나)는 NaBr, (다)는 NaCl이다.

ㄴ. (가)는 수용액에서 전기 전도성이 ~~있다~~ 없다.
➡ (가)는 포도당이므로 수용액에서 전기 전도성이 없다.

ㄷ. (나)와 (다)는 모두 고체 상태에서 전기 전도성이 ~~있다~~ 없다.
➡ (나)와 (다)는 모두 이온 결합 물질이므로 고체 상태에서 전기 전도성이 없다.

13 금속은 자유 전자와 금속 양이온 사이의 정전기적 인력에 의한 결합으로 이루어져 있으며, 전압을 가하면 금속 양이온은 움직이지 않고 자유 전자가 (+)극으로 이동하여 전류가 흐른다.

14 | 선택지 분석 |

① 힘을 가하면 넓게 펴진다.
➡ 자유 전자인 A가 빠르게 재배열하여 금속 결합을 유지하므로 외부에서 힘을 가하면 부스러지지 않고 넓게 펴진다.

② 고체 상태에서 전기 전도성이 있다.
➡ 자유 전자인 A가 자유롭게 움직이므로 전압을 걸어 주면 A가 (+)극으로 이동하여 전류가 흐른다.

③ 금속이 광택을 나타내는 것은 ~~B~~ A 자유 전자 때문이다.
➡ A는 자유 전자이며, 금속이 광택이 있고 열전도성, 전기 전도성, 연성, 전성 등의 특성을 나타내는 것은 자유 전자 때문이다.

④ A와 B 사이의 정전기적 인력에 의해 결합한다.
➡ 금속은 자유 전자인 A와 금속 양이온인 B 사이의 정전기적 인력에 의해 형성된다.

⑤ 전압을 걸어 주면 A는 (+)극으로 이동한다.
➡ M에 전압을 걸어 주면 A가 (+)극으로 이동하여 전류가 흐른다. 이때 B는 이동하지 않는다.

15 금속에 힘을 가하면 자유 전자가 금속 양이온과의 금속 결합을 유지시키므로 부스러지지 않고 넓게 펼 수 있다.

16 (1) 금속은 자유 전자가 있어 열과 전기 전도성이 크며, 펴짐성과 뽑힘성을 가진다.

(2) 이온 결합 물질은 고체 상태에서는 이온 사이의 거리가 가까워 움직일 수 없으므로 전기 전도성이 없지만, 액체 상태에서는 이온 사이의 거리가 멀어지면서 자유롭게 움직일 수 있으므로 전기 전도성이 있다.

(3) 대부분의 공유 결합 물질은 분자 사이의 힘에 의해 형성되므로 녹는점과 끓는점이 낮다.

17 (1) (가) HCl는 공유 결합 물질, (나) Al은 금속, (다) Al_2O_3은 이온 결합 물질, (라) C(다이아몬드)는 원자 사이의 공유 결합으로 이루어진 물질이다.

(2) 금속인 (나)는 고체와 액체 상태에서 모두 자유 전자가 (+)극으로 이동하여 전류가 흐른다. 이온 결합 물질인 (다)는 고체 상태에서는 이온이 움직일 수 없으므로 전류가 흐르지 않으나 액체 상태에서는 이온이 자유롭게 움직일 수 있으므로 전류가 흐른다.

18 | 선택지 분석 |

① A는 금속이다.
➡ A는 고체 상태에서 전기 전도성이 있으므로 금속이다.

② B에는 양이온과 음이온이 존재한다.
➡ B는 액체 상태에서 전기 전도성이 있으므로 이온 결합 물질이다. B는 액체 상태에서 양이온과 음이온 사이의 거리가 멀어져 자유롭게 움직일 수 있으므로 전기 전도성이 있다.

③ C는 분자 사이의 힘으로 결정을 이룬다.
➡ C는 고체와 액체 상태에서 전기 전도성이 없으며, 수용액에서 전류가 흐르므로 물에 녹아 이온화하는 분자로 구성된 물질이다. 즉, 분자 사이의 힘으로 이루어진 분자 결정이다.

④ 녹는점은 B가 C보다 높다.
➡ C는 분자로 구성된 공유 결합 물질로 약한 분자 사이의 인력에 의해 결합하고 있으므로 녹는점이 이온 결합 물질인 B보다 낮다.

⑤ 액체 상태의 A와 B는 자유 전자가 있다.
➡ A는 금속이므로 자유 전자가 있지만, B는 이온 결합 물질이므로 양이온과 음이온으로 구성된다.

도전! 실력 올리기 178쪽~179쪽

01 ③ **02** ⑤ **03** ④ **04** ⑤ **05** ④ **06** ④

07 $A_2 < B_2 = A_2B$

08 | 모범 답안 | B, 인력과 반발력이 균형을 이루어 에너지가 가장 낮은 상태이므로 B에서 공유 결합이 형성된다.

09 | 모범 답안 | 금속에 힘이 가해져 금속 양이온의 배열이 바뀌어도 자유 전자가 빠르게 재배열되어 자유 전자와 금속 양이온 사이의 금속 결합을 유지하기 때문이다.

01 | 선택지 분석 |

ㄱ. 공유 전자쌍 수는 B_2가 C_2보다 크다.
➡ A_2는 3중 결합을 이루므로 공유 전자쌍 수는 3, B_2는 2중 결합을 이루므로 공유 전자쌍 수는 2, C_2는 단일 결합을 이루므로 공유 전자쌍 수는 1이다.

✕ A와 B의 화합물은 액체 상태에서 전기 전도성이 있다.

➡ A와 B의 화합물은 공유 결합 물질이므로 액체 상태에서 전기 전도성이 없다.

ㄷ A와 C의 안정한 화합물의 화학식은 AC_3이다.

➡ A는 원자가 전자 수가 5이고, C는 원자가 전자 수가 7이므로 A는 3개의 C와 단일 결합을 형성하여 AC_3를 형성한다.

02 | 선택지 분석 |

ㄱ A의 원자가 전자 수는 5이다.

➡ A의 가장 바깥 전자 껍질에 5개의 전자가 있으므로 원자가 전자 수는 5이다.

ㄴ A_2에는 3중 결합이 있다.

➡ A_2는 3개의 전자쌍을 공유하고 있으므로 3중 결합이 있다.

ㄷ A_2의 구성 원자는 모두 Ne과 전자 배치가 같다.

➡ A_2에서 구성 입자는 모두 Ne과 같은 전자 배치를 갖는다.

03 | 선택지 분석 |

① 공유 전자쌍 수는 B_2가 A_2보다 크다.

➡ A는 원자가 전자 수가 7이므로 A_2는 전자쌍 1개를 공유하는 단일 결합을, B는 원자가 전자 수가 6이므로 전자쌍 2개를 공유하는 2중 결합을 형성한다.

② 이온 반지름은 A^-가 C^+보다 크다.

➡ A는 양성자수가 9, C는 양성자수가 11이며, A^-과 C^+은 전자 배치가 Ne과 같은 등전자 이온이다. 등전자 이온의 경우 양성자수가 작을수록 이온 반지름이 크므로 A^-의 이온 반지름이 C^+보다 크다.

③ A와 C의 안정한 화합물의 화학식은 CA이다.

➡ A는 -1가의 음이온을, C는 $+1$가의 양이온을 형성하므로 C^+과 A^-은 1 : 1의 개수비로 결합하여 화합물 CA를 생성한다.

④ A와 B의 화합물은 2중 결합을 포함한다.

➡ B는 2개의 A와 각각 단일 결합을 형성하여 화합물 BA_2를 형성한다.

⑤ B와 C의 화합물은 액체 상태에서 전기 전도성이 있다.

➡ B는 비금속 원소, C는 금속 원소이므로 B와 C의 화합물은 이온 결합 물질이다. 따라서 액체 상태에서 전기 전도성이 있다.

04 | 자료 분석 |

물질	녹는점 (℃)	전기 전도성	
		고체	액체
A	146	없다.	없다.
B	770	없다.	있다.
C	801	없다.	있다.

• 액체 상태의 전기 전도성을 비교하여 공유 결합 물질과 이온 결합 물질을 구분한다.

➡ A는 고체와 액체 상태에서 전기 전도성이 없다. ➡ 공유 결합 물질

➡ B와 C는 액체 상태에서 전기 전도성이 있다. ➡ 이온 결합 물질

| 선택지 분석 |

ㄱ A는 공유 결합 물질이다.

➡ A는 액체 상태에서 전기 전도성이 없으므로 공유 결합 물질이다.

ㄴ B는 수용액에서 전기 전도성이 있다.

➡ B는 이온 결합 물질이므로 수용액에서 전기 전도성이 있다.

ㄷ B와 C는 구성 입자 사이에 같은 종류의 결합을 이루고 있다.

➡ B와 C는 고체 상태에서는 전기 전도성이 없고, 액체 상태에서는 전기 전도성이 있으므로 이온 결합 물질이다.

05 | 선택지 분석 |

ㄱ 원자 번호는 B가 A보다 크다.

➡ 금속 양이온의 전하가 B가 A보다 크므로 원자 번호는 B가 A보다 크다.

✕ 녹는점은 A가 B보다 ~~높다~~ 낮다.

➡ 금속의 녹는점은 금속 양이온과 자유 전자 사이의 정전기적 인력에 비례한다. 따라서 같은 주기에서 전하량이 큰 B의 녹는점이 A보다 높다.

ㄷ A와 B는 모두 고체 상태에서 전기 전도성이 있다.

➡ A와 B는 자유 전자와 금속 양이온 사이의 정전기적 인력에 의해 금속 결합을 이루고 있으므로 고체 상태에서 전기 전도성이 있다.

06 | 선택지 분석 |

ㄱ 녹는점은 (나)가 (가)보다 높다.

➡ (가)는 분자로 이루어진 물질, (나)는 원자 사이의 공유 결합으로 이루어진 물질, (다)는 금속 결합 모형, (라)는 이온 결합 모형이다. 분자로 이루어진 분자 결정은 녹는점, 끓는점이 비교적 낮으며 원자 사이의 공유 결합으로 이루어진 공유 결정은 공유 결합을 끊어야 하므로 녹는점이 매우 높다.

✕ (다)와 (라)는 모두 양이온과 음이온 사이의 정전기적 인력에 의해 결합되어 있다.

➡ (다)는 금속으로, 금속 양이온과 자유 전자 사이의 정전기적 인력에 의해 형성된 물질이고, (라)는 이온 결합 물질로 양이온과 음이온 사이의 정전기적 인력에 의해 형성된 물질이다.

ㄷ 액체 상태에서 전기 전도성이 있는 물질은 2가지이다.

➡ (다)는 자유 전자가 있으므로 고체, 액체 상태에서 전기 전도성이 있다. (라)는 액체 상태에서 이온 사이의 거리가 멀어져 이온이 자유롭게 움직일 수 있으므로 전기 전도성이 있다.

07 A 원자는 전자쌍 1개를 공유하여 결합을 이루고, B 원자는 전자쌍 2개를 공유하여 결합을 이룬다. B 원자 1개는 2개의 A 원자와 각각 전자쌍 1개씩을 공유하여 결합을 이룬다. 따라서 공유 전자쌍 수는 $A_2 < B_2 = A_2B$이다.

08 염소 원자가 서로 멀리 떨어져 있으면 인력이 매우 작으나, 염소 원자 사이의 거리가 점점 가까워지면 원자 사이에 인력이 작용하여 에너지가 낮아지면서 점점 안정해진다. 그러나 너무 가까워지면 원자핵과 원자핵, 전자와 전자 사이에 반발력이 작용하여 불안정해진다. 따라서 에너지가 가장 낮아 안정한 지점에서 공유 결합이 형성된다.

채점 기준	배점
결합이 형성되는 지점을 옳게 쓰고, 인력과 반발력이 균형을 이룬다는 점을 제시하여 옳게 서술한 경우	100 %
결합이 형성되는 지점을 옳게 쓰고, 에너지가 가장 낮기 때문이라고만 서술한 경우	60 %
결합이 형성되는 지점만 옳게 쓴 경우	30 %

09 금속은 자유 전자가 있기 때문에 다른 물질과 달리 여러 가지 특징을 가지며, 특히 외부의 힘이 가해져도 자유 전자가 금속 결합을 유지시켜 주므로 모양이 바뀔 뿐 부서지지 않는다.

채점 기준	배점
자유 전자와 금속 양이온 사이의 금속 결합이 유지됨을 제시하여 옳게 서술한 경우	100 %
자유 전자가 빠르게 재배열하기 때문이라고 서술한 경우	40 %

실전! 수능 도전하기

181쪽~184쪽

01 ② 02 ⑤ 03 ③ 04 ⑤ 05 ④ 06 ① 07 ③ 08 ②
09 ④ 10 ⑤ 11 ② 12 ⑤ 13 ⑤ 14 ③ 15 ① 16 ⑤

01 | 선택지 분석 |

ㄱ. ~~모두~~ (−)극에서 생성된다.
➡ X는 O_2, Y는 Na이므로, (가)에서 X는 (+)극에서 생성되고 (나)에서 Y는 (−)극에서 생성된다.

ㄴ. 고체 상태에서 전기 전도성은 Y가 X보다 크다.
➡ Y는 금속이므로 고체 상태에서 전기 전도성이 있지만, X는 공유 결합 물질이므로 고체 상태에서 전기 전도성이 없다.

ㄷ. X와 Y는 ~~공유~~ 이온 결합으로 화합물을 형성한다.
➡ X는 비금속, Y는 금속이므로 X와 Y는 이온 결합으로 화합물을 형성한다.

02 | 선택지 분석 |

ㄱ. M은 금속 결합으로 형성된 물질이다.
➡ MX를 용융시켜 전기 분해하였으므로 MX는 이온 결합 물질이다. 이온 결합은 금속 원소와 비금속 원소가 결합하여 형성된다. MX 용융액을 전기 분해하였을 때 생성된 M은 금속이므로 구성 입자 간 금속 결합으로 형성된 물질이다.

ㄴ. (+)극에서 X_2가 생성된다.
➡ MX 용융액을 전기 분해하면 X^-은 (+)극에서 전자를 잃고 X_2로 생성된다.

ㄷ. 이 실험으로 이온 결합이 형성될 때 전자가 관여함을 알 수 있다.
➡ 이온 결합 물질을 전기 분해했을 때 전자가 관여하였으므로 이온 결합이 형성될 때에도 전자가 관여함을 알 수 있다.

03 | 선택지 분석 |

ㄱ. X가 물일 때 (가)는 (−)극이다.
➡ 물을 전기 분해하면 (−)극에서 수소(H_2) 기체가, (+)극에서 산소(O_2) 기체가 2 : 1의 몰비로 생성된다. 따라서 X가 물이라면 생성되는 기체의 몰비가 큰 (가)가 수소 기체가 발생하는 (−)극이다.

ㄴ. X에서 A와 B 사이의 결합은 공유 결합이다.
➡ 화합물 X에 전해질을 넣고 전기 분해하므로, 화합물 X의 수용액은 전류가 흐르지 않는다. 또한 (가)와 (나)에서 모두 기체가 발생하므로 (가)와 (나)의 구성 원소는 비금속 원소이다. 따라서 화합물 X는 비금속 원소로 이루어진 공유 결합 물질이다.

ㄷ. X 1분자 당 구성 원자 수는 B가 A의 2배이다.
➡ 생성된 A_2와 B_2의 몰비가 2 : 1이므로 1분자당 구성 원자 수는 A가 B의 2배이다.

04 실험 Ⅰ은 물의 전기 분해 장치를, Ⅱ는 NaCl(l)의 전기 분해 장치를 나타낸 것이다. 따라서 탐구 목적의 (가)는 '전기 분해를 수행'이 가장 적절하다.

05 | 선택지 분석 |

ㄱ. X는 ~~수용액~~에서 전기 전도성이 ~~없다~~ 있다.
➡ X는 이온 결합 물질이므로 물에 녹으면 이온이 자유롭게 이동할 수 있으므로 전기 전도성이 있다.

ㄴ. X를 구성하는 입자의 전자 배치는 서로 같다.
➡ A 이온과 B 이온은 모두 네온과 전자 배치가 같다.

ㄷ. A와 B가 결합을 형성할 때 전자는 A에서 B로 이동한다.
➡ A는 1족 원소, B는 17족 원소이므로 A와 B가 결합을 형성할 때 A에서 B로 전자가 이동하며 이온 결합을 형성한다.

06 | 자료 분석 |

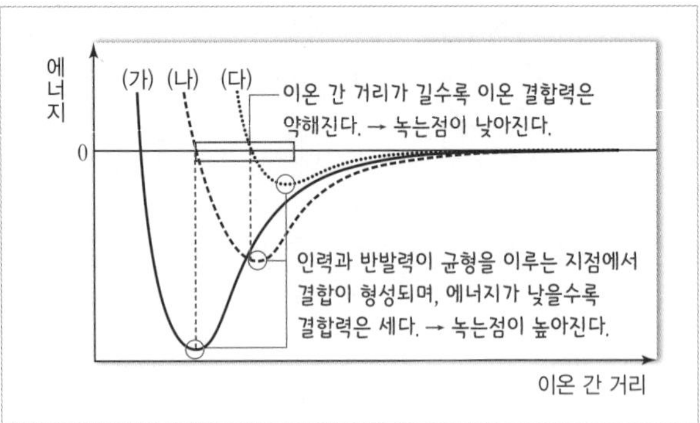

| 선택지 분석 |

ㄱ. 녹는점은 (가)가 (다)보다 높다.
➡ 전하량의 곱이 같을 때 정전기적 인력은 이온 간 거리가 짧을수록 크다. 또한 정전기적 인력이 클수록 에너지가 더 크게 낮아지며, 정전기적 인력이 클수록 입자 사이의 인력을 끊기 어려우므로 녹는점이 높다. 이온 간 거리는 (가)<(나)<(다)이므로 정전기적 인력은 (가)>(나)>(다)이고, 녹는점도 (가)>(나)>(다)이다.

ㄴ. 원자 번호는 Y가 Z보다 ~~크다~~ 작다.
➡ 이온 간 거리가 (다)가 (나)보다 크므로 원자 반지름은 Z>Y이고, 같은 족에서 원자 번호가 커질수록 원자 반지름이 커지므로 원자 번호는 Z>Y이다.

✕ 정전기적 인력의 세기는 (나)가 (가)보다 ~~크다~~. 작다.

➡ (가)가 (나)보다 이온 간 거리가 짧으므로 정전기적 인력의 세기는 (가)가 (나)보다 크다.

07 | 선택지 분석 |

㉠ 공유 전자쌍 수는 A_2가 B_2보다 크다.

➡ A는 원자가 전자 수가 6으로 2개의 A가 A_2를 형성할 때에는 전자쌍 2개를 공유하므로 A_2는 원자 사이에 2중 결합을 포함한다. B_2는 원자가 전자 수가 7로 2개의 B가 B_2를 형성할 때는 전자쌍 1개를 공유하므로 원자 사이에 단일 결합을 이룬다. 따라서 공유 전자쌍 수는 A_2가 B_2보다 크다.

✕ AB_2와 C_2A를 구성하는 입자 사이에는 같은 결합을 이루고 있다.

➡ AB_2는 비금속 원소 A와 B 사이의 공유 결합으로 이루어져 있고, C_2A는 금속 원소 C와 비금속 원소 A 사이의 이온 결합으로 이루어져 있다.

㉢ $C_2A(l)$와 $CB(l)$는 모두 전기 전도성이 있다.

➡ C_2A와 CB는 모두 이온 결합으로 이루어진 물질이므로 액체 상태에서 전기 전도성이 있다.

08 | 선택지 분석 |

✕ $B(s)$와 $BD(s)$는 ~~모두~~ 전기 전도성이 있다.

➡ B는 금속 원소이므로 고체 상태에서 전기 전도성이 있으나, BD는 이온 결합 물질이므로 고체 상태에서 이온들이 자유롭게 움직일 수 없어 전기 전도성이 없다.

㉡ AD와 CE_3는 같은 종류의 화학 결합으로 이루어진다.

➡ A, C, D, E는 모두 비금속 원소이므로 이들 원소로 구성된 물질은 공유 결합을 형성한다.

✕ 녹는점은 $BE(s)$가 $BD(s)$보다 ~~높다~~.

➡ 이온 결합 물질의 녹는점은 전하량이 같을 때 이온 간 거리가 짧을수록 높으므로 이온 간 거리가 짧은 $BD(s)$가 $BE(s)$보다 녹는점이 높다.

09 | 선택지 분석 |

㉠ AB는 액체 상태에서 전기 전도성이 있다.

➡ AB는 이온 결합 화합물이므로 액체 상태에서 전기 전도성이 있다.

✕ BC_2는 ~~2중 결합~~을 포함한다.

➡ B는 16족 원소로 원자가 전자 수가 6이다. 따라서 부족한 전자 2개를 2개의 C와 공유하므로 2개의 단일 결합을 포함한다.

㉢ A와 C의 안정한 화합물은 AC_2이다.

➡ 이온 결합 물질은 양이온의 총 전하량과 음이온의 총 전하량이 같아지는 이온 수비로 결합한다. A는 전자 2개를 잃고 A^{2+}이 되고, C는 전자 1개를 얻어 C^-이 되므로 A^{2+}과 C^-은 1 : 2의 개수비로 결합한다. 따라서 안정한 화합물의 화학식은 AC_2이다.

10 | 선택지 분석 |

㉠ C와 D는 2주기 원소이다.

➡ 전기 음성도는 주기율표의 오른쪽 위로 갈수록 커지므로 제시된 4가지 원소의 전기 음성도는 F > O > Mg > Na이다. 따라서 A는 Na, B는 Mg, C는 O, D는 F이므로 C와 D는 2주기 원소이다.

㉡ A와 D가 결합한 화합물은 액체 상태에서 전기 전도성이 있다.

➡ A와 D의 화합물은 AD(NaF)로 이온 결합 물질이므로 액체 상태에서 전기 전도성이 있다.

㉢ 화합물 BC에서 B와 C는 모두 네온(Ne)과 같은 전자 배치를 갖는다.

➡ A~D의 안정한 이온의 전자 배치는 모두 네온(Ne)과 같다.

11 | 자료 분석 |

전자	전자 배치
A N	$1s^2 2s^2 2p^3$
B Li	$1s^2 2s^1$
C F	$1s^2 2s^2 2p^5$

화합물	A	B	C
(가) AC_3	1	0	3
(나) BC	0	1	1

- A는 15족 원소인 N, B는 1족 원소인 Li, C는 17족 원소인 F이다.
- A 원자 1개는 C 원자 3개와 각각 공유 결합을 형성한다.
- B는 전자 1개를 잃고 B^+이 되고, C는 전자 1개를 얻어 C^-이 된다.

| 선택지 분석 |

✕ (가)의 1분자당 $\frac{\text{비공유 전자쌍 수}}{\text{공유 전자쌍 수}}$ = ~~3~~ $\frac{10}{3}$이다.

➡ A는 원자가 전자 5개 중 3개는 공유 전자쌍을 형성하고 2개는 비공유 전자쌍 1개로 남는다. C는 원자가 전자 7개 중 1개는 공유 전자쌍을 형성하고 6개는 비공유 전자쌍 3개로 남는다. 따라서 (가)의 1분자당 공유 전자쌍 수는 3, 비공유 전자쌍 수는 10이다.

㉡ (나)는 액체 상태에서 전기 전도성이 있다.

➡ (나)는 LiF으로 이온 결합 물질이다. 이온 결합 물질은 액체 상태에서 전기 전도성이 있다.

✕ (가)와 (나)를 구성하는 입자의 전자 배치는 모두 ~~네온(Ne)~~과 같다.

➡ LiF에서 Li은 전자를 잃고 He과 같은 전자 배치가 된다.

12 | 선택지 분석 |

㉠ 공유 전자쌍 수는 A_2가 B_2의 2배이다.

➡ A는 2주기 16족 원소이므로 2개의 A는 부족한 전자 2개를 서로 공유하여 2중 결합을 형성한다. B는 2주기 17족 원소이므로 2개의 B는 부족한 전자 1개를 공유하여 단일 결합을 형성한다.

㉡ CB와 EB는 모두 이온 결합 물질이다.

➡ C와 E는 금속 원소, B는 비금속 원소이므로, CB, EB는 모두 이온 결합 물질이다.

㉢ 녹는점은 $FA(s)$가 $FD(s)$보다 높다.

➡ 이온 결합 물질의 녹는점은 이온의 전하량이 같을 때 이온 간 거리가 짧을수록 크다. A는 2주기 원소, D는 3주기 원소이므로 이온 반지름은 $A^{2-} < D^{2-}$이다. FA와 FD에서 전하의 곱은 같지만 이온 간 거리는 FA가 FD보다 짧으므로 녹는점은 $FA(s)$가 $FD(s)$보다 높다.

13 | 선택지 분석 |

✕ 공유 결합 물질은 2가지이다.

➡ (가)는 공유 결합 물질, (나)는 금속 결합 모형, (다)는 이온 결합 모형이다.

ㄴ. 액체 상태에서 전기 전도성이 있는 물질은 2가지이다.
➡ (나)는 고체와 액체 상태에서 모두 전기 전도성이 있으며, (다)는 고체 상태에서는 전기 전도성이 없으나 액체 상태에서는 이온이 자유롭게 움직일 수 있으므로 전기 전도성이 있다.

ㄷ. 외부 충격에 의해 쉽게 부스러지는 물질은 2가지이다.
➡ (가)와 (다)는 외부 충격에 의해 쉽게 부스러지나, (나)는 외부에서 힘이 가해져도 자유 전자가 결합을 유지시키므로 부스러지지 않고 변형만 일어난다.

14 화합물 ABC에서 A는 전자를 1개 잃고 He과 같은 전자 배치를 이루므로 2주기 1족 원소인 Li이다. B는 A로부터 전자 1개를 얻고 C와 1개의 전자를 공유하여 Ne과 같은 전자 배치를 이루므로 원자가 전자 수가 6인 2주기 16족 원소 O이다. C는 B와 1개의 전자를 공유하여 He과 같은 전자 배치를 이루므로 1주기 1족 원소인 H이다.

ㄱ. Y는 공유 결합 화합물이다.
➡ Y는 B와 C로 구성된 화합물로 $C_2B(H_2O)$이다. 따라서 Y는 공유 결합 화합물이다.

✕ 전기 전도성은 $Y(l)$가 $X(l)$보다 ~~크다~~ 작다.
➡ X는 A와 B로 구성된 $A_2B(Li_2O)$이므로 이온 결합 물질이다. 따라서 전기 전도성은 $X(l) > Y(l)$이다.

ㄷ. A와 C는 원자가 전자 수가 같다.
➡ A는 2주기 1족 원소, C는 1주기 1족 원소로 원자가 전자 수가 1로 같다.

15 | 자료 분석 |

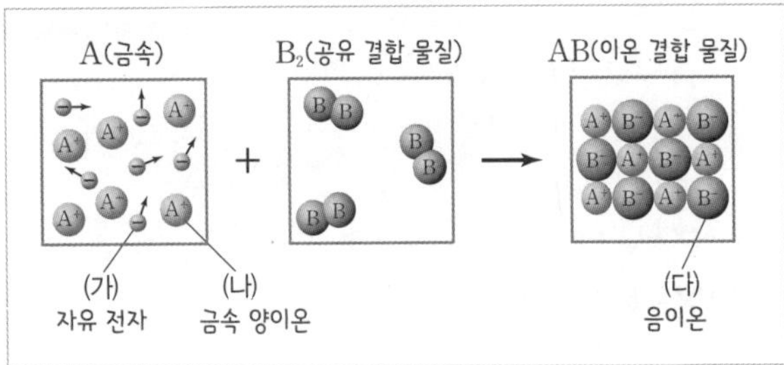

| 선택지 분석 |

ㄱ. AB에서 B 이온의 전자 배치는 아르곤과 같다.
➡ A와 B는 모두 3주기 원소이므로 A는 전자를 잃고 네온과 같은 전자 배치가 되고 B는 전자를 얻어 아르곤과 같은 전자 배치가 된다.

✕ ~~A(s)~~와 AB(s)에 힘을 가하면 잘 부스러진다.
➡ A(s)는 금속이므로 힘을 가해도 자유 전자가 금속 결합을 유지시켜 잘 부스러지지 않는다. AB(s)는 이온 결합 물질이므로 힘을 가하면 이온 층이 밀려 같은 전하를 띤 이온 사이에 반발력이 작용하여 쉽게 부스러진다.

✕ A(s)와 AB(s)에 전류를 흘려주면 (가)와 ~~(다)가~~ (+)극으로 이동한다.
➡ A(s)에 전류를 흘려주면 자유 전자인 (가)가 (+)극으로 이동하므로 전류가 흐른다. 그러나 AB(s)를 구성하는 이온은 이온 사이의 결합력이 강하여 이동할 수 없으므로 전류를 흘려주어도 B 이온은 이동하지 않는다.

16 A는 O(산소), B는 F(플루오린)으로 비금속 원소이고, C는 Na(나트륨), D는 Mg(마그네슘)으로 금속 원소이다.

| 선택지 분석 |

ㄱ. 녹는점은 (나)가 (다)보다 높다.
➡ (나)는 MgO, (다)는 NaF이다. 이온의 전하량이 (나)>(다)이고, 양이온과 음이온은 각각 같은 주기 원소로 이온 사이의 거리는 크게 차이 나지 않으므로 녹는점은 (나)>(다)이다.

ㄴ. 액체 상태에서 전기 전도성은 (나)가 (가)보다 크다.
➡ (가)는 공유 결합 화합물, (나)는 이온 결합 화합물이므로 액체 상태에서 전기 전도성은 (나)가 (가)보다 크다.

ㄷ. 화학식에서 구성 원자 수는 (라)가 (다)보다 크다.
➡ 이온 결합 물질은 양이온의 총 전하량과 음이온의 총 전하량이 같아지는 이온 수비로 결합하므로 (다)의 화학식은 CB(NaF), (라)의 화학식은 $DB_2(MgF_2)$이다. 따라서 화학식에서 구성 원자 수는 (라)>(다)이다.

Ⅲ. 화학 결합과 분자의 세계

2 ››› 분자의 구조와 성질

01 ~ 전기 음성도와 결합의 극성

콕콕! 개념 확인하기 189쪽

✔ 잠깐 확인!
1 전기 음성도 **2** 플루오린 **3** 극성 공유 결합 **4** 무극성 공유 결합 **5** 쌍극자 **6** 쌍극자 모멘트 **7** 극성 공유 결합

01 (1) × (2) ○ (3) ○ (4) × **02** B>C>A **03** (1) × (2) ○ (3) ○ **04** H_2, O_2 **05** ㉠ 쌍극자 모멘트 ㉡ 극성
06 H−F>H−O>H−N>C−H>F−F

01 (1) 전기 음성도는 공유 결합하는 원자가 공유 전자쌍을 끌어당기는 힘을 상댓값으로 나타낸 것이다.
(4) 같은 족에서는 원자 번호가 클수록 원자 반지름이 커져 원자핵과 공유 전자쌍 사이의 인력이 약해지므로 전기 음성도가 작아진다.

02 A는 3주기 1족 원소, B는 2주기 17족 원소, C는 2주기 16족 원소이다. 전기 음성도는 주기율표에서 오른쪽 위로 갈수록 크므로 전기 음성도의 크기는 B>C>A이다.

03 (2) HCl에서 Cl가 H보다 전기 음성도가 크므로 공유 전자쌍을 더 세게 잡아당겨 공유 전자쌍이 Cl 원자 쪽으로 치우친다. 따라서 HCl에서 H는 부분적인 양전하를, Cl는 부분적인 음전하를 띤다.

06 결합하는 두 원자의 전기 음성도 차가 클수록 결합의 극성의 세기가 크다.

탄탄! 내신 다지기 190쪽~191쪽

01 ③ **02** ④ **03** ⑤ **04** ④ **05** A>B>C
06 극성→무극성, 양전하→음전하, 음전하→양전하
07 A, C **08** ② **09** (1) $\overset{\delta^+}{H}-\overset{\delta^-}{F}$ (2) $\overset{\delta^-}{O}=\overset{\delta^+}{C}=\overset{\delta^-}{O}$
(3) $\overset{\delta^+}{H}-\overset{\delta^-}{O}-\overset{\delta^+}{H}$ **10** ㉠ 쌍극자 ㉡ 쌍극자 모멘트 **11** ⑤ **12** ⑤

01 전기 음성도는 공유 결합하는 원자가 공유 전자쌍을 끌어당기는 능력을 상대적인 수치로 나타낸 값으로 단위가 없다. 또한 주기율표에서 같은 주기에서는 원자 번호가 커질수록 원자 반지름이 작아지고, 유효 핵전하가 증가하므로 전기 음성도는 대체로 커지고, 같은 족에서는 원자 번호가 커질수록 원자 반지름이 커지므로 전기 음성도가 대체로 작아진다.

02 전기 음성도는 같은 주기에서 원자 번호가 클수록 크고, 같은 족에서 원자 번호가 클수록 작아진다. A와 D, B와 C는 각각 같은 주기 원소이므로 전기 음성도는 D>A, C>B이다. 또한 B와 D는 같은 족 원소이므로 전기 음성도는 B>D이다. 따라서 전기 음성도는 C>B>D>A이다.

03 | 자료 분석 |

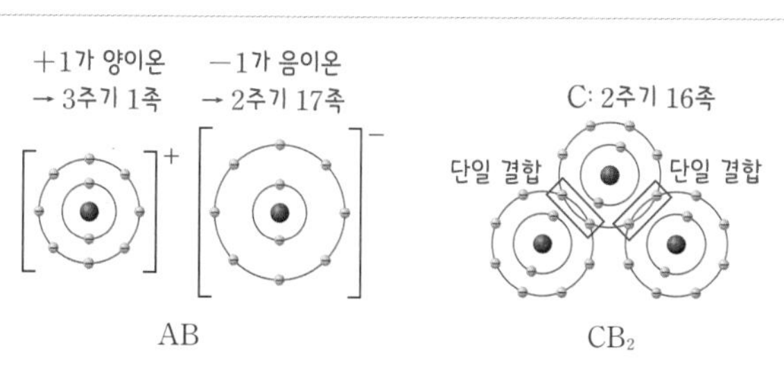

• A는 전자 1개를 잃고 Ne과 전자 배치가 같아지므로 3주기 1족 Na이다.
• B는 전자 1개를 얻어 Ne과 전자 배치가 같아지므로 2주기 17족 F이다.
• C는 전자쌍 2개를 공유하면 Ne과 전자 배치가 같아지므로 2주기 16족 원소이다.

① 원자 번호는 C가 A보다 ~~크다~~(작다).
➡ A는 3주기 1족, C는 2주기 16족 원소이므로 원자 번호는 A가 C보다 크다.

② 전기 음성도는 A가 B보다 ~~크다~~(작다).
➡ A는 금속 원소, B는 비금속 원소이므로 B가 A보다 전기 음성도가 크다.

③ 원자가 전자 수는 C가 B보다 ~~크다~~(작다).
➡ 원자가 전자 수는 B 7, C 6이다.

④ A와 C는 ~~공유~~(이온) 결합으로 화합물을 형성한다.
➡ A는 금속 원소, C는 비금속 원소이므로 A와 C는 이온 결합으로 화합물을 형성한다.

⑤ 공유 전자쌍을 끌어당기는 힘은 B가 C보다 크다.
➡ 같은 주기에서 원자 번호가 클수록 전기 음성도가 크며, 전기 음성도가 클수록 공유 전자쌍을 강하게 끌어당기므로 전기 음성도가 큰 B가 C보다 공유 전자쌍을 세게 끌어당긴다.

04 같은 종류의 원자 사이의 공유 결합을 무극성 공유 결합, 전기 음성도가 다른 두 원자 사이의 공유 결합을 극성 공유 결합이라고 한다. C_2H_2에서 C와 H 사이에는 극성 공유 결합을 형성하지만, C와 C 사이에는 무극성 공유 결합을 형성한다.

05 두 원자가 극성 공유 결합을 형성할 때 전기 음성도가 큰 원자는 공유 전자쌍을 강하게 끌어당겨 부분적인 음전하를 띠고, 전기 음성도가 작은 원자는 부분적인 양전하를 띤다. BA_2에서 A가 부분적인 음전하를 띠므로 전기 음성도는 A>B이고, CB_2에서 B가 부분적인 음전하를 띠므로 전기 음성도는 B>C이다.

06 (1) 전기 음성도가 같은 원자가 전자를 공유하여 결합한 것을 무극성 공유 결합이라고 한다.
(2) 서로 다른 원자가 결합할 때 전기 음성도가 큰 원자가 공유 전자쌍을 더 강하게 잡아당기므로 부분적인 음전하를 띠고, 전기 음성도가 작은 원자는 부분적인 양전하를 띤다.

07 할로젠 원소와 H가 결합한 물질은 각각 HA, HB, HC이며, 물질을 구성하는 두 원소의 전기 음성도 차가 클수록 결합의 극성이 크다. 같은 족에서 원자 반지름이 작을수록 전기 음성도가 크므로 전기 음성도의 크기는 A>B>C 순이며, 전기 음성도가 가장 큰 A가 H와 결합할 때 결합의 극성이 가장 크고, 전기 음성도가 가장 작은 C가 H와 결합할 때 결합의 극성이 가장 작다.

08 | 자료 분석 |

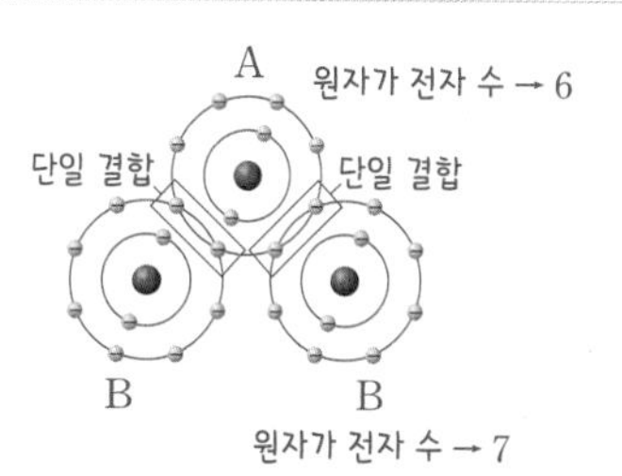

• 분자에서 옥텟 규칙을 만족하는 원자의 원자가 전자 수는 (8−공유 전자쌍 수)와 같다.
➡ A: 8−2 =6, B: 8−1=7
➡ A는 2주기 16족 원소, B는 2주기 17족 원소

| 선택지 분석 |

~~ㄱ~~. 원자가 전자가 느끼는 유효 핵전하는 ~~A~~(B)가 ~~B~~(A)보다 크다.

➡ A 원자 1개는 B 원자 2개와 각각 단일 결합을 형성하므로 A는 원자가 전자 수가 6인 16족 원소, B는 원자가 전자 수가 7인 17족 원소이다. 같은 주기에서는 원자 번호가 클수록 유효 핵전하가 커지므로 B가 A보다 유효 핵전하가 크다.

㉡ A와 B는 극성 공유 결합을 형성한다.

➡ A와 B가 공유 결합을 하면 공유 전자쌍은 전기 음성도가 큰 B 원자 쪽으로 치우치므로 A와 B는 극성 공유 결합을 형성한다.

✕ AB_2에서 A는 부분적인 음전하를 띤다. (양)

➡ A와 B는 같은 주기 원소로 전기 음성도는 원자 번호가 큰 B가 A보다 크다. 따라서 AB_2에서 전기 음성도가 작은 A는 부분적인 양전하를 띤다.

09 서로 다른 두 원자가 공유 결합할 때 전기 음성도가 큰 원자는 부분적인 음전하를 띠고, 전기 음성도가 작은 원자는 부분적인 양전하를 띤다.

10 하나의 분자에 쌍으로 존재하는 전하를 쌍극자라고 하고, 그 크기를 쌍극자 모멘트로 나타낸다.

11 쌍극자 모멘트는 결합에서 극성 크기를 나타내는 척도로, 전하와 두 전하 사이의 거리의 곱과 같다. 또한 무극성 공유 결합에서는 전자의 치우침이 없으므로 결합의 쌍극자 모멘트가 0이다.

12 무극성 공유 결합은 전자의 치우침이 없이 고르게 분포되어 있으므로 결합의 쌍극자 모멘트가 0이다.

도전! 실력 올리기 192쪽~193쪽

01 ③ **02** ④ **03** ① **04** ② **05** ④ **06** ④

07 ㉠ 전기 음성도 ㉡ 극성

08 | **모범 답안** | 전기 음성도가 B>A이므로 A−B 결합에서 공유 전자쌍은 B 원자 쪽으로 치우친다. 따라서 A는 부분적인 양전하를, B는 부분적인 음전하를 띤다.

09 | **모범 답안** | AC>AB, 쌍극자 모멘트의 크기는 부분 전하의 크기와 두 전하 사이의 거리의 곱과 같다. 부분 전하의 크기와 두 전하 사이의 거리 모두 AC가 AB보다 크므로 쌍극자 모멘트의 크기는 AC가 AB보다 크다.

01 | **선택지 분석** |

㉠ 전기 음성도는 C가 D보다 크다.

➡ 주기율표에서 전기 음성도는 오른쪽 위로 갈수록 크다(단, 18족 제외). 따라서 전기 음성도는 C가 D보다 크다.

㉡ A−D 결합에서 공유 전자쌍은 D 원자 쪽으로 치우친다.

➡ A는 H(수소)로 17족 원소인 D보다 전기 음성도가 작다. 따라서 A−D 결합에서 공유 전자쌍은 전기 음성도가 큰 D 원자 쪽으로 치우친다.

✕ A−B 결합과 B−C 결합에서 B는 모두 부분적인 음전하(δ^-)를 띤다. (A−B 결합만)

➡ 전기 음성도는 C>B>A이므로 A−B 결합에서 B는 부분적인 음전하를 띠고, B−C 결합에서 B는 부분적인 양전하를 띤다.

02 | **선택지 분석** |

㉠ 전기 음성도는 Cl>H이다.

➡ Cl가 부분적인 음전하(δ^-)를 띠므로 공유 전자쌍이 Cl 원자 쪽으로 치우친다. 따라서 전기 음성도는 Cl>H이다.

✕ 전자는 H 원자에서 Cl 원자로 이동한다.

➡ H와 Cl는 모두 비금속 원소이므로 H−Cl 결합은 극성 공유 결합이다. 따라서 이온 결합처럼 전자가 완전히 이동하는 것은 아니다.

㉢ 결합의 쌍극자 모멘트는 0이 아니다.

➡ 전자가 Cl 쪽으로 치우쳐 쌍극자가 존재하므로 결합의 쌍극자 모멘트는 0이 아니다.

03 | **자료 분석** |

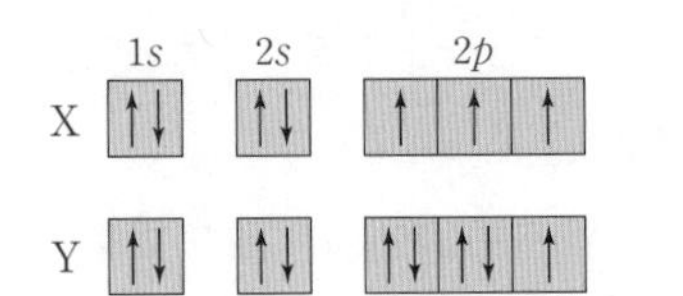

• X는 원자가 전자 수가 5이고, Y는 원자가 전자 수가 7이다.
➡ X는 3개, Y는 1개의 공유 결합을 형성할 수 있다.

• X 원자 1개는 Y 원자 3개와 각각 1개의 전자쌍을 공유하여 결합하므로 분자식은 XY_3이다.

| **선택지 분석** |

㉠ X_2는 무극성 공유 결합을 포함한다.

➡ X_2는 같은 원자끼리의 공유 결합이므로 원자 사이의 결합은 무극성 공유 결합이다.

✕ Y_2에는 2중 결합이 있다. (단일)

➡ Y의 원자가 전자 수는 7이므로 Y 원자끼리 단일 결합을 형성한다.

✕ XY_3에서 X는 부분적인 음전하를 띤다. (양전하)

➡ 같은 주기에서 원자 번호가 클수록 전기 음성도가 크므로 전기 음성도는 Y>X이다. 따라서 X와 Y가 결합을 할 때 공유 전자쌍은 전기 음성도가 큰 Y 원자 쪽으로 치우치므로 X는 부분적인 양전하를 띤다.

04 | **자료 분석** |

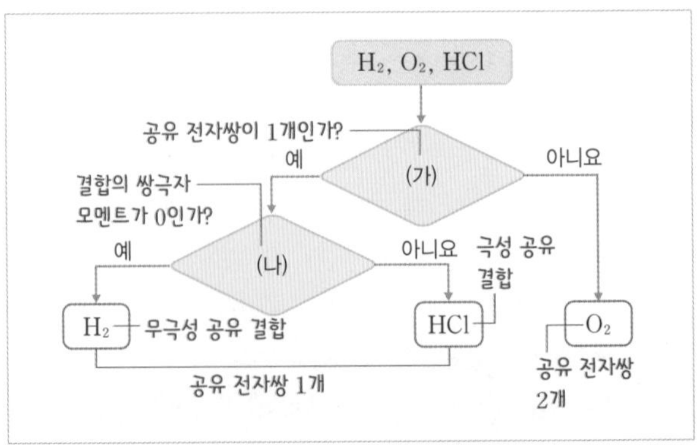

H_2와 HCl는 모두 공유 전자쌍 수가 1이고, O_2는 공유 전자쌍 수가 2이므로 (가)에는 '공유 전자쌍 수가 1인가?'를 적용할 수 있다. 또한 H_2는 무극성 공유 결합을 포함하여 결합의 쌍극자 모멘트가 0이다. 따라서 (나)에는 '결합의 쌍극자 모멘트가 0인가?'를 적용할 수 있다. 극성 공유 결합을 포함하는 분자는 HCl이다.

05 | 선택지 분석 |

✗. Z는 ~~Cl~~(F)이다.

➡ H−X의 전기 음성도 차가 0이므로 X는 H이고, 전기 음성도 차가 H−Z가 H−Y보다 크므로 Y는 Cl, Z는 F이다.

ㄴ. H−X에는 무극성 공유 결합이 있다.

➡ H−X(H)는 같은 원자 사이의 결합이므로 무극성 공유 결합이 있다.

ㄷ. H−Y에서 Y는 부분적인 음전하를 띤다.

➡ 전기 음성도가 Y>H이다. 따라서 공유 전자쌍이 Y 원자 쪽으로 치우치므로 Y는 부분적인 음전하를 띤다.

06 | 선택지 분석 |

✗. AC는 ~~이온~~(공유) 결합 물질이다.

➡ AC는 HF이므로 공유 결합 물질이다.

ㄴ. 전기 음성도는 C>B이다.

➡ 전기 음성도 차이가 AC가 AB보다 크므로 전기 음성도는 C가 B보다 크다.

ㄷ. 쌍극자 모멘트는 AC>AB이다.

➡ 쌍극자 모멘트는 부분 전하의 크기×결합 거리와 같다. 부분 전하의 크기는 AC가 AB의 약 2배이지만, 결합 길이는 AB가 AC의 약 1.5배이므로 부분 전하의 크기×결합 거리는 AC가 AB보다 크다. 따라서 쌍극자 모멘트는 AC가 AB보다 크다.

07 극성 공유 결합은 전기 음성도가 다른 원자 사이에 형성되는 공유 결합이며, 전기 음성도가 큰 원자는 부분적인 음전하를 띠고 전기 음성도가 작은 원자는 부분적인 양전하를 띤다.

08 극성 공유 결합에서 전기 음성도가 큰 원자는 부분적인 음전하를, 전기 음성도가 작은 원자는 부분적인 양전하를 띤다. 전기 음성도가 B>A이므로 A−B 결합에서 공유 전자쌍은 B 원자 쪽으로 치우친다.

채점 기준	배점
A와 B의 부분 전하를 옳게 설명하고, 그 까닭을 전기 음성도와 공유 전자쌍의 치우침을 근거로 옳게 서술한 경우	100 %
A와 B의 부분 전하를 옳게 설명하고, 그 까닭을 전기 음성도가 B가 A보다 크기 때문이라고만 서술한 경우	60 %
A와 B의 부분 전하만 옳게 설명한 경우	30 %

09 쌍극자 모멘트의 크기는 두 전하 사이의 거리가 멀수록, 부분 전하의 크기가 클수록 크다. 부분 전하의 크기와 두 전하 사이의 거리 모두 AC가 AB보다 크므로 쌍극자 모멘트의 크기는 AC가 AB보다 크다.

채점 기준	배점
부분 전하의 크기와 두 전하 사이의 거리를 이용하여 옳게 서술한 경우	100 %
AB와 AC의 쌍극자 모멘트의 크기만 옳게 비교한 경우	30 %

III

02 전자쌍 반발 이론과 분자 구조

탐구POOL 198쪽

01 $BeCl_2$: 선형, BCl_3: 평면 삼각형, CCl_4: 정사면체
02 비공유 전자쌍 사이의 반발력이 공유 전자쌍 사이의 반발력보다 크다.

01 제시된 3가지 분자의 공유 전자쌍이 각각 2개, 3개, 4개이므로 각각 풍선을 2개, 3개, 4개씩 묶은 경우에 해당한다. 따라서 풍선의 배열로부터 각각 선형, 평면 삼각형, 정사면체의 분자 구조를 갖게 됨을 알 수 있다.

02 비공유 전자쌍은 중심 원자 가까이에 넓게 퍼져 있고, 공유 전자쌍은 두 원자 사이에 있으므로 비공유 전자쌍 사이의 반발력이 공유 전자쌍 사이의 반발력보다 크다.

콕콕! 개념 확인하기 199쪽

✔ 잠깐 확인!
1 루이스 전자점식 **2** 공유 전자쌍 **3** 구조식 **4** 전자쌍 반발 **5** 결합각 **6** 크 **7** 비공유

01 ㉠ 원자가 ㉡ 공유 ㉢ 비공유 **02** H:Ö:H, 2, 2
03 (1) ○ (2) × (3) × **04** ㉠ 비공유 ㉡ 공유 ㉢ 비공유
05 (1) ㉣ (2) ㉠ (3) ㉢ (4) ㉡

01 루이스 전자점식은 원소 기호 주위에 원자가 전자를 점으로 나타낸 식이다. 원자들이 결합을 형성할 때 결합에 참여하는 두 원자가 서로 공유하는 전자쌍을 공유 전자쌍이라고 하고, 전자가 쌍을 이루고 있으나 공유 결합에 참여하지 않은 전자쌍을 비공유 전자쌍이라고 한다.

02 O의 원자가 전자 수는 6, H의 원자가 전자 수는 1이므로 O 원자 1개는 H 원자 2개와 각각 전자쌍 1개를 공유하여 결합을 형성한다.

03 (2) 중심 원자를 둘러싸고 있는 전자쌍들은 모두 (−)전하를 띠고 있으므로 전자쌍들은 반발력을 최소화하기 위해 가능한 한 멀리 떨어져 있으려고 한다.

(3) 비공유 전자쌍은 한 원자에만 속해 있으므로 공유 전자쌍보다 더 큰 공간을 차지한다.

04 비공유 전자쌍은 중심 원자핵에만 속해 있어 한 원자의 핵에 의한 인력을 받는다. 따라서 비공유 전자쌍은 공유 전자쌍보다 더 넓은 공간을 차지하므로 비공유 전자쌍 사이의 반발력이 공유 전자쌍 사이의 반발력보다 크다.

05 (1) H_2O의 중심 원자 O에는 비공유 전자쌍 수가 2, 결합한 원자 수가 2이므로 굽은 형이다.
(2) CO_2의 C에는 비공유 전자쌍이 없고 결합한 원자 수가 2이므로 선형이다.
(3) BCl_3의 B에는 비공유 전자쌍이 없고 결합한 원자 수가 3이므로 평면 삼각형 구조이다.
(4) CCl_4의 C에는 비공유 전자쌍이 없고 결합한 원자 수가 4이므로 정사면체이다.

탄탄! 내신 다지기 200쪽~201쪽

01 ① **02** ③ **03** ③ **04** A 1, B 4, C 6 **05** ⑤ **06** 해설 참조 **07** ② **08** ② **09** (1) ㄹ (2) ㅁ (3) ㄴ (4) ㄱ **10** ⑤ **11** (가)>(나)>(다) **12** ⑤ **13** 선형 **14** ⑤

01 A는 원자가 전자 수가 1이고, B는 원자가 전자 수가 5이므로 B 원자 1개는 A 원자 3개와 공유 결합하여 BA_3를 형성하며, 이 분자에는 비공유 전자쌍 1개가 있다.

02 H, C, N, O, F의 원자가 전자 수는 각각 1, 4, 5, 6, 7이다. 따라서 N_2에서 N와 N는 3중 결합을 형성하고, O_2에서 O와 O는 2중 결합을 형성한다. C_2H_2(H−C≡C−H)에서 C와 C는 3중 결합을 형성하고, F_2에서 F와 F는 단일 결합을 형성한다.

03 H_2O에서 원자가 전자 수가 6인 O 원자 1개는 원자가 전자 수가 1인 H 원자 2개와 각각 전자쌍 1개를 공유하고 있으므로 공유 전자쌍 수는 2이다. CO_2에서 원자가 전자 수가 4인 C 원자 1개는 O 원자 2개와 각각 전자쌍 2개씩을 공유하고 있으므로 공유 전자쌍 수는 4이다. 따라서 H_2O과 CO_2의 공유 전자쌍 수의 합은 6이다.

04 분자를 구성하는 원자의 원자가 전자 수는 2×(비공유 전자쌍 수)+(공유 전자쌍 수)와 같다.
- A: 공유 전자쌍 수 1 → 원자가 전자 수 1
- B: 공유 전자쌍 수 4 → 원자가 전자 수 4
- C: 공유 전자쌍 수 2, 비공유 전자쌍 수 2 → 원자가 전자 수 6

05 | 자료 분석 |

X_2, Y_2, XY_3, X_2Y_2, X_2Y_4의 루이스 구조식은 각각 다음과 같다.

:X≡X: (X₂) :Ÿ−Ÿ: (Y₂) :Ÿ−Ẍ−Ÿ: with :Y: below X (XY_3)

:Ÿ−Ẍ=Ẍ−Ÿ: (X_2Y_2) :Ÿ−Ẍ−Ẍ−Ÿ: with :Y::Y: below (X_2Y_4)

| 선택지 분석 |

① X_2에는 3중 결합이 있다.
➡ X와 X는 3개의 전자쌍을 공유하여 결합하므로 3중 결합이 있다.
② Y_2에 있는 비공유 전자쌍 수는 6이다.
➡ Y와 Y는 1개의 전자쌍을 공유하여 결합하므로 6개의 비공유 전자쌍이 있다.
③ XY_3에는 극성 공유 결합이 있다.
➡ X와 Y는 전기 음성도가 다르므로 극성 공유 결합을 형성한다.
④ X_2Y_2에는 무극성 공유 결합이 있다.
➡ X와 X는 같은 원자 사이의 공유 결합이므로 무극성 공유 결합이다.
⑤ X_2Y_4에 있는 공유 전자쌍 수는 ~~6~~ 5이다.
➡ X_2Y_4에서 X와 X 원자 사이에는 1개의 전자쌍을 공유하므로 X_2Y_4에 있는 공유 전자쌍 수는 5이다.

06 | 정답 | :Ÿ:Ẍ:Ÿ: with :Y: below X

X는 3개의 전자쌍을 공유해야 하고, Y는 1개의 전자쌍을 공유해야 하므로 X 원자 1개는 Y 원자 3개와 각각 단일 결합을 형성한다.

07 | 자료 분석 |

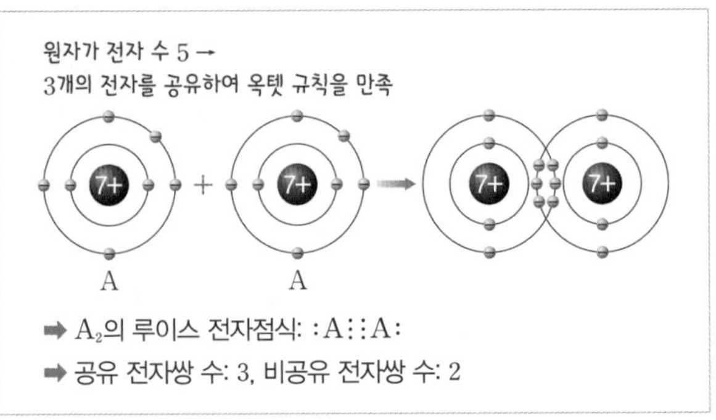

| 선택지 분석 |

① 공유 결합 물질이다.
➡ A는 원자가 전자 수가 5인 비금속 원소이므로 공유 결합을 형성하여 분자를 형성한다.
② ~~2~~3중 결합을 가지고 있다.
➡ A와 A 사이에는 3중 결합을 형성한다.

③ 무극성 공유 결합이 있다.

➡ 같은 원자 사이의 결합으로 이루어져 있으므로 무극성 공유 결합이 있다.

④ 비공유 전자쌍 수는 2이다.

➡ 비공유 전자쌍 수는 2이다.

⑤ 구성 원자는 옥텟 규칙을 만족한다.

➡ 구성 원자는 모두 Ne의 전자 배치를 이루어 옥텟 규칙을 만족한다.

08 중심 원자에 존재하는 전자쌍 수가 같아도 비공유 전자쌍의 수와 결합 형태에 따라 분자의 구조가 달라진다. 또한 비공유 전자쌍 사이의 반발력이 공유 전자쌍 사이의 반발력보다 크다.

09 (1) NH_3는 중심 원자인 N에 비공유 전자쌍이 있으므로 삼각뿔 구조이다.

(2) CH_4은 중심 원자인 C에 비공유 전자쌍이 없고 4개의 원자가 결합하였으므로 정사면체 구조이다.

(3) H_2S는 중심 원자인 S에 2개의 비공유 전자쌍이 있으므로 굽은 형 구조이다.

(4) CO_2는 중심 원자인 C에 비공유 전자쌍이 없으므로 선형 구조이다.

10 분자 구조가 선형(CO_2), 굽은 형(H_2S), 평면 삼각형(CH_2O, BCl_3)인 분자는 구성 원자가 모두 같은 평면에 존재하며, 정사면체와 삼각뿔(NH_3)인 분자는 구성 원자가 같은 평면에 존재하지 않는다.

11 X~Z는 2주기 원소이고, 중심 원자에 있는 전자쌍 수가 (나)>(가)이므로 중심 원자 X는 B, Y는 N, Z는 O이다. 따라서 XCl_3는 평면 삼각형 구조, YCl_3는 삼각뿔 구조, ZCl_2은 굽은 형 구조이다. 중심 원자가 가지는 전자쌍 수가 같을 때 비공유 전자쌍 수가 많을수록 결합각은 작아진다.

		(가)	(나)	(다)
분자식		BCl_3	NCl_3	OCl_2
분자 구조		평면 삼각형	삼각뿔	굽은 형
전자쌍 수	공유	3	3	2
	비공유	0	1	2

12 | 자료 분석 |

C는 비공유 전자쌍이 없다. → 4개의 원자가 사면체의 꼭짓점에 위치한다.

N는 비공유 전자쌍 1개 → 3개의 원자가 삼각뿔의 꼭짓점에 위치한다.

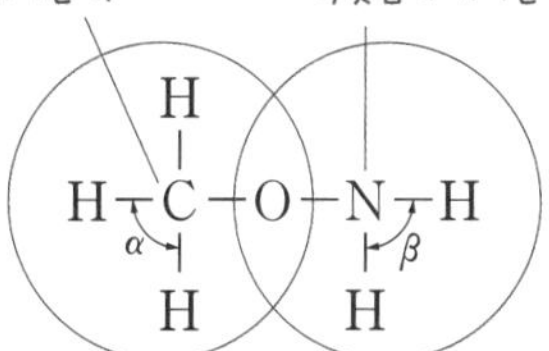

• O에는 2개의 비공유 전자쌍이 있고, 2개의 원자가 결합되어 있으므로 C−O−N은 굽은 형을 이룬다.

| 선택지 분석 |

① 결합각은 $\alpha>\beta$이다.

➡ α는 약 109.5°, β는 약 107°이다.

② 극성 공유 결합이 있다.

➡ 전기 음성도가 다른 두 원자 사이의 공유 결합이 극성 공유 결합이므로 분자를 구성하는 모든 결합은 극성 공유 결합이다.

③ 공유 전자쌍 수는 7이다.

➡ C를 중심으로 4개의 공유 전자쌍이 있고, N를 중심으로 3개의 공유 전자쌍이 있으므로 분자에는 총 7개의 공유 전자쌍이 있다.

④ O는 부분적인 음전하를 띤다.

➡ 구성 원자에서 O의 전기 음성도가 가장 크므로 O는 부분적인 음전하를 띤다.

⑤ C−O−N는 동일한 직선상에 위치한다.

➡ O에는 비공유 전자쌍이 있으므로 C−O−N은 굽은 형으로 동일한 직선상에 위치하지 않는다.

13 A~C는 각각 H, C, N이므로 ABC(HCN)의 구조식은 A−B≡C:(H−C≡N:)이다. B에는 비공유 전자쌍이 없고 3중 결합은 1개의 결합으로 취급하므로 B에 2개의 원자가 결합된 선형 구조이다.

14 | 선택지 분석 |

㉠ BA_4의 분자 구조는 정사면체이다.

➡ $BA_4(CH_4)$에서 중심 원자 B에는 비공유 전자쌍이 없고 4개의 A 원자와 결합되어 있으므로 분자 구조는 정사면체이다.

㉡ A_2C는 평면 구조이다.

➡ $A_2C(H_2O)$의 분자 구조는 굽은 형이므로 평면 구조이다.

㉢ BC_2의 결합각은 180°이다.

➡ $BC_2(CO_2)$의 분자 구조는 선형이므로 결합각은 180°이다.

도전! 실력 올리기

202쪽~203쪽

01 ③ **02** ③ **03** ③ **04** ⑤ **05** ⑤ **06** ④ **07** ②

08 (1) A:C̈:A 위 아래 점, 아래 Ä (A:$\ddot{\text{C}}$:A, 아래 A) (2) [**모범 답안**] $BA_4>CA_3$, BA_4는 정사면체, CA_3는 삼각뿔 구조로 C에는 비공유 전자쌍이 있는데, 공유−비공유 전자쌍 사이의 반발력이 공유−공유 전자쌍 사이의 반발력보다 더 커 결합각이 작아지기 때문이다.

09 | **모범 답안** | $XZ_3>YZ_3$, XZ_3는 공유 전자쌍 3개, 비공유 전자쌍 1개로 총 4개의 전자쌍이 있고, YZ_3는 공유 전자쌍만 3개가 있다.

10 (1) (나), (다) (2) [**모범 답안**] (다)>(나)>(가), 비공유 전자쌍 사이의 반발력이 공유 전자쌍 사이의 반발력보다 크므로, 중심 원자에 있는 전자쌍의 수가 같은 경우 비공유 전자쌍이 많을수록 결합각은 작아지기 때문이다.

01 | 선택지 분석 |

① H_2O에 있는 공유 전자쌍 수는 2이다.

➡ H_2O은 공유 전자쌍과 비공유 전자쌍이 각각 2개씩 있다.

② PH_3에서 P은 옥텟 규칙을 만족한다.

➡ PH_3에서 P은 비공유 전자쌍 1개와 공유 전자쌍 3개가 있으므로 옥텟 규칙을 만족한다.

③ 공유 전자쌍 수는 F_2가 H_2보다 크다.

➡ H_2와 F_2는 모두 단일 결합을 가지고 있으므로 공유 전자쌍 수가 1로 같다.

④ 단일 결합을 이루고 있는 분자는 4가지이다.

➡ 4개의 분자 모두 단일 결합을 이루고 있다.

⑤ 비공유 전자쌍이 가장 많은 분자는 F_2이다.

➡ F_2에는 6개의 비공유 전자쌍이 있다. H_2O에는 2개, PH_3에는 1개의 비공유 전자쌍이 있다.

02 B_2, B_2C_4, AC_3, BC_3의 구조식은 다음과 같다.

:B≡B: (B₂ 구조식)

:C̈–B̈–B̈–C̈: / :C̈::C̈: (B_2C_4)

:C̈–A–C̈: / :C̈: (AC_3)

:C̈–B̈–C̈: / :C̈: (BC_3)

B_2 B_2C_4 AC_3 BC_3

| 선택지 분석 |

ㄱ. B_2 분자에 있는 공유 전자쌍 수는 3이다.

➡ B의 원자가 전자 수는 5이므로 B 원자 사이에는 3개의 전자쌍을 공유하여 결합한다.

ㄴ. B_2C_4의 구성 원자는 모두 같은 평면에 있다.

➡ B_2C_4에서 B 원자에는 1개의 비공유 전자쌍이 있고, 3개의 원자와 결합하고 있으므로 B를 중심으로 결합된 3개의 원자는 삼각뿔의 꼭짓점에 위치한다. 따라서 B_2C_4는 입체 구조이다.

ㄷ. 결합각은 AC_3이 BC_3보다 크다.

➡ AC_3는 평면 삼각형 구조, BC_3는 삼각뿔 구조이므로 결합각은 $AC_3 > BC_3$이다.

03 (가)~(다)의 구조는 다음과 같다.

O=C=O	H–C≡N	H–C≡C–H
(가)	(나)	(다)

| 선택지 분석 |

ㄱ. 평면 구조이다.

➡ (가)~(다)는 선형 구조로 모두 평면 구조이다.

ㄴ. 다중 결합을 포함한다.

➡ (가)는 C와 O 사이의 2중 결합, (나)는 C와 N 사이의 3중 결합, (다)는 C와 C 사이의 3중 결합을 포함한다.

ㄷ. 공유 전자쌍 수는 4이다.

➡ 공유 전자쌍 수는 (가)와 (나)는 4, (다)는 5이다.

04 | 선택지 분석 |

ㄱ. 입체 구조는 2가지이다.

➡ 분자 구조는 (가) 정사면체, (나) 삼각뿔이므로 입체 구조이며, (다)는 굽은 형으로 평면 구조이다.

ㄴ. 결합각은 (가)가 (다)보다 크다.

➡ 전자쌍의 총수가 같을 때 비공유 전자쌍이 많을수록 결합각이 작아진다. (가)~(다)는 전자쌍의 총수가 4로 같으며 (가)는 중심 원자에 비공유 전자쌍이 없고, (다)는 중심 원자에 비공유 전자쌍이 2개이므로 결합각은 (가)가 (다)보다 크다.

ㄷ. 모두 극성 공유 결합이 있다.

➡ (가)~(다)는 모두 전기 음성도가 다른 중심 원자와 수소(H) 사이의 극성 공유 결합으로 형성된다.

05 | 자료 분석 |

중심 원자에 비공유 전자쌍이 없다. 중심 원자에 비공유 전자쌍이 있다.

H:X⃝::Y: H:Z⃝:H

- 원자가 전자 수는 (8－공유 전자쌍 수)와 같다.
  - ➡ X: 8－4=4, Y: 8－3=5, Z: 8－2=6
  - ➡ X는 14족 원소인 C, Y는 15족 원소인 N, Z는 16족 원소인 O이다.
- **분자의 구조:** 중심 원자에 있는 비공유 전자쌍의 유무에 따라 다르다.
  - ➡ HXY에서 X에는 비공유 전자쌍이 없으므로 선형이다.
  - ➡ H_2Z에서 Z에는 비공유 전자쌍이 있으므로 굽은 형이다.

| 선택지 분석 |

ㄱ. 원자가 전자 수는 Z>Y이다.

➡ Y는 원자가 전자 수가 5이고, Z는 원자가 전자 수가 6이다.

ㄴ. (가)에서 Y는 부분적인 음전하를 띤다.

➡ X와 Y는 2주기 원소이며 원자 번호가 Y>X이므로 전기 음성도는 Y>X이다. 따라서 Y는 부분적인 음전하를 띤다.

ㄷ. 결합각은 (가)>(나)이다.

➡ (가)의 중심 원자 X에는 비공유 전자쌍이 없으므로 (가)의 분자 모양은 선형이고, (나)의 중심 원자 Z에는 비공유 전자쌍이 있으므로 (나)의 분자 모양은 굽은 형이다. 따라서 결합각은 (가)가 (나)보다 크다.

06 | 자료 분석 |

분자	(가)	(나)	(다)	(라)
공유 전자쌍 수	2	4	3	4
결합한 원자 수	2	2	3	4
예	H_2O	CO_2	NH_3	CH_4
분자 구조	굽은 형	선형	삼각뿔	정사면체

- (가)는 중심 원자에 결합한 원자 수와 공유 전자쌍 수가 같으므로 (가)의 중심 원자에는 비공유 전자쌍 수가 2이다.
- (나)는 결합한 원자 수가 공유 전자쌍 수보다 작으므로 다중 결합이 있다.
- (다)는 결합한 원자 수와 공유 전자쌍 수가 3으로 같으므로 (다)의 중심 원자에는 비공유 전자쌍 수가 1이며, 분자 모양은 삼각뿔이다.
- (라)의 분자 모양은 정사면체 또는 사면체이다.

| 선택지 분석 |

ㄱ 입체 구조인 분자는 2가지이다.

➡ 입체 구조인 분자는 (다)와 (라)의 2가지이다.

✕ 다중 결합이 있는 분자는 ~~2가지~~이다. (1가지)

➡ (나)는 결합한 원자 수보다 공유 전자쌍 수가 더 많으므로 다중 결합이 있다.

ㄷ 중심 원자에 비공유 전자쌍이 있는 분자는 2가지이다.

➡ 중심 원자는 옥텟 규칙을 만족하므로 전자쌍 수는 4이어야 한다. 따라서 중심 원자에 있는 공유 전자쌍 수가 4보다 작은 분자에는 비공유 전자쌍이 있다.

07 | 선택지 분석 |

✕ 분자의 구조는 ~~선형~~이다. (굽은 형)

➡ A 1개와 B 2개가 극성 공유 결합을 형성하며, 중심 원자인 A는 2개의 공유 전자쌍과 2개의 비공유 전자쌍을 가지므로 AB_2 분자의 구조는 굽은 형이다.

ㄴ A−B 결합은 극성 공유 결합이다.

➡ A와 B는 전기 음성도가 다른 두 원자 사이의 공유 결합이므로 극성 공유 결합이다.

✕ 1분자당 비공유 전자쌍 수는 ~~2~~이다. (8)

➡ AB_2에서 비공유 전자쌍은 A에 2개, B에 3개씩 있으므로 분자당 비공유 전자쌍 수는 8이다.

08 (1) C 원자 1개는 A 원자 3개와 각각 전자쌍 1개를 공유하여 결합한다.

(2) 비공유 전자쌍은 공유 전자쌍보다 더 많은 공간을 차지하므로 공유−비공유 전자쌍 사이의 반발력이 공유−공유 전자쌍 사이의 반발력보다 더 크다.

채점 기준	배점
결합각을 옳게 비교하고 그 까닭을 전자쌍의 종류에 따른 반발력의 차이로 옳게 서술한 경우	100 %
결합각만 옳게 비교한 경우	30 %

09 X 원자 1개와 Z 원자 3개가 결합하였으므로 X와 Z 원자 사이에는 단일 결합을 형성한다. 따라서 Z의 원자가 전자 수는 7이며, XZ_3의 원자가 전자의 총수는 26이므로 X는 원자가 전자 수가 5이다. 또한 YZ_3의 원자가 전자의 총수는 24이므로 Y는 원자가 전자 수가 3이다. 따라서 XZ_3는 공유 전자쌍 3개, 비공유 전자쌍 1개로 총 4개의 전자쌍이 있고, YZ_3는 공유 전자쌍만 3개가 있다.

채점 기준	배점
XZ_3와 YZ_3의 중심 원자에 있는 전자쌍 수를 옳게 구하여 비교한 경우	100 %
XZ_3와 YZ_3 중 1가지만 전자쌍 수를 옳게 구한 경우	40 %

10 (가)~(다)의 루이스 구조식은 다음과 같다.

H−Ẍ−H (가)　　H−Ÿ−H (아래 H) (나)　　H−Z−H (위, 아래 H) (다)

(1) (가)는 굽은 형으로 평면 구조이고, (나)는 삼각뿔, (다)는 정사면체로 입체 구조이다.

(2) 전자쌍 반발 이론에 의해 전자쌍의 총수가 같을 때 비공유 전자쌍이 많을수록 결합각은 작아진다.

채점 기준	배점
공유 전자쌍과 비공유 전자쌍 사이의 반발력을 비교하여 옳게 서술한 경우	100 %
비공유 전자쌍 수만 언급하여 서술한 경우	40 %

03 분자의 성질

탐구POOL 208쪽

01 메탄올, 아세트산 **02** 대전체 쪽으로 휘어진다.

01 극성 물질은 부분적인 전하가 있으므로 대전체를 가까이 가져가면 물이나 에탄올과 같이 대전체 쪽으로 휘어진다. 메탄올(CH_3OH), 아세트산(CH_3COOH)은 극성 물질, 벤젠(C_6H_6), 사염화 탄소(CCl_4)는 무극성 물질이다.

02 극성 분자는 분자 내에 부분적인 양전하와 음전하를 모두 가지고 있으므로 (+)대전체를 가까이 대면 분자 내의 부분적인 음전하를 띤 부분이 끌려가 액체 줄기가 대전체 쪽으로 휘어진다.

콕콕! 개념 확인하기 209쪽

✔ 잠깐 확인!

1 극성 **2** 무극성 **3** 극성, 0 **4** 굽은 **5** 극성 **6** 인력, 높 **7** 무극성

01 (1) × (2) × (3) ○ (4) × **02** (1) Cl_2 (2) HF, H_2O, NH_3 (3) CO_2, CH_4 **03** (1) ○ (2) × (3) × **04** ㉠ 음전하 ㉡ 산소 **05** 메테인<암모니아

01 (1) 같은 종류의 원자로 구성된 이원자 분자는 무극성 분자이고, 다른 종류의 원자로 구성된 이원자 분자는 극성 분자이다.

(2) 극성 공유 결합으로 이루어진 분자도 대칭 구조를 이루어 분자의 쌍극자 모멘트가 0인 경우 무극성 분자이다.

(4) 극성 공유 결합으로만 이루어진 분자라도 분자의 구조에 따라 분자의 쌍극자 모멘트가 0이 되므로 무극성 분자가 될 수 있다.

02 극성 분자는 분자의 쌍극자 모멘트가 0이 아닌 분자이며, 극성 공유 결합을 가지고 있더라도 분자의 쌍극자 모멘트가 0이면 무극성 분자이다.

03 (2) 분자량이 비슷한 경우 극성 분자는 무극성 분자에 비해 분자 사이의 힘이 크다. 따라서 분자량이 비슷한 경우 극성 분자의 끓는점이 무극성 분자보다 높다.

(3) 헥세인은 무극성 분자이므로 액체 줄기에 대전체를 대어도 곧게 흐른다.

04 물 분자는 극성 분자이므로 산소 원자는 부분적인 음전하를, 수소 원자는 부분적인 양전하를 띤다. 따라서 대전체를 가느다란 물줄기에 가져가면 물 줄기가 대전체 쪽으로 끌려간다.

05 분자 사이의 힘이 클수록 끓는점이 높아진다. 메테인과 암모니아는 분자량이 비슷하지만 암모니아 분자는 극성을 띠므로 분자 사이의 힘이 메테인보다 크다.

탄탄! 내신 다지기

210쪽~211쪽

01 ④ **02** (가) H_2O (나) CO_2 (다) H_2, N_2 **03** ① **04** ③ **05** ⑤ **06** ②, ⑤ **07** ④ **08** ④ **09** ③ **10** ㄱ, ㄴ **11** ㄱ, ㄷ **12** ②

01 | 선택지 분석 |

① 극성 분자이다.
➡ 삼각뿔 구조로 분자의 쌍극자 모멘트가 0이 아니므로 극성 분자이다.

② 극성 공유 결합이 있다.
➡ N와 H는 전기 음성도가 다르므로 극성 공유 결합을 형성한다.

③ 물에 대한 용해도가 크다.
➡ 암모니아는 극성을 띠므로 물에 대한 용해도가 크다.

④ N는 부분적인 ~~양전하~~ 음전하를 띤다.
➡ 전기 음성도는 N가 H보다 크므로 N는 부분적인 음전하를, H는 부분적인 양전하를 띤다.

⑤ 분자의 쌍극자 모멘트는 0이 아니다.
➡ 암모니아의 분자 구조는 삼각뿔이므로 극성이 상쇄되지 않아 분자의 쌍극자 모멘트가 0보다 크다.

02 | 자료 분석 |

분자의 구조에 따라 달라진다. / 전기 음성도가 다른 원자 사이의 결합 / 전기 음성도가 같은 원자 사이의 결합

구분	극성 공유 결합	무극성 공유 결합
극성 분자	(가) H_2O	−
무극성 분자	(나) CO_2	(다) H_2, N_2

H_2, N_2는 무극성 공유 결합으로 이루어진 무극성 분자이고, CO_2에서 C=O는 극성 공유 결합이지만 분자 구조가 선형이므로 분자의 쌍극자 모멘트가 0인 무극성 분자이다. 또한 H_2O에서 H−O은 극성 공유 결합이며, 분자 구조가 굽은 형이므로 분자의 쌍극자 모멘트가 0이 아닌 극성 분자이다.

03 | 선택지 분석 |

① 분자 구조가 선형이고 중심 원자에 같은 종류의 원자 2개가 결합하고 있으므로 분자의 쌍극자 모멘트가 0인 무극성 분자이다.

② 분자 구조는 선형이나 중심 원자에 다른 종류의 원자 2개가 결합하고 있으므로 분자의 쌍극자 모멘트가 0이 아닌 극성 분자이다.

③ 굽은 형 구조이므로 극성 분자이다.

④ 삼각뿔 구조이므로 극성 분자이다.

⑤ 평면 삼각형 구조이나 결합한 원자의 종류가 다르므로 극성 분자이다.

04 전기 음성도가 서로 다른 두 원자 사이의 공유 결합을 극성 공유 결합이라고 한다. 극성 공유 결합을 이루고 있는 분자는 HF, CO_2, NH_3, H_2O이다. 또한 극성 공유 결합이 있어도 분자의 구조에 따라 분자의 쌍극자 모멘트가 0이면 전하가 분자 내에 고르게 분포하므로 무극성 분자이다. 극성 공유 결합이 있는 4가지 분자 중 CO_2는 분자 구조가 선형으로 분자의 쌍극자 모멘트가 0이므로 무극성 분자이다.

05 | 선택지 분석 |

ㄱ. (가)와 (나)는 모두 극성 공유 결합이 있다.
➡ C−A 결합과 O−A 결합은 서로 다른 원자 사이의 공유 결합이므로 모두 극성 공유 결합이다.

ㄴ. 결합각은 (가)가 (나)보다 크다.
➡ 중심 원자에 4개의 전자쌍이 있고 같은 종류의 원자가 결합되어 있을 때 비공유 전자쌍이 많을수록 결합각은 작아진다.

ㄷ. 분자의 쌍극자 모멘트는 (나)가 (가)보다 크다.
➡ (가)는 무극성 분자, (나)는 극성 분자이다.

06 (가)~(다)는 중심 원자 C가 4개의 전자쌍을 가지므로 사면체 구조이다. 따라서 (나)는 평면 구조가 아니므로 분자의 쌍극자 모멘트가 0보다 크고, (가)~(다)의 결합각은 모두 109.5°에 가깝다.

07 물 분자는 극성 분자로 쌍극자가 있으므로 (+)대전체를 가까이 가져가면 부분적인 음전하를 띤 O 원자 쪽이 끌려가고, (−)대전체를 가까이 가져가면 부분적인 양전하를 띤 H 원자 쪽이 끌려간다. 따라서 대전체가 띠는 전하에 관계없이 대전체 쪽으로 끌려간다.

08 | 선택지 분석 |

① 원자 번호는 Z가 X보다 크다.

➡ 전기 음성도는 F>Cl>H이므로 X는 H, Y는 F, Z는 Cl이다. 따라서 원자 번호는 Z가 X보다 크다.

② (가)는 무극성 공유 결합이 있다.

➡ (가)는 H_2이므로 H 원자 사이의 무극성 공유 결합으로 분자를 형성한다.

③ (나)에서 Y는 부분적인 음전하를 띤다.

➡ 전기 음성도는 Y가 H보다 크므로 HY에서 전기 음성도가 큰 Y가 부분적인 음전하를 띤다.

④ 물에 대한 용해도는 (가)가 (나)보다 크다.

➡ 물은 극성 물질이므로 극성 분자를 잘 용해시킨다. 따라서 무극성 분자인 (가)는 물에 잘 녹지 않으며, 극성 분자인 (나)와 (다)는 물에 잘 녹는다.

⑤ 분자의 쌍극자 모멘트는 (다)가 (가)보다 크다.

➡ (가)는 무극성 분자, (다)는 극성 분자이므로 쌍극자 모멘트는 (다)가 (가)보다 크다.

09 극성 분자는 쌍극자 모멘트가 0이 아닌 분자이며, 전기장에서 일정한 방향으로 배열한다.

10 A~D는 각각 Be, B, N, O이다. $ACl_2(BeCl_2)$는 선형, $BCl_3(BCl_3)$는 평면 삼각형 구조이므로 분자의 쌍극자 모멘트가 0인 무극성 분자이다. $CCl_3(NCl_3)$는 삼각뿔, $DCl_2(OCl_2)$는 굽은 형 구조이므로 분자의 쌍극자 모멘트가 0이 아닌 극성 분자이다.

11 사염화 탄소는 정사면체 구조이므로 결합의 쌍극자 모멘트가 상쇄되는 무극성 분자이다. 무극성 용매에는 무극성 분자인 메테인과 염소가 잘 섞인다.

12 | 자료 분석 |

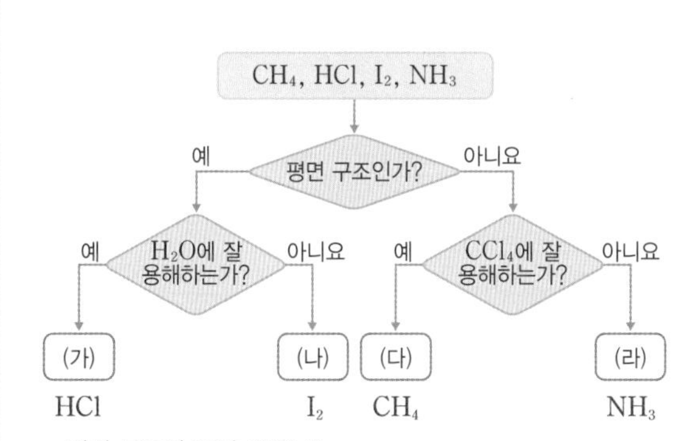

- 평면 구조인 물질: HCl, I_2
  ➡ H_2O에 잘 용해하는 물질은 극성 물질인 HCl이다.
  ➡ H_2O에 잘 용해하지 않는 물질은 무극성 물질인 I_2이다.
- 평면 구조가 아닌 물질: CH_4, NH_3
  ➡ CCl_4에 잘 용해하는 물질은 무극성 물질인 CH_4이다.
  ➡ CCl_4에 잘 용해하지 않는 물질은 극성 물질인 NH_3이다.

| 선택지 분석 |

ㄱ. (가)는 전기장 속에서 무질서하게 배열한다.

➡ (가)는 HCl로, 극성 분자이므로 전기장에서 질서있게 배열한다.

ㄴ. (나)와 (라)의 분자는 쌍극자 모멘트가 0이다.

➡ (라)는 NH_3로, 극성 분자이므로 쌍극자 모멘트가 0이 아니며, 쌍극자 모멘트가 0인 분자는 (나)의 I_2과 (다)의 CH_4이다.

ㄷ. 결합각은 (다)가 (라)보다 크다.

➡ (다)는 CH_4으로 결합각이 109.5°이며, (라)는 NH_3로 결합각이 107°이므로 결합각의 크기는 (다)>(라)이다.

도전! 실력 올리기 212쪽~213쪽

01 ② **02** ③ **03** ③ **04** ③ **05** ① **06** ④

07 ㉠ 사면체 ㉡ (나)

08 | **모범 답안** | $NCl_3>BCl_3$, BCl_3는 중심 원자에 비공유 전자쌍이 없어 분자 구조가 평면 삼각형이므로 무극성 분자이고, NCl_3는 중심 원자에 비공유 전자쌍이 있어 분자 구조가 삼각뿔이므로 극성 분자이다. 따라서 분자의 쌍극자 모멘트는 $NCl_3>BCl_3$이다.

09 | **모범 답안** | 사염화 탄소(CCl_4), 성질이 비슷한 물질끼리 잘 용해되는지 알아보고자 수행하는 실험이므로 극성 용매와 무극성 용매가 모두 필요하다.

01 | 선택지 분석 |

ㄱ. 분자 구조는 선형이다.

➡ (가)의 중심 원자 X에는 비공유 전자쌍이 있으므로 (가)의 분자 구조는 굽은 형이다. (나)의 중심 원자 Z에는 비공유 전자쌍이 없으므로 (나)의 분자 구조는 선형이다.

ㄴ. 극성 공유 결합이 있다.

➡ X~Z는 전기 음성도가 다르므로 X~Z 사이의 공유 결합은 모두 극성 공유 결합이다.

ㄷ. 분자의 쌍극자 모멘트는 0이다.

➡ (가) 분자의 쌍극자 모멘트는 0보다 크고, (나) 분자의 쌍극자 모멘트는 0이다.

02 | 자료 분석 |

화합물	(가)	(나)	(다)
공유 전자쌍 수	2	3	4
비공유 전자쌍 수	2	1	0
분자식	H_2O	NH_3	CH_4

- 분자에서 옥텟 규칙을 만족하는 원자의 원자가 전자 수는 (8−공유 전자쌍 수)이다.
  ➡ 원자가 전자 수: (가) 6, (나) 5, (다) 4
- 전자쌍의 총수가 같을 때 중심 원자에 비공유 전자쌍이 많을수록 결합각은 작다.
  ➡ 결합각 : (가)<(나)<(다)
- 분자의 구조가 굽은 형이거나 삼각뿔이면 분자의 쌍극자 모멘트는 0이 아니다.

| 선택지 분석 |

ㄱ. 중심 원자의 원자가 전자 수는 (가)가 (나)보다 크다.

➡ 원자가 전자 수는 2×(비공유 전자쌍 수)+(공유 전자쌍 수)와 같다. 따라서 (가)는 6, (나)는 5이므로 (가)가 (나)보다 크다.

ㄱ 결합각은 (나)가 (다)보다 ~~크다~~. 작
➡ (나)는 삼각뿔, (다)는 정사면체 구조이므로 결합각은 (다)가 (나)보다 크다.

ㄷ 분자의 쌍극자 모멘트는 (가)가 (다)보다 크다.
➡ (가)는 극성 분자, (다)는 무극성 분자이므로, 분자의 쌍극자 모멘트는 (가)가 (다)보다 크다.

03 | 자료 분석 |

- (가)와 (나)의 분자식은 각각 A_2B, CD_2이다.
- (가)와 (나)는 실온에서 모두 액체로 존재한다.
- (가)와 (나)의 중심 원자에 있는 전자쌍 수는 서로 같다.
  ➡ 공유 전자쌍 수가 2이거나 4이어야 한다.
- 중심 원자에 있는 비공유 전자쌍 수는 (가)는 2, (나)는 0이다.
  ➡ (가)는 공유 전자쌍 수 2, (나)는 공유 전자쌍 수 4이다.
  ➡ B는 공유 전자쌍 수 2, 비공유 전자쌍 수 2이므로 원자가 전자 수가 6이다.
  ➡ A는 B와 1개의 전자쌍을 공유하므로 원자가 전자 수가 1인 H이거나 원자가 전자 수가 7인 할로젠이다.
  ➡ C와 D는 2중 결합을 형성하므로 C는 원자가 전자 수 4, D는 원자가 전자 수 6이다.

∴ (가)는 H_2O, (나)는 CS_2이다.

| 선택지 분석 |

ㄱ B와 D는 같은 족 원소이다.
➡ A_2B의 B에는 비공유 전자쌍이 2개 있으므로 B는 16족 원소이다. CD_2에서 C에는 비공유 전자쌍이 없고, A_2B와 CD_2의 중심 원자에 있는 전자쌍이 같으므로 C와 D는 2중 결합을 형성하며, D는 16족 원소이다. 따라서 B와 D는 같은 족 원소이다.

ㄴ 결합각은 (나)가 (가)보다 크다.
➡ A_2B는 굽은 형, CD_2는 선형 구조이므로 결합각은 (나)가 (가)보다 크다.

ㄷ (가)와 (나)를 시험관에 넣고 흔든 후, I_2을 넣으면 ~~(가)~~ (나) 층의 색이 보라색으로 변한다.
➡ I_2은 무극성 분자이므로 무극성 물질인 CD_2에 잘 용해된다. 따라서 (나) 층의 색이 보라색으로 변한다.

04 XCl_3 분자의 쌍극자 모멘트는 0이므로 XCl_3는 평면 삼각형 구조이며 X는 13족 원소인 B이다. YCl_3에서 Y에는 4개의 전자쌍이 있으므로 Y에는 비공유 전자쌍 1개가 있고, 삼각뿔 구조이다. 따라서 Y는 15족 원소이다.

| 선택지 분석 |

ㄱ 원자가 전자 수는 Y가 X보다 크다.
➡ 원자가 전자 수는 Y가 5, X가 3이므로 Y가 X보다 크다.

ㄴ 결합각은 XCl_3가 YCl_3보다 크다.
➡ 결합각은 평면 삼각형 구조인 XCl_3가 삼각뿔 구조인 YCl_3보다 크다.

ㄷ 공유 전자쌍 수는 YCl_3가 XCl_3보다 ~~크다~~. 같다
➡ 공유 전자쌍은 모두 3개이다.

05 | 선택지 분석 |

ㄱ 극성 공유 결합이 있다.
➡ 극성 분자는 분자 내에 쌍극자가 있어 전기장을 걸어 주면 한쪽 방향으로 배열한다. 따라서 X는 극성 분자이므로 극성 공유 결합이 있다.

ㄴ 분자의 쌍극자 모멘트는 ~~0이다~~. 0이 아니다
➡ 극성 분자의 쌍극자 모멘트는 0이 아니다.

ㄷ $X(g)$ 대신 $CO_2(g)$를 이용하여 실험해도 X와 같이 일정한 방향으로 배열한다.
➡ $CO_2(g)$는 무극성 분자이므로 전기장을 걸어 주어도 일정한 방향으로 배열하지 않는다.

06 | 자료 분석 |

분자	(가)	(나)	(다)
구성 원자의 수	5개	3개	4개
구성 원소의 종류	C, F	C, N, F	C, O, F
구조식	F–C(–F)(–F)–F	F–C≡N	F–C(=O)–F

- (나)는 구성 원소의 가짓수와 원자 수가 같으므로 C, N, F가 1:1:1로 결합되어 있으며, 옥텟 규칙을 만족하므로 C 원자는 F 원자와 1개의 전자쌍을 공유하고, N 원자와 3개의 전자쌍을 공유한다.
- (다)는 C 원자와 O 원자가 2중 결합을 형성하므로 옥텟 규칙을 만족하기 위해 C 원자는 2개의 F 원자와 각각 단일 결합을 형성한다. 따라서 평면 삼각형 구조이며, C와 결합하는 원자의 종류가 다르므로 극성 분자이다.

| 선택지 분석 |

ㄱ (가)의 분자식은 CF_4이다.
➡ (가)는 구성 원소의 종류가 2가지이고, 구성 원자 수는 5이며 옥텟 규칙을 만족하므로 가능한 분자의 분자식은 CF_4이다.

ㄴ 결합각은 ~~(다)가 (나)보다 크다~~. (나) > (다)이다
➡ 분자의 구조는 (가)는 정사면체, (나)는 선형, (다)는 평면 삼각형이므로 결합각은 (나)가 가장 크다.

ㄷ 분자의 쌍극자 모멘트는 (다)가 (가)보다 크다.
➡ (가)는 무극성 분자, (다)는 극성 분자이므로 분자의 쌍극자 모멘트는 (다)가 (가)보다 크다.

07 분자 (가)와 (나)는 공유 전자쌍 수가 4이므로 전자쌍은 사면체 구조로 배치된다. 분자 (가)는 정사면체의 대칭 구조이므로 무극성 분자이고, 분자 (나)는 사면체의 분자 구조를 가지며, 전자쌍이 전기 음성도가 큰 염소 원자 쪽으로 치우쳐 분자의 쌍극자 모멘트가 0이 아닌 극성 분자이다.

08 중심 원자에 3개의 원자가 결합되어 있을 때, 중심 원자에 비공유 전자쌍이 없으면 분자의 구조가 평면 삼각형이고,

중심 원자에 비공유 전자쌍이 있으면 분자의 구조가 삼각뿔이다.

채점 기준	배점
쌍극자 모멘트를 옳게 비교하고, 분자 구조를 근거로 옳게 서술한 경우	100 %
쌍극자 모멘트만 옳게 비교한 경우	30 %

09 극성 물질과 이온 결합 물질은 극성 용매에 잘 용해되고, 무극성 물질은 무극성 용매에 잘 용해된다. I_2은 무극성 물질이고, $CuCl_2$는 이온 결합 물질이므로 용해성을 알아보기 위해 극성 용매인 물과 무극성 용매가 필요하다.

채점 기준	배점
CCl_4를 고르고 그 까닭을 옳게 서술한 경우	100 %
CCl_4만 옳게 고른 경우	30 %

실전! 수능 도전하기

215쪽~217쪽

01 ② **02** ⑤ **03** ① **04** ④ **05** ⑤ **06** ⑤ **07** ③ **08** ① **09** ③ **10** ① **11** ⑤ **12** ③

01 (가)는 $XY_2(CO_2)$, (나)는 $Z_2Y(H_2O)$이다.

| 선택지 분석 |

✗ ~~무극성~~ 극성 공유 결합이 있다.
➡ (가)와 (나)는 모두 극성 공유 결합으로 이루어져 있다.

✗ 분자의 쌍극자 모멘트는 0이다.
➡ (가)는 분자가 대칭 구조이므로 쌍극자 모멘트가 0이지만, (나)는 분자 구조가 굽은 형으로 결합의 쌍극자 모멘트가 상쇄되지 않으므로 쌍극자 모멘트가 0이 아니다.

㉢ $\frac{\text{비공유 전자쌍 수}}{\text{공유 전자쌍 수}}$는 1이다.
➡ (가)에는 공유 전자쌍과 비공유 전자쌍이 모두 4개씩 있고, (나)에는 공유 전자쌍과 비공유 전자쌍이 모두 2개씩 있다. 따라서 (가)와 (나)는 모두 $\frac{\text{비공유 전자쌍 수}}{\text{공유 전자쌍 수}}$가 1이다.

02 | 자료 분석 |

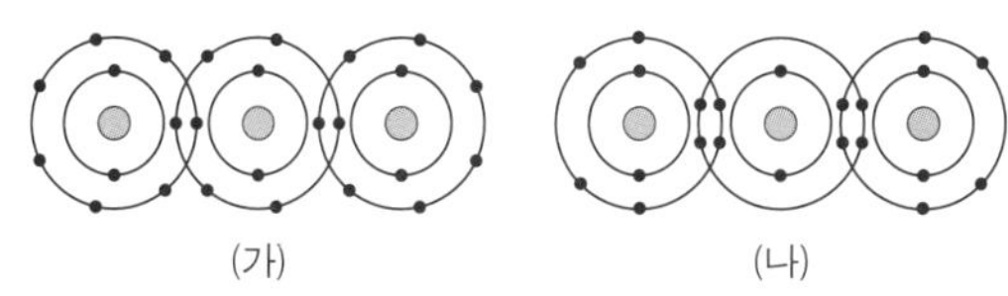

- 옥텟 규칙을 만족하는 분자에서 원자의 원자가 전자 수는 (8－공유 전자쌍 수)와 같다.
  ➡ 원자가 전자 수는 X 6, Y 7, Z 4이다.
- 분자의 구조는 중심 원자에 있는 비공유 전자쌍의 유무에 따라 결정된다.
  ➡ XY_2의 X에는 비공유 전자쌍이 있고, ZX_2의 Z에는 비공유 전자쌍이 없다.
  ➡ XY_2: 굽은 형, ZX_2: 선형

| 선택지 분석 |

㉠ (가)는 극성 분자이다.
➡ (가)에서 중심 원자 X에는 비공유 전자쌍이 있으므로 분자의 구조는 굽은 형이다. 따라서 쌍극자 모멘트가 0이 아니므로 극성 분자이다.

㉡ (나)의 분자 모양은 선형이다.
➡ (나)에서 중심 원자 Z는 비공유 전자쌍이 없고 2개의 원자와 결합되어 있으므로 분자 모양은 선형이며, 결합의 극성이 상쇄되므로 무극성 분자이다.

㉢ ZXY_2에는 2중 결합이 있다.
➡ ZXY_2에서 Z는 X와 2중 결합을 형성한다.

:X: / :Ÿ:Z:Ÿ: (F－C(=O)－F)

03 | 선택지 분석 |

㉠ (나)는 무극성 공유 결합을 포함한다.
➡ (나)에서 N－H 결합은 극성 공유 결합이고, N－N 결합은 무극성 공유 결합이다.

✗ (가)와 (나)에서 모든 원자는 동일 평면에 있다.
➡ (나)의 N는 3개의 원자와 결합되어 있고 비공유 전자쌍이 있으므로 N과 결합한 3개의 원자는 삼각뿔 구조의 꼭짓점에 위치한다. 따라서 (나)는 입체 구조이다.

✗ 공유 전자쌍 수는 (가)와 (나)가 같다.
➡ 공유 전자쌍 수는 (가) 4, (나) 5이다.

04 EA_2에서 E는 부분적인 음전하를 띠므로 E는 16족 원소인 O(산소)이고, A는 1주기 1족 원소인 H(수소)이다. BA_2D_2에서 B는 14족 원소인 C(탄소)이므로 D는 2주기 17족 원소인 F(플루오린)이다. 또한 ABC에서 C는 N(질소)이다.

| 선택지 분석 |

✗ 분자의 쌍극자 모멘트가 0인 분자는 ~~1~~ 0가지이다.
➡ $EA_2(H_2O)$의 분자 구조는 굽은 형으로 분자의 쌍극자 모멘트가 0이 아니며, $BA_2D_2(CH_2F_2)$의 분자 구조는 사면체, ABC(HCN)는 선형이나 중심 원자에 결합한 원자의 종류가 다르므로 분자의 쌍극자 모멘트가 0이 아니다.

㉡ 구성 원자가 동일 평면에 있는 분자는 2가지이다.
➡ 구성 원자가 동일 평면에 있는 분자는 선형의 ABC와 굽은 형의 EA_2이다.

㉢ 1분자당 비공유 전자쌍 수는 (다)가 (가)의 2배이다.
➡ (가)인 ABC에는 C 원자에 비공유 전자쌍이 1개 있고, (다)인 EA_2에는 E 원자에 비공유 전자쌍이 2개 있다.

05 | 자료 분석 |

(선형 구조: 예 / 굽은 형, 정사면체: 아니오)

분류 기준	예	아니오
(가)	HCN, CO_2	OF_2, CH_4
입체 구조인가?	㉠ CH_4	㉡ HCN, CO_2, OF_2
극성 분자인가?	㉢ HCN, OF_2	㉣ CO_2, CH_4

| 선택지 분석 |

✗ (가)에 '공유 전자쌍의 수가 4개인가?'를 적용할 수 있다.

➡ HCN, CO_2, CH_4의 공유 전자쌍이 4개이므로 (가)에서 분류 기준을 '공유 전자쌍의 수가 4개인가?'를 적용할 수 없다.
HCN, CO_2는 선형 구조이고, OF_2는 굽은 형, CH_4은 정사면체 구조이므로 (가)에서 분류 기준은 '선형 구조인가?'를 적용할 수 있다.

ㄴ ㉡에 해당되는 분자에는 비공유 전자쌍이 있다.

➡ HCN에는 N에, CO_2에는 O에, OF_2에는 O와 F에 비공유 전자쌍이 있다.

ㄷ ㉠과 ㉣에 공통으로 해당되는 분자의 구조는 정사면체이다.

➡ ㉠과 ㉣에 공통으로 해당되는 분자는 CH_4이고, 분자 구조는 정사면체이다.

06 H 원자는 단일 결합을 이루므로 (가)에서 X 원자와 X 원자 사이에는 3중 결합을 형성하고, (나)에서 Y 원자와 Y 원자 사이에는 단일 결합을 형성한다. 따라서 (가)는 C_2H_2, (나)는 N_2H_4이다.

$$H-C\equiv C-H \qquad H-\ddot{N}(H)-\ddot{N}(H)-H$$

(가) (나)

| 선택지 분석 |

ㄱ 원자가 전자 수는 Y가 X보다 크다.

➡ X는 C, Y는 N이므로 원자가 전자 수는 Y가 X보다 크다.

ㄴ 비공유 전자쌍 수는 (나)가 (가)보다 크다.

➡ (가)에는 비공유 전자쌍이 없고 (나)에는 2개의 N 원자에 비공유 전자쌍이 각각 1개씩 있다.

ㄷ 결합각은 ∠HXX가 ∠HYY보다 크다.

➡ (가)의 분자 모양은 선형이므로 결합각 ∠HXX는 180°이고, (나)의 분자 모양은 N 원자를 중심으로 결합된 3개의 원자가 삼각뿔의 꼭짓점에 배열되므로 결합각 ∠HYY는 107°에 가깝다. 따라서 결합각은 ∠HXX가 ∠HYY보다 크다.

07 3가지 분자의 구조식은 다음과 같다.

$$H-C\equiv N \qquad H-\overset{O}{\overset{\|}{C}}-H \qquad H-\overset{H}{\overset{|}{C}}=\overset{H}{\overset{|}{C}}-H$$

| 선택지 분석 |

ㄱ 3중 결합을 가지고 있는 분자는 1가지이다.

➡ 3중 결합을 가지고 있는 분자는 HCN 1가지이다.

✗ 구성 원자가 모두 같은 평면에 있는 분자는 ~~2~~가지이다. (3)

➡ HCN는 선형, HCHO는 평면 삼각형, C_2H_4은 2중 결합을 하는 탄소 원자를 중심으로 한 결합각이 120°인 평면 삼각형 구조이다. 따라서 3가지 분자는 모두 구성 원자가 모두 같은 평면에 있다.

ㄷ 분자의 쌍극자 모멘트가 0이 아닌 분자는 2가지이다.

➡ HCN, HCHO는 극성 분자이고 C_2H_4은 무극성 분자이므로 분자의 쌍극자 모멘트가 0이 아닌 분자는 2가지이다.

08 | 자료 분석 |

- (가)와 (나)는 3원자 분자, (다)는 5원자 분자이다.
  - ➡ 3원자 분자 : CO_2, FCN, OF_2, FNO 등
  - ➡ 5원자 분자 : CF_4
- 구성 원소 수는 (가)는 3가지, (나)와 (다)는 2가지이다.
  - ➡ 구성 원소 수 3가지 : FCN, FNO 등
  - ➡ 구성 원소 수 2가지 : CO_2, OF_2, CF_4 등

분자	(가)	(나)	(다)
분자식	FCN	OF_2	CF_4
결합각(°)	180	x	109.5
$\frac{\text{비공유 전자쌍 수}}{\text{공유 전자쌍 수}}$	1	4	3

- (가)는 구성 원소 수가 3가지이고, 결합각이 180°이면서 $\frac{\text{비공유 전자쌍 수}}{\text{공유 전자쌍 수}}=1$이므로 FCN에 해당한다.
- (나)는 $\frac{\text{비공유 전자쌍 수}}{\text{공유 전자쌍 수}}=4$이므로 OF_2에 해당한다.
- (다)는 $\frac{\text{비공유 전자쌍 수}}{\text{공유 전자쌍 수}}=3$이므로 CF_4에 해당한다.

| 선택지 분석 |

ㄱ $x<120°$이다.

➡ (나)는 OF_2이므로 분자 구조는 굽은 형이다. 따라서 결합각은 120°보다 작다.

✗ 공유 전자쌍 수는 (다)가 (가)보다 크다.

➡ (가)의 중심 원자 C는 F과 단일 결합을, N와 3중 결합을 이루고 있으므로 공유 전자쌍 수는 4이다. (다)의 CF_4는 중심 원자 C가 4개의 F과 단일 결합을 이루고 있으므로 공유 전자쌍 수는 4이다.

✗ 분자의 쌍극자 모멘트는 (다)가 (나)보다 ~~크다~~. (작다)

➡ (가)와 (나)는 모두 극성 분자이고 (다)는 무극성 분자이다. 따라서 분자의 쌍극자 모멘트는 (나)가 (다)보다 크다.

09 C, N, O의 수소 화합물 중 전자쌍 수가 4인 분자는 CH_4, NH_3, H_2O이고, 결합각은 각각 109.5°, 107°, 104.5°이다. 따라서 (가)는 H_2O, (나)는 NH_3, (다)는 CH_4이다.

| 선택지 분석 |

ㄱ '전자쌍의 종류'는 ㉠으로 적절하다.

➡ (가)의 결합각이 (나)와 (다)보다 작은 것은 비공유 전자쌍 사이의 반발력이 비공유-공유 전자쌍 사이의 반발력, 공유 전자쌍 사이의 반발력보다 크기 때문이다. 따라서 '전자쌍의 종류'는 ㉠으로 적절하다.

✗ (다)는 극성 분자이다.

➡ (다)는 중심 원자에 비공유 전자쌍이 없으며, 같은 원자가 결합하고 있으므로 결합의 극성이 상쇄되는 무극성 분자이다.

ㄷ 비공유 전자쌍의 수는 (가)>(나)이다.

➡ 비공유 전자쌍 수는 (가)는 2, (나)는 1, (다)는 0이므로 (가)>(나)이다.

10 분자에서 X와 Y는 옥텟 규칙을 만족하므로 $XH_3(NH_3)$의 중심 원자 X는 비공유 전자쌍을 갖고 있다. 따라서 XH_3의 분자 모양은 삼각뿔이다. $YOCl_2(COCl_2)$의 중심

원자 Y는 O와 2중 결합, 2개의 Cl와 단일 결합을 형성하므로 비공유 전자쌍을 갖고 있지 않으며 $YOCl_2$의 분자 모양은 평면 삼각형이다.

| 선택지 분석 |

ㄱ 극성 분자이다.

➡ XH_3와 $YOCl_2$는 모두 쌍극자 모멘트가 0이 아닌 극성 분자이다.

✕ 분자의 구조는 입체 구조이다.

➡ XH_3은 입체 구조, $YOCl_2$은 평면 구조이다.

✕ 공유 전자쌍은 3개이다.

➡ 공유 전자쌍 수는 XH_3 3, $YOCl_2$ 4이다.

11 A는 2주기 15족 원소인 질소(N), B는 1주기 1족 원소인 수소(H), C는 2주기 16족 원소인 산소(O)이다. 따라서 (가)는 $AB_3(NH_3)$, (나)는 $B_2C(H_2O)$이다.

| 선택지 분석 |

ㄱ 결합각은 (가)가 (나)보다 크다.

➡ 결합각은 중심 원자에 비공유 전자쌍이 1개인 (가)가 비공유 전자쌍이 2개인 (나)보다 크다.

ㄴ $\frac{\text{비공유 전자쌍 수}}{\text{공유 전자쌍 수}}$는 (나)가 (가)보다 크다.

➡ $\frac{\text{비공유 전자쌍 수}}{\text{공유 전자쌍 수}}$는 (가) $\frac{1}{3}$, (나) 1이므로 (나)가 (가)보다 크다.

ㄷ (가)와 (나)의 쌍극자 모멘트는 모두 0보다 크다.

➡ (가)와 (나)는 모두 극성 분자이므로 분자의 쌍극자 모멘트는 모두 0보다 크다.

12 | 자료 분석 |

분자	(가)	(나)	(다)
원자 수비	X : Y=3 : 1	X : Y=1 : 1	X : Z=4 : 1
$\frac{\text{비공유 전자쌍 수}}{\text{공유 전자쌍 수}}$	$x=\frac{10}{3}$	2	3
분자식	NF_3	N_2F_2	CF_4

• X는 F, Y는 N, Z는 C이다.

• NF_3, N_2F_2, CF_4의 루이스 전자점식은 다음과 같다.

:F̤̈:N̤̈:F̤̈: (아래 :F̤̈:)　　:F̤̈:N̤::N̤:F̤̈:　　:F̤̈:C:F̤̈: (위 :F̤̈:, 아래 :F̤̈:)

| 선택지 분석 |

ㄱ x는 3보다 크다.

➡ (가)는 공유 전자쌍 수가 3, 비공유 전자쌍 수가 10이므로 x는 3보다 크다.

ㄴ (나)에는 무극성 공유 결합이 있다.

➡ 무극성 공유 결합은 전기 음성도가 같은 원자 사이의 공유 결합이다. (나)에는 N과 N 사이에 무극성 공유 결합이 있다.

✕ 분자의 쌍극자 모멘트는 ~~(다)>(가)~~ (가)>(다)이다.

➡ (가)의 쌍극자 모멘트는 0보다 크고, (다)의 쌍극자 모멘트는 0이므로 분자의 쌍극자 모멘트는 (가)가 (다)보다 크다.

한번에 끝내는 대단원 문제 220쪽~223쪽

01 ② **02** ⑤ **03** ⑤ **04** ③ **05** ② **06** ① **07** ④ **08** ④ **09** ④ **10** ① **11** ② **12** ③ **13** ⑤ **14** ④

15 (1) (가) 수소 (나) 산소

(2) | **모범 답안** | (가) 성냥불을 대어 본다. (나) 꺼져가는 불씨를 넣어 본다.

16 (1) | **모범 답안** | B, B에서 A로 갈 때 이온 사이의 정전기적 인력보다 원자핵과 원자핵 사이의 반발력이 더 크게 작용하므로 에너지가 증가한다.

(2) | **모범 답안** | r_0는 커지고 E는 작아진다.

17 (1) (가) ZF_4 (나) YF_3 (다) XF_2

(2) | **모범 답안** | (나), (다), 극성 분자인 (나)와 (다)는 부분적인 전하를 띠므로 전기장 내에서 부분적인 양전하를 띤 부분은 (−)극 쪽으로, 부분적인 음전하를 띤 부분은 (+)극 쪽으로 향하므로 일정한 방향으로 배열된다.

18 | **모범 답안** | (가)는 전기 음성도가 큰 Cl가 같은 방향으로 결합되어 있어 결합의 쌍극자 모멘트가 상쇄되지 않아 부분적인 전하를 띠는 극성 분자이고, (나)는 Cl가 서로 반대 방향으로 배열되어 있어 결합의 쌍극자 모멘트가 상쇄되는 무극성 분자이기 때문이다.

01 물의 구성 원소는 수소와 산소이므로 물을 전기 분해하면 (−)극에서 수소 기체가, (+)극에서 산소 기체가 생성된다. 물의 전기 분해를 통해 공유 결합이 형성될 때 전자가 관여함을 알 수 있다.

02 | 선택지 분석 |

ㄱ (−)극에서 발생한 기체는 수소이다.

➡ (−)극에서 발생한 기체는 스스로 타는 성질이 있으므로 (−)극에서 수소 기체가 발생한다.

ㄴ (+)극에서 발생한 기체 분자는 2중 결합을 포함한다.

➡ (+)극에서는 가연성의 산소 기체가 발생한다. O는 원자가 전자 수가 6이므로 O 원자끼리 전자쌍 2개를 공유하여 2중 결합을 형성한다.

ㄷ 각 전극에서 발생하는 기체의 부피비는 (−)극 : (+)극=2 : 1이다.

➡ 물의 분해 반응식은 $2H_2O \longrightarrow 2H_2+O_2$이고, (−)극에서 수소 기체가, (+)극에서 산소 기체가 발생하므로 각 전극에서 발생하는 기체의 부피비는 (−)극 : (+)극=2 : 1이다.

03 | 선택지 분석 |

ㄱ (가)는 양이온이다.

➡ (가)는 양성자수>전자 수이므로 (+)전하를 띠는 양이온이다.

ㄴ (나)는 전자 수가 양성자수보다 많다.

➡ (나)는 양성자수가 8, 전자 수가 10이다.

ㄷ (가)와 (나)는 이온 결합으로 안정한 화합물을 만든다.

➡ (가)는 양이온, (나)는 음이온이므로 두 이온은 정전기적 인력에 의해 화합물을 형성한다. 따라서 (가)와 (나)는 이온 결합으로 안정한 화합물을 만든다.

04 | 선택지 분석 |

ㄱ. A와 B는 같은 주기 원소이다.

➡ A는 전자 2개를 잃고 +2가의 양이온이 되었을 때, Ne과 같은 전자 배치를 이루므로 3주기 2족 원소이다. B는 전자 1개를 얻어 −1가의 음이온이 되었을 때 Ar과 같은 전자 배치를 이루므로 3주기 17족 원소이다.

ㄴ. $AC_2(l)$는 전기 전도성이 있다.

➡ C는 2주기 17족 비금속 원소이므로 AC_2는 이온 결합 물질이다. 따라서 액체 상태에서 이온들이 자유롭게 움직일 수 있으므로 전기 전도성이 있다.

ㄷ. 공유 전자쌍 수는 ~~B_2가 C_2의 2배이다~~. (B_2와 C_2가 같다)

➡ B와 C는 모두 원자가 전자 수가 7이므로 전자쌍 1개를 공유하여 단일 결합을 형성한다. 따라서 B_2와 C_2는 공유 전자쌍 수가 1로 같다.

05 화합물 X는 양이온과 음이온으로 이루어진 이온 결합 물질로 외부에서 힘을 가했을 때 같은 전하를 띤 이온 층 사이에 반발력이 작용하여 쉽게 부스러진다.
염화 나트륨은 이온 결합 물질이고, 얼음, 설탕, 드라이아이스, 다이아몬드는 모두 공유 결합 물질이다. 다이아몬드는 매우 단단하여 쉽게 부서지지 않는다.

06 | 선택지 분석 |

ㄱ. 전류를 흘려주면 ~~A는 (−)극~~으로 이동한다. (B는 (+)극)

➡ A는 금속 양이온이므로 전류를 흘려주어도 (−)극으로 이동하지 않는다.

ㄴ. B에 의해 열전도성이 나타난다.

➡ 자유 전자인 B가 인접한 양이온과 자유 전자에 열에너지를 전달하므로 열전도성이 좋다.

ㄷ. 외부에서 힘을 가하면 ~~B 입자 사이의 반발력으로 인해 쉽게 부서진다~~. (부서지지 않는다)

➡ 금속은 외부에서 힘을 가해도 자유 전자인 B가 빠르게 배열하여 금속 결합을 유지시키므로 부서지지 않는다.

07 | 자료 분석 |

주기＼족	1	2	13	14	15	16	17	18
1	A H: 비금속							
2							B F: 비금속	
3	C Na: 금속						D Cl: 비금속	

| 선택지 분석 |

ㄱ. AB는 ~~이온~~ 결합 물질이다. (공유)

➡ A와 B는 모두 비금속 원소이므로 AB는 공유 결합 물질이다.

ㄴ. 전기 전도성은 $C(s)$가 $CD(s)$보다 크다.

➡ $C(s)$는 금속이므로 고체 상태에서 전기 전도성이 있다. 그러나 $CD(s)$는 이온 결합 물질이므로 고체 상태에서 전기 전도성이 없다.

ㄷ. 녹는점은 $CB(s)$가 $CD(s)$보다 높다.

➡ 이온 결합 물질에서 전하량의 곱이 같을 때에는 이온 사이의 거리가 짧을수록 녹는점이 높다. 이온 반지름이 $B^- < D^-$이므로 이온 사이의 거리는 CB<CD이다.

08 (가)는 부분적인 전하가 없으므로 무극성 공유 결합, (나)는 부분적인 전하가 있으므로 극성 공유 결합이다. (다)는 전자가 이동하여 생성된 양이온과 음이온 사이의 결합이므로 이온 결합을 나타낸 것이다.

09 | 선택지 분석 |

ㄱ. ~~$\alpha > \beta$~~이다. ($\alpha < \beta$)

➡ 비공유 전자쌍 사이의 반발력이 공유 전자쌍 사이의 반발력보다 크므로 전자쌍의 총수가 같을 때 비공유 전자쌍 수가 많을수록 결합각은 작아진다. (가)의 중심 원자에는 비공유 전자쌍이 2개, (나)의 중심 원자에는 비공유 전자쌍이 1개이므로 결합각은 $\beta > \alpha$이다.

ㄴ. (가)에서 X는 부분적인 음전하를 띤다.

➡ 전기 음성도는 X, Y가 H보다 크므로 공유 전자쌍이 X, Y 쪽으로 치우친다. 따라서 (가)와 (나)에서 X, Y는 모두 부분적인 음전하를 띤다.

ㄷ. (가)와 (나)는 모두 극성 공유 결합이 있다.

➡ H−X, H−Y 결합은 모두 다른 원자 사이의 결합이므로 극성 공유 결합이다.

10 (가)와 (나)에서 중심 원자가 옥텟 규칙을 만족하려면 A에는 비공유 전자쌍이 2개 있어야 하므로 A는 원자가 전자 수가 6인 O이고, B는 공유 전자쌍이 4개이므로 비공유 전자쌍은 존재하지 않으며, 원자가 전자 수가 4인 C이다. 따라서 (가)와 (나)의 루이스 구조식은 다음과 같다.

(가) $H-\ddot{\underset{\cdot\cdot}{O}}-H$　　(나) $:\ddot{S}=C=\ddot{S}:$

| 선택지 분석 |

ㄱ. $\frac{\text{비공유 전자쌍 수}}{\text{공유 전자쌍 수}}=1$이다.

➡ (가)의 A에는 공유 전자쌍 2개와 비공유 전자쌍 2개가 있고, (나)의 B에는 공유 전자쌍 4개, 황(S)에는 각각 비공유 전자쌍 2개씩이 있으므로 (가)와 (나)는 모두 $\frac{\text{비공유 전자쌍 수}}{\text{공유 전자쌍 수}}=1$이다.

ㄴ. 분자의 구조는 선형이다.

➡ (가)는 굽은 형 구조, (나)는 선형 구조이다.

ㄷ. 분자의 쌍극자 모멘트는 0이다.

➡ (가)는 굽은 형 구조이므로 분자의 쌍극자 모멘트는 0이 아니고, (나)는 선형 구조이므로 분자의 쌍극자 모멘트는 0이다.

11 | 선택지 분석 |

① CO_2: 선형 구조로 평면 구조이나 중심 원자에 비공유 전자쌍이 없다.

② H_2O: 중심 원자 O는 수소 원자 2개와 공유 결합을 이루며, 이때 O 주위에는 공유 전자쌍 2개와 비공유 전자쌍 2개가 있으며, 분자 구조는 굽은 형으로 평면 구조이다.

③ PH_3: 비공유 전자쌍이 있지만 삼각뿔 구조이므로 입체 구조이다.

④ BCl_3: 평면 삼각형 구조로 구성 원자는 모두 동일 평면에 있지만 중심 원자에 비공유 전자쌍이 없다.

⑤ CH_4: 정사면체 구조로 입체 구조이며, 중심 원자에 비공유 전자쌍이 없다.

12 | 자료 분석 |

분자 HCl, CO_2, C_2H_2, BCl_3, NH_3

- 5가지 분자 중 무극성 공유 결합이 있는 분자는 x가지이다.
  → 같은 종류의 원자 사이의 공유 결합이 무극성 공유 결합이다. C_2H_2에서 $C-H$ 결합은 극성 공유 결합이나 $C-C$ 결합은 무극성 공유 결합이므로 무극성 공유 결합이 있는 분자는 C_2H_2 1가지이다. → $x=1$
- 5가지 분자 중 쌍극자 모멘트가 0인 분자는 y가지이다.
  → 쌍극자 모멘트가 0인 분자는 무극성 분자이다. CO_2, C_2H_2는 선형 구조로 무극성 분자이며, BCl_3는 평면 삼각형 구조로 무극성 분자이다. → $y=3$
- 5가지 분자 중 물에 잘 녹는 분자는 z가지이다.
  → 물에 잘 녹는 분자는 극성 분자이다. 따라서 HCl, NH_3 2가지이다. → $z=2$

$x=1$, $y=3$, $z=2$이므로 $x+y+z=6$이다.

13 | 선택지 분석 |

ㄱ. 공유 전자쌍 수는 $B_2>C_2$이다.
➡ B는 원자가 전자 수가 6이므로 2개의 B는 전자쌍 2개를 공유하면 옥텟 규칙을 만족한다. C는 원자가 전자 수가 7이므로 2개의 C는 전자쌍 1개를 공유하면 옥텟 규칙을 만족한다. 따라서 B_2에는 2중 결합이 있고 C_2에는 단일 결합이 있으므로 공유 전자쌍 수는 $B_2>C_2$이다.

ㄴ. 결합각은 $AC_3>BC_2$이다.
➡ AC_3는 평면 삼각형, BC_2는 굽은 형 구조이므로 결합각은 $AC_3>BC_2$이다.

ㄷ. BC_2 분자의 쌍극자 모멘트는 0보다 크다.
➡ BC_2는 굽은 형 구조이므로 분자의 쌍극자 모멘트가 0보다 크다.

14 | 자료 분석 |

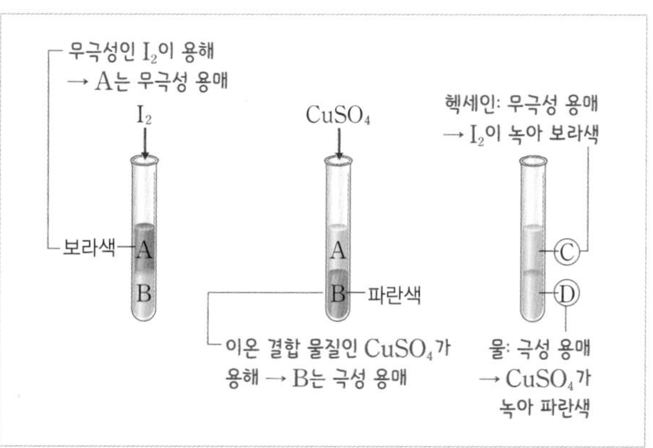

| 선택지 분석 |

~~ㄱ. 분자의 쌍극자 모멘트는 A가 B보다 크다.~~ (작다)
➡ I_2은 무극성 분자이고, $CuSO_4$는 이온 결합 물질이므로 I_2이 용해된 A 층의 물질은 무극성 물질, $CuSO_4$가 용해된 B 층의 물질은 극성 물질이다. 따라서 분자의 쌍극자 모멘트는 B가 A보다 크다.

ㄴ. (나)와 (다)를 혼합하여 흔들어 주면 D 층이 파란색으로 변한다.
➡ 밀도는 물>헥세인이므로 C는 헥세인 층, D는 물 층이다. B가 극성 물질이므로 (나)와 (다)를 혼합하면 B와 극성인 물이 혼합되므로 D 층이 파란색으로 변한다.

ㄷ. (다)에 I_2을 넣으면 C 층이 보라색으로 변한다.
➡ (다)에 I_2을 넣어 주면 헥세인에 용해되므로 헥세인 층이 보라색으로 변한다. 밀도가 물>헥세인이므로 C가 헥세인 층이다.

15 (1) 물을 전기 분해하면 (－)극에서 물이 전자를 얻어 수소 기체가 발생하고, (＋)극에서 물이 전자를 잃어 산소 기체가 발생한다. 이때 발생하는 기체의 부피비는 (－)극 : (＋)극=2 : 1이므로 (가)에서 수소 기체가, (나)에서 산소 기체가 발생한다.

(2) (가)에서 생성되는 수소 기체는 가연성 기체이므로 성냥불을 대어 보면 연소되어 물을 생성한다. (나)에서 생성되는 산소 기체는 연소를 도와주는 기체이므로 꺼져 가는 불씨를 대어 보면 불씨가 다시 살아난다.

채점 기준	배점
(가)와 (나)를 확인할 수 있는 방법을 모두 옳게 쓴 경우	100 %
(가)와 (나) 중 1가지만 옳게 쓴 경우	50 %

16 (1) Na^+과 Cl^-이 결합을 형성할 때 C → B로 갈 때는 두 이온 사이의 정전기적 인력이 반발력보다 우세하게 작용하므로 에너지가 낮아지며, B → A로 갈 때는 원자핵과 원자핵 사이의 반발력이 크게 작용하여 에너지가 증가한다. 따라서 Na^+과 Cl^-은 정전기적 인력과 반발력이 균형을 이루어 에너지가 가장 낮은 B 점에서 이온 결합을 형성한다.

채점 기준	배점
B를 옳게 고르고, 정전기적 인력과 반발력을 비교하여 옳게 서술한 경우	100 %
B만 옳게 고른 경우	30 %

(2) KCl은 K^+과 Cl^-이 이온 결합하여 형성되는데, K^+이 Na^+보다 이온 반지름이 크므로 이온 결합을 형성할 때 방출하는 에너지는 $NaCl$보다 작다.

채점 기준	배점
r_0와 E를 모두 옳게 비교한 경우	100 %
r_0와 E 중 1가지만 옳게 비교한 경우	50 %

17 | 자료 분석 |

분자	극성 유무	
	무극성	극성
XF_2	BeF_2	OF_2
YF_3	BF_3	NF_3
ZF_4	CF_4	

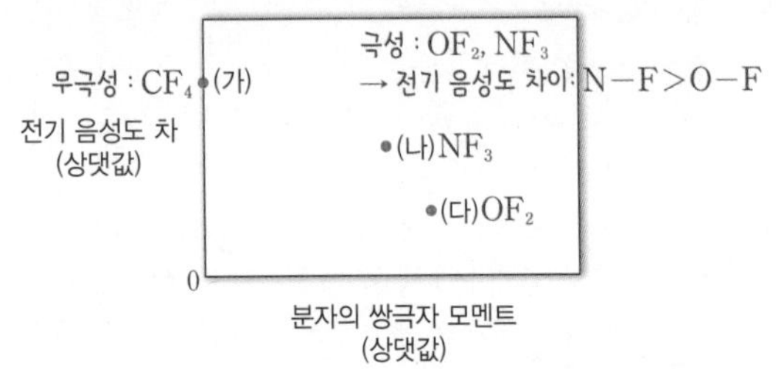

(1) X는 16족, Y는 15족, Z는 14족 원소이며 전기 음성도는 Z<Y<X이다. ZF_4는 무극성 분자이므로 분자의 쌍극자 모멘트가 0이다. 전기 음성도 차이는 Y−F가 X−F보다 크므로 (나)는 YF_3, (다)는 XF_2이다.

(2) 기체 상태의 극성 분자는 부분적인 전하를 띠므로 전기장에서 일정한 방향으로 배열하지만 무극성 분자는 부분적인 전하를 띠지 않으므로 전기장의 영향을 받지 않는다.

극성 분자인 (나)와 (다)는 부분적인 전하를 띠므로 전기장 내에서 일정한 방향으로 배열된다.

채점 기준	배점
(나)와 (다)를 옳게 고르고, 그 까닭을 부분 전하를 이용하여 옳게 서술한 경우	100 %
(나)와 (다)만 옳게 고른 경우	50 %

18 (가)는 쌍극자 모멘트가 0이 아닌 극성 분자, (나)는 쌍극자 모멘트가 0인 무극성 분자이다. 분자량이 같을 때 부분 전하가 있는 극성 분자가 무극성 분자보다 분자 사이의 힘이 더 강하므로 녹는점과 끓는점이 높다.

(가)는 전기 음성도가 큰 Cl가 같은 방향으로 결합되어 있어 결합의 쌍극자 모멘트가 상쇄되지 않아 부분적인 전하를 띠는 극성 분자이고, (나)는 Cl이 서로 반대 방향으로 배열되어 있어 결합의 쌍극자 모멘트가 상쇄되는 무극성 분자이다.

채점 기준	배점
결합의 쌍극자 모멘트를 이용하여 옳게 서술한 경우	100 %
(가)는 극성 분자, (나)는 무극성 분자이기 때문이라고만 서술한 경우	50 %

1 »» 화학 반응에서 동적 평형

01 가역 반응과 동적 평형

개념POOL 228쪽

01 (가)=(나)=(다) **02** (다)
03 (1) ○ (2) ○ (3) × (4) ×

03 (4) (다)는 동적 평형에 도달한 상태이므로 증발 속도와 응축 속도가 같아 액체 상태인 물의 양과 기체 상태인 수증기의 양이 일정하게 유지된다.

콕콕! 개념 확인하기 229쪽

✔ 잠깐 확인!
1 가역 반응 **2** 동적 평형 **3** 상평형 **4** 석출, 용해 평형, 포화 **5** 화학 평형

01 (1) × (2) × (3) ○ **02** (1) 비가역 (2) 비가역 (3) 가역
03 (가)−(다)−(나) **04** (1) ○ (2) × (3) ○

03 증발 속도는 일정하고 시간에 따라 응축 속도가 점점 빨라지므로 시간 순서대로 나열하면 (가)−(다)−(나)이다.

04 (2) 용해되어 녹아 들어간 용질의 양(mol)은 (가)<(나)<(다)이므로 용액의 몰 농도는 (가)<(나)<(다)이다.

탄탄! 내신 다지기 230쪽~231쪽

01 ⑤ **02** ③ **03** $CoCl_2 + 6H_2O \rightleftharpoons CoCl_2 \cdot 6H_2O$
04 ⑤ **05** ① **06** ⑤ **07** ② **08** ④ **09** ①
10 (1) $A_2(g) + 2AB(g) \rightleftharpoons 2A_2B(g)$ (2) A_2, AB, A_2B

01 | 선택지 분석 |

① 가역 반응은 동적 평형에 도달할 수 있다.
➡ 가역 반응은 정반응뿐만 아니라 역반응도 일어날 수 있으므로 동적 평형에 도달할 수 있다.

② 물의 증발과 응축은 가역적으로 일어난다.
➡ 액체가 기체로 되는 증발과 기체가 액체로 되는 응축은 양방향으로 진행될 수 있는 가역 반응이다.

③ 가역 반응은 정반응과 역반응이 모두 일어날 수 있다.
➡ 가역 반응은 반응 조건에 따라 정반응과 역반응이 모두 일어날 수 있다.

④ 염산과 수산화 나트륨 수용액의 반응은 비가역 반응이다.
➡ 산 염기 중화 반응은 역반응이 거의 일어나지 않는 비가역 반응이다.

⑤ 비가역 반응은 온도, 압력 조건에 따라 역반응도 일어날 수 있다.
➡ 비가역 반응은 정반응만 일어날 수 있는 반응으로 온도, 압력 조건을 변화시켜도 역반응이 거의 일어나지 않는다.

02 | 선택지 분석 |

① 프로페인의 연소 반응
➡ 연소 반응은 역반응이 일어나지 않는 비가역 반응이다.

② 염산과 마그네슘의 반응
➡ 산과 금속이 반응하여 기체가 발생하는 반응은 역반응이 일어나지 않는 비가역 반응이다.

③ 사산화 이질소의 생성과 분해 반응
➡ 이산화 질소가 반응하여 사산화 이질소를 생성하는 반응과 사산화 이질소가 다시 이산화 질소로 분해되는 반응은 가역적으로 일어난다.

④ 질산과 수산화 나트륨 수용액의 반응
➡ 산 염기 중화 반응은 역반응이 거의 일어나지 않는 비가역 반응이다.

⑤ 질산 은 수용액과 염화 나트륨 수용액의 반응
➡ 앙금 생성 반응은 역반응이 거의 일어나지 않는 비가역 반응이다.

03 염화 코발트가 물과 결합하여 염화 코발트 육수화물을 생성하는 반응과 염화 코발트 육수화물이 물을 잃고 염화 코발트로 되는 반응이 가역적으로 일어나므로 반응물과 생성물을 $\rightleftharpoons$로 나타낸다.

04 | 선택지 분석 |

(가) $HCl(aq)+NaOH(aq) \longrightarrow H_2O(l)+NaCl(aq)$
➡ 산 염기 중화 반응으로, 비가역 반응이다.

(나) $CH_4(g)+2O_2(g) \longrightarrow CO_2(g)+2H_2O(l)$
➡ 메테인의 연소 반응으로, 비가역 반응이다.

(다) $N_2(g)+3H_2(g) \rightleftharpoons 2NH_3(g)$
➡ 질소와 수소가 반응하여 암모니아를 생성하는 정반응과 암모니아가 질소와 수소로 분해되는 역반응이 모두 일어날 수 있는 가역 반응이다.

05 | 선택지 분석 |

ㄱ. 정반응은 반응물이 생성물로 되는 반응이다.
➡ 정반응은 화학 반응식에서 오른쪽으로 진행되는 반응으로, 반응물이 생성물로 되는 반응이다.

ㄴ. 가역 반응이 동적 평형에 도달하면 정반응은 일어나지 않는다.
➡ 동적 평형에서는 정반응과 역반응이 같은 속도로 일어난다.

ㄷ. 비가역 반응은 충분한 시간이 지나면 동적 평형에 도달한다.
➡ 비가역 반응은 역반응이 거의 일어나지 않으므로 동적 평형에 도달하지 않는다.

06 | 선택지 분석 |

ㄱ. 가역 반응은 충분한 시간이 지나면 동적 평형에 도달한다.
➡ 가역 반응은 처음에 정반응이 우세하게 일어나다가, 충분한 시간이 지나면 역반응 속도가 정반응 속도와 같아져 동적 평형에 도달한다.

ㄴ. 정반응과 역반응이 같은 속도로 일어난다.
➡ 동적 평형에서는 정반응과 역반응이 같은 속도로 일어난다.

ㄷ. 반응물과 생성물이 함께 존재한다.
➡ 정반응과 역반응이 모두 일어나므로 반응물과 생성물이 함께 존재한다.

07 | 선택지 분석 |

ㄱ. 증발 속도는 (가)가 가장 빠르다.
➡ 온도가 일정할 때 물의 증발 속도는 일정하므로 증발 속도는 (가)=(나)=(다)이다.

ㄴ. 응축 속도는 (나)가 가장 빠르다.
➡ 응축 속도는 용기 속 수증기 분자 수가 많을수록 빠르므로 (가)<(나)<(다)이다.

ㄷ. (다)는 동적 평형 상태이다.
➡ (다)는 증발 속도와 응축 속도가 같으므로 동적 평형 상태이다.

08 | 선택지 분석 |

ㄱ. 물에 녹아 들어가는 설탕 분자는 없다.
➡ 물에 넣어 준 설탕 중 일부가 바닥에 가라앉은 것으로 보아 용해 평형에 도달한 상태로, 용해가 계속 일어나고 있다.

ㄴ. 용해 평형에 도달한 상태이다.
➡ 용해되는 용질의 양과 석출되는 용질의 양이 같게 유지되는 용해 평형 상태이다.

ㄷ. 이 용액은 포화 용액이다.
➡ 용해 평형에 도달한 용액이므로 포화 용액이다.

09 | 선택지 분석 |

ㄱ. (가)에서는 Br_2의 증발 속도가 응축 속도보다 빠르다.
➡ 일정 온도에서 증발 속도는 일정하다. 응축 속도는 용기 속 기체 분자 수에 비례하므로 (가)에서는 증발 속도가 응축 속도보다 빠르다.

ㄴ. (나)는 동적 평형 상태이다.
➡ (나)는 동적 평형에 도달하기 이전 상태이다.

ㄷ. (다)에서 응축되는 $Br_2(g)$ 분자 수는 0이다.
➡ (다)는 동적 평형 상태이므로 응축되는 $Br_2(g)$ 분자 수와 증발되는 $Br_2(l)$ 분자 수가 같다.

10 (1) 반응물은 A_2, AB이고, 생성물은 A_2B이며, 반응 전후 원자의 종류와 수가 같도록 계수를 맞춘다.
(2) 화학 평형에서는 정반응과 역반응이 같은 속도로 일어나므로 반응물과 생성물이 함께 존재한다.

도전! 실력 올리기 232쪽~233쪽

01 ② 02 ② 03 ① 04 ⑤ 05 ③ 06 ③

07 ㉠ 상평형, ㉡ 용해 평형, ㉢ 동적 평형

08 | **모범 답안** | 이 상태는 용해 평형에 도달한 상태이므로 용액은 포화 용액이다. 이 상태에서 소량의 설탕을 더 넣어 주어도 용액 속으로 녹아 들어가는 용질의 양이 증가하지 않으므로 설탕 수용액의 몰 농도는 일정하다.

09 | **모범 답안** | N_2, H_2, NH_3가 존재한다. 주어진 반응은 가역 반응이며, 가역 반응은 정반응과 역반응이 모두 일어날 수 있는 반응이므로 반응물인 N_2와 H_2가 NH_3로 되는 정반응과 생성물인 NH_3가 N_2와 H_2로 분해되는 역반응이 함께 일어나 동적 평형에 도달한다. 따라서 반응물과 생성물이 함께 존재하게 된다.

01 | 선택지 분석 |

✗ (가)는 정반응~~과 역반응이 모두~~ 일어날 수 있다. (→ 만)

➡ (가)는 연소 반응으로, 역반응이 일어나지 않는 비가역 반응이다.

✗ (나)는 정반응~~만~~ 일어날 수 있다. (→ 과 역반응이)

➡ (나)는 가역 반응으로, 정반응과 역반응이 모두 일어날 수 있다.

㉢ (다)는 동적 평형에 도달할 수 있다.

➡ (다)는 가역 반응으로, 정반응과 역반응이 모두 일어날 수 있고, 충분한 시간이 지나면 동적 평형에 도달할 수 있다.

02 | 선택지 분석 |

✗ 증발 속도는 ~~(가)에서 가장 빠르다~~. (→ (가)~(다)에서 같다)

➡ 온도가 일정하므로 증발 속도는 (가)~(다)에서 모두 같다.

✗ |응축 속도−증발 속도|는 ~~(나)~~에서 가장 크다. (→ (가))

➡ |응축 속도−증발 속도|, 즉 응축 속도와 증발 속도의 차이는 (가)에서 가장 크다.

㉢ 수증기의 양(mol)은 (다)에서 가장 많다.

➡ (가)와 (나)는 동적 평형에 도달하기 이전 상태이므로 수증기의 양(mol)은 (다)에서 가장 많다.

03 | 자료 분석 |

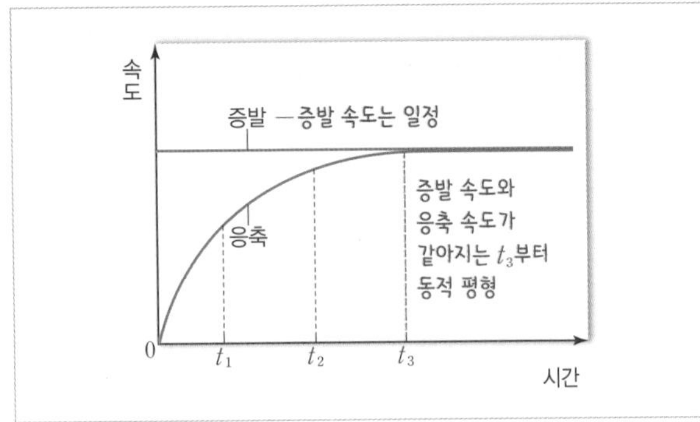

| 선택지 분석 |

㉠ 용기 속 $H_2O(l)$의 양은 t_1일 때가 t_2일 때보다 많다.

➡ 응축 속도는 용기 속 수증기의 양이 많을수록 빠르다. 따라서 응축 속도가 더 빠른 t_2일 때가 t_1일 때보다 증발한 물의 양이 더 많은 것이므로 용기 속 $H_2O(l)$의 양은 t_1일 때가 t_2일 때보다 많다.

✗ 용기 속 $H_2O(g)$의 양은 t_2일 때가 t_3일 때보다 ~~많다~~. (→ 적다)

➡ 응축 속도는 용기 속 수증기의 양이 많을수록 빠르다. 따라서 수증기의 양은 t_3일 때가 t_2일 때보다 많다.

✗ t_3일 때는 ~~더 이상~~ 증발이 일어~~나지 않는다~~. (→ 난다)

➡ t_3는 동적 평형 상태이므로 증발과 응축이 같은 속도로 일어난다.

04 | 선택지 분석 |

㉠ 설탕의 용해와 석출은 가역적으로 일어난다.

➡ 설탕의 용해 반응을 정반응이라고 하면 용액 속 설탕이 고체 상태로 되는 석출 반응은 역반응으로, 이 과정은 가역적으로 일어난다.

㉡ (다)는 포화 용액이다.

➡ (다)는 용해 속도=석출 속도이므로 용해 평형에 도달한 용액으로, 포화 용액이다.

㉢ 용액의 몰 농도는 (다)>(나)이다.

➡ 용액 속에 녹아 있는 용질의 양은 용해 평형에 도달한 (다)에서가 용해 평형에 도달하기 이전 상태인 (나)에서보다 크다.

05 | 선택지 분석 |

㉠ 동적 평형 상태이다.

➡ 수면의 높이가 일정하므로 증발과 응축이 같은 속도로 일어나는 동적 평형 상태이다.

✗ ~~더 이상~~ 증발이 ~~일어나지 않는다~~. (→ 계속 일어난다)

➡ 동적 평형 상태이므로 증발과 응축이 같은 속도로 일어나고 있다.

㉢ 용기 속 $H_2O(g)$의 양(mol)은 일정하다.

➡ 증발되는 물 분자의 양(mol)만큼 수증기가 응축되므로 용기 속 $H_2O(g)$의 양(mol)과 $H_2O(l)$의 양(mol)은 일정하다.

06 | 자료 분석 |

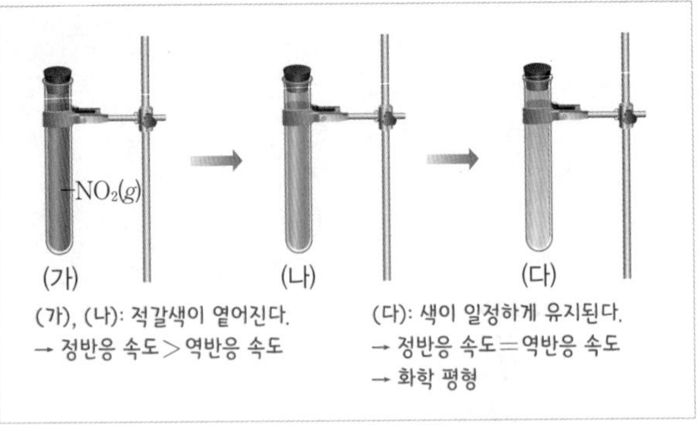

| 선택지 분석 |

㉠ (가)에서는 정반응 속도가 역반응 속도보다 빠르다.

➡ (가)에서는 적갈색이 옅어지므로 정반응 속도가 역반응 속도보다 빠르다.

✗ (나)에서는 역반응 속도와 정반응 속도가 같~~다~~. (→ 지 않다)

➡ (나)는 화학 평형에 도달하기 이전 상태이므로 정반응 속도가 역반응 속도보다 빠르다.

㉢ (다)에서 N_2O_4의 몰 농도는 일정하다.

➡ (다)는 화학 평형에 도달한 상태이므로 반응물과 생성물의 농도가 일정하다.

07 동적 평형은 반응이 멈춘 것이 아니라 정반응과 역반응이 같은 속도로 일어나는 상태이며, 상평형과 용해 평형 등이 그 예이다.

08 용해 평형을 이룬 용액은 포화 용액이므로 용질을 더 넣어 주어도 용액에 녹아 들어가는 용질의 양이 증가하지 않는다.

채점 기준	배점
용액이 용해 평형을 이루고 있음을 언급하여 몰 농도가 더 이상 증가하지 않는다고 옳게 서술한 경우	100 %
몰 농도가 더 이상 증가하지 않는다고만 서술한 경우	60 %

09 화학 평형 상태에서는 정반응과 역반응이 같은 속도로 일어나므로 반응물과 생성물이 함께 존재한다.

채점 기준	배점
물질의 화학식을 옳게 쓰고, 주어진 반응이 가역 반응임을 언급하여 그 까닭을 옳게 서술한 경우	100 %
물질의 화학식만 옳게 쓴 경우	50 %

02 물의 자동 이온화와 pH

개념POOL 236쪽

01 (가) 산성, (나) 중성, (다) 염기성
02 (1) × (2) ○ (3) ○ (4) ×

02 (1) 일정한 온도에서는 용액의 액성과 관계없이 $[H_3O^+]$와 $[OH^-]$의 곱이 항상 일정하며, 온도가 25 ℃일 때 그 값은 1×10^{-14}이다.

콕콕! 개념 확인하기 237쪽

✔ 잠깐 확인!

1 자동 이온화 **2** 이온화 상수, 1×10^{-14} **3** >, =, < **4** 수소 이온 농도 지수, pH **5** 작, 크

01 (1) ○ (2) × (3) ○ (4) ○ **02** (1) 염기성 (2) 산성 (3) 염기성 (4) 산성 **03** (1) × (2) ○ (3) ○ (4) × (5) ○
04 (가) pH=6, (나) pH=10, (다) pH=8, (라) pH=4

01 (2) 물이 자동 이온화하여 H_3O^+과 OH^-을 생성하는 반응이 동적 평형에 도달했을 때, 25 ℃에서 그 농도의 곱이 1×10^{-14}으로 매우 작은 것으로 보아 물 분자 중 매우 적은 양만 이온화한다.

02 25 ℃의 중성 용액에서 $[H_3O^+]=[OH^-]=1\times10^{-7}$ M이므로 $[H_3O^+]>1\times10^{-7}$ M인 용액은 산성 용액이고, $[H_3O^+]<1\times10^{-7}$ M인 용액은 염기성 용액이다. 또 $[OH^-]>1\times10^{-7}$ M인 용액은 염기성 용액이고, $[OH^-]<1\times10^{-7}$ M인 용액은 산성 용액이다.

04 (가) $[H_3O^+]=1\times10^{-6}$ M이므로 pH는 6이다.
(나) $[OH^-]=1\times10^{-4}$ M이므로 pOH는 4이고, pH+pOH=14이므로 pH는 10이다.
(다) $[H_3O^+]=1\times10^{-8}$ M이므로 pH는 8이다.
(라) $[OH^-]=1\times10^{-10}$ M이므로 pOH는 10이고, pH+pOH=14이므로 pH는 4이다.

탄탄! 내신 다지기 238쪽~239쪽

01 ② **02** ① **03** $[H_3O^+]=1\times10^{-12}$ M, $[OH^-]=1\times10^{-2}$ M **04** ③ **05** ⑤ **06** ④ **07** ④ **08** ⑤ **09** ① **10** ⑤

01 | 선택지 분석 |

① 물의 자동 이온화는 ~~비가역 반응~~(가역 반응)이다.
➡ 물 분자끼리 H^+을 주고받아 H_3O^+과 OH^-을 생성하는 반응과 H_3O^+과 OH^-이 다시 H_2O을 생성하는 반응은 양방향으로 일어날 수 있는 가역 반응이다.

② 순수한 물에서 $[H_3O^+]$와 $[OH^-]$는 같다.
➡ 어느 물 분자 하나가 H^+을 내주어 OH^-이 되면 다른 한 분자는 H_3O^+이 되므로 순수한 물에서 $[H_3O^+]$와 $[OH^-]$는 항상 같다.

③ 25 ℃의 수용액에서 $[H_3O^+]$와 $[OH^-]$의 ~~합~~(곱)은 항상 일정한 값을 갖는다.

④ 순수한 물에서 $[H_3O^+]$와 $[OH^-]$의 곱은 온도에 ~~관계없이 항상 일정한 값을 갖는다~~(따라 달라진다).
➡ $[H_3O^+]$와 $[OH^-]$의 곱은 온도에 따라 달라지며, 25 ℃일 때의 값이 1×10^{-14}이다.

⑤ 순수한 물에서는 분자 상태로 존재하는 물의 양(mol)보다 H_3O^+의 양(mol)이 더 ~~많다~~(적다).
➡ 물의 이온화 상수는 매우 작은 값이므로 순수한 물에서 분자 상태로 존재하는 물의 양(mol)이 H_3O^+의 양(mol)보다 많다.

02 | 선택지 분석 |

ㄱ. 물의 자동 이온화 반응이 동적 평형에 도달했을 때 물 속 $[H_3O^+]$와 $[OH^-]$의 곱으로 나타낸다.
➡ 물의 자동 이온화 반응이 동적 평형에 도달했을 때의 $[H_3O^+]$와 $[OH^-]$의 곱이 물의 이온화 상수이다.

ㄴ. 온도에 ~~관계없이 항상 1×10^{-14}으로 일정하다~~(따라 그 값이 다르다).
➡ 물의 이온화 상수는 온도에 따라 달라지며, 25 ℃에서의 값이 1×10^{-14}이다.

ㄷ. 25 ℃ 산성 용액에서 그 값은 1×10^{-14}~~보다 크다~~(이다).
➡ 25 ℃에서 물의 이온화 상수는 용액의 액성에 관계없이 1×10^{-14}이다.

03 0.01 M NaOH 수용액에 들어 있는 $[OH^-]=1\times10^{-2}$ M이고, 25 ℃에서 $[H_3O^+][OH^-]=1\times10^{-14}$이므로 $[H_3O^+]=1\times10^{-12}$ M이다.

04 | 자료 분석 |

25 ℃에서 수용액의 $[H_3O^+][OH^-]=1\times10^{-14}$이다.

수용액	(가)	(나)	(다)
$[H_3O^+]$	1×10^{-7}	1×10^{-10}	1×10^{-11}
$[OH^-]$	1×10^{-7}	1×10^{-4}	1×10^{-3}

| 선택지 분석 |

㉠ (가)는 중성 용액이다.
➡ (가)는 $[H_3O^+]=[OH^-]=1\times10^{-7}$ M이므로 중성 용액이다.

✕ (나)에서 $[H_3O^+]$ ~~>~~ $[OH^-]$이다. <
➡ (나)에서 $[H_3O^+]=1\times10^{-10}$, $[OH^-]=1\times10^{-4}$이므로 $[H_3O^+]<[OH^-]$이다.

㉢ (다)에서 $[OH^-]$는 1×10^{-3} M이다.
➡ (다)에서 $[H_3O^+]=1\times10^{-11}$ M이므로 $[OH^-]$는 1×10^{-3} M이다.

05 | 선택지 분석 |

㉠ (가)에 마그네슘(Mg)을 넣으면 수소 기체가 발생한다.
➡ (가)는 산성 용액이므로 Mg을 넣으면 수소 기체가 발생한다.

㉡ (나)에 BTB 용액을 떨어뜨리면 파란색을 나타낸다.
➡ (나)는 염기성 용액이므로 BTB 용액을 떨어뜨리면 파란색을 나타낸다.

㉢ 물의 이온화 상수(K_w)는 모두 같다.
➡ 일정한 온도에서 물의 이온화 상수(K_w)는 용액의 액성과 관계없이 같은 값을 가진다.

06 | 선택지 분석 |

✕ $[H_3O^+]$가 클수록 pH가 ~~크다~~. 작다
➡ pH는 $[H_3O^+]$에 −log를 취한 값이므로 $[H_3O^+]$가 클수록 pH가 작다.

㉡ pH가 1만큼 작아지면 수소 이온 농도는 10배 커진다.
➡ pH는 $[H_3O^+]$에 −log를 취한 값이므로 pH가 1만큼 작아지면 $[H_3O^+]$는 10배 커진다.

㉢ 25 ℃에서 pH가 6인 수용액 속 $[H_3O^+]$는 $[OH^-]$보다 크다.
➡ 25 ℃에서 pH가 6인 수용액은 산성 용액이므로 $[H_3O^+]$가 $[OH^-]$보다 크다.

07 0.001 M 염산에서 $[H_3O^+]=1\times10^{-3}$ M이고, $[OH^-]=1\times10^{-11}$ M이다. 따라서 $\frac{[H_3O^+]}{[OH^-]}=\frac{1\times10^{-3}}{1\times10^{-11}}=1\times10^{8}$이다.

08 | 선택지 분석 |

㉠ (가)에서 $[H_3O^+]>[OH^-]$이다.
➡ (가)는 산성 용액이므로 $[H_3O^+]>[OH^-]$이다.

㉡ (나)에서 $[H_3O^+]=1\times10^{-7}$ M이다.
➡ (나)는 중성 용액이므로 $[H_3O^+]=1\times10^{-7}$ M이다.

㉢ (다)의 pH는 7보다 크다.
➡ (다)는 염기성 용액이므로 pH가 7보다 크다.

09 | 선택지 분석 |

㉠ (가)의 pH는 3이다.
➡ 0.001 M HCl(aq)에서 $[H_3O^+]=0.001$ M이므로 pH는 3이다.

✕ $[H_3O^+]$는 (가)가 (나)의 ~~2~~배이다. 10
➡ pH가 1만큼 작을수록 $[H_3O^+]$는 10배 크다. 따라서 $[H_3O^+]$는 (가)가 (나)의 10배이다.

✕ (다)의 pH는 ~~5~~이다. 9
➡ (다)에서 $[OH^-]=1\times10^{-5}$ M이므로 $[H_3O^+]=1\times10^{-9}$ M이다. 따라서 pH는 9이다.

10 | 자료 분석 |

25 ℃에서 pH가 7보다 작은 물질은 산성을 띤다.

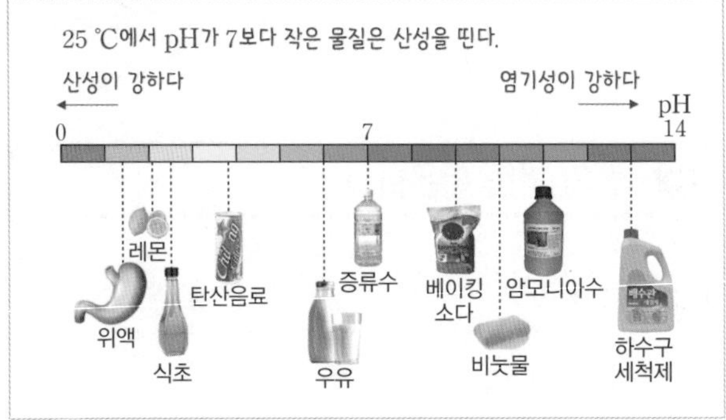

| 선택지 분석 |

㉠ 우유는 산성을 띤다.
➡ 우유의 pH는 7보다 작으므로 산성이다.

㉡ 염기성이 가장 강한 물질은 하수구 세척액이다.
➡ pH가 클수록 염기성이 강하므로 주어진 물질 중 pH가 가장 큰 하수구 세척액의 염기성이 가장 강하다.

㉢ 물질 속 $[H_3O^+]$는 식초가 탄산음료보다 크다.
➡ pH가 작을수록 $[H_3O^+]$가 크므로 pH가 더 작은 식초의 $[H_3O^+]$가 탄산음료의 $[H_3O^+]$보다 크다.

도전! 실력 올리기

240쪽~241쪽

01 ③ **02** ③ **03** ⑤ **04** ⑤ **05** ① **06** ②

07 | 모범 답안 | $[H_3O^+]=[OH^-]$이다. 어느 물 분자 하나가 H^+을 내놓고 OH^-이 되면 다른 분자는 H_3O^+이 되므로, 순수한 물속에 존재하는 H_3O^+의 수와 OH^-의 수는 항상 같기 때문이다.

08 ㉠ 3, ㉡ 10^{-6}, ㉢ 10^{-5}, ㉣ 2

09 | 모범 답안 | 마그네슘 조각을 넣었을 때 기체가 발생하는 것은 (가)이고, 페놀프탈레인 용액을 떨어뜨렸을 때 붉게 변하는 것은 (다)이다. (가)는 $[H_3O^+]>[OH^-]$인 산성 용액이고, (다)는 $[OH^-]>[H_3O^+]$인 염기성 용액이기 때문이다.

01 | 선택지 분석 |

ㄱ. 순수한 물에 들어 있는 H_3O^+의 양(mol)과 OH^-의 양(mol)은 같다.

➡ 순수한 물에서 $[H_3O^+]$와 $[OH^-]$는 항상 같다.

ㄴ. 순수한 물에서 $[OH^-]$는 1×10^{-7} M이다.

➡ 25 ℃ 순수한 물에서 $[H_3O^+]=[OH^-]=1\times10^{-7}$ M이다.

✕ 순수한 물에 염산을 소량 넣으면 물의 이온화 상수(K_w)는 ~~커진다~~ 일정하다.

➡ 온도가 25 ℃이면 산성 용액에서도 K_w의 값은 1×10^{-14}이다.

02 | 선택지 분석 |

ㄱ. 산성 용액이다.

➡ $[OH^-]=1\times10^{-9}$ M이므로 $[H_3O^+]=1\times10^{-5}$ M이다. $[H_3O^+]>1\times10^{-7}$이므로 산성 용액이다.

ㄴ. pH는 5이다.

➡ $[OH^-]=1\times10^{-9}$ M이고, 25 ℃에서 $[H_3O^+][OH^-]=1\times10^{-14}$이므로 $[H_3O^+]=1\times10^{-5}$ M이다. 따라서 pH는 5이다.

✕ 수용액의 $[H_3O^+]$와 $[OH^-]$의 곱은 1×10^{-14}~~보다 크다~~ 이다.

➡ 25 ℃에서 $[H_3O^+]$와 $[OH^-]$의 곱은 용액의 액성에 관계없이 항상 1×10^{-14}이다.

03 | 선택지 분석 |

ㄱ. (가)는 중성 용액이다.

➡ BTB 용액은 중성에서 초록색을 나타내므로 (가)는 중성 용액이다.

ㄴ. 수용액 속 $[H_3O^+]$는 (나)가 (가)보다 크다.

➡ (나)에서 BTB 용액이 노란색을 나타내었으므로 (나)는 산성 용액이다. (가)는 중성 용액이므로 수용액 속 $[H_3O^+]$는 (나)가 (가)보다 크다.

ㄷ. pH는 (다)가 (나)보다 크다.

➡ (다)에서 BTB 용액이 파란색을 나타내었으므로 (다)는 염기성 용액이다. 따라서 산성 용액인 (나)보다 pH가 크다.

04 | 자료 분석 |

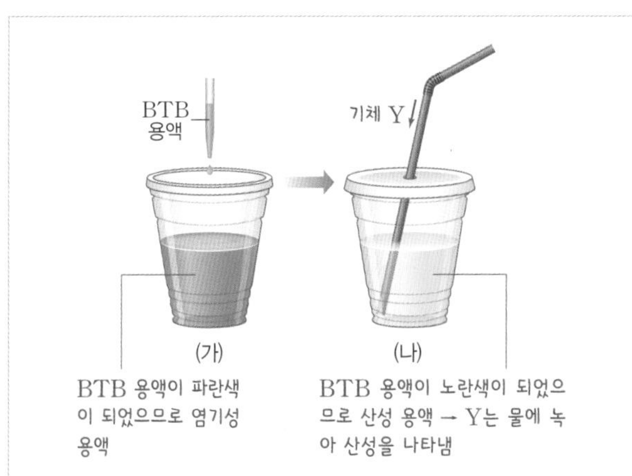
BTB 용액
기체 Y
(가)
(나)
BTB 용액이 파란색이 되었으므로 염기성 용액
BTB 용액이 노란색이 되었으므로 산성 용액 → Y는 물에 녹아 산성을 나타냄

| 선택지 분석 |

ㄱ. (가)에서 $[H_3O^+]<[OH^-]$이다.

➡ (가)는 염기성 용액이므로 $[H_3O^+]<[OH^-]$이다.

ㄴ. Y는 물에 녹아 H^+을 내놓는다.

➡ 기체 Y는 산성을 띠는 물질이므로 물에 녹아 H^+을 내놓는다.

ㄷ. $[H_3O^+]$와 $[OH^-]$의 곱은 (가)와 (나)에서 같다.

➡ 온도가 같으면 용액의 액성과 관계없이 $[H_3O^+]$와 $[OH^-]$를 곱한 값이 같다.

05 | 선택지 분석 |

ㄱ. ▩은 H^+이다.

➡ (가)~(다)는 모두 산성 수용액이므로 공통으로 들어 있는 ▩는 수소 이온(H^+)이다.

✕ 수용액의 pH는 (가)가 (다)보다 ~~크다~~ 작다.

➡ 단위 부피당 ▩의 수가 클수록 $[H_3O^+]$가 크고, pH는 작다. $[H_3O^+]$는 (가)가 (다)보다 크므로 pH는 (다)가 (가)보다 크다.

✕ 수용액 속 $[OH^-]$는 (나)가 (다)보다 ~~크다~~ 작다.

➡ 25 ℃에서 $[H_3O^+]$와 $[OH^-]$의 곱은 일정하므로 $[H_3O^+]$가 작을수록 $[OH^-]$가 크다. 단위 부피당 H^+ 수는 (다)가 (나)보다 작으므로 수용액 속 $[OH^-]$는 (다)가 (나)보다 크다.

06 | 선택지 분석 |

✕ A(aq)에 BTB 용액을 떨어뜨리면 ~~노란색~~ 파란색을 나타낸다.

➡ A(aq)은 pH가 7보다 크므로 염기성 용액이고, BTB 용액을 떨어뜨리면 파란색을 나타낸다.

✕ B(aq)에서 $[H_3O^+]$ ~~<~~ > $[OH^-]$이다.

➡ B(aq)은 pH가 7보다 작으므로 산성 용액이다. 따라서 $[H_3O^+]>[OH^-]$이다.

ㄷ. 수용액의 $[OH^-]$는 C(aq)에서가 B(aq)에서보다 크다.

➡ $[OH^-]$는 C(aq)에서 1×10^{-7} M이고, B(aq)에서 1×10^{-11} M이다.

07 물의 자동 이온화는 물 분자들끼리 H^+을 주고받으므로 H^+을 내놓는 물 분자는 OH^-이 되고, H^+을 받는 물 분자는 H_3O^+이 된다.

채점 기준	배점
농도를 옳게 비교하고, 그 까닭을 옳게 서술한 경우	100 %
농도만 옳게 비교한 경우	50 %

08 pH는 $-\log[H_3O^+]$이고, pOH는 $-\log[OH^-]$이다. $[H_3O^+]$가 10^{-3} M인 용액의 pH는 3이다. pH가 6인 용액의 $[H_3O^+]$는 10^{-6} M이다. pOH가 5인 용액의 $[OH^-]$는 10^{-5} M이다. $[OH^-]$가 10^{-2} M인 용액의 pOH는 2이다.

09 $[H_3O^+]>[OH^-]$인 (가)는 산성 용액이고, $[H_3O^+]<[OH^-]$인 (다)는 염기성 용액이다. 마그네슘과 반응하여 수소 기체를 발생시키는 것은 산성 용액이고, 페놀프탈레인 용액을 붉게 변화시키는 것은 염기성 용액이다.

채점 기준	배점
용액을 옳게 고르고, 그 까닭을 옳게 서술한 경우	100 %
용액만 옳게 고른 경우	50 %

03 산 염기의 성질 및 정의

콕콕! 개념 확인하기 245쪽

✔ 잠깐 확인!

1 산성 **2** 염기성 **3** 수소, H^+ **4** 수산화, OH^- **5** 산 **6** 염기 **7** 양쪽성 **8** 짝산, 짝염기

01 (1) 산 (2) 염기 (3) 산 (4) 염기 (5) 공통 **02** (1) 수소 이온(H^+) (2) 수산화 이온(OH^-) **03** ㉠ 수소 이온(H^+), ㉡ 산, ㉢ 수산화 이온(OH^-), ㉣ 염기 **04** (1) 브뢴스테드·로리 산: HF, 브뢴스테드·로리 염기: H_2O (2) 브뢴스테드·로리 산: H_2O, 브뢴스테드·로리 염기: HCO_3^- **05** H_2O

02 (1) 푸른색 리트머스 종이를 붉게 변화시키는 것은 H^+이다.
(2) 붉은색 리트머스 종이를 푸르게 변화시키는 것은 OH^-이다.

04 (1) HF는 H_2O에게 H^+을 내놓으므로 브뢴스테드·로리 산이고, H_2O은 HF로부터 H^+을 받으므로 브뢴스테드·로리 염기이다.
(2) H_2O은 HCO_3^-에게 H^+을 내놓으므로 브뢴스테드·로리 산이고, HCO_3^-은 H_2O로부터 H^+을 받으므로 브뢴스테드·로리 염기이다.

05 H_2O은 첫 번째 반응에서는 NH_3에게 H^+을 내놓는 브뢴스테드·로리 산으로 작용하고, 두 번째 반응에서는 H_2CO_3으로부터 H^+을 받는 브뢴스테드·로리 염기로 작용한다.

탄탄! 내신 다지기 246쪽~247쪽

01 ② **02** ② **03** ④ **04** ① **05** ㉠ OH^-, ㉡ H_3O^+, ㉢ OH^- **06** ② **07** ④ **08** ⑤ **09** ⑤ **10** 브뢴스테드·로리 산: H_2O, 브뢴스테드·로리 염기: CO_3^{2-} **11** ⑤

01 | 선택지 분석 |

~~ㄱ~~. 마그네슘 조각을 넣으면 수소 기체가 발생한다.
➡ (가)는 산성 수용액이고, (나)는 염기성 수용액이므로 마그네슘 조각을 넣으면 (가)에서만 수소 기체가 발생한다.

~~ㄴ~~. 페놀프탈레인 용액을 넣으면 붉게 변한다.
➡ 페놀프탈레인 용액을 떨어뜨리면 염기성 수용액인 (나)만 붉은색으로 변한다.

ⓒ 전기 전도성이 있다.
➡ (가)와 (나)는 모두 전하를 운반하는 이온이 존재하므로 전기 전도성이 있다.

02 | 자료 분석 |

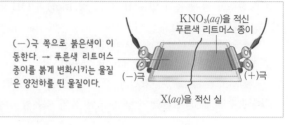

(−)극 쪽으로 붉은색이 이동한다. → 푸른색 리트머스 종이를 붉게 변화시키는 물질은 양전하를 띤 물질이다.
$KNO_3(aq)$을 적신 푸른색 리트머스 종이
(−)극
(+)극
$X(aq)$을 적신 실

| 선택지 분석 |

① NO_3^-은 이동~~하지 않는다~~(한다).
➡ NO_3^-은 (+)극 쪽으로 이동하지만 푸른색 리트머스 종이의 색을 변화시키지 못하여 그 이동을 확인할 수 없다.

ⓥ $X(aq)$에는 H^+이 들어 있다.
➡ 푸른색 리트머스 종이의 색을 붉게 변화시키는 것으로 보아 $X(aq)$에는 H^+이 들어 있다.

③ 푸른색 리트머스 종이를 붉게 변화시키는 것은 ~~K^+~~(H^+)이다.
➡ 푸른색 리트머스 종이를 붉게 변화시키는 것은 H^+이다.

④ $KNO_3(aq)$을 리트머스 종이에 적시지 않으면 리트머스 종이의 색이 변~~하지 않는다~~(한다).
➡ 질산 칼륨 수용액은 리트머스 종이에 전류가 잘 흐르게 하기 위해 적시는 것으로, 질산 칼륨 수용액을 적시지 않아도 리트머스 종이의 색은 변한다.

⑤ $X(aq)$ 대신 $HCl(aq)$을 사용하면 리트머스 종이의 색이 변~~하지 않는다~~(한다).
➡ 염산에 H^+이 들어 있으므로 리트머스 종이의 색이 붉은색으로 변한다.

03 | 선택지 분석 |

~~ㄱ~~. $X(aq)$과 $Y(aq)$에 들어 있는 음이온의 종류는 ~~같다~~(다르다).
➡ X와 Y는 아레니우스 산이므로 $X(aq)$과 $Y(aq)$에는 모두 H^+이 들어 있고 음이온의 종류는 서로 다르다.

ⓛ 수용액의 pH는 $Z(aq)$이 $Y(aq)$보다 크다.
➡ 수용액의 pH는 염기성 용액인 $Z(aq)$이 산성 용액인 $Y(aq)$보다 크다.

ⓒ X~Z 수용액은 모두 전기 전도성이 있다.
➡ X~Z 수용액에는 모두 이온이 존재하므로 전기 전도성이 있다.

04 | 자료 분석 |

• 수용액의 pH가 7보다 작은 A는 산성 물질인 HCl이다.
• 수용액의 pH가 7인 B는 중성 물질인 NaCl이다.
• 수용액의 pH가 7보다 큰 C는 염기성 물질인 NaOH이다.

| 선택지 분석 |

ⓖ A는 아레니우스 산이다.
➡ A는 HCl으로 수용액에서 H^+을 내놓을 수 있으므로 아레니우스 산이다.

✕ B 수용액은 전기 전도성이 ~~없다~~. (있다)

➡ B는 NaCl이다. NaCl은 이온 결합 물질로, 수용액에서 이온이 존재하므로 전기 전도성이 있다.

✕ C 수용액은 탄산 칼슘과 ~~반응하여 이산화 탄소 기체를 발생시킨다~~. (하지 않는다)

➡ C는 NaOH으로 그 수용액은 염기성을 나타내며, 탄산 칼슘과 반응하지 않는다.

05 KOH은 아레니우스 염기이므로 수용액에서 OH^-을 내놓으므로 ㉠은 OH^-이다. HCl는 H^+을 내놓고 Cl^-이 되고, H_2O은 H^+을 받아 H_3O^+이 되므로 ㉡은 H_3O^+이다. NH_3는 H^+을 받아 NH_4^+이 되고, H_2O은 H^+을 내놓고 OH^-이 되므로 ㉢은 OH^-이다.

06 브뢴스테드·로리 염기는 다른 물질로부터 H^+을 받는 물질이므로 이 반응의 정반응에서는 NH_3가, 역반응에서는 CO_3^{2-}이 브뢴스테드·로리 염기로 작용한다.

07 가역적으로 일어나는 산 염기 반응에서 H^+의 이동에 따라 산과 염기가 되는 한 쌍의 물질이 짝산-짝염기이므로 H_2CO_3과 HCO_3^-, H_2O과 H_3O^+이 짝산-짝염기이다.

08 | 선택지 분석 |

ㄱ H_2O은 브뢴스테드·로리 산이다.

➡ H_2O은 NH_3에게 H^+을 주므로 브뢴스테드·로리 산이다.

ㄴ NH_3는 브뢴스테드·로리 염기이다.

➡ NH_3는 H_2O로부터 H^+을 받으므로 브뢴스테드·로리 염기이다.

ㄷ NH_3의 짝산은 NH_4^+이다.

➡ NH_3와 NH_4^+은 H^+의 이동에 의해 염기와 산이 되는 한 쌍의 물질이므로 짝산-짝염기이다.

09 | 선택지 분석 |

ㄱ (가)의 HCl은 아레니우스 산이다.

➡ HCl은 수용액에서 이온화하여 H^+을 내놓을 수 있으므로 아레니우스 산이다.

ㄴ (나)의 NH_3는 브뢴스테드·로리 염기이다.

➡ (나)에서 NH_3는 H_2O로부터 H^+을 받으므로 브뢴스테드·로리 염기이다.

ㄷ H_2O은 양쪽성 물질이다.

➡ H_2O은 (가)에서는 H^+을 받으므로 브뢴스테드·로리 염기로, (나)에서는 H^+을 내놓으므로 브뢴스테드·로리 산으로 작용한다.

10 H_2O은 CO_3^{2-}에게 H^+을 내놓는 브뢴스테드·로리 산으로 작용하고, CO_3^{2-}은 H_2O로부터 H^+을 받는 브뢴스테드·로리 염기로 작용한다.

11 (가)에서 다른 물질에게 H^+을 내놓는 브뢴스테드·로리 산으로 작용한 물질은 HCN과 H_3O^+이고, (나)에서는 HF와 $(CH_3)_3NH^+$이며, (다)에서는 HCl이다.

도전! 실력 올리기

248쪽~249쪽

01 ⑤ **02** ① **03** ④ **04** ⑤ **05** ② **06** ②

07 | 모범 답안 | (가)는 '전기 전도성이 있는가?', (나)는 '페놀프탈레인 용액을 붉게 변화시키는가?' 등이 적절하다. 주어진 수용액 중 C_2H_5OH은 물에는 녹지만 이온화하지 않으므로 전기 전도성이 없다. 반면 HCl과 NaOH은 물에 녹아 이온화하므로 전기 전도성이 있다. 기준 (나)는 염기성 용액인 NaOH에만 적용되는 기준을 제시하는 것이 적절하다.

08 브뢴스테드·로리 산: HCl, 브뢴스테드·로리 염기: NH_3

09 | 모범 답안 | HCO_3^-이 양쪽성 물질이다. 첫 번째 반응에서 HCO_3^-은 NH_3에게 H^+을 내어주는 브뢴스테드·로리 산으로 작용한다. 두 번째 반응에서 HCO_3^-은 H_3O^+으로부터 H^+을 받는 브뢴스테드·로리 염기로 작용한다. 즉 조건에 따라 산과 염기로 작용하므로 양쪽성 물질이다.

01 | 선택지 분석 |

ㄱ AOH는 아레니우스 염기이다.

➡ AOH는 수용액에서 이온화하여 OH^-을 내놓으므로 아레니우스 염기이다.

ㄴ 25 ℃에서 이 수용액의 pH는 7보다 크다.

➡ AOH 수용액은 염기성 용액이므로 pH는 7보다 크다.

ㄷ 이 수용액에 페놀프탈레인 용액을 떨어뜨리면 붉게 변한다.

➡ AOH 수용액은 염기성 용액이므로 페놀프탈레인 용액을 붉게 변화시킨다.

02 | 선택지 분석 |

✕ X는 아레니우스 ~~염기~~이다. (산)

➡ X(*aq*)은 푸른색 리트머스 종이를 붉게 변화시키므로 X는 수용액에서 H^+을 내놓는 아레니우스 산이다.

ㄴ 푸른색 리트머스 종이를 붉게 변화시키는 물질은 X 수용액에 있는 양이온이다.

➡ 산성을 나타내는 물질은 (−)극 쪽으로 이동하면서 푸른색 리트머스 종이를 붉게 변화시키므로 양이온인 H^+이다.

✕ 질산 칼륨 수용액 대신 설탕물을 적시면 푸른색 리트머스 종이의 색이 ~~변하지 않는다~~. (변한다)

➡ 질산 칼륨은 전해질로, 전류를 잘 흐르게 하려고 적셔준 것이다. 따라서 질산 칼륨 수용액 대신 설탕물을 적셔도 푸른색 리트머스 종이의 색깔은 변하지만, 이온의 이동 속도가 느려진다.

03 | 자료 분석 |

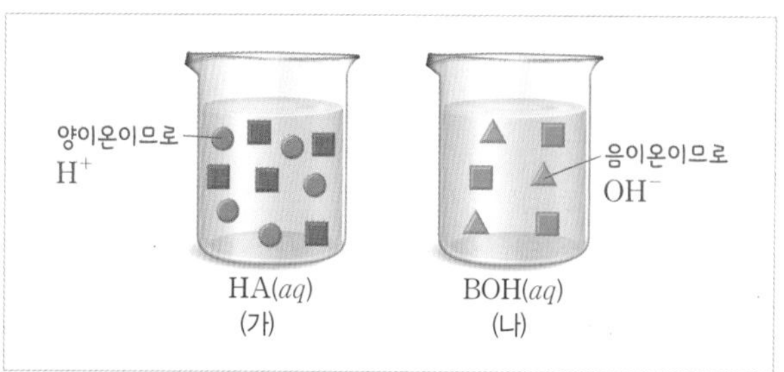

IV

| 선택지 분석 |

ㄱ. (가)에 Mg 조각을 넣어 주면 ■의 수가 ~~감소한다~~ 일정하다.

➡ (가)는 산의 수용액이므로 양이온인 ●이 H^+이다. 따라서 (가)에 Mg을 넣었을 때 ●의 수가 감소하고, 음이온인 ■의 수는 일정하다.

ㄴ. (나)에서 페놀프탈레인 용액을 붉게 변화시키는 물질은 ▲이다.

➡ (나)는 염기의 수용액이므로 음이온인 ▲이 OH^-이다. 따라서 염기성을 나타내는 물질은 ▲이다.

ㄷ. pH는 (나)가 (가)보다 크다.

➡ pH는 염기성 용액인 (나)가 산성 용액인 (가)보다 크다.

04 | 선택지 분석 |

ㄱ. X는 아레니우스 산이다.

➡ (가)에서 반응 전후 원자의 종류와 수가 같도록 화학 반응식을 완성하면 X는 HCl이다. HCl은 수용액에서 이온화하여 H^+을 내놓는 아레니우스 산이다.

ㄴ. (나)에서 X와 ㉠은 짝산-짝염기이다.

➡ (나)는 $HCl(aq)$과 H_2O의 반응이다. ㉠은 Cl^-으로 X, 즉 HCl과 H^+의 이동으로 산과 염기가 되는 짝산-짝염기이다.

ㄷ. ㉡은 CO_2이다.

➡ (다)는 $HCl(aq)$과 $CaCO_3(s)$이 반응하여 이산화 탄소 기체가 발생하는 반응이므로 ㉡은 CO_2이다.

05 | 선택지 분석 |

ㄱ. (가)에서 ㉠은 ~~아레니우스~~ 브뢴스테드·로리 염기이다.

➡ (가)에서 ㉠은 Cl^-으로, H_2O로부터 H^+을 받는 브뢴스테드·로리 염기이다.

ㄴ. (나)에서 ㉡은 ~~H_2O의 짝산~~ HF의 짝염기이다.

➡ (나)에서 ㉡은 F^-이다. F^-과 HF는 H^+의 이동으로 산과 염기가 되는 짝산-짝염기이다.

ㄷ. (다)에서 ㉢은 브뢴스테드·로리 염기이다.

➡ (다)에서 ㉢은 NH_3이다. NH_3는 HCl로부터 H^+을 받는 브뢴스테드·로리 염기이다.

06 | 자료 분석 |

• (다)에 들어 있는 이온은 각각 (가)와 (나)에 공통으로 들어 있는 것이다. → (다)는 $NaCl(aq)$이다.

• (다)의 pH가 (나)보다 크다. → (나)는 $HCl(aq)$, (가)는 $NaOH(aq)$이다.

(가)

(나)

(다)

➡ (나)와 (다)에 공통으로 들어 있는 ★은 Cl^-이고, (가)와 (다)에 공통으로 들어 있는 ●은 Na^+이다. 따라서 ▲과 ■은 각각 H^+, OH^-이다.

| 선택지 분석 |

ㄱ. ~~●~~■은 페놀프탈레인 용액을 붉게 변화시키는 물질이다.

➡ (가)의 ●은 Na^+이므로 페놀프탈레인 용액을 붉게 변화시키지 못한다. (가)에서 염기성을 나타내는 OH^-은 ■이다.

ㄴ. (나)에 마그네슘을 넣으면 수소 기체가 발생한다.

➡ (나)는 H^+이 들어 있는 산성 용액이므로 마그네슘과 반응하여 수소 기체를 발생시킨다.

ㄷ. pH는 (다)가 (가)보다 ~~크다~~ 작다.

➡ (가)는 염기성 용액이고, (다)는 중성 용액이므로 pH는 (가)가 (다)보다 크다.

07 주어진 물질 HCl은 산이고, NaOH은 염기이며 C_2H_5OH은 물에는 녹지만 이온화하지 않는 중성 물질이다. 기준 (가)는 C_2H_5OH에만 적용되지 않고, 기준 (나)는 NaOH에만 적용된다.

채점 기준	배점
(가)와 (나)의 기준이 적절하고, 그 까닭을 옳게 서술한 경우	100 %
(가)와 (나) 중에서 1가지의 기준과 까닭만을 옳게 서술한 경우	50 %

08 주어진 반응에서 NH_3는 HCl로부터 H^+을 받아 NH_4^+이 되므로 브뢴스테드·로리 염기이고, HCl는 NH_3에게 H^+을 주므로 브뢴스테드·로리 산이다.

09 양쪽성 물질은 반응에 따라 산으로도 작용하고, 염기로도 작용하는 물질이다.

채점 기준	배점
양쪽성 물질을 옳게 고르고, 브뢴스테드·로리 정의를 이용하여 그 까닭을 옳게 서술한 경우	100 %
양쪽성 물질만을 옳게 고른 경우	40 %

04 산 염기의 중화 반응

탐구POOL 253쪽

01 (1) ○ (2) ○ (3) × (4) ○ (5) ×

01 (2) 수소 이온(H^+)의 농도는 (나)<(가)이므로 pH는 (나)>(가)이다.

(3) 염화 이온(Cl^-)은 반응에 참여하지 않으므로 (다)와 (나)에서 그 수가 같다.

탐구POOL 254쪽

01 (1) × (2) × (3) ○

01 (1) 용액의 부피를 정확히 측정하여 옮길 때 사용하는 실험 기구는 피펫이다.

(2) 지시약의 색이 변할 때가 중화점이므로 용액의 액성은 산성이 아니다.

(3) 희석하지 않으면 용액 속 아세트산의 몰 농도가 증가하므로 사용한 NaOH 수용액의 부피가 커진다.

콕콕! 개념 확인하기 255쪽

✔ 잠깐 확인!

1 중화 반응 **2** 알짜 이온 반응식 **3** 구경꾼 이온 **4** 같다 **5** 중화 적정 **6** 중화점

01 (1) ○ (2) × (3) × **02** ㉠ 수소 이온(H^+), ㉡ 수산화 이온(OH^-), ㉢ 염, ㉣ 알짜 이온 **03** (1) × (2) ○ (3) ○ **04** (1) ○ (2) × (3) × **05** 0.16 M **06** 0.05 M

01 (2) 염은 산의 음이온과 염기의 양이온이 결합한 물질로, 산이나 염기의 종류에 따라 생성되는 염의 종류가 다르다.

(3) 중화점에는 염이 존재하므로 물에 녹는 염이 생성되는 경우 혼합 용액은 전기 전도성이 있다.

04 (1) Ca^{2+}과 Cl^-은 반응 전후 이온 상태로, 그 변화가 없으므로 반응에 참여하지 않는 구경꾼 이온이다.

(2) H^+ 2개와 OH^- 2개가 반응하여 H_2O 2개를 생성하므로 H^+과 OH^-은 1 : 1의 몰비로 반응한다.

(3) 중화 반응이 완결된 용액에 Ca^{2+}과 Cl^-이 존재하므로 전기 전도성이 있다.

05 HCl은 1가산이고, $Ca(OH)_2$은 2가염기이다. $HCl(aq)$의 몰 농도를 x M라고 하면 다음과 같은 양적 관계가 성립한다.

$1 \times x \times 50 = 2 \times 0.2 \times 20$, $x = 0.16$(M)

06 $Ba(OH)_2$은 2가염기이고, H_2SO_4은 2가산이다. $Ba(OH)_2$ 수용액의 몰 농도를 x M라고 하면 다음과 같은 양적 관계가 성립한다.

$2 \times 0.2 \times 5 = 2 \times x \times 20$, $x = 0.05$(M)

탄탄! 내신 다지기 256쪽~257쪽

01 ⑤ **02** ③ **03** ⑤ **04** ⑤ **05** 노란색 **06** ③ **07** ⑤ **08** ④ **09** ①

01 | 선택지 분석 |

ㄱ. H^+과 OH^-이 1 : 1의 몰비로 반응한다.

➡ 중화 반응에서 산의 H^+과 염기의 OH^-이 1 : 1의 몰비로 반응한다.

ㄴ. B^+과 A^-은 구경꾼 이온이다.

➡ B^+과 A^-은 반응 전후 그 상태와 수에 변화가 없으므로 반응에 참여하지 않은 구경꾼 이온이다.

ㄷ. 혼합 용액은 전기 전도성이 있다.

➡ 혼합 용액에는 B^+과 A^-이 존재하므로 전기 전도성이 있다.

02 | 선택지 분석 |

ㄱ. 수용액 속 OH^-의 수는 감소한다.

➡ 날숨에는 산성 물질인 이산화 탄소(CO_2)가 들어 있으므로 중화 반응이 일어나 용액 속의 OH^-의 수가 감소한다.

✕ ㄴ. 용액의 pH는 ~~증가한다~~ 감소한다.

➡ 중화 반응이 일어나 OH^-의 수가 감소하므로 용액의 pH는 감소한다.

ㄷ. 날숨을 더 불어넣어 주면 용액의 색은 노란색으로 변한다.

➡ 날숨을 더 불어넣어 주면 CO_2가 녹아 형성된 탄산(H_2CO_3)에 의해 용액의 액성은 산성이 되므로 용액의 색이 노란색으로 변한다.

03 | 선택지 분석 |

ㄱ. 알짜 이온 반응식은 $H^+ + OH^- \longrightarrow H_2O$이다.

➡ 실제로 반응에 참여한 이온은 H_2O을 생성하는 $HCl(aq)$의 H^+과 $NaOH(aq)$의 OH^-이다.

ㄴ. $HCl(aq)$과 NaOH 수용액의 몰 농도는 같다.

➡ 같은 부피에 들어 있는 이온 수가 같으므로 $HCl(aq)$과 $NaOH(aq)$의 몰 농도는 같다.

ㄷ. 혼합 용액을 가열하여 물을 증발시키면 $NaCl(s)$을 얻는다.

➡ 염인 NaCl은 물에 녹은 상태로 존재하므로, 혼합 용액을 가열하여 물을 증발시키면 얻을 수 있다.

04 | 선택지 분석 |

ㄱ. ㉠에는 염기성 물질이 들어 있다.

➡ 생선의 비린내를 없애기 위해 산성 물질인 레몬즙을 사용하므로 생선의 비린내를 내는 물질에는 염기성 물질이 들어 있다.

ㄴ. ㉡에는 H^+이 들어 있다.

➡ 레몬에는 신맛이 나는 산성 물질, 즉 H^+이 들어 있다.

ㄷ. ㉡ 대신 식초를 사용해도 된다.

➡ 식초에는 산성 물질인 아세트산이 들어 있으므로 식초를 사용해도 된다.

05 $H_2SO_4(aq)$이 내놓을 수 있는 H^+의 양(mol)은 2×0.5 mol/L $\times 0.15$ L $= 0.15$ mol이다. $NaOH(aq)$이 내놓을 수 있는 OH^-의 양(mol)은 1×1.0 mol/L $\times 0.1$ L $= 0.1$ mol이다. 두 수용액을 혼합하면 H^+과 OH^-이 1 : 1의 몰비로 반응하고, 반응하지 않은 H^+이 남게 되므로 혼합 용액은 산성이다. 따라서 BTB 용액을 떨어뜨리면 노란색을 나타낸다.

06 | 자료 분석 |

용액이 초록색을 나타내는 (나)는 중화 반응이 완결되었다.
➡ $HCl(aq)$ 10 mL에 들어 있는 H^+의 수와 $NaOH(aq)$ 20 mL에 들어 있는 OH^-의 수가 같다.

혼합 용액		(가)	(나)	(다)	(라)
혼합 전 용액의 부피 (mL)	$HCl(aq)$	5	10	20	25
	$NaOH(aq)$	25	20	10	5
혼합 용액의 색		파란색	초록색	노란색	노란색

- (가)에는 반응하지 않은 $NaOH(aq)$ 15 mL가 있다.
- (다)에는 반응하지 않은 $HCl(aq)$ 15 mL가 있다.
- (라)에는 반응하지 않은 $HCl(aq)$ 22.5 mL가 있다.

| 선택지 분석 |

ㄱ pH는 (가)가 (나)보다 크다.
➡ (가)는 염기성이고, (나)는 중성이므로 pH는 (가)>(나)이다.

ㄴ (다)에서 $[H^+]>[OH^-]$이다.
➡ (다)는 산성 용액이므로 $[H^+]>[OH^-]$이다.

✕ (가)와 (라)를 혼합한 용액은 ~~중성~~ 산성이다.
➡ (가)에는 $NaOH(aq)$ 15 mL가 남아 있고, (라)에는 $HCl(aq)$ 22.5 mL가 남아 있다. 주어진 반응에서 $HCl(aq)$과 $NaOH(aq)$은 1:2의 부피비로 반응하므로 (가)와 (라)를 혼합하면 $HCl(aq)$ 15 mL가 남게 되어 산성 용액이 된다.

07 | 선택지 분석 |

ㄱ 이 반응은 중화 반응이다.
➡ (가)의 H^+이 (다)에는 존재하지 않으므로 (나)는 H^+과 반응하는 OH^-이 포함된 염기성 용액이다. 따라서 주어진 반응은 중화 반응이다.

ㄴ 수용액의 pH는 (나)>(다)이다.
➡ (나)는 염기성 용액이고, (다)는 중성 용액이므로 수용액의 pH는 (나)>(다)이다.

ㄷ ACl은 염이다.
➡ A^+은 염기의 양이온이고, Cl^-은 산의 음이온이므로 ACl은 염이다.

08 | 선택지 분석 |

✕ x는 ~~4~~ 2이다.
➡ 0.01 M $HCl(aq)$에서 $[H^+]=0.01$ M이므로 pH는 2이다.

ㄴ 수용액 속 H^+의 양(mol)은 1×10^{-4}몰이다.
➡ $[H^+]=0.01$ M이고, 용액의 부피가 10 mL이므로 용액 속 H^+의 양(mol)은 $0.01\ mol/L\times10\ mL\times1\ L/1000\ mL=1\times10^{-4}$ mol이다.

ㄷ 0.02 M $NaOH(aq)$ 5 mL를 넣어 주면 완전히 중화된다.
➡ 0.02 M $NaOH(aq)$ 5 mL에 들어 있는 OH^-의 양(mol)은 1×10^{-4}몰이므로 이 수용액을 주어진 염산에 넣어 주면 완전히 중화된다.

09 | 선택지 분석 |

ㄱ $HCl(aq)$에 들어 있는 H^+의 양(mol)은 1×10^{-5}몰이다.
➡ $HCl(aq)$의 pH가 3이므로 수용액 속 $[H^+]=1\times10^{-3}$ M이다. 이때 수용액의 부피가 10 mL=0.01 L이므로 수용액 속 H^+의 양(mol)은 $1\times10^{-3}\ mol/L\times0.01\ L=1\times10^{-5}$ mol이다.

✕ $NaOH(aq)$에 들어 있는 OH^-의 양(mol)은 ~~1×10^{-3}~~ 1×10^{-4}몰이다.
➡ $NaOH(aq)$의 $[OH^-]=1\times10^{-3}$ M이고, 부피가 0.1 L이므로 OH^-의 양(mol)은 1×10^{-4} mol이다.

✕ 두 수용액을 혼합한 용액에 들어 있는 OH^-의 양(mol)은 ~~1×10^{-2}~~ 9×10^{-5}몰이다.
➡ H^+과 OH^-이 1:1의 몰비로 반응하므로 두 수용액을 혼합한 용액에 들어 있는 OH^-의 양(mol)은 9×10^{-5}몰이다.

도전! 실력 올리기 258쪽~259쪽

01 ② **02** ③ **03** ④ **04** ① **05** ③ **06** ④

07 (1) (가) Na^+, (나) NO_3^-, (다) H^+, (라) OH^-
(2) | **모범 답안** | 넣어 준 $NaOH(aq)$의 부피가 x mL일 때가 중화점이므로 다음 관계식이 성립한다. $1\times0.1\times10=1\times0.2\times x$, 이로부터 $x=5$(mL)이다.

08 | **모범 답안** | $NaOH(aq)$의 부피를 x mL라고 하면 중화 반응의 양적 관계에서 다음 관계식이 성립한다.
$2\times0.5\times10=1\times0.1\times x$, 이 식을 풀면 $x=100$(mL)이다.

09 | **모범 답안** | 아세트산의 몰 농도를 x M라고 하면 중화 반응의 양적 관계에서 다음 관계식이 성립한다.
$1\times x\times15=1\times0.5\times30$, 이 식을 풀면 $x=1.0$(M)이다.

01 | 자료 분석 |

- Na^+과 Cl^-은 구경꾼 이온으로 반응 전후 그 수가 같다.
➡ $NaOH(aq)$ 5 mL에 들어 있는 Na^+과 OH^-의 수가 2일 때 $HCl(aq)$ 15 mL에 들어 있는 H^+과 Cl^-의 수는 3이다.

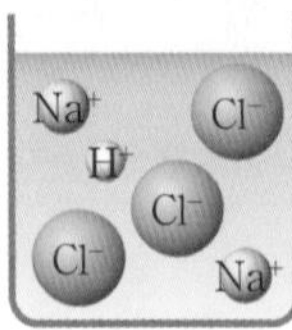

- 같은 부피에 들어 있는 이온 수는 $NaOH(aq)$: $HCl(aq)$=2:1이므로 몰 농도는 $NaOH(aq)$: $HCl(aq)$=2:1이다.

| 선택지 분석 |

✕ $\frac{x}{y}$=~~1~~ $\frac{1}{2}$이다.
➡ 몰 농도는 $NaOH(aq)$:$HCl(aq)$=2:1이므로 $\frac{x}{y}=\frac{1}{2}$이다.

ㄴ 중화 반응으로 생성된 물 분자 수는 2개이다.
➡ H^+ 2개와 OH^- 2개가 반응하였으므로 중화 반응으로 생성된 물 분자 수는 2개이다.

✗ 혼합 용액에 $NaOH(aq)$ 5 mL를 더 넣어 주면 ~~중성~~ 염기성 이 된다.

➡ $NaOH(aq)$ 5 mL에는 OH^- 2개가 들어 있으므로 혼합 용액에 $NaOH(aq)$ 5 mL를 더 넣어 주면 반응 후 OH^- 1개가 남게 되므로 염기성 용액이 된다.

02 농도를 모르는 용액의 부피를 일정량 취하여 삼각 플라스크에 넣고, 지시약을 넣은 다음 중화 반응이 완결될 때까지 뷰렛을 통해 표준 용액을 넣어 준다. 이때 중화 적정에 사용된 표준 용액의 부피를 측정하여 중화 반응의 양적 관계를 이용하여 농도를 구한다. 따라서 실험 순서는 (가) - (마) - (나) - (다) - (라)이다.

03 $HCl(aq)$의 몰 농도를 x(M)라고 하면 중화 반응의 양적 관계에서 $1\times x\times 10=1\times 0.1\times 10$이므로 $x=0.1$이다. 또 $H_2SO_4(aq)$의 몰 농도를 y(M)라고 하면
$2\times y\times 10=1\times 0.1\times 15$이므로 $y=0.075$이다. 따라서
$\frac{x}{y}=\frac{0.1}{0.075}=\frac{4}{3}$이다.

04 | 선택지 분석 |

✗ 중화 반응으로 생성된 H_2O의 양은 ~~(라)에서가 (다)에서보다 많다~~ (라)와 (다)에서 같다.

➡ (다)에서 중화 반응이 완결되므로 (다) 이후에는 중화 반응이 일어나지 않는다. 따라서 중화 반응으로 생성된 H_2O의 양은 (다)와 (라)에서 같다.

㉡ 단위 부피당 이온 수는 (다)가 가장 작다.

➡ (다)는 중화점이므로 (가)~(다)에서 이온의 총수는 같지만 부피는 (다)에서가 가장 크다. 따라서 단위 부피당 이온 수는 (다)에서 가장 작다.

✗ $x=$~~0.2~~ 0.1이다.

➡ 0.1 M $NaOH(aq)$ 10 mL를 완전히 중화시키는 데 사용된 $HCl(aq)$의 부피가 10 mL이므로 $HCl(aq)$의 몰 농도는 0.1 M이다. 따라서 $x=0.1$이다.

05 아세트산의 몰 농도를 x(M)라고 하면 중화 적정에 사용된 1.0 M $NaOH(aq)$의 부피가 10 mL이므로 다음과 같은 중화 반응의 양적 관계가 성립한다.
$1\times x\times 10=1\times 1.0\times 10$, 이 식을 풀면 $x=1.0$이다.

06 | 자료 분석 |

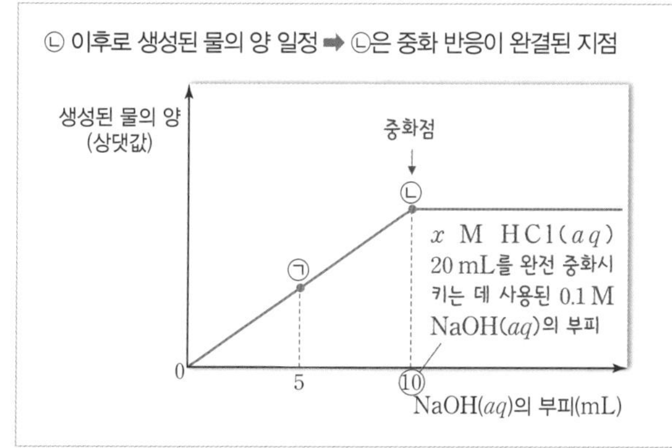

| 선택지 분석 |

✗ $x=$~~0.1~~ 0.05이다.

➡ ㉡이 중화점이므로 x M $HCl(aq)$ 20 mL를 완전 중화시키는 데 사용된 0.1 M $NaOH(aq)$의 부피는 10 mL이다. 중화 반응의 양적 관계로부터 $1\times x\times 20=1\times 0.1\times 10$이므로 $x=0.05$이다.

㉡ ㉠에서 가장 많이 존재하는 이온은 Cl^-이다.

➡ ㉠은 중화 반응이 완결되기 이전이므로 산성 용액이다. 산성 용액에 가장 많이 존재하는 이온은 산의 구경꾼 이온인 Cl^-이다.

㉢ ㉡에서 Na^+의 수와 Cl^-의 수는 같다.

➡ 반응 전 $HCl(aq)$에는 H^+과 Cl^-이 같은 수로 들어 있고, 중화 반응이 완결되면 H^+과 같은 수의 OH^-이 들어오므로 중화점인 ㉡에서는 Na^+의 수와 Cl^-의 수가 같다.

07 (1) 반응에 참여하는 이온은 반응이 일어나는 동안 그 수가 감소한다. 반응에 참여하지 않는 구경꾼 이온은 그 수가 일정하거나 넣어 주는 대로 증가한다. (가)는 넣어 주는 대로 증가하므로 넣어 준 $NaOH(aq)$의 구경꾼 이온이고, (나)는 그 수가 일정하므로 $HNO_3(aq)$의 구경꾼 이온이다. 또 (다)는 그 수가 계속 감소하므로 넣어 준 OH^-과 반응하는 H^+이고, (라)는 OH^-이다.

(2) $n_1M_1V_1=n_2M_2V_2$의 관계식을 이용하여 중화점에서 $NaOH(aq)$의 부피를 구할 수 있다.

채점 기준	배점
x의 값을 옳게 구하고, 풀이 과정을 옳게 서술한 경우	100 %
x의 값만 옳게 구한 경우	50 %

08 $n_1M_1V_1=n_2M_2V_2$의 관계식을 이용하여 필요한 $NaOH(aq)$의 부피를 구할 수 있다.

채점 기준	배점
부피를 옳게 구하고, 풀이 과정을 옳게 서술한 경우	100 %
부피만 옳게 구한 경우	50 %

09 $n_1M_1V_1=n_2M_2V_2$의 관계식을 이용하여 $CH_3COOH(aq)$의 몰 농도를 구할 수 있다.

채점 기준	배점
몰 농도를 옳게 구하고, 풀이 과정을 옳게 서술한 경우	100 %
몰 농도만 옳게 구한 경우	50 %

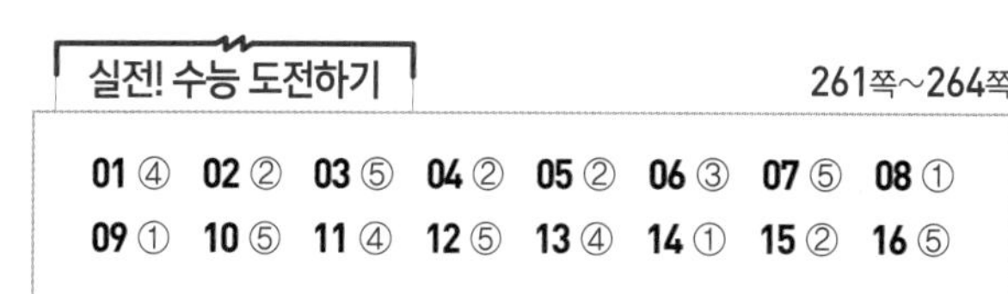

실전! 수능 도전하기

261쪽~264쪽

01 ④ 02 ② 03 ⑤ 04 ② 05 ② 06 ③ 07 ⑤ 08 ①
09 ① 10 ⑤ 11 ④ 12 ⑤ 13 ④ 14 ① 15 ② 16 ⑤

01 | 선택지 분석 |

✗ 학생 A. 정반응~~만 일어날 수 있어~~ 과 역반응이 일어날 수 있어.

➡ 가역 반응은 정반응뿐만 아니라 조건에 따라 역반응도 일어날 수 있다.

ⓞ학생 B. 조건에 따라 역반응도 일어날 수 있어.

➡ 가역 반응은 조건에 따라 정반응과 역반응이 모두 일어날 수 있다.

ⓞ학생 C. 동적 평형에 도달할 수 있지.

➡ 가역 반응은 정반응과 역반응이 모두 일어날 수 있으며, 각 반응의 속도가 같아지는 동적 평형에 도달할 수 있다.

02 | 선택지 분석 |

① 시간이 지날수록 용해 속도가 점점 느려진다.

➡ 시간에 따른 용해 속도를 측정하지 않았다.

② 용해 평형에서 용해와 석출은 계속 일어난다.

➡ 용해 평형에 도달한 후에도 용해와 석출이 계속 일어나므로 질량수가 23과 24인 Na^+이 용액과 고체에서 모두 검출된다.

③ NaCl의 석출 속도는 화학식량에 따라 다르다.

➡ 주어진 실험에서는 NaCl의 화학식량에 따른 석출 속도를 비교하지 않았다.

④ 자연계에서 화학식량이 다른 NaCl이 두 종류 존재한다.

➡ 주어진 실험은 화학식량이 다른 NaCl의 종류를 확인하는 실험이 아니다.

⑤ ^{23}Na을 포함한 NaCl의 용해 속도는 ^{24}Na를 포함한 NaCl의 용해 속도보다 빠르다.

➡ 주어진 실험에서는 NaCl의 화학식량에 따른 용해 속도를 비교하지 않았다.

03 | 자료 분석 |

- 물을 넣은 초기에는 증발 속도>응축 속도이므로 용기 속 수증기의 양이 증가하여 기체의 압력이 증가한다.
  → 수은 기둥의 높이 차(h)가 계속 증가한다.
- 상평형에 도달하면 용기 속 수증기의 양이 일정해지므로 기체의 압력이 일정하게 유지된다.
  → 수은 기둥의 높이 차(h)가 일정하게 유지된다.

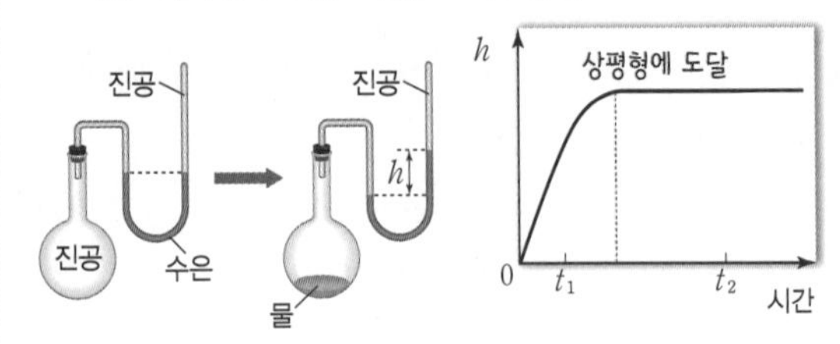

| 선택지 분석 |

ⓞ ㄱ. t_1일 때는 물의 증발 속도가 수증기의 응축 속도보다 빠르다.

➡ t_1일 때 수은 기둥의 높이 차가 증가하는 것으로 보아 증발 속도가 응축 속도보다 빠르다는 것을 알 수 있다.

ⓞ ㄴ. t_2일 때는 물의 증발 속도와 수증기의 응축 속도가 같다.

➡ t_2일 때 수은 기둥의 높이 차가 일정하게 유지되는 것으로 보아 증발 속도와 응축 속도가 같은 상평형 상태라는 것을 알 수 있다.

ⓞ ㄷ. 용기 속 수증기 분자 수는 t_2일 때가 t_1일 때보다 크다.

➡ t_1은 상평형에 도달하기 이전이고, t_2는 상평형에 도달한 상태이므로 용기 속 수증기 분자 수는 t_2일 때가 t_1일 때보다 크다.

04 | 자료 분석 |

- (가): 반응물의 농도가 계속 감소하므로 화학 평형 상태가 아니다.
- (나): 반응물과 생성물의 농도가 일정하므로 화학 평형 상태이다.

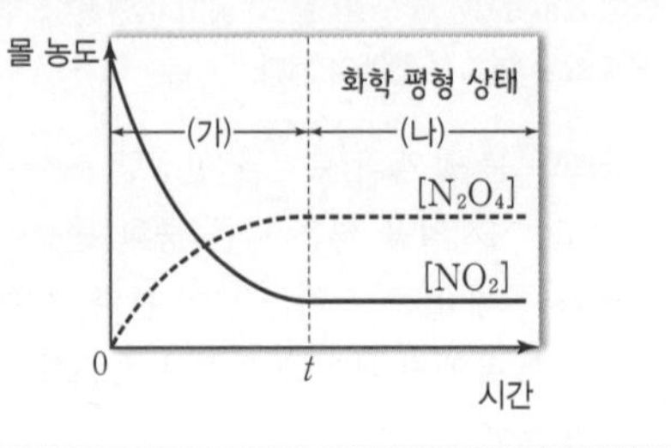

| 선택지 분석 |

✕ ㄱ. (가)는 화학 평형 상태이다. (→ 가 아니다)

➡ (가)에서는 반응물과 생성물의 농도가 계속 변하므로 화학 평형 상태가 아니다.

✕ ㄴ. (나)에서 NO_2와 N_2O_4의 몰 농도 비는 2 : 1이다.

➡ 반응이 진행되어 화학 평형에 도달할 때까지 NO_2와 N_2O_4의 반응 몰비가 2 : 1이다.

ⓞ ㄷ. (나)에서 $[NO_2]$는 일정하다.

➡ (나)는 화학 평형 상태이므로 $[NO_2]$가 일정하다.

05 | 선택지 분석 |

✕ ㄱ. 10 ℃에서 순수한 물은 염기성이다. (→ 중성)

➡ 순수한 물이 자동 이온화하여 생성된 H_3O^+의 수와 OH^-의 수가 같으므로 온도에 관계없이 물은 중성이지만 pH는 온도에 따라 다르다. 따라서 10 ℃ 순수한 물은 중성이다.

✕ ㄴ. 40 ℃에서 순수한 물의 pH는 7보다 크다. (→ 작다)

➡ 40 ℃의 K_w는 2.87×10^{-14}으로, $[H_3O^+] > 1.0 \times 10^{-7}$이므로 pH는 7보다 작다.

ⓞ ㄷ. 물은 온도가 높을수록 이온화가 잘 된다.

➡ K_w는 온도가 높을수록 커지므로 물이 이온화하여 생성되는 H_3O^+과 OH^-의 양이 많다.

06 | 자료 분석 |

같은 부피에 들어 있는 H^+의 양은 (나)>(가)이다. ➡ $[H^+]$는 (나)>(가)이다.

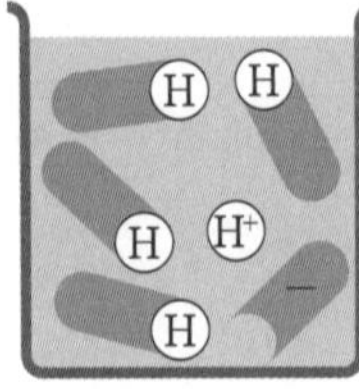

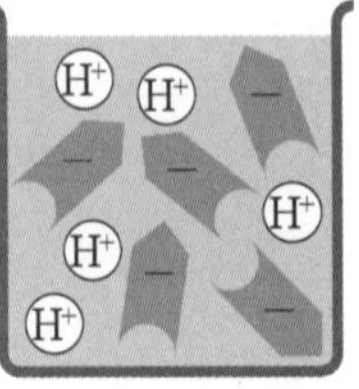

| 선택지 분석 |

ⓞ ㄱ. (가)에서 $\frac{[H_3O^+]}{[OH^-]} > 1$이다.

➡ (가)는 산성 수용액이므로 $[H_3O^+] > [OH^-]$이다. 따라서 $\frac{[H_3O^+]}{[OH^-]} > 1$이다.

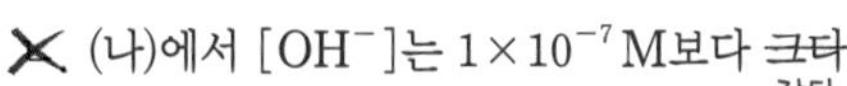

✗ (나)에서 $[OH^-]$는 1×10^{-7} M보다 ~~크다~~. 작다

➡ (나)는 산성 용액이므로 $[H_3O^+]>1\times10^{-7}>[OH^-]$이다. 즉 $[OH^-]$는 1×10^{-7} M보다 작다.

ㄷ pH는 (가)가 (나)보다 크다.

➡ $[H_3O^+]$는 (나)>(가)이다. $[H_3O^+]$가 클수록 pH가 작으므로 pH는 (가)가 (나)보다 크다.

07 | 선택지 분석 |

ㄱ (가)에서 $\frac{[H_3O^+]}{[OH^-]}=1.0\times10^{10}$이다.

➡ (가)의 pH가 2이므로 $[H_3O^+]=1\times10^{-2}$ M이고, $[OH^-]=1\times10^{-12}$ M이다. 따라서 $\frac{[H_3O^+]}{[OH^-]}=1.0\times10^{10}$이다.

ㄴ (나)에 페놀프탈레인 용액을 넣으면 붉은색을 나타낸다.

➡ (나)의 pH는 7보다 크므로 염기성 용액이다. 따라서 페놀프탈레인 용액을 붉게 변화시킨다.

ㄷ (다)에서 $[OH^-]$는 0.1 M이다.

➡ (다)의 pH가 13이므로 $[H_3O^+]=1\times10^{-13}$ M이다. 25 ℃에서 $[H_3O^+][OH^-]=1\times10^{-14}$이므로 $[OH^-]=1\times10^{-1}$ $=0.1$ M이다.

08 | 자료 분석 |

- 주어진 물질 중 Mg과 반응하는 것은 산인 HCl이다.
- NaCl과 NaOH 중 페놀프탈레인 용액의 색을 변화시키는 것은 염기인 NaOH이다.

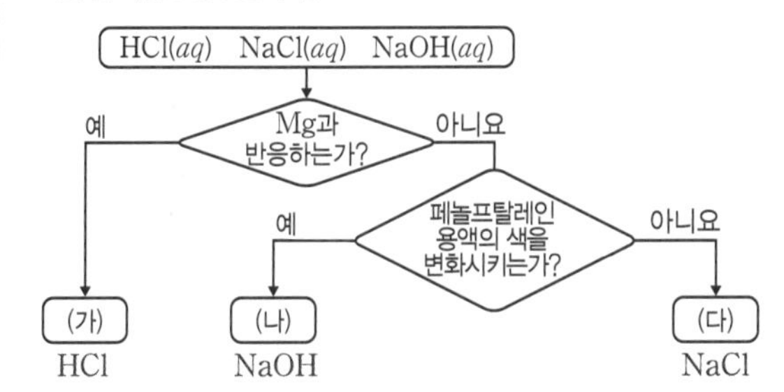

| 선택지 분석 |

ㄱ (가)에 탄산 칼슘을 넣어 주면 이산화 탄소 기체가 발생한다.

➡ (가)는 HCl이므로 탄산 칼슘을 넣어 주면 이산화 탄소 기체가 발생한다.

✗ 수용액의 pH는 (가) ~~>~~ (나)이다. <

➡ (나)는 염기인 NaOH이므로 수용액의 pH는 염기의 수용액인 (나)가 산의 수용액인 (가)보다 크다.

✗ (가)~(다) 중 수용액이 전기 전도성을 가지는 것은 ~~2~~가지이다. 3

➡ (가)와 (나)는 산과 염기이므로 전기 전도성이 있다. 또 (다)는 이온 결합 물질로, 수용액에서 전기 전도성이 있으므로 (가)~(다)의 수용액은 모두 전기 전도성이 있다.

09 (가)에서 KOH은 물에 녹아 OH^-을 내놓으므로 아레니우스 염기이다. (나)에서 물은 CH_3COOH으로부터 H^+을 받으므로 브뢴스테드·로리 염기로 작용한다. (다)에서 NH_3는 HCl가 내놓은 H^+을 받으므로 브뢴스테드·로리 염기로 작용한다. 따라서 아레니우스 염기를 포함하는 반응은 (가)이고, 브뢴스테드·로리 염기를 포함하는 반응은 (나)와 (다)이다.

10 | 선택지 분석 |

ㄱ (가)에서 산으로 작용한 물질은 HCN과 H_3O^+이다.

➡ (가)의 정반응에서는 HCN이 H^+을 내놓고, 역반응에서는 H_3O^+이 H^+을 내놓으므로 산으로 작용한다.

ㄴ (나)에서 OH^-은 브뢴스테드·로리 염기이다.

➡ (나)에서 OH^-은 H_3O^+으로부터 H^+을 받으므로 브뢴스테드·로리 염기이다.

ㄷ (다)에서 HF의 짝염기는 F^-이다.

➡ (다)에서 HF와 F^-은 H^+의 이동에 따라 산과 염기가 되는 짝산-짝염기이다. HF의 짝염기는 F^-이고, F^-의 짝산은 HF이다.

11 | 선택지 분석 |

✗ (가)에서 H_2O은 ~~아레니우스~~ 염기이다. 브뢴스테드·로리

➡ (가)에서 H_2O은 H^+을 받으므로 브뢴스테드·로리 염기이다.

ㄴ (나)에서 H_3PO_4은 아레니우스 산이다.

➡ H_3PO_4은 수용액에서 이온화하여 H^+을 내놓을 수 있으므로 아레니우스 산이다.

ㄷ (다)에서 H_3O^+은 브뢴스테드·로리 산이다.

➡ (다)에서 H_3O^+은 OH^-에게 H^+을 내놓으므로 브뢴스테드·로리 산으로 작용한다.

12 | 자료 분석 |

- A는 그 수가 계속 증가하므로 HCl(*aq*)의 구경꾼 이온인 Cl^-이다.
- B는 그 수가 일정하므로 KOH의 구경꾼 이온인 K^+이다.
- C는 그 수가 계속 감소하므로 OH^-이고, D는 H^+이다.
  → KOH 수용액 속 OH^-이 모두 반응하여 그 수가 0이 되는 (나) 지점은 중화점이다.

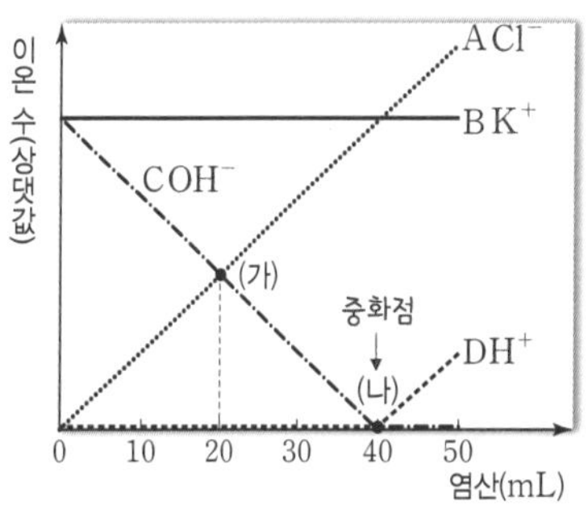

| 선택지 분석 |

ㄱ A와 B는 구경꾼 이온이다.

➡ 넣어 준 HCl(*aq*)의 부피에 따라 그 수가 증가하는 A는 구경꾼 이온인 Cl^-이고, 그 수가 일정한 B는 K^+이다.

ㄴ $\frac{\text{Cl}^-\text{의 수}}{\text{K}^+\text{의 수}}$는 (나)에서가 (가)에서의 2배이다.

➡ K^+은 구경꾼 이온이므로 그 수가 일정하다. Cl^- 또한 구경꾼 이온이므로 용액 속 수는 넣어 준 염산의 부피에 비례한다. 넣어 준 염산의 부피는 (나)에서가 (가)에서의 2배이므로 Cl^-의 수는 (나)에서가 (가)에서의 2배이다. 따라서 $\frac{\text{Cl}^-\text{의 수}}{\text{K}^+\text{의 수}}$는 (나)에서가 (가)에서의 2배이다.

ㄷ $x=0.08$ M이다.

➡ (나)는 중화점이므로 x M KOH 수용액 50 mL를 완전히 중화시키는 데 사용된 0.1 M HCl(aq)의 부피는 40 mL이다. 이로부터 중화 반응의 양적 관계는 $1\times x\times 50=1\times 0.1\times 40$이다. 따라서 $x=0.08$이다.

13 | 선택지 분석 |

ㄱ ✕ $x+y=$~~20~~ 100이다.

➡ Cl^-은 구경꾼 이온이므로 (가)에서가 (나)에서의 3배이어야 한다. 이때 단위 부피당 Cl^- 수가 (나)가 (가)의 2배이므로 혼합 용액의 부피는 (가)가 (나)의 6배이다. 즉 $(30+x)=6(10+y)$이다. (가)의 부피가 (나)의 6배이므로 Na^+의 수가 (가)에서 $18N$이라고 할 때 (나)에서는 $2N$이므로 $x=9y$이다. 이로부터 $y=10$, $x=90$이므로 $x+y=100$이다.

ㄴ 같은 부피의 HCl(aq)과 NaOH(aq)을 혼합한 용액은 산성이다.

➡ (가)는 HCl(aq) 30 mL와 NaOH(aq) 90 mL를 혼합한 용액으로 전체 부피는 120 mL이다. 단위 부피를 1 mL라고 하면 Na^+의 수는 $3\times 120=360$이고, Cl^-의 수는 $2\times 120=240$이다. 이로부터 같은 부피에 들어 있는 이온 수는 HCl(aq)이 NaOH(aq)의 2배이므로 두 수용액을 같은 부피로 혼합한 용액은 산성이다.

ㄷ 중화 반응에서 생성된 물의 분자 수는 (가)가 (나)의 6배이다.

➡ (가)에서 HCl(aq) 30 mL에 들어 있는 H^+의 수는 240이고, NaOH(aq) 90 mL에 들어 있는 OH^-의 수는 360이므로 중화 반응으로 생성된 물 분자 수는 240이다. (나)에서 HCl(aq) 10 mL에 들어 있는 H^+의 수는 80이고, NaOH(aq) 10 mL에 들어 있는 OH^-의 수는 40이므로 중화 반응으로 생성된 물 분자 수는 40이다. 따라서 중화 반응으로 생성된 물의 분자 수는 (가)가 (나)의 6배이다.

14 | 자료 분석 |

• (가)에 들어 있는 양이온은 H^+ 또는 Na^+이다.
➡ Na^+은 구경꾼 이온이므로 (가)에 KOH(aq)을 넣어도 그 수가 변하지 않는다.

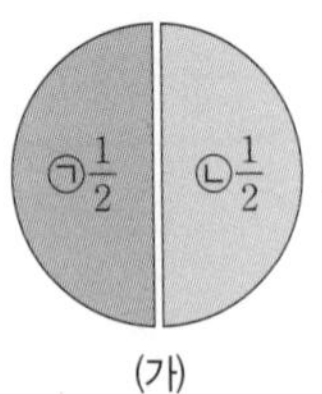

(가)

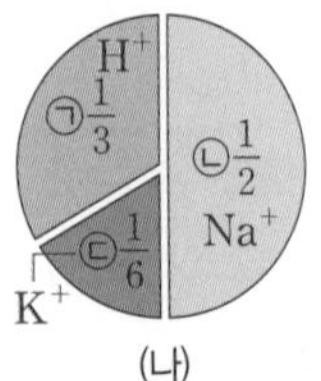

(나)

• (가) → (나)로 될 때 그 비율이 감소하는 ㉠은 반응에 참여하는 H^+이고, 비율이 일정한 ㉡은 Na^+이다. ㉢은 K^+이다.

| 선택지 분석 |

ㄱ ㉠은 H^+이다.

➡ (가)의 ㉠과 ㉡은 H^+ 또는 Na^+이고, (나)에서 그 비율이 감소하는 ㉠은 반응에 참여하는 H^+이다.

ㄴ ✕ 단위 부피당 이온 수는 HCl(aq)~~과 NaOH(aq)이 같다~~ 이 NaOH(aq)의 2배이다.

➡ (가)에서 H^+과 Na^+의 수를 각각 $3N$이라고 하면 NaOH(aq) 10 mL에 들어 있는 Na^+과 OH^-의 수는 각각 $3N$이고, HCl(aq) 10 mL에 들어 있는 H^+과 Cl^-의 수는 각각 $6N$이다. 따라서 단위 부피당 이온 수는 HCl(aq)이 NaOH(aq)의 2배이다.

ㄷ ✕ (나)에 KOH(aq) 10 mL를 더 넣으면 ~~중성~~ 산성이 된다.

➡ (나)에서 Na^+의 수는 (가)에서와 같은 $3N$이므로 H^+의 수는 $2N$이고, K^+의 수는 N이다. 이로부터 KOH(aq) 10 mL에 들어 있는 K^+과 OH^-의 수는 각각 N이다. 따라서 (나)에 KOH(aq) 10 mL를 더 넣어도 H^+이 N만큼 남아 있으므로 산성이다.

15 중화 적정에 사용한 NaOH(aq)의 부피가 40 mL이므로 H_2SO_4(aq)의 몰 농도를 x M이라고 하면 중화 반응의 양적 관계에서 $1\times 0.1\times 40=2\times x\times 10$이다. 이 식을 풀면 $x=0.2$(M)이다.

16 | 자료 분석 |

단위 부피를 1 mL라고 할 때

• 반응 전 B 이온 수: $9N\times 20=180N$

• NaOH(aq) 10 mL를 넣은 혼합 용액에서 B 이온 수: $6N\times 30=180N$
→ 그 수가 일정하므로 구경꾼 이온인 Cl^-이다.

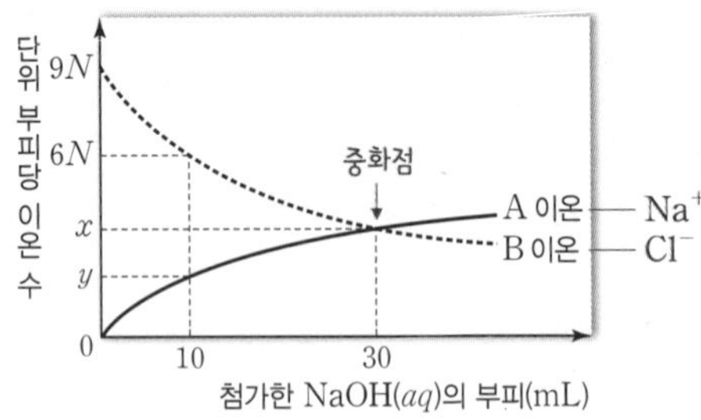

• NaOH(aq)을 첨가할 때 그 수가 증가하는 A 이온은 구경꾼 이온인 Na^+이다.

• Cl^-의 수와 Na^+의 수가 같아지는 지점은 중화 반응이 완결된 지점이다.

| 선택지 분석 |

ㄱ B 이온은 Cl^-이다.

➡ 단위 부피를 1 mL라고 하면 반응 전 B 이온의 수는 $180N$이다. NaOH(aq)을 10 mL 넣었을 때 전체 부피가 30 mL이므로 이때의 B 이온 수도 $180N$이다. 이로부터 B 이온 수는 NaOH(aq)을 넣어도 일정하므로 구경꾼 이온인 Cl^-임을 알 수 있다.

ㄴ $\frac{x}{y}$는 1.8이다.

➡ 넣어 준 NaOH(aq)의 부피가 30 mL일 때 B 이온 수는 180N이고 전체 부피가 50 mL이므로 단위 부피당 이온 수는 3.6N이다. 이로부터 x=3.6이다. 또 A 이온은 NaOH(aq)을 넣어 준 초기부터 존재하므로 Na^+이고 전체 부피가 50 mL일 때 B 이온과 그 수가 같으므로 180N이다. 즉 NaOH(aq) 30 mL에 들어 있는 Na^+의 수가 180N이므로 10 mL일 때는 60N으로, NaOH(aq) 10 mL를 넣은 혼합 용액의 부피가 30 mL이므로 단위 부피당 이온 수는 2N이다. 즉 y는 2N이므로 $\frac{x}{y}$는 1.8이다.

ㄷ 단위 부피당 이온 수는 HCl(aq)이 NaOH(aq)의 1.5배이다.

➡ HCl(aq) 20 mL에 들어 있는 Cl^-과 H^+의 수는 각각 180N이고, NaOH(aq) 10 mL에 들어 있는 Na^+과 OH^-는 60N이다. 따라서 단위 부피당 이온 수는 HCl(aq)이 NaOH(aq)의 1.5배이다.

Ⅳ. 역동적인 화학 반응

2 ≫ 화학 반응과 열의 출입

01 산화 환원 반응

탐구POOL 270쪽

01 (1) ○ (2) × (3) × (4) ○

01 (1) 반응성은 Zn>Cu>Ag이므로 Zn은 Ag보다 산화되기 쉽다.
(2) 환원력은 다른 물질을 환원시키는 능력이므로 Zn>Cu>Ag이다.
(4) 황산 구리 수용액에 아연판을 넣으면 아연은 전자를 잃고 산화되며, 구리가 전자를 얻어 환원되므로 아연은 환원제로 작용한다.

콕콕! 개념 확인하기 271쪽

✔ 잠깐 확인!
1 산화, 환원 **2** 잃, 얻 **3** 산화수 **4** 증가, 감소
5 산화제, 환원제

01 (1) ○ (2) ○ (3) × **02** (1) ○ (2) ○ (3) ×
03 (1) +4 (2) −1 (3) +4 (4) +1 (5) +1
04 산화제: Fe_2O_3, 환원제: CO
05 $MnO_2(s)+4HCl(aq) \longrightarrow MnCl_2(aq)+Cl_2(g)+2H_2O(l)$, 0.5몰

02 Fe이 전자를 잃고 Fe^{2+}이 된다. Fe이 내놓은 전자는 Cu^{2+}이 받아 Cu로 석출되므로 전자는 Fe에서 Cu^{2+}으로 이동한 것이다.

03 (1) O의 산화수는 −2이고 화합물의 산화수의 합은 0이므로 N의 산화수는 +4이다.
(2) 1족 알칼리 금속 원자의 산화수는 화합물에서 +1이므로 H의 산화수는 −1이다.
(3) O의 산화수는 −2이므로 C의 산화수는 +4이다.
(4) F의 산화수는 화합물에서 −1이므로 O의 산화수는 +1이다.
(5) H의 산화수는 +1, O의 산화수는 −2이므로 Cl의 산화수는 +1이다.

04 Fe_2O_3은 산소를 잃고 Fe로 환원되면서 CO를 산화시키는 산화제이다. 또 CO는 Fe_2O_3로부터 산소를 얻어 CO_2로 산화되면서 Fe_2O_3을 환원시키는 환원제이다.

05 Mn의 산화수는 2만큼 감소하고, Cl의 산화수는 1만큼 증가한다. 이때 산화수가 변하지 않는 Cl 수가 2이고, 산화수가 변하는 Cl 수가 2이므로 HCl 앞에 계수 4를 쓴다. 또 산화수가 변하지 않은 H와 O 원자 수가 반응 전후 같도록 H_2O 앞에 계수 2를 써서 반응식을 완성하면 다음과 같다.

$$MnO_2(s)+4HCl(aq) \longrightarrow MnCl_2(aq)+Cl_2(g)+2H_2O(l)$$

이 반응에서 염산의 Cl^- 4개 중 2개는 반응하지 않고 2개만 산화되므로 1몰의 HCl을 완전히 산화시키는 데 필요한 MnO_2의 양은 0.5 몰이다.

탄탄! 내신 다지기 272쪽~273쪽

01 ⑤ **02** ⑤ **03** B>A>C **04** ② **05** ④ **06** ④
07 ② **08** (가) 산화제: N_2, 환원제: H_2 (나) 산화제: Cu^{2+}, 환원제: Zn **09** ③ **10** ③

01 | 선택지 분석 |

ㄱ (가)에서 산소는 환원된다.
➡ (가)에서 구리는 산소에게 전자를 잃어 산화되고, 산소는 전자를 얻어 환원된다.

ㄴ (나)에서 수소는 산화된다.
➡ (나)에서 산화 구리(Ⅱ)가 구리로 되므로 수소는 산소를 얻어 산화된다.

ㄷ 구리는 (가)에서는 산화되고, (나)에서는 환원된다.
➡ 구리는 (가)에서는 산소를 얻으므로 산화되고, (나)에서는 다시 산소를 잃으므로 환원된다.

02 | 선택지 분석 |

ㄱ Zn은 산화된다.
➡ Zn이 Zn^{2+}으로 되므로 Zn은 전자를 잃고 산화된다.

Ⅳ

ㄴ 기체가 발생하는 동안 수용액 속 양이온 수는 감소한다.
➡ H^+ 2몰이 반응하여 H_2 1몰을 생성할 때 Zn^{2+}은 1몰이 생성되므로 수용액 속 양이온 수는 감소한다.

ㄷ 수소 기체 1몰이 발생할 때 이동한 전자의 양(mol)은 2몰이다.
➡ H_2 1몰이 발생할 때 $2H^+$이 전자 2몰을 얻으므로 이동한 전자의 양(mol)은 2몰이다.

03 실험 Ⅰ에서 반응이 일어났으므로 금속 B는 자신이 산화되면서 A^{2+}을 환원시킨다. 이로부터 금속 B는 A보다 산화되기 쉽다. 즉 산화되기 쉬운 정도는 B>A이다. 실험 Ⅱ에서 반응이 일어나지 않았으므로 금속 C는 자신이 산화되면서 A^{2+}을 환원시키지 못한다. 즉 A가 C보다 산화되기 쉽다. 이로부터 금속의 산화되기 쉬운 정도는 B>A>C이다.

04 | 선택지 분석 |

ㄱ $2KI(aq)+Cl_2(g) \longrightarrow 2KCl(aq)+I_2(aq)$
➡ I의 산화수는 −1에서 0으로 1만큼 증가하고, Cl의 산화수는 0에서 −1로 1만큼 감소한다. 즉 구성 원자의 산화수가 변하므로 산화 환원 반응이다.

✕ $CH_3COOH(aq)+NaOH(aq) \longrightarrow CH_3COONa(aq)+H_2O(l)$
➡ 구성 원자의 산화수가 변하지 않는다. 주어진 반응은 중화 반응으로, 산화 환원 반응이 아니다.

ㄷ $2KClO_3(s) \longrightarrow 2KCl(s)+3O_2(g)$
➡ Cl의 산화수는 +5에서 −1로 6만큼 감소하고, O의 산화수는 −2에서 0으로 2만큼 증가한다. 즉 구성 원자의 산화수가 변하므로 산화 환원 반응이다.

✕ $AgNO_3(aq)+NaCl(aq) \longrightarrow AgCl(s)+NaNO_3(aq)$
➡ 구성 원자의 산화수가 변하지 않으므로 산화 환원 반응이 아니다.

05 주어진 화학식을 구성하는 원자의 전기 음성도는 O>N>H>Mg이고, 화합물에서 H의 산화수는 +1, O의 산화수는 −2, 2족 금속 원소의 산화수는 +2이므로 N의 산화수는 NO에서 +2, N_2O에서 +1, NH_3에서 −3, HNO_3에서 +5, Mg_3N_2에서 −3이다. 따라서 각 물질에서 N의 산화수의 합은
$(+2)+(+1)+(-3)+(+5)+(-3)=+2$이다.

06 | 자료 분석 |

• 화학 반응에서 반응 전후 원자의 종류와 수가 같으므로 (가)에서 X_2는 O_2이고, (나)에서 Y_2는 H_2이다.

(가) $2H_2O_2 \longrightarrow 2H_2O+\underset{O_2}{\underline{X_2}}$
(나) $2Li+2H_2O \longrightarrow 2LiOH+\underset{H_2}{\underline{Y_2}}$

• (가)에서 H의 산화수는 H_2O_2와 H_2O에서 모두 +1이다. 또 O의 산화수는 H_2O_2에서는 −1이고, H_2O에서는 −2, O_2에서는 0이다.

| 선택지 분석 |

✕ H의 산화수는 (가)에서 ~~증가하고~~(변화 없고) (나)에서 감소한다.
➡ (가)에서 H의 산화수는 H_2O_2와 H_2O에서 모두 +1이므로 변화가 없다. (나)에서 H의 산화수는 H_2O에서 +1이고, H_2에서 0이므로 1만큼 감소한다.

ㄴ (나)에서 Li은 환원제로 작용한다.
➡ (나)에서 Li의 산화수는 0에서 +1로 증가하므로 자신은 산화되면서 H_2O을 환원시키는 환원제로 작용한다.

ㄷ X_2와 Y_2가 반응하여 Y_2X를 생성할 때 X_2는 산화제로 작용한다.
➡ (가)에서 X_2는 O_2이고, (나)에서 Y_2는 H_2이다. O_2와 H_2가 반응하여 H_2O을 생성할 때 O_2는 산화수가 감소하므로 자신이 환원되면서 H_2를 산화시키는 산화제로 작용한다.

07 | 선택지 분석 |

✕ (가)에서 N의 산화수는 1만큼 ~~감소~~(증가)한다.
➡ (가)에서 N의 산화수는 NO에서는 +2이고, NOF에서는 +3이므로 1만큼 증가한다.

✕ NO는 (가)에서는 ~~산화제~~(환원제)로, (나)에서는 ~~환원제~~(산화제)로 작용한다.
➡ (가)에서 N의 산화수는 증가하므로 NO는 자신이 산화되면서 F_2을 환원시키는 환원제로 작용한다. (나)에서 N의 산화수는 N_2에서는 0이므로 2만큼 감소한다. 즉 NO 자신은 환원되면서 H_2를 산화시키는 산화제로 작용한다.

ㄷ 산화력은 F_2 > H_2이다.
➡ 산화력은 다른 물질을 산화시키는 능력이므로 환원이 되기 쉬운 물질일수록 산화력이 크다. (가)에서 환원된 물질은 F_2이므로 산화력은 F_2>NO이다. 또 (나)에서 환원된 물질은 NO이므로 산화력은 NO>H_2이다. 이로부터 산화력은 F_2>NO>H_2이다.

08 (가)에서 N의 산화수는 N_2에서는 0, NH_3에서는 −3이다. H의 산화수는 H_2에서는 0, NH_3에서는 +1이다. N의 산화수는 감소하고, H의 산화수는 증가하므로 N_2는 다른 물질을 산화시키는 산화제로 작용하고, H_2는 다른 물질을 환원시키는 환원제로 작용하였다. (나)에서 Cu^{2+}은 전자를 얻어 Cu로 환원되었으므로 다른 물질을 산화시키는 산화제로 작용하였다. 또 Zn은 전자를 잃고 Zn^{2+}으로 산화되었으므로 다른 물질을 환원시키는 환원제로 작용하였다.

09 | 선택지 분석 |

ㄱ Mn의 산화수는 2만큼 감소한다.
➡ Mn의 산화수는 MnO_2에서 +4이고, $MnCl_2$에서 +2이므로 2만큼 감소한다.

ㄴ $a+b=5$이다.
➡ 반응 전후 원자의 종류와 수가 같도록 계수를 맞추면 $a=4$, $b=1$이다.

✕ HCl 1몰이 완전히 산화될 때 생성되는 H_2O의 양(mol)은 ~~2~~(1)몰이다.
➡ 1몰의 HCl이 완전히 산화될 때 필요한 MnO_2의 양은 0.5몰이다. 이로부터 HCl 1몰이 완전히 산화될 때 생성되는 H_2O의 양(mol)은 1몰이다.

10 | 선택지 분석 |

ㄱ. (가)에서 S의 산화수는 2만큼 증가한다.

➡ S의 산화수는 H_2S에서 −2이고, 원소 상태로 존재하는 S에서는 0이므로 2만큼 증가한다.

ㄴ. (나)에서 구한 a와 b는 각각 2, 5이다.

➡ Mn의 산화수는 MnO_4^-에서 +7이고, MnO_4^-에서 +2이므로 5만큼 감소한다. 증가한 산화수와 감소한 산화수가 같도록 MnO_4^-과 Mn^{2+}의 계수를 2, H_2S와 S의 계수를 5로 맞춘다. 따라서 (나)에서 구한 a는 2이고, b는 5이다.

✗ $c+d=$ ~~10~~ 11이다.

➡ 산화수 변화가 없는 H와 O의 원자 수가 같도록 계수를 맞출 때 H 원자 수는 생성물에서 16이므로 반응물에서 16이어야 한다. 이때 b가 5이므로 c는 6이다. 또 d는 b와 같은 5이므로 $c+d=11$이다.

도전! 실력 올리기 274쪽~275쪽

01 ③ **02** ② **03** ③ **04** ⑤ **05** ③ **06** ⑤

07 | **모범 답안** | Fe>A>Cu, A^{2+} 수용액에 Fe을 넣었을 때 금속 A가 석출되는 것으로 보아 Fe이 전자를 잃고 산화되면서 A^{2+}이 전자를 얻어 환원되었다. 이로부터 산화되기 쉬운 정도는 Fe>A이다. 또 A^{2+}수용액에 Cu를 넣었을 때 아무 변화가 없으므로 Cu는 자신이 산화되면서 A^{2+}을 환원시키지 못한다. 이로부터 산화되기 쉬운 정도는 A>Cu이다.

08 Z>Y>X

09 (1) | **모범 답안** | $a=-3$, $b=+3$, 2주기 원소 중 분자를 형성하는 원소들의 전기 음성도는 H보다 크므로 YH_3에서 전자쌍은 Y가 모두 가져간다. 따라서 Y의 산화수는 −3이다. 또 전기 음성도는 F이 가장 크므로 YF_3에서 전자쌍은 F이 모두 가져간다. 따라서 Y의 산화수는 +3이다. (2) +3

01 (가)에서 마그네슘은 산소와 반응하여 산화 마그네슘으로 산화되므로 ㉠은 산화이다. (나)에서 N의 산화수는 N_2에서는 0이고, NH_3에서는 −3이므로 N의 산화수는 감소하여 질소는 환원된다. 따라서 ㉡은 환원이다. (다)에서 C의 산화수는 CO_2에서는 +4이고, $C_6H_{12}O_6$에서는 산화수가 0이다. 즉 산화수가 감소하여 이산화 탄소는 환원되므로 ㉢은 환원이다.

02 | 선택지 분석 |

✗ X에서 O의 산화수는 ~~−2~~ −1이다.

➡ (가)에서 반응 전후 원자의 종류와 수가 같도록 X의 화학식을 완성하면 H_2O_2이다. H_2O_2에서 O의 산화수는 −1이다.

ㄴ. (나)에서 C의 산화수는 1만큼 감소한다.

➡ (나)에서 C의 산화수는 C_2H_2에서 −1이고, C_2H_4에서는 −2이다. 따라서 C의 산화수는 1만큼 감소한다.

✗ (나)와 (다)의 생성물에서 H의 산화수는 ~~+1로 같다~~ 서로 다르다.

➡ C_2H_4에서 H의 산화수는 +1이고, MgH_2에서는 −1이다. 따라서 (나)와 (다)의 생성물에서 H의 산화수는 서로 다르다.

03 | 선택지 분석 |

ㄱ. X는 NO_2이다.

➡ (가)에서 반응 전후 원자의 종류와 수가 같도록 X의 화학식을 완성하면 NO_2이다.

ㄴ. (가)에서 NH_3는 환원제로 작용한다.

➡ (가)에서 N의 산화수는 NH_3에서 −3이고, NO_2에서 +4이다. N의 산화수가 증가하므로 NH_3는 자신이 산화되면서 O_2를 환원시키는 환원제로 작용한다.

✗ (나)의 질소 화합물에서 N의 산화수의 합은 ~~10~~ 11이다.

➡ (나)에서 N의 산화수는 NO_2에서 +4, HNO_3에서 +5, NO에서 +2이므로 질소 화합물에서 N의 산화수의 합은 +11이다.

04 | 자료 분석 |

(가) $2MnO_4^- + 5H_2O_2 + 6H^+ \longrightarrow 2Mn^{2+} + 5O_2 + 8H_2O$

(나) $aH_2O_2 + bI^- + 2H^+ \longrightarrow cI_2 + dH_2O$ (a=1, b=2, c=1, d=2)

(a~d는 반응 계수)

- (나)에서 I의 원자 수를 맞추면 b는 2이고, c는 1이다. → 2개의 I의 산화수는 1만큼씩 증가한다.
- (나)에서 O의 원자 수를 맞추면 a는 1이고, d는 2이다.

| 선택지 분석 |

ㄱ. 산화력의 세기는 $MnO_4^- > H_2O_2 > I^-$이다.

➡ (가)에서 Mn의 산화수는 MnO_4^-에서 +7이고, Mn^{2+}에서 +2로 감소하므로 MnO_4^-은 자신이 환원되면서 H_2O_2를 산화시키므로 산화력은 $MnO_4^- > H_2O_2$이다. 또 (나)에서 O의 산화수는 H_2O_2에서 −1이고, H_2O에서 −2로 산화수가 1만큼 감소한다. 즉 H_2O_2는 자신이 환원되면서 I^-을 산화시키므로 산화력은 $H_2O_2 > I^-$이다. 따라서 산화력은 $MnO_4^- > H_2O_2 > I^-$이다.

ㄴ. H_2O_2는 (가)에서는 환원제로, (나)에서는 산화제로 작용한다.

➡ H_2O_2는 (가)에서는 산화되고 (나)에서는 환원되므로 (가)에서는 환원제로 (나)에서는 산화제로 작용한다.

ㄷ. (나)에서 $\frac{a+b}{c+d}=1$이다.

➡ (나)에서 계수를 맞추면 $a=1$, $b=2$, $c=1$, $d=2$이므로 $\frac{a+b}{c+d}=1$이다.

05 | 선택지 분석 |

ㄱ. $\frac{c}{a}=\frac{3}{2}$이다.

➡ Al이 Al^{3+}으로 될 때 산화수는 3만큼 증가하고, $2H^+$이 H_2로 될 때 산화수는 1만큼 감소하며, H^+ 2개가 반응하여 H_2를 생성하므로 Al과 Al^{3+} 앞의 계수는 2이고, H^+ 앞의 계수는 6, H_2 앞의 계수는 3이다. 이로부터 $a=2$, $c=3$이므로 $\frac{c}{a}=\frac{3}{2}$이다.

ㄴ. Al 9 g이 모두 반응할 때 이동한 전자의 양(mol)은 1몰이다.

➡ 완성된 화학 반응식에서 Al 1몰이 모두 반응할 때 이동한 전자의 양(mol)은 3몰이다. Al 9 g은 $\frac{1}{3}$몰이므로 Al $\frac{1}{3}$몰이 모두 반응할 때 이동한 전자의 양(mol)은 1몰이다.

✗ H_2 1몰이 생성될 때 반응한 Al의 양(mol)은 ~~0.5~~ $\frac{2}{3}$몰이다.

➡ 화학 반응식에서 H_2 3몰이 생성될 때 반응한 Al의 양(mol)은 2몰이므로 H_2 1몰이 생성될 때 Al은 $\frac{2}{3}$몰이 반응한다.

06 | 자료 분석 |

• (가)에서 양이온 수 감소 → 생성된 B 이온 수가 반응한 A^+의 수보다 작다. → B 이온의 산화수는 +2 이상이다.

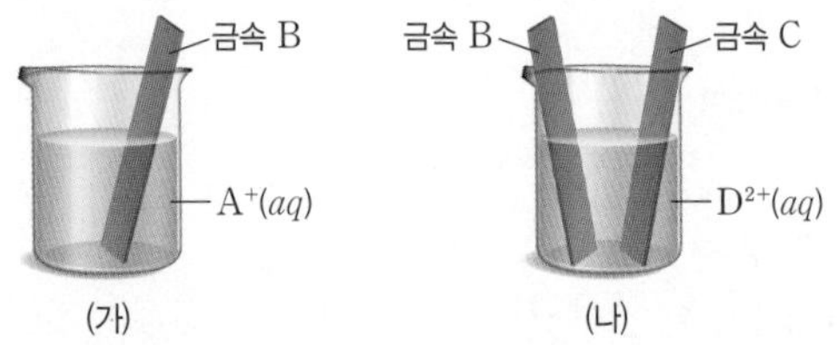

• (나)에서 양이온 수 증가 → B 이온의 산화수는 +2 이상이므로 B가 반응하였다면 양이온 수는 일정하거나 감소해야 한다. → 반응한 금속이 C이며, C의 산화수는 +1이다.

| 선택지 분석 |

㉠ (가)에서 B의 산화수는 증가한다.

➡ (가)에서 양이온 수의 변화가 있으므로 반응이 일어난 것이다. 즉 B가 전자를 잃고 산화되면서 A^+은 전자를 얻어 환원된다. 따라서 B의 산화수는 증가한다. 이때 양이온 수가 감소하므로 B 이온의 산화수는 +2 이상이다.

㉡ 금속 이온의 산화수는 B 이온이 C 이온보다 크다.

➡ (나)에서 B가 산화되었다면 B의 산화수는 +2 이상이므로 양이온 수가 일정하거나 감소한다. 그런데 양이온 수가 증가하였으므로 C가 반응하였으며, 반응한 D^{2+}의 수보다 생성된 C 이온 수가 많다. 이로부터 C 이온의 산화수는 +1이다. 따라서 금속 이온의 산화수는 B 이온이 C 이온보다 크다.

㉢ A~D에서 C가 가장 산화되기 쉽다.

➡ (가)에서 B가 산화되므로 산화되기 쉬운 정도는 B>A이다. (나)에서는 B는 반응하지 않고 C만 산화되면서 D^{2+}이 환원되므로 C는 D보다 산화되기 쉽고, D는 B보다 산화되기 쉽다. 이로부터 산화되기 쉬운 정도는 C>D>B>A이다.

07 금속 양이온의 수용액에 금속을 넣을 때 반응이 일어나면 넣어 준 금속이 산화되면서 수용액 속 금속 양이온은 전자를 얻어 환원된 것이므로 넣어 준 금속이 금속 양이온의 금속보다 반응성이 크다. 또 금속 양이온의 수용액에 금속을 넣을 때 반응이 일어나지 않으면 넣어 준 금속이 산화되면서 금속 양이온을 환원시키지 못한 것이므로 양이온 상태로 존재하는 금속이 넣어 준 금속보다 반응성이 크다.

채점 기준	배점
금속의 반응성을 옳게 비교하고, 까닭을 옳게 서술한 경우	100 %
금속의 반응성만 옳게 비교한 경우	50 %

08 공유 결합에서 전기 음성도가 큰 원자가 공유 전자쌍을 완전히 차지한다고 가정할 때 각 원자가 가지는 전하를 산화수라고 하므로 전기 음성도가 큰 원자는 -의 산화수를, 전기 음성도가 작은 원자는 +의 산화수를 갖는다. XY_2에서 Y의 산화수가 -2이므로 X의 산화수는 +4이다. 따라서 전기 음성도는 Y>X이다. Y_2Z_2에서 Y의 산화수는 +1이므로 Z의 산화수는 -1이다. 따라서 전기 음성도는 Z>Y이다.

09 (1) 2주기 원소 중 분자를 형성하는 원소들은 모두 H보다 전기 음성도가 크다. 또한 F은 전기 음성도가 가장 큰 원소이므로 화합물에서 산화수는 항상 -1이다.

채점 기준	배점
a, *b*를 옳게 구하고, 그 과정을 옳게 서술한 경우	100 %
a, *b*만 옳게 구한 경우	50 %

(2) 원소 X, Y는 2주기 원소이므로, 주어진 화합물에서 옥텟 규칙을 만족하는 X는 O이고, Y는 N이다. 화합물에서 O의 산화수는 -2이고 화합물의 구성 원자의 산화수 합은 0이므로 Y의 산화수는 +3이다.

02 화학 반응에서 열의 출입

탐구POOL 280쪽

01 (1) ○ (2) × (3) ○ (4) × (5) ○ **02** 78.3216 kJ

01 (1) $CaCl_2$의 용해 과정은 발열 반응인데, 넣어 준 $CaCl_2$이 모두 용해하지 않으면 방출한 열이 작으므로 용액의 온도 변화가 작게 측정된다.

(2) 단열 처리가 잘 되면 방출된 열이 공기 중으로 빠져나가지 않으므로 실험 오차가 작아지는 요인이 된다.

(3), (5) 방출한 열이 용액뿐 아니라 온도계 젓개 등의 온도를 높이는 데 사용되거나 공기 중으로 빠져 나가면 열량이 작게 측정된다.

(4) 용해 전 물의 온도를 실제보다 낮게 측정하면 용액의 온도 변화(나중 온도−처음 온도)의 값이 커지므로 측정한 열량이 높아진다.

02 실험에서 측정한 염화 칼슘 1 g이 물에 용해할 때 방출되는 열량은 705.6 J/g이다. 여기에 염화 칼슘의 화학식량 111을 곱하면 염화 칼슘 1몰이 용해할 때 방출되는 열량을 구할 수 있다.

$705.6\ J/g \times 111\ g/mol \times \frac{1}{1000}\ kJ/J = 78.3216\ kJ$

콕콕! 개념 확인하기 281쪽

✔ 잠깐 확인!

1 발열, 높 **2** 흡열, 낮 **3** 열량계 **4** 비열 **5** 열용량 **6** 간이 열량계 **7** 통열량계

01 (1) ○ (2) × (3) × **02** (1) 발열 (2) 발열 (3) 흡열 (4) 흡열 **03** (1) ○ (2) × (3) ○ **04** ㄱ, ㄴ, ㄷ **05** 염화 칼슘의 용해: 발열 반응, 질산 암모늄의 용해: 흡열 반응

02 (3) 열분해 반응은 열을 공급해 주어야 일어나는 흡열 반응이다.
(4) 물의 전기 분해 반응에서는 전기 에너지를 공급해 주어야 한다. 열뿐만 아니라 빛에너지, 전기 에너지를 공급하는 반응도 흡열 반응이다.

03 (2) 간이 열량계는 구조가 간단하지만 단열이 잘 되지 않아 정밀한 측정에 사용하지 않는다.

04 염화 칼슘이 용해할 때 출입하는 열량은 모두 용액의 온도를 변화시키는 데 사용되므로 용액이 흡수한 열량을 구해야 한다. 용액이 흡수한 열량을 구하려면 용액의 비열, 용액의 질량, 용액의 온도 변화를 알아야 한다.

05 염화 칼슘을 용해시켰을 때의 나중 온도는 처음 온도보다 높으므로 발열 반응이다. 질산 암모늄을 용해시켰을 때의 나중 온도는 처음 온도보다 낮으므로 흡열 반응이다.

탄탄! 내신 다지기 282쪽~283쪽

01 ② **02** ⑤ **03** ③ **04** ② **05** ③ **06** ① **07** ⑤ **08** ② **09** ㉠ 열량계, ㉡ 온도계 **10** ③ **11** ①

01 | 선택지 분석 |

① 질산 암모늄을 물에 용해한다.
➡ 질산 암모늄의 용해 과정은 흡열 과정으로, 물에 녹을 때 온도가 낮아지므로 냉각 팩 등에 이용한다.

② 메테인을 연소시켜 난방을 한다.
➡ 연료의 연소 반응은 열을 주위로 방출하는 발열 반응이다.

③ 베이킹파우더를 이용해 과자를 부풀린다.
➡ 베이킹파우더의 주성분은 탄산수소 나트륨으로, 열을 공급하면 분해되는 흡열 반응이다.

④ 물을 전기 분해 하여 수소와 산소를 얻는다.
➡ 물의 전기 분해 과정에서는 전기 에너지를 공급해 주어야 하므로 흡열 반응이다.

⑤ 식물이 빛에너지를 이용하여 광합성을 한다.
➡ 광합성 과정에서 빛에너지를 흡수하므로 흡열 반응이다.

02 | 선택지 분석 |

ㄱ. 반응이 일어날 때 반응 용기의 온도가 낮아진다.
➡ 흡열 반응이 일어날 때 주위로부터 열을 흡수하므로 반응 용기의 온도는 낮아진다.

ㄴ. 생성물의 에너지가 반응물의 에너지보다 크다.
➡ 반응물이 주위로부터 열을 흡수하여 생성물이 되므로 생성물의 에너지가 반응물의 에너지보다 크다.

ㄷ. 주위에서 열을 흡수한다.
➡ 흡열 반응은 주위에서 열을 흡수하는 반응이다.

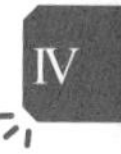

03 | 선택지 분석 |

ㄱ. 반응이 일어날 때 주위의 온도가 낮아진다.
➡ 플라스크 안에서 반응이 일어나면서 나무판의 물이 언 것으로 보아 주위의 온도가 낮아진다.

ㄴ. 생성물의 에너지가 반응물의 에너지보다 ~~작다~~ 크다.
➡ 플라스크 안에서 일어나는 반응은 흡열 반응이므로 생성물의 에너지가 반응물의 에너지보다 크다.

ㄷ. 물의 증발 과정과 열의 출입 방향이 같다.
➡ 물의 증발은 열을 흡수하는 반응이므로 플라스크 안에서 일어나는 반응과 열의 출입 방향이 같다.

04 | 선택지 분석 |

ㄱ. 화학 반응이 일어날 때는 항상 열을 ~~방출한다~~ 방출하거나 흡수한다.
➡ 화학 반응이 일어날 때 반응물과 생성물의 에너지 차이에 따라 열을 방출하기도 하고, 흡수하기도 한다.

ㄴ. 발열 반응이 일어나면 주위의 온도가 높아진다.
➡ 발열 반응이 일어날 때 열을 주위로 방출하므로 주위의 온도가 높아진다.

ㄷ. 중화 반응은 ~~흡열~~ 발열 반응이다.
➡ 중화 반응은 열을 방출하는 발열 반응이다.

05 ㉠: 질산 암모늄이 물에 녹으면 냉각 주머니가 차가워지는 것으로 보아 주위의 온도가 낮아지는 흡열 반응이다.
㉡: 도시가스의 연소 반응은 열을 방출하는 발열 반응이다.
㉢: 물의 증발은 주위로부터 열을 흡수하는 흡열 반응이다.

06 물의 응고 반응은 열을 주위로 방출하는 발열 반응이다.

07 | 자료 분석 |

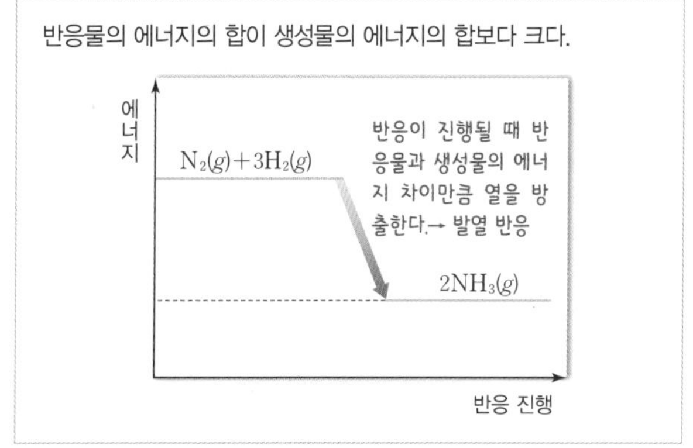
반응물의 에너지의 합이 생성물의 에너지의 합보다 크다.
에너지
$N_2(g)+3H_2(g)$
반응이 진행될 때 반응물과 생성물의 에너지 차이만큼 열을 방출한다.→ 발열 반응
$2NH_3(g)$
반응 진행

| 선택지 분석 |

ㄱ 발열 반응이다.

➡ 반응물과 생성물의 에너지 차이만큼 열을 방출하는 발열 반응이다.

ㄴ 반응이 일어날 때 주위의 온도가 높아진다.

➡ 발열 반응이므로 반응이 일어날 때 주위의 온도가 높아진다.

ㄷ 반응물의 에너지 합이 생성물의 에너지 합보다 크다.

➡ 에너지 합은 반응물이 생성물보다 크므로 반응이 일어날 때 에너지를 방출한다.

08 | 선택지 분석 |

ㄱ. (가)는 열 손실이 ~~거의 없다~~ 있다.

➡ (가)는 간이 열량계로, 단열이 잘 되지 않아 열 손실이 비교적 크다.

ㄴ (가)는 용해 반응이나 중화 반응에서 출입하는 열을 측정할 때 사용하기 적합하다.

➡ 간이 열량계는 뚜껑을 통해 생성물이 빠져나갈 수 있으므로 연소 반응 등 기체가 발생하는 반응보다 용해 반응, 중화 반응 등에 사용하기 적합하다.

ㄷ. (나)는 기체가 발생하는 반응에서 출입하는 열을 측정할 때 사용하기 ~~적합하지 않다~~ 적합하다.

➡ (나)는 통열량계로, 연소 반응 등 기체가 발생하는 반응에 사용하기 적합하다.

09 화학 반응에서 출입하는 열량을 측정하는 기구는 열량계이다. 열량계는 반응이 진행되는 단열 용기, 온도계, 반응에서 출입하는 열이 고르게 잘 분포되도록 섞어 주는 젓개로 구성된다.

10 | 선택지 분석 |

ㄱ $CaCl_2$은 물에 용해할 때 열을 방출한다.

➡ 용해한 후 용액의 온도가 처음 온도보다 높으므로 $CaCl_2$은 용해할 때 열을 방출한다.

ㄴ $CaCl_2$이 용해할 때 방출한 열은 용액이 모두 흡수한다고 가정하여 열량을 구한다.

➡ 간이 열량계를 이용하여 화학 반응에서 출입하는 열을 측정할 때는 반응에서 출입하는 열을 용액이 모두 흡수한다고 가정하고 열량을 구한다.

ㄷ. $CaCl_2$ 1몰이 용해할 때 방출하는 열을 구하려면 $CaCl_2$의 ~~밀도를~~ 화학식량을 알아야 한다.

➡ 주어진 실험 자료로부터 $CaCl_2$ 10 g이 용해할 때 방출하는 열량을 구하고, 이를 1몰이 용해할 때 방출하는 열량으로 환산하려면 $CaCl_2$ 10 g에 해당하는 양(mol)을 알아야 한다. 즉 $CaCl_2$의 1몰 질량에 해당하는 화학식량을 알아야 한다.

11 용액이 흡수한 열량은 $4\ J/(g\cdot ℃) \times 104\ g \times 10\ ℃ = 4160\ J$이고, 이를 1 g이 용해할 때의 열량으로 환산하면 1.04 kJ이다. 이때 온도가 높아졌으므로 열을 방출한다.

도전! 실력 올리기 284쪽~285쪽

01 ① **02** ② **03** ④ **04** ③ **05** ⑤ **06** ⑤

07 | **모범 답안** | 두 수용액의 비열과 질량이 같으므로 출입하는 열량의 크기는 온도 변화에 비례한다. 온도 변화는 X가 Y의 2배이므로 각 물질 1 g이 물에 용해할 때 출입하는 열량의 크기는 X가 Y보다 크다. 화학식량은 X가 Y보다 크므로 1 g에 포함된 물질의 양(mol)은 X가 Y보다 작다. 따라서 각 물질 1몰이 물에 용해할 때 출입하는 열량의 크기는 X가 Y보다 크다.

08 | **모범 답안** | 용액의 비열, 수산화 나트륨의 화학식량이 필요하다. 수산화 나트륨이 용해할 때 방출한 열은 용액이 모두 흡수하고, 용액이 얻은 열량을 구하기 위해 용액의 질량과 온도 변화를 알고 있으므로 용액의 비열이 추가로 필요하다. 또 이 값을 1몰에 해당하는 값으로 환산하기 위해 수산화 나트륨의 화학식량이 필요하다.

01 | 자료 분석 |

컵 속 ㉠ 얼음이 물로 녹으면서 음료수가 시원해진다.	㉡ 가스가 연소하여 찌개가 끓는다.	손난로 주머니를 흔들면 ㉢ 철가루가 산화되면서 따뜻해진다.
얼음이 물로 녹을 때는 열을 주위로부터 흡수한다. 즉 얼음이 물로 녹는 과정은 흡열 반응이다.	가스의 연소 반응은 열을 방출하는 발열 반응이므로 이를 이용하여 조리나 난방에 이용한다.	철가루가 산소와 반응하여 산화될 때는 열을 방출하므로 손난로 주머니에 이용한다. 즉 철의 산화 반응은 발열 반응이다.

02 | 자료 분석 |

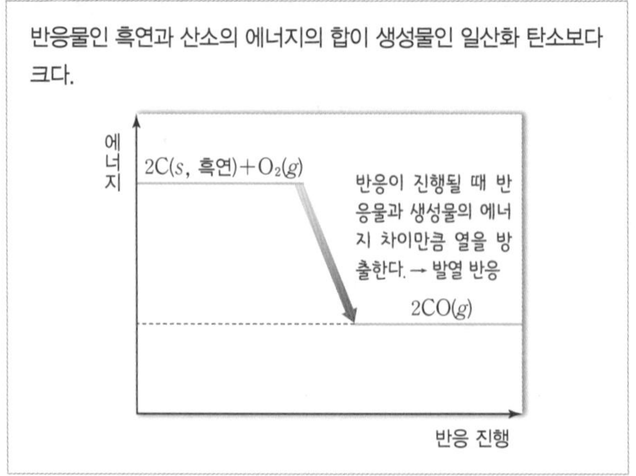

| 선택지 분석 |

ㄱ. 열을 ~~흡수~~ 방출한다.

➡ 생성물의 에너지가 반응물의 에너지보다 작으므로 반응이 일어날 때 반응물과 생성물의 에너지 차이만큼 열을 방출한다.

ㄴ 주위의 온도가 높아진다.

➡ 열을 주위로 방출하는 발열 반응이므로 주위의 온도가 높아진다.

✗ 물질 전체의 에너지는 점점 커진다. (작아)

➡ 생성물의 에너지가 반응물의 에너지보다 작으므로 반응물에서 생성물로 될 때 물질이 가진 에너지를 열의 형태로 방출하면 물질의 전체 에너지는 점점 작아진다.

03 반응이 일어날 때 에너지를 흡수하는 반응은 흡열 반응이다. (가) 알코올의 연소 반응은 에너지를 방출하는 반응이다. (나) 광합성은 빛에너지를 흡수하는 반응이다. (다) 물의 전기 분해는 전기 에너지를 흡수하는 반응이다.

04 | 선택지 분석 |

ㄱ $KOH(s)$은 물에 용해할 때 열을 방출한다.

➡ (가)에서 KOH이 용해할 때 용액의 온도가 높아지므로 용해 과정에서 열을 방출하는 발열 반응이다.

ㄴ $KCl(s)$의 용해 과정은 흡열 반응이다.

➡ (나)에서 KCl이 용해할 때 용액의 온도가 낮아지므로 용해 과정에서 열을 흡수하는 흡열 반응이다.

✗ ~~(가)와~~ (나)에서 ~~모두~~ 생성물의 에너지가 반응물의 에너지보다 크다.

➡ (가)는 발열 반응이므로 생성물의 에너지가 반응물의 에너지보다 작다. 또 (나)는 흡열 반응이므로 생성물의 에너지가 반응물의 에너지보다 크다.

05 통열량계의 시료 접시 속에서 나프탈렌 12.8 g이 완전 연소할 때 방출한 열량은 물이 얻은 열량과 통열량계가 얻은 열량을 합한 값이다. 물이 얻은 열량은 4.2 J/(g·℃)×2000 g×(30−20)℃=84 kJ이다. 통열량계가 얻은 열량은 1.8 kJ/℃×10 ℃=18 kJ이므로 총열량은 102 kJ이다. 이때 나프탈렌 12.8 g은 0.1몰이므로 나프탈렌 1몰이 완전 연소할 때 방출하는 열은 1020 kJ이다.

06 과자가 연소할 때 발생하는 열은 물이 모두 흡수한다고 가정하여 열량을 측정하므로 물의 비열(ㄱ), 물의 질량(ㄴ), 물의 온도 변화(ㄷ)가 필요하다. 이때 구한 열량은 일정 질량의 과자가 연소할 때 방출한 열량이므로 1 g이 연소할 때 방출한 열량을 구하려면 연소한 과자의 질량(ㄹ)을 알아야 한다.

07 비교하는 수용액의 비열과 질량이 같다면, 출입하는 열량의 크기는 온도 변화에 비례한다.

채점 기준	배점
열량의 크기를 옳게 비교하고 그 까닭을 옳게 서술한 경우	100 %
열량의 크기만 옳게 비교한 경우	50 %

08 간이 열량계로 화학 반응에서 발생한 열량을 측정할 때는 용액의 비열과 질량, 온도 변화를 알아야 한다.

채점 기준	배점
자료를 모두 쓰고, 그 까닭을 옳게 서술한 경우	100 %
자료만을 모두 쓴 경우	50 %

실전! 수능 도전하기

287쪽~289쪽

01 ⑤ 02 ③ 03 ⑤ 04 ③ 05 ⑤ 06 ⑤ 07 ② 08 ②
09 ④ 10 ③ 11 ② 12 ②

01 | 선택지 분석 |

ㄱ (가)에서 Cu의 산화수는 2만큼 증가한다.

➡ (가)에서 Cu의 산화수는 원소인 Cu에서는 0이고, CuO에서는 +2이므로 2만큼 증가한다.

ㄴ (나)에서 CO는 환원제로 작용한다.

➡ (나)에서 CuO가 Cu로 될 때 산소 원자를 잃고, 이 산소 원자는 CO가 얻어 CO_2로 된다. CO는 자신이 CO_2로 산화되면서 CuO를 Cu로 환원시키는 환원제이다.

ㄷ X에서 C의 산화수는 +4이다.

➡ X는 CO_2이다. CO_2에서 O의 산화수는 −2이므로 C의 산화수는 +4이다.

02 | 선택지 분석 |

ㄱ (가)에서 N의 산화수는 2만큼 증가한다.

➡ (가)의 반응에서 NO가 NO_2로 된다. N의 산화수는 NO에서 +2, NO_2에서 +4이므로 2만큼 증가한다.

ㄴ (나)의 화학 반응식은 $3NO_2+H_2O \longrightarrow 2HNO_3+NO$이다.

➡ (나)에서 NO_2와 H_2O이 반응하여 NO와 HNO_3을 생성하므로 반응물을 화살표 왼쪽, 생성물을 화살표 오른쪽에 쓴 다음, 반응 전후 원자의 종류와 수가 같도록 계수를 맞추면 $3NO_2+H_2O \longrightarrow 2HNO_3+NO$이다.

✗ (나)에서 H_2O은 산화제~~이다~~. (가 아니다)

➡ (나)의 화학 반응식은 $3NO_2+H_2O \longrightarrow 2HNO_3+NO$이다. 이 반응에서 H와 O의 산화수는 변하지 않으므로 H_2O은 산화되거나 환원되지 않는다.

03 | 선택지 분석 |

✗ $HCl(aq)$은 산화제이다.

➡ Cl의 산화수는 HCl에서 −1이고, Cl_2에서 0이다. 즉 산화수가 증가하므로 자신이 산화되면서 다른 물질을 환원시키는 환원제이다.

ㄴ Mn의 산화수는 +7에서 +2로 감소한다.

➡ Mn의 산화수는 $KMnO_4$에서 +7이고, $MnCl_2$에서 +2이다. 따라서 Mn산화수는 +7에서 +2로 감소한다.

ㄷ $\frac{b}{a}=8$이다.

➡ 반응 후 수소 원자 수가 16이고, 산소 원자 수는 8이므로 반응물에서 $HCl(aq)$의 계수는 16이고, $KMnO_4$의 계수는 2이다. 화학 반응식을 완성하면 $2KMnO_4(aq)+16HCl(aq) \longrightarrow 2KCl(aq)+2MnCl_2(aq)+8H_2O(l)+5Cl_2(g)$이므로 $\frac{b}{a}=8$이다.

04 | 선택지 분석 |

ㄱ (가)에서 H_2는 환원제이다.

➡ (가)에서 H_2는 산소를 얻어 H_2O로 산화된다. 즉 자신이 산화되면서 다른 물질을 환원시키는 환원제이다.

✕ 반응 ~~(가)~(다)는 모두~~ 산화 환원 반응이다.
(가)와 (다)만

➡ (나)에서 N의 산화수는 NO_2와 N_2O_4에서 +4로 같다. 즉 산화수 변화가 없으므로 산화 환원 반응이 아니다.

ㄷ N의 산화수가 가장 작은 물질은 NH_3이다.

➡ 반응에서 제시된 질소 화합물 NH_3, NO, NO_2, N_2O_4, HNO_3에서 N의 산화수는 각각 −3, +2, +4, +4, +5이다. 따라서 N의 산화수가 가장 작은 물질은 NH_3이다.

05 | 선택지 분석 |

ㄱ ㉠은 산화된다.

➡ ㉠은 원소이므로 산화수는 0이다. 생성물에서 C의 산화수는 Na_2CO_3에서 +4이고, CO에서 +2이므로 C의 산화수는 증가한 것으로, ㉠은 산화된다.

ㄴ Cr의 산화수는 3만큼 감소한다.

➡ Cr의 산화수는 $Na_2Cr_2O_7$에서는 +6이고, Cr_2O_3에서는 +3이므로 산화수는 3만큼 감소한다.

ㄷ ㉡의 산화수는 ㉢의 산화수보다 2만큼 크다.

➡ Na_2CO_3에서 Na의 산화수는 +1이고, O의 산화수는 −2이므로 ㉡의 산화수는 +4이다. 또 CO에서 ㉢의 산화수는 +2이므로 ㉡이 ㉢보다 2만큼 크다.

06 | 자료 분석 |

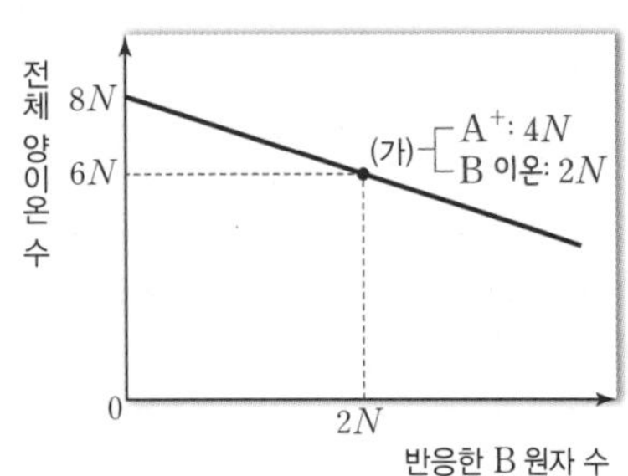

반응 전 A^+의 수가 $8N$이고, B 원자 $2N$이 반응하여 생성된 B 이온의 수가 $2N$일 때 전체 양이온 수는 $6N$이다. → 반응한 A^+의 수를 x라고 하면 반응 후 A^+의 수는 $8N-x$이고, B 이온의 수는 $2N$이므로 $(8N-x)+2N=6N$에서 $x=4N$이다. → 반응한 A^+과 생성된 B 이온 수의 비는 2 : 1이다.

| 선택지 분석 |

ㄱ B는 A보다 산화되기 쉽다.

➡ A^+에 금속 B를 넣었을 때 용액 속 양이온 수가 감소한 것으로 보아 B가 산화되면서 A^+을 환원시킨 것을 알 수 있다. 따라서 B는 A보다 산화되기 쉽다.

ㄴ 금속 B 이온의 산화수는 +2이다.

➡ 반응한 A^+의 수가 $4N$이고, 생성된 B 이온의 수가 $2N$이므로 B 이온의 산화수는 +2이다.

ㄷ (가)에서 $\frac{A^+\text{의 수}}{\text{B 이온의 수}}=2$이다.

➡ (가)에서 A^+은 $8N$ 중 $4N$이 반응하여 $4N$이 남아 있고, 생성된 B 이온의 수는 $2N$이므로 $\frac{A^+\text{의 수}}{\text{B 이온의 수}}=2$이다.

07 | 선택지 분석 |

✕ (가)는 산화 환원 ~~반응이다~~.
이 아니다

➡ (가)에서는 구성 원자의 산화수가 변하지 않으므로 산화 환원 반응이 아니다.

✕ (나)에서 ㉠은 ~~산화제이다~~.
가 아니다

➡ (나)에서 반응 전후 원자의 종류와 수가 같도록 ㉠의 화학식을 완성하면 H_2O이다. (나)에서 H와 O의 산화수는 반응 전후 각각 +1, −2로 산화수가 변하지 않으므로 산화되거나 환원되지 않는다.

ㄷ ㉡에서 Cl의 산화수는 +1이다.

➡ (다)에서 ㉠이 H_2O이므로 반응 전후 원자의 종류와 수가 같도록 ㉡의 화학식을 완성하면 NaClO이다. 전기 음성도는 O>Cl>Na이므로 NaClO에서 Na의 산화수는 +1, O의 산화수는 −2이므로 Cl의 산화수는 +1이다.

08

A가 모두 산화되고 B가 산화되므로 실험 Ⅰ과 실험 Ⅱ에서 반응 후 용액 속의 금속 양이온 $6N$은 C^{2+} 0.5 L와 반응하여 생성된 B^+이다. 이때 생성된 B^+의 수가 $6N$이므로 반응한 C^{2+}의 수는 $3N$이다. 이로부터 $C^{2+}(aq)$ 0.5 L에 들어 있는 C^{2+}의 수는 $3N$이므로 실험 Ⅰ에서 반응 전 $C^{2+}(aq)$ 1 L에 들어 있는 C^{2+}의 수는 $6N$이다.

반응 후 B^+이 존재하므로 A^{m+}에서 $m=1$이거나 $m=2$이라면 이온 수는 $6N$보다 커야 하는데, 수용액의 금속 양이온 수가 $6N$이므로 주어진 조건에 부합하지 않는다. 따라서 A^{m+}의 $m=3$이다. 이로부터 실험 Ⅰ에서 금속 A가 C^{2+}과 반응 한 양을 $2a$라고 하면 양적 관계는 다음과 같다.

	$3C^{2+}$	$+2A$	⟶	$3C$	$+2A^{3+}$
반응 전	$6N$	$2a$		0	0
반응	$-3a$	$-2a$		$3a$	$2a$
반응 후	$6N-3a$	0		$3a$	$2a$

A가 모두 산화된 후 B가 반응하므로 C^{2+} $6N-3a$와 반응하여 생성된 B^+의 수는 $2(6N-3a)$이고, 반응 후 전체 양이온 수가 $6N$이므로 $2a+(12N-6a)=6N$이다. 이 식을 풀면 $a=1.5N$이다. 따라서 실험 Ⅰ에서 A^{3+}의 수와 B^+의 수는 각각 $3N$이다.

실험 Ⅲ에서 사용한 $C^{2+}(aq)$의 부피는 실험 Ⅱ에서보다 1 L가 더 많으므로 C^{2+}의 수가 $6N$ 더 추가된 것이고, 이때 생성된 B^+의 수를 $2b$라고 하면 양적 관계는 다음과 같다.

	C^{2+}	$+2B$	⟶	C	$+2B^+$
반응 전	$6N$	$2b$		0	0
반응	$-b$	$-2b$		b	$2b$
반응 후	$6N-b$	0		b	$2b$

반응 후 용액 속 B^+의 총수는 $9N+2b$, C^{2+}의 수는 $6N-b$이다. 이때 B^+의 수가 C^{2+}의 수의 5배이므로 $9N+2b=5(6N-b)$이다.

이 식을 풀면 $b=3N$이고, B^+의 수는 $15N$, C^{2+}의 수는 $3N$, A^{3+}의 수는 $3N$이므로 총 이온 수는 $21N$이다.

이로부터 $x=21$이므로 $\frac{x}{m}=7$이다.

09 | 선택지 분석 |

ㄱ. 강철 용기 내부 기체의 전체 양(mol)은 반응 전이 반응 후보다 크다.

➡ 탄소의 연소 반응의 화학 반응식은 다음과 같다.
$C(s)+O_2(g) \rightarrow CO_2(g)$ 즉 반응한 기체 분자 수만큼 기체 분자가 생성되므로 강철 용기 내부 기체의 전체 양(mol)은 반응 전과 후가 같다.

ㄴ. 탄소 가루가 완전 연소될 때 20 kJ의 열이 발생한다.

➡ 탄소 가루가 완전 연소할 때 발생한 열을 열량계가 모두 흡수하므로 $40\ kJ/℃ \times 0.5℃ = 20\ kJ$이다.

ㄷ. (다)에서 탄소 가루가 모두 연소하지 않으면, t_2는 23.7 ℃보다 낮게 측정된다.

➡ (다)에서 탄소 가루가 모두 연소하지 않으면 발생하는 열이 작아지므로 열량계의 온도 변화가 작아진다. 따라서 t_2는 23.7 ℃보다 낮게 측정된다.

10 | 선택지 분석 |

ㄱ. ㉠은 화학 변화이다.

➡ ㉠은 뷰테인이 연소하여 이산화 탄소와 물을 생성하는 반응으로, 반응물과 생성물이 다른 종류의 물질이므로 화학 변화이다.

ㄴ. ㉡은 흡열 반응이다.

➡ ㉡에서 얼음이 녹아 물로 되는 과정은 흡열 반응이다.

ㄷ. ㉠과 ㉡에서 열의 출입 방향은 같다.

➡ ㉠은 주위로 열을 방출하고, ㉡은 주위로부터 열을 흡수하므로 열의 출입 방향이 반대이다.

11 | 선택지 분석 |

ㄱ. (나)에서 지퍼 백 내부에는 기체가 발생한다.

➡ (나)에서는 NH_4NO_3이 물에 용해되는 과정이 일어나므로 기체가 발생하지 않는다.

ㄴ. (나)에서 일어나는 반응은 흡열 반응이다.

➡ NH_4NO_3이 물에 녹으면서 차가워지므로 주위의 온도가 낮아지는 흡열 반응이다.

ㄷ. NH_4NO_3이 물에 녹을 때 열을 방출한다.

➡ NH_4NO_3이 물에 녹는 반응은 흡열 반응이므로 반응이 일어날 때 열을 흡수한다.

12 | 선택지 분석 |

ㄱ. KCl이 물에 녹을 때 용액의 온도는 높아진다.

➡ KCl이 물에 녹을 때 열을 흡수하므로 용액의 온도는 낮아진다.

ㄴ. 같은 질량의 물에 각 물질 1몰을 녹일 때, 온도 변화는 NaOH이 KCl보다 크다.

➡ 각 물질 1몰이 물에 녹을 때 출입하는 열량의 크기는 NaOH이 더 크므로 온도 변화는 NaOH이 KCl보다 크다.

ㄷ. 각 물질 1 g이 물에 녹을 때 출입하는 열량의 크기는 KCl이 NaOH보다 크다.

➡ 각 물질 1 g이 물에 녹을 때 출입하는 열량은 1몰이 용해할 때 출입하는 열량에 $\frac{1}{화학식량}$을 곱하여 구할 수 있다. 화학식량은 NaOH이 KCl보다 작으므로 각 물질 1 g이 물에 녹을 때 출입하는 열량의 크기는 NaOH이 KCl보다 크다.

한번에 끝내는 대단원 문제 292쪽~295쪽

01 ⑤ **02** ④ **03** ⑤ **04** ③ **05** ⑤ **06** ④ **07** ⑤ **08** ②
09 ⑤ **10** ② **11** ③ **12** ⑤ **13** ③

14 | **모범 답안** | ㉠에는 '(다)에서 수증기와 물 모두에서 ^{18}O가 발견되었다.'가 적절하다. 물의 증발과 응축이 동적 평형에 도달해도 증발이나 응축이 멈춘 것이 아니라 같은 속도로 계속 일어나고 있기 때문이다.

15 (1) | **모범 답안** | A: 노란색, B: 초록색, C: 파란색, 중화 반응으로 생성되는 물 분자 수가 B에서 최대가 되고 이후 일정하게 유지되므로, B는 중화 반응이 완결된 중화점으로 중성이다. A는 중화점 이전으로 염산이 남아 있는 산성 용액이고, C는 중화점 이후 수산화 나트륨이 과량 들어 있는 염기성 용액이다.

(2) 0.1 M

16 (1) | **모범 답안** | ① 산화수 변화를 조사한다.
C의 산화수는 $H_2C_2O_4$에서 +3이고, CO_2에서 +4이다. 이때 C 원자 2개의 산화수가 1씩 증가한다. Mn의 산화수는 MnO_4^-에서 +7이고, Mn^{2+}에서 +2로 5만큼 감소한다.
② 증가한 산화수와 감소한 산화수가 같도록 계수를 맞춘다.
$5H_2C_2O_4+2MnO_4^-+H^+ \longrightarrow 2Mn^{2+}+H_2O+10CO_2$
③ 산화수 변화가 없는 H와 O의 원자 수를 맞추어 산화 환원 반응식을 완성한다.
$$5H_2C_2O_4+2MnO_4^-+6H^+ \longrightarrow 2Mn^{2+}+8H_2O+10CO_2$$

(2) 5몰

17 물의 비열, 나프탈렌의 분자량

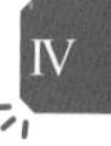

01 동적 평형을 이룬 상태에서도 고체가 기체로 되는 정반응과 기체가 고체로 되는 역반응이 계속 일어나므로 용기 Ⅰ과 용기 Ⅱ에서는 ^{127}I과 ^{131}I로 이루어진 고체 상태의 분자와 기체 상태의 분자가 모두 존재한다.

02 | 자료 분석 |

- 생성물인 Z의 농도가 점점 증가하다가 일정하게 유지되는 것은 화학 평형에 도달했기 때문이다.
- 반응 초기에는 생성물인 Z가 존재하지 않으므로 역반응은 거의 일어나지 않다가 Z의 농도가 증가하면 역반응 속도는 점점 빨라지고, 화학 평형 이후 일정하게 유지된다.

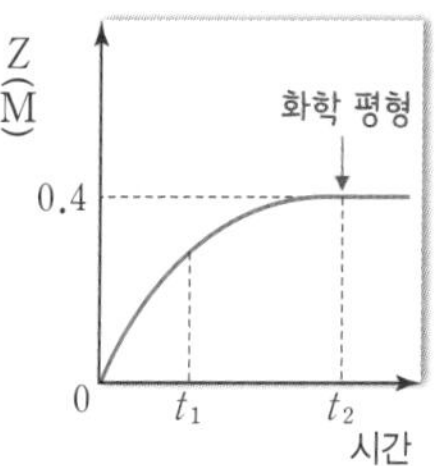

- 반응 초기부터 화학 평형에 도달할 때까지 생성된 Z의 농도가 0.4 M이고, 화학 반응식의 계수비는 반응 농도비와 같으므로 반응한 [X]=0.2 M, [Y]=0.6 M이다.

| 선택지 분석 |

X. 역반응의 속도는 t_1일 때가 t_2일 때보다 ~~빠르다~~ 느리다.

➡ 화학 평형에 도달할 때까지 역반응 속도는 점점 빨라지므로 역반응 속도는 t_2일 때가 t_1일 때보다 빠르다.

ㄴ. t_2일 때는 정반응 속도와 역반응 속도가 같다.

➡ t_2는 화학 평형 상태이므로 정반응 속도와 역반응 속도가 같다.

ㄷ. t_2일 때 $\frac{[X]}{[Y]}=2$이다.

➡ 평형에 도달할 때까지 생성된 $[Z]=0.4$ M이므로 반응한 $[X]=0.2$ M, $[Y]=0.6$ M이고, t_2일 때 남아 있는 $[X]=0.8$ M, $[Y]=0.4$ M이다. 따라서 $\frac{[X]}{[Y]}=2$이다.

03 | 선택지 분석 |

ㄱ. 수용액의 pH는 증가한다.

➡ Zn은 전자를 잃고 Zn^{2+}으로 되고 $HCl(aq)$ 속 H^+은 H_2를 생성하여 수용액 속 $[H^+]$는 감소하므로 pH는 증가한다.

ㄴ. 수용액의 $\frac{[OH^-]}{[H_3O^+]}$는 증가한다.

➡ 25 ℃ 수용액에서 수용액 속 $[H^+][OH^-]$은 일정한데, 수용액 속 $[H^+]$가 감소하므로 $[OH^-]$는 증가한다.

ㄷ. $\frac{\text{양이온의 수}}{Cl^-\text{의 수}}$는 감소한다.

➡ 양이온 수는 감소하고, Cl^-의 수는 일정하므로 $\frac{\text{양이온의 수}}{Cl^-\text{의수}}$는 감소한다.

04 | 선택지 분석 |

ㄱ. $[H_3O^+]$는 (가)가 (나)의 100배이다.

➡ $[H_3O^+]$가 10배 클수록 pH는 1만큼 작아지므로 $[H_3O^+]$는 (가)가 (나)의 100배이다.

ㄴ. (나)에서 $[H_3O^+]$는 $[OH^-]$와 같다.

➡ 25 ℃ 수용액에서 수용액 속 $[H_3O^+][OH^-]=1\times10^{-14}$이고, (나)에서 $[H_3O^+]=1\times10^{-7}$ M이므로 $[OH^-]=1\times10^{-7}$ M이다. 따라서 $[H_3O^+]$는 $[OH^-]$와 같다.

X. (다)에서 $\frac{[OH^-]}{[H_3O^+]}=$ ~~1000~~ 10000이다.

➡ (다)에서 pH가 9이므로 $[H_3O^+]=1\times10^{-9}$ M이고, $[OH^-]=1\times10^{-5}$ M이다. 따라서 $\frac{[OH^-]}{[H_3O^+]}=10000$이다.

05 (가)에서 $[H_3O^+]=0.1$ M이므로 pH는 1이다. 이로부터 $x=1$이다. 또 (나)의 pH가 12이므로 $[H_3O^+]=1\times10^{-12}$ M이며, $[OH^-]=0.01$ M이다. 이때 용액의 부피가 0.1 L이므로 녹아 있는 용질의 양은 0.001몰이다. 따라서 $y=0.001$이므로 $\frac{x}{y}=\frac{1}{0.001}=1000$이다.

06 (가)에서 H_2O은 HCN으로부터 H^+을 받으므로 브뢴스테드·로리 염기이다. (나)에서 $(CH_3)_3N$은 HF로부터 H^+을 받으므로 브뢴스테드·로리 염기이다. (다)에서 OH^-은 H_3O^+으로부터 H^+을 받으므로 브뢴스테드·로리 염기이다.

07 | 선택지 분석 |

ㄱ. 알짜 이온 반응식은 $H^+ + OH^- \longrightarrow H_2O$이다.

➡ 주어진 반응은 산 염기 중화 반응이므로 알짜 이온 반응식은 $H^+ + OH^- \longrightarrow H_2O$이다.

ㄴ. 단위 부피당 Cl^-의 수는 (가)가 (다)보다 크다.

➡ Cl^-은 구경꾼 이온이므로 그 수는 반응 전후에 같다. 그런데 용액의 부피는 (다)>(가)이므로 단위 부피당 Cl^-의 수는 (가)>(다)이다.

ㄷ. $\frac{[OH^-]}{[H_3O^+]}$는 (나)가 (다)보다 크다.

➡ 용액의 pH는 (나)>(다)이다. pH가 클수록 $[H_3O^+]$는 감소하고, $[OH^-]$는 증가하므로 $\frac{[OH^-]}{[H_3O^+]}$는 (나)가 (다)보다 크다.

08 | 선택지 분석 |

X. ㉠에서 (가)는 브뢴스테드·로리 ~~산~~ 염기으로 작용한다.

➡ ㉠에서 (가)는 H^+을 받으므로 브뢴스테드·로리 염기로 작용한다.

X. ㉡에서 (가)는 브뢴스테드·로리 ~~염기~~ 산로 작용한다.

➡ ㉡에서 (가)는 OH^-에게 H^+을 내놓으므로 브뢴스테드·로리 산으로 작용한다.

ㄷ. (가)는 양쪽성 물질이다.

➡ (가)는 ㉠에서는 염기로 작용하고, ㉡에서는 산으로 작용하므로 양쪽성 물질이다.

09 | 자료 분석 |

• ㉠은 $NaOH(aq)$의 부피에 따라 증가하므로 Na^+이고, ㉡은 $NaOH(aq)$의 부피에 관계없이 일정하므로 Cl^-이다.

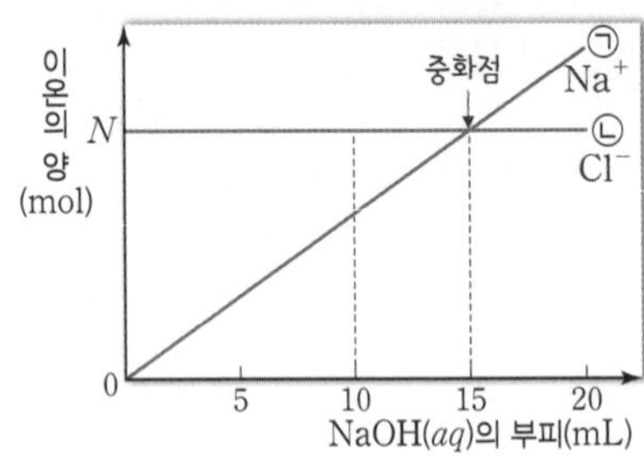

• 반응 전 H^+의 수는 Cl^-의 수와 같은 N이고, $NaOH(aq)$속 Na^+의 수와 OH^-의 수는 같으므로 ㉠의 수와 ㉡의 수가 같아지는 지점이 중화점이다.

| 선택지 분석 |

ㄱ. ㉡은 구경꾼 이온이다.

➡ ㉡은 넣어 준 $NaOH(aq)$의 부피에 관계없이 그 수가 일정하므로 구경꾼 이온이다.

ㄴ. $NaOH(aq)$ 10 mL를 넣은 혼합 용액에서 ㉠의 수는 H^+ 수의 2배이다.

➡ ㉠은 Na^+이고, ㉡은 Cl^-이다. ㉠의 수와 ㉡의 수가 같아지는 지점이 중화점이므로 $NaOH(aq)$ 10 mL를 넣은 시점은 중화 반응이 $\frac{2}{3}$가 진행된 지점이므로 혼합 용액 속 H^+의 수는 $\frac{1}{3}N$이고, Na^+의 수는 $\frac{2}{3}N$이다. 따라서 ㉠의 수는 H^+수의 2배이다.

ㄷ $N=1.5\times10^{-3}$이다.

➡ N은 반응 전 H^+의 양(mol)과 같고, 이 값은 0.1 M $NaOH(aq)$ 15 mL에 들어 있는 OH^-의 양(mol)과 같다. 0.1 M $NaOH(aq)$ 15 mL에 들어 있는 OH^-의 양(mol)은 $0.1\ mol/L\times15\ mL\times\frac{1\ L}{1000\ mL}=1.5\times10^{-3}$ mol이다.

10 | 선택지 분석 |

✕ (가)에서 Fe은 ~~산화제~~ 환원제이다.

➡ (가)에서 Fe은 자신이 산화되면서 다른 물질을 환원시키는 환원제이다.

ㄴ (나)에서 C의 산화수는 2만큼 증가한다.

➡ (나)에서 C의 산화수는 CO에서 +2이고 CO_2에서 +4이다. 따라서 C의 산화수는 2만큼 증가한다.

✕ (다)에서 H_2O은 ~~환원된다~~ 되거나 산화되지 않는다.

➡ (다)에서 H_2O을 구성하는 H와 O의 산화수는 변하지 않으므로 산화되거나 환원되지 않는다.

11 | 자료 분석 |

- (가)~(다)에서 양이온은 1가지이므로 수용액 속 양이온은 모두 반응한다. → (가)의 양이온은 A^{2+}, (나)의 양이온은 금속 B의 양이온, (다)의 양이온은 금속 C의 양이온이다.

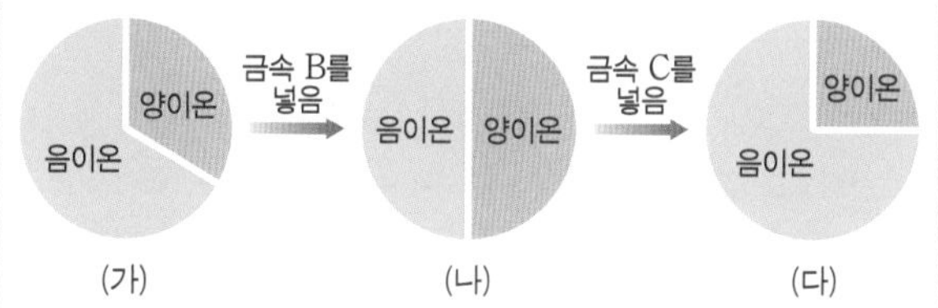

- 음이온은 반응하지 않으므로 (가)~(다)에서 음이온 수는 모두 같다. → (가)에서 음이온 수를 $2N$이라고 하면 (나)와 (다)에서도 $2N$이다.

| 선택지 분석 |

ㄱ 양이온 수는 (가)에서가 (다)에서의 1.5배이다.

➡ (가)에서 양이온 수를 N이라고 하면, 음이온 수는 $2N$이다. 음이온은 반응하지 않으므로 (나)와 (다)에서도 음이온 수는 $2N$이므로 양이온 수는 각각 $2N$, $\frac{2}{3}N$이다. 따라서 양이온 수는 (가)에서 N일 때 (다)에서는 $\frac{2}{3}N$이므로 (가)에서가 (다)에서의 1.5배이다.

✕ $\frac{\text{C 이온의 산화수}}{\text{A 이온의 산화수}}$=~~2~~ $\frac{3}{2}$이다.

➡ (가)에 들어 있는 A^{2+}의 수는 N이고, (나)에 들어 있는 B 이온의 수는 $2N$이다. 이로부터 A^{2+}이 N만큼 반응하여 B 이온이 $2N$만큼 생성되므로 B 이온의 산화수는 +1이다. (다)에 들어 있는 C 이온의 수는 $\frac{2}{3}N$이므로 B^+이 $2N$만큼 반응하여 생성된 C 이온의 수가 $\frac{2}{3}N$인 것으로, C 이온의 산화수는 +3이다. 따라서 $\frac{\text{C 이온의 산화수}}{\text{A 이온의 산화수}}=\frac{3}{2}$이다.

ㄷ $\frac{\text{C의 원자량}}{\text{B의 원자량}}=3$이다.

➡ 같은 질량이 반응했을 때 생성된 B 이온 수는 $2N$이고 C 이온 수는 $\frac{2}{3}N$이므로 원자 1개의 질량 비는 B : C = 1 : 3이다. 따라서 원자량은 C가 B의 3배이므로 $\frac{\text{C의 원자량}}{\text{B의 원자량}}=3$이다.

12 | 선택지 분석 |

ㄱ X는 CO_2이다.

➡ 반응 전후 원자의 종류와 수가 같도록 X의 화학식을 완성하면 CO_2이다.

ㄴ 흡열 반응이다.

➡ $NaHCO_3$이 분해되는 반응이 일어날 때 열에너지를 공급해 주므로 주어진 반응은 흡열 반응이다.

ㄷ 에너지 총합은 생성물이 반응물보다 크다.

➡ 흡열 반응은 주위로부터 열을 흡수하므로 에너지 총합은 생성물이 반응물보다 크다.

13 | 선택지 분석 |

ㄱ A(s)가 물에 녹는 반응은 발열 반응이다.

➡ A(s)가 물에 녹은 수용액의 최종 온도가 처음 온도보다 높으므로 A(s)가 물에 녹는 반응은 발열 반응이다.

ㄴ B(s)가 물에 녹는 동안 주위의 온도는 낮아진다.

➡ B(s)가 물에 녹은 수용액의 최종 온도가 처음 온도보다 낮으므로 물에 녹을 때 주위로부터 열을 흡수하는 흡열 반응이다.

✕ B(s)의 용해 반응은 ~~휴대용 손난로~~ 냉각 팩에 이용할 수 있다.

➡ B(s)의 용해 반응은 흡열 반응이므로 손난로에는 이용할 수 없으며, 냉각 팩 등에 이용할 수 있다.

14 물을 넣고 일정 시간이 지난 후 수면의 높이가 일정하게 유지되는 것은 증발과 응축이 멈춘 것이 아니라 상평형을 이룬 상태이므로 증발과 응축이 계속 일어난다. 따라서 이 상태에서 ^{18}O가 포함된 수증기를 넣어주면 수증기가 응축되어 물로 되고, 물이 다시 증발하여 수증기로 된다.

채점 기준	배점
㉠을 옳게 예측하고, 그 까닭을 옳게 서술한 경우	100 %
㉠만 옳게 예측한 경우	50 %

15 (1) 중화 반응이 일어나고 있는 동안에는 물 분자가 계속 생성되지만 중화 반응이 완결된 이후에는 더 이상 물이 생성되지 않는다. 이로부터 B는 중화점이고, A는 중화점 이전 상태, C는 중화 반응이 완결된 이후 수산화 나트륨 수용액을 더 넣어 준 상태임을 알 수 있다.

채점 기준	배점
용액 A~C의 색을 모두 옳게 쓰고, 그 까닭을 옳게 서술한 경우	100 %
A~C의 색만 옳게 쓴 경우	50 %

(2) 중화 반응의 양적 관계를 이용하면 묽은 염산의 농도를 구할 수 있다. B 이후로 생성된 물 분자의 수가 일정하므로 B는 중화점이며, 이때 넣어 준 $NaOH(aq)$의 부피는 10 mL이다. $n_1M_1V_1=n_2M_2V_2$이므로, $1\times x\times20=1\times0.2\times10$, $x=0.1$(M)이다. 따라서 묽은 염산의 몰 농도는 0.1 M이다.

16 (1) 반응에서 각 원자의 산화수 변화를 조사하고 증가한 산화수와 감소한 산화수가 같도록 계수를 맞추어 반응식을 완성한다.

채점 기준	배점
산화 환원 반응식을 완성하는 과정을 옳게 서술하고, 산화 환원 반응식을 옳게 완성한 경우	100 %
산화 환원 반응식만을 옳게 완성한 경우	40 %

(2) 산화 환원 반응식에서 MnO_4^-와 CO_2의 계수비가 2 : 10＝1 : 5이므로, MnO_4^- 1몰이 모두 반응하면 CO_2 5몰이 생성된다.

17 나프탈렌이 연소할 때 방출한 열은 열량계와 열량계 속 물이 모두 흡수하므로 물이 얻은 열량을 구하기 위해서는 물의 질량, 물의 비열, 물의 온도 변화가 필요하다. 이때 물의 질량과 물의 온도 변화는 실험에서 측정하였으므로 물의 비열에 대한 자료가 필요하다. 또 이 과정에서 구한 열량은 나프탈렌 1 g이 연소할 때 방출한 열이므로 이를 1몰로 환산하기 위해서 나프탈렌의 분자량이 필요하다.

개념 학습과 정리가 한번에 끝나는 기본서
개념풀
화학 I

사과탐 성적 향상 전략

개념 학습은?

개념풀

사과탐 실력의 기본은 개념,
개념을 알기 쉽게 풀어 이해가 쉬운
개념풀 기본서로 개념을 완성하세요.

사회	과학
통합사회	통합과학
한국사	물리학 I
생활과 윤리	화학 I
윤리와 사상	생명과학 I
한국지리	지구과학 I
세계지리	화학 II
정치와 법	생명과학 II
사회·문화	

시험 대비는?

개념풀 문제편

빠르게 내신 실력을 올리는 전략,
내신기출문제를 철저히 분석하여 구성한
개념풀 문제편으로 내신 만점에 도전하세요.

사회	과학
통합사회	통합과학
생활과 윤리	물리학 I
한국지리	화학 I
정치와 법	생명과학 I
사회·문화	지구과학 I

발 행 인 권준구
발 행 처 (주)지학사 (등록번호 : 1957.3.18 제 13-11호) 04056 서울시 마포구 신촌로6길 5
발 행 일 2018년 9월 30일 [초판 1쇄] 2024년 9월 30일 [2판 5쇄]
구입 문의 TEL 02-330-5300 | FAX 02-325-8010 구입 후에는 철회되지 않으며, 잘못된 제품은 구입처에서 교환해 드립니다.
내용 문의 www.jihak.co.kr 전화번호는 홈페이지 〈고객센터 → 담당자 안내〉에 있습니다.

학습한 개념을
스스로 정리해 보는
개념책 1:1 맞춤

정리 노트

개념풀 화학 I

의 노트

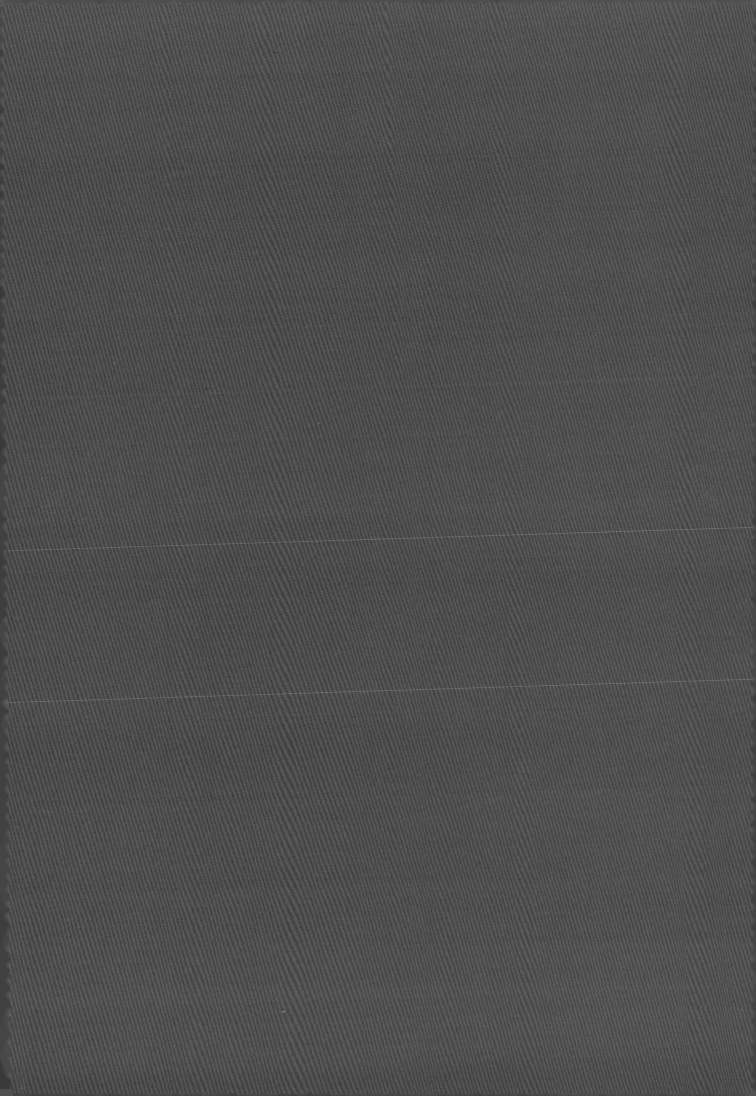

개념과 정리가 한번에 끝나는 기본서

개념풀

화학 I

개념책 1:1 맞춤

정리노트

contents

학습한 개념을 단권화 할 수 있는

개념풀 정리노트 사용법

정리노트를 작성하기 전 중단원의 흐름을 살펴보면서 워밍업을 해 보세요.

❶ 노트 정리 전에 공부할 마음을 다잡아 보아요.

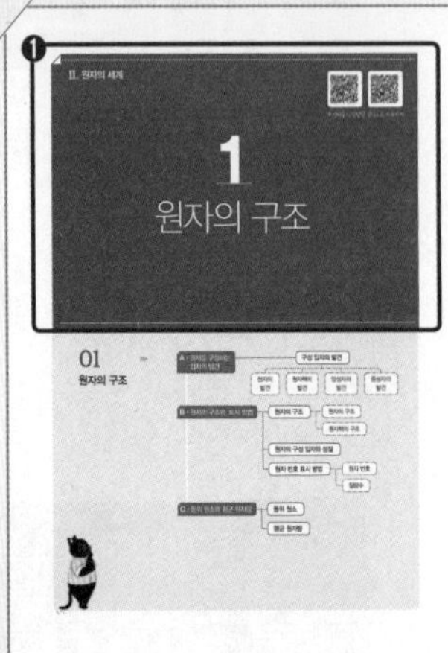

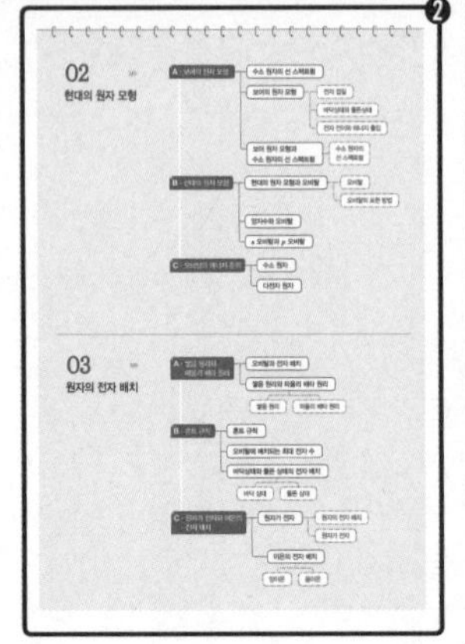

❷ 중단원의 흐름을 한번에 훑어 보세요. 공부했던 내용들의 흐름이 기억날 거예요.

기억이 잘 안난다구요?
기억이 나지 않아도 걱정 마세요.
이제부터 시작이니까요.

소단원별 중요 내용의 구조를 보고, 개념을 정리하세요.

❶ 선배들이 개념책을 보고 소단원 전체의 소제목과 내용 구조를 정리했어요.

무엇이 중요하고
무엇을 꼭 정리해 놓고
공부해야 하는지 알 수
있어요.

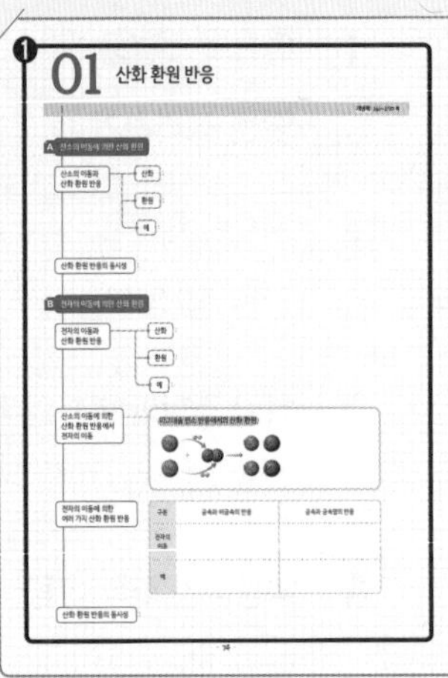

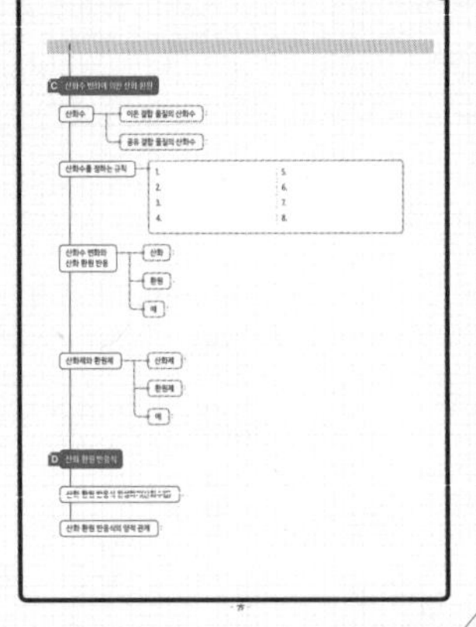

❷ 어디서부터 어떻게 정리해야 할지 모른다구요? 개념책을 펴 보세요. 흐름이 같지요? 개념책의 내용을 나만의 스타일로 정리해 보세요.

대단원별 중요 그림 다시 보기와 마인드맵으로 단원 내용을 확실하게 정리하세요.

❶ 대단원별 중요한 그림에 자신만의 설명을 적어 보세요. 단원의 핵심 자료를 확실하게 정리할 수 있어요.

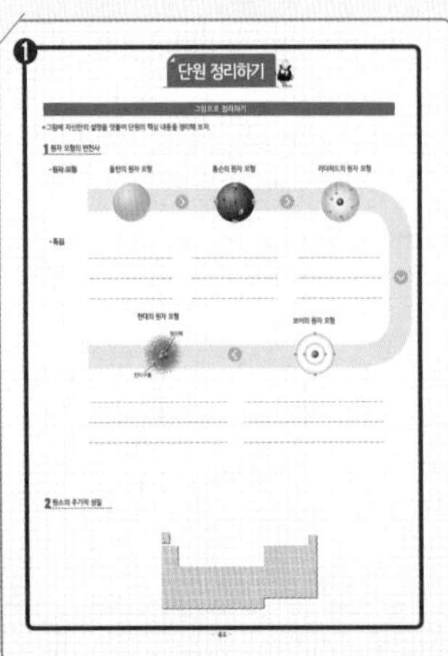

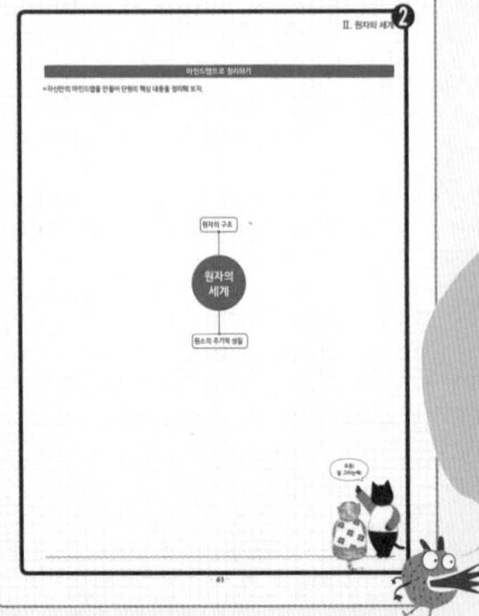

❷ 자신만의 마인드맵을 만들어 보아요. 단원의 핵심 내용이 머릿속에 쏙!

정리노트 사용하는 2가지 방법

1. 개념책이나 교과서를 펴놓고 중요 개념을 보면서 써 보기!
2. 외웠던 것을 스스로 확인하는 차원에서 정리해 보기!

수능 1등급 받은

선배들의 정리노트 이야기

정리노트를 작성하기가 막막해?
정리노트를 다시 쓰고 싶다고?
지학사 홈페이지(www.jihak.co.kr)에 들어오면,
빈노트와 선배들의 정리노트를 다운받을 수 있어!

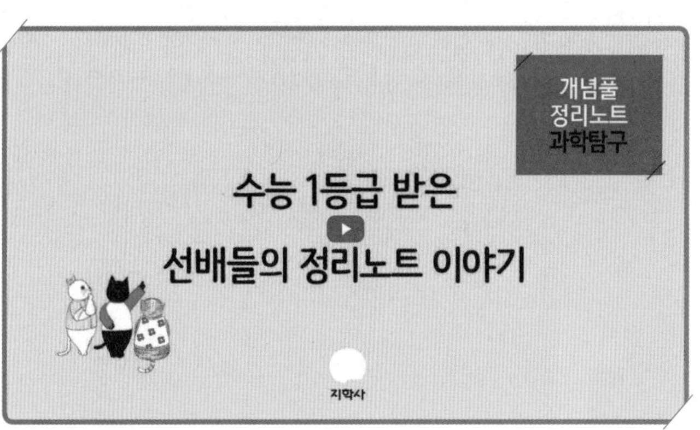

선배들이 직접 들려주는 정리노트 노하우!

"노트 정리를 하며 공부하려고 하면 무엇부터 써야하는지 막막하잖아. 노트 정리법을 직접 알려주려고 동영상을 만들었어. 어떤 노하우가 있는지 궁금하지 않아?"

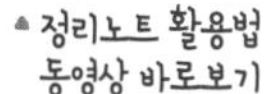

▲정리노트 활용법 동영상 바로보기

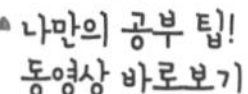

▲나만의 공부 팁! 동영상 바로보기

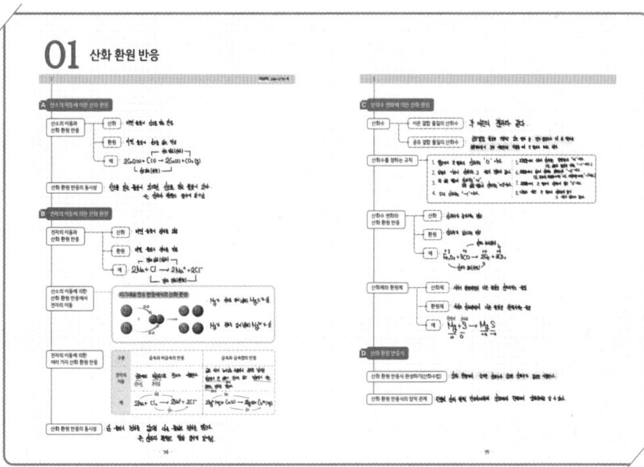

정효령 서울대 재학생

"개념풀 정리노트는 구조도를 통해 단원의 흐름을 살펴보고 시작할 수 있어서 좋아. 또 좋은 건 그림과 마인드맵으로 단원을 정리할 수 있는 부분이 있다는 것! 이 부분은 시험 기간에 활용하는 것을 추천할게!"

◀정효령 학생의 노트 바로가기

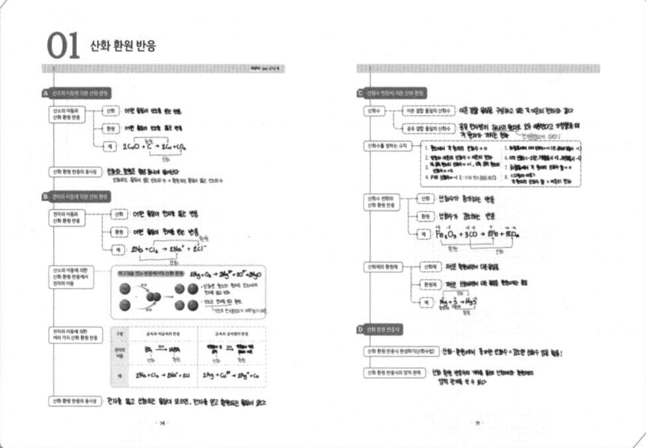

강영훈 서울대 재학생

"개념풀 정리노트는 공부를 좀 더 편하게 할 수 있도록 도와주는 친구 같아. 화학 공부에 필수적인 그래프, 그림이 나와 있어서 정말 편하게 활용할 수 있지. 개념풀 정리노트와 함께라면 시험이 두렵지 않아!"

◀강영훈 학생의 노트 바로가기

» 선배들이 작성한 정리노트 바로가기

1

화학과 우리 생활

01 화학의 유용성

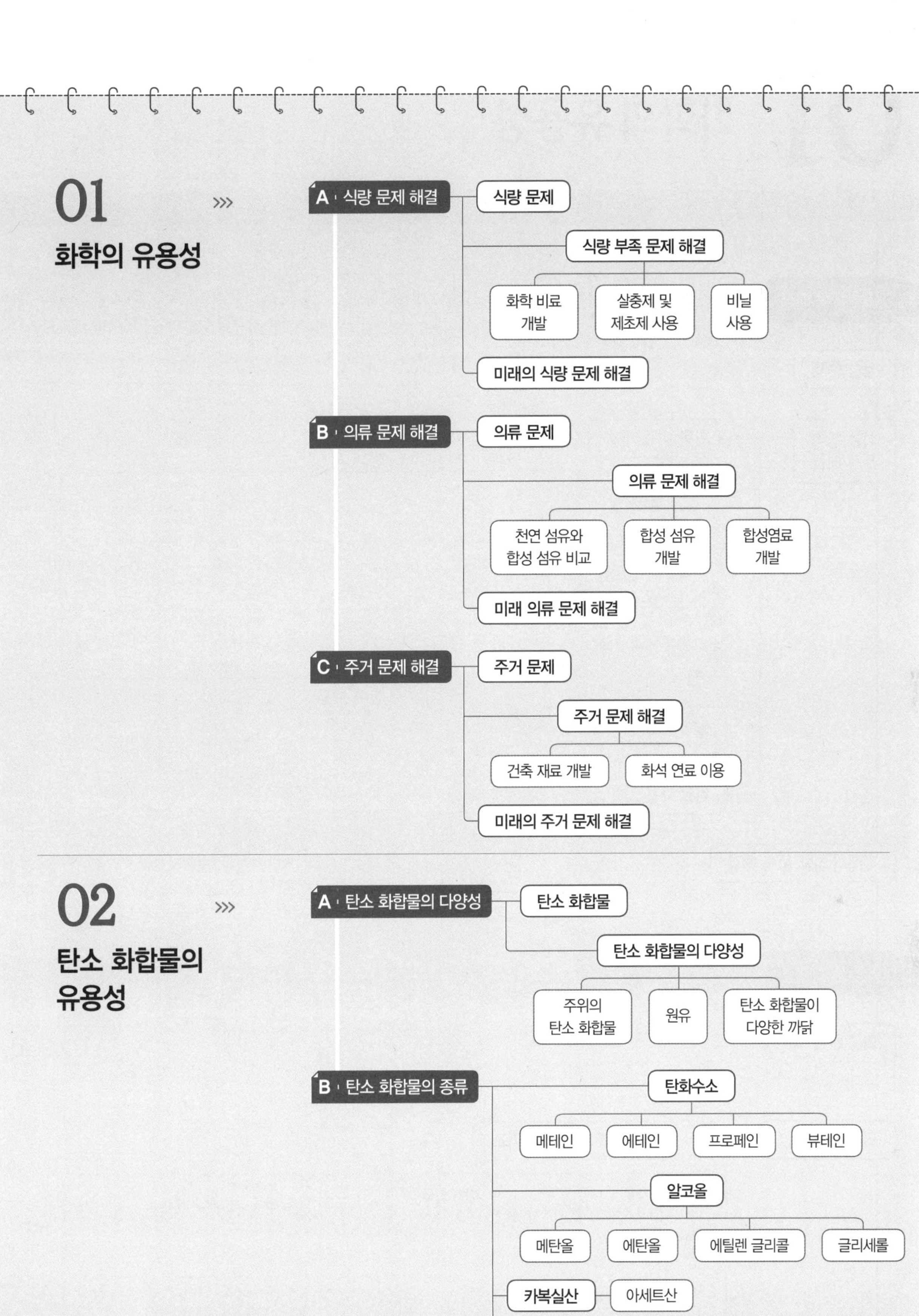

A 식량 문제 해결
식량 문제
식량 부족 문제 해결
화학 비료 개발
살충제 및 제초제 사용
비닐 사용
미래의 식량 문제 해결
B 의류 문제 해결
의류 문제
의류 문제 해결
천연 섬유와 합성 섬유 비교
합성 섬유 개발
합성염료 개발
미래 의류 문제 해결
C 주거 문제 해결
주거 문제
주거 문제 해결
건축 재료 개발
화석 연료 이용
미래의 주거 문제 해결

02 탄소 화합물의 유용성

A 탄소 화합물의 다양성
탄소 화합물
탄소 화합물의 다양성
주위의 탄소 화합물
원유
탄소 화합물이 다양한 까닭
B 탄소 화합물의 종류
탄화수소
메테인
에테인
프로페인
뷰테인
알코올
메탄올
에탄올
에틸렌 글리콜
글리세롤
카복실산
아세트산
그 밖의 탄소 화합물
폼알데하이드
아세톤
탄소 화합물과 우리생활

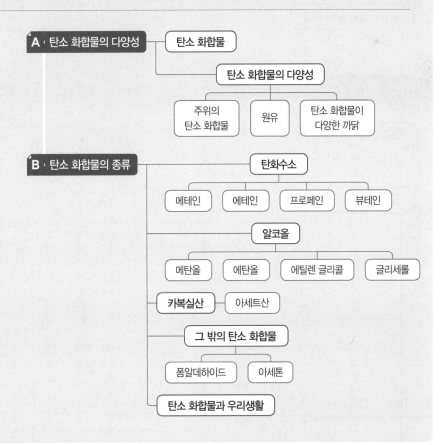

01 화학의 유용성

개념책 010~012 쪽

A 식량 문제 해결

식량 문제 :

식량 부족 문제 해결

화학 비료 개발

필요성	
암모니아 합성	
비료 대량 생산	

살충제 및 제초제 사용 :

비닐 사용 :

미래의 식량 문제 해결 :

B 의류 문제 해결

의류 문제 :

의류 문제 해결

천연 섬유와 합성 섬유 비교

구분	천연 섬유	합성 섬유
무게		
강도		
특성		
세탁		
종류		

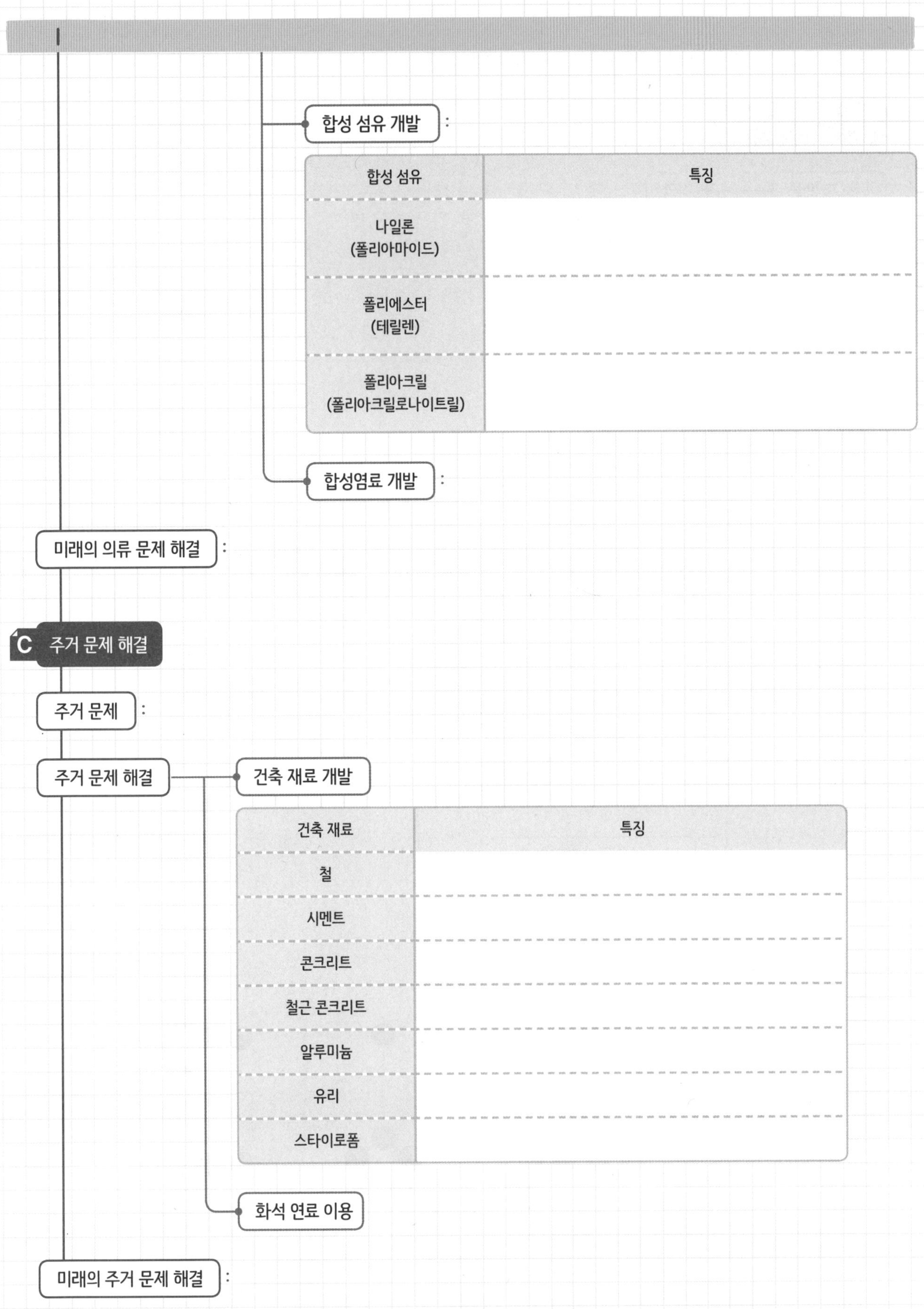

합성 섬유 개발 :

합성 섬유	특징
나일론 (폴리아마이드)	
폴리에스터 (테릴렌)	
폴리아크릴 (폴리아크릴로나이트릴)	

합성염료 개발 :

미래의 의류 문제 해결 :

C 주거 문제 해결

주거 문제 :

주거 문제 해결

건축 재료 개발

건축 재료	특징
철	
시멘트	
콘크리트	
철근 콘크리트	
알루미늄	
유리	
스타이로폼	

화석 연료 이용

미래의 주거 문제 해결 :

02 탄소 화합물의 유용성

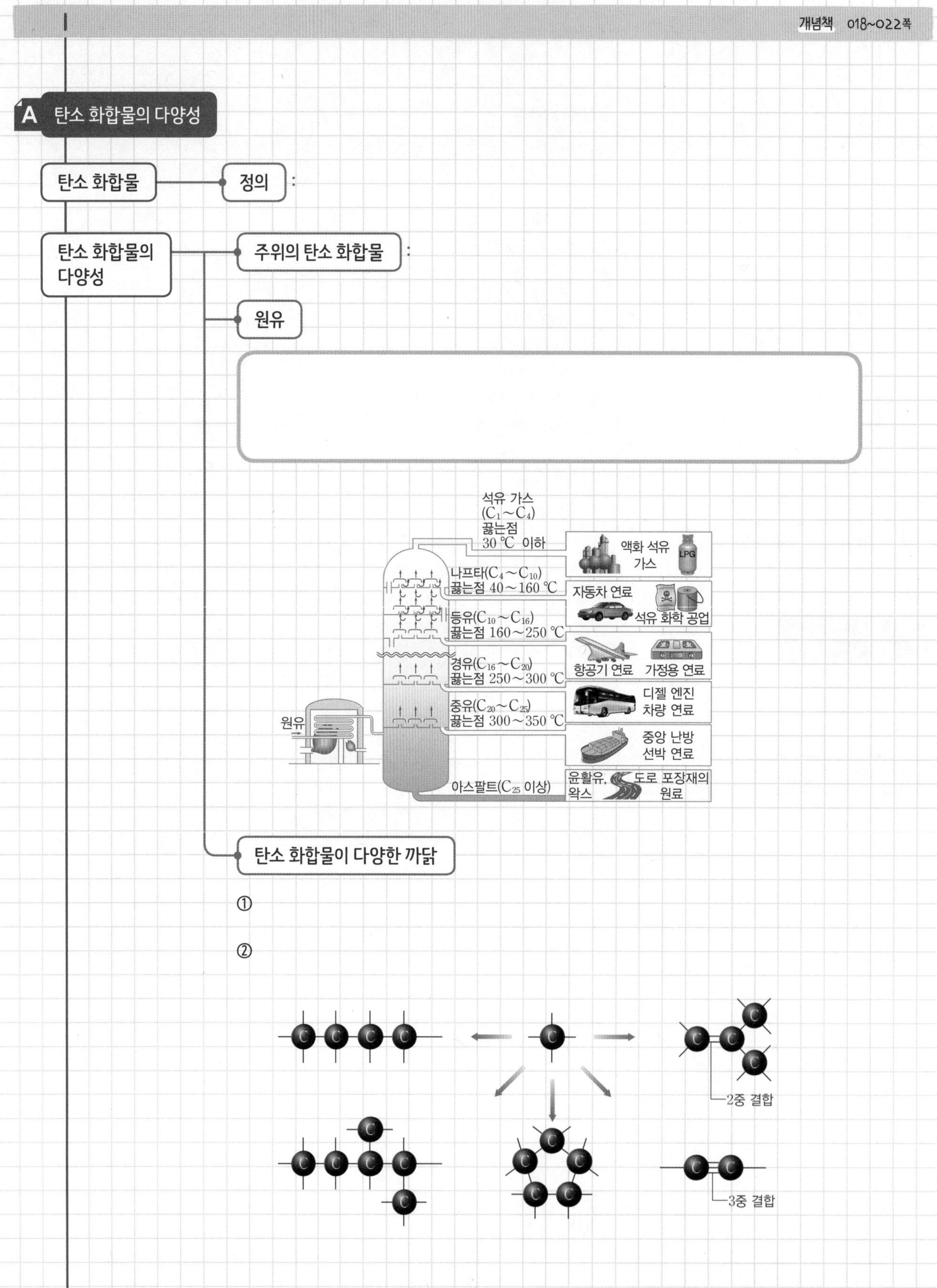
개념책 018~022쪽
A 탄소 화합물의 다양성
탄소 화합물
정의 :
탄소 화합물의 다양성
주위의 탄소 화합물 :
원유
석유 가스 (C_1~C_4) 끓는점 30 ℃ 이하
액화 석유 가스
LPG
나프타(C_4~C_{10}) 끓는점 40~160 ℃
자동차 연료
석유 화학 공업
등유(C_{10}~C_{16}) 끓는점 160~250 ℃
항공기 연료
가정용 연료
경유(C_{16}~C_{20}) 끓는점 250~300 ℃
디젤 엔진 차량 연료
중유(C_{20}~C_{25}) 끓는점 300~350 ℃
중앙 난방 선박 연료
원유
아스팔트(C_{25} 이상)
윤활유, 왁스
도로 포장재의 원료
탄소 화합물이 다양한 까닭
①
②
C
2중 결합
3중 결합

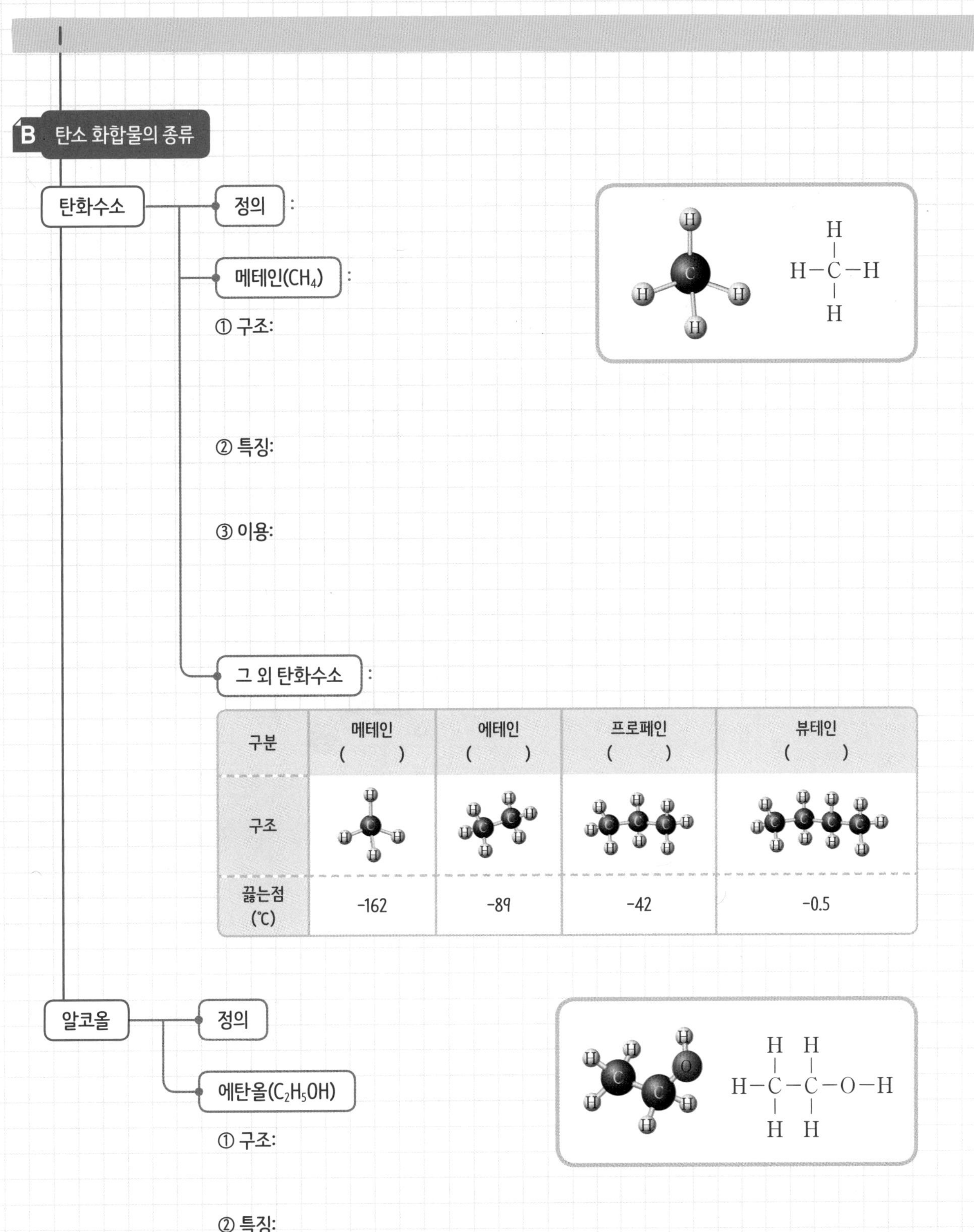

B 탄소 화합물의 종류

탄화수소

정의 :

메테인(CH_4) :

① 구조:

② 특징:

③ 이용:

그 외 탄화수소 :

구분	메테인 ( )	에테인 ( )	프로페인 ( )	뷰테인 ( )
구조				
끓는점 (℃)	-162	-89	-42	-0.5

알코올

정의

에탄올(C_2H_5OH)

① 구조:

② 특징:

③ 이용:

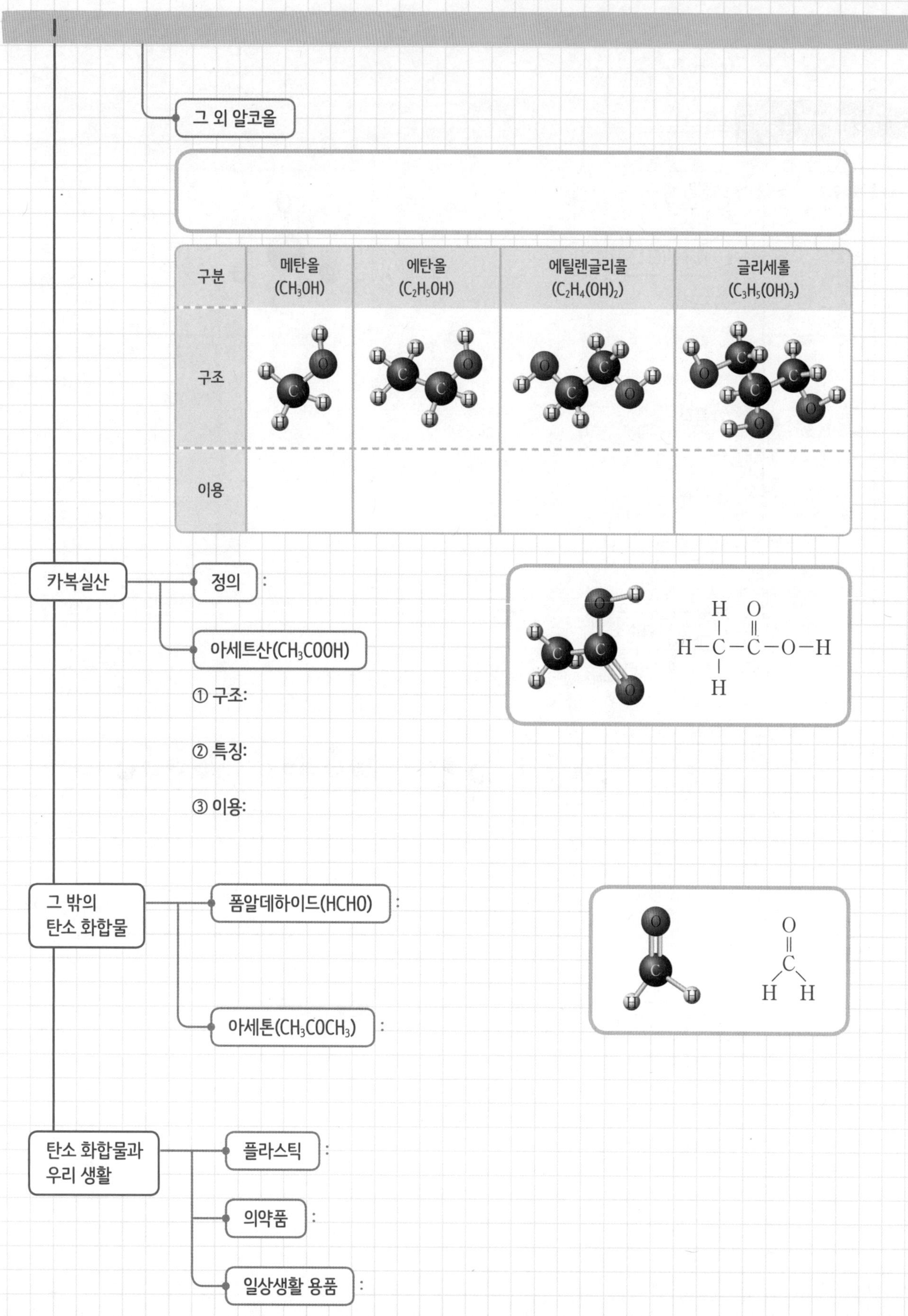

구분	메탄올 (CH_3OH)	에탄올 (C_2H_5OH)	에틸렌글리콜 ($C_2H_4(OH)_2$)	글리세롤 ($C_3H_5(OH)_3$)
구조				
이용				

Ⅰ. 화학의 첫걸음

2 화학 반응에서의 양적 관계

01 화학식량과 몰

A 화학식량
- 원자량
- 분자량
- 화학식량

B 몰
- 몰
- 아보가드로수
- 몰과 질량
- 몰과 기체의 부피 — 아보가드로 법칙
- 몰과 질량, 입자 수와 기체의 부피 관계

02 화학 반응식과 양적 관계

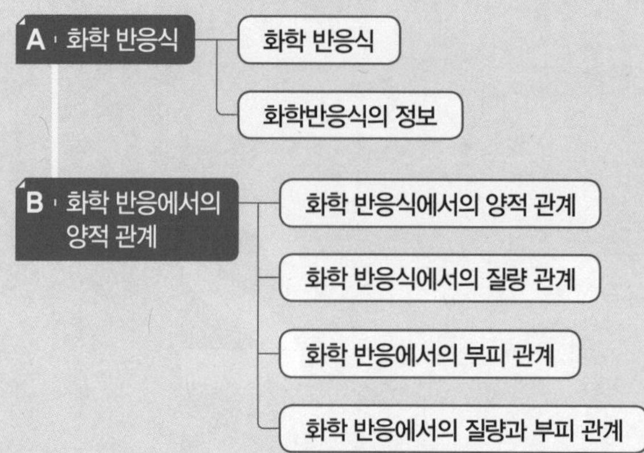

03 몰 농도

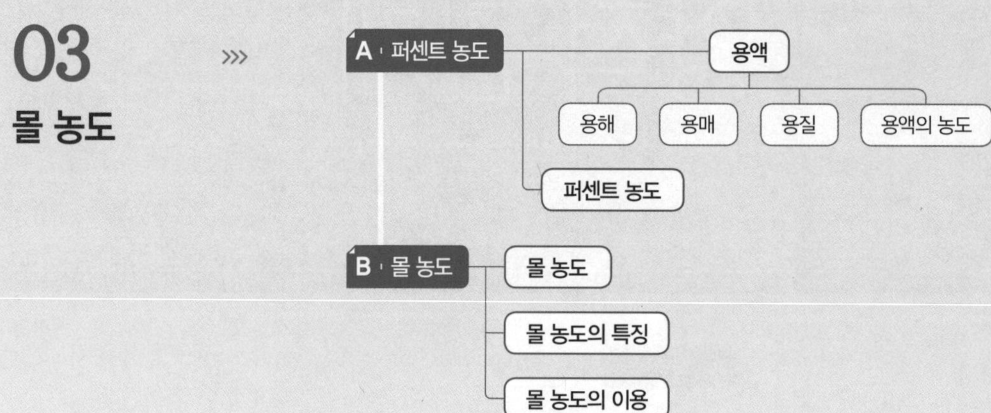

01 화학식량과 몰

개념책: 034~038 쪽

A 화학식량

원자량 — 정의 :

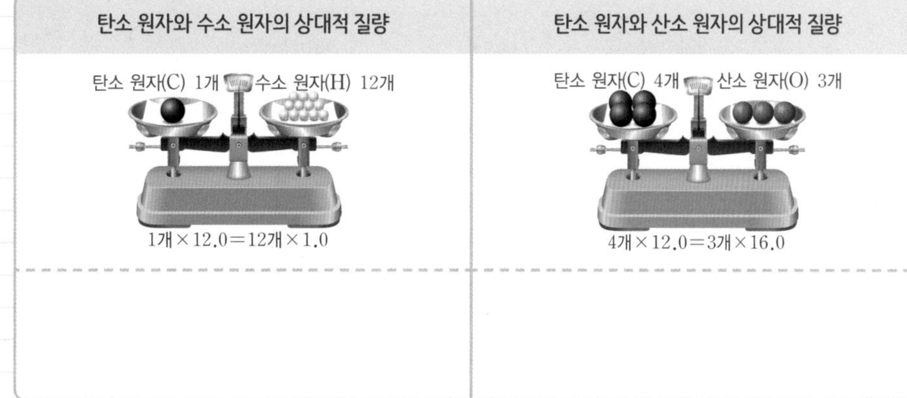

① 원자량을 사용하는 까닭:

② 몇 가지 원소의 원자량

원소	원자량	원소	원자량
수소(H)		헬륨(He)	
탄소(C)		질소(N)	
산소(O)		염소(Cl)	

분자량 — 정의 :

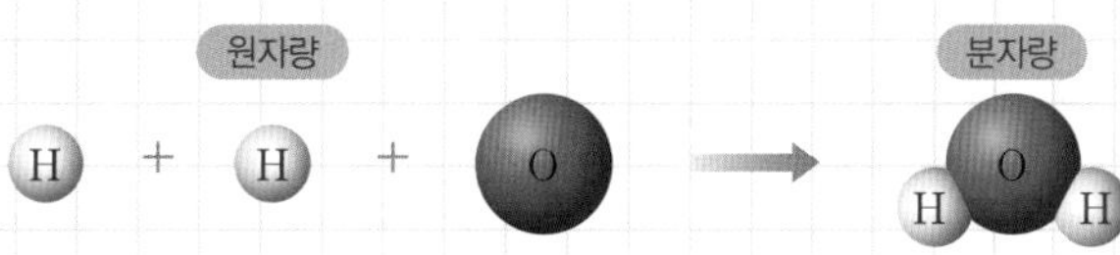

① 분자량을 사용하는 까닭:

② 몇 가지 분자의 분자량

분자	수소	물	이산화 탄소	포도당
분자식	H_2	H_2O	CO_2	$C_6H_{12}O_6$
분자량				

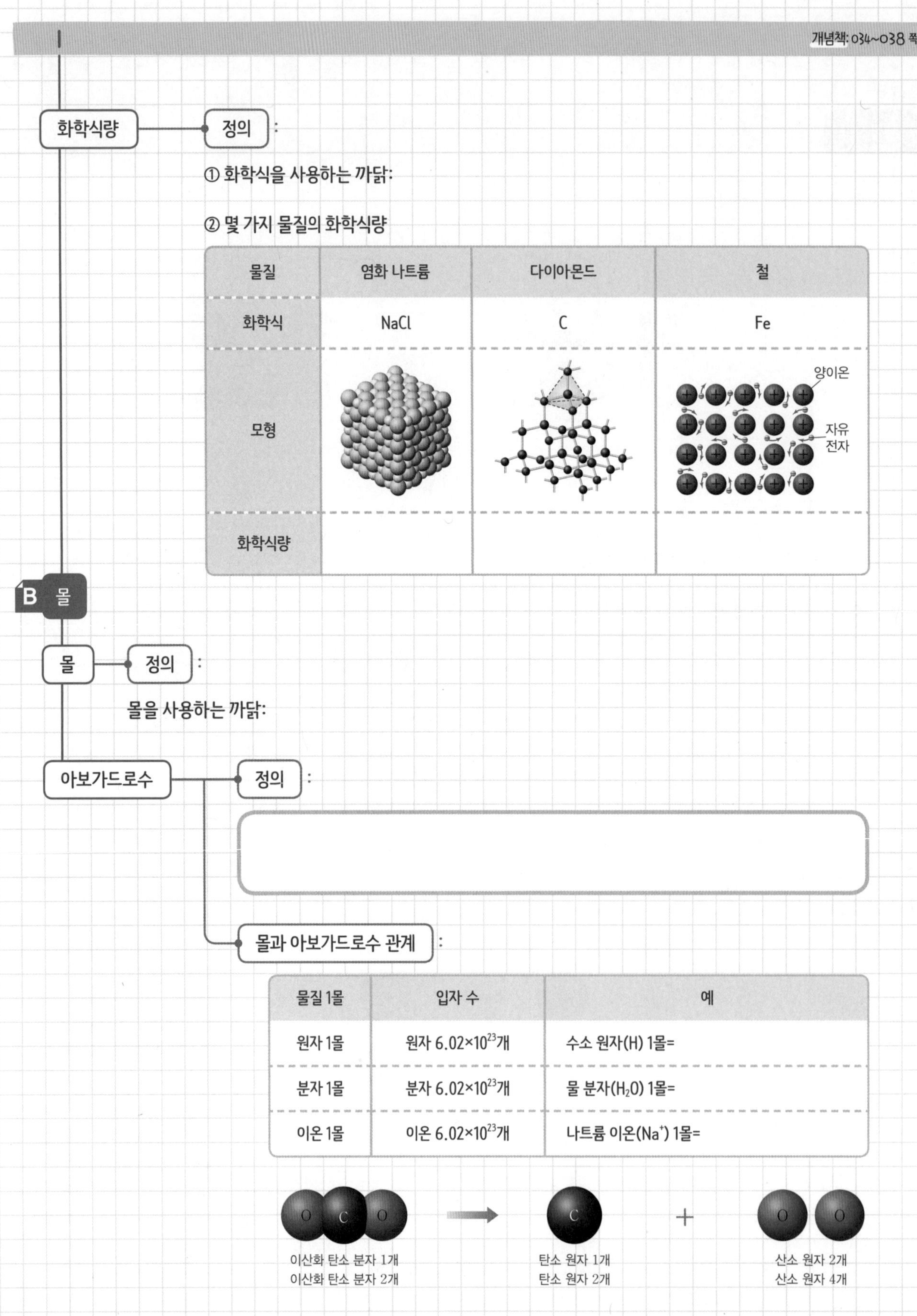

개념책: 034~038 쪽

화학식량 — 정의 :

① 화학식을 사용하는 까닭:

② 몇 가지 물질의 화학식량

물질	염화 나트륨	다이아몬드	철
화학식	NaCl	C	Fe
모형			
화학식량			

B 몰

몰 — 정의 :

몰을 사용하는 까닭:

아보가드로수 — 정의 :

몰과 아보가드로수 관계 :

물질 1몰	입자 수	예
원자 1몰	원자 6.02×10^{23}개	수소 원자(H) 1몰=
분자 1몰	분자 6.02×10^{23}개	물 분자(H_2O) 1몰=
이온 1몰	이온 6.02×10^{23}개	나트륨 이온(Na^+) 1몰=

이산화 탄소 분자 1개 → 탄소 원자 1개 + 산소 원자 2개
이산화 탄소 분자 2개 → 탄소 원자 2개 + 산소 원자 4개

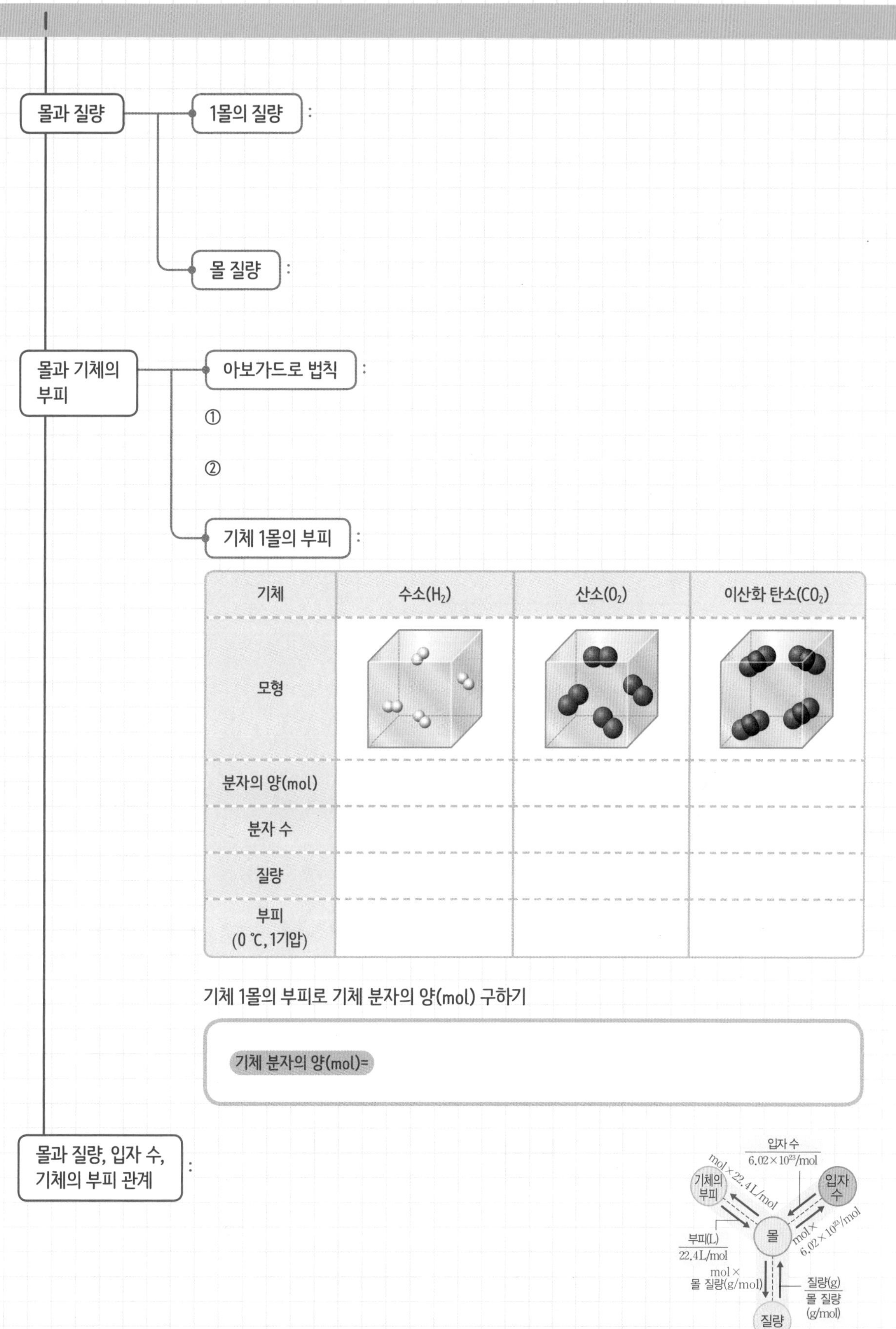

몰과 질량

1몰의 질량 :

몰 질량 :

몰과 기체의 부피

아보가드로 법칙 :

①

②

기체 1몰의 부피 :

기체	수소(H_2)	산소(O_2)	이산화 탄소(CO_2)
모형			
분자의 양(mol)			
분자 수			
질량			
부피 (0 ℃, 1기압)			

기체 1몰의 부피로 기체 분자의 양(mol) 구하기

기체 분자의 양(mol)=

몰과 질량, 입자 수, 기체의 부피 관계 :

02 화학 반응식과 양적 관계

개념책: 044~048쪽

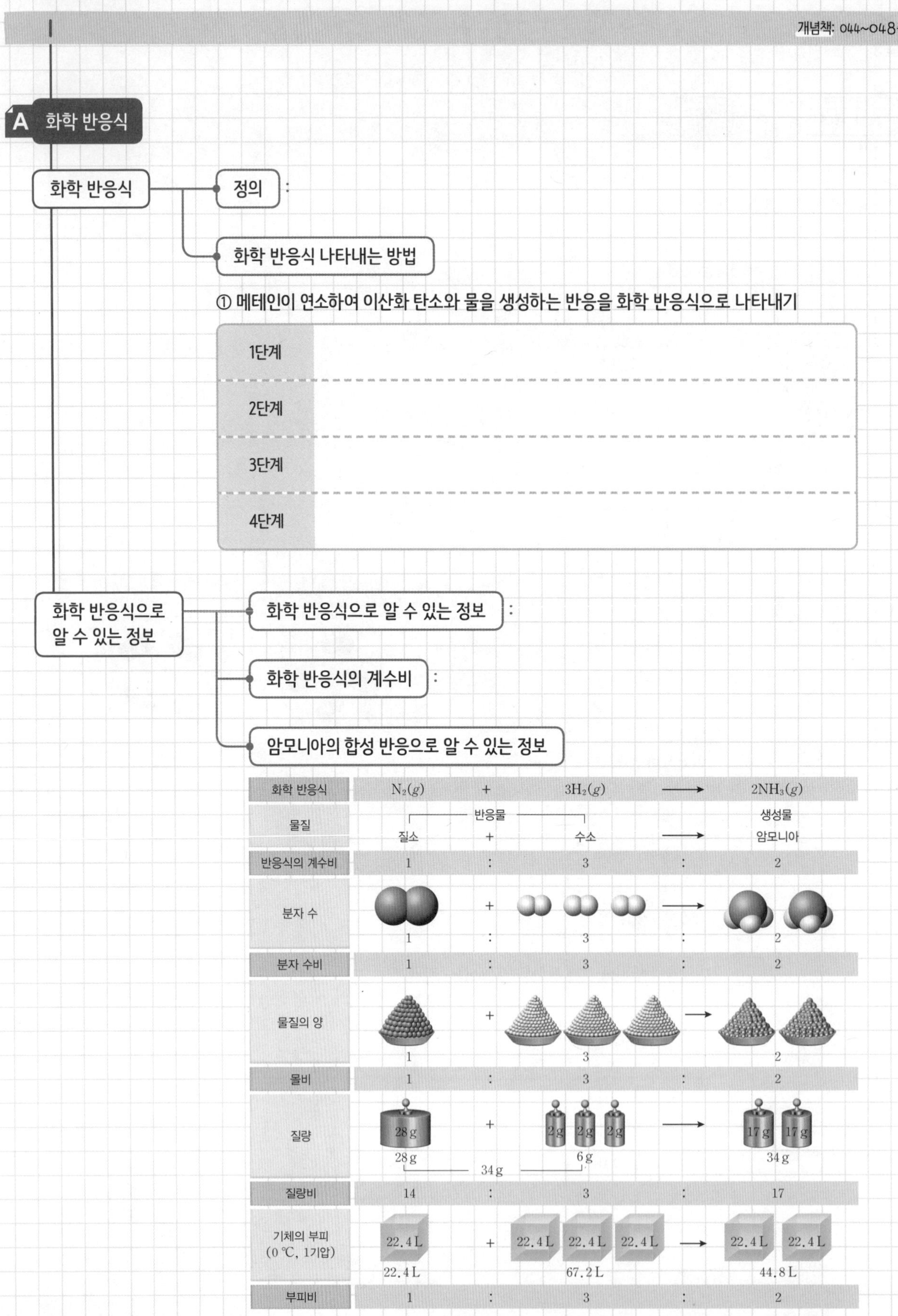

A 화학 반응식

화학 반응식

- 정의 :
- 화학 반응식 나타내는 방법

① 메테인이 연소하여 이산화 탄소와 물을 생성하는 반응을 화학 반응식으로 나타내기

1단계	
2단계	
3단계	
4단계	

화학 반응식으로 알 수 있는 정보

- 화학 반응식으로 알 수 있는 정보 :
- 화학 반응식의 계수비 :
- 암모니아의 합성 반응으로 알 수 있는 정보

화학 반응식	$N_2(g)$	+	$3H_2(g)$	⟶	$2NH_3(g)$
물질	질소 (반응물)	+	수소 (반응물)	⟶	암모니아 (생성물)
반응식의 계수비	1	:	3	:	2
분자 수	1	:	3	:	2
분자 수비	1	:	3	:	2
물질의 양	1	+	3	⟶	2
몰비	1	:	3	:	2
질량	28 g (28 g)	+	6 g (2 g, 2 g, 2 g)	⟶	34 g (17 g, 17 g)
	34 g				
질량비	14	:	3	:	17
기체의 부피 (0 ℃, 1기압)	22.4 L (22.4 L)	+	67.2 L (22.4 L, 22.4 L, 22.4 L)	⟶	44.8 L (22.4 L, 22.4 L)
부피비	1	:	3	:	2

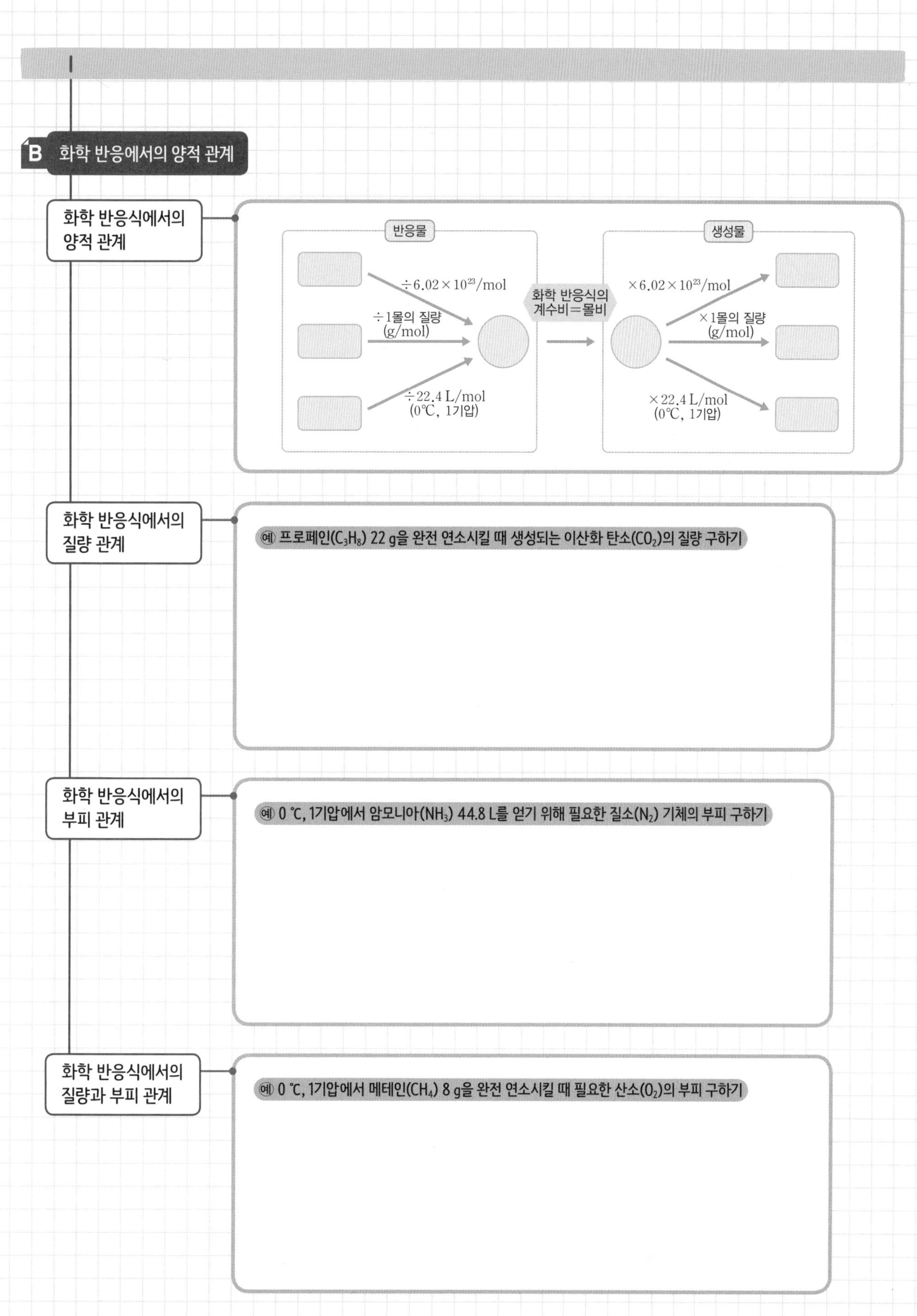
B 화학 반응에서의 양적 관계
화학 반응식에서의 양적 관계
반응물
생성물
÷6.02×10²³/mol
÷1몰의 질량 (g/mol)
÷22.4 L/mol (0℃, 1기압)
화학 반응식의 계수비=몰비
×6.02×10²³/mol
×1몰의 질량 (g/mol)
×22.4 L/mol (0℃, 1기압)
화학 반응식에서의 질량 관계
예 프로페인(C₃H₈) 22 g을 완전 연소시킬 때 생성되는 이산화 탄소(CO₂)의 질량 구하기
화학 반응식에서의 부피 관계
예 0 ℃, 1기압에서 암모니아(NH₃) 44.8 L를 얻기 위해 필요한 질소(N₂) 기체의 부피 구하기
화학 반응식에서의 질량과 부피 관계
예 0 ℃, 1기압에서 메테인(CH₄) 8 g을 완전 연소시킬 때 필요한 산소(O₂)의 부피 구하기

03 몰 농도

개념책: 054~057 쪽

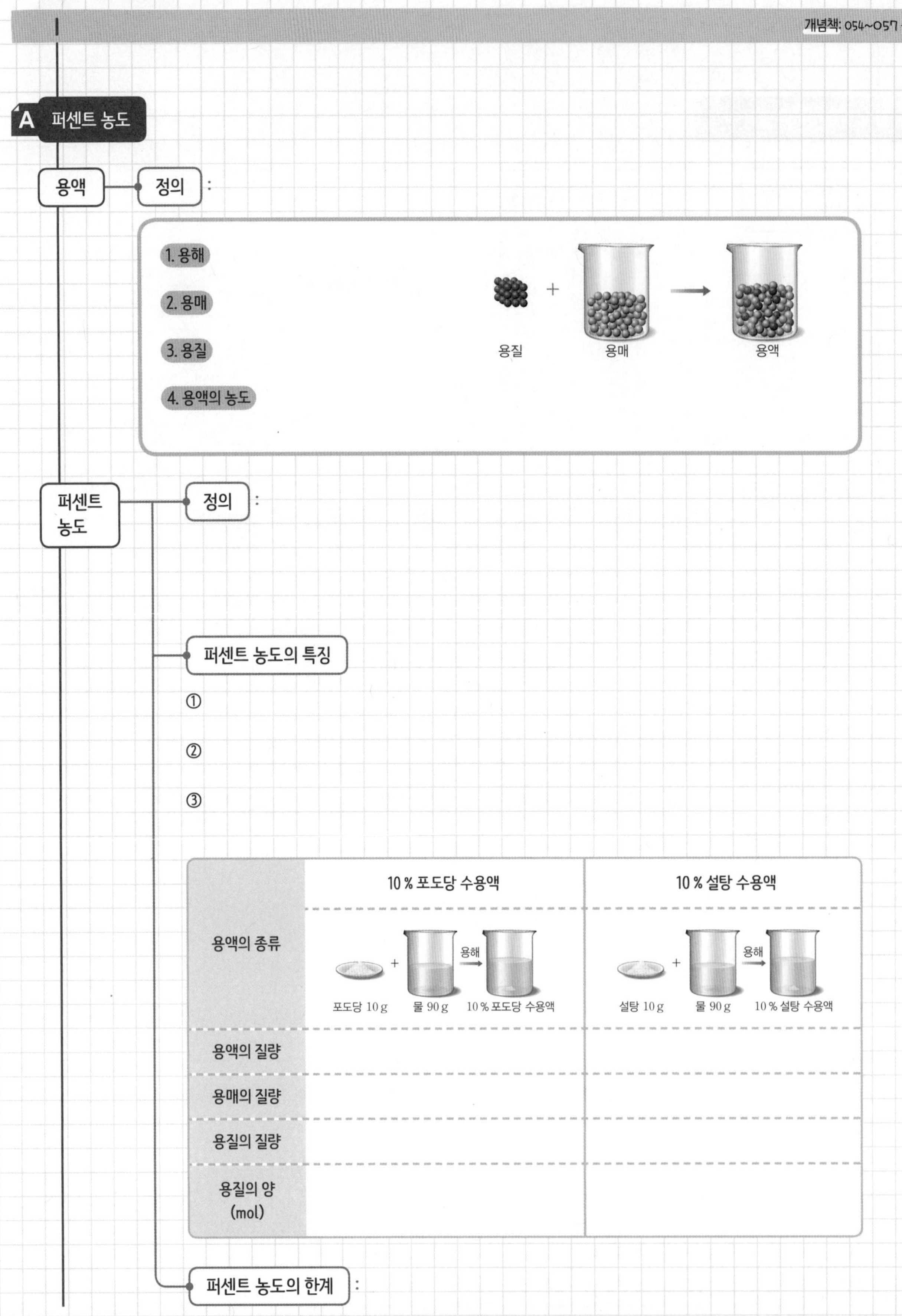

A 퍼센트 농도

용액 — 정의 :

1. 용해

2. 용매

3. 용질

4. 용액의 농도

퍼센트 농도 — 정의 :

퍼센트 농도의 특징

①

②

③

	10 % 포도당 수용액	10 % 설탕 수용액
용액의 종류	포도당 10 g + 물 90 g —용해→ 10 % 포도당 수용액	설탕 10 g + 물 90 g —용해→ 10 % 설탕 수용액
용액의 질량		
용매의 질량		
용질의 질량		
용질의 양 (mol)		

퍼센트 농도의 한계 :

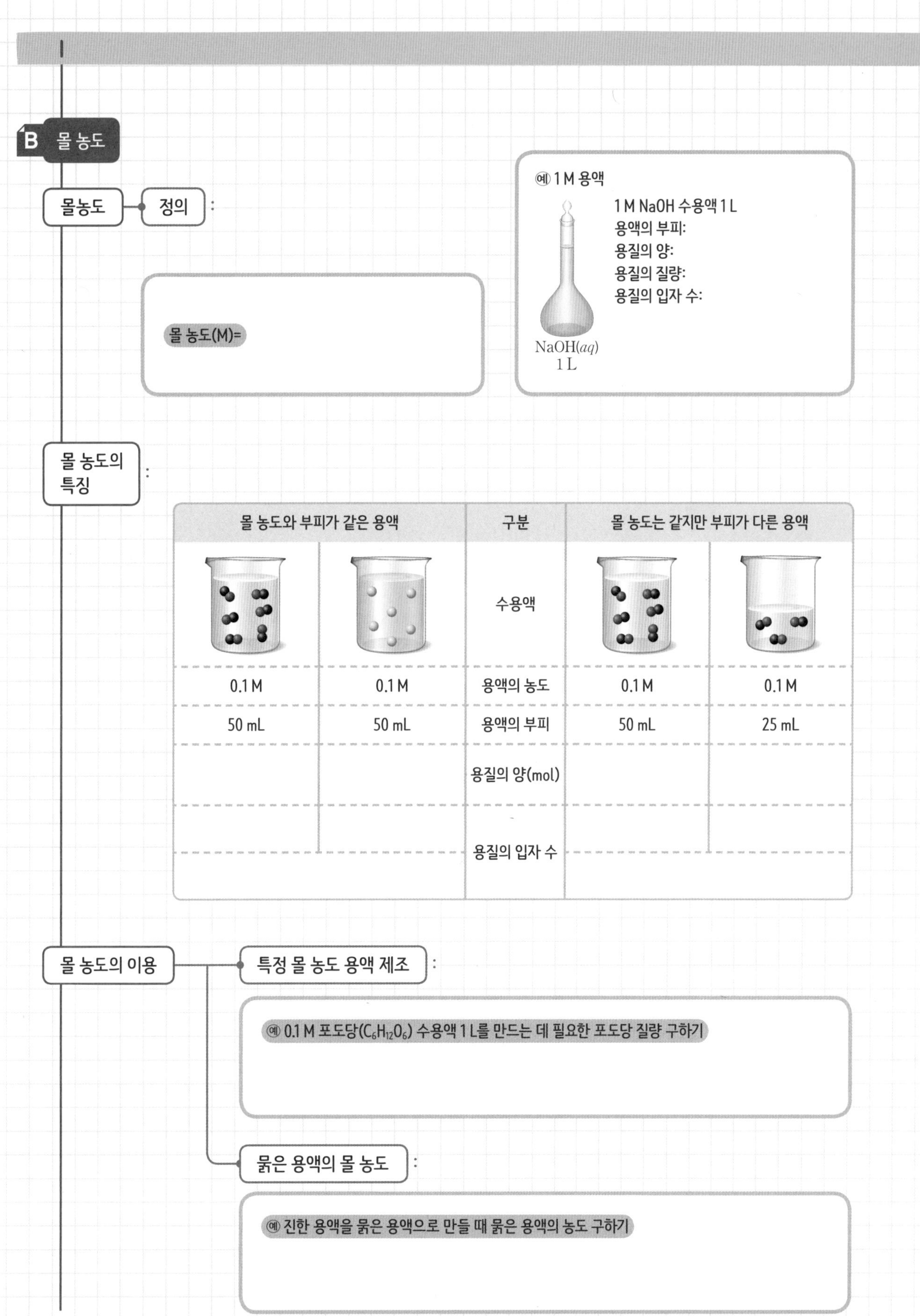

B 몰 농도

몰농도 — 정의 :

몰 농도(M)=

예 1 M 용액

NaOH(aq) 1 L

1 M NaOH 수용액 1 L
용액의 부피:
용질의 양:
용질의 질량:
용질의 입자 수:

몰 농도의 특징 :

몰 농도와 부피가 같은 용액		구분	몰 농도는 같지만 부피가 다른 용액	
		수용액		
0.1 M	0.1 M	용액의 농도	0.1 M	0.1 M
50 mL	50 mL	용액의 부피	50 mL	25 mL
		용질의 양(mol)		
		용질의 입자 수		

몰 농도의 이용

특정 몰 농도 용액 제조 :

예 0.1 M 포도당($C_6H_{12}O_6$) 수용액 1 L를 만드는 데 필요한 포도당 질량 구하기

묽은 용액의 몰 농도 :

예 진한 용액을 묽은 용액으로 만들 때 묽은 용액의 농도 구하기

단원 정리하기

그림으로 정리하기

- 그림에 자신만의 설명을 덧붙여 단원의 핵심 내용을 정리해 보자.

1 화학과 우리 생활

<table>
<tr><td rowspan="3">메테인</td><td rowspan="3">H
\|
H−C−H
\|
H</td><td>구조</td><td></td></tr>
<tr><td>특징</td><td></td></tr>
<tr><td>이용</td><td></td></tr>
<tr><td rowspan="3">알코올</td><td rowspan="3">H H
\| \|
H−C−C−O−H
\| \|
H H</td><td>구조</td><td></td></tr>
<tr><td>특징</td><td></td></tr>
<tr><td>이용</td><td></td></tr>
<tr><td rowspan="3">아세트산</td><td rowspan="3">H O
\| ‖
H−C−C−O−H
\|
H</td><td>구조</td><td></td></tr>
<tr><td>특징</td><td></td></tr>
<tr><td>이용</td><td></td></tr>
</table>

2 화학 반응에서의 양적 관계

- 몰과 질량, 입자 수와 기체의 부피 관계
- 화학 반응식에서의 양적 관계

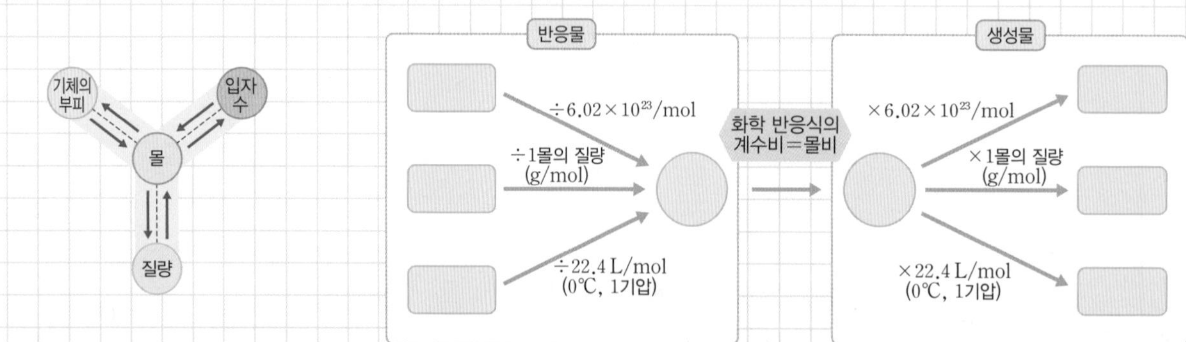

마인드맵으로 정리하기

자신만의 마인드맵을 만들어 단원의 핵심 내용을 정리해 보자.

» 선배들이 작성한 정리노트 바로가기

1 원자의 구조

01 원자의 구조 »»

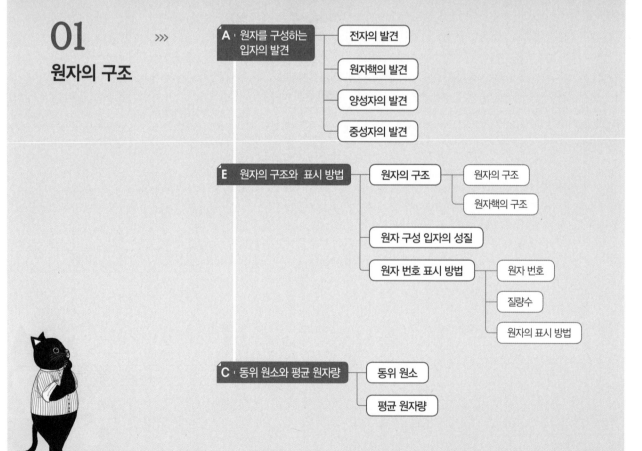

- **A** 원자를 구성하는 입자의 발견
  - 전자의 발견
  - 원자핵의 발견
  - 양성자의 발견
  - 중성자의 발견
- **E** 원자의 구조와 표시 방법
  - 원자의 구조
    - 원자의 구조
    - 원자핵의 구조
  - 원자 구성 입자의 성질
  - 원자 번호 표시 방법
    - 원자 번호
    - 질량수
    - 원자의 표시 방법
- **C** 동위 원소와 평균 원자량
  - 동위 원소
  - 평균 원자량

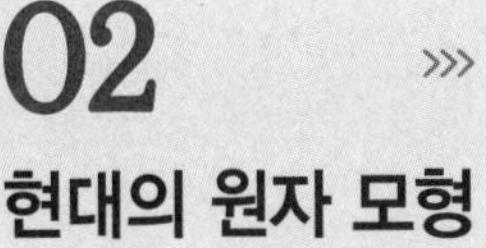

02 현대의 원자 모형

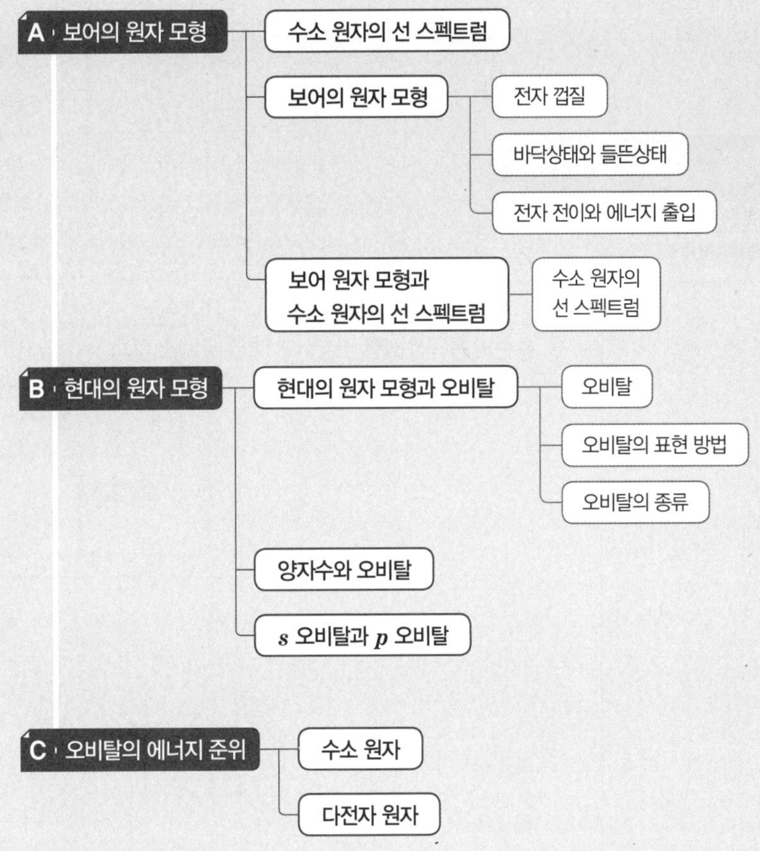

A 보어의 원자 모형
수소 원자의 선 스펙트럼
보어의 원자 모형
전자 껍질
바닥상태와 들뜬상태
전자 전이와 에너지 출입
보어 원자 모형과 수소 원자의 선 스펙트럼
수소 원자의 선 스펙트럼
B 현대의 원자 모형
현대의 원자 모형과 오비탈
오비탈
오비탈의 표현 방법
오비탈의 종류
양자수와 오비탈
s 오비탈과 p 오비탈
C 오비탈의 에너지 준위
수소 원자
다전자 원자

03 원자의 전자 배치

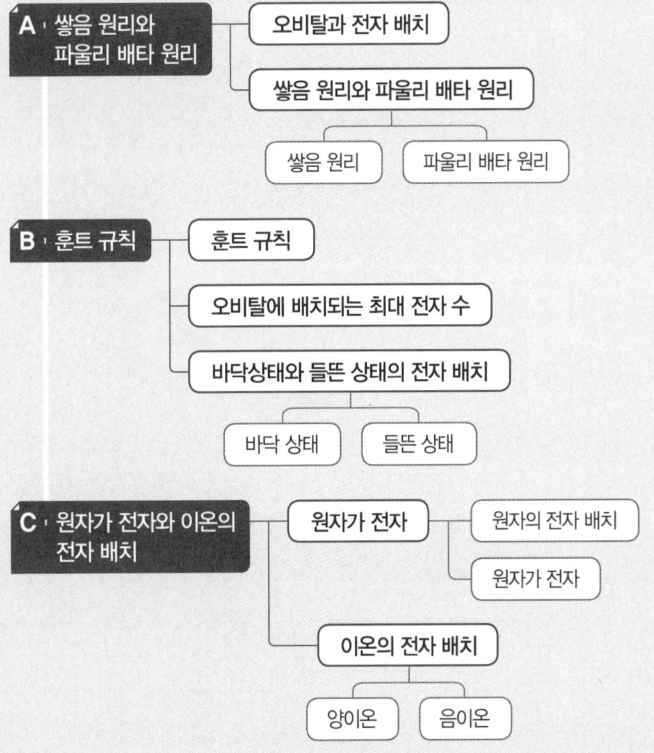

A 쌓음 원리와 파울리 배타 원리
오비탈과 전자 배치
쌓음 원리와 파울리 배타 원리
쌓음 원리
파울리 배타 원리
B 훈트 규칙
훈트 규칙
오비탈에 배치되는 최대 전자 수
바닥상태와 들뜬 상태의 전자 배치
바닥 상태
들뜬 상태
C 원자가 전자와 이온의 전자 배치
원자가 전자
원자의 전자 배치
원자가 전자
이온의 전자 배치
양이온
음이온

01 원자의 구조

개념책 076~079 쪽

A 원자를 구성하는 입자의 발견

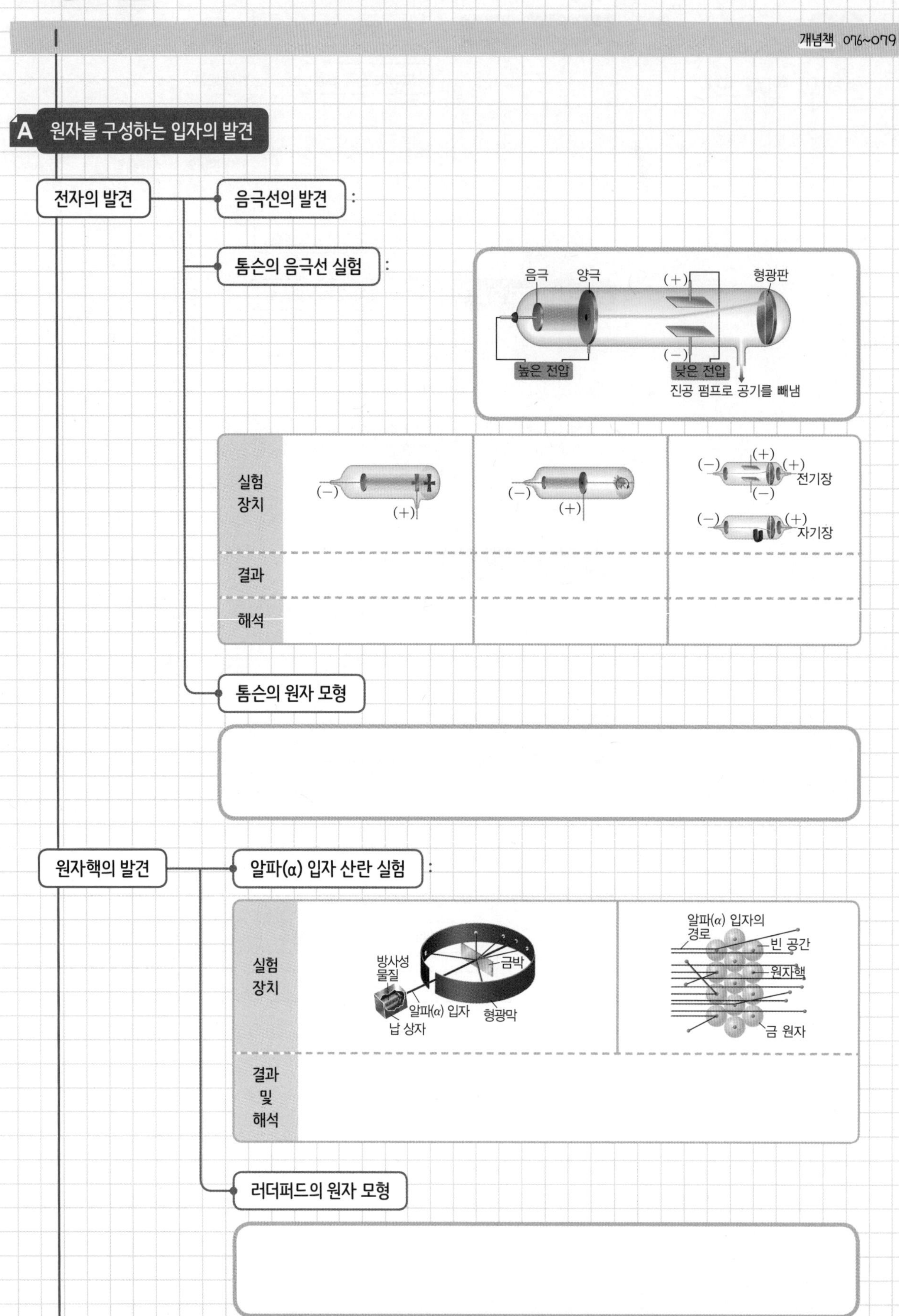

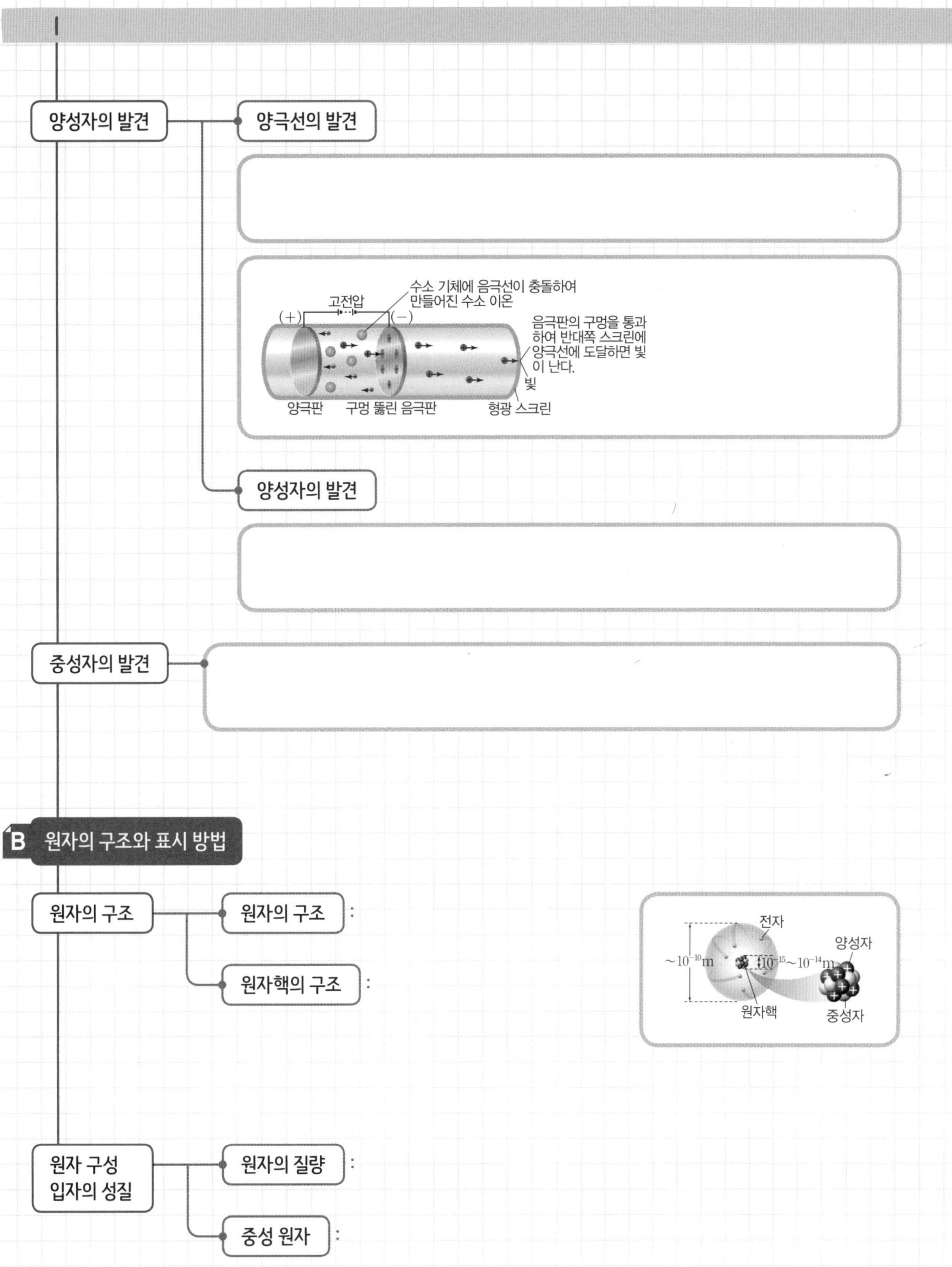

양성자의 발견
양극선의 발견
수소 기체에 음극선이 충돌하여 만들어진 수소 이온
고전압
(+)
(−)
음극판의 구멍을 통과하여 반대쪽 스크린에 양극선에 도달하면 빛이 난다.
빛
양극판
구멍 뚫린 음극판
형광 스크린
양성자의 발견
중성자의 발견
B 원자의 구조와 표시 방법
원자의 구조
원자의 구조 :
원자핵의 구조 :
전자
양성자
~10^{-10}m
10^{-15}~10^{-14}m
원자핵
중성자
원자 구성 입자의 성질
원자의 질량 :
중성 원자 :

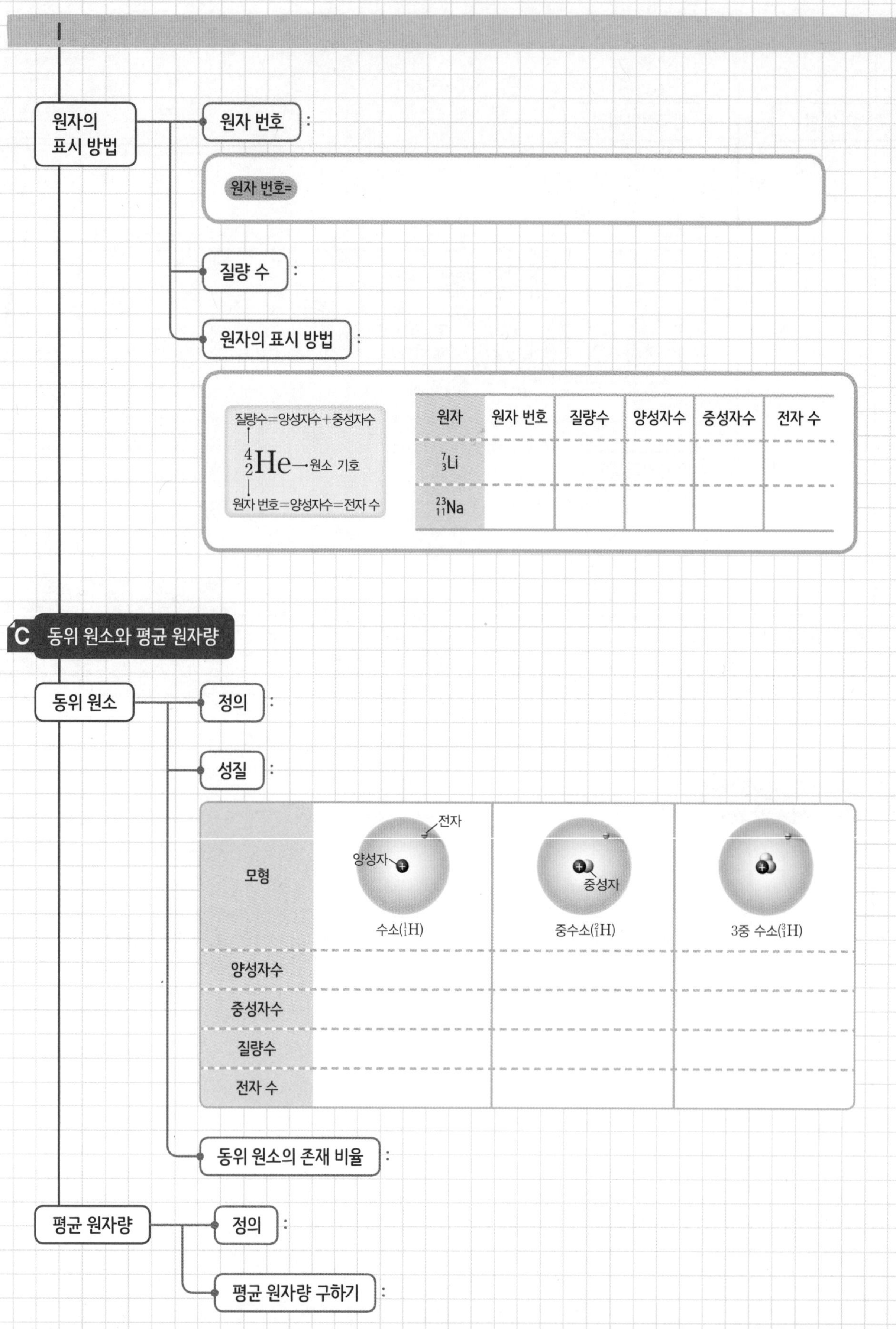

원자의 표시 방법

원자 번호 :

원자 번호=

질량 수 :

원자의 표시 방법 :

원자	원자 번호	질량수	양성자수	중성자수	전자 수
$^{7}_{3}Li$					
$^{23}_{11}Na$					

C 동위 원소와 평균 원자량

동위 원소

정의 :

성질 :

모형	수소($^{1}_{1}H$)	중수소($^{2}_{1}H$)	3중 수소($^{3}_{1}H$)
양성자수			
중성자수			
질량수			
전자 수			

동위 원소의 존재 비율 :

평균 원자량

정의 :

평균 원자량 구하기 :

02 현대의 원자 모형

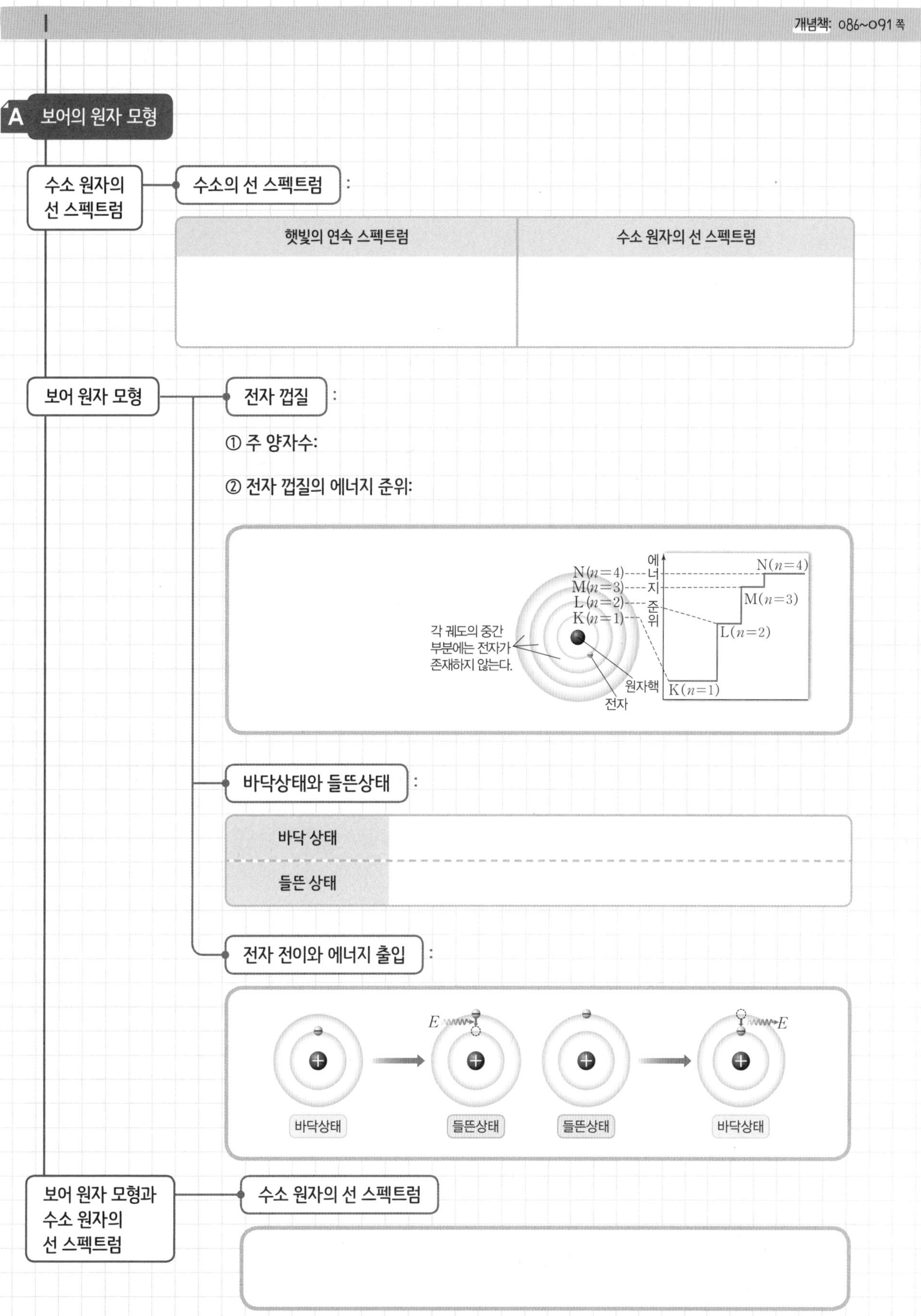

개념책: 086~091 쪽
A 보어의 원자 모형
수소 원자의 선 스펙트럼
수소의 선 스펙트럼 :
햇빛의 연속 스펙트럼
수소 원자의 선 스펙트럼
보어 원자 모형
전자 껍질 :
① 주 양자수:
② 전자 껍질의 에너지 준위:
N(n=4)
M(n=3)
L(n=2)
K(n=1)
에너지 준위
각 궤도의 중간 부분에는 전자가 존재하지 않는다.
원자핵
전자
바닥상태와 들뜬상태 :
바닥 상태
들뜬 상태
전자 전이와 에너지 출입 :
E
바닥상태
들뜬상태
들뜬상태
바닥상태
보어 원자 모형과 수소 원자의 선 스펙트럼
수소 원자의 선 스펙트럼

스펙트럼 계열	빛의 영역	전자의 이동(전자 전이)
라이먼 계열		
발머 계열		
파셴 계열		

보어 원자 모형에 의한 수소 원자의 전자 전이와 스펙트럼 계열

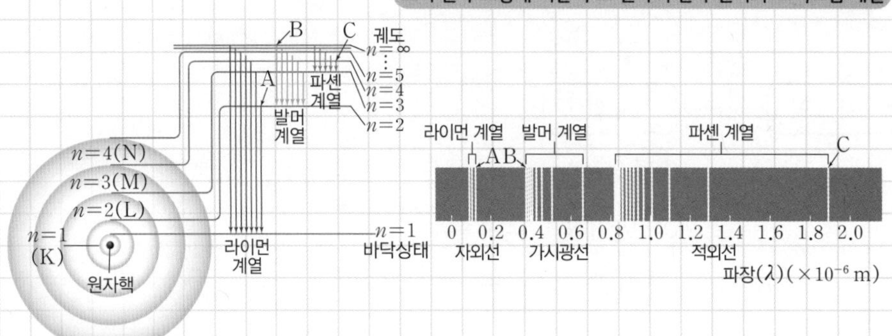

B 현대의 원자 모형

현대의 원자 모형과 오비탈

오비탈 :

오비탈의 표현 방법 :

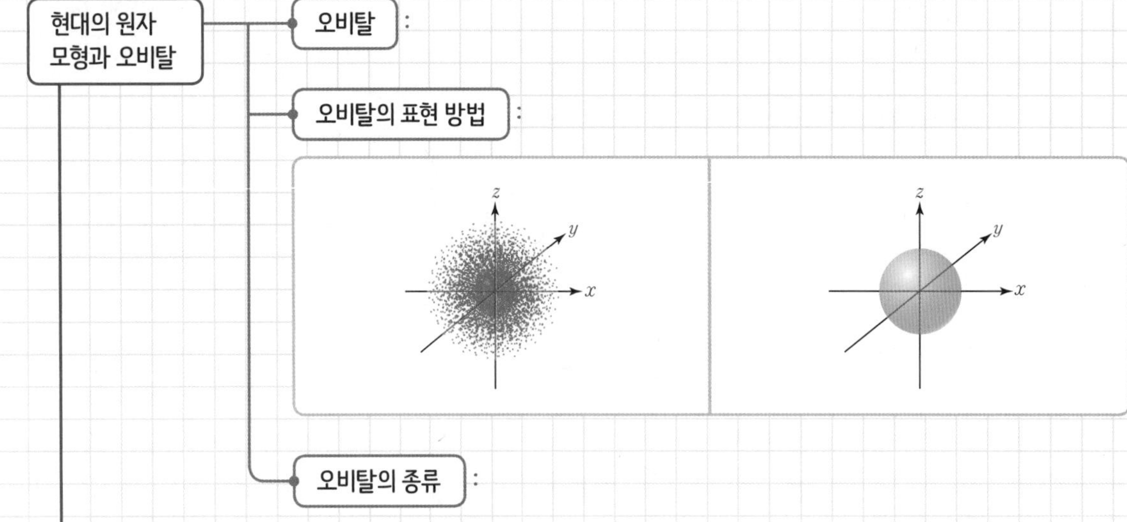

오비탈의 종류 :

양자수와 오비탈

양자수	
주 양자수(n)	
방위 양자수(부 양자수)(l)	
자기 양자수(m_l)	
스핀 자기 양자수(m_s)	

s 오비탈과 p 오비탈

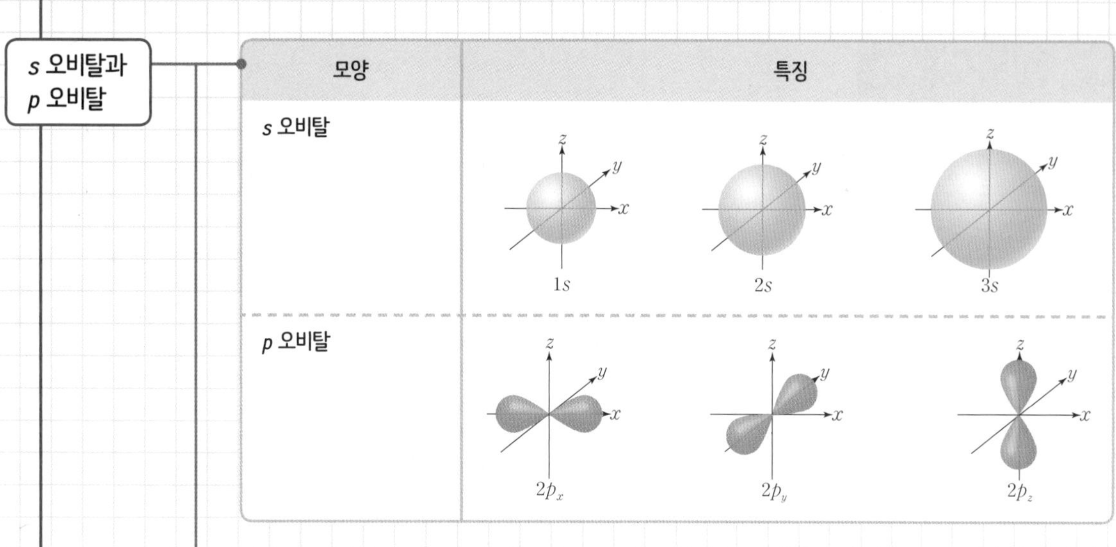

각 전자 껍질에 존재하는 오비탈 수 :

전자 껍질	K	L				M								
주 양자수	1	2				3								
방위 양자수(l)	0	0	1			0	1			2				
자기 양자수(m_l)	0	0	−1	0	+1	0	−1	0	+1	−2	−1	0	+1	+2
오비탈의 종류	1s	2s	2p			3s	3p			3d				
오비탈의 수(n^2)														
최대 수용 전자 수($2n^2$)														

C 오비탈의 에너지 준위

수소 원자의 에너지 준위 :

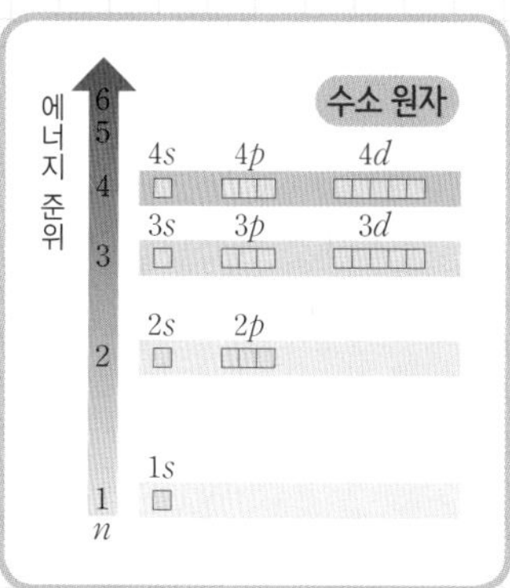

다전자 원자의 에너지 준위 :

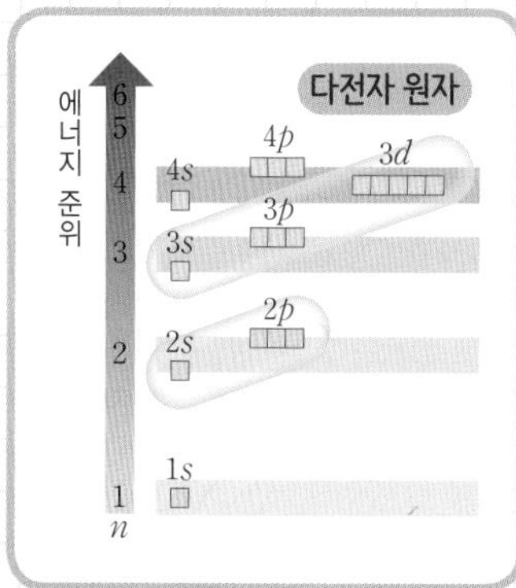

03 원자의 전자 배치

개념책: 098~100 쪽

A 쌓음 원리와 파울리 배타 원리

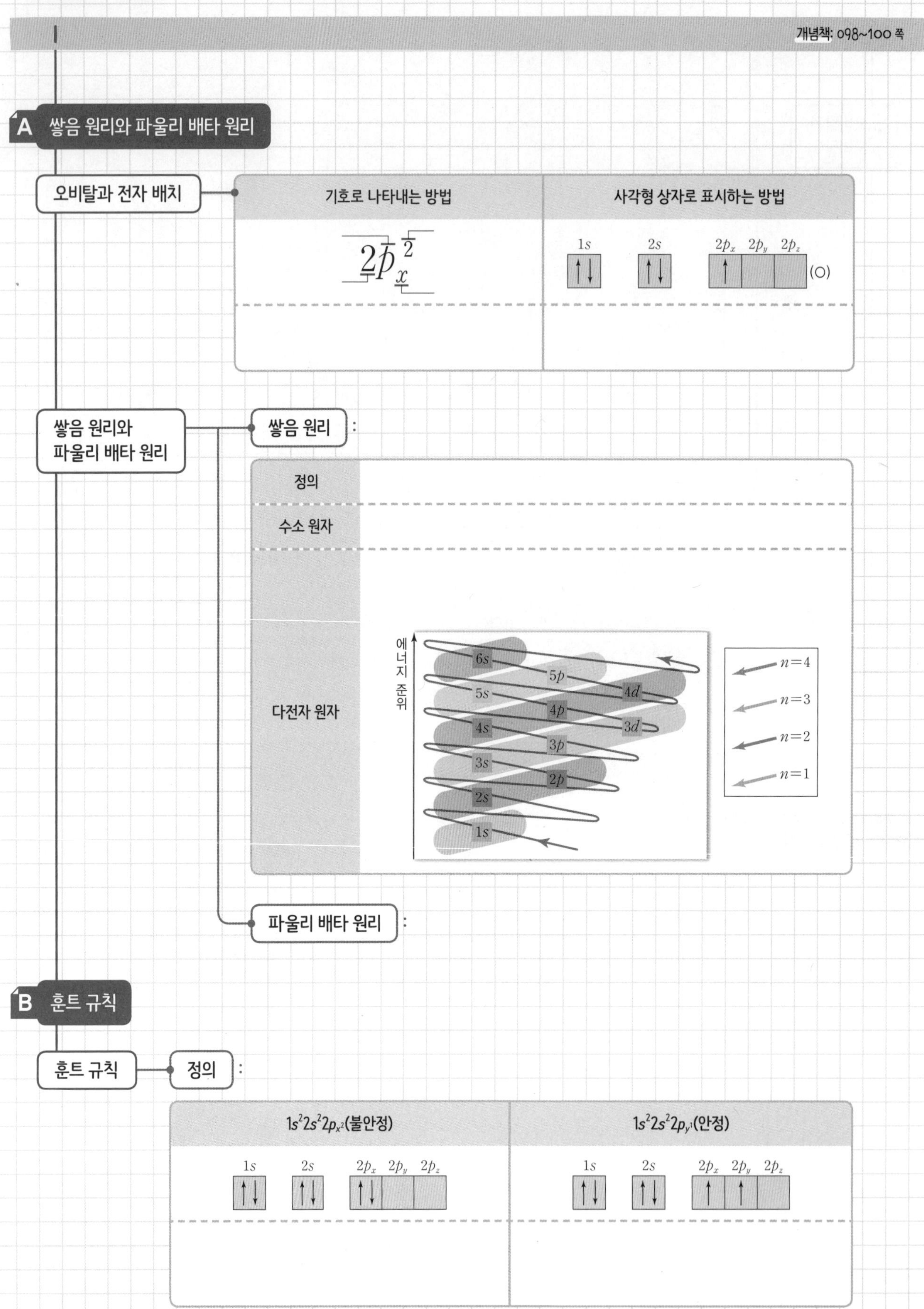

B 훈트 규칙

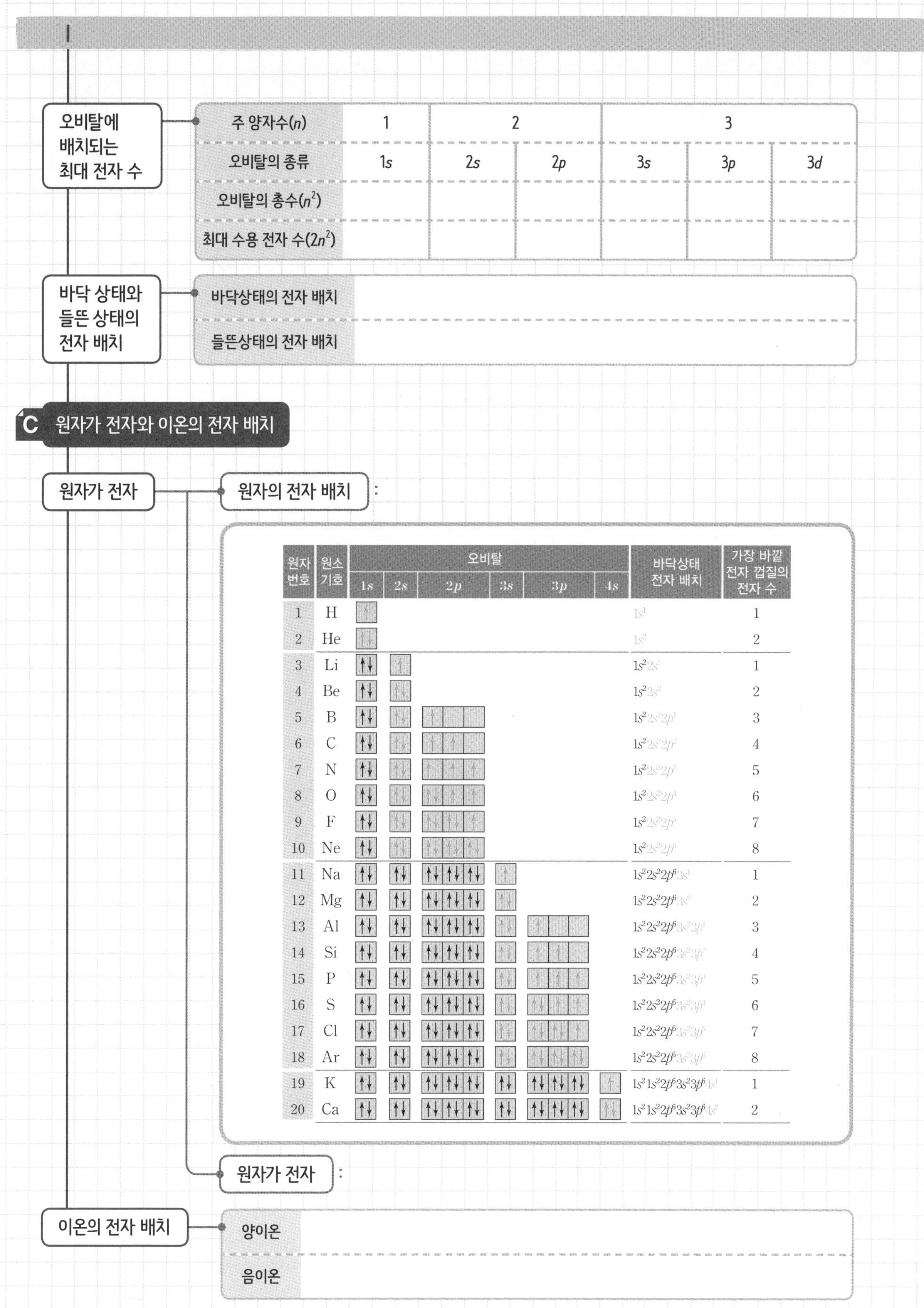

오비탈에 배치되는 최대 전자 수

주 양자수(n)	1	2		3		
오비탈의 종류	$1s$	$2s$	$2p$	$3s$	$3p$	$3d$
오비탈의 총수(n^2)						
최대 수용 전자 수($2n^2$)						

바닥 상태와 들뜬 상태의 전자 배치

바닥상태의 전자 배치	
들뜬상태의 전자 배치	

C 원자가 전자와 이온의 전자 배치

원자가 전자

원자의 전자 배치 :

원자 번호	원소 기호	1s	2s	2p	3s	3p	4s	바닥상태 전자 배치	가장 바깥 전자 껍질의 전자 수
1	H	↑						$1s^1$	1
2	He	↑↓						$1s^2$	2
3	Li	↑↓	↑					$1s^22s^1$	1
4	Be	↑↓	↑↓					$1s^22s^2$	2
5	B	↑↓	↑↓	↑ / /				$1s^22s^22p^1$	3
6	C	↑↓	↑↓	↑ / ↑ /				$1s^22s^22p^2$	4
7	N	↑↓	↑↓	↑ / ↑ / ↑				$1s^22s^22p^3$	5
8	O	↑↓	↑↓	↑↓ / ↑ / ↑				$1s^22s^22p^4$	6
9	F	↑↓	↑↓	↑↓ / ↑↓ / ↑				$1s^22s^22p^5$	7
10	Ne	↑↓	↑↓	↑↓ / ↑↓ / ↑↓				$1s^22s^22p^6$	8
11	Na	↑↓	↑↓	↑↓ / ↑↓ / ↑↓	↑			$1s^22s^22p^63s^1$	1
12	Mg	↑↓	↑↓	↑↓ / ↑↓ / ↑↓	↑↓			$1s^22s^22p^63s^2$	2
13	Al	↑↓	↑↓	↑↓ / ↑↓ / ↑↓	↑↓	↑ / /		$1s^22s^22p^63s^23p^1$	3
14	Si	↑↓	↑↓	↑↓ / ↑↓ / ↑↓	↑↓	↑ / ↑ /		$1s^22s^22p^63s^23p^2$	4
15	P	↑↓	↑↓	↑↓ / ↑↓ / ↑↓	↑↓	↑ / ↑ / ↑		$1s^22s^22p^63s^23p^3$	5
16	S	↑↓	↑↓	↑↓ / ↑↓ / ↑↓	↑↓	↑↓ / ↑ / ↑		$1s^22s^22p^63s^23p^4$	6
17	Cl	↑↓	↑↓	↑↓ / ↑↓ / ↑↓	↑↓	↑↓ / ↑↓ / ↑		$1s^22s^22p^63s^23p^5$	7
18	Ar	↑↓	↑↓	↑↓ / ↑↓ / ↑↓	↑↓	↑↓ / ↑↓ / ↑↓		$1s^22s^22p^63s^23p^6$	8
19	K	↑↓	↑↓	↑↓ / ↑↓ / ↑↓	↑↓	↑↓ / ↑↓ / ↑↓	↑	$1s^21s^22p^63s^23p^64s^1$	1
20	Ca	↑↓	↑↓	↑↓ / ↑↓ / ↑↓	↑↓	↑↓ / ↑↓ / ↑↓	↑↓	$1s^21s^22p^63s^23p^64s^2$	2

원자가 전자 :

이온의 전자 배치

양이온	
음이온	

2 원소의 주기적 성질

01 주기율표

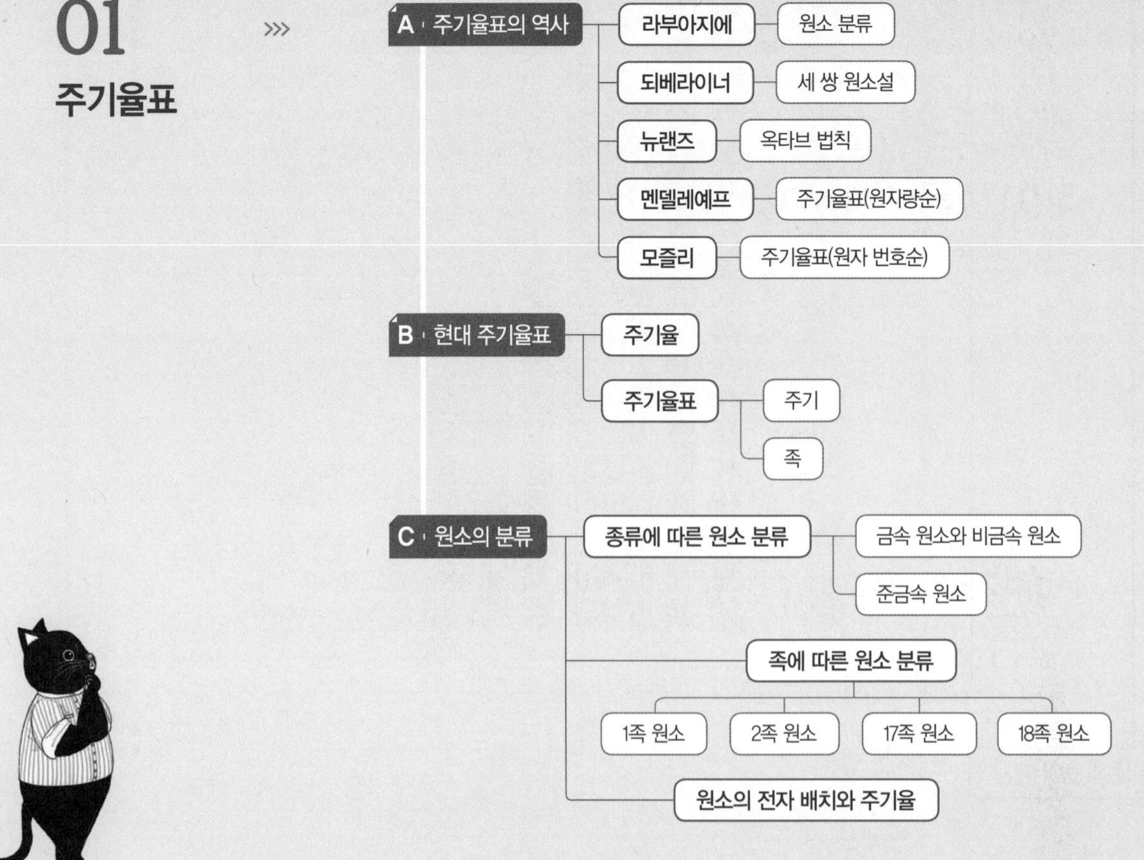

02 >>>
원소의 주기적 성질(1)

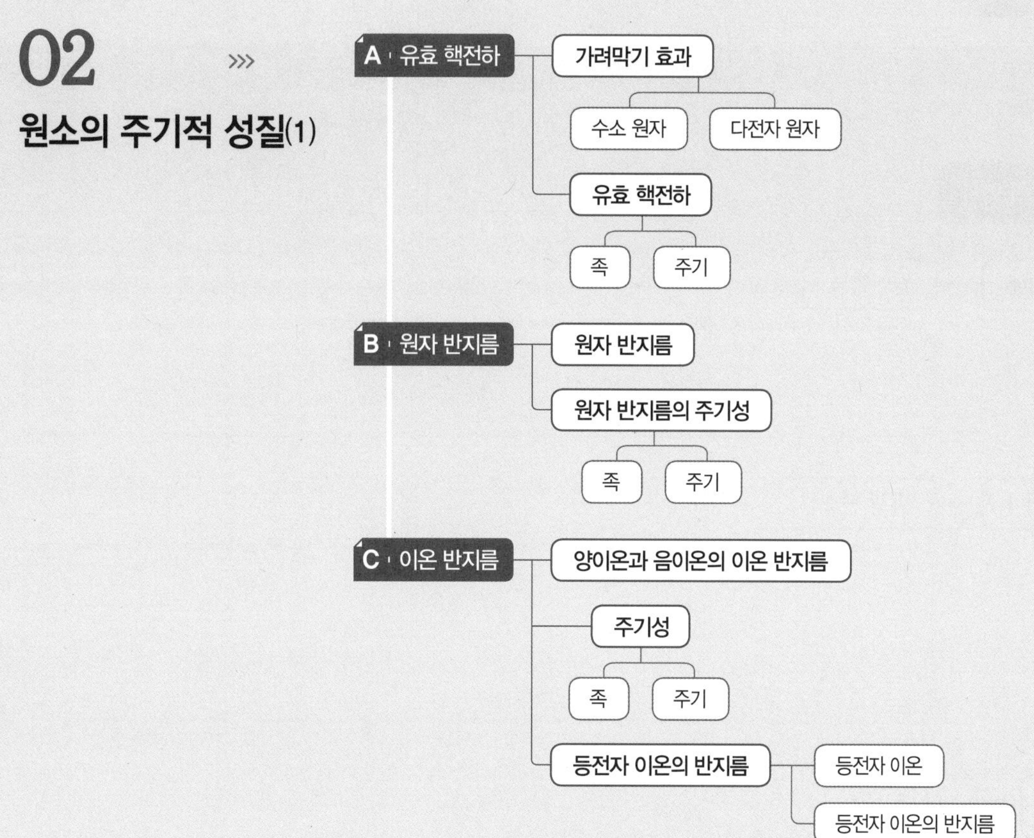

03 >>>
원소의 주기적 성질(2)

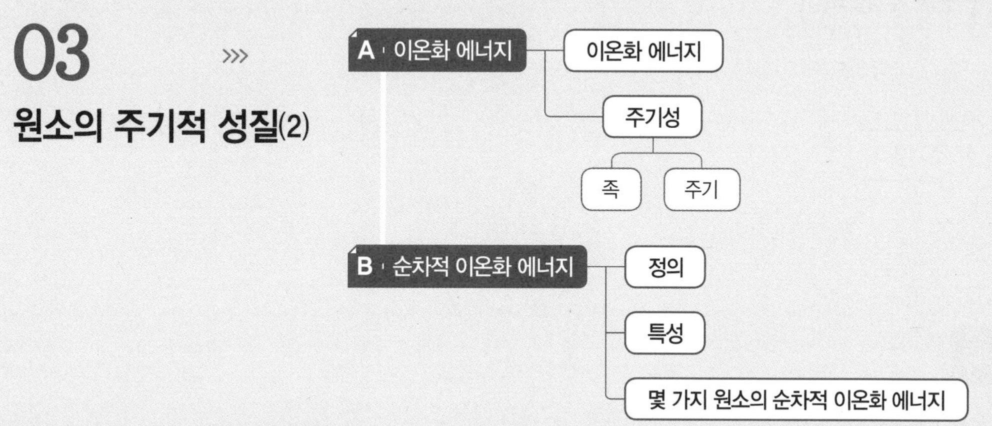

01 주기율표

개념책: 112~116 쪽

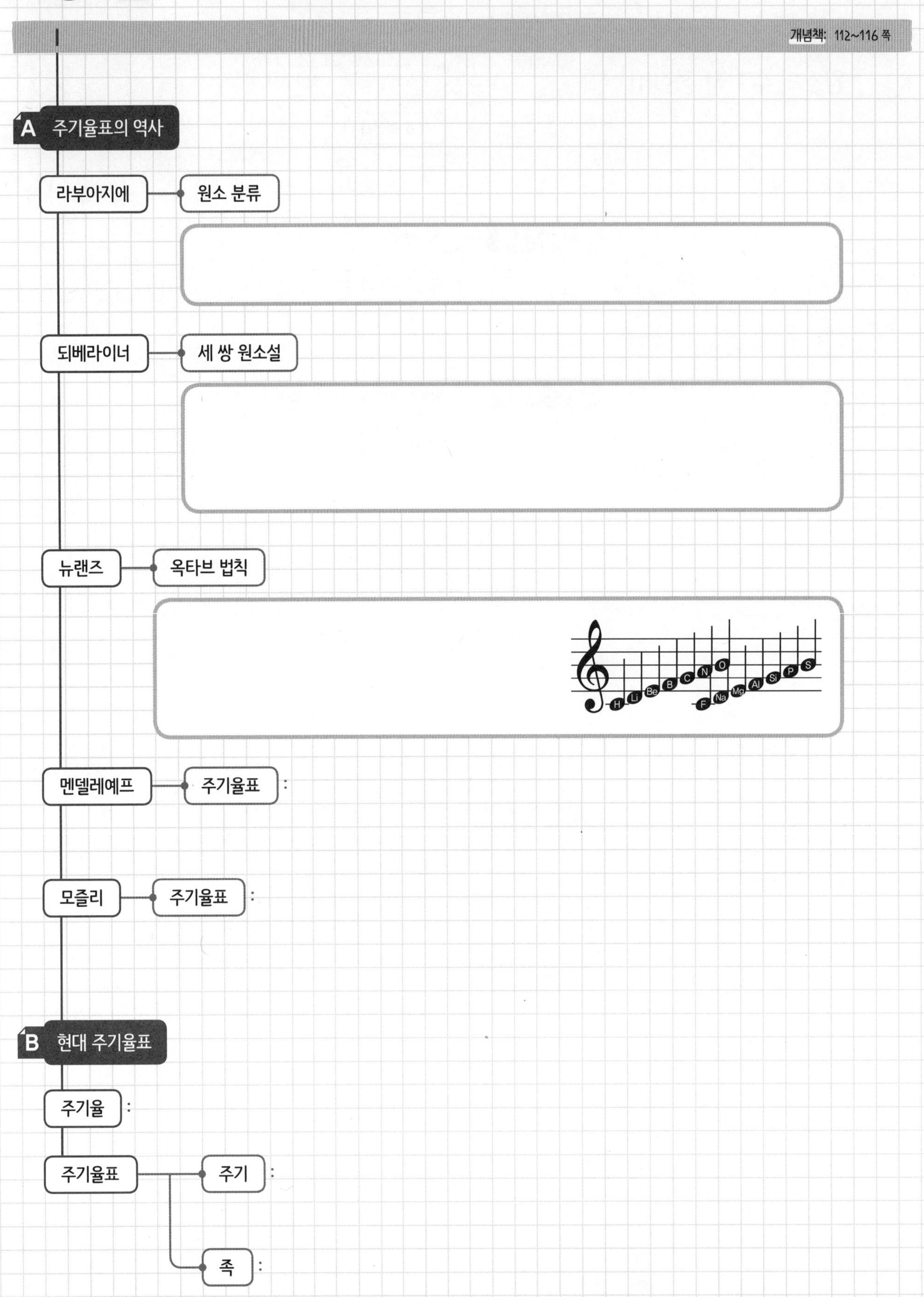

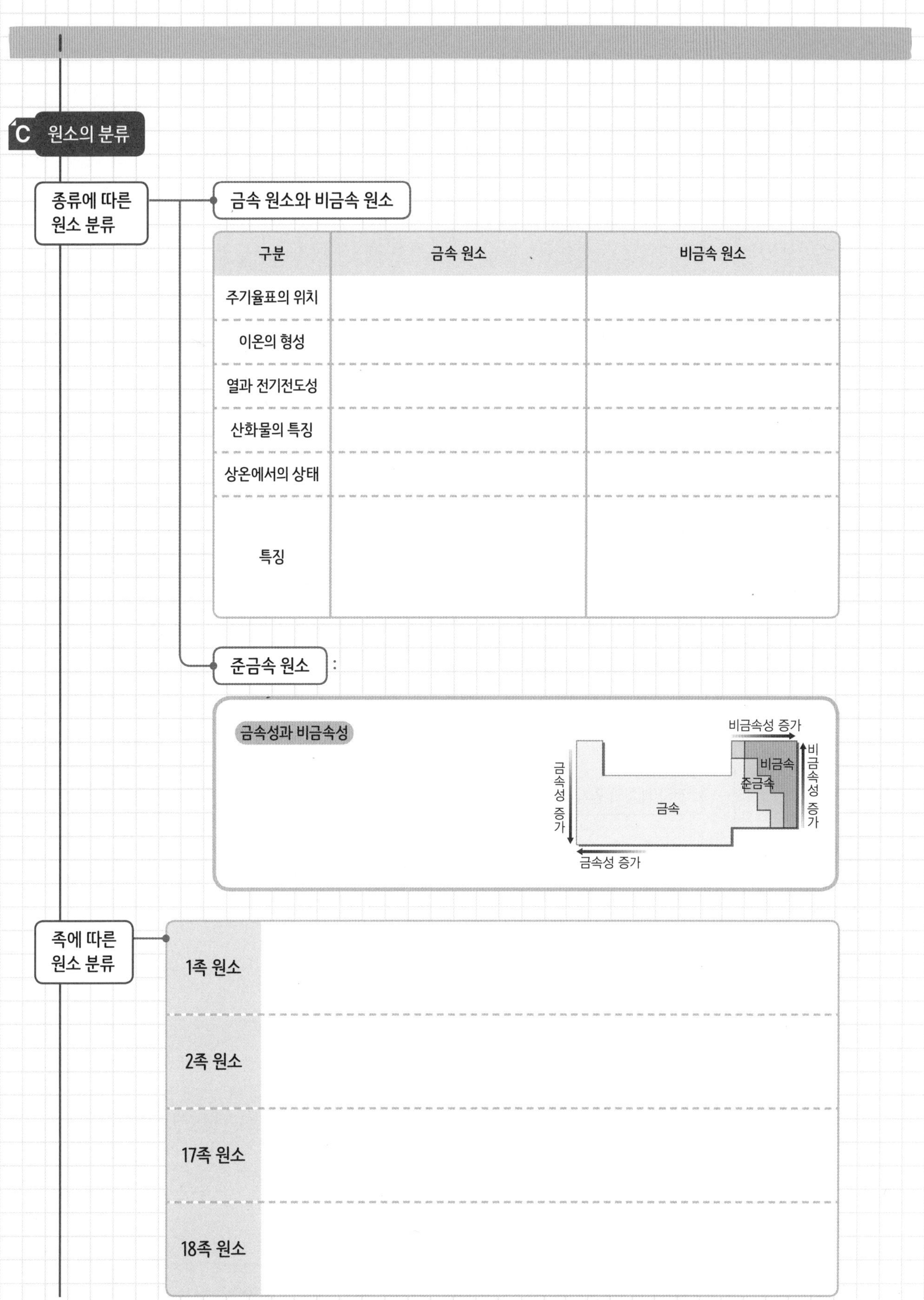

C 원소의 분류

종류에 따른 원소 분류

금속 원소와 비금속 원소

구분	금속 원소	비금속 원소
주기율표의 위치		
이온의 형성		
열과 전기전도성		
산화물의 특징		
상온에서의 상태		
특징		

준금속 원소 :

금속성과 비금속성

족에 따른 원소 분류

1족 원소	
2족 원소	
17족 원소	
18족 원소	

원소의 전자 배치와 주기율

주기율표에서 전자 배치

①

②

③

구분	1족	2족	13족	14족	15족	16족	17족	18족
1주기	H							He
	$1s^1$							
2주기	Li	Be	B	C	N	O	F	Ne
3주기	Na	Mg	Al	Si	P	S	Cl	Ar
4주기	K	Ca	Ga	Ge	As	Se	Br	Kr
가장 바깥 전자 껍질의 전자 배치	ns^1	ns^2	ns^2np^1	ns^2np^2	ns^2np^3	ns^2np^4	ns^2np^5	ns^2np^6
원자가 전자 수	1	2	3	4	5	6	7	0

전자 배치와 원자가 전자

같은 족 원소

원자가 전자

주기율이 나타나는 까닭

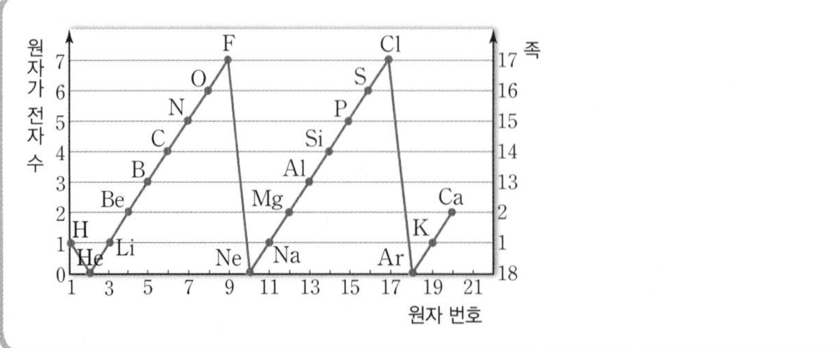

02 원소의 주기적 성질 (1)

개념책: 122~124 쪽

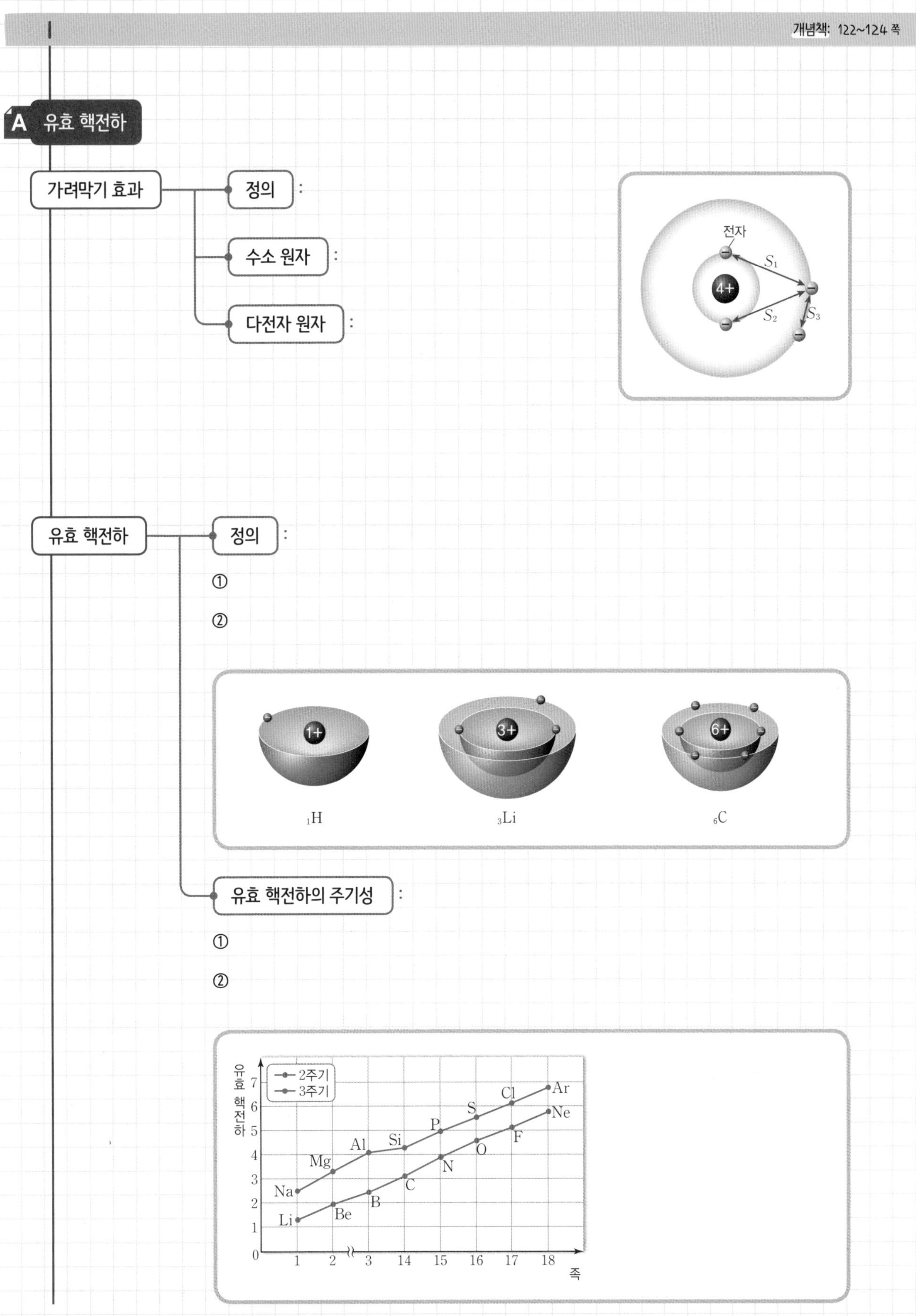

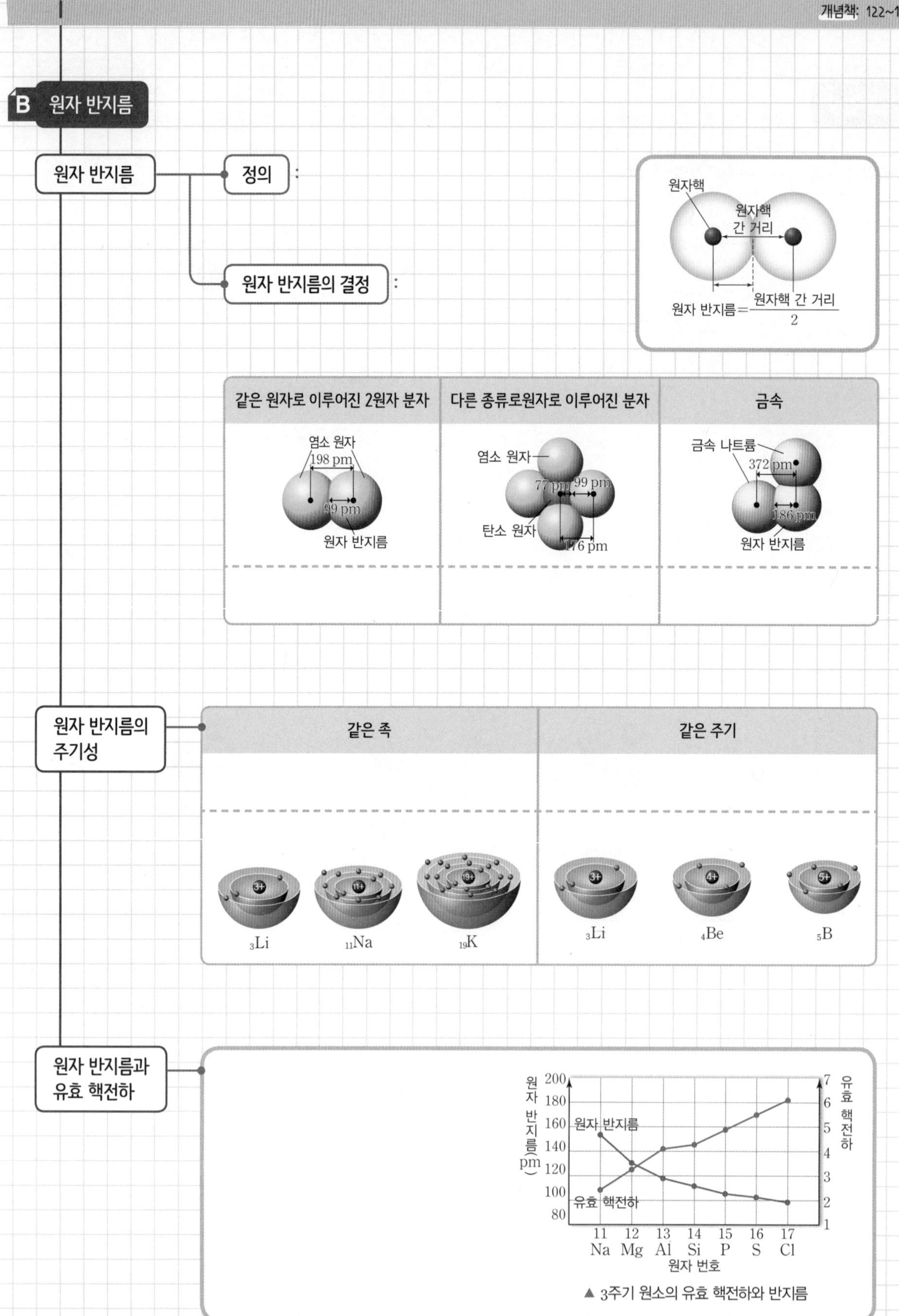
개념책: 122~124 쪽
B 원자 반지름
원자 반지름
정의 :
원자 반지름의 결정 :
원자핵
원자핵 간 거리
원자 반지름 = 원자핵 간 거리 / 2
같은 원자로 이루어진 2원자 분자
다른 종류로원자로 이루어진 분자
금속
염소 원자
198 pm
99 pm
원자 반지름
염소 원자
77 pm
99 pm
탄소 원자
176 pm
금속 나트륨
372 pm
186 pm
원자 반지름
원자 반지름의 주기성
같은 족
같은 주기
3+
11+
19+
$_3$Li
$_{11}$Na
$_{19}$K
3+
4+
5+
$_3$Li
$_4$Be
$_5$B
원자 반지름과 유효 핵전하
원자 반지름(pm)
유효 핵전하
원자 반지름
유효 핵전하
200
180
160
140
120
100
80
7
6
5
4
3
2
1
11 Na
12 Mg
13 Al
14 Si
15 P
16 S
17 Cl
원자 번호
▲ 3주기 원소의 유효 핵전하와 반지름

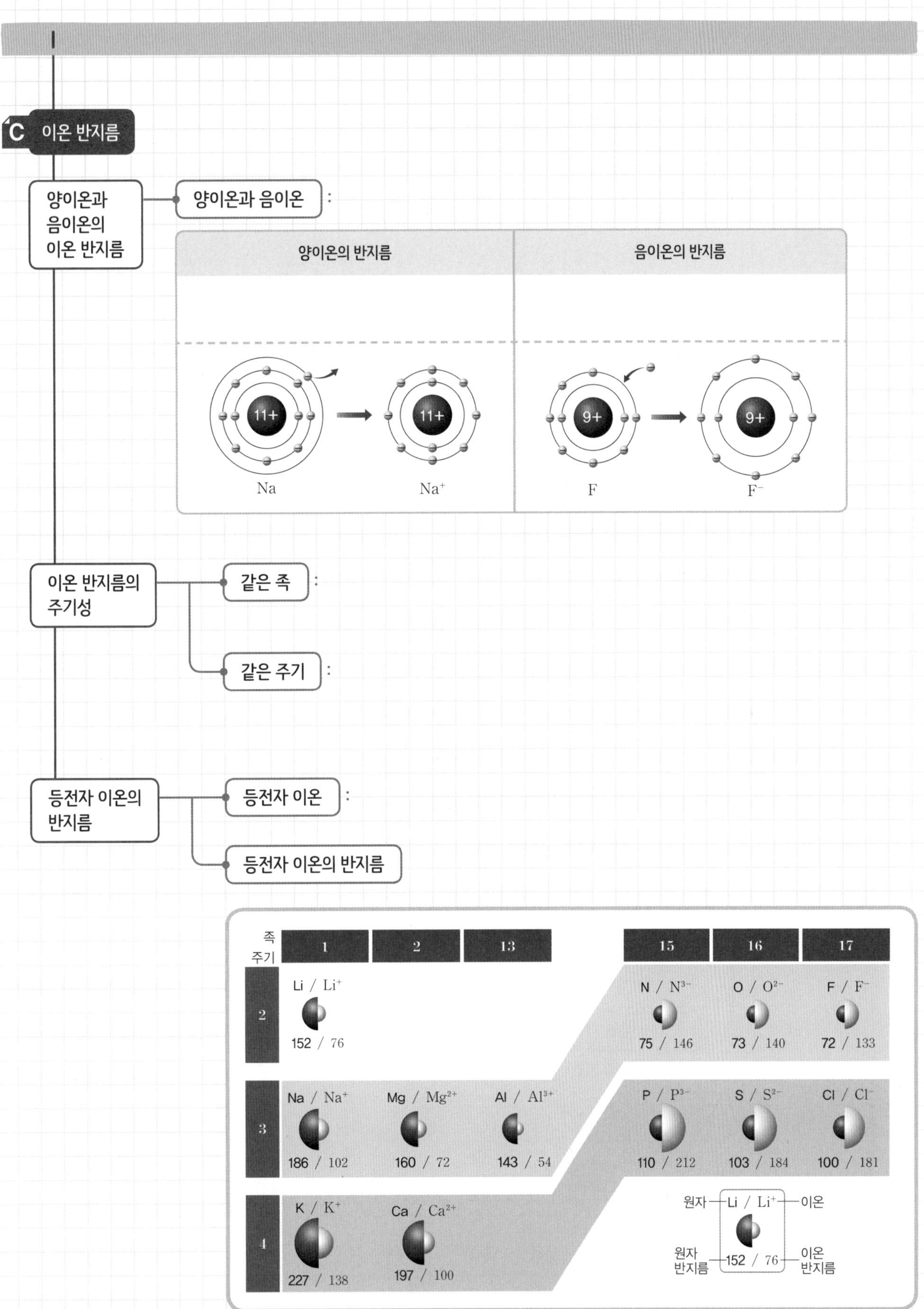
C 이온 반지름
양이온과 음이온의 이온 반지름
양이온과 음이온 :
양이온의 반지름
음이온의 반지름
11+
Na
Na+
9+
F
F−
이온 반지름의 주기성
같은 족 :
같은 주기 :
등전자 이온의 반지름
등전자 이온 :
등전자 이온의 반지름
족
주기
1
2
13
15
16
17
2
Li / Li+
152 / 76
N / N3−
75 / 146
O / O2−
73 / 140
F / F−
72 / 133
3
Na / Na+
186 / 102
Mg / Mg2+
160 / 72
Al / Al3+
143 / 54
P / P3−
110 / 212
S / S2−
103 / 184
Cl / Cl−
100 / 181
4
K / K+
227 / 138
Ca / Ca2+
197 / 100
원자
Li / Li+
이온
원자 반지름
152 / 76
이온 반지름

03 원소의 주기적 성질(2)

개념책: 130~132 쪽

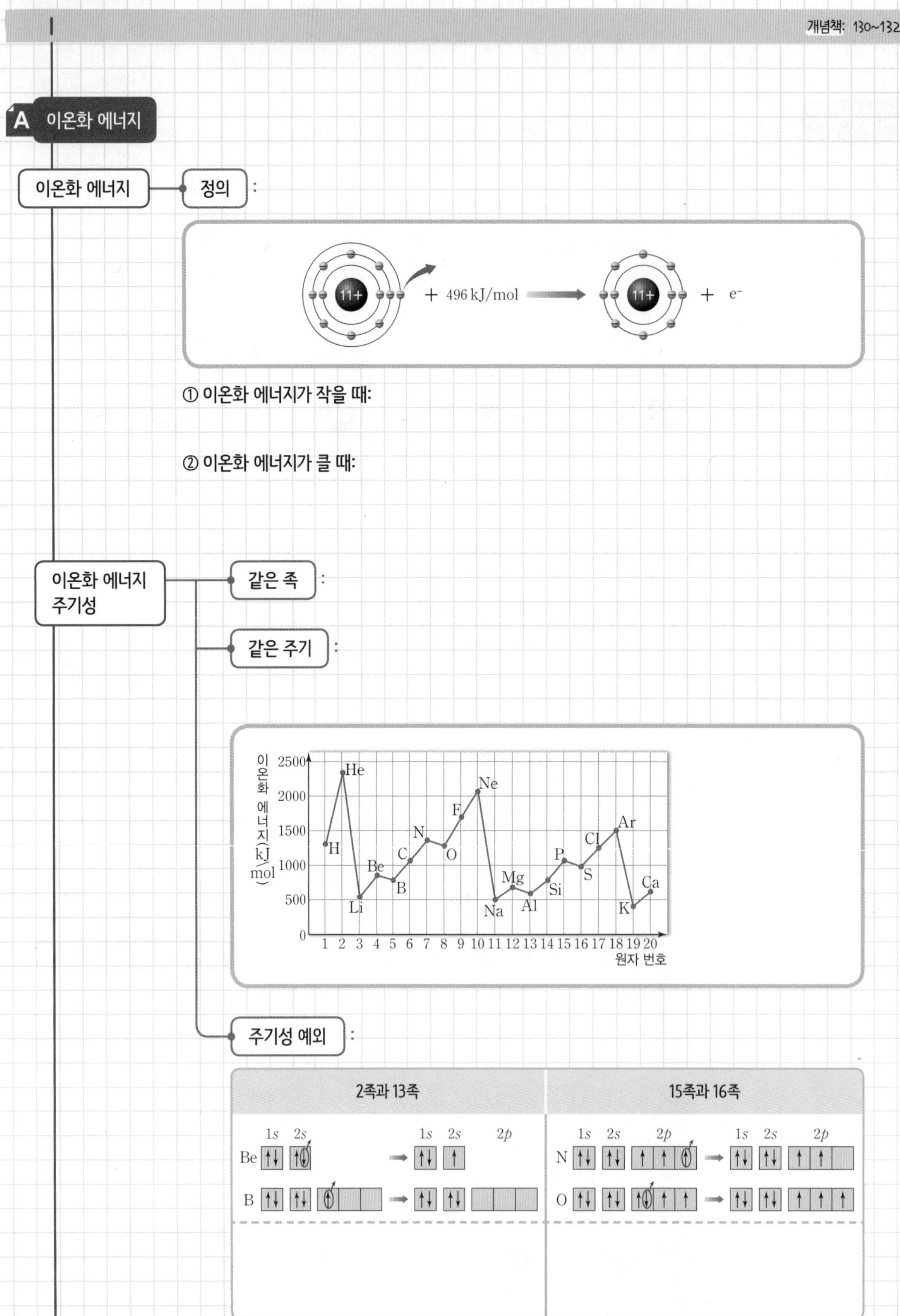
A 이온화 에너지
이온화 에너지
정의 :
11+
+ 496 kJ/mol
11+
+ e⁻
① 이온화 에너지가 작을 때:
② 이온화 에너지가 클 때:
이온화 에너지 주기성
같은 족 :
같은 주기 :
이온화 에너지(kJ/mol)
2500
2000
1500
1000
500
0
H
He
Li
Be
B
C
N
O
F
Ne
Na
Mg
Al
Si
P
S
Cl
Ar
K
Ca
1 2 3 4 5 6 7 8 9 10 11 12 13 14 15 16 17 18 19 20
원자 번호
주기성 예외 :
2족과 13족
15족과 16족
1s 2s 2p
Be
B
N
O

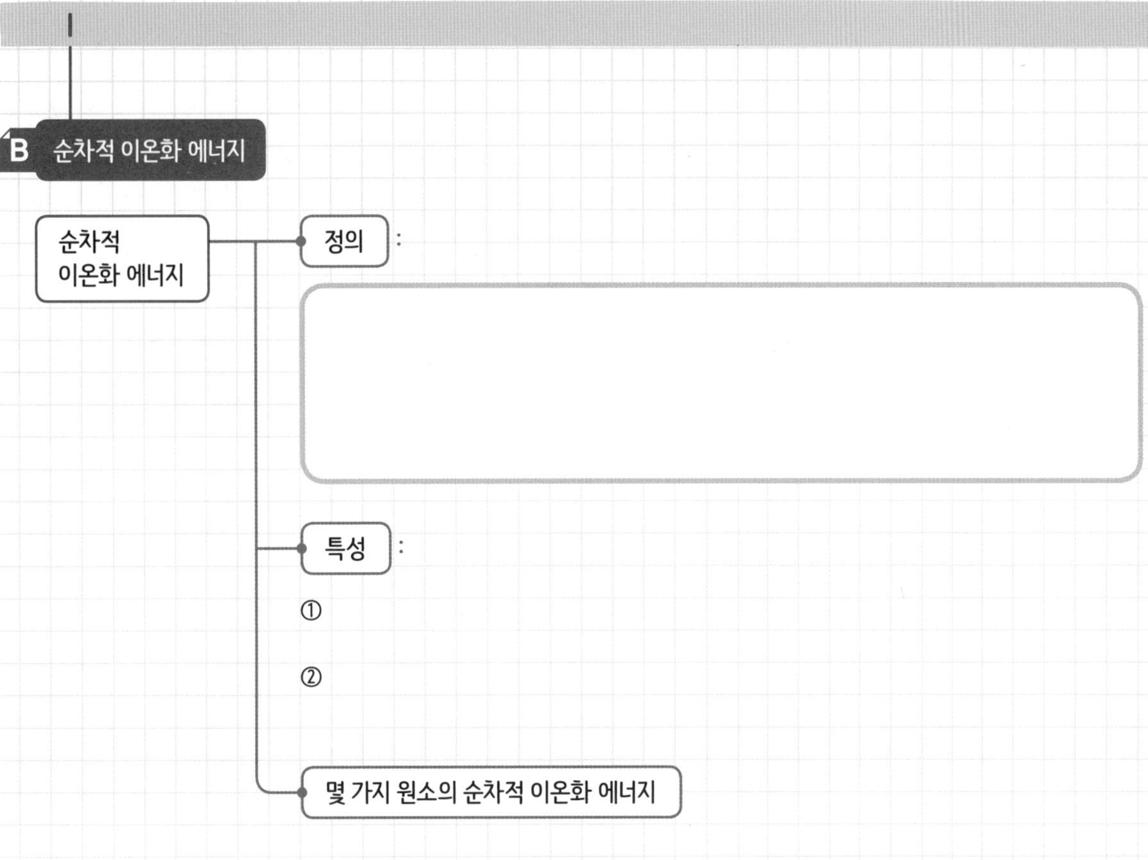

족	원소	순차적 이온화 에너지(kJ/mol)						이온화 에너지 급증 단계	원자가 전자 수(개)
		E_1	E_2	E_3	E_4	E_5	E_6		
1	$_3Li$	520	7298	11815				$E_1 \ll E_2$	
2	$_4Be$	900	1757	14849	21007			$E_2 \ll E_3$	
13	$_5B$	801	2427	3660	25026	32827		$E_3 \ll E_4$	
14	$_6C$	1087	2353	4621	6223	37831	47277	$E_4 \ll E_5$	
15	$_7N$	1402	2866	4578	7475	9445	53267	$E_5 \ll E_6$	

①

②

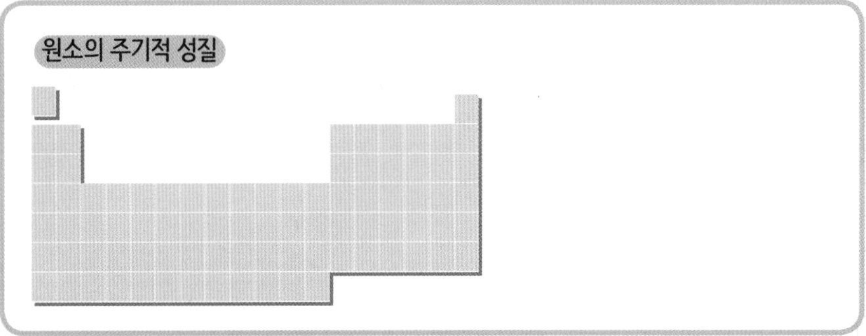

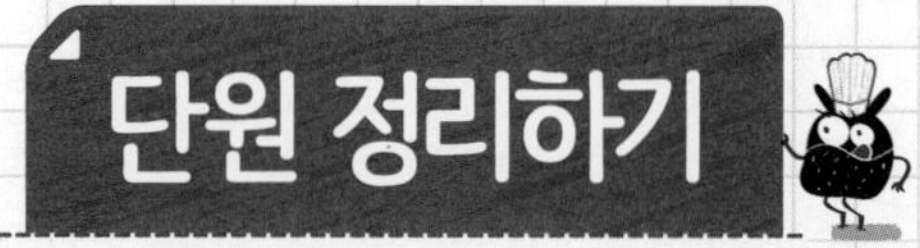

그림으로 정리하기

◉ 그림에 자신만의 설명을 덧붙여 단원의 핵심 내용을 정리해 보자.

1 원자 모형의 변천사

• 원자 모형

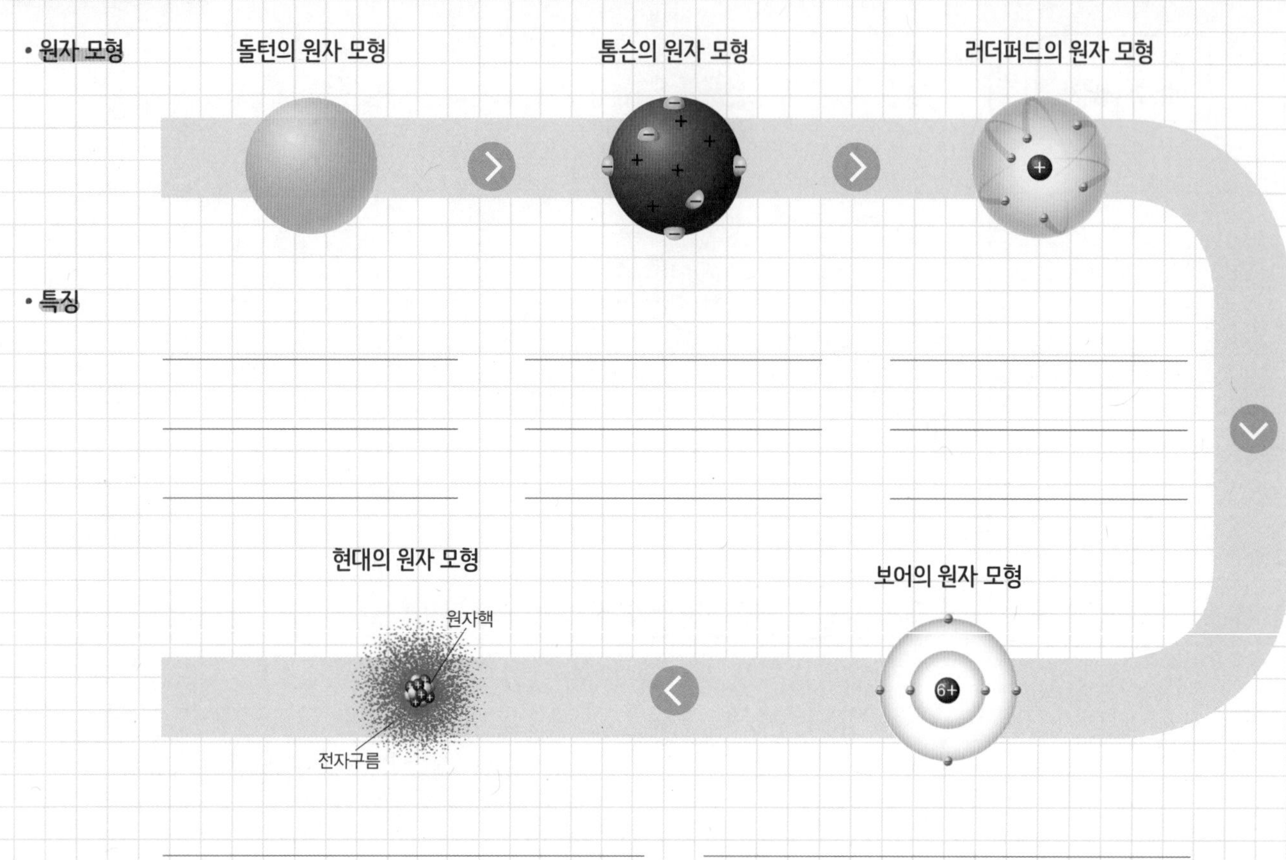

• 특징

2 원소의 주기적 성질

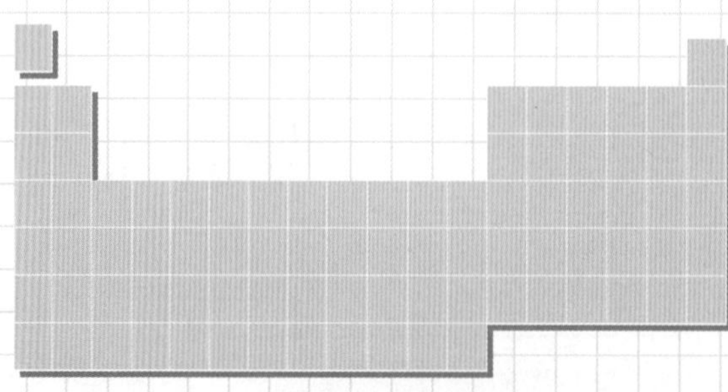

마인드맵으로 정리하기

◎ 자신만의 마인드맵을 만들어 단원의 핵심 내용을 정리해 보자.

Ⅲ. 화학 결합과 분자의 세계

» 선배들이 작성한 정리노트 바로가기

1 화학 결합

01 화학 결합의 전기적 성질

>>>

A 화학 결합의 전기적 성질
- **물의 전기 분해**
  - 물의 전기 분해
  - 공유 결합과 전자
- **염화 나트륨 용융액의 전기 분해**
  - 염화 나트륨의 상태에 따른 전기 전도성
  - 염화 나트륨 용융액의 전기 분해
  - 이온 결합과 전자

B 화학 결합의 원리
- **비활성 기체**
  - 비활성 기체
  - 전자 배치
- **옥텟 규칙**
  - 옥텟 규칙
  - 화학 결합과 옥텟 규칙

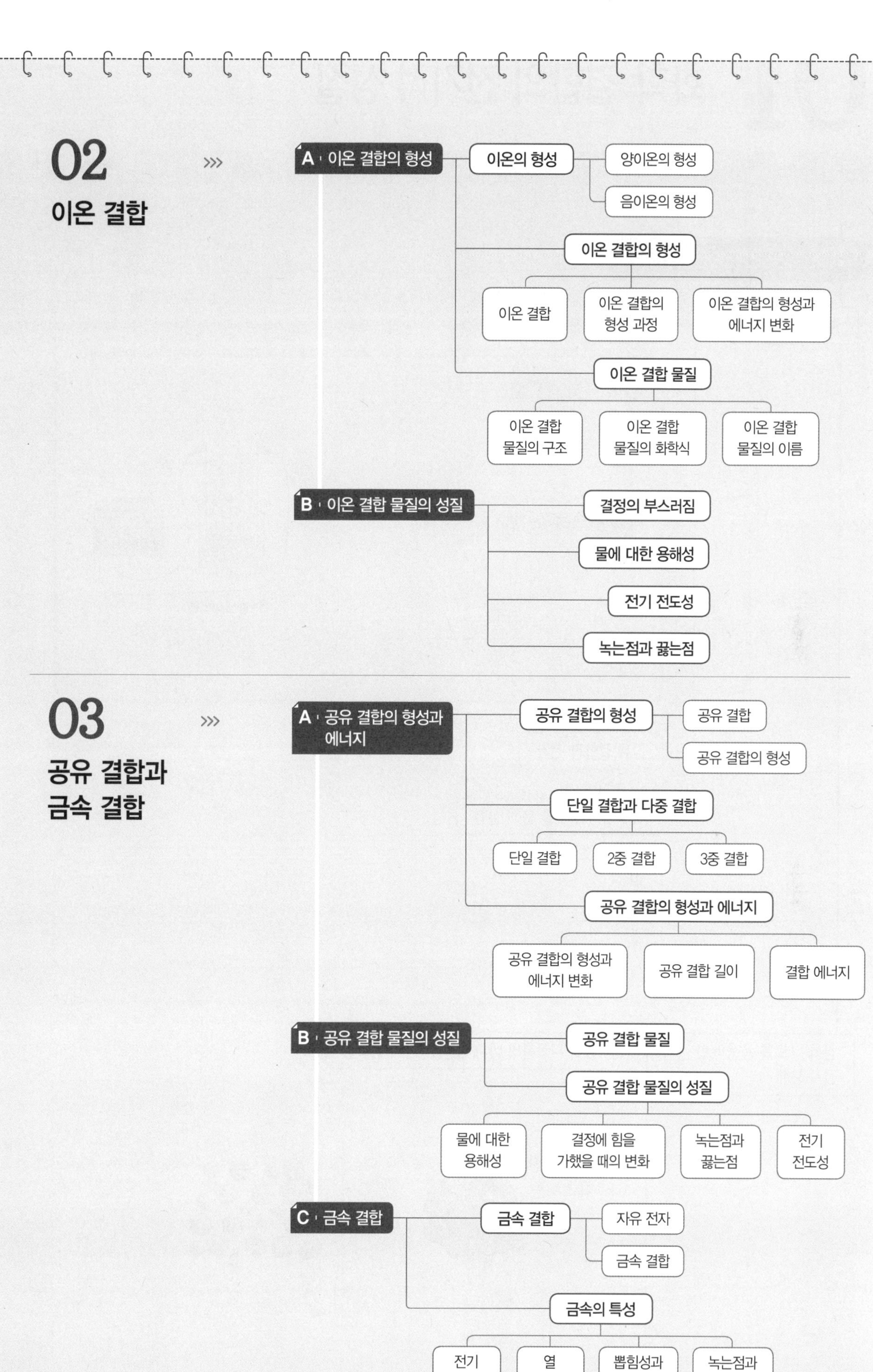

02
이온 결합
A 이온 결합의 형성
이온의 형성
양이온의 형성
음이온의 형성
이온 결합의 형성
이온 결합
이온 결합의 형성 과정
이온 결합의 형성과 에너지 변화
이온 결합 물질
이온 결합 물질의 구조
이온 결합 물질의 화학식
이온 결합 물질의 이름
B 이온 결합 물질의 성질
결정의 부스러짐
물에 대한 용해성
전기 전도성
녹는점과 끓는점
03
공유 결합과 금속 결합
A 공유 결합의 형성과 에너지
공유 결합의 형성
공유 결합
공유 결합의 형성
단일 결합과 다중 결합
단일 결합
2중 결합
3중 결합
공유 결합의 형성과 에너지
공유 결합의 형성과 에너지 변화
공유 결합 길이
결합 에너지
B 공유 결합 물질의 성질
공유 결합 물질
공유 결합 물질의 성질
물에 대한 용해성
결정에 힘을 가했을 때의 변화
녹는점과 끓는점
전기 전도성
C 금속 결합
금속 결합
자유 전자
금속 결합
금속의 특성
전기 전도성
열 전도성
뽑힘성과 펴짐성
녹는점과 끓는점

01 화학 결합의 전기적 성질

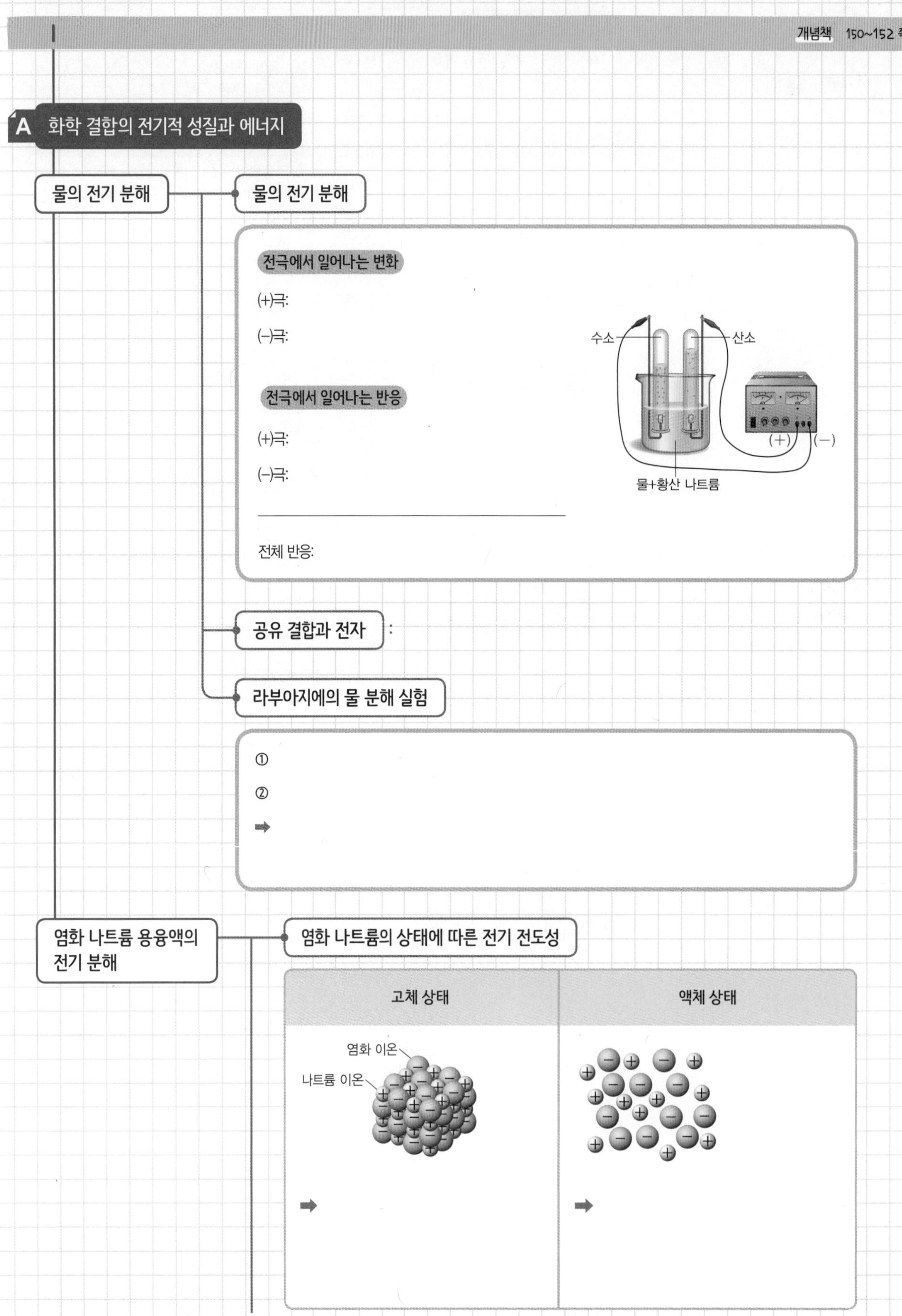

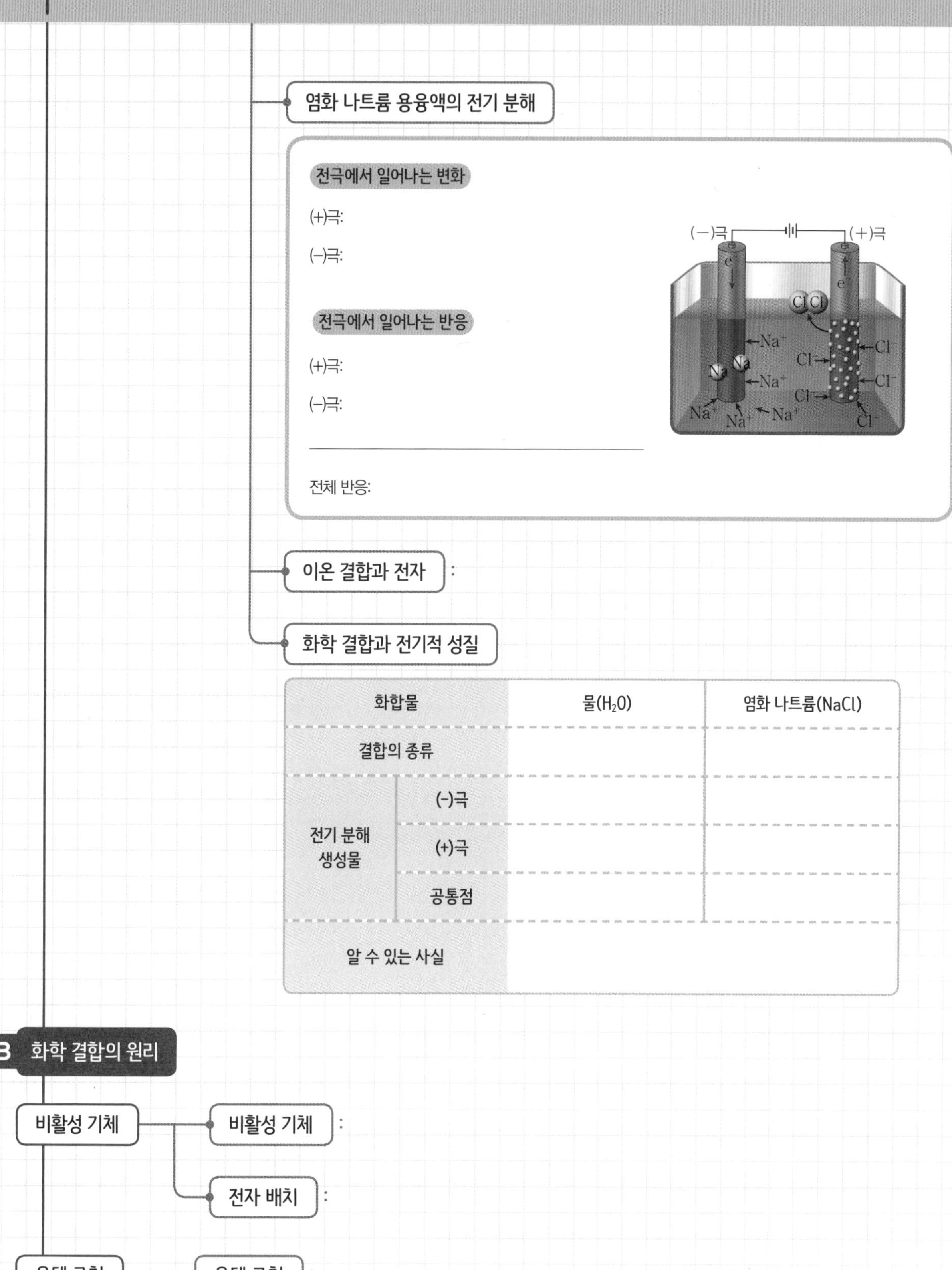

염화 나트륨 용융액의 전기 분해

전극에서 일어나는 변화

(+)극:

(−)극:

전극에서 일어나는 반응

(+)극:

(−)극:

전체 반응:

이온 결합과 전자 :

화학 결합과 전기적 성질

화합물		물(H_2O)	염화 나트륨(NaCl)
결합의 종류			
전기 분해 생성물	(−)극		
	(+)극		
	공통점		
알 수 있는 사실			

B 화학 결합의 원리

비활성 기체

비활성 기체 :

전자 배치 :

옥텟 규칙

옥텟 규칙 :

화학 결합과 옥텟 규칙 :

02 이온 결합

개념책: 158~162 쪽

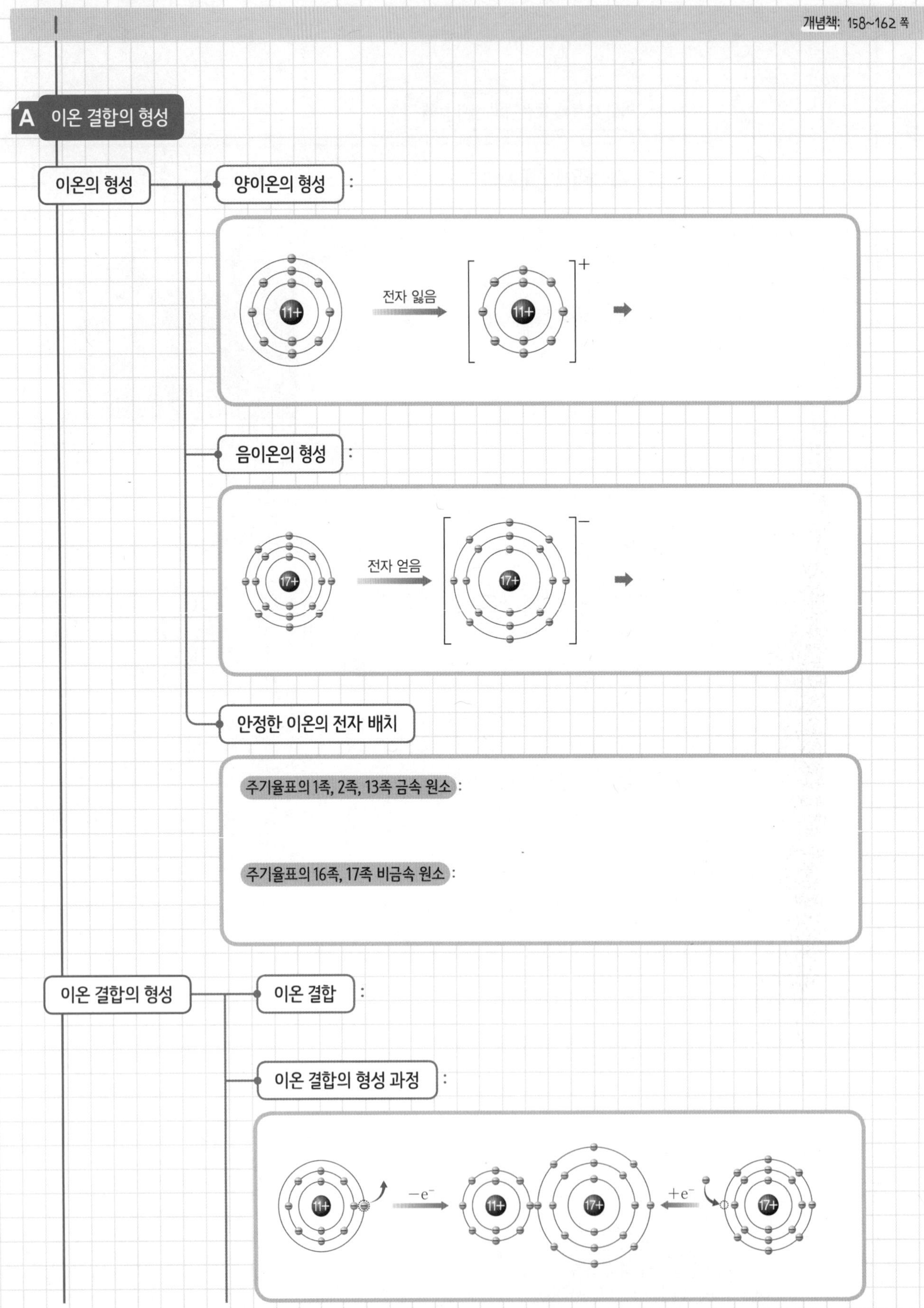

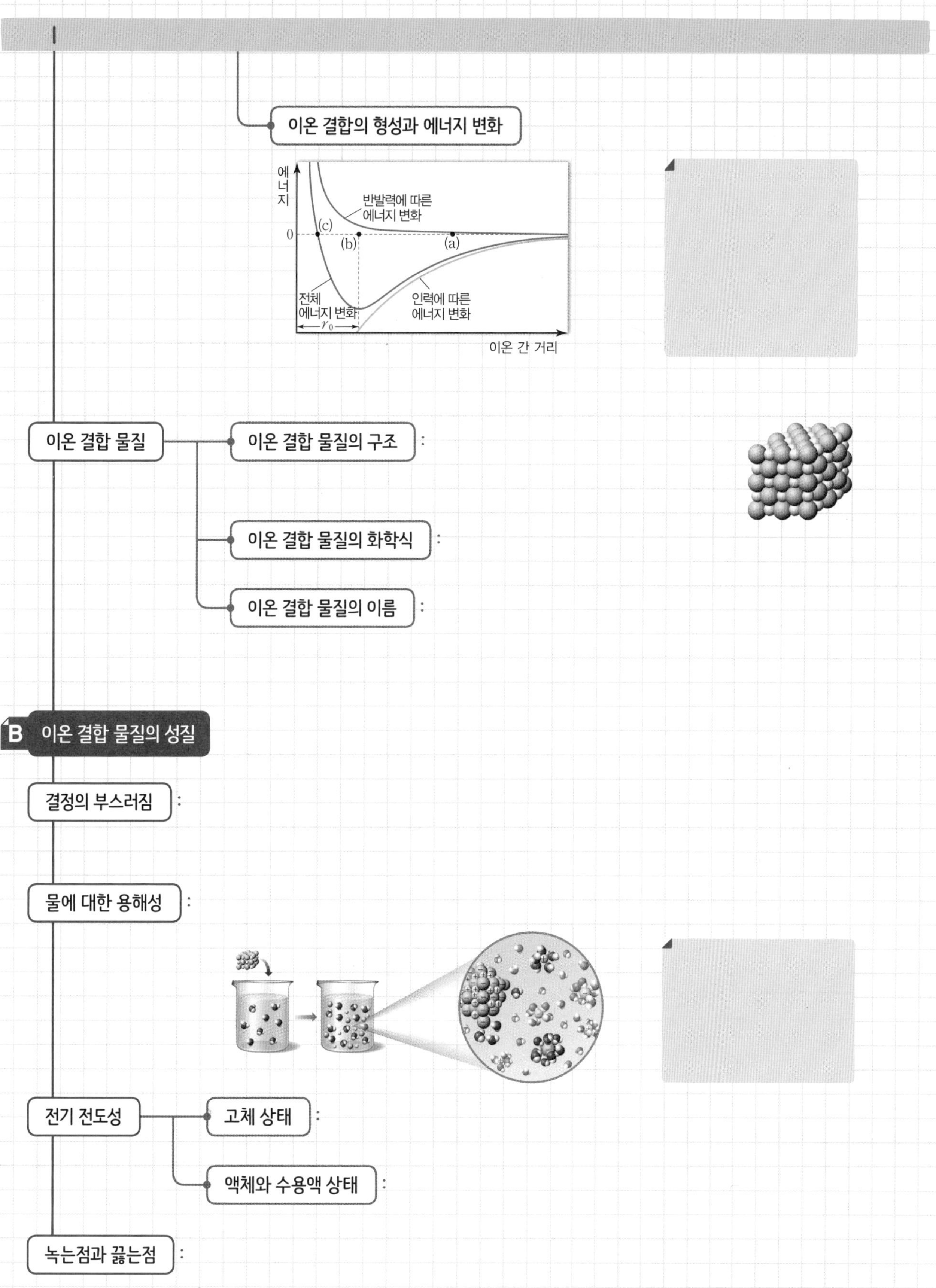

이온 결합의 형성과 에너지 변화
에너지
반발력에 따른 에너지 변화
0
(c)
(b)
(a)
전체 에너지 변화
인력에 따른 에너지 변화
r_0
이온 간 거리
이온 결합 물질
이온 결합 물질의 구조 :
이온 결합 물질의 화학식 :
이온 결합 물질의 이름 :
B 이온 결합 물질의 성질
결정의 부스러짐 :
물에 대한 용해성 :
전기 전도성
고체 상태 :
액체와 수용액 상태 :
녹는점과 끓는점 :

03 공유 결합과 금속 결합

개념책: 168~173 쪽

A 공유 결합의 형성과 에너지

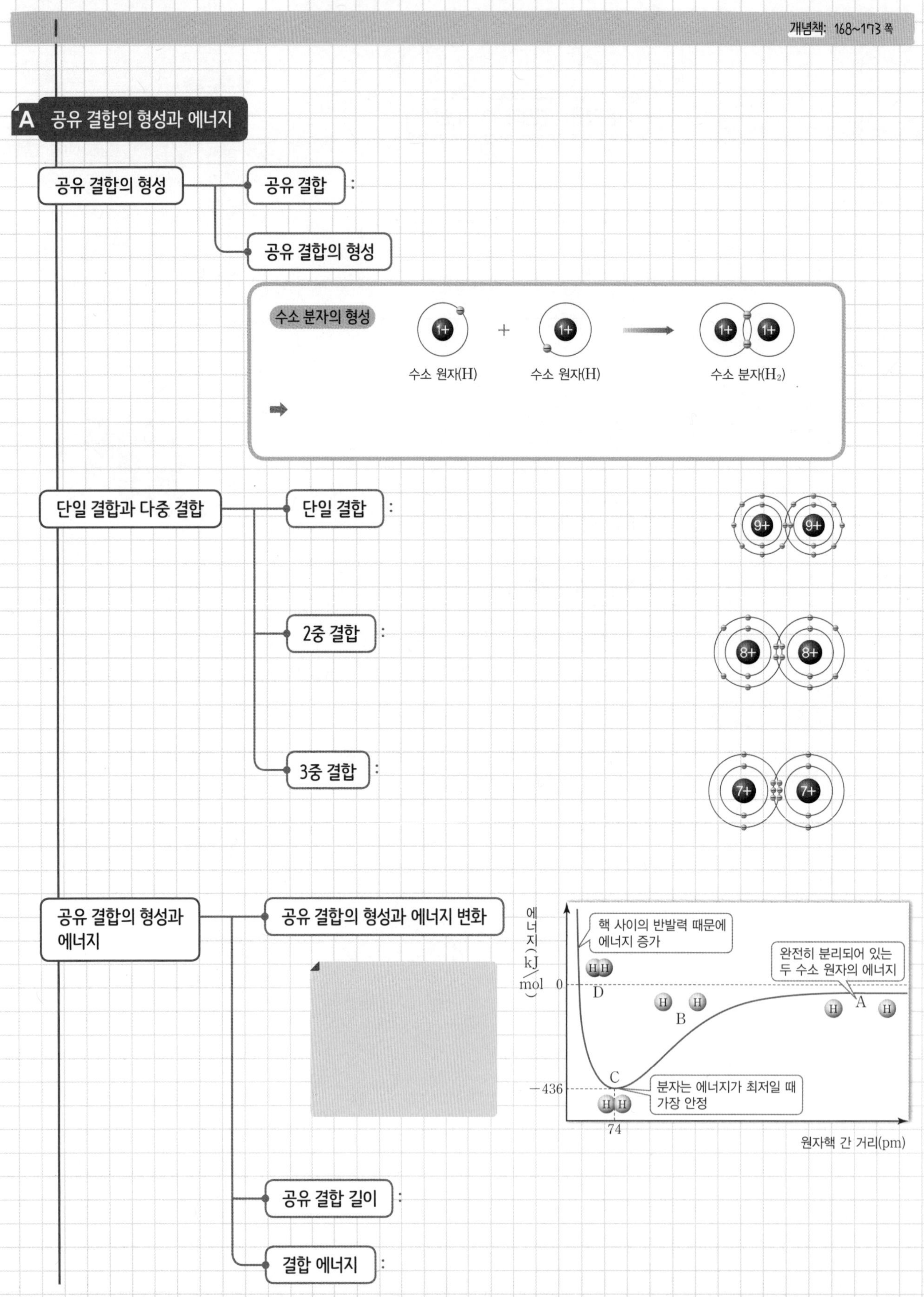

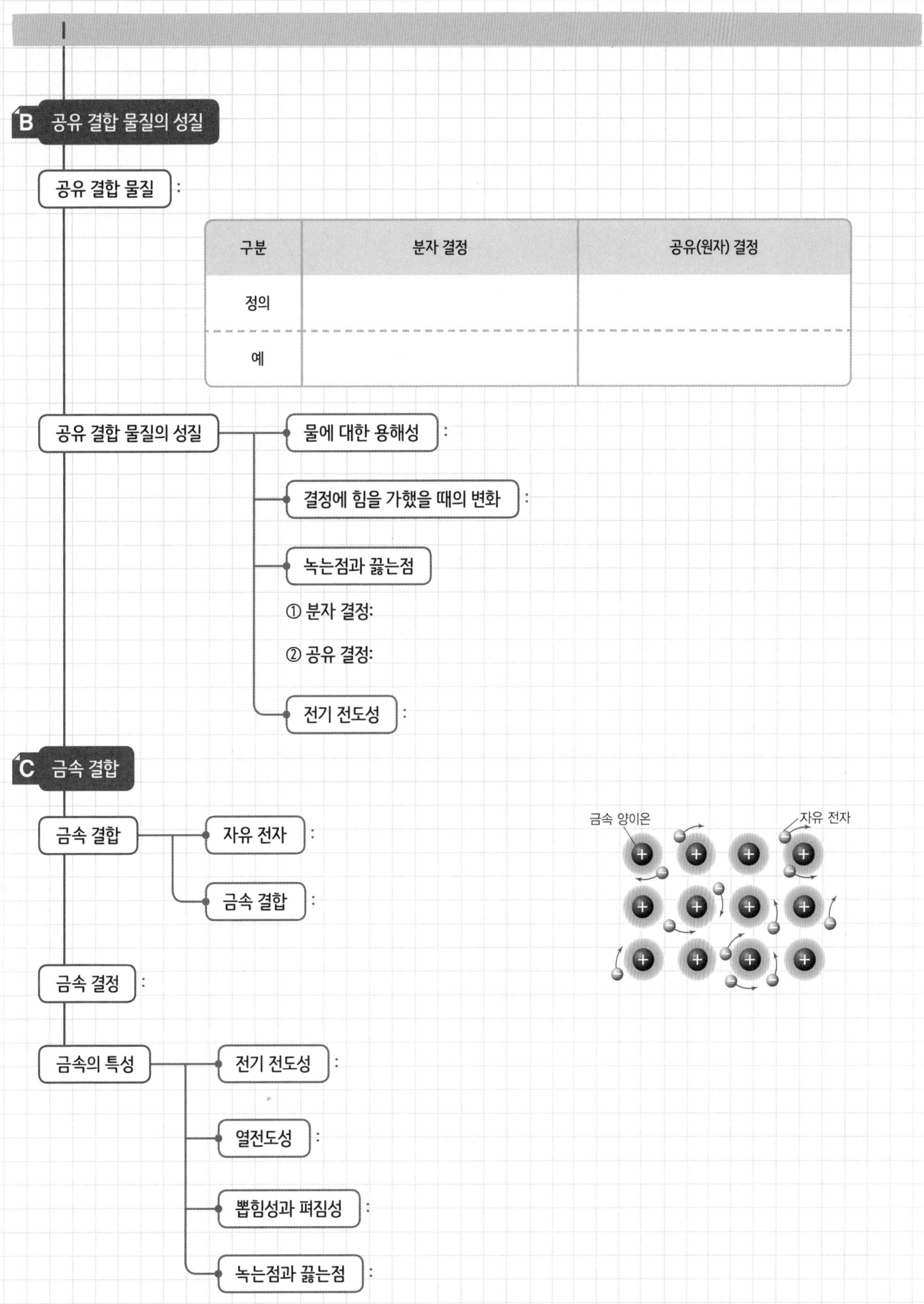

B 공유 결합 물질의 성질

공유 결합 물질 :

구분	분자 결정	공유(원자) 결정
정의		
예		

공유 결합 물질의 성질

- 물에 대한 용해성 :
- 결정에 힘을 가했을 때의 변화 :
- 녹는점과 끓는점
  - ① 분자 결정:
  - ② 공유 결정:
- 전기 전도성 :

C 금속 결합

금속 결합

- 자유 전자 :
- 금속 결합 :

금속 결정 :

금속의 특성

- 전기 전도성 :
- 열전도성 :
- 뽑힘성과 펴짐성 :
- 녹는점과 끓는점 :

2 분자의 구조와 성질

01 전기 음성도와 결합의 극성

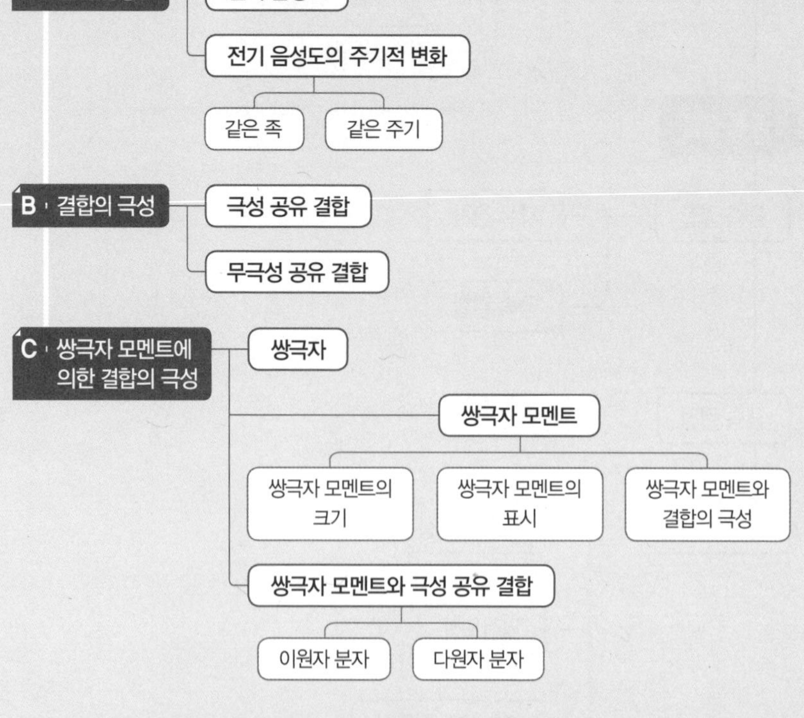

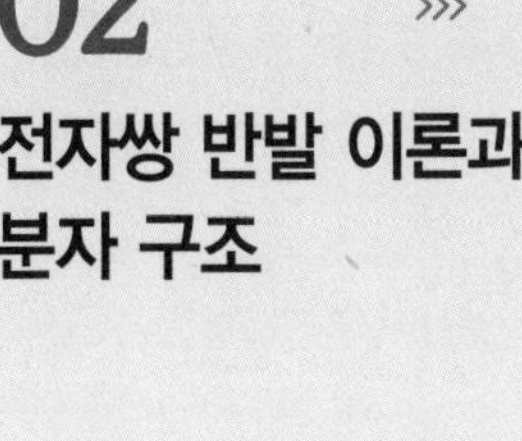
02
전자쌍 반발 이론과
분자 구조

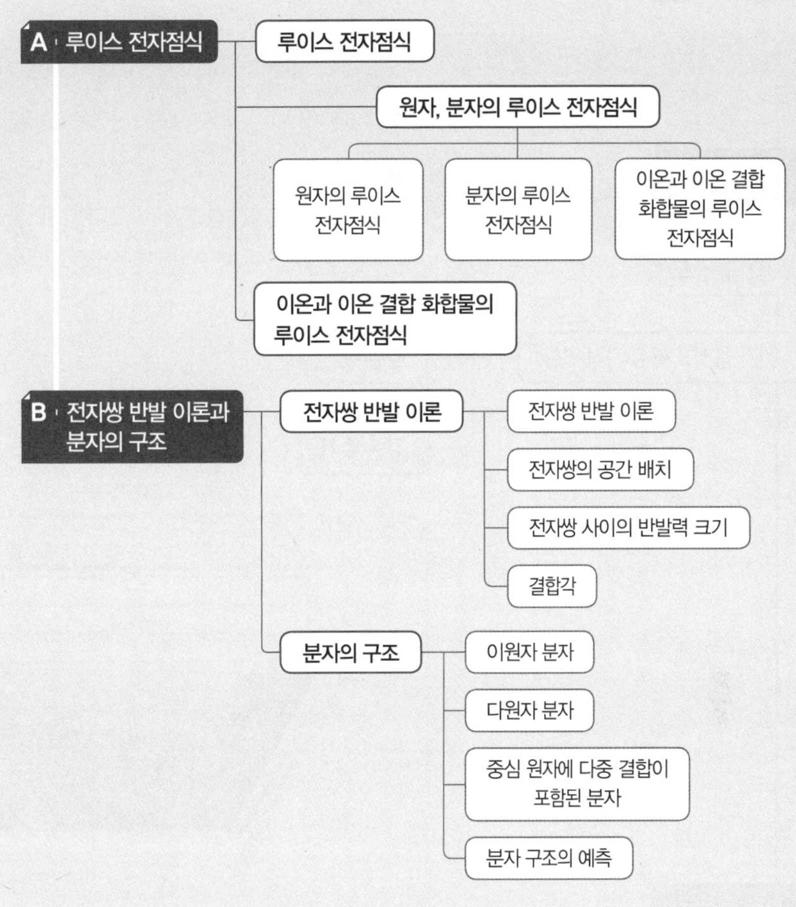
A 루이스 전자점식
루이스 전자점식
원자, 분자의 루이스 전자점식
원자의 루이스 전자점식
분자의 루이스 전자점식
이온과 이온 결합 화합물의 루이스 전자점식
이온과 이온 결합 화합물의 루이스 전자점식
B 전자쌍 반발 이론과 분자의 구조
전자쌍 반발 이론
전자쌍 반발 이론
전자쌍의 공간 배치
전자쌍 사이의 반발력 크기
결합각
분자의 구조
이원자 분자
다원자 분자
중심 원자에 다중 결합이 포함된 분자
분자 구조의 예측

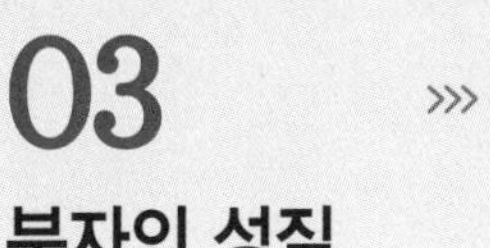
03
분자의 성질

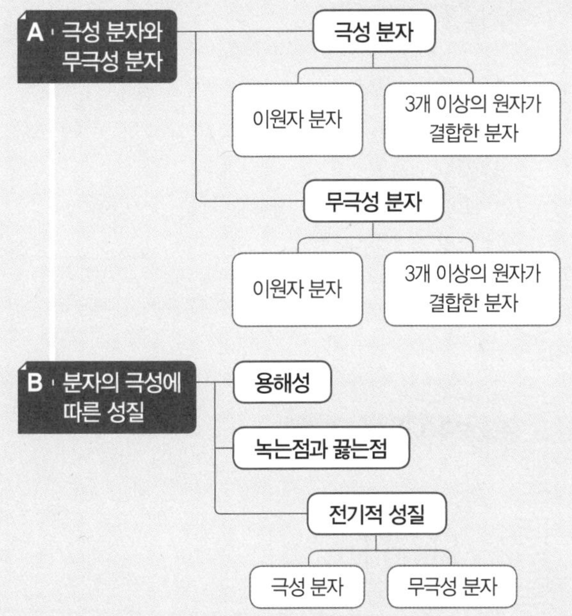
A 극성 분자와 무극성 분자
극성 분자
이원자 분자
3개 이상의 원자가 결합한 분자
무극성 분자
이원자 분자
3개 이상의 원자가 결합한 분자
B 분자의 극성에 따른 성질
용해성
녹는점과 끓는점
전기적 성질
극성 분자
무극성 분자

01 전기 음성도와 결합의 극성

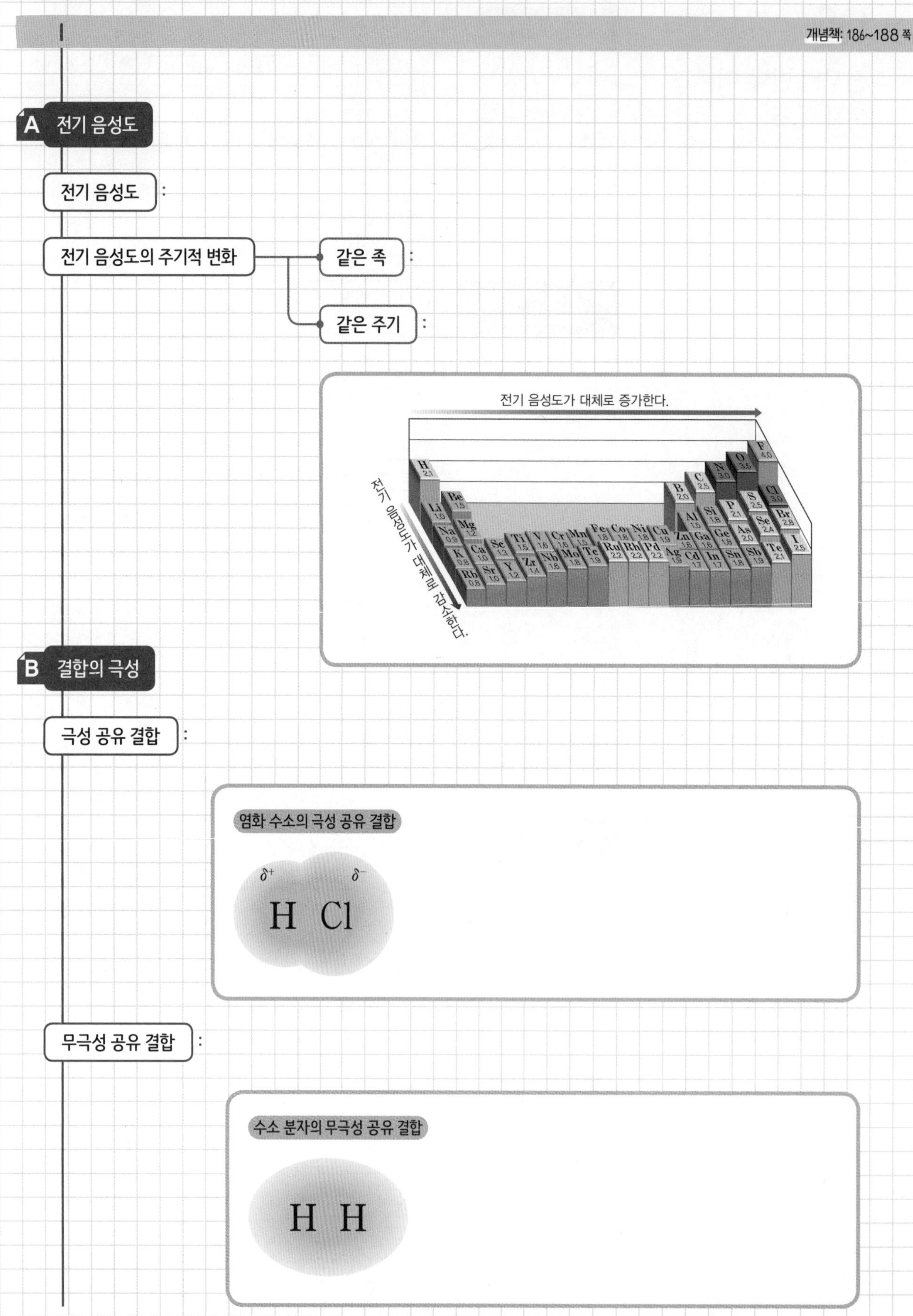

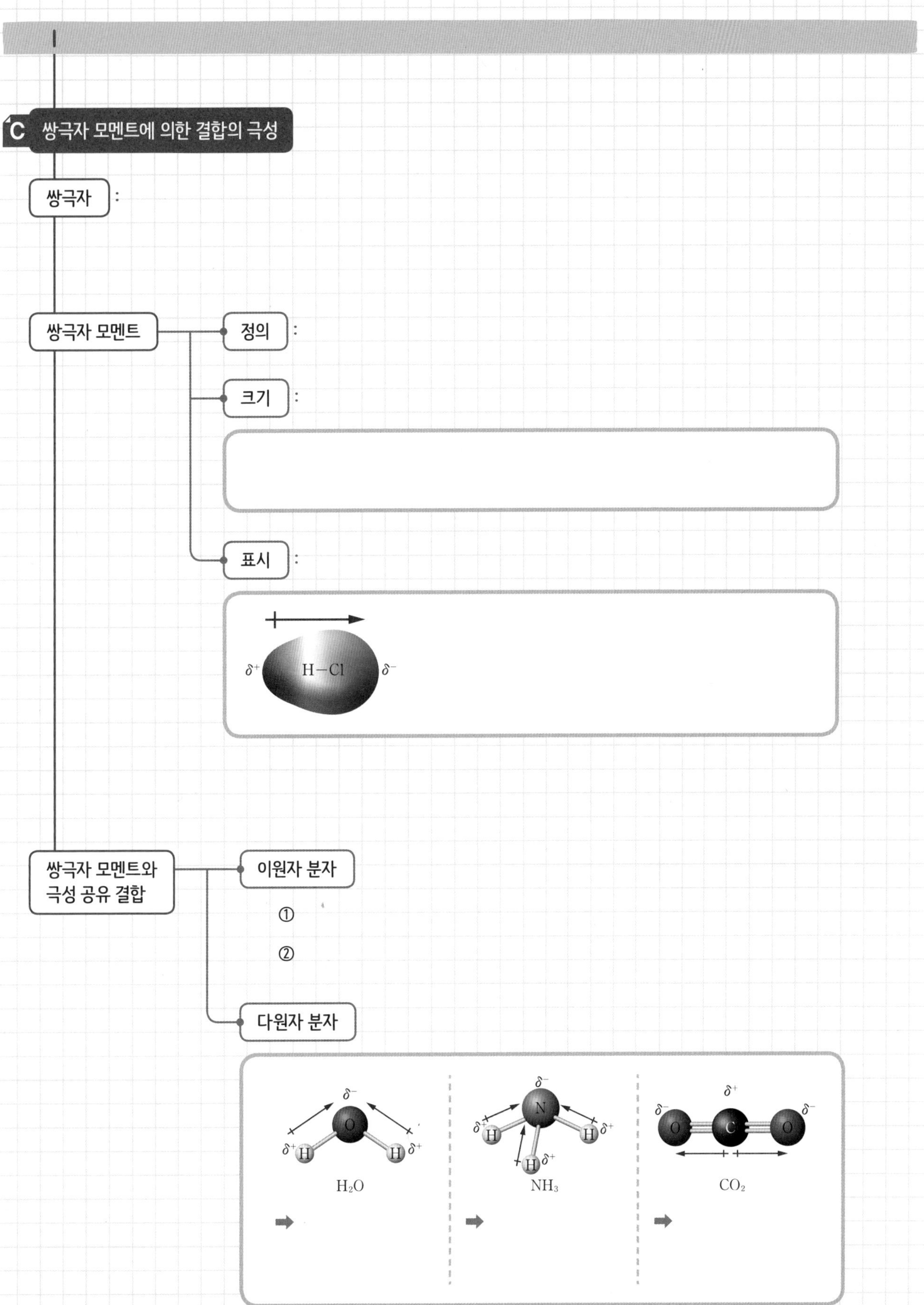
C 쌍극자 모멘트에 의한 결합의 극성
쌍극자 :
쌍극자 모멘트
정의 :
크기 :
표시 :
δ+
H−Cl
δ−
쌍극자 모멘트와 극성 공유 결합
이원자 분자
①
②
다원자 분자
δ−
O
δ+ H
H δ+
H2O
➡
δ−
N
δ+ H
H δ+
H δ+
NH3
➡
δ+
δ−
O
C
O
δ−
CO2
➡

02 전자쌍 반발 이론과 분자 구조

개념책: 194~198 쪽

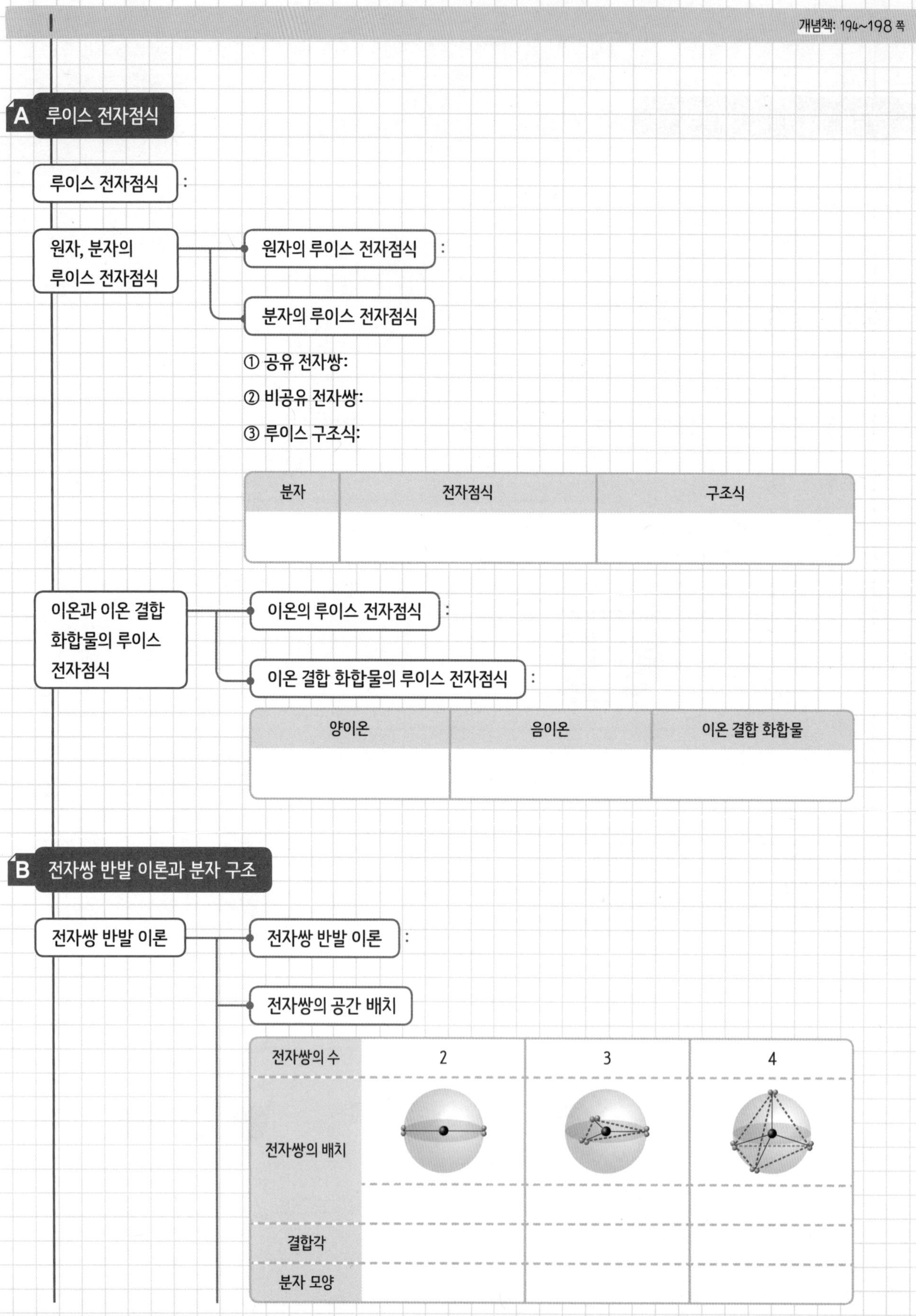

A 루이스 전자점식

루이스 전자점식 :

원자, 분자의 루이스 전자점식

- 원자의 루이스 전자점식 :
- 분자의 루이스 전자점식

① 공유 전자쌍:

② 비공유 전자쌍:

③ 루이스 구조식:

분자	전자점식	구조식

이온과 이온 결합 화합물의 루이스 전자점식

- 이온의 루이스 전자점식 :
- 이온 결합 화합물의 루이스 전자점식 :

양이온	음이온	이온 결합 화합물

B 전자쌍 반발 이론과 분자 구조

전자쌍 반발 이론

- 전자쌍 반발 이론 :
- 전자쌍의 공간 배치

전자쌍의 수	2	3	4
전자쌍의 배치			
결합각			
분자 모양			

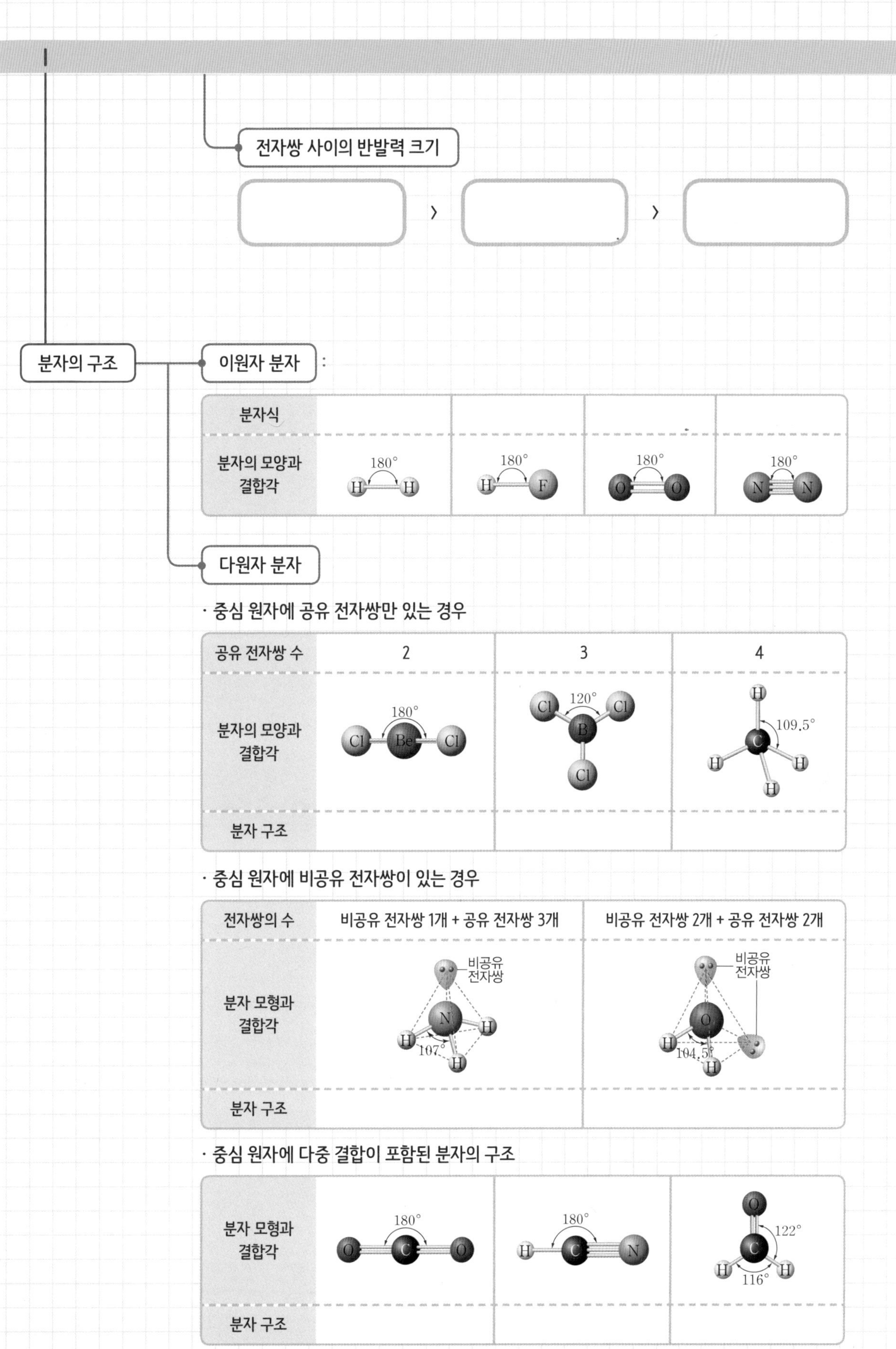
전자쌍 사이의 반발력 크기
〉
〉
분자의 구조
이원자 분자
:
분자식
분자의 모양과 결합각
180°
H H
180°
H F
180°
O O
180°
N N
다원자 분자
· 중심 원자에 공유 전자쌍만 있는 경우
공유 전자쌍 수
2
3
4
분자의 모양과 결합각
180°
Cl Be Cl
120°
Cl B Cl Cl
109.5°
H C H H H
분자 구조
· 중심 원자에 비공유 전자쌍이 있는 경우
전자쌍의 수
비공유 전자쌍 1개 + 공유 전자쌍 3개
비공유 전자쌍 2개 + 공유 전자쌍 2개
분자 모형과 결합각
비공유 전자쌍
N H H H
107°
비공유 전자쌍
O H H
104.5°
분자 구조
· 중심 원자에 다중 결합이 포함된 분자의 구조
분자 모형과 결합각
180°
O C O
180°
H C N
122°
O C H H
116°
분자 구조

03 분자의 성질

개념책: 204~208 쪽

A 극성 분자와 무극성 분자

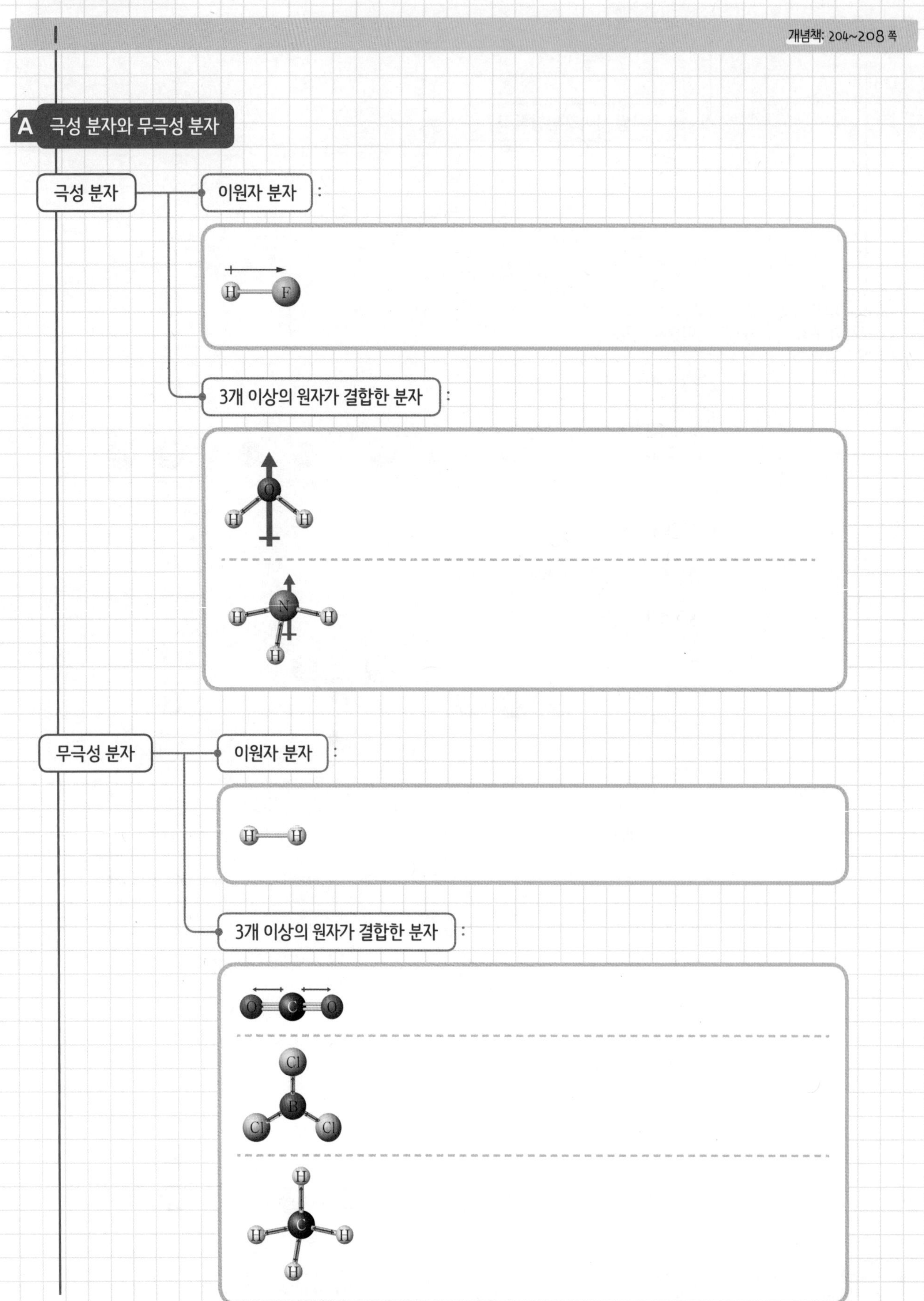

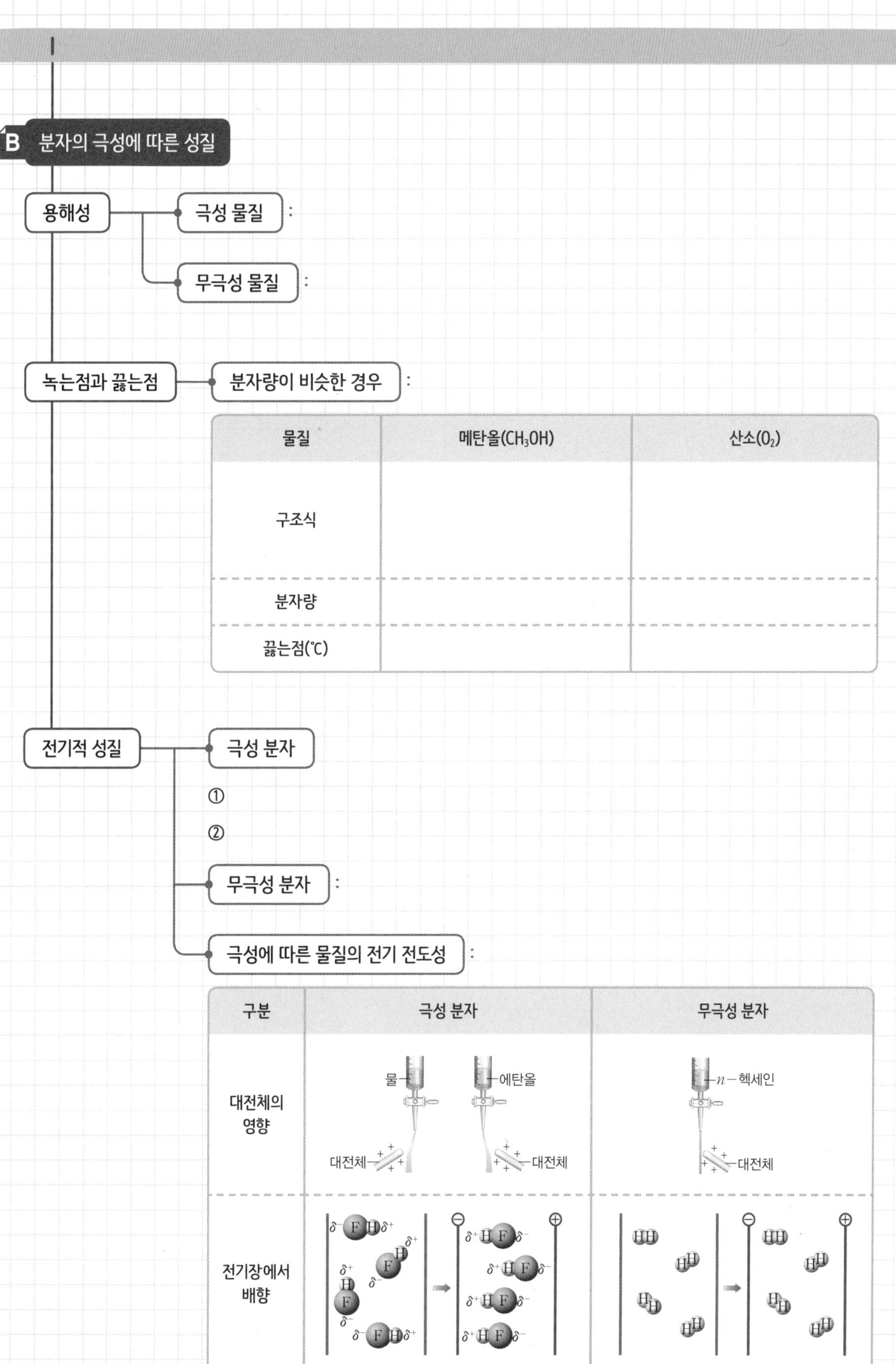

B 분자의 극성에 따른 성질

용해성
- 극성 물질 :
- 무극성 물질 :

녹는점과 끓는점
- 분자량이 비슷한 경우 :

물질	메탄올(CH_3OH)	산소(O_2)
구조식		
분자량		
끓는점(℃)		

전기적 성질
- 극성 분자

①

②

- 무극성 분자 :
- 극성에 따른 물질의 전기 전도성 :

구분	극성 분자	무극성 분자
대전체의 영향	물, 에탄올, 대전체, 대전체	n－헥세인, 대전체
전기장에서 배향	δ^- F H δ^+ → ⊖ δ^+ H F δ^- ⊕	HH → ⊖ HH ⊕

단원 정리하기

그림으로 정리하기

- 그림에 자신만의 설명을 덧붙여 단원의 핵심 내용을 정리해 보자.

1 이온 결합과 공유 결합의 형성

• 이온 결합

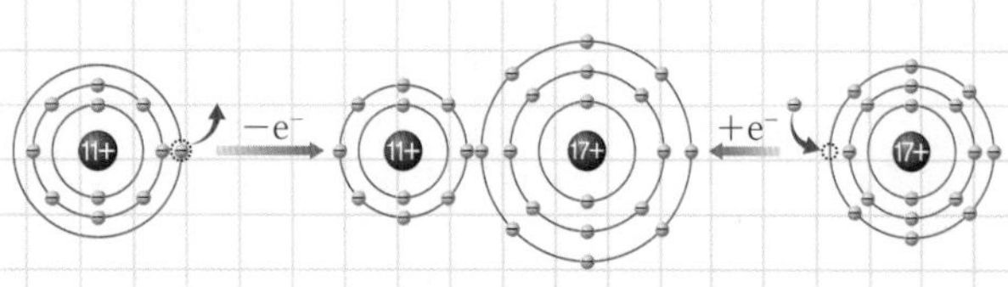

• 공유 결합

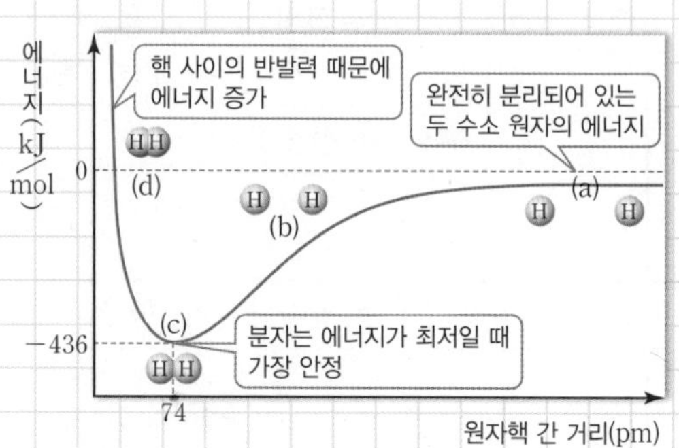

2 금속 결합의 성질

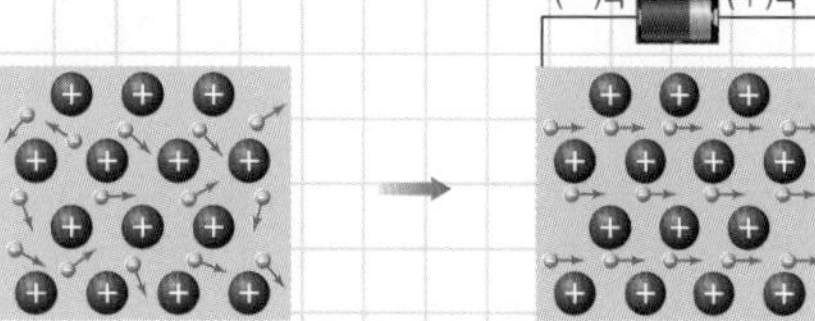

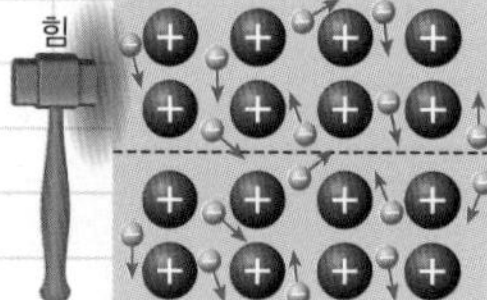

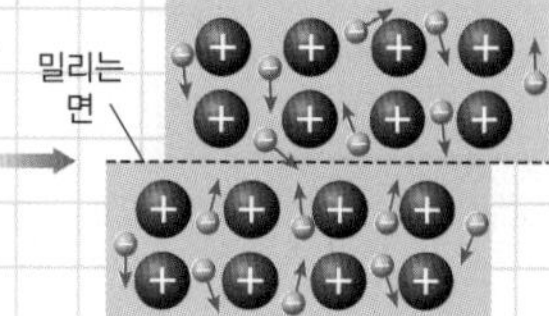

3 전자쌍 반발 이론과 분자 구조

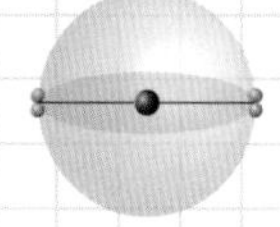

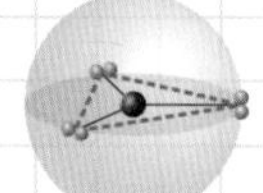

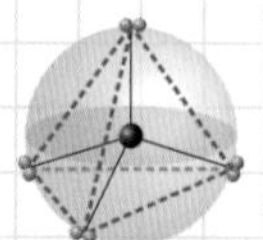

마인드맵으로 정리하기

◉ 자신만의 마인드맵을 만들어 단원의 핵심 내용을 정리해 보자.

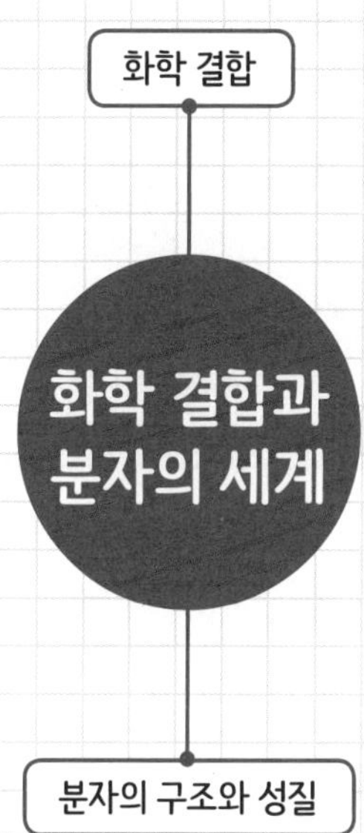

》선배들이 작성한 정리노트 바로가기

1 화학 반응에서 동적 평형

01 가역 반응과 동적 평형

A 가역 반응과 비가역 반응
- 정반응과 역반응
  - 정반응
  - 역반응
- 가역 반응과 비가역 반응
  - 가역 반응
  - 비가역 반응

B 동적 평형
- 동적 평형
  - 상평형
  - 용해 평형
  - 화학 평형

02 물의 자동 이온화와 pH

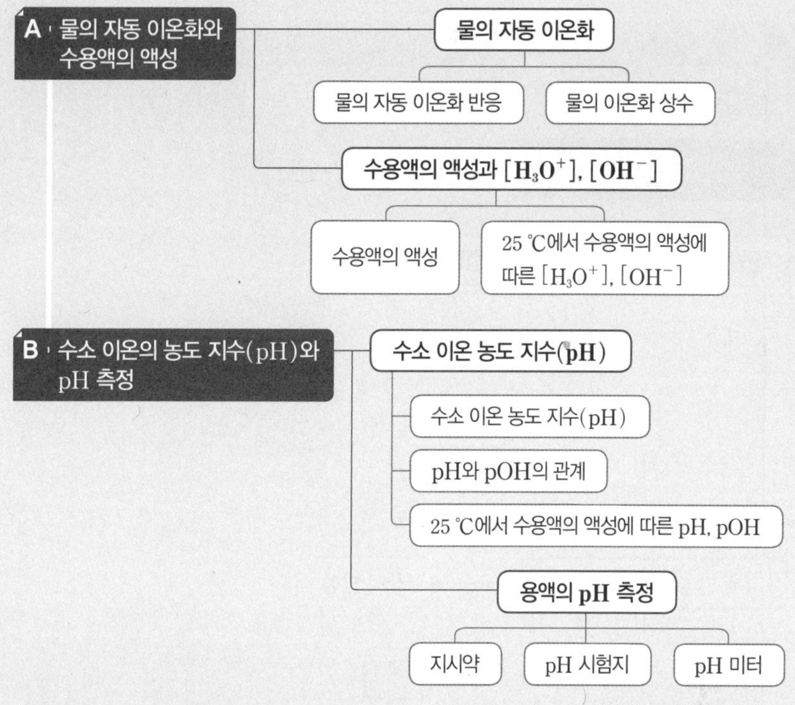

03 산 염기의 성질 및 정의

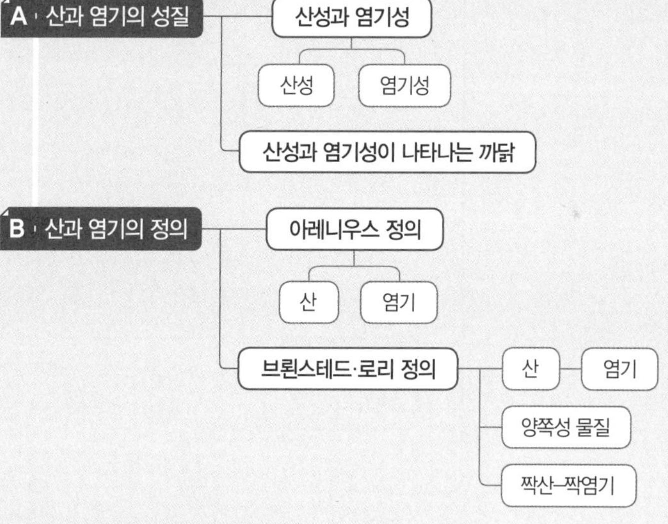

04 산 염기의 중화 반응

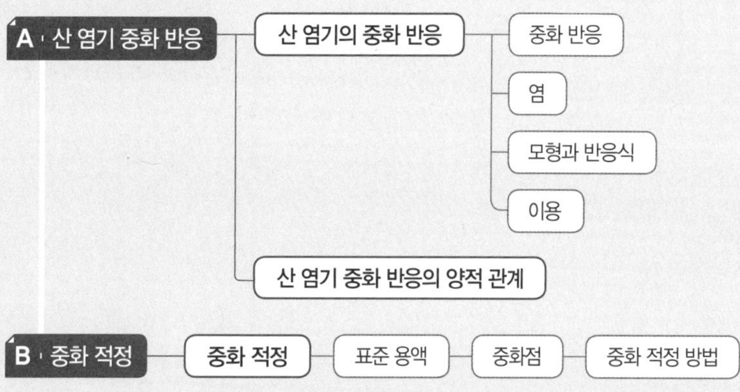

01 가역 반응과 동적 평형

개념책 226~228 쪽

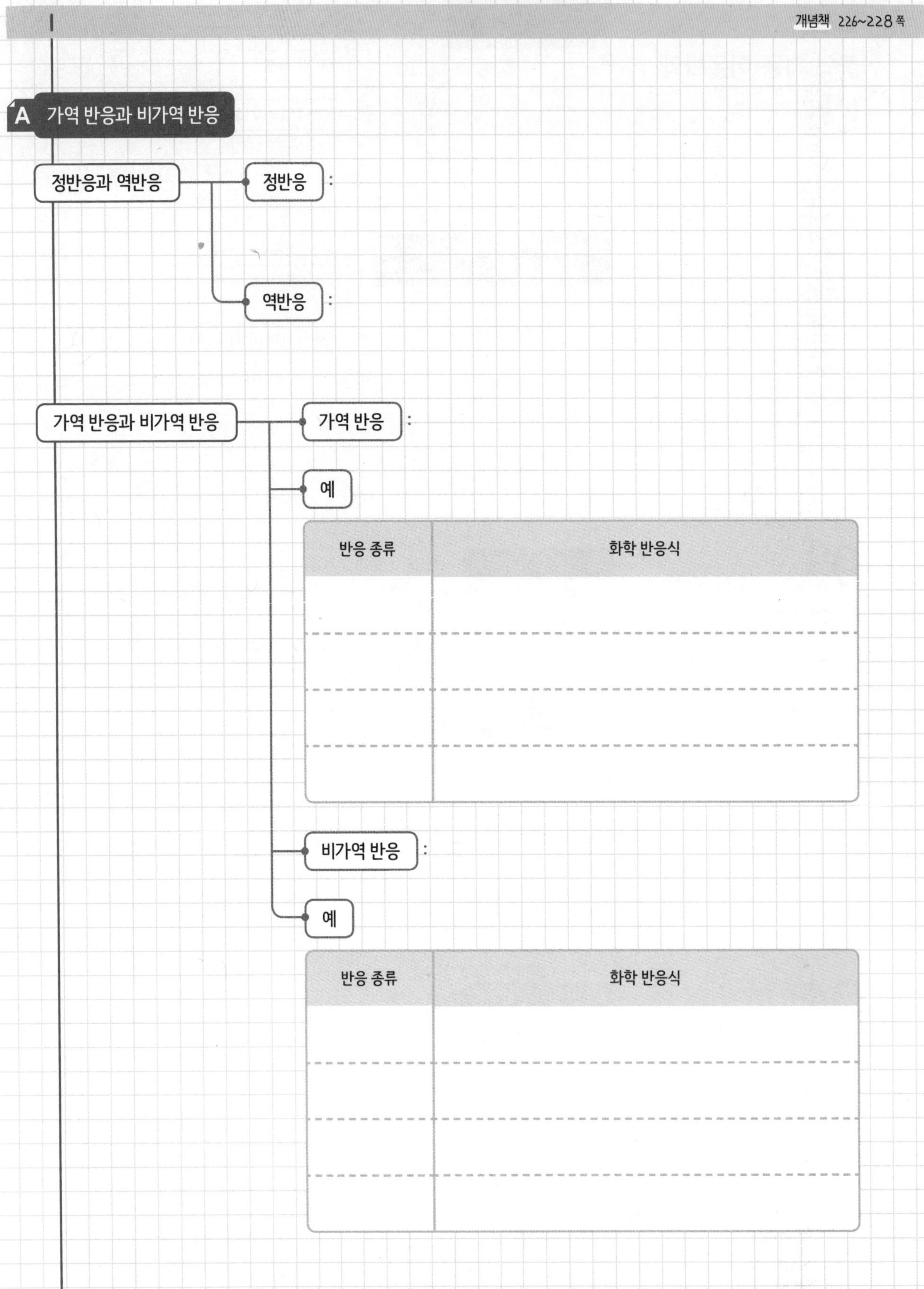

반응 종류	화학 반응식

반응 종류	화학 반응식

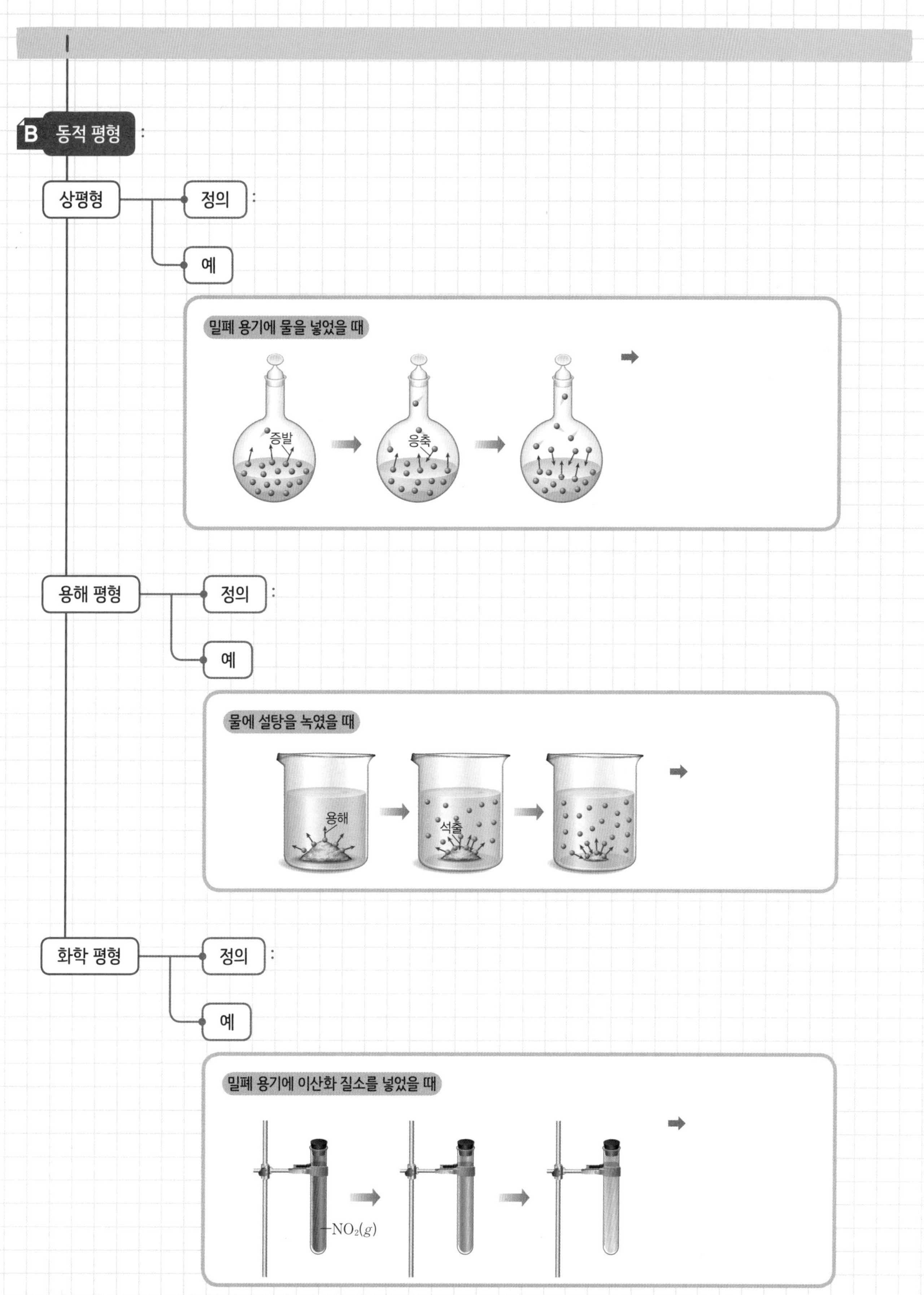
B 동적 평형 :
상평형
정의 :
예
밀폐 용기에 물을 넣었을 때
증발
응축
용해 평형
정의 :
예
물에 설탕을 녹였을 때
용해
석출
화학 평형
정의 :
예
밀폐 용기에 이산화 질소를 넣었을 때
$NO_2(g)$

02 물의 자동 이온화와 pH

개념책: 234~236 쪽

A 물의 자동 이온화와 수용액의 액성

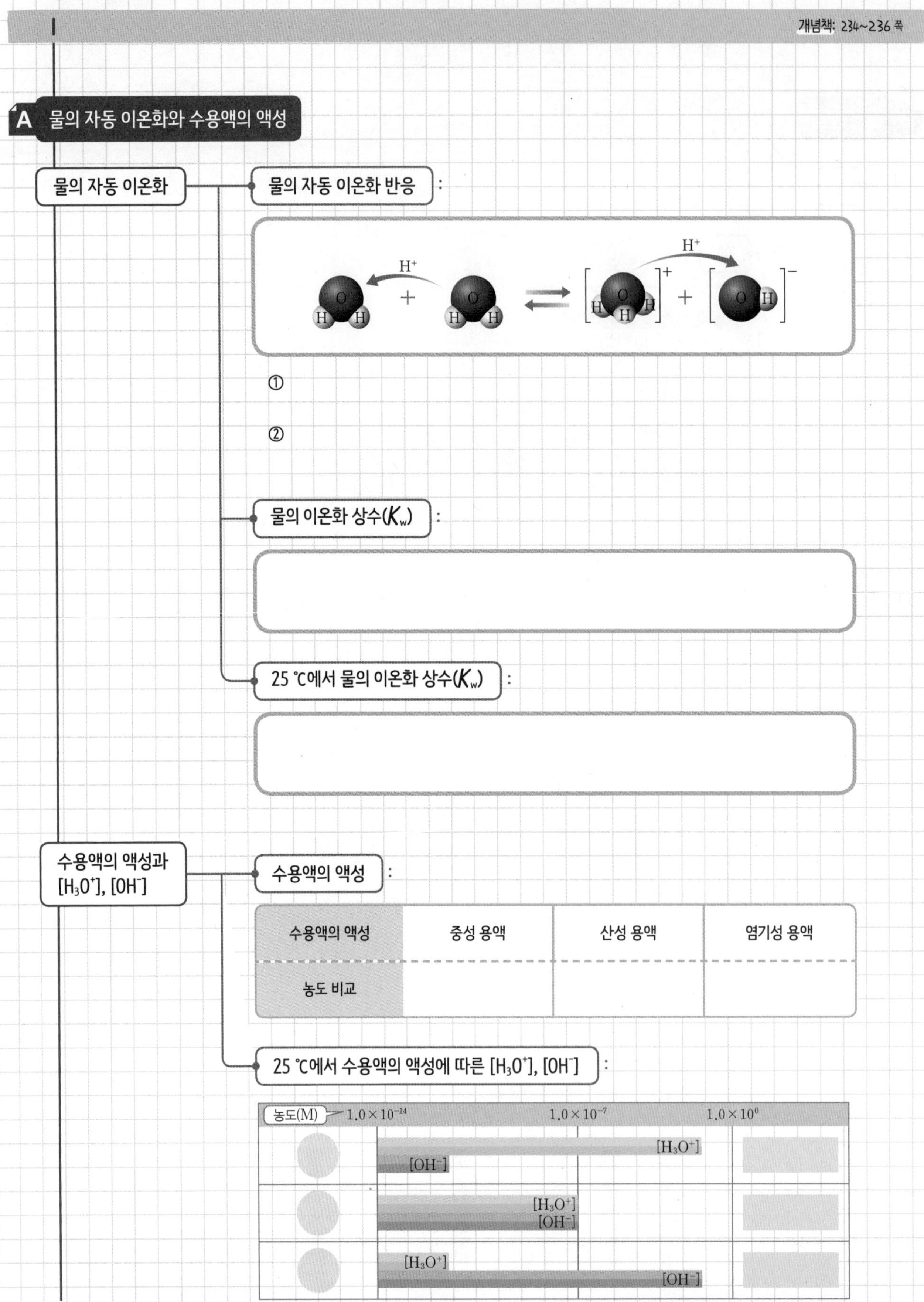

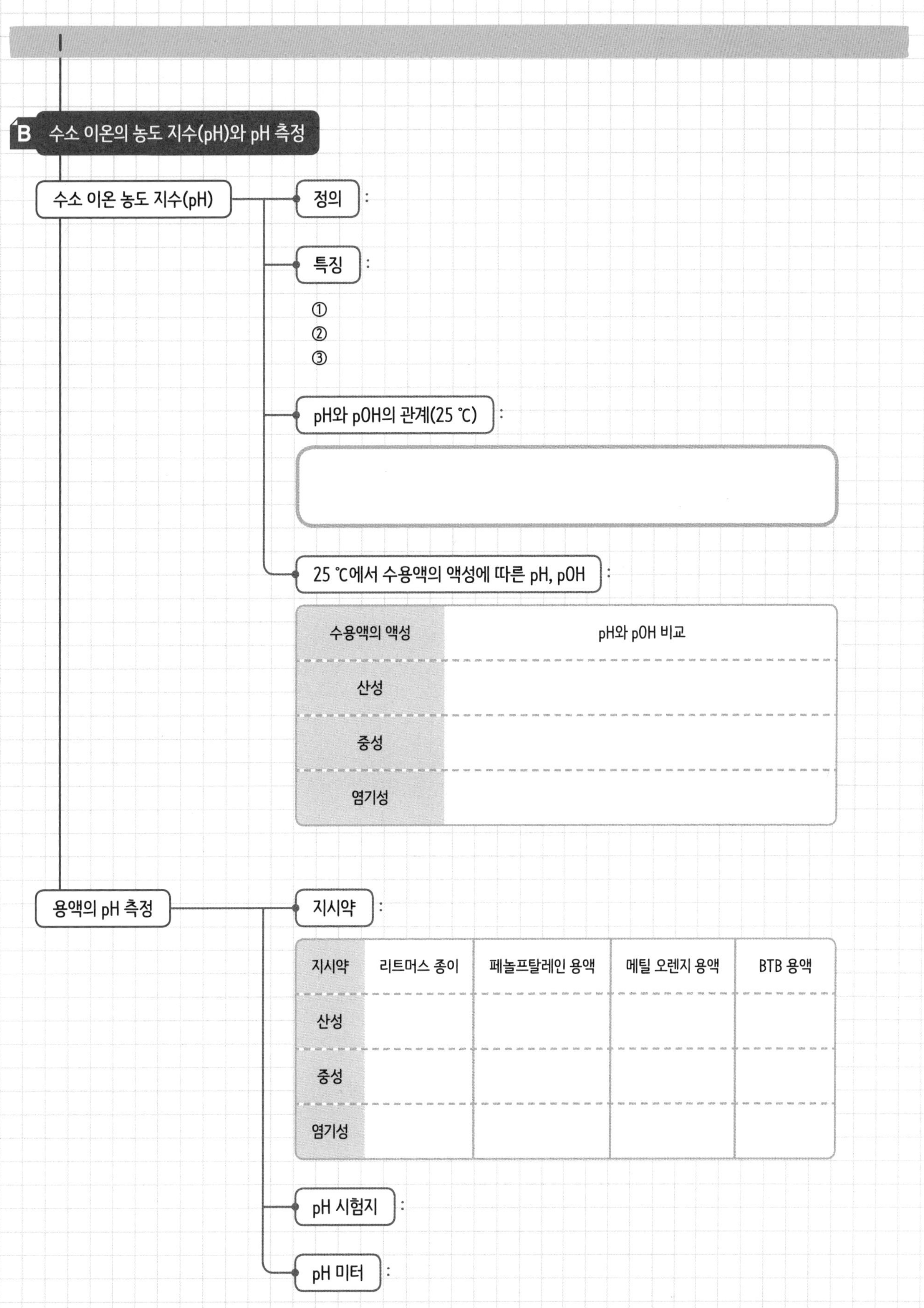

B 수소 이온의 농도 지수(pH)와 pH 측정

수소 이온 농도 지수(pH)

- 정의 :
- 특징 :
  ①
  ②
  ③
- pH와 pOH의 관계(25 ℃) :
- 25 ℃에서 수용액의 액성에 따른 pH, pOH :

수용액의 액성	pH와 pOH 비교
산성	
중성	
염기성	

용액의 pH 측정

- 지시약 :

지시약	리트머스 종이	페놀프탈레인 용액	메틸 오렌지 용액	BTB 용액
산성				
중성				
염기성				

- pH 시험지 :
- pH 미터 :

03 산 염기의 성질 및 정의

개념책: 242~244 쪽

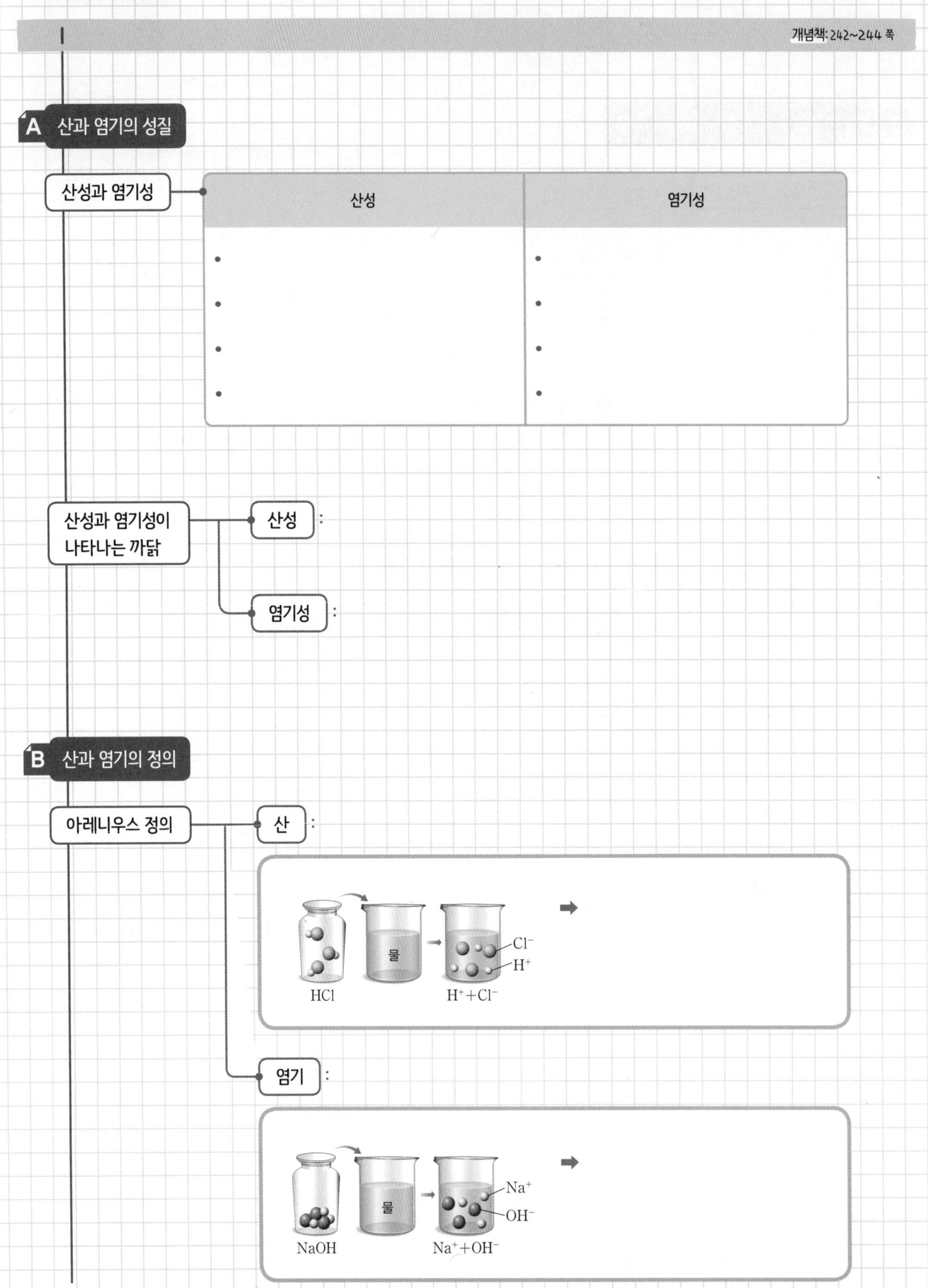

A 산과 염기의 성질

산성과 염기성

산성	염기성
•	•
•	•
•	•
•	•

산성과 염기성이 나타나는 까닭

- 산성 :
- 염기성 :

B 산과 염기의 정의

아레니우스 정의

- 산 :

- 염기 :

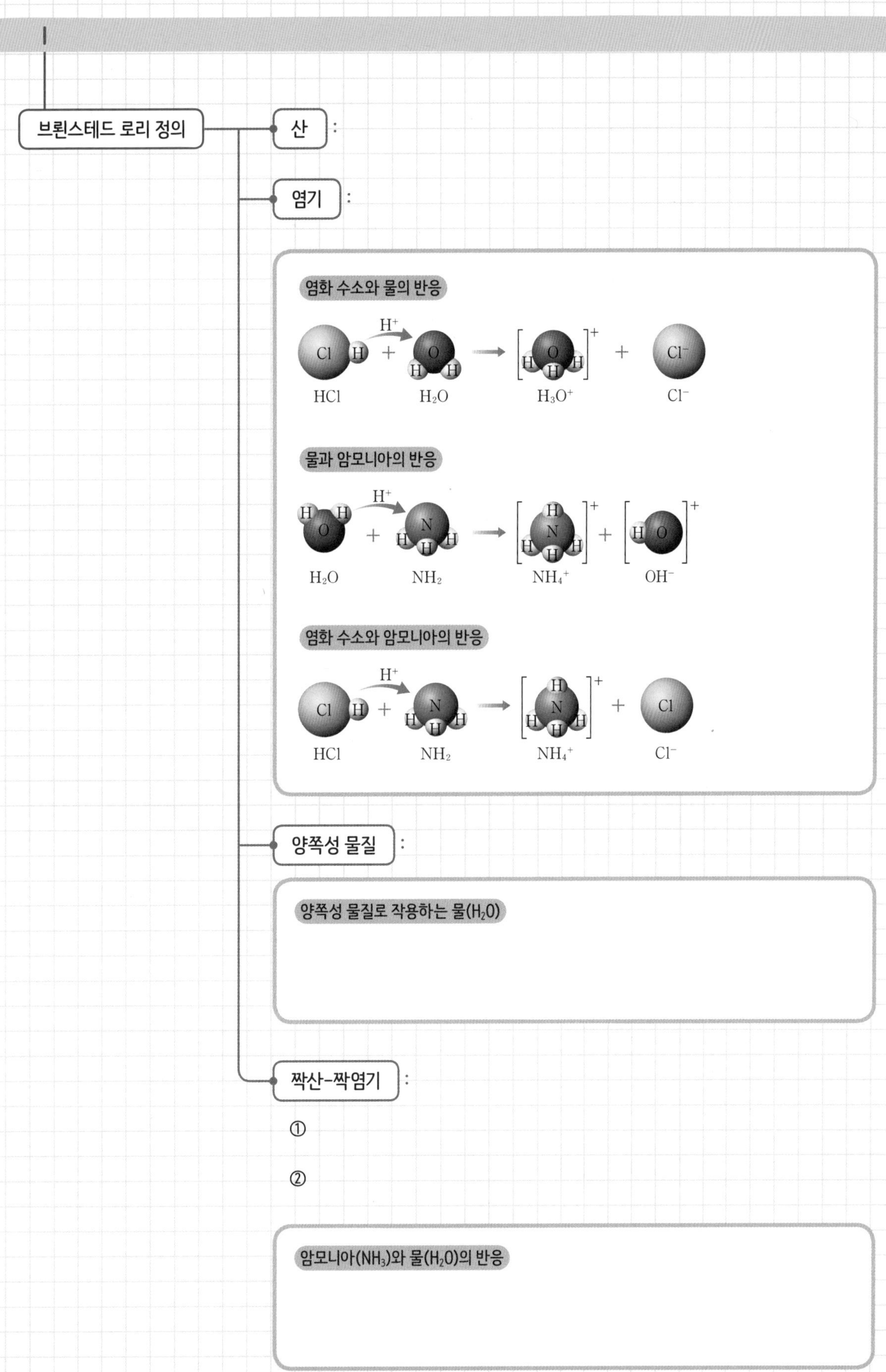
브뢴스테드 로리 정의
산 :
염기 :
염화 수소와 물의 반응
H^+
Cl H + O H H → H O H H + Cl^-
HCl
H_2O
H_3O^+
Cl^-
물과 암모니아의 반응
H^+
H H O + N H H H → H N H H H + H O
H_2O
NH_2
NH_4^+
OH^-
염화 수소와 암모니아의 반응
H^+
Cl H + N H H H → H N H H H + Cl
HCl
NH_2
NH_4^+
Cl^-
양쪽성 물질 :
양쪽성 물질로 작용하는 물(H_2O)
짝산-짝염기 :
①
②
암모니아(NH_3)와 물(H_2O)의 반응

04 산 염기의 중화 반응

개념책: 250~254 쪽

A 산 염기 중화 반응

산 염기의 중화 반응

중화 반응 :

중화 반응 모형

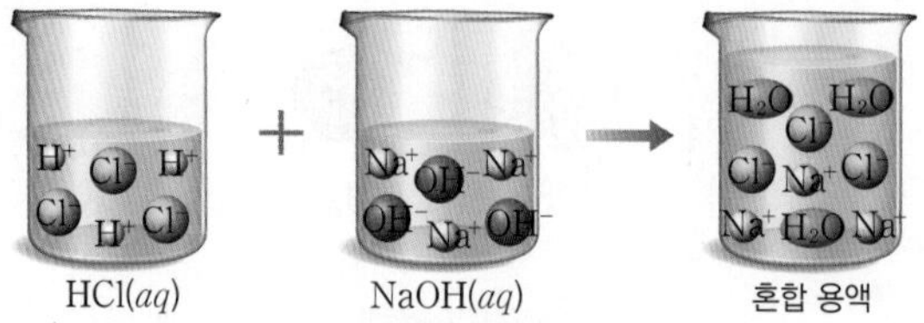

H^+ Cl^- H^+ Cl^- H^+ Cl^- + Na^+ OH^- Na^+ OH^- Na^+ OH^- → H_2O H_2O Cl^- Cl^- Na^+ Cl^- Na^+ H_2O Na^+

HCl(*aq*) NaOH(*aq*) 혼합 용액

반응식

산 염기 반응의 이온 수 변화

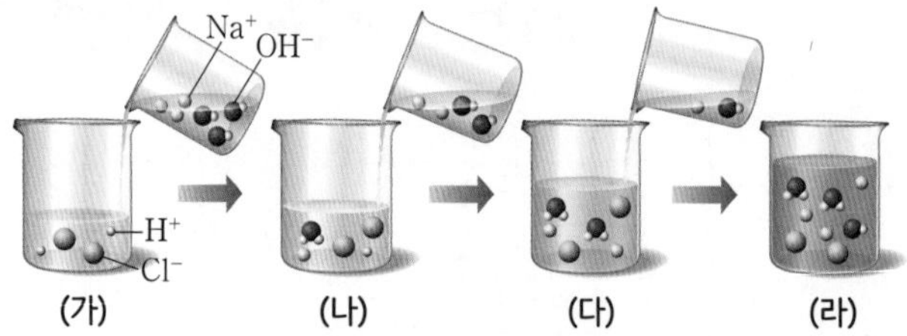

Na^+ OH^- H^+ Cl^-

(가) (나) (다) (라)

수용액	H^+의 수	Cl^-의 수	Na^+의 수	OH^-의 수	수용액의 액성
(가)					
(나)					
(다)					
(라)					

알짜 이온 반응식 :

· 중화 반응의 알짜 이온 반응식

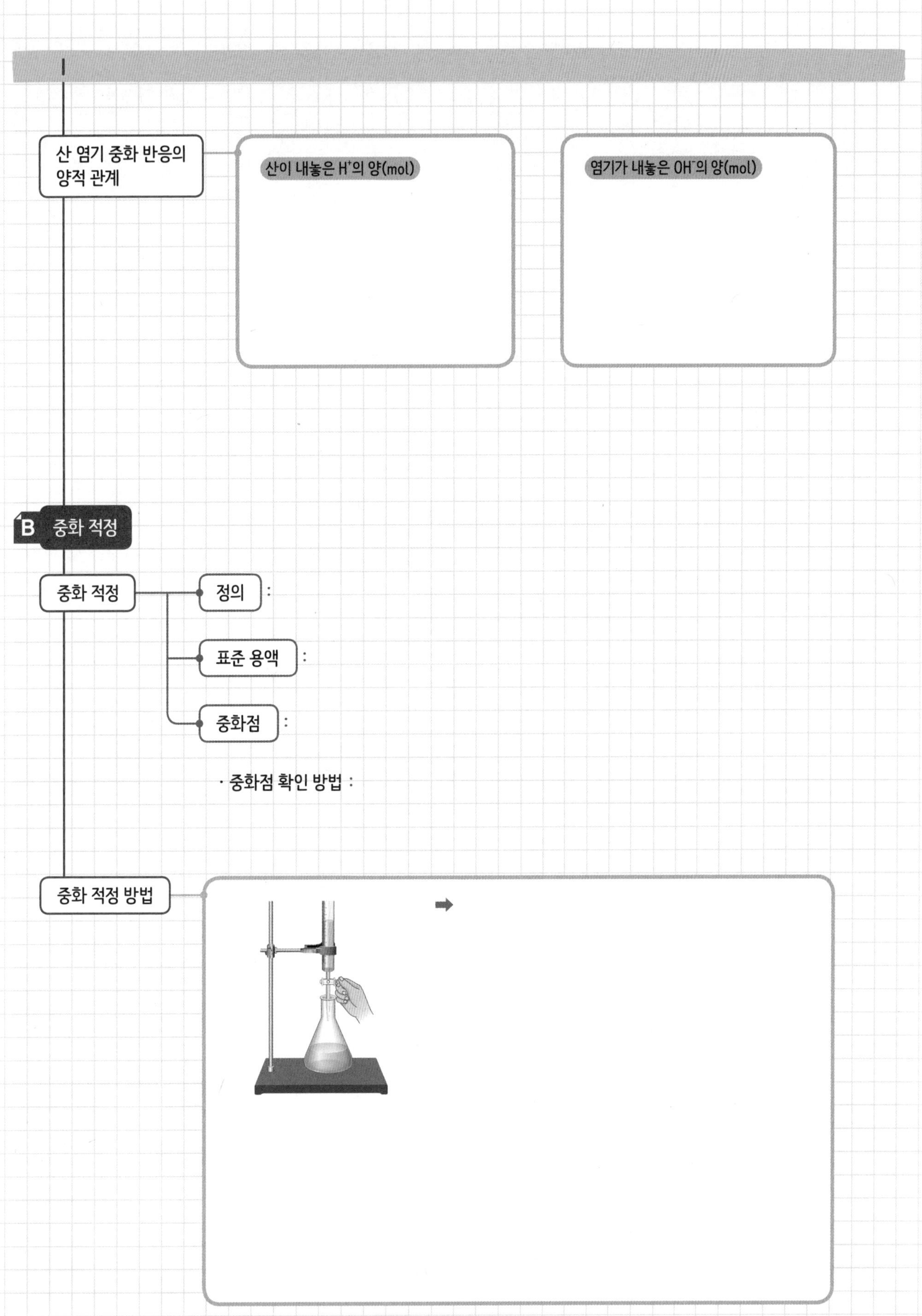
산 염기 중화 반응의 양적 관계
산이 내놓은 H⁺의 양(mol)
염기가 내놓은 OH⁻의 양(mol)
B 중화 적정
중화 적정
정의 :
표준 용액 :
중화점 :
· 중화점 확인 방법 :
중화 적정 방법
➡

2

화학 반응과 열의 출입

01 산화 환원 반응

A 산소의 이동에 의한 산화 환원
- 산소의 이동과 산화 환원 반응
- 산화 환원 반응의 동시성

B 전자의 이동에 의한 산화 환원
- 전자의 이동과 산화 환원 반응
- 산소의 이동에 의한 산화 환원 반응에서 전자의 이동
- 전자의 이동에 의한 여러 가지 산화 환원 반응
  - 금속과 비금속의 반응
  - 금속과 금속염의 반응
- 산화 환원 반응의 동시성

C 산화수 변화에 의한 산화 환원
- 산화수
  - 이온 결합 물질의 산화수
  - 공유 결합 물질의 산화수
- 산화수를 정하는 규칙
- 산화수 변화와 산화 환원 반응
- 산화제와 환원제
  - 산화제
  - 환원제
  - 상대적 세기

D 산화 환원 반응식
- 산화 환원 반응식 완성하기(산화수법)
- 산화 환원 반응식의 양적 관계

02 화학 반응에서 열의 출입

A 화학 반응에서 열의 출입과 이용
- 화학 반응과 열의 출입
  - 발열 반응
  - 흡열 반응
- 화학 반응에서 출입하는 열의 이용

B 화학 반응에서 출입하는 열의 측정
- 비열과 열량
  - 비열(c)
  - 열용량(C)
  - 열량(Q)
- 열량계
  - 간이 열량계
  - 통열량계
- 화학 반응에서 출입하는 열의 측정

01 산화 환원 반응

개념책: 266~270 쪽

A 산소의 이동에 의한 산화 환원

산소의 이동과 산화 환원 반응
- 산화 :
- 환원 :
- 예 :

산화 환원 반응의 동시성 :

B 전자의 이동에 의한 산화 환원

전자의 이동과 산화 환원 반응
- 산화 :
- 환원 :
- 예 :

산소의 이동에 의한 산화 환원 반응에서 전자의 이동

마그네슘 연소 반응에서의 산화 환원

Mg + Mg + O O → Mg^{2+} O^{2-} Mg^{2+} O^{2-}

전자의 이동에 의한 여러 가지 산화 환원 반응

구분	금속과 비금속의 반응	금속과 금속염의 반응
전자의 이동		
예		

산화 환원 반응의 동시성 :

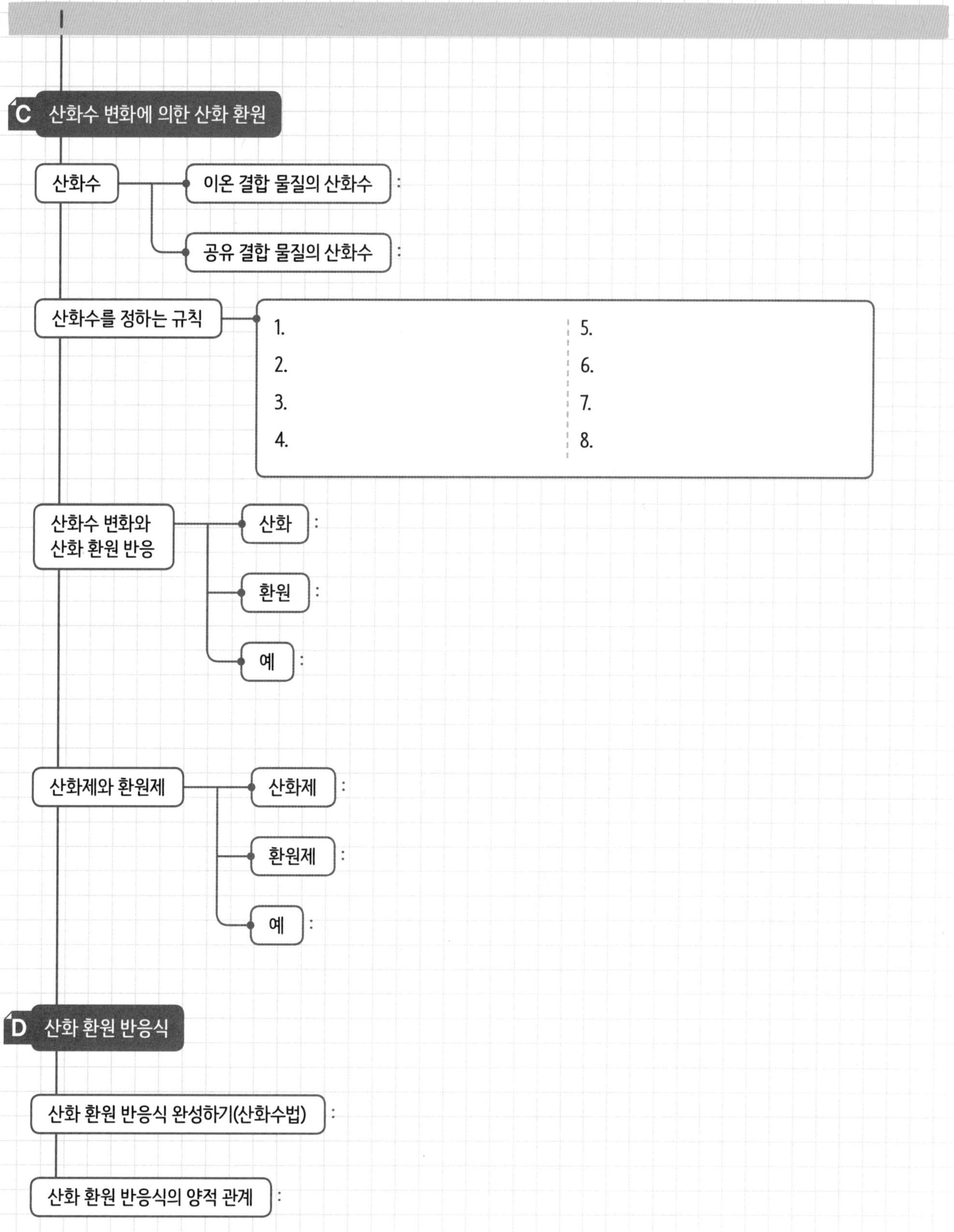
C 산화수 변화에 의한 산화 환원
산화수
이온 결합 물질의 산화수 :
공유 결합 물질의 산화수 :
산화수를 정하는 규칙
1.
2.
3.
4.
5.
6.
7.
8.
산화수 변화와 산화 환원 반응
산화 :
환원 :
예 :
산화제와 환원제
산화제 :
환원제 :
예 :
D 산화 환원 반응식
산화 환원 반응식 완성하기(산화수법) :
산화 환원 반응식의 양적 관계 :

02 화학 반응에서 열의 출입

개념책: 276~280 쪽

A 화학 반응에서 열의 출입과 이용

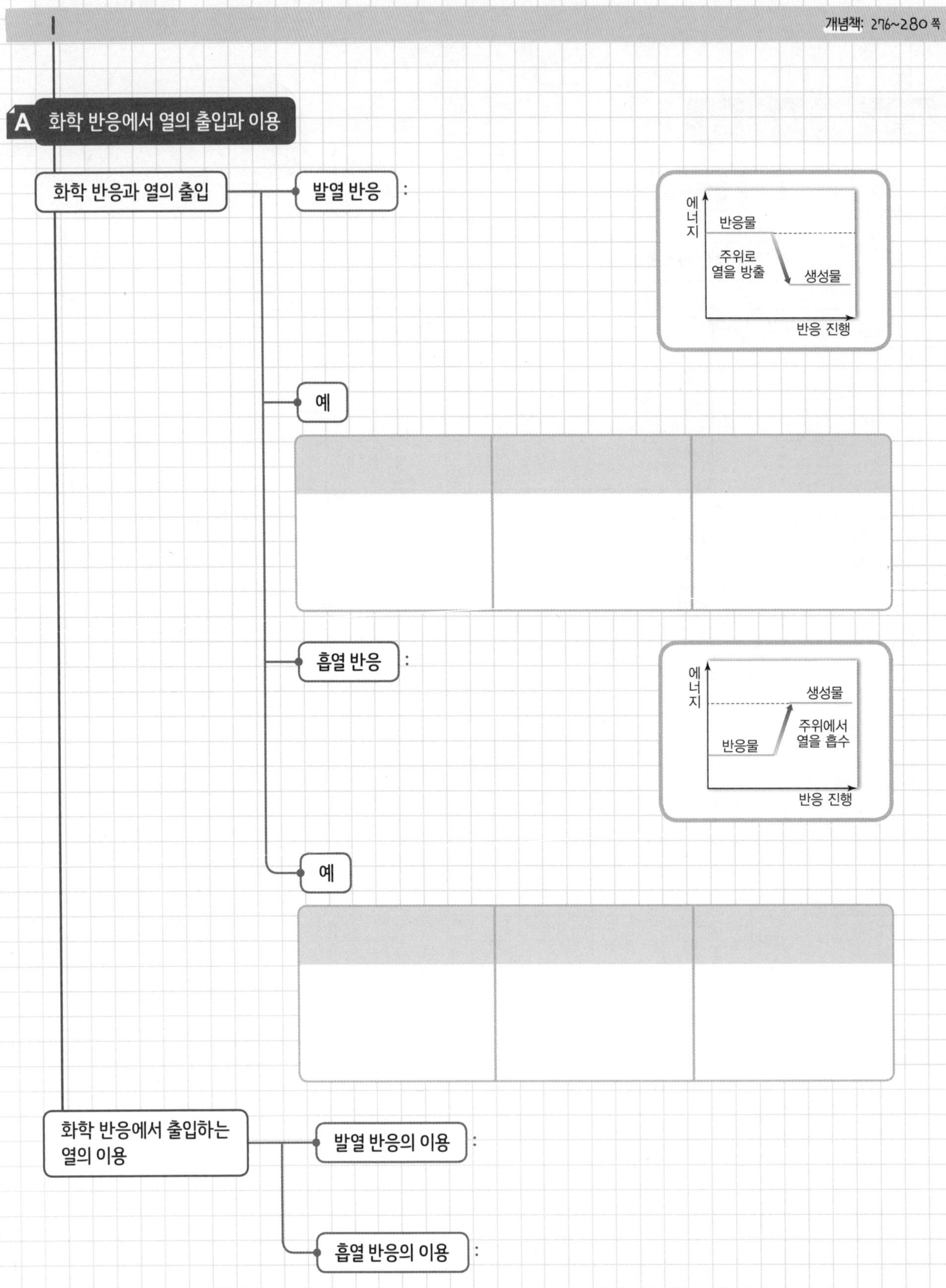

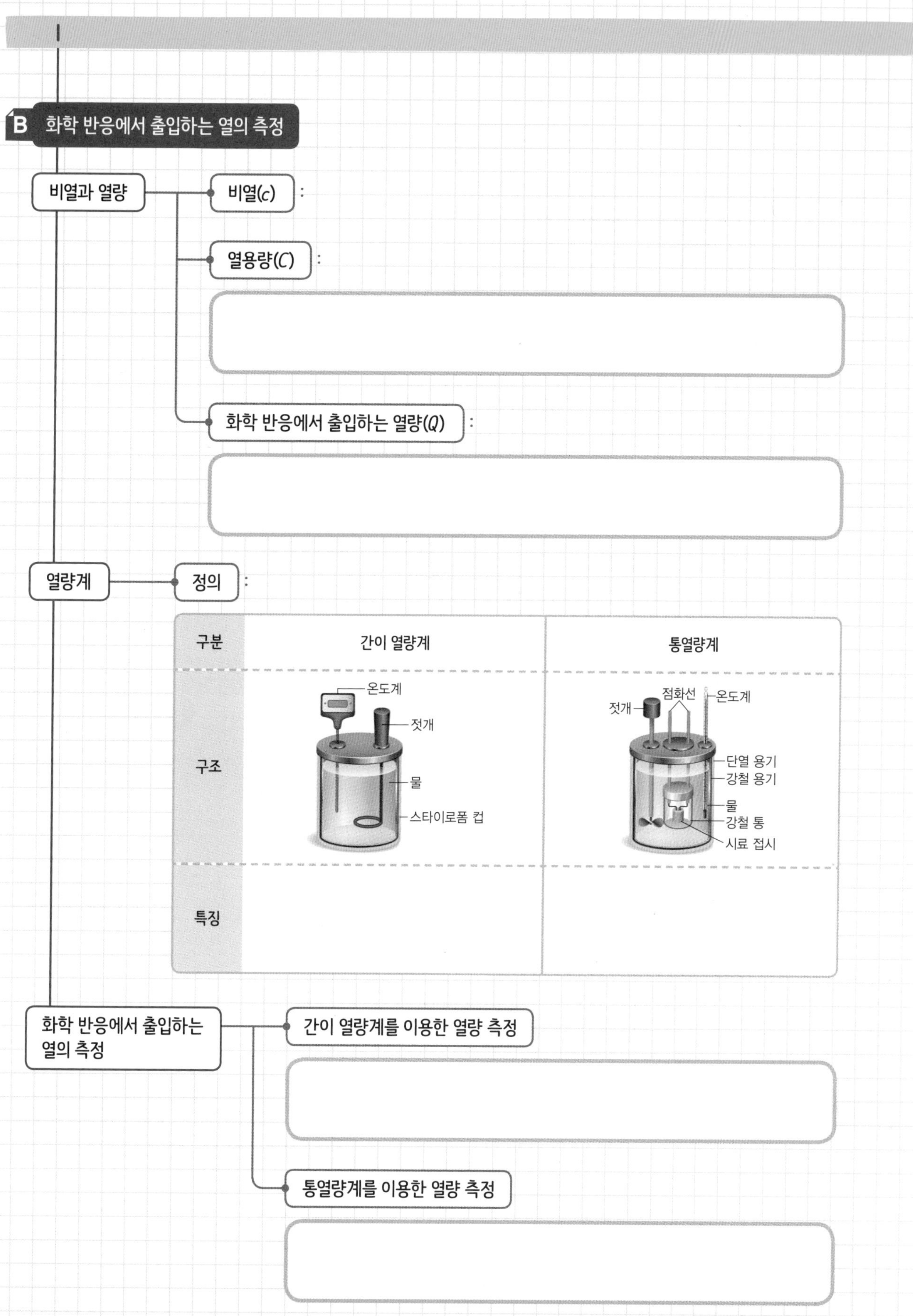
B 화학 반응에서 출입하는 열의 측정
비열과 열량
비열(c) :
열용량(C) :
화학 반응에서 출입하는 열량(Q) :
열량계
정의 :
구분
간이 열량계
통열량계
구조
온도계
젓개
물
스타이로폼 컵
젓개
점화선
온도계
단열 용기
강철 용기
물
강철 통
시료 접시
특징
화학 반응에서 출입하는 열의 측정
간이 열량계를 이용한 열량 측정
통열량계를 이용한 열량 측정

단원 정리하기

그림으로 정리하기

• 그림에 자신만의 설명을 덧붙여 단원의 핵심 내용을 정리해 보자.

1 용액 속 이온의 농도와 pH, pOH(25℃)

• 순수한 물에 산을 넣을 때

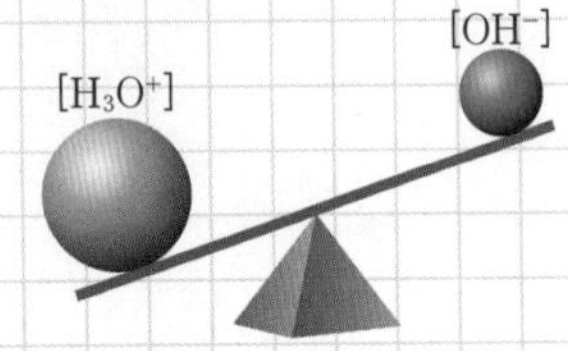

① 이온의 농도 비교: ____________

② pH, pOH 비교: ____________

• 순수한 물

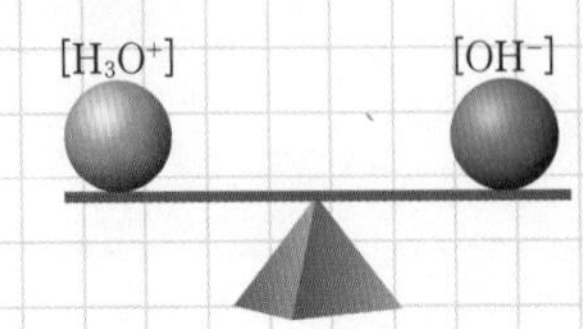

① 이온의 농도 비교: ____________

② pH, pOH 비교: ____________

• 순수한 물에 염기를 넣을 때

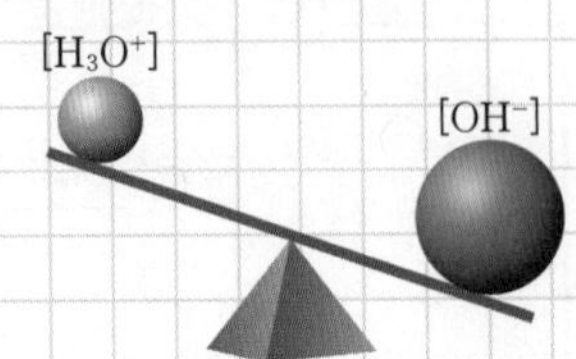

① 이온의 농도 비교: ____________

② pH, pOH 비교: ____________

2 이온 결합, 공유 결합 물질에서 각 원자의 산화수

• 이온 결합 물질(NaCl)

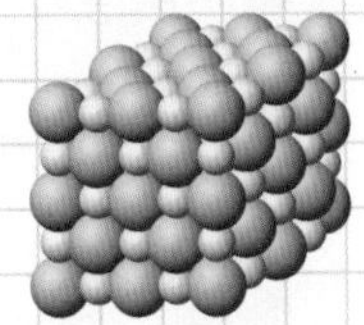

____

____

____

• 공유 결합 물질(HCl)

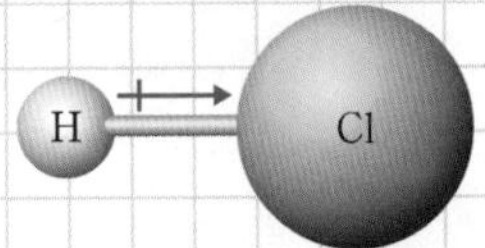

____

____

____

3 화학 반응과 열의 출입

• 발열 반응

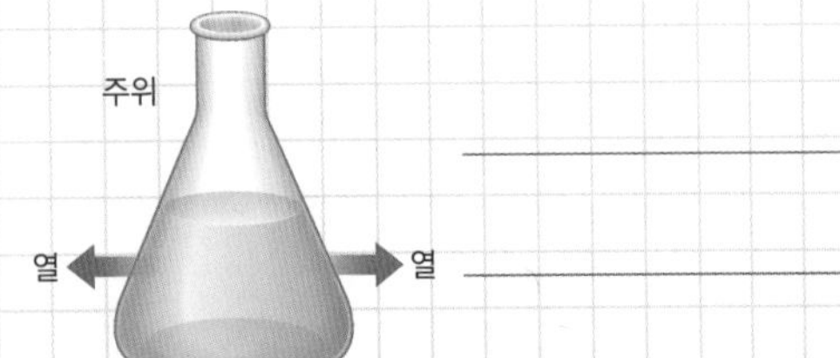

____

____

____

• 흡열 반응

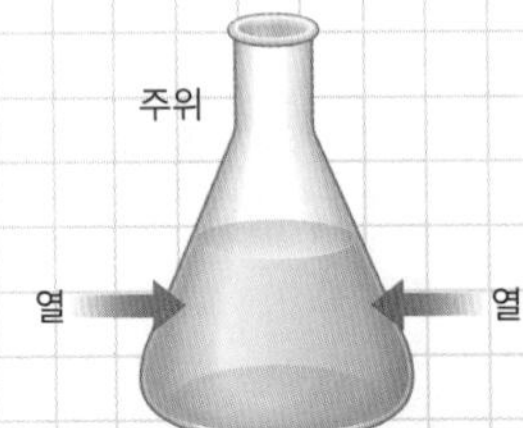

____

____

____

마인드맵으로 정리하기

◎ 자신만의 마인드맵을 만들어 단원의 핵심 내용을 정리해 보자.

집중력을 높이는 컬러링! note